P9-DIY-875

# Gran Atlas Universal

### Delta del Mississippi (EUA)

Además de ser el cuarto río más largo del mundo, el Mississippi es uno de los más caudalosos, ya que vierte al mar una media de 20.000 metros cúbicos por segundo. Cada año, esa ingente cantidad de agua arrastra dos millones de toneladas de partículas sólidas y las deposita en el enorme delta que se forma más allá de Nueva Orleans. En la imagen, el extremo del delta, donde las aguas del *Old Man River* se mezclan con las del golfo de México.

# Gran Atlas Universal

## Sumario

# CAPÍTULO 2
## América del Norte y el Caribe

# CAPÍTULO 3
## América del Sur, Central y la Antártida

# CAPÍTULO 4
## Europa

**Una enorme caldera** Considerado el cráter más activo del mundo, el Kilauea permanece en erupción desde 1983. Los ríos de lava que expulsa modifican el paisaje de la isla de Hawai –se encuentra en el Parque Nacional de los Volcanes, Patrimonio de la Humanidad desde 1987–. Las dimensiones del cráter son gigantescas: cuatro kilómetros de diámetro y 120 metros de profundidad.

# Planisferio físico

Tierra de Ellesmere
160 0
80 N
120 0
Islas de la Reina Isabel
60 0
40 0
C. Nordeste
Mar de Beaufort
Isla Banks
Groenlandia
Mar de Groenlandia
Punta Barrow
Isla Victoria
pen. de Melville
Devon
Bahía de Baffin
Cuenca de Groenlandia
Cord. de Brooks
3050
Gunngjorn 3700
Mar de Noruega
Yukón Alaska
Mts. Mackenzie
Gran Lago del Oso
Tierra de Baffin
Jan Mayen
McKinley 6193
Cord. de Alaska
Cuenca de Noruega
6050
Islandia 2119
Mar de Bering
Gran Lago del Esclavo
Bahía de Hudson
Estr. de Davis
Is. Shetland 2503
Glittertind
Pen. de Alaska
Fosa de las Aleutianas
Golfo de Alaska
Estr. de Hudson
Estr. de Dinamarca
Islas Feroe
Mar del Norte
Islas Aleutianas
Robson 3954
Nelson
1676
Mar del Labrador
Dorsal de Reykianes
Irlanda
Gran Bretaña
Pen. del Labrador
Cabo Farvel
Isla Vancouver
L. Winnipeg
Terranova
Canal de la Mancha
Columbia
Missouri
L. Superior
G. de San Lorenzo
Cuenca del Labrador
Loira
Jura
Alpes
40 N
Snake
L. Michigan
L. Huron
San Lorenzo
C. Race
Cuenca de Europa Occidental
Golfo de Vizcaya
Mont Blanc 4807
C. Mendocino
Gran L. Salado
Platte
L. Erie
L. Ontario
San Pedro y Miquelón
Banco de Terranova
C. Finisterre
Pirineos
Ebro
3404
Coria
Fractura de Mendocino
Gran Cuenca
Elbert 4398
Arkansas
Mitchell 2037
Islas Azores
Pen. Ibérica
Tajo
3478
Islas Baleares
Cuenca del Pacífico Norte
Whitney 4418
Colorado
Llanura del Golfo
Apalaches
C. Hatteras
Plataforma de las Azores
Estrecho de Gibraltar
Madeira
Islas Hawai
Oahu
Guadalupe
R. Madre Oriental
Llanura del Golfo
Islas Bermudas
Cuenca Norteamericana
Islas Canarias
Toubkal 4165
Hawai
Cedros
Cabo San Lucas
Golfo de México
Florida
Trópico de Cancer
Plataforma de Cabo Verde
Ahaggar Tahat 3003
Johnston
Orizaba 5700
Cuba
Bahamas
Islas Turksy Caicos
Fosa de Puerto Rico
C. Blanco
Sahara
Tenere
Cuenca del Pacífico Central
Islas Revillagigedo
R. Madre del Sur
Tajumulco 4220
La Española 9129 Puerto Rico
Santt Kitts y Nevis
Plataforma de Cabo Verde
Islas de Cabo Verde
Mauritania
El Djouf
Clipperton
Jamaica
Mar Caribe
Antigua y Barbuda Guadalupe
C. Verde
Senegal
1948
Níger
Palmyra
6662
Pta. Gallinas
Dominica
Martinica
San Vicente
Santa Lucía
Barbados
Cuenca de Cabo Verde
Guinea
Camerún 4070
Tabuaeran
Cuenca de Guatemala
L. de Nicaragua
San José
5775
L. de Maracaibo
Las Granadinas
Tobago Trinidad
Dorsal de Sierra Leona
Cuenca de Sierra Leona
C. Palmas
Bioko Príncipe
Kiritimati
Ecuador
Isla del Coco
Nev. de Huila 5750
Andes
Orinoco
Roraima 2772
Maracaibo
S. Pedro y S. Pablo
Golfo de Guinea
Santo Tomé
Malpelo
Maturín
Macizo de las Guayanas
Fernando de Noronha
Cuenca de Guinea
Pagalu
Malden
Islas Galápagos
Chimborazo 6267
Caquetá
P. Neblina 3014
Ascensión
Cuenca de Angola
Starbuck
Pta. Pariñas
Amazonía
Juruá
Amazonas
Negro
Madeira
C. San Roque
Santa Elena
Islas Marquesas
Huascarán 6768
Tocantins
San Francisco
C. Frío
Cuenca del Perú
Corupuna 6426
Illampu 6882
Mato Grosso
Meseta Brasileña
Cuenca Brasileña
Arch. de Cook
Samoa Americano
Is. de la Sociedad
Lago Titicaca
Cordillera de los Andes
L. Poopó
Paraná
Pilcomayo
P. Bandeira 2890
Islas Trinidad
Dorsal del Atlántico Sur
Niue
Tahiti
Polinesia Francesa
Llullaillaco 6723
Fosa de Atacama
Chaco
Paraguay
C. Frío
S. del Mar
Dorsal de Río Grande
Rapa
Is. Tubuai
Pitcairn
Isla de Pascua
8066
Salado
Pampas
Uruguay
Río de la Plata
Tristan da Cunha
Cuenca de El Cabo
Dorsal de la Pascua
I. Ducie
Isla Sala y Gómez
San Félix
San Ambrosio
Aconcagua 6959
Paraná
Colorado
Cuenca Argentina
Gough
Archipiélago de Juan Fernández
Patagonia
Dorsal de las Ballenas
40 S
Océano Pacífico
I. de Chiloé
G. San Jorge
C. Tres Puntas
San Valentín 4058
Dorsal Índico-Atlántica
Cuenca del Pacífico Sur
Islas Malvinas
Georgias del Sur
Bouvet
Cuenca
Tierra del Fuego
Islas Sandwich del Sur
Cuenca
Estrecho de Magallanes
Cabo de Hornos
Atlántico-Índico-Antártica
Pacífico-Antártica
Estrecho de Drake
Islas Orcadas del Sur
Círculo Polar Antártico
Islas Shetland del Sur
160 0
120 0
60 0
40 0
0 0
I. Adelaida
I. Pedro
Mar de Bellingshausen
Isla Alejandra
Mar de Weddell
Tierra de la
Tierra de Byrd
Beckner
Tierra de Coats
Antá

Dorsal del Atlántico Norte
Océano Atlántico

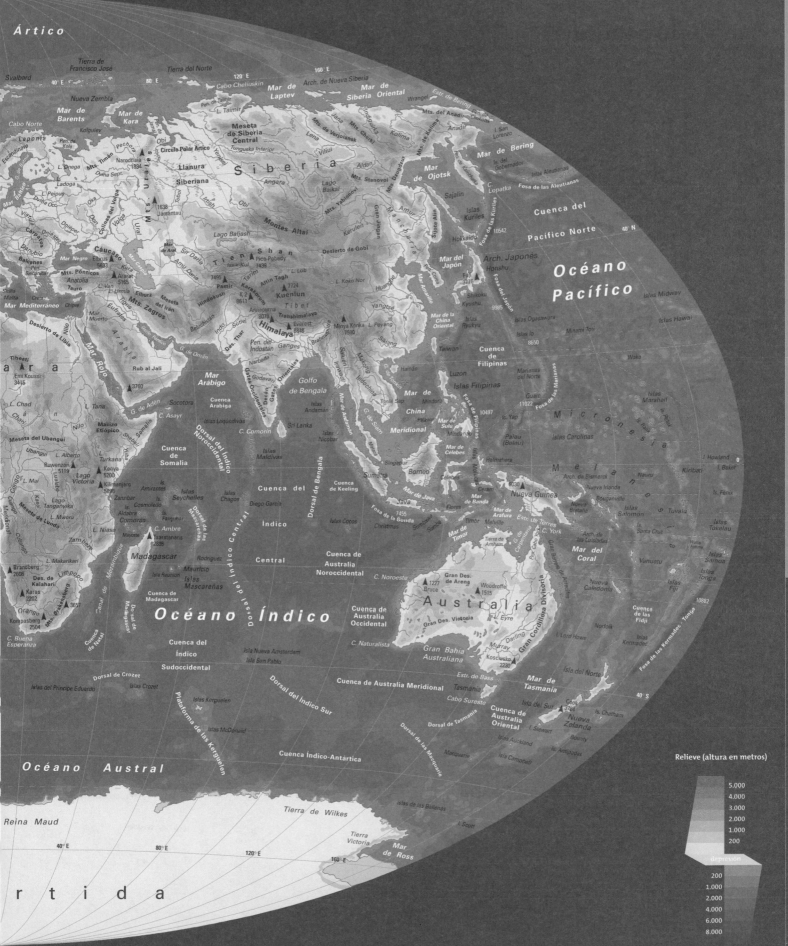

**Ártico**

Tierra de Francisco José
Svalbard
Tierra del Norte
Arch. de Nueva Siberia
Cabo Cheliuskin
120° E
160° E
80° E
Mar de Laptev
Mar de Siberia Oriental
Wrangel
Estr. de Bering
Nueva Zembla
Mar de Barents
Mar de Kara
Cabo Norte
Kolguiev
Mts. del Anadir
Pen. de Chukotka
I. San Lorenzo
Anadir
Laponia
Pen. de Kola
Pen. de Taimir
L. Taimir
Meseta de Siberia Central
Mts. de Verjoiansk
Mts. Cherki
Mts. del Koliom
Anadir
Mar de Bering
I. del Gobernador
Escandinava
Mts. Timan
Narodnaia 1894
Obi
Yenisei
Lena
Jana
Kolima
Mts. del Anadir
Is. Aleutianas
L. Onega
Dvina Sept.
Círculo Polar Ártico
Tunguska Inferior
Viliui
Aldan
I. Lopatka
Fosa de las Aleutianas
Ladoga
Llanura Siberiana
Angara
Mts. Stanovoi
C. Lopatka
Cuenca del
L. Peipus
Dvina Occ.
Siberia
Lago Baikal
Sajalin
Islas Kuriles
Fosa de las Kuriles
10542
Pacífico Norte
Mar Báltico
Oka
1638
Jamantau
Tobol
Irtish
Obi
Mts. Yablonovi
Gran Jingan
Amur
Manchuria
Sijote Alin
Hokkaido
40° N
Vístula
Colinas del Volga
Volga
Ural
Lago Baljash
Kerulen
Mar de Ojotsk
Mar del Japón
Honshu
Océano
Cárpatos
Dniéster
Don
Montes Altai
Pen. Corea
Arch. Japonés
Danubio
Cáucaso
Mar de Aral
Tien Shan
Desierto de Gobi
Fuji 3776
Pacífico
Balcanes
Mar Negro
Elbrus 5633
Sir Daria
Pico Pobedy 7439
Amur
Huangho
Shikoku
Mts. Pónticos
Ararat 5165
Kura
Issik-Kul
Tarim
L. Lob
Kyushu
9985
Islas Ogasawara
Anatolia Tauro
7495
Pamir
Karakorum
Altin Tagh 7724
L. Koko Nor
Islas Ryukyu
Islas Midway
Stkla
Mts. Zagros
Elburz
K2 8611
Hindukush
Kuenlun
Yangtsé
Mar de la China Oriental
Islas Io
Islas Hawai
Malta
Creta
L. Van
L. Urmia
Meseta del Irán
Annapurna 8078
Tibet
Minya Konka 7590
L. Poyang
Minami Tori
Chipre
Tigris
Transhimalaya
Everest 8848
Sikiang
Wako
Mar Mediterráneo
Eufrates
Arabia
Narbada
Sutlej
Himalaya
Brahmaputra
Taiwan
Cuenca de Filipinas
8650
Mar Muerto
Mar Rojo
Des. Thar
Ganges
Pen. del Indostán
Sikiang
Luzon
Marianas del Norte
Desierto de Libia
Nilo
Rub al Jali
3760
Indo
Godavari
Gates Orientales
Saluen
Mekong
Mar de China Meridional
Islas Filipinas
Guam 11022
Fosa de las Marianas
Sahara
Tibesti
Emi Koussi 3415
G. de Adén
C. Asayr
Mar Arábigo
Cuenca Arábiga
Decán
Gates Occidentales
Mar de Andamán
Golfo de Bengala
Tonle Sap
Mindoro
Mar de Sulu
10497
Is. Yap
Micronesia
L. Chad
Socotora
Islas Loquedivas
C. Comorin
Islas Andamán
Indochina
G. de Siam
Mindanao
Palau (Belau)
Is. Rask
L. Tana
Macizo Etiópico
Shebeli
Sri Lanka
Islas Nicobar
Islas Maldivas
Singapur
Mar de Celebes
Helmahera
Islas Carolinas
Nauru
Meseta del Ubangui
Nilo
Dorsal del Índico Noroccidental
Cuenca de Somalia
Islas Seychelles
Islas Chagos
Cuenca del
Cuenca de Keeling
Sumatra
Borneo
Celebes
8030
Arch. de Bismarck
Nueva Irlanda
Melanesia
Ubangui
L. Alberto
Turkana
Kenya 5200
Amirantes
Is. Cosmoledo
Diego Garcia
Mar de Java
Java
Mar de Banda
Nueva Guinea
Bougainville
Nueva Bretaña
Islas Solomon
Tuvalu
Ruwenzori 5119
Lago Victoria
Kilimanjaro 5895
Zanzíbar
Is. Fanquhar
Dorsal de las Mascareñas
Java
Fosa de la Sonda 7455
Flores
Mar de Arafura 6030
Santa Cruz
Congo
L. Mai
Kassai
Lago Tanganyika
L. Mweru
Aldabra
Comoras
Mayotte
Rodríguez
Islas Cocos
Christmas
Sumbawa
Timor
Melville
Arch. de las Luisiadas
Vanuatu
Islas Samoa
Meseta de Lunda
L. Niasa
C. Ambre
Isaratananis 2335
Indico
Cuenca de Australia Noroccidental
Mar de Timor
Tierra de Arnhem
G. de Carpentaria
Mar del Coral
Islas Fiji
Zambeze
Madagascar
Mauricio
Central
C. Noroeste
C. York
Gran Barrera de Arrecifes
Nueva Caledonia
Cuenca de las Fidji
Brandberg 2606
L. Makarikari
Limpopo
Isla Reunión
Islas Mascareñas
Cuenca de Madagascar
Cuenca de Australia Occidental
Gran Des. de Arena
Woodroffe 1515
Bruce 1227
Norfolk
I. Lord Howe
10882
Des. de Kalahari
Karas 2202
Drakensberg 3657
Cuenca del Índico Sudoccidental
C. Naturalista
Gran Des. Victoria
L. Eyre
Australia
Orange
Kompasberg 2504
Océano Índico
Cuenca de Australia Occidental
Isla Nueva Amsterdam
Isla San Pablo
Gran Bahía Australiana
Darling
Murray
Gran Cordillera Divisoria
Kosciusko 2230
Isla del Norte
C. Buena Esperanza
Dorsal de Crozet
Islas del Príncipe Eduardo
Islas Crozet
Dorsal del Indico Sur
Cuenca de Australia Meridional
Tasmania
Cabo Sureste
Estr. de Bass
Mar de Tasmania
Cook 3764
Is. Chatham
40° S
Plataforma de las Kerguelen
Islas Kerguelen
Islas McDonald
Dorsal de Tasmania
Cuenca de Australia Oriental
I. Stewart
Nueva Zelanda
Bounty
Cuenca Índico-Antártica
Dorsal de las Macquarie
Islas Auckland
Isla Campbell
Is. Antípodas
**Océano Austral**
Reina Maud
Islas de las Ballenas
40° E
80° E
120° E
160° E
Tierra de Wilkes
I. Scott
Tierra Victoria
Mar de Ross
**rtida**

Relieve (altura en metros)
5.000
4.000
3.000
2.000
1.000
200
depresión
200
1.000
2.000
4.000
6.000
8.000

# Planisferio político

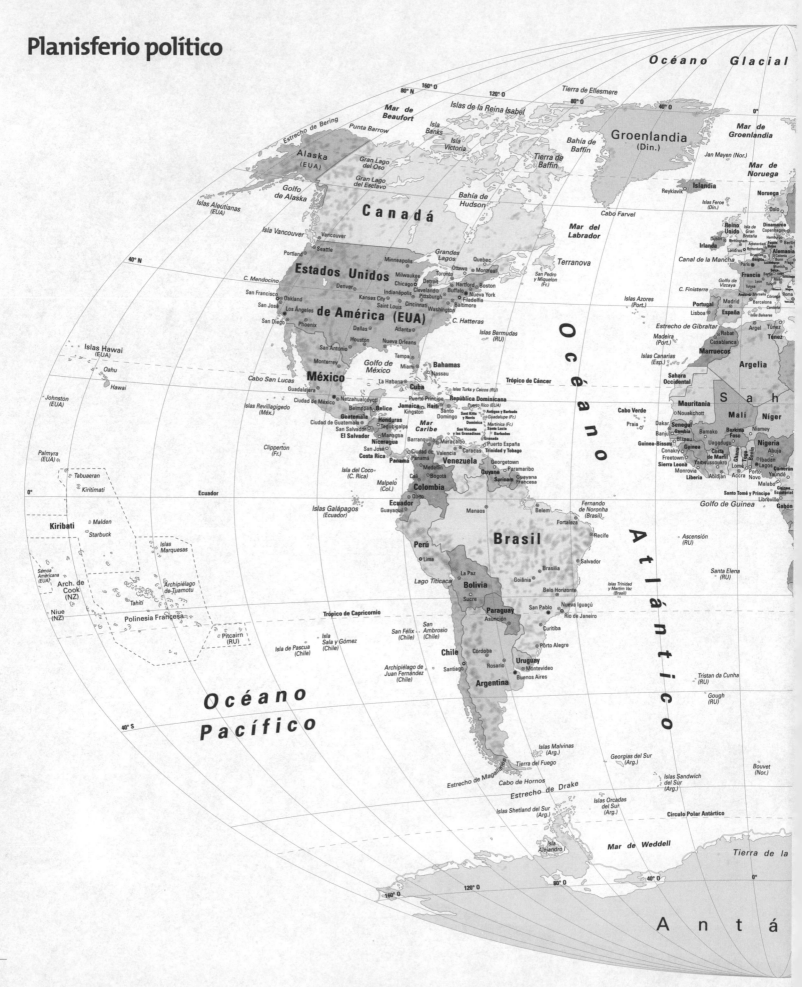

Océano Glacial

80° N · 160° O · 120° O · 80° O · 40° O · 0°

Tierra de Ellesmere
Islas de la Reina Isabel
Isla Banks
Isla Victoria
Mar de Beaufort
Estrecho de Bering
Punta Barrow
Alaska (EUA)
Golfo de Alaska
Islas Aleutianas (EUA)
Gran Lago del Oso
Gran Lago del Esclavo

Groenlandia (Din.)
Bahía de Baffin
Tierra de Baffin
Mar de Groenlandia
Jan Mayen (Nor.)
Islandia
Reykiavik
Islas Feroe (Din.)
Mar de Noruega
Noruega
Oslo

**Canadá**
Isla Vancouver
Vancouver
Portland
Seattle
Minneapolis
Grandes Lagos
Ottawa
Montreal
Quebec
Toronto
Bahía de Hudson
Cabo Farvel
Mar del Labrador
Terranova

40° N

**Estados Unidos de América (EUA)**
C. Mendocino
San Francisco
Oakland
San José
San Diego
Los Ángeles
Denver
Milwaukee
Chicago
Detroit
Cleveland
Pittsburgh
Cincinnati
Indianápolis
Kansas City
Saint Louis
Washington
Baltimore
Buffalo
Nueva York
Filadelfia
Boston
Hartford
San Pedro y Miquelón (Fr.)
Islas Azores (Port.)
Canal de la Mancha
Reino Unido
Irlanda
Dublín
Londres
Alemania
Francia
París
Portugal
Lisboa
España
Madrid
Barcelona
C. Finisterre
Golfo de Vizcaya

Roma

**Océano Atlántico**

Dallas
Atlanta
Houston
San Antonio
Nueva Orleans
Monterrey
Golfo de México
Tampa
Miami
C. Hatteras
Islas Bermudas (RU)

Islas Hawai (EUA)
Oahu
Hawai
Johnston (EUA)

**México**
Cabo San Lucas
Guadalajara
Ciudad de México
Netzahualcóyotl
Islas Revillagigedo (Méx.)

La Habana
**Cuba**
Nassau
**Bahamas**
Trópico de Cáncer
Islas Turks y Caicos (RU)
**República Dominicana**
Puerto Rico (EUA)
Santo Domingo
Puerto Príncipe
**Jamaica** **Haití**
Kingston
Antigua y Barbuda
Guadalupe (Fr.)
Martinica (Fr.)
Santa Lucía

Islas Canarias (Esp.)
Sáhara Occidental
Madeira (Port.)
Estrecho de Gibraltar
Marruecos
Rabat
Casablanca
Argel
Túnez
**Argelia**
S a h

Cabo Verde
Praia
**Mauritania**
Nouakchott
Dakar
**Senegal**
Banjul
Gambia
Bissau
Guinea-Bissau
Conakry
Freetown
**Sierra Leona**
Monrovia
**Liberia**
**Malí**
Bamako
Burkina Faso
Uagadugú
Niamey
**Níger**
**Nigeria**
Abuja
Lagos
Ibadán
Costa de Marfil
Yamoussoukro
Abidjan
Accra
Lomé
Togo
Benín
Porto Novo
Camerún
Yaundé
Gabón
Malabo
Guinea Ecuatorial
Libreville

Clipperton (Fr.)

Palmyra (EUA)

Guatemala
Ciudad de Guatemala
**Honduras**
San Salvador
Tegucigalpa
**El Salvador**
Managua
**Nicaragua**
San José
**Costa Rica**
**Belice**
Belmopán
**Mar Caribe**
San Vicente y las Granadinas
Granada
Barbados
Trinidad y Tobago
Puerto España
Barranquilla
Maracaibo
Valencia
Caracas
Ciudad de Panamá
**Panamá**
Medellín
**Venezuela**
Georgetown
Paramaribo
**Guyana**
**Surinam**
Guayana Francesa

Golfo de Guinea
Santo Tomé y Príncipe

0°

Kiritimati
Tabuaeran
**Kiribati**
Malden
Starbuck
Islas Marquesas

Isla del Coco (C. Rica)
Malpelo (Col.)
Cali
**Colombia**
Bogotá
Quito
**Ecuador**
Guayaquil
Islas Galápagos (Ecuador)
Manaos
Belem
Fernando de Noronha (Brasil)
Ascensión (RU)

Ecuador

Samoa Americana (EUA)
Arch. de Cook (NZ)
Archipiélago de Tuamotu
Tahití
Niue (NZ)
Polinesia Francesa

Pitcairn (RU)

**Perú**
Lima
Lago Titicaca
La Paz
**Bolivia**
Sucre
**Brasil**
Brasilia
Goiânia
Fortaleza
Recife
Salvador
Belo Horizonte
Islas Trinidad y Martim Vaz (Brasil)
Santa Elena (RU)

Trópico de Capricornio
Isla de Pascua (Chile)
Isla Sala y Gómez (Chile)
San Félix (Chile)
San Ambrosio (Chile)
San Pablo
**Paraguay**
Asunción
Nueva Iguaçú
Río de Janeiro
Curitiba
Pôrto Alegre
Córdoba
Rosario
**Uruguay**
Montevideo
Buenos Aires
Tristan da Cunha (RU)
Gough (RU)

Archipiélago de Juan Fernández (Chile)
Santiago
**Chile**
**Argentina**

# Océano Pacífico

40° S

Islas Malvinas (Arg.)
Tierra del Fuego
Estrecho de Magallanes
Cabo de Hornos
Estrecho de Drake
Georgias del Sur (Arg.)
Bouvet (Nor.)
Islas Sandwich del Sur (Arg.)
Islas Orcadas del Sur (Arg.)
Islas Shetland del Sur (Arg.)
Círculo Polar Antártico

160° O · 120° O · 80° O · 40° O · 0°

Isla Alejandro I
Mar de Weddell
Tierra de la

A n t á

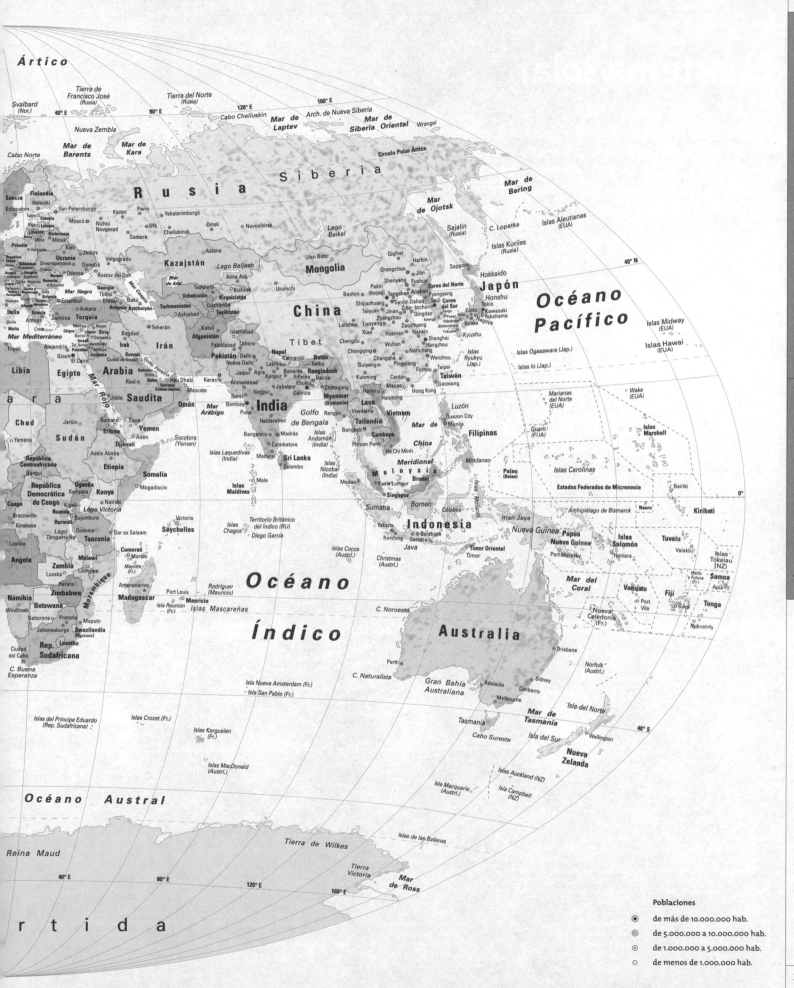

Ártico

Svalbard
(Nor.)

Tierra de
Francisco José
(Rusia)

40° E    80° E    120° E    Tierra del Norte
                            (Rusia)

160° E

Cabo Cheliuskin

Nueva Zembla

Cabo Norte

Mar de
Barents

Mar de
Kara

Mar de
Laptev

Arch. de Nueva Siberia

Mar de
Siberia Oriental    Wrangel

S i b e r i a

Círculo Polar Ártico

Mar de
Bering

Suecia    Finlandia

Estocolmo    Helsinki

Riga    Letonia
Lituania
Bielorrusia
Minsk

San Petersburgo

Moscú    Nizhni
Novgorod

Kazan    Perm

Ufa

Yekaterimburgo

Omsk

Novosibirsk

R u s i a

Astana

Lago
Baikal

Mar de
Ojotsk

Sajalín
(Rusia)

C. Lopatka

Islas Aleutianas
(EUA)

Islas Kúriles
(Rusia)

Mar de
Bering

Polonia

República
Checa

Ucrania

Kiev

Dnepropetrovsk    Donetsk

Rostov del Don

Volgogrado

Samara

Cheliabinsk

Kazajstán

Lago Baljash

Ulan Bator

Qiqihar

Changchun    Harbin

Jilin

Sapporo

Hokkaido

40° N

Mar Negro

Georgia    Tbilisi

Estambul

Ankara

Mar
de Aral

Tashkent

Alma Atá

Bishkek

Mongolia

Shenyang    Fushun

Corea del Norte

Pyongyang

Japón

Honshu

Turquía

Armenia    Azerbaiyán

Mar Caspio

Bakú

Uzbekistán

Kirguizistán

Urumchi

Baotou
(Beijing)
Pekín

Tangshan    Anshan

Tianjin    Dalian    Inchon

Seúl    Corea
del Sur

Tokio

Kawasaki
Yokohama

Océano
Pacífico

Teherán

Ashjabad

Turkmenistán

Dushanbe

Tayikistán

China

Shijiazhuang

Taiyuan    Jinan

Zhengzhou    Zibo    Qingdao

Pusan

Kioto    Kobe    Osaka

Nagoya

Islas Midway
(EUA)

Kabul

Islamabad

Lanzhou

Xian    Huainan    Nankín

Kyushu

Islas Hawai
(EUA)

Afganistán

Faisalabad

Tíbet

Chengdu

Luoyang

Zhengzhou

Wuhan

Shanghai

Hangzhou

Pakistán    Delhi

Nueva Delhi

Nepal

Katmandú

Bután

Timbú

Chongqing

Changsha

Nanchang

Wenzhou

Islas
Ryukyu
(Jap.)

Islas Ogasawara (Jap.)

Jaipur    Agra    Lakhnau    Benarés    Patna

Bangladesh

Guiyang

Pingxiang

Taipei

Islas Io (Jap.)

Karachi

Ahmadabad

Kanpur

Jabalpur

Calcuta

Dacca

Chittagong

Kunming

Cantón

Macao

Hong Kong

Taiwán

Gaoxiong

Mar de
China

Marianas
del Norte
(EUA)

Wake
(EUA)

Surat

Bombay

India

Nagpur

Pune

Haidarabad

Golfo
de Bengala

Myanmar
(Birmania)

Hanoi

Haiphong

Laos

Rangún

Vientiane

Vietnam

Luzón

Quezon City    Manila

Meridional

Guam
(EUA)

Islas
Marshall

Bangalore    Madrás

Coimbatore

Islas Laquedivas
(India)

Madurai

Sri Lanka

Colombo

Islas
Andamán
(India)

Tailandia

Bangkok

Camboya

Phnom Penh

He Chi Minh

China

Filipinas

Islas Carolinas

Islas
Nicobar
(India)

Kuala Lumpur

Brunei

Palau
(Belau)

Estados Federados de Micronesia

Bairiki

Islas
Maldivas

Male

Medan

Malaysia

Singapur

Mar del
Coral

0°

Territorio Británico
del Índico (RU)

Diego García

Sumatra

Yakarta    Borneo    Célebes

Bandung

Surabaya

Semarang

Indonesia

Irian Jaya

Nueva Guinea

Papúa
Nueva Guinea

Nueva Guinea

Islas
Salomón

Honiara

Nauru

Tuvalu

Vaiaku

Kiribati

Islas Chagos

Islas Cocos
(Austrl.)

Christmas
(Austrl.)

Java

Timor

Timor Oriental

Port Moresby

Islas
Tokelau
(NZ)

Samoa

Apia

Rodríguez
(Mauricio)

Océano

Vanuatu

Port
Vila

Fiji

Suva

Tonga

Nukualofa

Océano
Índico

Isla Reunión
(Fr.)    Islas Mascareñas

Mauricio

C. Noroeste

Nueva
Caledonia
(Fr.)

Australia

Brisbane

Norfolk
(Austrl.)

Perth

C. Naturalista

Gran Bahía
Australiana

Adelaida    Canberra

Sidney

Melbourne

Isla del Norte

40° S

Isla Nueva Amsterdam (Fr.)

Isla San Pablo (Fr.)

Tasmania

Mar de
Tasmania

Cabo Sureste    Isla del Sur    Wellington

Islas Crozet (Fr.)

Islas del Príncipe Eduardo
(Rep. Sudafricana)

Nueva
Zelanda

Islas Kerguelen
(Fr.)

Islas MacDonald
(Austrl.)

Islas Auckland (NZ)

Isla Macquarie
(Austrl.)

Isla Campbell
(NZ)

Océano    Austral

Reina Maud

40° E    80° E    120° E

160° E

Tierra de Wilkes

Islas de las Ballenas

Tierra
Victoria

Mar
de Ross

r t i d a

Poblaciones

◉  de más de 10.000.000 hab.

◉  de 5.000.000 a 10.000.000 hab.

◎  de 1.000.000 a 5.000.000 hab.

○  de menos de 1.000.000 hab.

Nuestro sistema solar, situado en la periferia de la Vía Láctea, consta del Sol, una estrella central de masa media y bastante corriente, pues es de las que más abundan en el universo, y su familia de planetas, satélites, asteroides y cometas. Se conocen nueve planetas, más de 60 lunas y millones de asteroides rocosos y de cometas con su núcleo de hierro.

*Júpiter*

*Saturno*

*Urano*

*Inclinación axial de 2°*

*Perpendicular al plano orbital*

*Eje de rotación*

*Inclinación axial de 2°*

*Perpendicular al plano orbital*

*Eje de rotación*

*Inclinación axial de 23,4°*

*Eje de rotación*

*Perpendicular al plano orbital*

*Inclinación axial de 24°*

*Eje de rotación*

*Perpendicular al plano orbital*

*Inclinación axial de 3,1°*

*Eje de rotación*

*Perpendicular al plano orbital*

### Mercurio
**Distancia media del Sol:** 58 millones de km (0,387 UA*)
**Diámetro medio:** 4.660 km
**Masa:** 326 trillones de tm
**Temperatura de la superficie:** de 350°C a −150°C
**Periodo de traslación:** 88 días
**Periodo de rotación:** 59 días
**Número de satélites:** 0
**Atmósfera:** no tiene; helio e hidrógeno procedentes del Sol.

### Venus
**Distancia media del Sol:** 108 millones de km (0,723 UA)
**Diámetro medio:** 12.196 km
**Masa:** 4.881 trillones de tm
**Temperatura de la superficie:** de 425°C a 75°C
**Periodo de traslación:** 225 días
**Periodo de rotación:** 243 días
**Número de satélites:** 0
**Atmósfera:** dióxido de carbono (96%), nitrógeno (3,5%)

### Tierra
**Distancia media del Sol:** 149,6 millones de km (1 UA)
**Diámetro medio:** 12.742 km
**Masa:** 5.975 trillones de tm
**Temperatura de la superficie:** de 70°C a −50°C
**Periodo de traslación:** 365 días
**Periodo de rotación:** 1 día
**Número de satélites:** 1
**Atmósfera:** nitrógeno (78%), oxígeno (21%) y argón (0,9%)

### Marte
**Distancia media del Sol:** 227,9 millones de km (1,524 UA)
**Diámetro medio:** 6.814 km
**Masa:** 643 trillones de tm
**Temperatura de la superficie:** de 22°C a −70°C
**Periodo de traslación:** 1,9 años
**Periodo de rotación:** 24,6 horas
**Número de satélites:** 2
**Atmósfera:** dióxido de carbono (95%), nitrógeno (2,7%) y argón (1,6%)

### Júpiter
**Distancia media del Sol:** 778,3 millones de km (5,203 UA)
**Diámetro medio:** 139.548 km
**Masa:** 1.896.700 trillones de tm
**Temperatura de la superficie:** −130°C
**Periodo de traslación:** 11,9 años
**Periodo de rotación:** 10 horas
**Número de satélites:** 16
**Atmósfera:** hidrógeno (90%) y helio (10%)

Entre las órbitas de Marte y Júpiter existe un **cinturón de millones de asteroides** rocosos. Se ha dicho que en un tiempo hubo allí un décimo planeta que explotó, dando lugar a los asteroides, pero más bien parece que estas rocas estuvieron ahí desde un principio y que el influjo de la enorme gravedad de Júpiter impidió que se concentraran para formar ese planeta. En la imagen, las dos caras del **asteroide Eros**, de 33 kilómetros de longitud, explorado por la NASA en el 2001.

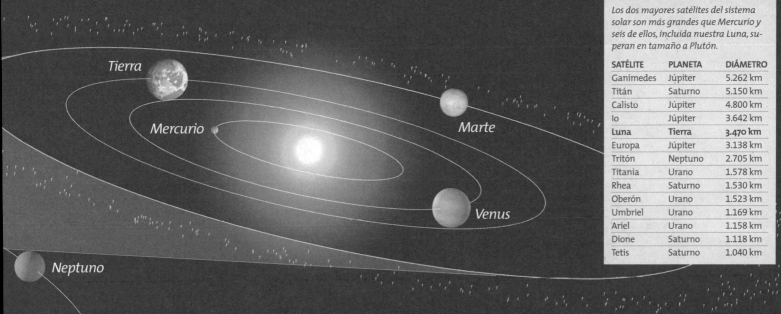

## Los mayores satélites

*Los dos mayores satélites del sistema solar son más grandes que Mercurio y seis de ellos, incluida nuestra Luna, superan en tamaño a Plutón.*

| SATÉLITE | PLANETA | DIÁMETRO |
|----------|---------|----------|
| Ganímedes | Júpiter | 5.262 km |
| Titán | Saturno | 5.150 km |
| Calisto | Júpiter | 4.800 km |
| Io | Júpiter | 3.642 km |
| **Luna** | **Tierra** | **3.470 km** |
| Europa | Júpiter | 3.138 km |
| Tritón | Neptuno | 2.705 km |
| Titania | Urano | 1.578 km |
| Rhea | Saturno | 1.530 km |
| Oberón | Urano | 1.523 km |
| Umbriel | Urano | 1.169 km |
| Ariel | Urano | 1.158 km |
| Dione | Saturno | 1.118 km |
| Tetis | Saturno | 1.040 km |

El sistema solar se originó hace unos 4.600 millones de años a partir de una vasta nube de gas y polvo interestelar. Alguna perturbación en esta nube ocasionó que la materia se fuera concentrando en una gran masa central, formada por átomos de hidrógeno, que dio lugar al Sol. Al mismo tiempo, alrededor de esta enorme masa central, la materia del resto de la nube se fue concentrando en los planetas rocosos interiores y los gaseosos exteriores. La mayor parte de las lunas se originaron al mismo tiempo que sus respectivos planetas. Muchos planetesimales congelados fueron arrojados a la periferia del sistema solar, donde forman un cascarón enorme conocido como la nube de Oort, de la cual surge la mayor parte de los cometas.

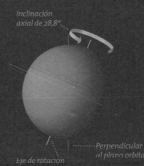

*Inclinación axial de 26,7°*

*Eje de rotación*

*Perpendicular al plano orbital*

*Inclinación axial de 97,9°*

*Eje de rotación*

*Perpendicular al plano orbital*

*Inclinación axial de 28,8°*

*Perpendicular al plano orbital*

*Eje de rotación*

*Perpendicular al plano orbital*

*Inclinación axial de 57,5°*

*Eje de rotación*

### Saturno
**Distancia media del Sol:** 1.427 millones de km (9,5 UA)
**Diámetro medio:** 116.900 km
**Masa:** 567.600 trillones de tm
**Temperatura de la superficie:** −180°C
**Período de traslación:** 29,7 años
**Período de rotación:** 10,5 horas
**Número de satélites:** 17
**Atmósfera:** hidrógeno (94%) y helio (6%)

### Urano
**Distancia media del Sol:** 2.869,6 millones de km (19,18 UA)
**Diámetro medio:** 51.000 km
**Masa:** 87.130 trillones de tm
**Temperatura de la superficie:** −190°C
**Período de traslación:** 83,7 años
**Período de rotación:** 10,7 horas
**Número de satélites:** 15
**Atmósfera:** hidrógeno (85%), helio (12%) y metano (3%)

### Neptuno
**Distancia media del Sol:** 4.496,6 millones de km (30,06 UA)
**Diámetro medio:** 44.730 km
**Masa:** 101.900 trillones de tm
**Temperatura de la superficie:** −220°C
**Período de traslación:** 166 años
**Período de rotación:** 15,8 horas
**Número de satélites:** 8
**Atmósfera:** hidrógeno (85%), helio (13%) y metano (2%)

### Plutón
**Distancia media del Sol:** 5.900 millones de km (39,44 UA)
**Diámetro medio:** 2.280 km
**Masa:** 1.075 trillones de tm
**Temperatura de la superficie:** −230°C
**Período de traslación:** 247,7 años
**Período de rotación:** 6,4 días
**Número de satélites:** 1
**Atmósfera:** nitrógeno (78%) y metano (22%)

**\*UA (Unidad Astronómica):** unidad de longitud astronómica equivalente a la distancia media entre el Sol y la Tierra.

# Los movimientos de la Tierra y la Luna

La Tierra realiza un movimiento de rotación alrededor de un eje perpendicular al ecuador. Este movimiento se ejecuta de oeste a este, a una velocidad de 1.675 kilómetros por hora, completando la vuelta en 23 horas y 56 minutos. Debido a la interacción gravitacional entre el Sol y la Luna, el eje de rotación de la Tierra no es fijo, sino que hace que su giro sea similar al de un trompo. Por este movimiento, conocido como de precesión, los polos describen una circunferencia completa en un período de 25.800 años.

## La órbita terrestre

En su traslación alrededor del Sol, la Tierra describe una órbita elíptica a una velocidad media de 106.560 km/h, tardando 365 días y 6 horas en completar una vuelta. Durante la traslación, la Tierra pasa por cuatro posiciones: los solsticios de verano e invierno y los equinoccios de primavera y otoño. En el hemisferio sur, el solsticio de verano corresponde al perihelio –la posición más cercana al Sol–, y el solsticio de invierno, al afelio –la más alejada del Sol–.

*Equinoccio de primavera*
*21 de marzo*

**Sol**

*Afelio*
*3 de julio*

*Solsticio de verano*
*22 de junio*

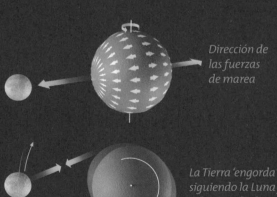

*Dirección de las fuerzas de marea*

*La Tierra 'engorda' siguiendo la Luna y se achata en la dirección perpendicular*

## Las mareas

Las mareas son el resultado de la atracción gravitatoria de la Luna y, en menor medida, del Sol en la superficie de los océanos. Se producen porque existen dos centros de mareas que están alineados con la Luna, siguiéndola en su des- plazamiento. Como la Tierra gira hacia el este, los centros de mareas se mueven hacia el oeste. El máximo nivel alcanzado por las mareas se llama plea- mar y el mínimo, bajamar, y se suceden en intervalos de unas seis horas.

## La órbita lunar y la eclíptica

El plano orbital de la Luna forma un ángulo de cinco grados con la eclíptica (el plano imaginario en el que se sitúa la órbita que describe el movimiento de la Tierra). Los nodos son los puntos en que la órbita lunar corta la eclíptica. Para que haya un eclipse de Luna, ésta ha de estar sobre un nodo, alineada con el Sol.

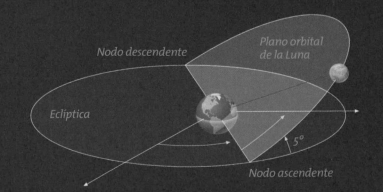

*Nodo descendente*

*Plano orbital de la Luna*

*Eclíptica*

*5°*

*Nodo ascendente*

**El Mont-Saint-Michel,** en la región francesa de Normandia, es una abadía medieval que fue declarada Patrimonio de la Humanidad tanto por su conjunto arquitectónico como por su entorno natural. Situada en la bahía homónima del Canal de la Mancha, disfruta una vez al mes y durante una semana de la Gran Marea, en la que el nivel del mar llega a subir –y bajar– más de 13 metros.

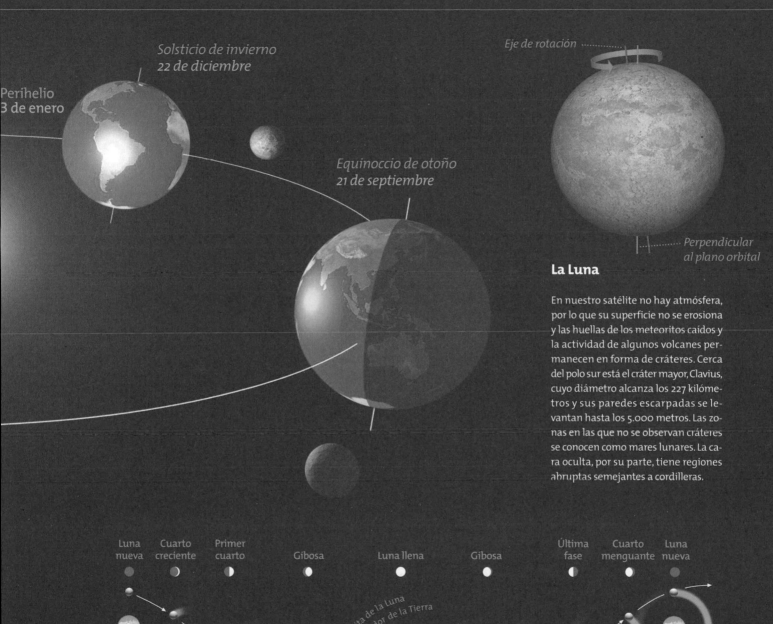

Solsticio de invierno
22 de diciembre

Perihelio
3 de enero

Equinoccio de otoño
21 de septiembre

Eje de rotación

Perpendicular
al plano orbital

## La Luna

En nuestro satélite no hay atmósfera, por lo que su superficie no se erosiona y las huellas de los meteoritos caídos y la actividad de algunos volcanes permanecen en forma de cráteres. Cerca del polo sur está el cráter mayor, Clavius, cuyo diámetro alcanza los 227 kilómetros y sus paredes escarpadas se levantan hasta los 5.000 metros. Las zonas en las que no se observan cráteres se conocen como mares lunares. La cara oculta, por su parte, tiene regiones abruptas semejantes a cordilleras.

Luna nueva · Cuarto creciente · Primer cuarto · Gibosa · Luna llena · Gibosa · Última fase · Cuarto menguante · Luna nueva

Órbita de la Luna alrededor de la Tierra

Órbita de la Tierra alrededor del Sol

Órbita de la Luna alrededor del Sol

## Rotación y traslación de la Luna

La Luna tarda lo mismo en dar una vuelta a la Tierra que en girar sobre sí misma, por lo que tiene igual periodo de rotación que de traslación. Ésa es la razón por la que siempre nos presenta la misma cara. Estos movimientos tienen un periodo de 27 días y un tercio, y están relacionados con el mes. El mes sidéreo es el tiempo que tarda la Luna en volver a encontrarse en la misma posición del cielo, tomando como referencia las estrellas lejanas fijas.

Las diferentes fases lunares se producen dependiendo de la posición de la Luna respecto al Sol. Por ejemplo, cuando la Luna está entre el Sol y la Tierra, se encuentra en la fase de luna nueva. Entre dos lunas nuevas transcurren 29 días y medio, y se conoce como mes sinódico, que es el que se utiliza habitualmente en los calendarios.

# Husos horarios

Con la intención de igualar la medición del tiempo en todo el planeta, en 1912 se convino dividirlo en 24 husos horarios de una amplitud de 15°. Desde entonces, cada uno de ellos equivale a una hora. Por ello, los territorios que se encuentran dentro del mismo huso comparten el mismo horario. Teniendo al meridiano cero o de Greenwich (Reino Unido) como eje central, si se viaja hacia el este, se suma una hora por cada uno de los husos cruzados; si es hacia el oeste, se resta.

### El cómputo del tiempo

A lo largo de la historia, la humanidad ha utilizado todo tipo de artilugios y sistemas para medir el tiempo. Para establecer las horas solares se emplearon los relojes de sol, de agua y de arena, que culminaron en los mecánicos. Pero si bien el cálculo de las horas resultaba complejo, aún lo era más la medición de períodos temporales mayores. El egipcio fue uno de los primeros pueblos en confeccionar un calendario basado en la observación de las estrellas en el firmamento. En el norte de Europa se erigían círculos e hileras de piedras para identificar los solsticios de verano e invierno. Uno de los más célebres es el de Stonehenge, un complejo reloj-calendario situado al sur de Gran Bretaña.

● Los megalitos de Stonehenge se construyeron hace 3.500 años

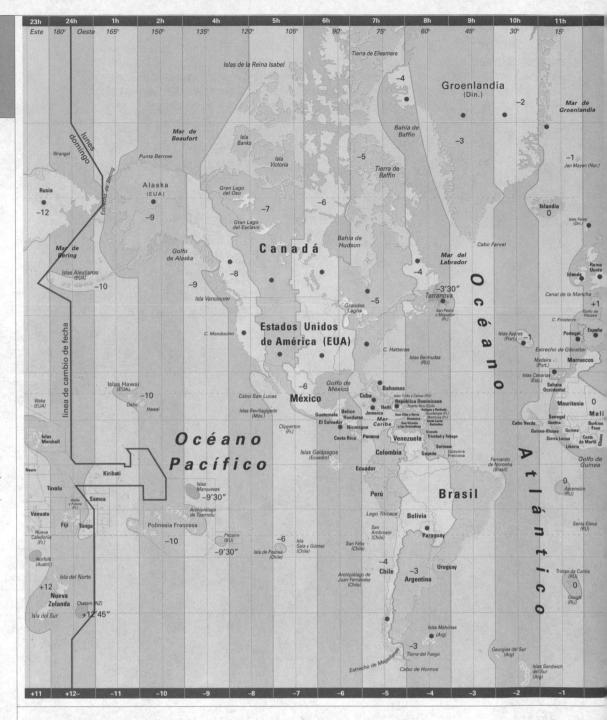

### El fenómeno del 'jet lag'

Con el nombre de *jet lag* se conoce la desincronización del ritmo biológico diario experimentado por los pasajeros aéreos que durante su desplazamiento atraviesan varios husos horarios. Este proceso resulta más intenso cuando se viaja en el sentido oeste-este y provoca una disminución de las capacidades intelectuales y físicas, además de trastornos digestivos leves. Desaparece en unos tres días, cuando el individuo se reajusta al ritmo temporal del entorno.

La ilustración adjunta sirve para ejemplificarlo. Un ejecutivo inicia a las 12 del mediodía un viaje desde el aeropuerto de Lima que lo llevará a Madrid, tras 12 horas de vuelo. Cuando el avión aterrice en la capital española, el reloj del viajero –y también su reloj interno– señalará las 12 de la noche. Sin embargo, la hora local de Madrid será las 6 de la mañana. El motivo: las diferencias horarias existentes en las distintas zonas del planeta.

Desde Guayaquil, el avión ha cruzado seis husos horarios, lo cual significa que se han acumulado diferencias horarias que suman seis horas. Por lo tanto, el ejecutivo ha consumido 18 horas en este viaje: las doce del vuelo, más otras seis debidas a los cambios horarios al cruzar cada huso.

A efectos prácticos, este proceso significa que cuando su reloj le indica la hora de acostarse (las 12 de la noche), en Madrid se inicia justo un nuevo día. El ejecutivo tiene dos opciones: no dormir e iniciar la jornada como los madrileños; o bien, ir al hotel a acostarse –por ejemplo, a las 8 de la mañana, dormir unas 8 horas y despertarse a las 4 de la tarde– con lo que al caer la noche en Madrid, tendrá serios problemas para conciliar el sueño.

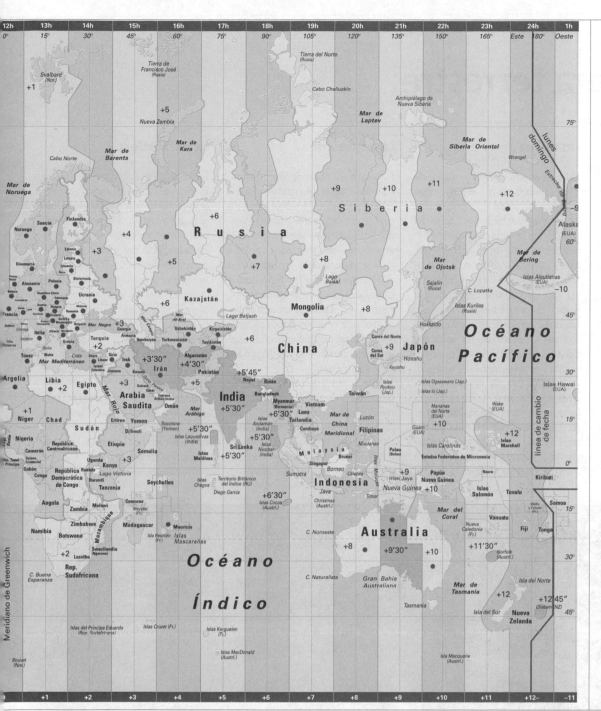

| 12h | 13h | 14h | 15h | 16h | 17h | 18h | 19h | 20h | 21h | 22h | 23h | 24h | 1h |
|---|---|---|---|---|---|---|---|---|---|---|---|---|---|
| 0° | 15° | 30° | 45° | 60° | 75° | 90° | 105° | 120° | 135° | 150° | 165° | Este 180° Oeste | |

Meridiano de Greenwich

Mar de Noruega · Svalbard (Nor.) · Tierra de Francisco José (Rusia) · Tierra del Norte (Rusia) · Cabo Cheliuskin · Archipiélago de Nueva Siberia · Mar de Laptev · Mar de Siberia Oriental · Wrangel · Estrecho de Bering · lunes domingo

Cabo Norte · Mar de Barents · Nueva Zembla · Mar de Kara · Alaska (EUA) · Mar de Bering

Noruega · Suecia · Finlandia · Rusia · Siberia · Islas Aleutianas (EUA) · Mar de Ojotsk

Dinamarca · Estonia · Letonia · Lituania · Kazajstán · Lago Baikal · Sajalín (Rusia) · C. Lopatka · Islas Kuriles (Rusia) · Mongolia · Hokkaido

Alemania · Polonia · Bielorrusia · Ucrania · Kirguizistán · China · Japón · Honshu · Kyushu · Corea del Norte · Corea del Sur

Francia · Italia · Grecia · Turquía · Georgia · Armenia · Azerbaiyán · Turkmenistán · Tayikistán · Islas Ryukyu (Jap.) · Islas Ogassawara (Jap.) · Islas Io (Jap.) · Wake (EUA) · Islas Hawai (EUA)

Túnez · Mar Mediterráneo · Creta · Chipre · Siria · Irak · Irán · Pakistán · Nepal · Bután

Argelia · Libia · Egipto · Mar Rojo · Arabia Saudita · Omán · Mar Arábigo · India · Bangladesh · Myanmar (Birmania) · Vietnam · Taiwán · Marianas del Norte (EUA) · Guam (EUA) · Islas Marshall

Níger · Chad · Sudán · Eritrea · Yemen · Djibouti · Socotora (Yemen) · Islas Laquedivas (India) · Sri Lanka · Islas Andamán (India) · Islas Nicobar (India) · Laos · Tailandia · Camboya · Meridional · Luzón · Filipinas · Islas Carolinas · Estados Federados de Micronesia · Nauru · Papúa Nueva Guinea

Nigeria · República Centroafricana · Etiopía · Somalia · Uganda · Kenya · Malasia · Singapur · Borneo · Célebes · Palau (Belau) · Irian Jaya · Nueva Guinea · Islas Salomón · Tuvalu · Kiribati

Camerún · Gabón · Guinea Ecuatorial · Sto. Tomé y Príncipe · Congo · República Democrática de Congo · Ruanda · Burundi · Tanzania · Lago Victoria · Seychelles · Territorio Británico del Índico (RU) · Sumatra · Java · Indonesia · Timor · Samoa · Wallis y Futuna (Fr.)

Angola · Zambia · Malawi · Comoras · Mayotte (Fr.) · Islas Chagos · Diego Garcia · Islas Cocos (Austrl.) · Christmas (Austrl.) · Mar del Coral · Vanuatu · Nueva Caledonia (Fr.) · Fiji · Tonga

Namibia · Botswana · Zimbabwe · Mozambique · Madagascar · Isla Reunión (Fr.) · Islas Mascareñas · Australia · C. Noroeste · Norfolk (Austrl.)

Swazilandia (Ngwane) · Lesotho · Rep. Sudafricana · C. Buena Esperanza · C. Naturalista · Gran Bahía Australiana · Mar de Tasmania · Isla del Norte · Nueva Zelanda

Océano Pacífico · Océano Índico

Islas del Príncipe Eduardo (Rep. Sudafricana) · Islas Crozet (Fr.) · Islas Kerguelen (Fr.) · Islas MacDonald (Austrl.) · Isla del Sur · Tasmania · Isla Macquarie (Austrl.) · Bouvet (Nor.)

línea de cambio de fecha

| | +1 | +2 | +3 | +4 | +5 | +6 | +7 | +8 | +9 | +10 | +11 | +12– | −11 |

### Husos horarios

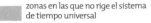

zonas en las que rige el sistema de tiempo universal (UTC)

zonas en las que no rige el sistema de tiempo universal

±3 diferencia entre la hora local y la hora de Greenwich

● países que cambian de horario en verano (tiempo normal + 1 hora)

○ Playa de la isla de Tarawa (Kiribati)

### Donde el día es más madrugador

Aunque algunos países están divididos por diferentes husos horarios, lo habitual es que todo el territorio de un estado comparta la hora oficial. Es el caso de la república de Kiribati, un archipiélago de la Polinesia situado en el océano Pacífico. En este país se adoptó el huso horario de la capital, Bairiki, con el fin de unificar la hora con las microislas situadas al este. De este modo se convirtió en el país con la hora más avanzada del planeta y, por lo tanto, donde se pudo ver levantar antes el primer día del siglo XXI –concretamente en Kiritimati, la antigua isla Navidad–. Algunos millonarios pagaron cifras astronómicas para estar presentes cuando el primer rayo de sol del nuevo siglo iluminó esa isla.

## Un viaje contra el reloj

Hora del pasajero

12:00 PM

Hora local

15:00 PM    18:00 PM    21:00 PM    0:00 AM    3:00 AM    6:00 AM

# La atmósfera terrestre

La atmósfera, la corteza de la biosfera, es una cubierta que envuelve a la Tierra, permite la vida en su interior y separa los seres vivos del espacio exterior. Está formada por una mezcla de gases y se divide en varias capas. La mezcla de gases alcanza su densidad máxima a nivel del mar y disminuye rápidamente con la altura. Casi toda la energía solar que llega a la Tierra se transforma en energía térmica atmosférica: los vientos la redistribuyen por la superficie del planeta y la disipan antes de su vuelta al espacio en forma de radiación infrarroja.

## Las nubes

Las nubes son masas de vapor de agua –evaporada por el calor– que se ha condensado en diminutas gotas de agua o hielo por acción del frío. Estas minúsculas gotas tienen un tamaño de entre dos y seis milésimas de milímetro (micras). Si la temperatura es muy inferior a los 0°C, las nubes se componen de finos cristales de hielo.

Las nubes se sostienen en la atmósfera por los movimientos verticales del aire, se transforman continuamente y se presentan bajo una gran variedad de formas: las cuatro principales se denominan cirros, cúmulos, estratos y nimbos, ya que así fueron clasificadas por el naturalista británico Luke Howard y sancionadas por la conferencia meteorológica internacional de Munich (1891).

## La troposfera

Es la capa más baja de la atmósfera. Contiene todos los cuerpos sólidos en suspensión y todo el agua en cualquiera de sus tres estados –sólido, líquido y gaseoso–. La troposfera representa alrededor del 80% de la masa total de la atmósfera y en ella ocurren todos los fenómenos meteorológicos (precipitaciones, vientos, etc). Tiene su espesor máximo sobre el ecuador, donde alcanza los 17 kilómetros, y el mínimo sobre los polos, donde apenas llega a los ocho kilómetros.

La temperatura desciende progresivamente con la altura, a razón de 6°C por kilómetro, hasta los –57°C en su límite superior. Este descenso, que depende de la latitud y de la época del año, es lo que se conoce como el gradiente vertical de la temperatura.

## La estratosfera

La estratosfera es la capa que sigue a la troposfera. En esta zona, la temperatura aumenta muy despacio hasta llegar a los 30 kilómetros de altitud, donde asciende bruscamente hasta los 80°C. Entre los 20 y 35 kilómetros se encuentra la capa de ozono, que se origina gracias a la absorción de la radiación solar ultravioleta por los átomos de oxígeno; este fenómeno es el que origina el brusco aumento de temperatura.

La estratosfera es muy seca en comparación con la troposfera y carece prácticamente de nubes. En el límite de la estratosfera, a unos 50 kilómetros de altitud, se halla la mesosfera –la capa más fría de la atmósfera–; le siguen la termosfera, la ionosfera y, finalmente, la exosfera, que se confunde con el espacio exterior.

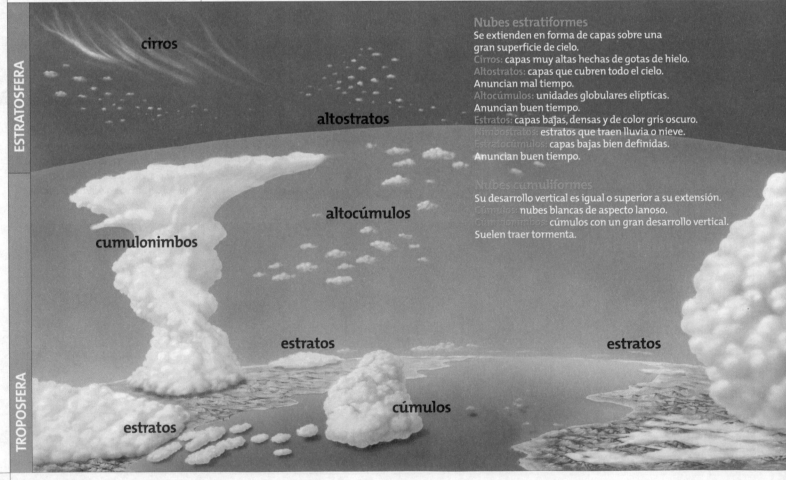

**ESTRATOSFERA**

**TROPOSFERA**

cirros

altostratos

altocúmulos

cumulonimbos

estratos

cúmulos

estratos

estratos

**Nubes estratiformes**
Se extienden en forma de capas sobre una gran superficie de cielo.
Cirros: capas muy altas hechas de gotas de hielo.
Altostratos: capas que cubren todo el cielo. Anuncian mal tiempo.
Altocúmulos: unidades globulares elipticas. Anuncian buen tiempo.
Estratos: capas bajas, densas y de color gris oscuro.
Nimbostratos: estratos que traen lluvia o nieve.
Estratocúmulos: capas bajas bien definidas. Anuncian buen tiempo.

**Nubes cumuliformes**
Su desarrollo vertical es igual o superior a su extensión.
Cúmulos: nubes blancas de aspecto lanoso.
Cumulonimbos: cúmulos con un gran desarrollo vertical. Suelen traer tormenta.

**La atmósfera terrestre** está compuesta en un 78% por **nitrógeno**, en un 21% por **oxígeno** y en un 0,9% por **argón**. El 0,1% restante está formado por una cantidad variable de vapor de agua y por varios gases que se encuentran en porciones tan pequeñas que se expresan en partes por millón: dióxido de carbono ($CO_2$), 340 ppm; neón (Ne), 18 ppm; helio (He), 5 ppm, y ozono ($O_3$), 12 ppm.

21% Oxígeno
0,1% Otros
0,9% Argón
78% Nitrógeno

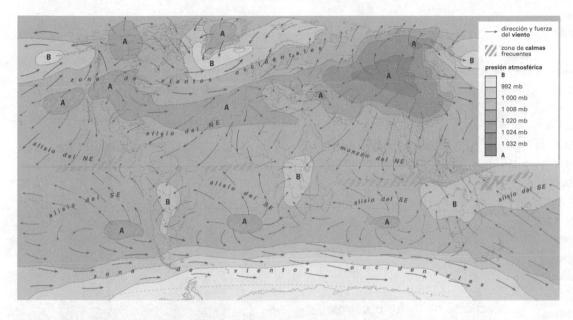

dirección y fuerza del **viento**

zona de **calmas** frecuentes

presión atmosférica

B
992 mb
1 000 mb
1 008 mb
1 020 mb
1 024 mb
1 032 mb
A

## La presión atmosférica y los vientos

La presión atmosférica normal está establecida en 760 milímetros de mercurio (mm) o 1.013 milibares (mb) al nivel del mar. Con este dato como referencia, se consideran altas presiones aquellas que sobrepasan los 780 mm o los 1.014 mb, y bajas a las que descienden hasta los 725 mm o 982 mb.

La existencia de diferentes presiones se debe a los desplazamientos verticales del aire, provocados por los cambios de temperatura. Cuando el aire se enfría se vuelve más denso y pesado. Entonces desciende y ejerce una alta presión que recibe el nombre de anticiclón. Por el contrario, cuando el aire se calienta, se vuelve más leve y asciende, formando a nivel del suelo una depresión, una zona de baja presión.

Las altas presiones se asocian, por tanto, a tiempos despejados, mientras que las bajas presiones se relacionan siempre con el tiempo nublado o tormentoso. En los mapas, las isobaras –líneas imaginarias que unen los lugares de idéntica presión– reflejan la media de las presiones anotadas durante varios años en los meses de enero y julio, épocas de mayor contraste.

Mientras en la mitad norte del planeta se advierten en verano los anticiclones de las islas Azores y Hawai como centros de alta presión, en la zona sur se mantienen las células de alta presión. Alrededor de los 30° de latitud, también se observan en los dos hemisferios otras zonas de altas presiones: los cinturones subtropicales. Asimismo, los polos son origen constante de altas presiones.

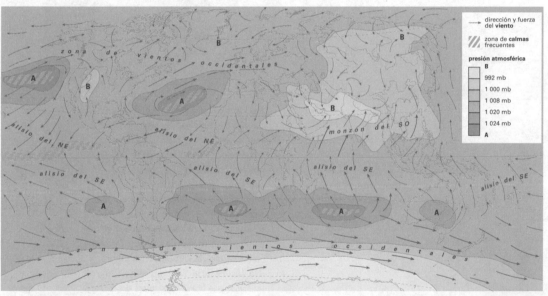

dirección y fuerza del **viento**

zona de **calmas** frecuentes

presión atmosférica

B
992 mb
1 000 mb
1 008 mb
1 020 mb
1 024 mb
A

## El balance de la energía

La superficie terrestre cede a la atmósfera la misma cantidad de energía que absorbe. De igual manera, la Tierra entera emite al espacio el mismo volumen de energía que ha absorbido del Sol. La temperatura media en la superficie terrestre es de 13°C, que es el valor adecuado para el desarrollo de la vida. Sin embargo, la temperatura global de la Tierra es de unos –18°C, nivel con el que se mantiene en equilibrio con el espacio.

Esta diferencia entre la temperatura media de la superficie y la temperatura media global se debe a que la energía que llega –incidente– se absorbe en la superficie terrestre y a alturas atmosféricas bajas, pero se emite desde alturas superiores de la atmósfera. La radiación infrarroja que la Tierra emite hacia el espacio queda reducida cuando la atmósfera es húmeda, ya que es absorbida en gran parte por el vapor de agua; luego se reemite en todas las direcciones y genera el llamado efecto invernadero.

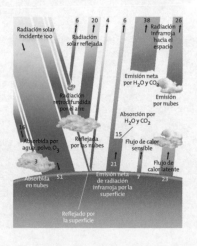

Radiación solar incidente 100
Radiación solar reflejada
6 20 4 6
Radiación infrarroja hacia el espacio
38 26
Emisión neta por $H_2O$ y $CO_2$
Emisión por nubes
Radiación retrodifundida por el aire
Absorción por $H_2O$ y $CO_2$
16
Reflejada por las nubes
15
Flujo de calor sensible
Absorbida por agua, polvo, $O_3$
3
7
Flujo de calor latente
Absorbida en nubes
51
Emisión neta de radiación infrarroja por la superficie
7 23
Reflejado por la superficie

**Desplazamiento del aire** Los vientos son los movimientos horizontales del aire que se desplaza de los anticiclones a las depresiones. En el ecuador, el aire cálido se eleva, forma una zona de baja presión y se dirige hacia los dos polos. A la inversa, el aire frío de las regiones polares desciende hacia el suelo y se desplaza hacia el ecuador.

Los alisios son vientos del este que soplan todo el año desde los trópicos hacia el ecuador. Los monzones son vientos periódicos que cambian de dirección según la estación del año.

# El ciclo del agua

Vivimos en un planeta de agua. Esta sustancia, esencial para toda forma de vida, cubre el 71% de la superficie del globo, estabiliza los climas de la Tierra y disuelve gran parte de los contaminantes. La totalidad del agua se reparte en varios compartimientos: mares, casquetes polares, ríos y lagos, aguas subterráneas, atmósfera y seres vivos. Existe un flujo continuo entre todos los compartimientos en un ciclo que se repite desde hace varios millones de años y que permite la continuidad de la vida, además de favorecer la evolución hasta la aparición, por el momento, de la especie humana.

**Aire cargado de humedad**

**Evaporación y transpiración: 71.000 km³**

**Precipitación sobre el propio océano: 385.000 km³**

**Evaporación de los océanos**

## Las corrientes marinas

Los vientos causan las corrientes marinas al transmitir la energía al agua mediante el rozamiento. La rotación terrestre origina el efecto de Coriolis, que provoca la desviación de las corrientes en el sentido de las agujas del reloj en el hemisferio norte y contrarreloj en el sur. El distinto grado de insolación de cada zona oceánica origina diferentes niveles de evaporación y, en consecuencia, cambios en la salinidad y la densidad. Esos cambios hacen que las aguas frías de las zonas polares tiendan a desplazarse hacia el fondo y que las aguas menos densas y más cálidas de otras latitudes ocupen su lugar.

0,003 % del agua de la Tierra es agua dulce disponible para los humanos. Se encuentra en ríos, lagos, en forma de vapor atmosférico o a poca profun-didad. Si el total de agua en la Tierra fuera de 100 litros, los humanos tan sólo podríamos utilizar 0,003 litros, o sea, media cucharilla de café.

**1%** Agua fácilmente accesible
**20%** Aguas subterráneas
**79%** Casquetes polares y glaciares
97% Agua salada
3% Agua dulce

**Transporte por el viento hacia el continente: 40.000 km³**

**Precipitación sobre los continentes: 111.000 km³**

**Hielo y nieve: 29 millones de km³ en todo el mundo**

**Lagos y ríos: 200.000 km³ en todo el mundo**

**Flujo de retorno (agua superficial + subterránea): 40.000 km³**

**Aguas subterráneas: 8 millones de km³ en todo el mundo**

# Océano Pacífico

48,9% de las zonas marítimas

**Área del Pacífico:**

| | |
|---|---|
| Océano Pacífico | 166.241.000 km² |
| Mar de China Meridional | 2.319.000 km² |
| Mar de Bering | 2.261.000 km² |
| Mar de Ojotsk | 1.528.000 km² |
| Mar de China Oriental | 1.248.000 km² |
| Mar Amarillo | 1.243.000 km² |
| Mar del Japón | 1.007.000 km² |

**Profundidad media:** 4.028 m
**Profundidad máxima:**
Fosa de las Marianas, 11.020 m
**Amplitud máxima de la marea:**
Delta del Colorado (*México*), 12,30 m
**Mayores islas:**
Nueva Guinea (*Indonesia/Papúa-Nueva Guinea*), 785.000 km²
Borneo (*Indonesia/Malaysia/Brunei*), 725.500 km²
Honshu (*Japón*), 227.400 km²
Célebes (*Indonesia*), 178.700 km²
Isla del Sur (*Nueva Zelanda*), 151.000 km²
Isla del Norte (*Nueva Zelanda*), 114.592 km²
Luzón (*Filipinas*), 108.172 km²
Mindanao (*Filipinas*), 99.311 km²
Hokkaido (*Japón*), 78.512 km²
Sajalin (*Rusia*), 76.400 km²

⊙ Costa del mar de Bismarck
(Papúa- Nueva Guinea)

Proyección cilíndrica de Mercator

0      3.500 km

Escala 1: 70.000.000    1 cm corresponde a 700 km

Provideniia
Nome
**A l a s k a**
Mts. Mackenzie
Gran Lago del Oso
Península de Melville
Naujaat
Tierra de Baffin
Península de Cumberland
Estr. de Davis
**Groenlandia**
Godthab

*Mar de Bering*
McKinley 6193
**Cord. de Alaska**
Anchorage
▲ 6050
Gran Lago del Esclavo
Southampton
Coats
Mansel
Península de Ungava
Estr. de Hudson
Cabo Chidley
Julianehab
Cabo Farvel

Islas Aleutianas
Seward
Juneau
Bahía de Hudson
Churchill
**Cuenca del Labrador**
▲ 1676
3809
*Mar del Labrador*

Pen. de Alaska
Golfo de Alaska
Prince Rupert
**Escudo Canadiense**
**Península del Labrador**

**Fosa de las Aleutianas** 7443
Robson 3954
**M o n t a ñ a s**
L. Winnipeg
Cabo Bauld

8167
**Terranova**
Saint John's

5408
Isla Vancouver
Vancouver
Cadena
L. Superior
Québec
Golfo de San Lorenzo
Banco de Terranova

**C u e n c a   d e l**
Seattle
Costera
**R o c o s a s**
Grandes
L. Michigan
L. Hurón
L. Ontario
Sept-Iles
Halifax
Sydney
Cabo Sable

7407
4175
3255
**Gran Cuenca**
L. Erie
Boston
Nueva York
**O c é a n o**

**P a c í f i c o**
C. Mendocino
Whitney ▲4418
Gran L. Salado
Llanuras
Montes Apalaches
Baltimore
**A t l á n t i c o**

5852
Elbert 4398
2037
Cabo Hatteras

**N o r t e**
5697
San Francisco
**Llanura del Golfo**
Jacksonville
5943
Is. Bermudas
6309

6456
Los Ángeles
San Diego
Guadalupe
Pen. de California
Mar de Cortés
S. Madre Occidental
Afripi. de México
S. Madre Oriental
Corpus Christi
Península de Florida
Miami
*Mar de los Sargazos*
**Cuenca de Norteamérica**

**Dorsal de las Hawai**
6231
5596
Cabo San Lucas
130
*Golfo de México*
Is. Bahamas
6996

I. Oahu Honolulu
Fractura de Clarión
Islas Revillagigedo
Tampico
Veracruz
Cancún
La Habana
**Cuba**
Fosa de Puerto Rico 9219
6671

**Islas Hawai**
Hawai
3292
Acapulco
Orizaba ▲5700
Península de Yucatán
La Española
Puerto Rico
Pequeñas Antillas

7022
**Fosa de México**
Tajumulco ▲4220
Jamaica
4347
**Cuenca de las Guayanas**

Johnston
**C u e n c a   d e l**
2798
6662
*Mar Caribe*

Palmyra
5235
Clipperton
**Cuenca de Guatemala**
L. Nicaragua
San José
Maracaibo
▲5775
**Llanos**
Trinidad
Georgetown
5018

7599
Tabuaeran
Kiritimati
4596
I. del Coco
Panamá
Nev. de Huila 5750
**Macizo de las Guayanas**
2772 Roraima
Paramaribo

**P a c í f i c o**
3782
Malpelo
P. Neblina ▲3014
Marajó

7315
Malden
5490
Chimborazo ▲6267
**A m a z o n i a**
Belém

**C e n t r a l**
Is. Galápagos
Pta. Pariñas
1829
6768 Huascarán

Starbuck
5340
Islas Marquesas
3621
6215

Islas Tokelau
**Dorsal de las Galápagos**
1929
3840
El Callao
Coropuna ▲6426
**Mato Grosso**
**Macizo**

7315
Tahití
Archipiélago de Tuamotu
4380
**C u e n c a**
4993
Mollendo
Illimani ▲6882
**del Brasil**

Is. de la Sociedad
**del Perú**
5298
Iquique
Antofagasta
**Gran Chaco**
Santos

Niue
Arch. de Cook
Is. Tubuai
2949
**Dorsal de Nazca**
**Cuenca de Chile** 7973
Llullaillaco ▲6723
Florianópolis

5322
I. Ducie
Isla de Pascua
Isla Sala y Gómez
Is. Desventurados
6959 ▲ Aconcagua
**Pampas**

Pitcairn
3188
Dorsal del Arch. Juan Fernández 660
Valparaíso
Montevideo
Buenos Aires

29
Rapa
Archipiélago Juan Fernández
Concepción
Mar del Plata

6035
5578
4938
4265
3246
Puerto Montt
Chiloé
Bahía Blanca

5267
**C u e n c a   d e l**
5203
San Valentín ▲4058
Comodoro Rivadavia
**Cuenca Argentina**

**P a c í f i c o**
**Dorsal de la Isla de Pascua**
2423
Puerto Deseado
6125

**S u r**
1615
**Cuenca Pacífico-Antártica**
Punta Arenas
Tierra del Fuego
Ushuaia
**Plataforma de Patagonia**

5331
Estrecho de Magallanes
Cabo de Hornos
Estrecho de Drake
**Dorsal del Scotia**
**Cuenca del Scotia** 7756

2110
5399

# Océano Atlántico

27,2% de las zonas marítimas

## Área del Atlántico

| | |
|---|---|
| Océano Atlántico | 88.557.000 km² |
| Mar Caribe | 2.512.000 km² |
| Mar Mediterráneo | 2.510.000 km² |
| Golfo de México | 1.544.000 km² |
| Bahía de Hudson | 1.233.000 km² |
| Mar del Norte | 575.000 km² |
| Mar Negro | 479.000 km² |
| Mar Báltico | 422.000 km² |

**Profundidad media:** 3.332 m

**Máxima profundidad:**

Fosa de Puerto Rico, 9.219 m

**Amplitud máxima de la marea:**

Bahía de Fundy *(Canadá)*, 19,60 m

**Mayores islas:**

Groenlandia *(Dinamarca)*, 2.175.600 km²

Tierra de Baffin *(Canadá)*, 507.500 km²

Gran Bretaña *(Reino Unido)*, 218.100 km²

Cuba, 110.900 km²

Terranova *(Canadá)*, 108.900 km²

Islandia, 102.950 km²

La Española *(Rep. Dominicana/Haití)*, 76.000 km²

Irlanda *(Irlanda/Reino Unido)*, 70.280 km²

Isla Grande de Tierra de Fuego *(Argentina/Chile)*, 47.000 km²

⚲ Costa y fiordo de Christianshab, en Groenlandia (Dinamarca)

Proyección cilíndrica de Mercator

0 ————————— 2.500 km

Escala 1: 50.000.000    1 cm corresponde a 500 km

S a h a r a

S u d á n

Guinea Meridional

Des. de Namib

Douala
4070
Bioko
Libreville
Santo Tomé y Príncipe
Port Gentil
Golfo de Guinea
Pointe-Noire
Luanda
Lobito
Benguela
Namibe
Swakopmund
Lüderitz
Ciudad de El Cabo

Guinea Septentrional
Lagos
Accra
Abidján

Cabo del Cabo

5475
4689
366
Cuenca del Cabo

Dorsal de las Ballenas

Dorsal Índico-Antártica
560
Bouvet
5859

Cuenca
Atlántico-Índico-Antártica

Nouadhibou
Saint Louis
3324
Dakar
C. Verde
Banjul
Bissau
Conakry
Freetown
Monrovia

Cuenca de Guinea
5629
5630

Cuenca de Angola

Dorsal de Sierra Leona
5695
6040
7728
2652

Cuenca de Sierra Leona

Ascensión
1965
1675

Santa Elena

A t l á n t i c o

514

Tristán da Cunha
Gough

S u r

3144

Is. de Cabo Verde
7292
5730
Cuenca de Cabo Verde

D o r s a l   d e l

D 914

San Pablo
Fernando de Noronha
5043
Cima de Groll
1115

Cuenca
Brasileña

6027

Trinidad

Dorsal de Río Grande
637
3748

Dorsal de Georgia del Sur

Fosa de las Sandwich del Sur

Fosa del Meteor
8264
Is. Sandwich del Sur

Georgias del Sur
3806

Natal
Recife
Maceió
Aracajú
Salvador
Vitória
2890
Niterói
Rio de Janeiro
Fortaleza
San Luis

Macizo del Brasil

Santos

5755
5430

C u e n c a

A r g e n t i n a

7756

Dorsal
Peninsula de Yucatán
Veracruz
Cozumel
Is. de la Bahía

Cuenca de Guatemala
6662
Fosa de México
3782

Kingston
4341
Jamaica
La Española
Sto. Domingo
3219
Fosa de Puerto Rico
Puerto Rico
Antillas Holandesas
Aruba
Margarita
Trinidad
Tobago
Granada
Barbados
Santa Lucía
Martinica
Dominica
Guadalupe
Antigua y Barbuda
Pequeñas Antillas

Grandes Antillas
Mar Caribe

Cuenca de las Guayanas
5018
583
4501

Dorsal de Pará

Plataforma del Amazonas

Marajó
Belém

A m a z o n i a

Georgetown
Paramaribo

Macizo de las Guayanas
2772

L l a n o s

Dorsal de las Galápagos
Is. Galápagos
I. del Coco
Malpelo
3621
6215
4953

San José
Panamá
6267
El Callao
Pta. Pariñas

Maracaibo
5775

C o r d i l l e r a   d e   l o s   A n d e s
Arica
6882
Iquique
6723
Antofagasta
7973
6959
Mollendo
Atacama
San Ambrosio
San Félix
San Félix
Archipiélago Juan Fernández
Dorsal del Arch. Juan Fernández
690
Valparaíso
Concepción
Puerto Montt
Chiloé
2423
3246

Cuenca de Chile

Cuenca del Perú

Dorsal del Nazca

L. Nicaragua

Gran Chacc

Montevideo
Buenos Aires
Mar del Plata
Bahía Blanca
Florianópolis

P a m p a s

P a t a g o n i a

Comodoro Rivadavia
Puerto Deseado

Is. Malvinas
6125

Dorsal del Scotia

Plataforma de Patagonia

Tierra del Fuego
Ushuaia
Punta Arenas
Cabo de Hornos
Estrecho de Magallanes

Cuenca de Scotia

Estrecho de Drake

Cuenca Pacífico-Antártica

Cuenca Antártica

O c é a n o   P a c í f i c o

# Océano Índico

21,2% de las zonas marítimas

## Área del Índico

| | |
|---|---|
| Océano Índico | 73.427.000 km² |
| Golfo de Bengala | 2.172.000 km² |
| Mar Rojo | 453.000 km² |
| Golfo Pérsico | 238.000 km² |

**Profundidad media:** 897 m
**Amplitud máxima de la marea:**
Delta del Fitzroy (Australia), 14 m
**Mayores islas:**

Madagascar, 587.041 km²
Sumatra (Indonesia), 427.300 km²
Java (Indonesia), 126.700 km²
Tasmania (Australia), 68.000 km²
Sri Lanka, 64.740 km²
Timor (Indonesia), 34.200 km²

○ Costa cercana a la ciudad de Tolanaro (Madagascar)

○ Parque nacional de Ujung-Kulon, en la isla de Java (Indonesia)

Proyección cilíndrica de Mercator

```
0          1.000        2.000 km
```
Escala 1: 40.000.000   1 cm corresponde a 400 km

Desierto de Libia
Suez  Elat
Taba  Aqaba
Ash Shaykh
Basora  Abadan
Kuwait  Bushehr
Mts. Zagros
Golfo Pérsico
Al Jubail  Bandar Abbas  Beluchistán
Ad Damman  Jask  Jiwani
Hurghada  Doha  Dubai  G. de Omán  Ormara  Karachi
Yanbu al Bahr  Abu Dhabi
Mascate
Desierto de Thar
Gates Occidentales
Arabia
Halaib  Jiddha  Jamnagar  Baroda
Port Sudán  Duqm  3327  Bhavnagar  Surat
Mar Rojo  Bombay
Suakin  Mar Arábigo  Marmagao
Jizan  Salalah  4889  Cuenca Arábiga
Mitsiwa  3760  Al Mukalla  Mangalore
Hodaida  Socotora  5126  Islas Laquedivas
Rub al Jali
L. Tana  4580  Aseb  Adén  Male
G. de Adén  C. Asayr
Djibouti  Berbera  Hafun  Dorsal del Índico Noroccidental
Macizo Etiópico  Eyl
Somalia  Cuenca de Somalia
Meseta del Ubangui  5825
L. Turkana  Mogadiscio  5358
L. Alberto  2086
Kenya  Kismayo  Marka
Ruwenzori  5200
5119  Lamu
Lago Victoria  4806  Victoria
Kilimanjaro  Mombasa  Islas Seychelles
5895  Tanga
Lago Tanganyika  Zanzíbar  Is. Amirantes
Zanzibar  Is. Aldabra  Is. Farquhar
L. Mweru  Dar es Salaam  Is. Cosmoledo
Meseta de Lunda  Lindi  Islas Comoras
Moroni  Cuenca de las Mascareñas
L. Niasa  Pemba  Dzaoudzi  C. Ambre  Cuenca de las Mascareñas
Mayotte  Antsiranana
Nacala  Tsaratanana 2886
Quelimane  Mahajanga  Antalaha
Beira  Toamasina  Rodríguez
Sofala  Madagascar  Port Louis
Manakara  Saint-Denis  Mauricio
Inhambane  Morondava  Isla Reunión
Desierto de Kalahari  Farafangana  Islas Mascareñas
Toliary  Taolagnaro
Maputo
5101  Cuenca de Madagascar  6075  4724
Mts. Drakensberg  Richard's Bay  3681
3657  Durban  2213
East London  18  Cuenca del Índico Sudoccidental
Ciudad de El Cabo  Cuenca de Natal  Dorsal de Madagascar
Port Elizabeth  5779
Mossel Bay
C. Buena Esperanza  3017  5440
Cuenca de Agujas
Dorsal de Crozet
940  Islas Crozet
Islas del Príncipe Eduardo
Dorsal Índico-Atlántica  5742
Cuenca Atlántico-Índico-Antártica  4438
Islas Kerguelen
Plataforma de las Kerguelen
Dorsal del Índico Central

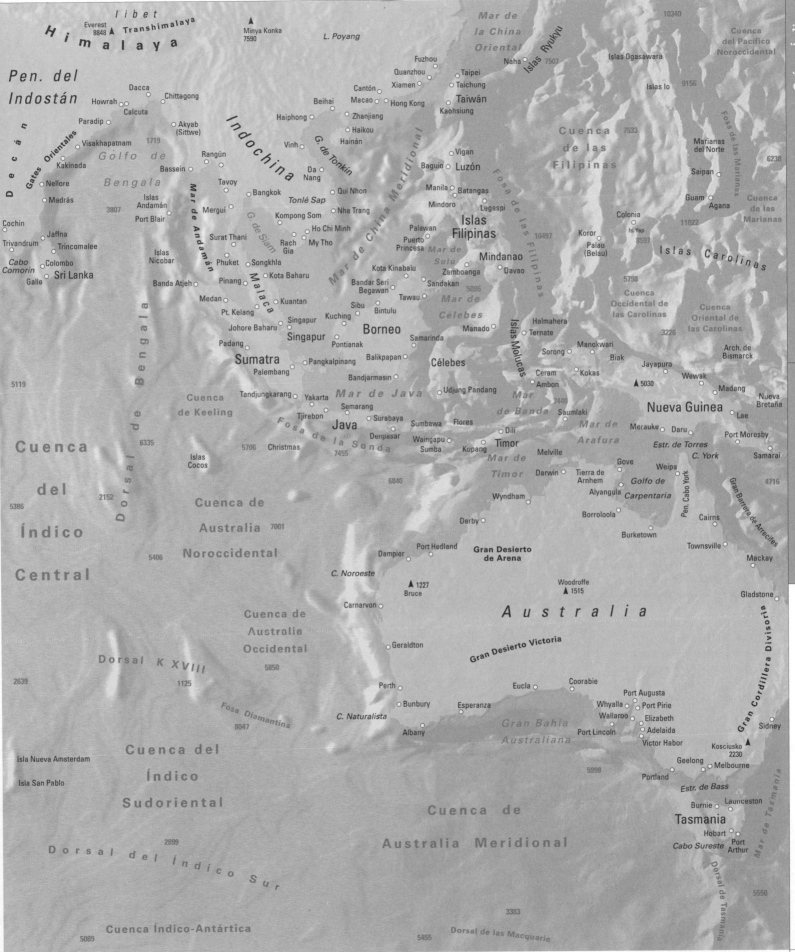

Tíbet
Himalaya
Everest 8848 ▲ Transhimalaya
Minya Konka 7590
L. Poyang

Mar de la China Oriental

10340
Cuenca del Pacífico Noroccidental

Pen. del Indostán

Decán

Howrah
Dacca
Chittagong
Paradip
Calcuta
Gates Orientales
Visakhapatnam
1719
Kakinada
Nellore
Golfo de Bengala
Madrás
3807
Cochin
Trivandrum
Jaffna
Trincomalee
Cabo Comorín
Colombo
Galle
Sri Lanka

Indochina

Rangún
Bassein
Tavoy
Mergui
Islas Andamán
Port Blair
Islas Nicobar
Banda Atjeh

Mar de Andamán

Akyab (Sittwe)
Haiphong
Vinh
G. de Tonkín
Da Nang

Beihai
Cantón
Macao
Zhanjiang
Haikou
Hainán

Fuzhou
Quanzhou
Xiamen
Hong Kong
Taipei
Taichung
Kaohsiung
Taiwán

Naha
Islas Ryukyu 7507
Islas Ogasawara
Islas Io
9156

6236

Marianas del Norte
Saipan
Guam
Agana

Cuenca de las Marianas

Bangkok
Tonlé Sap
Kompong Som
Ho Chi Minh
Rach Gia
My Tho
G. de Siam
Surat Thani
Phuket
Songkhla
Pinang
Kota Baharu
Medan
Kuantan
Pt. Kelang
Johore Baharu
Singapur
Padang
Sumatra
Palembang

Malaca

Qui Nhon
Nha Trang

Mar de China Meridional

Vigan
Baguio
Luzón
Manila
Batangas
Mindoro
Legaspi

Palawan
Puerto Princesa

Islas Filipinas

Mar de Sulú

Koror
Palau (Belau)

Colonia
Is. Yap 3597

Cuenca de las Filipinas
7533

11022

Islas Carolinas

Cuenca Occidental de las Carolinas
5798

Cuenca Oriental de las Carolinas

Kota Kinabalu
Bandar Seri Begawan
Sibu
Bintulu
Kuching
Pontianak
Pangkalpinang
Balikpapan
Bandjarmasin

Borneo

Samarinda

Zamboanga
Sandakan
Tawau
Mindanao
Davao

5095

Mar de Célebes

Manado
Célebes

Halmahera
Ternate

Islas Molucas

Ceram
Ambon

Sorong
Kokas

Manokwari
Biak

Jayapura

3226

Arch. de Bismarck

Wewak
Madang
Nueva Bretaña

Cuenca de Keeling

Tandjungkarang
Yakarta
Semarang
Tjirebon
Java
Surabaya
Denpasar
Sumbawa
Flores
Waingapu
Sumba
Kupang
Timor

Mar de Java

Mar de Banda
7440
Saumlaki

Udjung Pandang

Dili

▲ 5030

Mar de Arafura

Nueva Guinea

Lae
Port Moresby

5119

Dorsal de Bengala

6335

Islas Cocos
5706
Christmas

Fosa de la Sonda
7455

6840

Mar de Timor

Melville
Darwin
Tierra de Arnhem
Alyangula

Merauke
Daru
Estr. de Torres
C. York

Samaraí

4716

Cuenca del Índico Central

5386
5089

2152

Cuenca de Australia Noroccidental
7001

5406

Dampier
Port Hedland
C. Noroeste

▲ 1227
Bruce

Carnarvon

Cuenca de Australia Occidental

Geraldton

Dorsal K XVIII

2639
1125

Fosa Diamantina
8047

Perth
Bunbury
C. Naturalista
Albany

5850

Gove
Weipa
Golfo de Carpentaria
Borroloola
Burketown
Pen. Cabo York
Cairns
Townsville

Gran Barrera de Arrecifes

Wyndham

Derby

Gran Desierto de Arena

Woodroffe ▲ 1515

Australia

Gran Desierto Victoria

Eucla
Coorabie
Port Augusta
Whyalla
Port Pirie
Wallaroo
Elizabeth
Port Lincoln
Adelaida
Victor Habor

Esperanza

Gran Bahía Australiana

Mackay

Gladstone

Gran Cordillera Divisoria

Sidney

Kosciusko ▲ 2230

Isla Nueva Amsterdam

Isla San Pablo

Cuenca del Índico Sudoriental

Dorsal del Índico Sur

2899

Cuenca de Australia Meridional

5998

Geelong
Melbourne
Portland

Estr. de Bass

Tasmania
Hobart
Cabo Sureste
Port Arthur

Burnie
Launceston

Mar de Tasmania

Dorsal de Tasmania

5550

Cuenca Índico-Antártica

5089
5455
3383
Dorsal de las Macquarie

# Océano Glacial Ártico

2,7% de las zonas marítimas

**Área del Glacial Ártico**     9.485.000 km²

## Exploraciones

→ Ruta de Adolf Erik Nordenskjöld, a bordo del *Vega*, en el Paso del Nordeste (1878-79).

→ Ruta de Fridtjof Nansen, a bordo del *Fram* (1893-96).

→ Ruta de Roald Amundsen, a bordo del *Gjöa*, en el Paso del Noroeste (1903-06).

→ Ruta de Robert Edwin Peary, que alcanzó el Polo Norte el 6-4-1909.

→ Ruta de Richard Evelyn Byrd a bordo de un avión *Fokker*, sobrevolando el Polo Norte el 9-5-1926.

→ Ruta de Roald Amundsen, Umberto Nobile y Lincoln Ellsworth, a bordo del dirigible *Norge*, sobrevolando el Polo Norte el 11-5-1926.

→ Ruta de Umberto Nobile, a bordo del dirigible *Italia* (1928).

→ Ruta en inmersión del submarino nuclear estadounidense *Nautilus*, del 1-8 al 5-7-1958.

☐ Límite de los hielos permanentes

**Profundidad media:** 1.205 m

**Mayores islas:**

Groenlandia *(Dinamarca)*, 2.175.600 km²

Victoria *(Canadá)*, 217.300 km²

Tierra de Ellesmere *(Canadá)*, 212.687 km²

Nueva Zembla *(Rusia)*, 83.000 km²

Isla de Banks *(Canadá)*, 67.340 km²

Isla de Devon *(Canadá)*, 54.100 km²

Isla de Melville *(Canadá)*, 42.500 km²

Spitsbergen *(Noruega)*, 39.400 km²

Isla de Axel Heiberg *(Canadá)*, 35.180 km²

Proyección cilíndrica de Mercator

Escala 1: 18.000.000     1 cm corresponde a 180 km

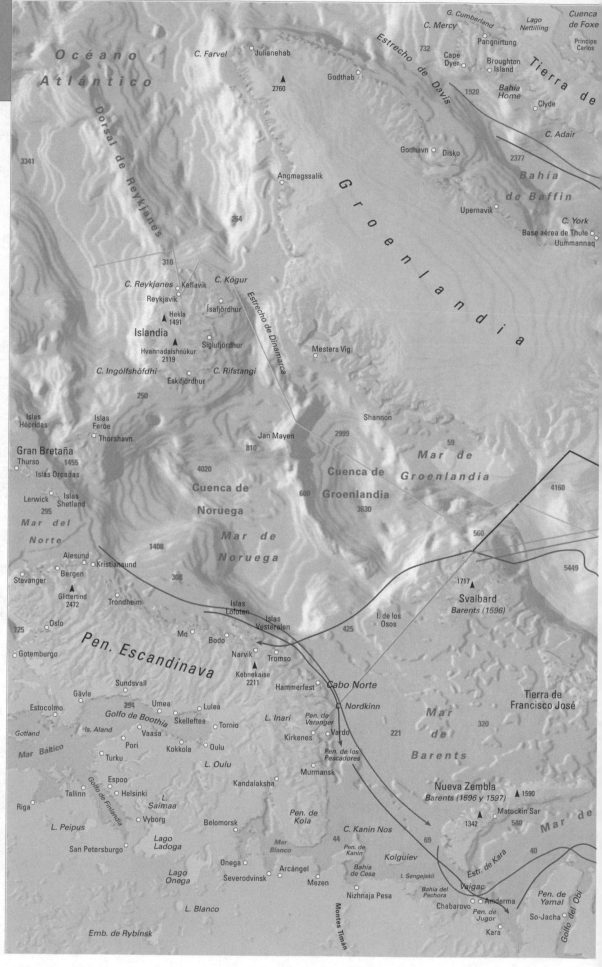

Repulse Bay
Pen. de Melville
Pen. Simpson
Hall Beach
Spence Bay
Rey Guillermo
Gjoa Haven
Perry Island
Bathurst Inlet
Golfo de Boothia
Pen. de Boothia
Pen. de Kent
G. Coronación
Cambridge Bay
Coppermine
Gran Lago del Oso
Juneau
Chichagof
Skagway
Haines
3998
Océano Pacífico
Baffin
Pen. de Brodeur
Pen. Príncipe Regente
Canal McClintock
Victoria
Read Island
Paulatuk
Yakutat
6050 ▲ Monte Logan
Pond Inlet
Pen. de Borden
Somerset
Príncipe de Gales
Holman Island
Golfo de Amundsen
Cape Parry
4731
Bylot
Nanisivik
Russell
Stefansson
Fort Collinson
Sachs Harbour
C. Bathurst
Tuktoyaktuk
Inuvik
Aklavik
Cordova
Valdez
Estr. de Lancaster
Devon
Cornwallis
Resolute
Islas Parry
485
C. Kellett
Banks
Bahía del Mackenzie
Seward
Afognak
Kodiak
Anchorage
Pen. de Kenai
Kodiak
Is. Trinity
Estrecho de Jones
Bathurst
Estr. Viscount Melville
Melville
Eglinton
C. Príncipe Alfredo
Palmer
Kenai
Homer
Estr. de Shelikof
Craig Harbour
POLO NORTE MAGNÉTICO
735
Monte McKinley ▲ 6193
Lago Iliamna
Naknek
Pen. de Alaska
Thule (Qaanaaq)
Amund Ringnes
Mackenzie King
Príncipe Patricio
Estr. de McClure
Cordillera de Alaska
Dillingham
Bahía de Bristol
Sisorapaluk
Is. Sverdrup
Borden
Brock
Mar de Beaufort
Etah
Eureka
Ellef Ringnes
424
Islas de la Reina Isabel
3731
Prudhoe Bay
Bethel
Cuenca de Kane
Axel Heiberg
Meighen
914
Cuenca Canadiense
Unalakleet
Saint Michael
Alert
Tierra de Grant
430
4994
Barrow
Noorvik
Bahía de Kotzebue
Alakanuk
Mekoryuk
Nunivak
C. Columbia
1362
Cabo Barrow
Wainwright
Kotzebue
Pen. de Seward
Nome
Hooper Bay
14
Mar de Lincoln
1509
2950
91
Point Hope
Bahía de Kotzebue
Wales
Teller
San Lorenzo
55
1435
Umbral de Fletcher
3290
3508
Umbral de los Chukchi
150
C. Lisburne
46
Estrecho de Bering
Gambell
Is. Pribilof
Mar de Bering
4395
4087
1514
Mar de los Chukchi
38
Uelen
Providenia
320
POLO NORTE
Umbral de Siberia Oriental
2647
Pen. de los Chukchi
Vankarem
Golfo del Anadir
93
Fosa de Sedov
4149
5220
Dorsal de Lomonosov
1290
Cuenca del Ártico Central
155
42
Wrangel
Estrecho de De Long
Pilgin
Egvekinot
Beringovskii
C. Navarin
3490
4520
Cuenca Euroasiática
1250
Mar de Siberia Oriental
29
Pevek
Golfo Caunskaia
Aion
Ust-Caun
Meseta del Anadir
Anadir
Meinypilgyno
Omeleut
3500
965
20
Ambarcik
Cherskii
C. Oliutorskii
Pachaci
Golfo Oliutorskii
580
Graham Bell
700
2980
Is. de Nueva Siberia
31
Nueva Siberia
Golfo Gusinaia
Kamenskoie
Korf
Bahía de Penzina
Karaginskii
Revolución de Octubre
Tierra del Norte
Pioner
Kotelnyi
Is. Liahov
Gran Liahov
Belkov
Starikovo
Chokurdakh
Ilpyrskii
Viliga-Kushka
620
Bolchevique
Pequeño Liahov
Mar de Laptev
Estrecho de Laptev
110
Montes del Kolima
Palana
Pequeño Taimir
Cabo Cheliuskin
Belgicev
Stolbovoi
Golfo Janskii
Golfo de Selichov
Península de Kamchatka
156
Russkii
Petr
36
C. Bour-Chaia
Karacje
Tigil
15
Kara
Arch. de Nordenskjöld
Is. Kirov
Lago Taimir
Nordvik
Balgicev
Buolkalach
Tiksi
10
10
Golfo de Olenekskij
C. Tolstoi
Jamsk
Pen. Piagina
Ica
Is. Institüto Ártico
Golfo de Olenekskij
Montes Cherski
Magadan
457
Dikson
Jatanga
Tiksi
Montes de Verjoiansk
Motykleika
Bahía del Yenisei
LLANURA DE SIBERIA SEPTENTRIONAL
Siberia
Mar de Ojotsk
Gyda
Golcicha
Pen. de Gyda
Ust Port
Dudinka
Ojotsk
135
1644

# La formación de los continentes

De vez en cuando, nos sobresalta la noticia de un terremoto o la erupción de algún volcán. Éstos son signos inequívocos de que la corteza terrestre, la superficie de nuestro planeta, está sufriendo cambios que afectan a la distribución de los continentes y los océanos.

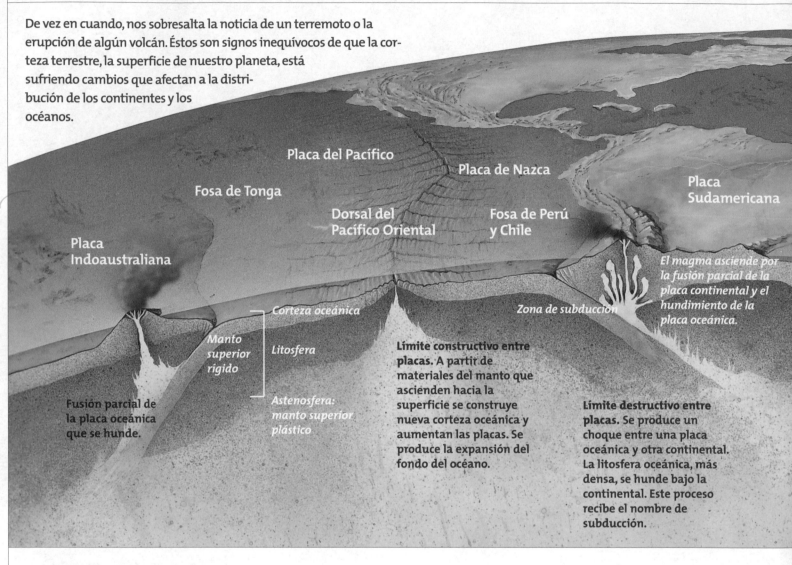

Placa del Pacífico

Placa de Nazca

Placa Sudamericana

Fosa de Tonga

Dorsal del Pacífico Oriental

Fosa de Perú y Chile

Placa Indoaustraliana

*El magma asciende por la fusión parcial de la placa continental y el hundimiento de la placa oceánica.*

*Corteza oceánica*

*Zona de subducción*

*Manto superior rígido*

*Litosfera*

*Astenosfera: manto superior plástico*

**Fusión parcial de la placa oceánica que se hunde.**

**Límite constructivo entre placas.** A partir de materiales del manto que ascienden hacia la superficie se construye nueva corteza oceánica y aumentan las placas. Se produce la expansión del fondo del océano.

**Límite destructivo entre placas.** Se produce un choque entre una placa oceánica y otra continental. La litosfera oceánica, más densa, se hunde bajo la continental. Este proceso recibe el nombre de subducción.

## La formación de los continentes

**Hace 200 millones de años** Los continentes de Laurasia y Gondwana se unieron totalmente al final del período Pérmico (–280 M.a.) y formaron un nuevo gran continente llamado Pangea II. Todas las tierras estaban reunidas y rodeadas de un único y enorme océano, el Pantalasa.

**Hace 40.000 años** Los contintentes fueron desplazándose hasta ocupar su situación actual. Sudamérica, que había quedado aislada después de la fragmentación de Gondwana, se unió a Norteamérica mediante el istmo de Panamá hace "sólo" un millón y medio de años.

**Hace 300 millones de años** Durante la era paleozoica (de –590 M.a. a –280 M.a.), las masas de tierra situadas en el norte se unieron en un gran bloque continental llamado Laurasia. En esta misma era, Laurasia se fue aproximando a Gondwana, el continente del sur.

**Hace 100 millones de años** Pangea II se fragmentó en dos bloques y se abrió el Atlántico, dejando a Laurasia al norte y Gondwana al sur. Pasados 50 M.a, en el Eoceno, la Antártida se separó de Gondwana, desplazándose hacia el Polo Sur, y la India se unió definitivamente a Asia.

El geofísico alemán **Alfred Wegener** (1880-1930) fue el primero en formular la hipótesis de la deriva de los continentes, por la que todos los continentes provienen de uno solo.

**Andrija Mohorovicic** (1857-1936) fue un sismólogo croata que, basándose en las ondas sísmicas, descubrió una superficie de velocidad discontinua que separaba la corteza del manto.

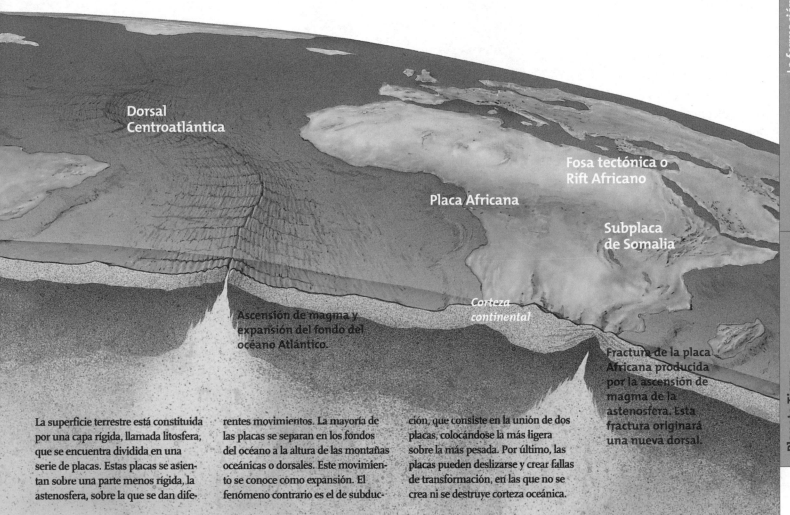

Dorsal Centroatlántica

Fosa tectónica o Rift Africano

Placa Africana

Subplaca de Somalia

Corteza continental

Ascensión de magma y expansión del fondo del océano Atlántico.

Fractura de la placa Africana producida por la ascensión de magma de la astenosfera. Esta fractura originará una nueva dorsal.

La superficie terrestre está constituida por una capa rígida, llamada litosfera, que se encuentra dividida en una serie de placas. Estas placas se asientan sobre una parte menos rígida, la astenosfera, sobre la que se dan diferentes movimientos. La mayoría de las placas se separan en los fondos del océano a la altura de las montañas oceánicas o dorsales. Este movimiento se conoce como expansión. El fenómeno contrario es el de subducción, que consiste en la unión de dos placas, colocándose la más ligera sobre la más pesada. Por último, las placas pueden deslizarse y crear fallas de transformación, en las que no se crea ni se destruye corteza oceánica.

## Tectónica de placas

La tectónica de placas es la interacción de una serie de piezas rígidas, las placas, que recubren la superficie de la Tierra, ajustándose perfectamente unas a otras. En el planeta hay siete placas principales: la Norteamericana, la Sudamericana, la Africana, la Euroasiática, la Indoaustraliana, la Antártica y la del Pacífico.

Las placas se desplazan a causa de la actividad interna de la Tierra, que provoca el fenómeno de la convección. Este principio físico consiste en que la materia más fría tiende a descender, mientras que la más caliente asciende. Estos movimientos verticales de materia provocan el desplazamiento de las placas en la superficie.

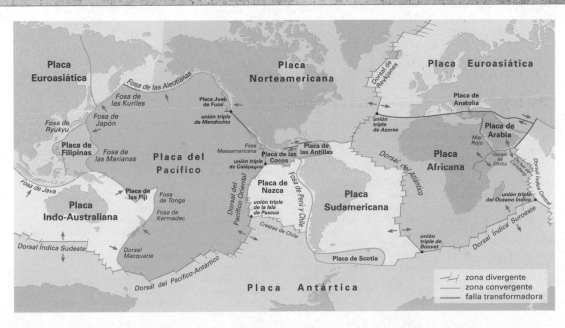

Placa Euroasiática

Placa Norteamericana

Dorsal de Reykjanes

Placa Euroasiática

Fosa de las Aleutianas

Placa Juan de Fuca

Placa de Anatolia

Fosa de las Kuriles

unión triple de Mendocino

unión triple de Azores

Fosa de Ryukyu

Fosa de Japón

Placa de Arabia

Placa de Filipinas

Fosa de las Marianas

Placa del Pacífico

Fosa Mesoamericana

Placa de las Cocos

Placa de las Antillas

Mar Rojo

Placa Africana

Dorsal de Chiba

unión triple de Galápagos

Dorsal del Atlántico

Fosa de Java

Placa de las Fiji

Fosa de Tonga

Dorsal del Pacífico Oriental

Placa de Nazca

Fosa de Perú y Chile

Placa Sudamericana

Dorsal Índica Central

unión triple del Océano Índico

Placa Indo-Australiana

Fosa de Kermadec

unión triple de la Isla de Pascua

Crestas de Chile

Dorsal Índica Suroeste

Dorsal Índica Sudeste

Dorsal Macquarie

unión triple de Bouvet

Placa de Scotia

Dorsal del Pacífico-Antártico

**Placa Antártica**

zona divergente
zona convergente
falla transformadora

# Volcanes y terremotos

En la actualidad se conocen unos 1.300 volcanes activos, la mayoría de los cuales, así como las áreas de mayor actividad sísmica, se encuentran próximos a los bordes de las placas tectónicas. Se calcula que el 90% de los volcanes activos están sobre las líneas de expansión (por ejemplo, Islandia) o en las zonas de subducción (toda la cordillera de los Andes y las islas del mar del Japón). Por su parte, casi el 90% de los terremotos suceden en el llamado Anillo de Fuego, en el Pacífico.

## Las mayores erupciones históricas

| Año | Volcán | País | Víctimas |
|---|---|---|---|
| 79 d.C. | Vesubio | Italia | 2.000 |
| 1586 | Kelud | Indonesia | 10.000 |
| 1631 | Vesubio | Italia | 4.000 |
| 1638 | Raung | Indonesia | 1.000 |
| 1672 | Merapi | Indonesia | 3.000 |
| 1711 | Awu | Indonesia | 3.000 |
| 1742 | Cotopaxi | Ecuador | 800 |
| 1760 | Makian | Indonesia | 2.000 |
| 1772 | Papandajan | Indonesia | 3.000 |
| 1783 | Asama | Japón | 1.200 |
| 1783 | Laki | Islandia | 10.500 |
| 1792 | Unzen | Japón | 15.000 |
| 1815 | Tambora | Indonesia | 92.000 |
| 1822 | Galunggung | Indonesia | 4.000 |
| 1856 | Awu | Indonesia | 2.800 |
| 1883 | Krakatoa | Indonesia | 36.000 |
| 1888 | Bandai-san | Japón | 461 |
| 1892 | Awu | Indonesia | 1.532 |

## Principales erupciones volcánicas del último siglo

**Mont Pelée**
(Martinica)
Fecha: 8/05/1902
Víctimas: 29.000

La erupción del Mont Pelée pasará a la historia por ser la más devastadora del siglo XX. Tras varias semanas de pequeños terremotos y erupciones menores, el volcán arrojó una gran masa de lava y gas que arrasó la ciudad de Saint Pierre. Las cifras oficiales registraron 29.000 muertos: todos sus habitantes menos dos, que lograron salvarse, uno porque estaba preso en una mazmorra y el otro porque se hallaba en el lado opuesto a la zona devastada. La casualidad quiso que la mayor parte de la población siguiera en la ciudad pese a los primeros avisos al estar en época electoral.

**El Chichón**
(México)
Fecha: 28/03/1982
Víctimas: 3.500

La actividad de El Chichón, también conocido como El Chichonal, duró ocho días. Se inició con una columna de gases y cenizas de diez metros de altura y siguió con emisiones de vapor acompañadas por varios terremotos que vapulearon toda la región centro-occidental de México. Las columnas se repitieron en dos ocasiones más, con lo cual se creó una enorme nube de gases que en sólo 23 días dio la vuelta al mundo. Esta nube volcánica es la mejor estudiada de la historia, ya que se tomaron muestras desde la Tierra y también mediante radares, globos sonda y satélites.

**Nevado del Ruiz**
(Colombia)
Fecha: 13/11/1985
Víctimas: 22.000

La erupción del Nevado del Ruiz fundió la nieve que cubría su cima. El resultado fue una avenida de agua y roca volcánica que, al convertirse en lodo, arrasó la población de Armero. Cien años antes, el volcán ya había causado mil muertos.

**Pinatubo**
(Filipinas)
Fecha: 15/06/1991
Víctimas: 740

Tras 600 años en letargo, en 1991 el Pinatubo volvió a la actividad de una forma virulenta: además de las más de 700 víctimas mortales y los numerosos daños materiales, el volcán lanzó a la atmósfera una columna de gas y material que alcanzó los 35 kilómetros de altitud y que se transformó en una enorme nube con grandes dosis de óxido de azufre, que, en sólo tres semanas, se extendió por toda la

Tierra. La nube de aerosoles provocó un descenso de la temperatura de medio grado en varias zonas del planeta durante los años 1992 y 1993.

### Sismicidad y vulcanología

- baja o nula sismicidad
- sismicidad media
- alta sismicidad
- actividad sísmica permanente
- áreas sísmicas oceánicas y costas expuestas a maremotos
- ▲ volcanes activos
- ▲ volcanes apagados
- ▲ volcanes submarinos
- ● puntos calientes (hot spots)
- ✶ principales lugares afectados por terremotos

### La escala de Richter

Existen diferentes escalas para calcular la intensidad de un sismo. La de Mercalli, por ejemplo, se basa en los efectos causados por el terremoto. La más utilizada, sin embargo, es la de Richter, que mide la energía liberada en el movimiento sísmico mediante una graduación:

| | |
|---|---|
| menos de 3,5 | En la mayoría de ocasiones no se siente, pero sí queda registrado |
| 3,5 – 5,4 | Suele ser perceptible, aunque los daños no son de consideración |
| 5,5 – 6,0 | En estas magnitudes, puede causar daños leves en edificios |
| 6,1 – 6,9 | Es posible que se den daños importantes en áreas muy pobladas |
| 7,0 – 7,9 | Terremotos mayores que provocan graves daños |
| 8 ó mayor | Las comunidades cercanas al terremoto quedan destruidas |

## Algunos de los terremotos más devastadores

**Costa central de Perú**
Fecha: 31 / 5 / 1970
Magnitud: 7,9
Víctimas: 70.000

El sismo más catastrófico de la historia reciente del Perú afectó especialmente a las regiones comprendidas entre la costa y el río Marañón al este, y al sur prácticamente todo el departamento de Ancash y la zona meridional de La Libertad. Las cifras oficiales señalaron un balance de 50.000 muertos, 20.000 desaparecidos y más de 150.000 heridos. Además, se destruyeron unas 60.000 viviendas y el 77% de los caminos que unían La Libertad con Ancash. Parte de la alta siniestralidad del sismo se debió al alud de barro y piedras que sepultó la ciudad de Yungay y una parte de Ranrahirca.

**Tangshan (China)**
Fecha: 28 / 7 / 1976
Magnitud: 8
Víctimas: 242.000

Justo cuando las autoridades chinas se felicitaban por haber acertado en la predicción de tres grandes terremotos, se produjo un cuarto que asoló la costa este del país. El epicentro del sismo se situó cerca de Tangshan, una ciudad industrial con una población aproximada de un millón de habitantes. Aunque la cifra oficial fue de 242.000 víctimas mortales, otras fuentes señalaron que el balance podía elevarse hasta 700.000. En cualquier caso, se trata del terremoto más mortífero del siglo XX. Un factor que influyó en la alta mortalidad fue que el sismo se produjo por la noche.

**Michoacán (México)**
Fecha: 19 / 9 / 1985
Magnitud: 8,1
Víctimas: 6.600

El sismo más destructivo del siglo XX en México causó grandes daños en la región occidental del país, principalmente en los estados de Michoacán, Colima y Jalisco. Ciudad Guzmán resultó especialmente damnificada.

**Gilan (Irán)**
Fecha: 20 / 6 / 1990
Magnitud: 7,7
Víctimas: 35.000

En el último milenio Irán ha sufrido varios de los terremotos más devastadores de los que se tiene constancia histórica. Sólo en los decenios de 1970 a 1990, la geografía iraní padeció los efectos de 30 sismos de alta magnitud.

**Gujarat (India)**
Fecha: 26 / 1 / 2001
Magnitud: 7,7
Víctimas: 50.000

El sismo de este estado del noroeste de la India causó la muerte de 50.000 personas y unos 70.000 heridos. Los daños materiales en esta zona, una de las más industrializadas del país, se calcularon en unos 2.150 millones de dólares.

**Bam (Irán)**
Fecha: 26 / 12 / 2003
Magnitud: 6,5
Víctimas: 40.000

Pese a que su magnitud no fue especialmente elevada, el sismo de Bam resultó muy destructivo por la precariedad de las construcciones de esta antigua ciudad y porque tuvo lugar de noche, mientras la gente dormía.

# Suelos

El suelo es la base que sustenta la vida en la Tierra. En esta estrecha franja de la biosfera de apenas un metro de espesor se alimentan las plantas y tiene lugar el reciclaje de la materia. El suelo es fruto de la interacción entre las rocas –que aportan minerales primarios– y los agentes externos –la atmósfera, el agua y los seres vivos–, que modifican la composición de esos minerales hasta formar una franja superficial que permite el desarrollo de los diferentes ecosistemas.

## Capas

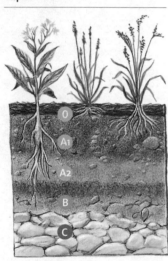

**0 Horizonte 0.** Esta primera capa está compuesta por un mantillo de hojas y detritos orgánicos.

**A1 Horizonte A.** Capa rica en humus –materia orgánica parcialmente descompuesta– y diversos organismos.

**A2 Horizonte de transición.** En este nivel los materiales disueltos por el agua son arrastrados hacia abajo.

**B Horizonte B.** Formado por un componente mineral desmenuzado. Contiene óxidos de hierro y aluminio.

**C Horizonte C.** Esta capa está formada por fragmentos de rocas poco desmenuzados.

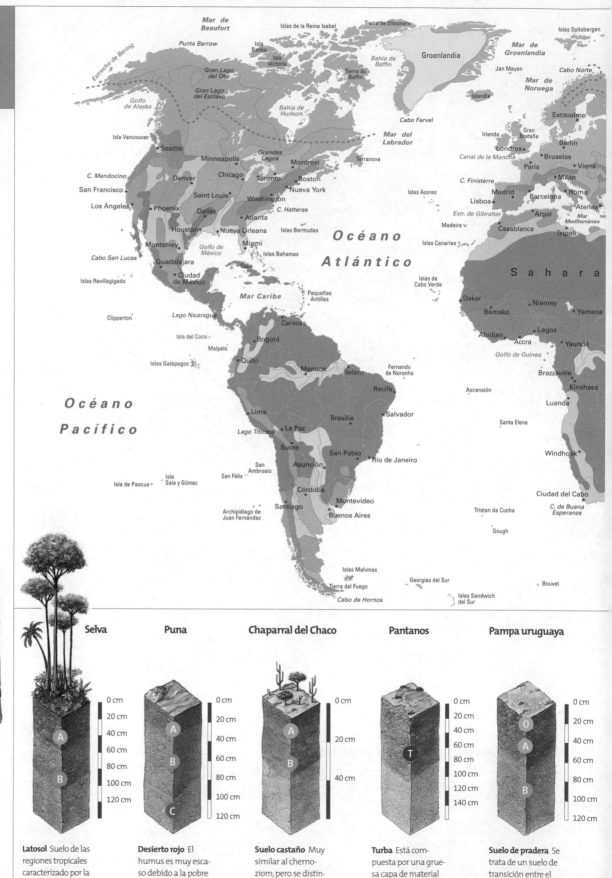

### Selva

**Latosol** Suelo de las regiones tropicales caracterizado por la descomposición total de la roca, la acumulación de óxido de hierro y aluminio, la máxima filtración del material soluble y la escasez de humus.

### Puna

**Desierto rojo** El humus es muy escaso debido a la pobre actividad biológica y a que los horizontes están muy poco desarrollados. Su color rojizo se debe a la presencia de óxidos de hierro.

### Chaparral del Chaco

**Suelo castaño** Muy similar al chernoziom, pero se distingue de éste en que tiene menos humus o materia orgánica descompuesta. Los cinturones árticos presentan esta tipología de suelos.

### Pantanos

**Turba** Está compuesta por una gruesa capa de material vegetal parcialmente descompuesta (**T**). Por debajo de este nivel se encuentra una capa de arcilla impermeable de un color gris azulado.

### Pampa uruguaya

**Suelo de pradera** Se trata de un suelo de transición entre el chernoziom y el podsol. Es uno de los suelos más fértiles y productivos y, por ello, está especialmente capacitado para el cultivo del maíz.

Map labels (Asia, Oceania, oceans):

Tierra de Francisco José · Tierra del Norte · Cabo Cheliuskin · Mar de Laptev · Archipiélago de Nueva Siberia · Mar de Siberia Oriental · Wrangel · Estrecho de Bering · Nueva Zembla · Mar de Kara · Mar de Barents · Siberia · San Petersburgo · Moscú · Cheliabinsk · Novosibirsk · Lago Baikal · Mar de Ojotsk · C. Lopatka · Kiev · Vølgograd · Ulan Bator · Sajalín · Islas Kuriles · Odessa · Lago Baljash · Harbin · Hokkaido · Mar Negro · Mar de Aral · Alma Atá · Urumchi · Shenyang · Japón · Honshu · Estambul · Ankara · Mar Caspio · Pekín (Beijing) · Seúl · Tokio · Osaka · Chipre · Bagdad · Teherán · Kabul · Tíbet · Xian · Nankin · Kyushu · Islas Ogasawara · Jerusalén · Lahore · Katmandú · Shanghai · Islas Ryukyu · Islas Io · El Cairo · Delhi · Dacca · Cantón · Taipei · Karachi · Benarés · Taiwán · Riad · Calcuta · Hanoi · Hong Kong · Islas Marianas Septentrionales · Mar Rojo · Mar Arábigo · Bombay · Golfo de Bengala · Rangún · Luzón · Manila · Mar de China Meridional · Islas Filipinas · Guam · Islas Marshall · Jartún · Sana · Adén · Socotora · Madrás · Bangkok · Mindanao · Islas Belau (Palau) · Islas Carolinas · Addis Abeba · Islas Laquedivas · Sri Lanka · Colombo · Islas Maldivas · Singapur · Borneo · Islas Molucas · Archipiélago de Bismarck · Nauru · Kampala · Nairobi · Mogadiscio · Sumatra · Célebes · Lago Victoria · Lago Tanganyika · Islas Seychelles · Islas Chagos · Yakarta · Java · Surabaya · Nueva Guinea · Islas Salomón · Lusaka · Lago Malawi · Comoras · Islas Cocos · Islas Christmas · Timor · Harare · Antananarivo · Islas Mascareñas · Rodríguez · C. Noroeste · Mar del Coral · Islas Vanuatu · Madagascar · Reunión · Mauricio · Maputo · Johanesburgo · Australia · Nueva Caledonia · Brisbane · Norfolk · Isla Nueva Amsterdam · Isla San Pablo · C. Naturalista · Perth · Sydney · Gran Bahía Australiana · Melbourne · Islas del Príncipe Eduardo · Islas Crozet · Islas Kerguelen · Tasmania · Mar de Tasmania · Wellington · Cabo Sureste · Nueva Zelanda · Islas MacDonald · Océano Pacífico · Océano Índico

## Tipos de suelos

- latosol
- desierto rojo
- suelo castaño
- turba
- suelo de pradera
- chernoziom
- sierozem
- podsol pardo gris
- podsol
- tundra
- llanuras aluviales
- inlandsis (hielo continental)
- ...... Límite meridional de *permafrost* (capa de suelo permanentemente helada)

## Una nueva roca por colonizar

Cuando aparece una nueva roca en la superficie –por ejemplo, lava–, el clima comienza a actuar sobre ella, preparando las condiciones para que la colonicen organismos pioneros como los líquenes. En la imagen, lava solidificada en la isla de Hawai (EUA).

## La textura del suelo

Según el tamaño del grano de los minerales que lo forman, existen cuatro tipos de suelo: grava, arena, limo y arcilla. De la textura dependen propiedades como la porosidad y la permeabilidad, que determinan la aireación y la capacidad para retener el agua y los nutrientes para las plantas.

| | | |
|---|---|---|
| Grava gruesa | más de 2 mm |
| Grava fina | de 1 a 2 mm |
| Arena gruesa | de 0,5 a 1 mm |
| Arena media | de 0,25 a 0,5 mm |
| Arena fina | de 0,1 a 0,25 mm |
| Arena muy fina | de 0,05 a 0,1 mm |
| Limo | de 0,002 a 0,05 mm |
| Arcilla | menos de 0,0002 mm |

---

### Pampa argentina

0 cm · 20 cm · 40 cm · 60 cm · 80 cm · 100 cm · 120 cm

(A, B, C)

**Chernoziom** El horizonte A es rico en humus, que pasa poco al horizonte B. Éste, a su vez, es rico en calcio y está claramente separado del horizonte C. Es un suelo apto para el cultivo de cereales.

### Subdesierto patagónico

0 cm · 20 cm · 40 cm · 60 cm · 80 cm · 100 cm · 120 cm

(A, B, C)

**Sierozem** El humus no es muy abundante en este suelo. Otra de sus características es que los horizontes están muy poco diferenciados entre sí. Suelen presentarse costras de sales cálcicas o caliche.

### Bosque caducifolio

0 cm · 20 cm · 40 cm · 60 cm · 80 cm · 100 cm · 120 cm · 140 cm · 160 cm · 180 cm

(O, A1, A2, B)

**Podsol pardo gris** Es un tipo de suelo muy parecido al podsol, pero que no dispone de un horizonte de transición. El podsol pardo gris es la clase de suelo más habitual de los bosques de hoja caduca.

### Taiga

0 cm · 20 cm · 40 cm · 60 cm

(O, A1, A2, B, C)

**Podsol** Suelo típico de las zonas en las que los inviernos son fríos y la humedad se mantiene uniforme. Entre los horizontes A1 y B se incluye un horizonte de transición de un color bastante claro (A2).

### Tundra

0 cm · 20 cm · 40 cm · 60 cm · 80 cm · 100 cm

(H)

**Tundra** Muy extendida en la región ártica. En Sudamérica queda limitada a algunos lugares del extremo sur. Suele presentar una capa permanentemente helada llamada *permafrost* **(H)**.

# Clima

Se llama clima a los diferentes fenómenos meteorológicos –temperatura, viento, humedad y precipitaciones– que caracterizan la atmósfera de una región determinada en un plazo largo de tiempo. Los principales factores que intervienen en el clima son, entre otros, la radiación solar, la esfericidad y los movimientos de la Tierra, la altitud, la influencia del mar y el tipo de vegetación existente.

## -89°C Antártida

El récord de temperatura mínima conocida en la Tierra es de –89,2°C y se registró en 1983 en Vostok (Antártida), una base rusa instalada sobre una capa de hielo de 3.700 metros de espesor y situada en una región que permanece seis meses sin sol. En la imagen, Base Esperanza, estación argentina en la Antártida.

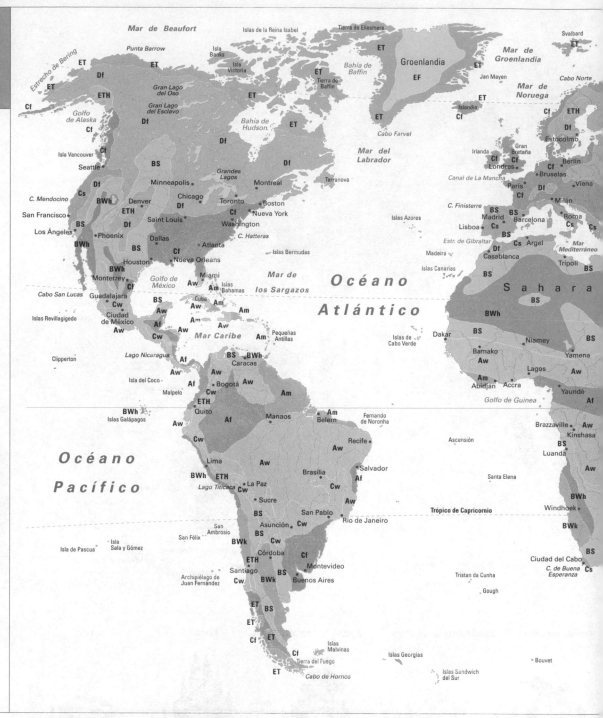

## Las temperaturas

Las temperaturas dependen, en gran medida, de la radiación solar. Esta energía se distribuye por la Tierra en función del ángulo en que la luz llega al suelo. Así, en el ecuador alcanza la superficie un 75% de la energía del Sol, mientras que en los polos sólo lo hace un 5%. De este modo se justifican los grandes contrastes que llevan de una media de más de 30°C en los desiertos a otra de –55°C en los polos. La altura también matiza las temperaturas: a mayor altitud, más baja es la temperatura.

*Isotermas anuales*

zona fría
zona templada
zona cálida

*Temperatura del agua del mar en la superficie*

Banquisa (capa de hielo)
de 0° a 5°
de 5° a 10°
de 10° a 15°
de 15° a 20°
de 20° a 25°
de 25° a 27°
más de 27°

## Climas húmedos tropicales

- **Af** selva pluvial
- **Am** monzónico
- **Aw** sabana

## Climas áridos

- **BS** estepario
- **BWk** desértico frío
- **BWh** desértico cálido

## Climas húmedos templados cálidos

- **Cw** cálido de invierno seco
- **Cs** cálido de verano seco
- **Cf** templado húmedo

## Climas boreales

- **Dw** frío de invierno seco
- **Df** frío de invierno húmedo

## Climas nivales

- **ET** tundras
- **ETH** tundras de montaña
- **EF** hielo permanente

# +58º C  Sahara

En Al'Aziziyah (Libia), en el desierto del Sahara, el termómetro llegó hasta los 58ºC. Se trata de la temperatura más elevada que se haya registrado jamás en cualquier punto del planeta. Otro lugar de altas temperaturas es Dallol, en Etiopía: allí deben soportarse más de 38ºC durante 295 días al año.

## Las precipitaciones

Las zonas más cercanas al ecuador son las que reciben mayor cantidad de lluvia. Por el contrario, en los polos y sus alrededores el agua sólo cae ocasionalmente y en forma de nieve.

Se pueden distinguir tres tipos de precipitaciones en las áreas más húmedas: en el ecuador las lluvias son fuertes y abundantes; en los trópicos las temporadas secas y lluviosas están fuertemente diferenciadas y, por último, en las regiones de clima templado las precipitaciones se producen de forma más irregular.

*Precipitación media anual*

- 25 mm
- 50
- 100
- 250
- 500
- 1000
- 2000
- 3000
- 5000
- más de 5000

# Vegetación

La vegetación original de un lugar depende primordialmente del clima y de la composición del suelo. Las diferentes especies vegetales se han adaptado a todo tipo de superficies y condiciones climáticas, desde las circunstancias extremas que dan origen al paisaje níveo-glacial, hasta la exuberancia de los bosques tropicales o la singularidad de las zonas pantanosas y los oasis.

**Paisaje níveo-glacial**

**Tundra, alta montaña**

Península Seward (Alaska, EUA)

**Desierto**

Parque Nacional Mungo (Australia)

**Estepa desértica**

**Vegetación mediterránea**

Sierra de Almijara (España)

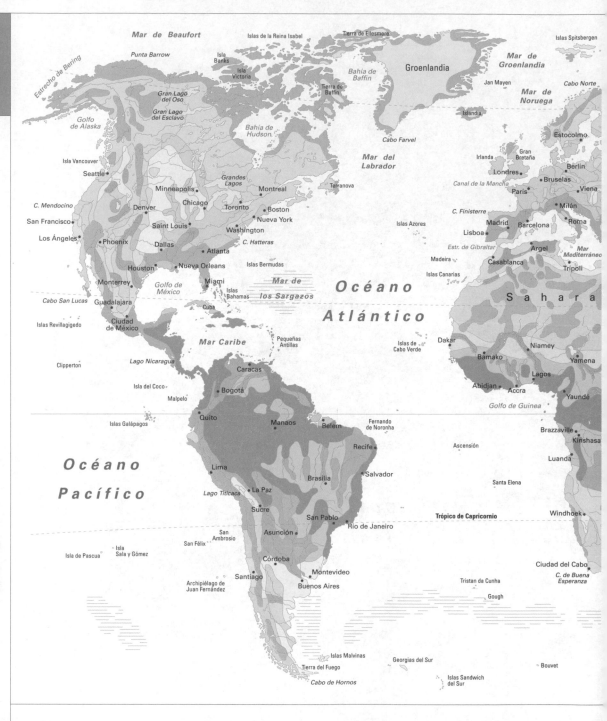

## Los bosques

Actualmente, los bosques ocupan el 30% de la superficie terrestre, pero este porcentaje podría ser muy superior. En Sudamérica ya sólo queda el 63% de bosque tropical, en Asia el 58% y en África el 48%. La situación en Europa no es mucho mejor, ya que muchos de sus países sufren degradación forestal en proporciones que llegan a afectar a más del 50% de sus bosques.

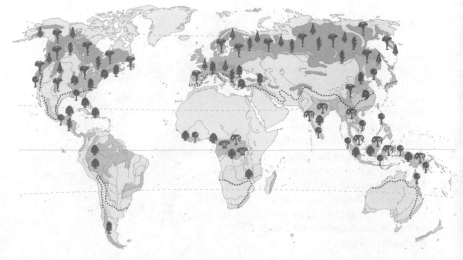

**Mar de Barents**, **Nueva Zembla**, **Mar de Kara**, **Tierra de Francisco José**, **Tierra del Norte**, **Cabo Cheliuskin**, **Mar de Laptev**, **Archipiélago de Nueva Siberia**, **Mar de Siberia Oriental**, **Wrangel**, **Estrecho de Bering**

S i b e r i a

Círculo Polar Ártico

San Petersburgo, Moscú, Cheliabinsk, Novosibirsk, Lago Baikal, Mar de Ojotsk, C. Lopatka, Sajalín, Islas Kuriles

Kiev, Volgogrado, Lago Baljash, Ulan Bator, Shenyang, Harbin, Hokkaido, Japón, Honshu

Odessa, Mar Negro, Mar Caspio, Mar de Aral, Alma Atá, Urumchi, Pekín (Beijing), Seúl, Osaka, Tokio

Estambul, Ankara, Atenas, Chipre, Bagdad, Teherán, Kabul, Lahore, Xian, Nankín, Shanghai, Kyushu

Jerusalén, El Cairo, Riad, Delhi, Benarés, Dacca, Cantón, Taipei, Taiwán, Islas Ryukyu, Islas Ogasawara, Islas Io

Tíbet, Katmandú

Trópico de Cáncer

Jartún, Saná, Adén, Socotora, Karachi, Calcuta, Hanoi, Hong Kong, Islas Marianas Septentrionales

Mar Rojo, Golfo Pérsico, Mar Arábigo, Bombay, Madrás, Rangún, Bangkok, Mar de China Meridional, Manila, Islas Filipinas, Guam, Luzón

Addis Abeba, Mogadiscio, Islas Laquedivas, Sri Lanka, Colombo, Islas Maldivas, Mindanao, Islas Belau (Palau), Islas Carolinas

Kampala, Nairobi, Lago Victoria, Ecuador, Islas Seychelles, Islas Chagos, Singapur, Sumatra, Borneo, Célebes, Islas Molucas, Archipiélago de Bismarck, Nueva Guinea, Islas Salomón

Lago Tanganyika, Comoras, Lago Malawi, Yakarta, Java, Surabaya, Timor, Islas Cocos, Islas Christmas, Mar del Coral, Islas Vanuatu

Lusaka, Harare, Antananarivo, Madagascar, Islas Mascareñas, Rodríguez, Reunión, Mauricio, C. Noroeste, Nueva Caledonia

Maputo, Johanesburgo, Océano Índico, Océano Pacífico, Australia, Brisbane, Norfolk

Isla Nueva Amsterdam, Isla San Pablo, C. Naturalista, Perth, Gran Bahía Australiana, Sydney, Melbourne

Islas del Príncipe Eduardo, Islas Crozet, Islas Kerguelen, Islas MacDonald, Tasmania, Mar de Tasmania, Cabo Sureste, Wellington, Nueva Zelanda

Mar de Ojotsk, Océano Pacífico

### Leyenda

- Zona boreal de bosques de coníferas
- Bosques caducifolios de la zona templada
- Zona esclerófila subtropical
- Pluviselva subtropical
- Pluviselva tropical
- Jungla monzónica tropical y subtropical
- Bosque seco tropical y subtropical

*Especies características*

- Abeto
- Alerce
- Caoba
- Ébano
- Haya
- Okume
- Pino
- Roble
- Teca
- Palmera

**Abeto**

**Alerce**

**Palmera**

### Bosque boreal
Monte McKinley (Alaska, EUA)

### Bosque mixto, zona templada
Bearn (Francia)

### Estepa herbácea

### Sabana seca
Parque Nacional del Serengueti (Tanzania)

### Sabana húmeda

### Bosque tropical o subtropical

### Bosque tropical húmedo

### Bosque de ribera, oasis
Gran Erg Occidental (Argelia)

### Zona pantanosa

### Algas flotantes

**○ El río escultor** La naturaleza ha dotado a América del Norte de paisajes tan bellos como variados: desde el majestuoso macizo Denali en Alaska, hasta los áridos desiertos californianos, pasando por la exuberancia de las islas caribeñas. En Estados Unidos se encuentra el Gran Cañón del Colorado, una enorme garganta de 1,5 kilómetros de profundidad que divide la meseta del Colorado a lo largo de 446 kilómetros.

# América del Norte y el Caribe

# América del Norte física

**Superficie total de Norteamérica
y Caribe:** 23.718.240 km²
(16% del total de las tierras emergidas)

**Extremo septentrional :**
Cabo de Morris Jesup (Groenlandia),
83°45'N

**Extremo meridional:**
Boca de la Serpiente (Trinidad y Tobago),
10°10'N

**Extremo oriental:**
Cabo Nordostrundingen (Groenlandia),
11°00'O

**Extremo occidental:**
Cabo Príncipe de Gales (Alaska),
168°05'O

**Pico culminante de Norteamérica:**
Monte McKinley (Alaska), 6.194 m

**Mayor depresión de Norteamérica:**
Valle de la Muerte (Estados Unidos), −86 m

**Río más largo:** Missisipi-Missouri
(Estados Unidos), 5.970 km

**Mayor lago:**
Superior (Canadá/Estados Unidos),
82.350 km²

**Mayor isla de Norteamérica
(y de la Tierra):** Groenlandia, 2.175.600 km²

### Relieve (altura en metros)

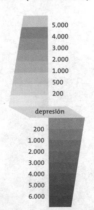

5.000
4.000
3.000
2.000
1.000
500
200

depresión

200
1.000
2.000
3.000
4.000
5.000
6.000

**Proyección acimutal equivalente de Lambert**

0        500        1000 km

Escala 1: 30.000.000
1 cm corresponde a 300 km

OCÉANO

S  E  S  A  C  H  E  S

Caço Breton
I. del Cabo
Nueva Escocia
C. Sable
B. de Fundy
C. Cod
Boston
Nueva York
Filadelfia
Washington
Quebec
Montréal
San Lorenzo
Ottawa
L. Ontario
Toronto
Cat. del Niágara
L. Erie
Cleveland
Detroit
Chicago
L. Hurón
L. Michigan
L. Superior
L. Nipigon
L. Woods
Winnipeg
L. Manitoba
Saskatchewan del Sur
Seattle
Rainier 4.392
C. Mendocino
San Francisco
Los Angeles
Pta. Concepción
Guadalupe
Cedros
Pta. Eugenia
C. San Lucas

Is. Bermudas
C. Hatteras
C. Cañaveral
Miami
PEN. DE FLORIDA
Estr. de Florida
Is. Bahamas
Nassau
Turquino 2.005
Is. Caicos
La Española (Haití)
Santo Domingo
Fosa de Puerto Rico 9.219
Is. Vírgenes
Puerto Rico
Pequeñas Antillas

Grandes Antillas
Cuba
La Habana
Jamaica
Kingston
Is. Camán
Caracas 2.765
PEN. DE LA GUAJIRA
Sta. Marta 5.775
Nev. Sta. Marta
Cord. de Mérida 5.002
L. de Maracaibo
Maracaibo

MAR CARIBE 4.352

Orinoco
Apure
Guayare
Meta
Putumayo
Napo
Marañón
Ucayali
Japurá
Caquetá

LLANOS
Santa Fe de Bogotá
Magdalena
Cauca
CORDILLERA DE LOS ANDES
Nev. de Tolima 5.215
Nev. del Huila 5.750
Quito
Cotopaxi 5.897
Chimborazo 6.267
G. de Guayaquil
Pta. Pariñas

G. de Venezuela
Can. de Yucatán
C. Catoche
PEN. DE YUCATÁN
G. de Campeche
G. de Honduras
C. Gracias a Dios
G. de Darién
Istmo de Panamá
G. de Panamá
Canal de Panamá
I. del Coco
Is. Galápagos (Arch. de Colón)

OCÉANO

ATLÁNTICO

MTS. ALLEGHENY
P. ALLEGHENY
PIEDMONT
M. Mitchell 2.037
Atlanta
Tennessee
Alabama
Ohio
San Luis
MESETA DE OZARK
Arkansas
Missouri
Kansas
Platte
GRANDES LLANURAS
Mts. Bleu 2.207
M. Elbert 4.395
P. Blanca 4.364
Mts. Blancas del Sur
Yellowstone
Columbia
Snake
ROCOSAS
M. Shasta 4.317
SIERRA NEVADA
M. Whitney 4.418
Valle de la Muerte
MESETA DEL COLORADO
Gran Cañón
GRAN CUENCA
Mts. Wasatch
Gran Lago Salado
Salt Lake City
Colorado
Gila
Rio Grande
Ciudad Juárez
MESETA DE CALIFORNIA
PEN. DE CALIFORNIA
G. de California

Mississippi
LLANURA COSTERA DEL GOLFO
Nueva Orleans
Houston
MESETA DE EDWARDS
LLANO ESTACADO
Red
Brazos
Canadian
Rio Bravo
Tampico
Veracruz
México
Popocatépetl 5.452
Orizaba 5.610
Guadalajara
Nev. de Colima 4.339
SIERRA MADRE OR.
SIERRA MADRE OCC.
ALTIPLANICIE MEXICANA
SIERRA MADRE DEL SUR
Tejupilco 4.220
ISTMO DE TEHUANTEPEC
G. de Tehuantepec
Usumacinta
Guatemala
San Salvador
Tegucigalpa
Managua
L. de Nicaragua
San José
Chirripó 3.800
San Juan
Is. Tres Marías
Is. Revillagigedo
Clipperton

GOLFO de MÉXICO 4.023

OCÉANO PACÍFICO

6.276

Trópico de Cáncer
Ecuador

40 N
30 N
20 N
60 O
70 O
80 O
90 O
107 O
110 O
120 O
130 O
140 O

# América del Norte política

## Superficie de los países y territorios de América del Norte y el Caribe

| | |
|---|---:|
| Canadá | 9.976.139 km² |
| Estados Unidos | 9.363.123 km² |
| *Groenlandia (Dinamarca)* | 2.186.000 km² |
| México | 1.967.183 km² |
| Cuba | 110.861 km² |
| República Dominicana | 48.730 km² |
| Haití | 27.750 km² |
| Bahamas | 13.930 km² |
| Jamaica | 10.990 km² |
| *Puerto Rico (EUA)* | 8.900 km² |
| Trinidad y Tobago | 5.130 km² |
| *Guadalupe (Francia)* | 1.710 km² |
| *Martinica (Francia)* | 1.100 km² |
| Antillas Neerlandesas | 800 km² |
| Dominica | 750 km² |
| Santa Lucía | 620 km² |
| Antigua y Barbuda | 442 km² |
| Barbados | 430 km² |
| *Islas Turks y Caicos (R. U.)* | 430 km² |
| S. Vicente y las Granadinas | 388 km² |
| *Islas Vírgenes (EUA)* | 347 km² |
| Granada | 344 km² |
| Saint Kitts y Nevis | 267 km² |
| *Islas Caimán (Reino Unido)* | 260 km² |
| *St. Pierre y Miquelon (Fr.)* | 242 km² |
| *Aruba (Países Bajos)* | 190 km² |
| *Islas Vírgenes Británicas* | 150 km² |
| *Montserrat (Francia)* | 100 km² |
| *Anguila (Reino Unido)* | 96 km² |
| *Bermudas (Reino Unido)* | 53 km² |

## Superficie de América del Norte

**42%** Canadá
**39,4%** Estados Unidos
**9,2%** Groenlandia
**8,3%** México
**1,1%** Otros

Proyección acimutal equivalente de Lambert

0    500    1000 km

Escala 1: 30.000.000
1 cm corresponde a 300 km

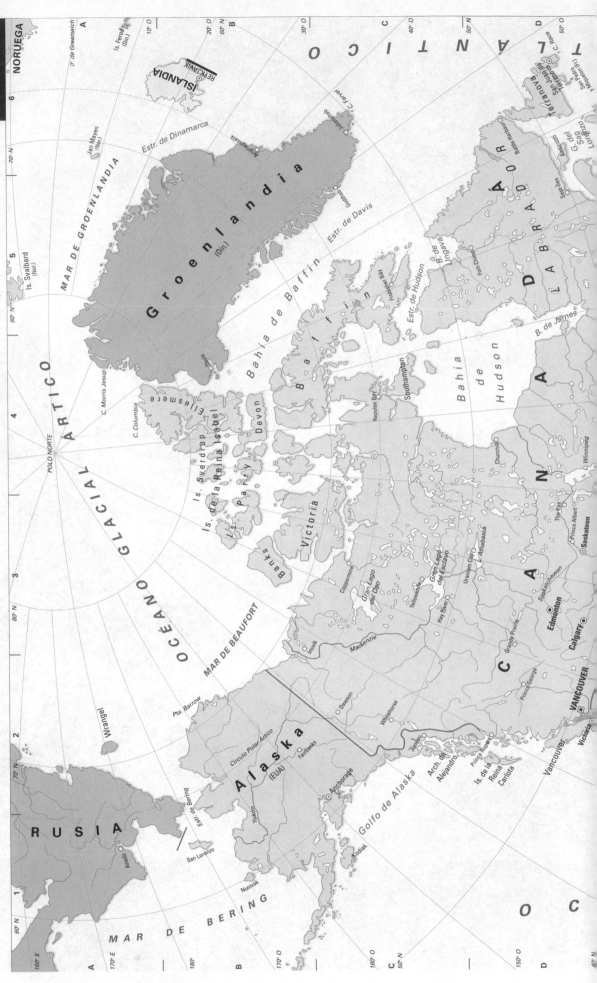

# Canadá occidental y Alaska

## Límite internacional
Límite de división administrativa

Ruta principal
✈ Aeropuerto
🛥 Puerto

### Poblaciones
⌂ de más de 1.000.000 de hab.
◉ de 500.000 a 1.000.000 de hab.
◎ de 250.000 a 500.000 hab.
⊙ de 100.000 a 250.000 hab.
○ de menos de 100.000 hab.

▲ Altitud en metros
▬ Lago, laguna, embalse
⌇ Corriente de agua

### Relieve (altura en metros)

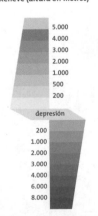

5.000
4.000
3.000
2.000
1.000
500
200

depresión

200
1.000
2.000
3.000
4.000
6.000
8.000

Proyección acimutal equivalente de Lambert

0    250    500 km

Escala 1:16.000.000
1 cm corresponde a 160 km

OCÉANO GLACIAL ÁRTICO

MAR DE BEAUFORT

Is. Reina Elizabeth
Islas Parry
Brock
Borden
Prince Patrick
Mould Bay
Melville
Estr. McClure
Banks
C. Prince Alfred
Sachs Harbour
C. Kellett
Victoria
PEN. PRÍNCIPE ALBERTO
B. Príncipe Alberto
G. de Amundsen
PEN. WOLLASTON
Estr. Dolphin and Union
Cambridge Bay

C. Bathurst
Anderson
Tuktoyaktuk
B. de Mackenzie
Inuvik
Mackenzie
Fort Good Hope
Territorio

M. Michelson
2.816
CORD. DE BROOKS
Mts. Endicott 3.050
Pta. Barrow
Barrow
L. Teshekpuk
Colville
Koyukuk
Fort Yukon
Yukon
Dawson

Wrangel 1.096
Estr. De Long
MAR DE CHUKOTSK
C. Lisburne
Kotzebue
Círculo Polar Ártico
Alaska (EUA)
Fairbanks
Tanana
CORD. DE ALASKA

C. Selagski
Pevek
B. Kotzebue
Galena
1.520
M. Hayes 4.175
Mts. Chugach
Valdez

Arangüema
Ualen, C. Dezhnev
Estr. de Bering
PEN. SEWARD
Nome
Kuskokwin
M. McKinley 6.194
Anchorage
B. Cook
Kenai
PEN. DE KENAI
Afognak

1.843
PEN. DE CHUKOTSK
Provideniia
C. Chukotski
C. Príncipe de Gales
B. de Norton
Yukon
KUSKOKWIN
Kuskokwin
Volc. Iliamna 3.014
RUSIA
MESETA DE ANADIR
St. Lawrence
Bethel
MTS.
Nakpok 2.047
Estr. de Shelikof

Anadir
G. de Anadir
C. Romanzof
Iliamna
B. de Bristol
PEN. DE ALASKA

Penzina
Barinovski
Nunivak
C. Newenham
CORD. ALEUTIAN

C. Navarin
San Mateo
PEN. DE ALASKA

MAR DE BERING

I. Karaginski
G. Karaginski
C. Olutorski
Is. Príbilot
(EUA)
Is. Fox
Is. Shumagin

PEN. DE KAMCHATKA
Vol. Siveluc 3.283
Ust-Kamchatsk
Bering
Is. Comandator
4.191
3.322
Is. Aleutianas
Unimak
Unalaska
Umnak
2.766

# Mapa

**OCÉANO PACÍFICO**

**Golfo de Alaska**

## Océanos y golfos

- Golfo de Alaska
- OCÉANO PACÍFICO

## Canadá

**C A N A D Á**

**M O N T A Ñ A S   R O C O S A S**

- Nunavut
- Territorios del Noroeste
- Manitoba
- Saskatchewan
- Alberta
- Columbia Británica
- Mts. Mackenzie
- Mts. Selwyn
- MESETA DE YUKON
- Montañas del Yukon
- MTS. CASSIAR
- CADENA COSTERA
- MTS. ST. ELÍAS
- Arch. Alejandro

### Localidades y elementos (Canadá)

- Umingmaktok
- Bathurst Inlet
- Contwoyto
- Kugluktuk
- Coppermine
- Port Radium
- Gran Lago del Oso
- Norman Wells
- L. Mackay
- L. La Martre
- Yellowknife
- Gran Lago del Esclavo
- Hay River
- Pine Point
- Fort Smith
- Fort Resolution
- Fort Simpson
- Liard
- Fort Liard
- Fort Nelson
- Whitehorse
- P. Keele 2.963
- Juneau
- Skagway
- Sitka
- Baranof
- Wrangell
- Chichagof
- Ketchikan
- Graham
- Sandspit
- Moresby
- Is. Reina Carlota
- B. Reina Carlota
- Estr. Reina Carlota
- Príncipe de Gales
- Prince Rupert
- Kitimat
- Estr. de Hecate
- Estr. de Dixon
- Kispiox
- Dawson Creek
- Grande Prairie
- Prince George
- Kamloops
- Kelowna
- Fraser
- M. Waddington 4.042
- M. Robson 3.954
- M. Columbia 3.747
- VANCOUVER
- Nanaimo
- Victoria
- Vancouver
- Estr. de Juan de Fuca
- Kabza
- L. Dubawnt
- Thelon
- Dubawnt
- L. de los Renos
- Lynn Lake
- L. Winnipegosis
- Churchill
- Creighton
- The Pas
- Brandon
- OuAppelle
- Regina
- Weyburn
- Moose Jaw
- Saskatoon
- Prince Albert
- North Battleford
- Saskatchewan del Norte
- Saskatchewan del Sur
- L. Wollaston
- Uranium City
- L. Athabasca
- L. Cree
- Fort Chipewyan
- L. Claire
- L. Lesser Slave
- Athabasca
- Peace River
- Peace
- Edmonton
- Red Deer
- Calgary
- Lethbridge
- Medicine Hat
- Mts. Selkirk
- Yorkton
- Lynn
- L. Winnipeg

## Estados Unidos

**E S T A D O S   U N I D O S**

**G R A N D E S   L L A N U R A S**

- MTS. BIG HORN
- MTS. BITTERROOT
- MONTAÑAS AZULES
- CADENA DE LAS CASCADAS
- GRAN DESIERTO DE ARENA
- GRAN CUENCA
- SIERRA NEVADA
- CORDILLERA COSTERA
- MTS. WASATCH

### Localidades y elementos (EE.UU.)

- Bismarck
- Missouri
- Minot
- North Platte
- Pierre
- Rapid City
- Black Hills 2.207
- Cheyenne
- North Platte
- Fort Collins
- DENVER
- Nicrobara
- Casper
- Rock Springs
- P. Gannett 4.202
- Sheridan
- Billings
- Big Horn
- Yellowstone
- Little Missouri
- Havre
- Great Falls
- Helena
- Butte
- Missoula
- M. Cleveland 3.181
- Kalispell
- Spokane
- Lewiston
- Boise
- Idaho Falls
- Pocatello
- P. Borah 3.857
- Twin Falls
- Snake
- Elko
- Humboldt
- Ogden
- P. Uvo
- Salt Lake City
- Gran Lago Salado
- Reno
- Carson City
- Klamath Falls
- Bend
- M. Shasta 4.317
- Eureka
- C. Mendocino
- C. Blanco
- Santa Rosa
- Oakland
- Berkeley
- Stockton
- SAN FRANCISCO
- SAN JOSÉ
- Sacramento
- SEATTLE
- Everett
- Tacoma
- M. Rainier 4.392
- Olympia
- M. Olympus 2.424
- PORTLAND
- Salem
- Corvallis
- Eugene
- Vancouver
- Yakima
- Columbia
- DENVER

# Canadá oriental y Groenlandia

## Límite internacional
Límite de división administrativa

Ruta principal
✈ Aeropuerto
⚓ Puerto

### Poblaciones
⬜ de más de 1.000.000 de hab.
◉ de 500.000 a 1.000.000 de hab.
◎ de 250.000 a 500.000 hab.
⊙ de 100.000 a 250.000 hab.
○ de menos de 100.000 hab.

▲ Altitud en metros
🝐 Lago, laguna, embalse
〜 Corriente de agua

### Relieve (altura en metros)

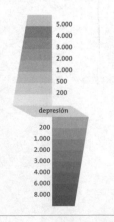

5.000
4.000
3.000
2.000
1.000
500
200

depresión
200
1.000
2.000
3.000
4.000
6.000
8.000

**Proyección acimutal equivalente de Lambert**

0       250       500 km

Escala 1:16.000.000
1 cm corresponde a 160 km

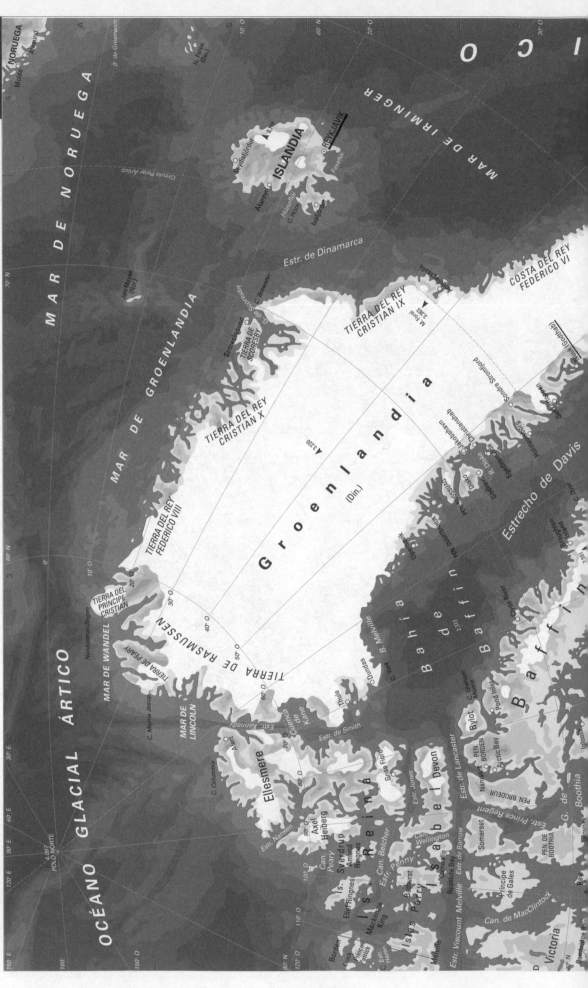

NORUEGA
Molde
Ålesund

MAR DE NORUEGA

Is. Feroe (Din.)

ISLANDIA
REYKJAVIK
Seydisfjördur ▲ 2.119
Akureyri
Húnaflói
C. Horn
Isafjördur
Faxaflói

Círculo Polar Ártico

MAR DE IRMINGER

Estr. de Dinamarca

COSTA DEL REY FEDERICO VI

Jan Mayen (Nor.)

MAR DE GROENLANDIA

Angmagssalik

TIERRA DEL REY CRISTIAN IX
▲ M. Forel 3.383

C. Brewster
G. de Scoresby
Scoresbysund
TIERRA DE SCORESBY

TIERRA DEL REY CRISTIAN X

Groenlandia
(Din.)

▲ 3.220

Søndre Strømfjord

Jakobshavn
Christianshåb
B. Disko
Disko
Godhavn
Egedesminde
Holsteinsborg

PEN. NUGSSUAQ

Tuuk (Godthåb)

TIERRA DEL REY FEDERICO VIII

Upernavik

Sukkertoppen

Estrecho de Davis

Melville

Bahía de Baffin

B. Baffin

B. Melville
Upernavik

TIERRA DEL PRINCIPE CRISTIAN

Nordostrundingen

MAR DE WANDEL

TIERRA DE PEARY

TIERRA DE RASMUSSEN

C. York
Dundas
Thule

B. Baffin

Qaanaaq

C. Morris Jesup

MAR DE LINCOLN

C. Columbia

Estr. Kennedy
Cuenca de Kane
Estr. de Smith

Alert

Ellesmere

Estr. Nansen

Axel Heiberg

Grise Fiord

Estr. Jones

Devon
Estr. de Lancaster

Bylot
Pond Inlet

PEN. BORDEN
Nanisivik
Arctic Bay

Baffin

Broughton
Pangnirtung

▲ 1.311

Reina

Amund Ringnes
Sverdrup
Can. Peary

Ellef Ringnes
Mackenzie King

Isabel

Islas Parry

Isla

Borden
Prince Patrick
Melville

Bathurst
Cornwallis

Can. Penny
Can. Belcher

Resolute
Estr. de Barrow
Redolate Bay

Can. Wellington

Somerset
Estr. Prince Regent

PEN. BRODEUR

PEN. DE BOOTHIA

G. de Boothia

Iqaluit

Principe de Gales

Can. Viscount Melville
Can. de MacClintock

Victoria

OCÉANO GLACIAL ÁRTICO

4.087 POLO NORTE

OCÉANO ATLÁNTICO

MAR DEL LABRADOR

Terranova

PEN. DE LABRADOR

CORD. LONG

MTS. TORNGAT

PEN. DE UNGAVA

Bahía de Hudson

B. de James

Bahía de Ungava

Estr. de Hudson

Estr. de Belle Isle

Nueva Escocia

Nuevo Brunswick

Príncipe Eduardo

PEN. DE GASPÉ

G. de San Lorenzo

Anticosti

San Lorenzo

C. Farewell

Julianehaab

Frederikshaab

Estr. de Cabot

Saint John's

Gander

Corner Brook

Grand Falls

Churchill Falls

MTS. TORNGAT

C. Chidley

Nain

L. Michikamau

Goose Bay

B. Hamilton

Schefferville

Kangiqsualujjuaq

Port-Chimo

Kangiqsualujjuaq

Fort-George

Eastmain

Akimiski

Attawapiskat

Fort Albany

Moosonee

Cochrane

Timmins

La Tuque

Rouyn

L. Abitibi

North Bay

Sudbury

Chicoutimi

Quebec

Shawinigan

Trois-Rivières

Drummondville

Sherbrooke

MONTREAL

OTTAWA

Rimouski

Edmunston

Fredericton

Saint John

Moncton

Charlottetown

Sydney

Halifax

Maine

Portland

Concord

Manchester

BOSTON

New Bedford

Providence

Hartford

NUEVA YORK

NEWARK

FILADELFIA

BALTIMORE

Albany

Springfield

Worcester

Utica

Syracuse

Rochester

BUFFALO

Kingston

Peterborough

Oshawa

TORONTO

Hamilton

S. Catharines

Niagara Falls

CLEVELAND

Akron

Canton

Youngstown

PITTSBURGH

Columbus

Dayton

Lima

Fort Wayne

South Bend

DETROIT

Windsor

Flint

Saginaw

Lansing

Grand Rapids

Gary

Hammond

CHICAGO

Joliet

MILWAUKEE

Madison

Rockford

Green Bay

L. Michigan

L. Hurón

L. Erie

L. Ontario

L. Superior

Thunder Bay

Sault Ste. Marie

Sudbury

Duluth

Saint Paul

MINNEAPOLIS

Cedar Rapids

Davenport

Peoria

Des Moines

Sioux City

Sioux Falls

Omaha

Lincoln

Fargo

Aberdeen

Bismarck

Minot

Grand Forks

CANADÁ

ESTADOS UNIDOS

Manitoba

Ontario

Nunavut

PEN. DE MELVILLE

PEN. DE CUMBERLAND

Southampton

Coats

Mansel

Canal Foxe

Cuenca de Foxe

B. de Cumberland

Iqaluit (Frobisher Bay)

Pangnirtung

L. Netting

L. Amadjuac

L. Harbour

Cape Dorset

Coral Harbour

Chesterfield Inlet

Rankin Inlet

Whale Cove

Arviat

Churchill

York Factory

Fort Severn

Winisk

Kenora

Dryden

Winnipeg

Brandon

Thompson

Lynn Lake

The Pas

Baker Lake

Repulse Bay

Gjoa Haven

Pelly Bay

Spence Bay

Winnipeg

L. Winnipeg

L. Manitoba

L. Winnipegosis

Severn

Nelson

Gillam

Churchill

Nettilling

Mistassini

L. Mistassini

Chibougamau

# Estados
# Unidos

## Límite internacional
Límite de división administrativa

Ruta principal

✈ Aeropuerto

⚓ Puerto

### Poblaciones

⬜ de más de 1.000.000 de hab.

◉ de 500.000 a 1.000.000 de hab.

◉ de 250.000 a 500.000 hab.

⊙ de 100.000 a 250.000 hab.

○ de menos de 100.000 hab.

▲ Altitud en metros

◗ Lago, laguna, embalse

∼ Corriente de agua

### Relieve (altura en metros)

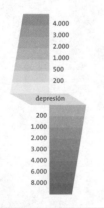

4.000
3.000
2.000
1.000
500
200

depresión

200
1.000
2.000
3.000
4.000
6.000
8.000

**Proyección acimutal equivalente de Lambert**

0    250    500 km

Escala 1:15.000.000
1 cm corresponde a 150 km

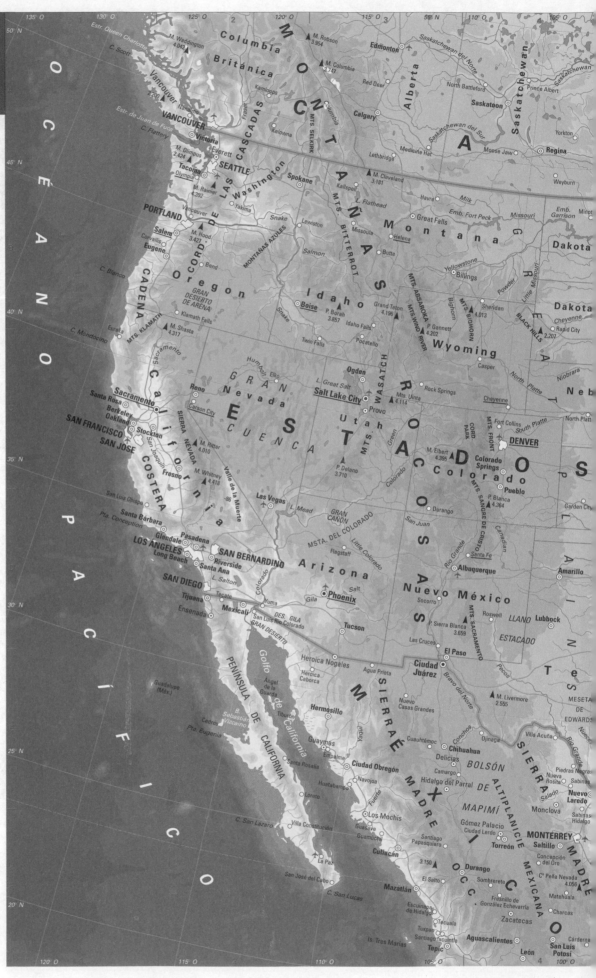

América del Norte y el Caribe

Manitoba

The Pas

L. Winnipeg 217

L. Winnipegosis

L/ Manitoba

Brandon Winnipeg
Kenora
Grand Forks L. Woods
del Norte Bemidji
Bismarck Fargo
del Sur Duluth
Aberdeen Superior
Pierre MINNEAPOLIS Saint Paul
Sioux Falls Wisconsin
...raska Minnesota
Norfolk Iowa Green Bay
Sioux City MILWAUKEE Madison
Omaha Cedar Rapids Rockford
Lincoln Des Moines Davenport
Platte Burlington Peoria
Republican Illinois
Manhattan Saint Joseph Springfield Decatur
Kansas Topeka Independence
Kansas City CHICAGO
K a n s a s KANSAS CITY
Wichita Missouri
Parsons Springfield
Tulsa MSTA. DE OZARK
Muskogee
Oklahoma City Fort Smith
Oklahoma Arkansas
Altus Lawton Little Rock
Wichita Falls Pine Bluff
DALLAS Texarkana
Fort Worth Shreveport
Monroe Mississippi
Waco Jackson Meridian
Austin Luisiana Alexandria
San Antonio Baton Rouge
Beaumont Lafayette
Laredo HOUSTON NUEVA ORLEANS
Corpus Christi Galveston
Brownsville B. de Galveston
Matamoros
Laguna Madre
Ciudad Victoria
Ciudad Monte
Ciudad Madero
Tampico Lag. de Tamiagua

Ontario
Bahía de James
Attawapiskat Akimiski
Fort Albany
Eastmain
Albany
Moosonee
Kenora
Thunder Bay
Lago Superior 393
Sault Ste. Marie
Michigan
Lago Michigan
Green Bay
Saginaw Flint
Grand Rapids
Lansing
DETROIT
South Bend
Gary Fort Wayne
Joliet Hammond
INDIANAPOLIS Lima
Indiana Ohio
Dayton
CINCINNATI
Louisville Frankfort Huntington
Evansville Lexington
Kentucky
Ohio
Nashville
Knoxville
Chattanooga
Tennessee
Memphis Huntsville
ATLANTA
Birmingham
Alabama Columbus
Montgomery Macon
Georgia
Mississippi
COASTAL PLAIN
Mobile Pensacola
Tallahassee
Gainesville
Florida
Orlando
Tampa West Palm Beach
Saint Petersburg
L. Okeechobee
Fort Lauderdale
MIAMI
C. Sable
Cayos de Florida

CANADÁ
PENÍNSULA DEL LABRADOR
Terranova
L. Mistassini
Quebec
Eastmain
Cochrane
Timmins
Rouyn
North Bay Ottawa
Sudbury
OTTAWA
MONTREAL
Hull
TORONTO
Hamilton
London
L. Erie
Niagara Falls
BUFFALO
Rochester
Syracuse
Albany
Pennsylvania
PITTSBURGH
Youngstown
CLEVELAND
Akron Canton
Columbus
Toledo
Windsor
Harrisburg
BALTIMORE
WASHINGTON
Virginia Occ.
Charleston
Roanoke
Richmond
Virginia
Norfolk
Portsmouth
Winston-Salem
Greensboro Raleigh
Charlotte
Carolina del Norte
Greenville
Columbia Wilmington
Carolina del Sur
Augusta Charleston
Savannah
Jacksonville
Daytona Beach
C. Cañaveral

Shawinigan Trois-Rivières
Quebec
Sherbrooke
Maine
Augusta
Portland
Golfo de Maine
New Hampshire M. Washington 1.917
Concord
Manchester
Vermont
Montpelier
Massachusetts BOSTON
Worcester Providence
Springfield New Bedford
Hartford Rhode Island
Connecticut New Haven
Bridgeport
NUEVA YORK
NEWARK
Nueva Jersey
Trenton
FILADELFIA
Wilmington
Dover
Delaware
Atlantic City
Maryland
B. de Chesapeake

APALACHES
MTS. NOTRE DAME
Chicoutimi
La Tuque
Arvida
St. Jean
Rimouski
Pen. de Gaspé
Gaspé
Golfo del San Lorenzo
Anticosti
Sept-Îles
Corner Brook
Terranova
Channel-Port aux Basques
I. Cape Breton
Sidney
Príncipe Eduardo
Charlottetown
Moncton
Fredericton
Saint John
Nueva Escocia
Halifax
Yarmouth
C. Sable
PEN. DE NUEVA ESCOCIA
B. de Fundy

OCÉANO ATLÁNTICO

C. Hatteras
C. Fear

Golfo de México
B. de Matagorda
Golfo de México
4.023
3.808
C. San Blas
C. Catoche
PEN. DE YUCATÁN
Tizimín
Puerto Juárez
C. San Antonio
I. de la Juventud
Pinar del Río
G. de Batabanó
LA HABANA
Marianao
Matanzas
Cárdenas
Santa Clara
Cienfuegos
Sancti-Spíritus
Ciego de Ávila
Camagüey
C U B A
Victoria de las Tunas
Holguín
Bayamo
Palma Soriano
Santiago de Cuba
Manzanillo
Guantánamo

BAHAMAS
West End Grand Bahama
Freeport
New Providence
NASSAU
Andros
Great Abaco
Eleuthera
Great Exuma
Long
Cat
Trópico de Cáncer
Acklins
Great Inagua
Mayaguana
Is. Turks
Is. Caicos
REPÚBLICA DOMINICANA
Santiago de los Caballeros
SANTO DOMINGO
HAITÍ
PUERTO PRÍNCIPE
Duarte 3.175

# México

## Leyenda

- ━━━ Límite internacional
- ─── Límite de división administrativa
- ╋ Ruta principal
- ✈ Aeropuerto
- ⚓ Puerto

### Poblaciones

- ⬗ de más de 1.000.000 de hab.
- ◉ de 500.000 a 1.000.000 de hab.
- ◎ de 250.000 a 500.000 hab.
- ⊙ de 100.000 a 250.000 hab.
- ○ de menos de 100.000 hab.

- ▲ Altitud en metros
- ⬬ Lago, laguna, embalse
- ～ Corriente de agua

### Relieve (altura en metros)

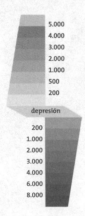

- 5.000
- 4.000
- 3.000
- 2.000
- 1.000
- 500
- 200

**depresión**

- 200
- 1.000
- 2.000
- 3.000
- 4.000
- 6.000
- 8.000

**Proyección acimutal equivalente de Lambert**

0    100    200 km

Escala 1: 7.000.000
1 cm corresponde a 70 km

**54**

Lubbock
Hobbs
Odessa
Midland
Big Spring
Snyder
Graham
Denton
McKinney
Texarkana
Arkansas
Montgomery
Alabama

Fort Worth
Arlington
DALLAS
Tyler
Longview
Marshall
Bossier City
Shreveport
Minden
Monroe
Vicksburg
Yazoo City
Jackson
Meridian
Selma
9

O S   U N I D O S

L. Tawakoni
Natchitoches
Mississippi
Camden
Greenville
Troy
Conecuh
Geneva

Abilene
Hillsboro
Waco
Palestine
Toledo Bend
Natchez
Alexandria
Red
Hattiesburg
Atmore
Crestview

San Angelo
Fort Stockton
MESETA DE EDWARDS
Temple
Bryan
Brazos
Trinity
Huntsville
Neches
Sabine
Beaumont
Orange
Lake Charles
New Iberia
Lafayette
Baton Rouge
Bogalusa
Pascagoula
Gulfport
Prichard
Mobile
Pensacola
Florida

T e x a s
Austin
HOUSTON
Port Arthur
NUEVA ORLEANS
Houma
Grand Lake
Is. Chandeleur
Delta del Mississippi

Del Río
Villa Acuña
San Carlos
Junction
Bastrop
Baytown
Bª de Galveston
Texas City
Galveston
I. Galveston
Freeport
Bª Barataria
Bª Terrebonne
Is. Derniéres
I. Marsh

Río Bravo del Norte
Boquillas del Carmen
P. del Centinela 2.896
SERRANÍAS DEL BURRO
SIERRA DEL CARMEN
Piedras Negras
Uvalde
San Antonio
Victoria
Bª de Matagorda
I. Matagorda
2.725
28° N
B

Coahuila
Nueva Rosita
Ocampo
Cuatrociénagas
Melchor Múzquiz
Sabinas
Allende
LLANOS DE NUECES
Beeville
Nueces
Rª San Antonio
Corpus Christi
I. Matagorda
Bª Corpus Christi

San Francisco de Arriba
Sª DE LOS ALAMITOS
Monclova
Bustamante
Sabinas Hidalgo
Nuevo Laredo
Laredo
Kingsville
Bª Baffin
I. Padre

Matamoros
Lag. de Mayran
Parras de la Fuente
Sª DE PARRAS
Nuevo León
San Nicolás de los Garzas
Mier
Ciudad Camargo
McAllen
Harlingen
Estr. Brazos Santiago
5.205

ALTIPLANICIE MEXICANA
MONTERREY
Guadalupe
Saltillo
Apizolaya
Gómez Farías
El Potosí
Concepción del Oro
Camacho
Villagrán
Hidalgo
Tamaulipas
Reynosa
Matamoros
Valle Hermoso
LLANOS DE TAMAULIPAS
Santa Teresa
San Fernando
Rª San Fernando
Laguna Madre

Golfo de México

Tetillas
Zacatecas
VALLE DEL SALADO
Aramberri
Cedral
C. Peña Nevada 4.054
Mier y Noriega
Ciudad Victoria
Sª DE TAMAULIPAS
Palmillas
Lag. Morales
4.023
Tropico de Cáncer
5
24° N

Fresnillo de G. Echeverría
Zacatecas
Santo Domingo
Matehuala
La Ventana
González
Aldama
Lag. de San Andrés
Cayo Arenas

M É X I C O
Luis Moya
Pinos
Ramos Arizpe
San Luis Potosí
Cerritos
Ciudad del Maíz
Nuevo Morelos
Ciudad Mante
Tamuín
Ébano
Pánuco
Tantoyuca
Tamiahua
Lag. de Tamiahua
C. Rojo
Ciudad Madero
Tampico
Arrecife Alacrán
Banco de Campeche
Río Lagartos
C. Catoche
I. Holbox
I. Contoy

Aguascalientes
Jalpa
San Juan de los Lagos
San Felipe
Dolores Hidalgo
Santa María
P.N. El Chico
Jacala
Calnali
Tuxpan de Rodríguez Cano
Arrecife Triángulos
Pta. Nimún
Cayo Nuevo
Progreso
Telchac Puerto
Tizimín
Kantunil
Kin
I. Mujeres
Cancún

Aguascalientes
León
Guanajuato
Guanajuato
San Miguel de Allende
Zimapán
Papantla
Poza Rica de Hidalgo
El Tajín
Nautla
Martínez de la Torre
Celestún
Mérida
Kinchil
Mérida
Tunkás
Chichén Itzá
Valladolid
Uxmal
Ticul
Chemax
Playa del Carmen

Tepatitlán
Irapuato
Querétaro
Querétaro
Hidalgo
San Juan del Río
Actopan
Jilotepec
El Chote
Jalapa
Yucatán
Mexcanú
Maxcanú
Calkini
Oxkutzcab
Peto
PENÍNSULA DE YUCATÁN
Cobá
Cozumel
I. Cozumel
Tulum

La Barca
Lag. Chapala
Jacona
Purépero
Morelia
Ciudad Hidalgo
Tula
Pachuca
Apan
Sª DE PUEBLA
Oriental
Calkiní
Labná
Dzibalchén
Tekax
Tenabo
Hopelchén
Morelos
Felipe Carrillo Puerto
Bª de la Ascensión
Sian Ka'an

NEOVOLCÁNICA
Uruapán
Pátzcuaro
Zitácuaro
Toluca
Teotihuacán
México
Texcoco
Tlaxcala
Tlaxcala
Jalapa Enríquez
Cestepec
Campeche
Seybaplaya
Champotón
Dzibalchén
Campeche
Quintana Roo
Bª de Bacalar
Chetumal
Cayo Centro

Michoacán
N. de Toluca 4.373
D.F.
Cuernavaca
Xochicalco
Morelos
Puebla
Orizaba 5.700
Veracruz
Veracruz
Pta. Roca Partida
Ciudad del Carmen
120
CAMPECHE
Escárcega
Nicolás Bravo
Bª de Chetumal
Corozal
Cayo Lobos

Presa del Infiernillo
2.764
Tejupilco
Tenancingo
Popocatépetl 5.452
Córdoba
Alvarado
Tres Zapotes
San Andrés Tuxtla
Laguna de Términos
Frontera
Paraíso
Tixchel
Balakbal
Cayos Hick
Orange Walk
Indian Church
Cayo Ambergris

SIERRA MADRE DEL SUR
Apatzingán
Aguililla
Sª COALCOMÁN
San Jerónimo
Huétamo de Núñez
Izúcar de Matamoros
Jojutla
Iguala
Arcelia
Chiautla
Tehuacán
Orizaba
Tierra Blanca
Cosamaloapán
Sto. Domingo
La Venta
Minatitlán
Coatzacoalcos
Huimanguillo
Nanchital
Tila
Tabasco
Villahermosa
Termosife de Piro Suárez
Dos Lagunas
Carmelita
Belmopán
BELICE
Belize
Bª Turneffe
Middlesex
Stann Creek
Arrecifes Glover

Zacatula
Bª de Petacalco
Pta. Ixtapa
Zihuatanejo
Bª de Tequepa
Balsas
Balsas
Guerrero
Chilpancingo
Tlapa
Tlaxiaco
Silacayoapán
Huajuapán de León
Tuxtepec
Playa Vicente
San Lorenzo
Nanchital
Jonuta
Tecpan
El Progreso
L. Petén Itzá
Flores
MTS. MAYA 1.122
Toledo
Monkey River
G. de Honduras

Acapulco
Cruz Grande
Atoyac de Álvarez
C. Baúl 3.414
C. Yucuyecua
Tierra Colorada
Monte Negro
Monte Albán
Tlacolula
Zapotitlán
Oaxaca
Oaxaca de Juárez
Zaachila
Mitla
SIERRA MADRE DE OAXACA
Tamazulapan
ISTMO DE TEHUANTEPEC
Netzahualcóyotl
Tuxtla Gutiérrez
Bonampak
Sayaxché
SELVA LACANDONA
PETÉN
G. de Amatique
C. Tres Puntas
Puerto Barrios
San Pedro Sula

5.300
Santa María Zacatepec
Azoyú
Oaxaca
Santiago Astata
C. del León 3.149
Ocotepec
Chiapas
Comitán
Las Margaritas
P.N. Lagunas de Montebello
San Luis
El Progreso
San Antonio de Cortés
HONDURAS

3.915
Pta. Maldonado
Puerto Escondido
Puerto Ángel
San Pedro Mixtepec
Sª CIMALTEPEC
Pta. Maldonado
Tlacamama
Mar Muerto
Tres Picos
Pajón
San Cristóbal de las Casas
Motozintla
Jacaltenango
San Mateo Ixtatán
L. de Izabal
Copán
Quiché
L. de Yojoa
Comayagua

Fosa de México
185
Golfo de Tehuantepec
Mapastepec
Huixtla
Tapachula
Quetzaltenango
V. Tajumulco 4.220
Totonicapán
Chixoy
Salamá
Chiquimula
Zacapa
Motagua

8
3.537
GUATEMALA
Huehuetenango
V. Atitlán
L. de Atitlán
Antigua
GUATEMALA
Sololá

# Caribe

Límite internacional

——— Ruta principal

✈ Aeropuerto

⚓ Puerto

**Poblaciones**

⌂ de más de 1.000.000 de hab.

◉ de 500.000 a 1.000.000 de hab.

◉ de 250.000 a 500.000 hab.

⊙ de 100.000 a 250.000 hab.

○ de menos de 100.000 hab.

▲ Altitud en metros

⬮ Lago, laguna, embalse

— Corriente de agua

**Relieve (altura en metros)**

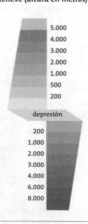

5.000
4.000
3.000
2.000
1.000
500
200
depresión
200
1.000
2.000
3.000
4.000
6.000
8.000

Proyección acimutal equivalente de Lambert

0    100    200    300 km

Escala 1: 9.000.000
1 cm corresponde a 90 km

Golfo de México

ESTADOS UNIDOS
PEN. DE FLORIDA

Orlando
C. Canaveral
Tampa
Saint Petersburg
B. de Tampa
West Palm Beach
Boca Raton
Fort Lauderdale
MIAMI
EVERGLADES
L. Okeechobee
C. Sable
Homestead
Cayos de Florida

Little Abaco
West End
Grand Bahama
Great Abaco
Berry
New Providence
Eleuthera
NASSAU
Andros
Gr. Guana
Great Exuma
BAH

Estrecho de Florida
Can. Nicolás
Cayos Sal
Cayos Anguilla
Cayos Jumentos

Trópico de Cáncer

Canal de Yucatán

C. Catoche
Contoy
Tizimín
Puerto Juárez
Cancún
Cozumel
Cozumel
C. San Antonio
I. de la Juventud
Arch. de los Canarreos

LA HABANA
Guanabacoa
Marianao
Cárdenas
Matanzas
Colón
Sagua la Grande
Pinar del Río
772
Güines
G. de Batabanó
Santa Clara
Cienfuegos
Placetas
Morón
Sancti-Spíritus
Ciego de Ávila
Guane

Arch. de Camagüey
Can. Viejo de Bahamas

CUBA
Camagüey
Victoria de las Tunas
Holguín
Antilla
Palma Soriano
Santiago de Cuba
Bayamo
Manzanillo
Sierra Maestra
Jardines de la Reina
Santa Cruz del Sur
G. de Ana María
G. de Guacanayabo
C. Cruz
Turquino 2.005

MÉXICO
PEN. DE YUCATÁN

B. de la Ascensión
Felipe Carrillo Puerto
Chetumal
Cayo Norte
Cayo Centro
Cayo Lobos
Corozal
BELICE
Belice
Is. Turneffe
BELMOPAN
Stann Creek

G. de Honduras
Is. de la Bahía
Roatán

Little Cayman
Cayman Brac
Grand Cayman
Georgetown
Is. Caimán (RU)

Fosa de las Caimán

Montego Bay
Savanna-la-Mar
Port Antonio
JAMAICA
May Pen
Kingston
Spanish Town
Cayos Pedro

Is. Swan/Cisne (Hond.)

Gran des

Puerto Cortés
Tela
La Ceiba
Trujillo
C. de Honduras
Sierra de Pija 2.450
San Pedro Sula
Santa Bárbara
Pta. Patuca
Brus Laguna
Lag. de Caratasca
Cayos Caratasca

HONDURAS
Sierra de Agalta 2.590
Comayagua
Juticalpa
Patuca
Coco
La Esperanza
TEGUCIGALPA
La Paz
Yuscarán
Sierra de Dipilto
C. Gracias a Dios
Cayo Gorda

Banco de Serranilla (Col.)

MAR

San Miguel
Ocotal
Somoto
1.963
Cord. Isabella
La Unión
G. de Fonseca
Cholúteca
NICARAGUA
Esteli
Puerto Cabezas
Banco de Serrana (Col.)

Chinandega
Matagalpa
Jinotega
Grande
Corinto
L. de Managua
Juigalpa
León
Cayos de Perlas
Providencia (Col.)
4.532

MANAGUA
Masaya
Pta. de Perlas
San Andrés (Col.)
Granada
L. de Nicaragua
Bluefields
Is. del Maíz (Nic.)
Cayos de Albuquerque
Rivas

COSTA DE LOS MOSQUITOS
Cayos Misquitos

OCÉANO PACÍFICO

B. de San Juan del Norte
San Carlos
Liberia
San Juan
G. del Papagayo
COSTA RICA
PEN. DE NICOYA
Puntarenas
Alajuela
Heredia
Limón
Volc. Irazú 3.432
C. Blanco
SAN JOSÉ
Cartago
C.° Chirripó 3.820
Bocas del Toro
G. de los Mosquitos
Colón
Istmo de Panamá
PANAMÁ
Pta. Manzanillo
I. Bani
Can. de Panamá

3.808
73
6.415

Trópico de Cáncer

Golfo de México

## 56

MAR DE LOS

SARGAZOS

OCÉANO ATLÁNTICO

28° N

6.995

24° N

Cat

San Salvador/Watling

Trópico de Cáncer

Long

Rum
Cay

20° N

Crooked

Acklins

Mayaguana

Little Inagua

Paso Caicos

TURKS Y CAICOS
(RU)

Great Inagua

Is. Caicos

Is. Turks    Cockburn Town

Banes

Guantánamo

I. de la Tortuga

San Felipe de
Puerto Plata

Fosa de Puerto Rico

Port-de-Paix

Valverde

9.219    8.385

Cap-Haitien

Santiago de
los Caballeros

G. de la Gonâve

Gonaïves

Cord.    P. Duarte
▲3.175

San Francisco de Macoris

Puerto Rico
(EUA)    San Juan

Saint-Marc

Concepción de la Vega

Road Town

I. de la Gonâve

San Juan de la Maguana

Arecibo

Anguilla (RU)

Is. Leeward

HAITÍ

Central

SANTO DOMINGO

1.338 ▲

Vieques

San Martin (Fr.-PBI)

Jérémie

PUERTO PRÍNCIPE

San Cristóbal

La Romana

Mayagüez

Caguas

Is. Vírgenes
(EUA-RU)

San Bartolomé (Fr.)

ANTIGUA Y

Les Cayes

Ponce

Sabe

BARBUDA

Nivassa
(EUA), reiv.
por Cuba y Haití)

REPÚBLICA
DOMINICANA

St. Croix

St. Kitts

SAINT KITTS
Y NEVIS

BASSETERRE

Derbuda

SAINT JOHN'S

La Española

Barahona

Nevis

Antigua

A n t i l l a s

Montserrat
(RU)

Plymouth

Paso de Guadeloupe

16° N

Can. de Jamaica

Pointe-à-Pitre

Guadalupe
(Fr.)    Basse-Terre

Marie Galante (Fr.)

Aves
(Ven.)

DOMINICA    ROSEAU

CARIBE

M. Pelén 1.397

Martinica
(Fr.)    Fort-de-France

1.594

P e q u e ñ a s    A n t i l l a s

SANTA LUCÍA    CASTRIES

Is. Windward

5.420

SAN VICENTE
Y
GRANADINAS

Kingstown

BRIDGETOWN

BARBADOS

Is. Granadinas

Is. Los Monjes
(Ven.)

Aruba
(PBI)

Curaçao
(PBI)

Bonaire
(PBI)

GRANADA    SAINT GEORGE'S

12° N

Pta. Gallinas

Is. Los Aves
(Ven.)

Is. Los Roques

La Orchila

Blanquilla

Is. Los Testigos

Puerto Estrella

Willemstad

I s l a s    d e    S o t a v e n t o

Tobago    Scarborough

PEN. DE LA
GUAJIRA

PEN. DE
PARAGUA

Margarita

TRINIDAD

Riohacha

G. de
Venezuela

Punto Fijo

Puerto Cumarebo

La Asunción

Pta. Peñas

Santa Marta

Maicao

Coro

Puerto Cabello

Maiquetía    La Guaira

Carúpano

PUERTO ESPAÑA    Y

Barranquilla

Ciénaga

Sierra Nevada
de Sta. Marta

MARACAIBO

Cabimas

Altagracia de Orituco

San Felipe

Maracay    San Juan

Cumaná

Güiria

G. de Paria

Trinidad

TOBAGO

Soledad

Cartagena

Sabanalarga

Valledúpar

La Concepción

Ciudad
Ojeda

Carora

Yaritagua

Valencia

Villa de Cura    de los Morros

CARACAS

Los Teques

Barcelona

Puerto la Cruz

San Fernando

Boca de la Serpiente

El Carmen
de Bolívar

Agustín Codazzi

Machiques

L. de
Maracaibo

Barquisimeto

Mene Grande

Acarigua

San Carlos

Cord.    de    la    Costa

Aragua de Barcelona

Caripito

Maturín

Delta del

Pta. Baja

COLOMBIA

Plato

Sierra de Perijá

Valera    Trujillo

Bocono    Villa Bruzual

Zaraza

Cantaura

Tucupita    Orinoco

Sincelejo

5

6    7

VENEZUELA

8    64° O    60° O

9

# Geología y relieve

Geológicamente, América del Norte es una tierra antigua, aunque en constante transformación. Bajo la tundra canadiense se encuentran rocas de hace 3.960 millones de años, las más antiguas del planeta que se hayan estudiado, pero más al sur, la costa californiana no tomó su apariencia actual hasta hace sólo 150 millones de años. En Alaska, el macizo del Denali acoge la cima más alta del subcontinente: el monte McKinley.

## Las cimas de América del Norte

| | |
|---|---|
| McKinley (Alaska/EUA) | 6.194 m |
| Logan (Canadá) | 5.951 m |
| Orizaba (México) | 5.747 m |
| St. Elias (EUA/Canadá) | 5.489 m |
| Popocatépetl (México) | 5.452 m |
| Foraker (Alaska/EUA) | 5.304 m |
| Iztaccíhuatl (México) | 5.286 m |
| Lucania (Canadá) | 5.226 m |
| King (Canadá) | 5.173 m |
| Bona (Alaska/EUA) | 5.005 m |

## La Altiplanicie Mexicana

En la orografía del subcontinente norteamericano, la Altiplanicie Mexicana *(foto)* tiene un notable interés por su envergadura, puesto que ocupa una cuarta parte de la República. Flanqueada por las sierras Madre Oriental y Madre Occidental, esta prolongación de las grandes llanuras del Norte se sitúa por encima de los 1.000 metros de altitud y avanza a lo largo de 1.800 kilómetros desde las orillas del fronterizo río Bravo hasta las faldas de la cordillera Volcánica Transversal.

## Períodos geológicos

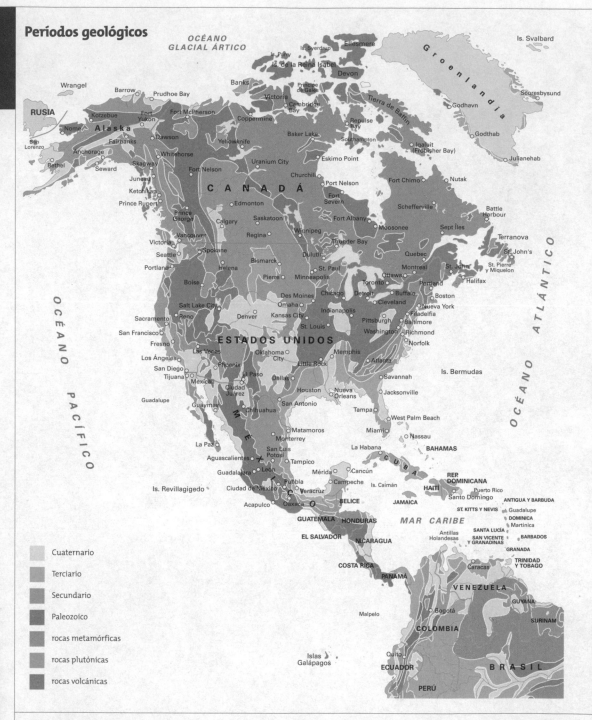

- Cuaternario
- Terciario
- Secundario
- Paleozoico
- rocas metamórficas
- rocas plutónicas
- rocas volcánicas

## Las montañas Rocosas

Lo que se considera estrictamente como montañas Rocosas, también conocidas como Rocallosas, se extiende desde el noroeste de Canadá hasta el estado de Nuevo México, en Estados Unidos. Sin embargo, muchos geólogos coinciden en señalar que tanto las montañas de Alaska, como las propias Rocosas y la Sierra Madre mexicana, son en realidad la misma formación geológica. Incluso, si no fuera por la pequeña fractura de Panamá, esta cordillera tendría su continuación en los Andes de América del Sur.

Las Rocosas son una formación geológicamente joven, por lo que sus picos alcanzan alturas de hasta 4.000 metros y tienen formas escarpadas. Su punto más alto es el Mount Elbert (4.399 metros), que se encuentra en la parte central de la cordillera, en Colorado (Estados Unidos). En este estado se cuentan otras cincuenta cumbres que superan los 4.200 metros de altura, como el Longs Peak (4.345 metros) y el Pikes Peak (4.301 metros).

Las Rocosas de Canadá se caracterizan por sus montañas abruptas y por los numerosos glaciares que salpican sus laderas. El estado canadiense protegió estos parajes con cinco parques nacionales: el Jasper *(en la fotografía)*, Banff, Kootenay, Waterton Lakes y Yoho.

## Grandes regiones naturales

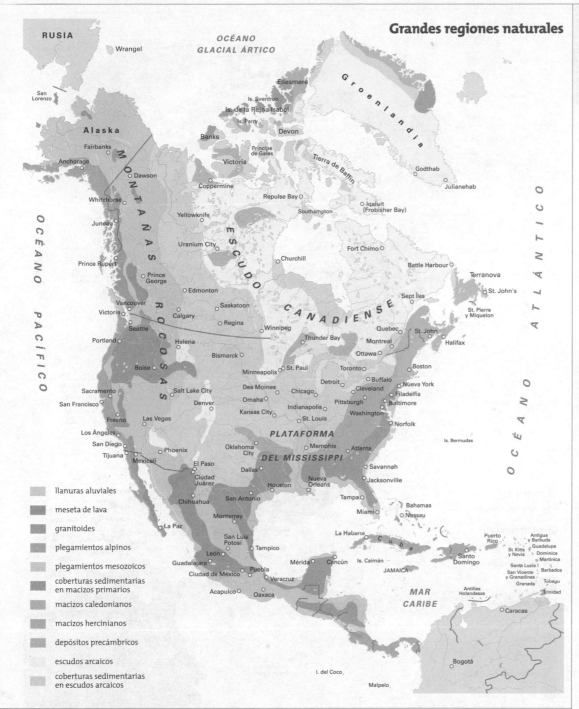

RUSIA
Wrangel
San Lorenzo
OCÉANO GLACIAL ÁRTICO
Ellesmere
Is. Sverdrup
Is. de la Reina Isabel
Is. Parry
Devon
Banks
Príncipe de Gales
Victoria
Groenlandia
Tierra de Baffin
Godthab
Julianehab
Alaska
Fairbanks
Anchorage
Dawson
Whitehorse
Coppermine
Repulse Bay
Southampton
Iqaluit (Frobisher Bay)
Juneau
Yellowknife
Prince Rupert
Uranium City
Churchill
Fort Chimo
Battle Harbour
Terranova
St. John's
St. Pierre y Miquelon
Prince George
Edmonton
Saskatoon
Sept Îles
Vancouver
Victoria
Calgary
Regina
Winnipeg
Thunder Bay
Quebec
St. John
Halifax
Seattle
Helena
Bismarck
Montreal
Ottawa
Boston
Portland
Boise
Minneapolis
St. Paul
Toronto
Buffalo
Nueva York
Sacramento
San Francisco
Salt Lake City
Des Moines
Chicago
Detroit
Cleveland
Pittsburgh
Filadelfia
Baltimore
Washington
Fresno
Denver
Omaha
Indianapolis
St. Louis
Las Vegas
Kansas City
Norfolk
Los Ángeles
San Diego
Tijuana
Mexicali
Phoenix
Oklahoma City
Memphis
Atlanta
Is. Bermudas
El Paso
Dallas
Savannah
Ciudad Juárez
Houston
Nueva Orleans
Jacksonville
Chihuahua
San Antonio
Tampa
Miami
Bahamas
Nassau
La Paz
Monterrey
San Luis Potosí
Tampico
La Habana
Cuba
Puerto Rico
León
Guadalajara
Ciudad de México
Puebla
Veracruz
Mérida
Cancún
Is. Caimán
Santo Domingo
Acapulco
Oaxaca
JAMAICA
MAR CARIBE
Antillas Holandesas
Caracas
I. del Coco
Malpelo
Bogotá

MONTAÑAS ROCOSAS
ESCUDO CANADIENSE
PLATAFORMA DEL MISSISSIPPI

OCÉANO PACÍFICO
OCÉANO ATLÁNTICO

Antigua y Barbuda
Guadalupe
Dominica
Martinica
Santa Lucía
San Vicente y Granadinas
Granada
St. Kitts y Nevis
Barbados
Tobago
Trinidad

**Leyenda:**
- llanuras aluviales
- meseta de lava
- granitoides
- plegamientos alpinos
- plegamientos mesozoicos
- coberturas sedimentarias en macizos primarios
- macizos caledonianos
- macizos hercinianos
- depósitos precámbricos
- escudos arcaicos
- coberturas sedimentarias en escudos arcaicos

## Groenlandia

La mayor isla del mundo contiene también la capa de hielo más extensa de la Tierra tras la Antártida, con 1,8 millón de kilómetros cuadrados. La mayor parte de este hielo se sitúa en el interior de la isla, donde llega a alcanzar más de tres kilómetros de espesor. El peso de esta enorme masa ha provocado que en algunas regiones del interior la superficie rocosa haya cedido y se sitúe más de un kilómetro bajo el nivel del mar.

No obstante, en los últimos años, esta enorme masa helada tiende a disminuir, ya que, a causa del calentamiento global del planeta, Groenlandia pierde 227.000 millones de litros netos anuales.

◔ Glaciar Kiagtut, al sur de Groenlandia

## La placa del Caribe

Las Pequeñas y las Grandes Antillas forman un arco insular de origen volcánico que se encuentra entre dos placas tectónicas: la placa del Caribe y, al este, la placa de América o Atlántica, que se introduce y empuja a la anterior a 50 kilómetros bajo las Pequeñas Antillas.

Este movimiento de placas queda comprobado con el desplazamiento de unos centímetros al año de la isla La Española (Haití y República Dominicana) y por los continuos movimientos sísmicos y la actividad volcánica que se desarrolla en varias de estas islas. Entre las erupciones más devastadoras se encuentran las ocurridas en la Martinica en 1902 y en Montserrat entre 1995 y 1997.

◔ Vista satelital de la Martinica

## Volcanes y sismos

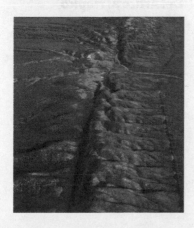

Las placas tectónicas Norteamericana y del Pacífico chocan en la falla de San Andrés (foto). Esta fosa, que discurre paralela a la costa de California más de 900 kilómetros, alcanza los 1.700 metros de profundidad y cruza la ciudad de San Francisco. La fricción constante de las dos placas desencadena los sismos que asuelan la región. La falla de San Andrés es sólo un pequeño segmento del Anillo de Fuego, la línea de alta sismicidad que rodea el océano Pacífico y que concentra el 75% de los volcanes del planeta.

En América del Norte, la actividad volcánica del Anillo de Fuego se manifiesta especialmente en las islas Aleutianas (monte Shishaldin), la península de Alaska (monte Katmai), la cordillera de las Cascadas (monte St. Helens) y el Cinturón Volcánico Transmexicano. Resultado del choque entre las placas Norteamericana, de deriva atlántica, y de las islas Cocos, en la vertiente del Pacífico, éste sistema montañoso reúne las mayores cumbres de México, como los volcanes Orizaba, o Citaltépetl, Popocatépetl y Iztaccíhuatl.

# Clima

El clima de Norteamérica incluye ambientes tan extremos como el rigor polar de Alaska, Groenlandia y el norte de Canadá, el árido calor de los desiertos de México y el suroeste estadounidense, y la humedad tropical de Florida y las costas del Caribe. Además, el centro y el sur del subcontinente están expuestos a fenómenos atmosféricos tan dañinos como los huracanes y los tornados.

## Los huracanes

Un huracán *(foto)* es una tormenta tropical en forma de viento muy fuerte –puede alcanzar los 370 km/h– que se origina en el mar y gira en forma de remolino, acarreando enormes cantidades de humedad. Son característicos de las costas del golfo de México, América Central y el Caribe, y al llegar a áreas pobladas suelen causar daños catastróficos. En otras partes del mundo reciben el nombre de ciclón, baguío o tifón.

## Zonas climáticas

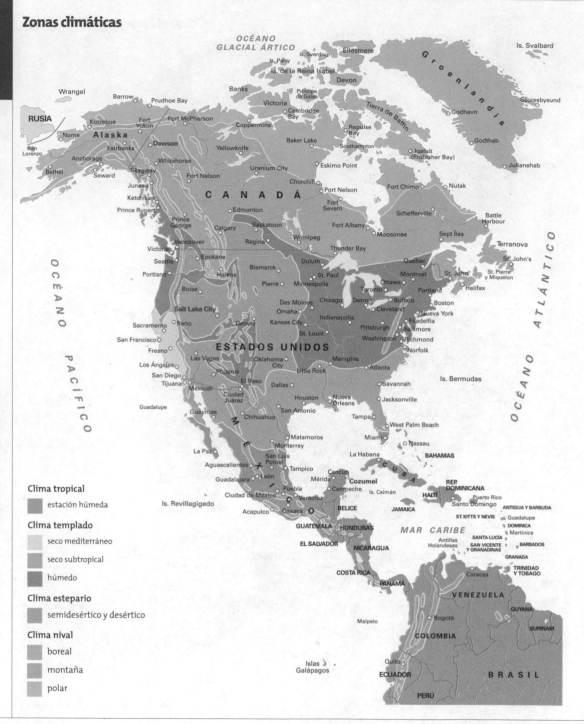

**Clima tropical**
- estación húmeda

**Clima templado**
- seco mediterráneo
- seco subtropical
- húmedo

**Clima estepario**
- semidesértico y desértico

**Clima nival**
- boreal
- montaña
- polar

---

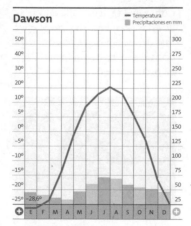

**Dawson**
— Temperatura
▪ Precipitaciones en mm

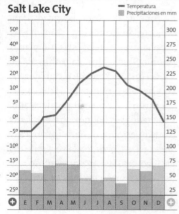

**Salt Lake City**
— Temperatura
▪ Precipitaciones en mm

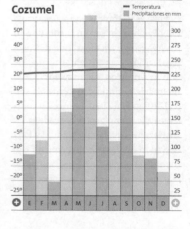

**Cozumel**
— Temperatura
▪ Precipitaciones en mm

## Del Ártico al trópico

Dawson, en Canadá, es una pequeña población que se encuentra al sur del Círculo Polar Ártico, de clima nival boreal caracterizado por bajas temperaturas (mínimas de –28°C) y escasas precipitaciones. En el centro de Estados Unidos se ubica Salt Lake City, cuyo clima templado está fuertemente condicionado por las estaciones. Ya en el trópico, Cozumel, en el Caribe mexicano, presenta altas temperaturas y abundantes lluvias durante casi todo el año, sobre todo en los meses centrales.

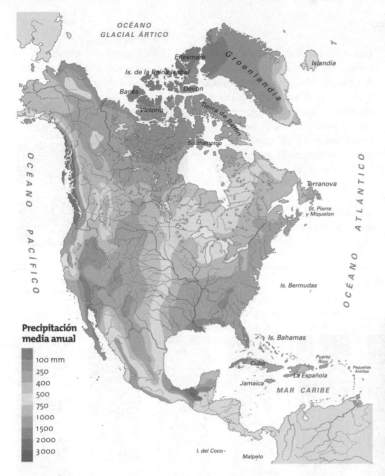

OCÉANO GLACIAL ÁRTICO

Groenlandia

Islandia

Ellesmere

Is. de la Reina Isabel

Banks Devon

Victoria

Tierra de Baffin

Southampton

Terranova

St. Pierre y Miquelon

OCÉANO PACÍFICO

OCÉANO ATLÁNTICO

Is. Bermudas

Is. Bahamas

Cuba

Puerto Rico

La Española

Jamaica

Pequeñas Antillas

MAR CARIBE

I. del Coco

Malpelo

**Precipitación media anual**

- 100 mm
- 250
- 400
- 500
- 750
- 1000
- 1500
- 2000
- 3000

## Oeste seco, este lluvioso

La mitad oriental de América del Norte es, generalmente, más lluviosa que la occidental. La excepción se encuentra en la mitad norte de la costa pacífica, que recibe abundantes precipitaciones. El centro y el sur de California, por su parte, se ven afectados por una corriente fría que inhibe las lluvias estivales, dando lugar a una zona de clima mediterráneo y, en su extremo, a los desiertos del suroeste, donde llueve menos de 300 mm al año. En contraste con las regiones continentales, donde las lluvias son estacionales, en las Antillas y el sur de México las lluvias son constantes y abundantes (hasta 9.000 mm/año).

🜄 Río Bacui, República Dominicana

## Temperaturas extremas

Las temperaturas de la América boreal se caracterizan por sus grandes contrastes, tanto regionales como estacionales. En el norte se registran las temperaturas más bajas (se alcanzaron los −66°C en Northice, Groenlandia), mientras que en los desiertos del suroeste de Estados Unidos y el norte y centro de México el calor es sofocante. El parque californiano de Death Valley *(foto)* tiene el récord del subcontinente con 57°C. Asimismo, los cambios estacionales son extremos: los inviernos son muy fríos debido a la influencia de los aires polares, que descienden hasta latitudes muy bajas al no encontrar obstáculos montañosos transversales en su camino, y los veranos son muy calurosos por el efecto de las altas presiones subtropicales del Atlántico.

## Temperaturas en enero

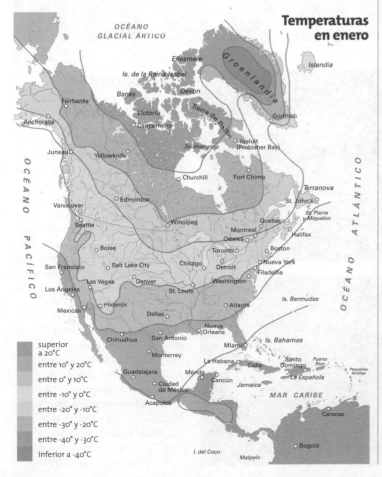

OCÉANO GLACIAL ÁRTICO

Groenlandia

Islandia

Ellesmere

Is. de la Reina Isabel

Banks Devon

Fairbanks

Anchorage

Victoria

Coppermine

Tierra de Baffin

Godthab

Juneau

Yellowknife

Southampton

Iqaluit (Frobisher Bay)

Churchill

Fort Chimo

Terranova

Vancouver

Edmonton

St. John's

St. Pierre y Miquelon

Seattle

Winnipeg

Quebec

Montreal

Halifax

Boise

Ottawa

Toronto

Boston

San Francisco

Salt Lake City

Chicago

Detroit

Nueva York

Filadelfia

Las Vegas

Denver

Washington

Los Ángeles

St. Louis

Mexicali

Phoenix

Atlanta

Is. Bermudas

Dallas

Chihuahua

San Antonio

Nueva Orleans

Miami

Is. Bahamas

Monterrey

La Habana

Cuba

Santo Domingo

Puerto Rico

Guadalajara

Mérida

Cancún

La Española

Ciudad de México

Jamaica

Pequeñas Antillas

Acapulco

MAR CARIBE

I. del Coco

Malpelo

Caracas

Bogotá

OCÉANO PACÍFICO

OCÉANO ATLÁNTICO

- superior a 20°C
- entre 10° y 20°C
- entre 0° y 10°C
- entre -10° y 0°C
- entre -20° y -10°C
- entre -30° y -20°C
- entre -40° y -30°C
- inferior a -40°C

## Temperaturas en julio

OCÉANO GLACIAL ÁRTICO

Groenlandia

Islandia

Ellesmere

Is. de la Reina Isabel

Banks Devon

Fairbanks

Anchorage

Victoria

Coppermine

Tierra de Baffin

Godthab

Juneau

Yellowknife

Southampton

Iqaluit (Frobisher Bay)

Churchill

Fort Chimo

Terranova

Vancouver

Edmonton

St. John's

Seattle

Winnipeg

Quebec

Montreal

Halifax

Boise

Ottawa

Toronto

Boston

San Francisco

Salt Lake City

Chicago

Detroit

Nueva York

Filadelfia

Las Vegas

Denver

Washington

Los Ángeles

St. Louis

Mexicali

Phoenix

Atlanta

Is. Bermudas

La Paz

Chihuahua

Dallas

San Antonio

Nueva Orleans

Miami

Is. Bahamas

Monterrey

La Habana

Cuba

Santo Domingo

Puerto Rico

Guadalajara

Mérida

Cancún

La Española

Ciudad de México

Jamaica

Pequeñas Antillas

Acapulco

MAR CARIBE

I. del Coco

Malpelo

Caracas

Bogotá

OCÉANO PACÍFICO

OCÉANO ATLÁNTICO

- superior a 30°C
- entre 20° y 30°C
- entre 10° y 20°C
- entre 0° y 10°C
- entre -10° y 0°C
- inferior a -10°C

# Hidrografía

América del Norte posee grandes recursos hidrográficos. Además de la región de los Grandes Lagos, que actúan como un verdadero mar interior, el Mississippi es la mayor cuenca fluvial del subcontinente. El cuarto río más largo del mundo comienza su andadura bajo el nombre de Red Rock en las Montañas Rocosas y en su recorrido hacia el golfo de México riega una vastísima región de 3.250.000 km².

### El legendario Mississippi

El Mississippi es, además del río más largo de Norteamérica, una parte muy importante de la historia y de la literatura de los Estados Unidos. Su nombre significa *río grande* en lengua indígena ojibwa. En el siglo XIX, los barcos de vapor con rueda de palas surcaron sus aguas haciendo florecer grandes ciudades comerciales como Nueva Orleans *(en la foto, el Mississippi a su paso por la ciudad)*, Memphis o Saint Louis. Fue también en esa época cuando los afroamericanos lo apodaron *Old Man River* y Mark Twain lo utilizó como escenario de las aventuras de su personaje universal, Tom Sawyer.

### Mayores lagos de Norteamérica

| | |
|---|---|
| Superior (Canadá/EUA) | 82.100 km² |
| Hurón (Canadá/EUA) | 59.600 km² |
| Michigan (EUA) | 57.800 km² |
| Gran Lago del Oso (Can) | 31.790 km² |
| Gran Lago del Esclavo (Canadá) | 28.570 km² |
| Erie (Canadá/EUA) | 25.700 km² |

## La región de los Grandes Lagos

Con una superficie de 245.660 km² –un área superior a la del Reino Unido–, la región de los Grandes Lagos es la mayor extensión de agua dulce no helada de la Tierra. La forman cinco lagos: Superior, Hurón, Michigan, Erie y Ontario. Todos se encuentran entre los 173 y los 183 metros de altitud, excepto el Ontario, que se halla cien metros más abajo, desnivel salvado por las cataratas del Niágara. Todos ellos tienen costas en Canadá y Estados Unidos excepto el Michigan, totalmente rodeado de territorio estadounidense.

Con el río San Lorenzo, su desagüe hacia el Atlántico, los Grandes Lagos forman una de las cuencas fluviales más explotadas comercialmente del mundo. En sus orillas crecieron grandes ciudades, como Toronto, Detroit, Cleveland y Chicago *(foto)*, que albergan a más de 30 millones de personas.
En 1959 se terminó el Canal de San Lorenzo, un proyecto financiado entre Estados Unidos y Canadá y que en la actualidad también se explota conjuntamente. Este sistema hidrográfico es la vía fluvial más larga del mundo

–3.700 kilómetros– y comunica el Atlántico con los más de 50 puertos que rodean los cinco lagos.

### Los ríos más largos de América del Norte

*El río Mississippi desemboca en el golfo de México, en el océano Atlántico

| Mississippi* Missouri Red Rock | Mackenzie Slave Peace | Yukón | Río Grande / Bravo del Norte | Nelson Saskatchewan South Saskatch. | Arkansas | Colorado | Ohio Allegheny |
|---|---|---|---|---|---|---|---|
| Estados Unidos | Canadá | Canadá / Alaska (EUA) | Estados Unidos / México | Canadá | Estados Unidos | Estados Unidos / México | Estados Unidos |
| | | 3.185 km | 3.033 km | 2.600 km | 2.350 km | 2.333 km | 2.101 km |
| | 4.241 km | | | | | | |
| 5.970 km | *Mar de Beaufort (Ártico)* | *Mar de Bering (Pacífico)* | *Golfo de México (Atlántico)* | *Bahía de Hudson (Atlántico)* | *Río Mississippi* | *Golfo de California (Pacífico)* | *Río Mississippi* |

## El lago de Chapala

México tiene la hidrografía más modesta de Norteamérica. Su mayor superficie lacustre es el lago de Chapala, alimentado por el río Lerma, drenado por el Santiago y próximo a Guadalajara, la segunda área urbana de la República. Como siglos atrás ocurriera con la laguna de Texcoco, que acogió las metrópolis de Tenochtitlán (la Venecia azteca) y Tlatelolco, el modelo urbanístico, la presión demográfica y el aumento de las zonas cultivables en la cuenca del río Lerma están reduciendo su volumen desde la década de 1970.
En 1986, el lago de Chapala ocupaba un área de 1.048 km² *(foto 1)*. Quince años después se extendía sobre 812 km² *(foto 2)*. En sólo cinco años, el lago perdió 226 km² y el 50% de su capacidad histórica. La progresiva desecación y la creciente aparición en sus aguas de sustancias químicas, derivadas de la actividad agrícola e industrial, ponen en peligro los atractivos ecológico y turístico del mayor lago de México.

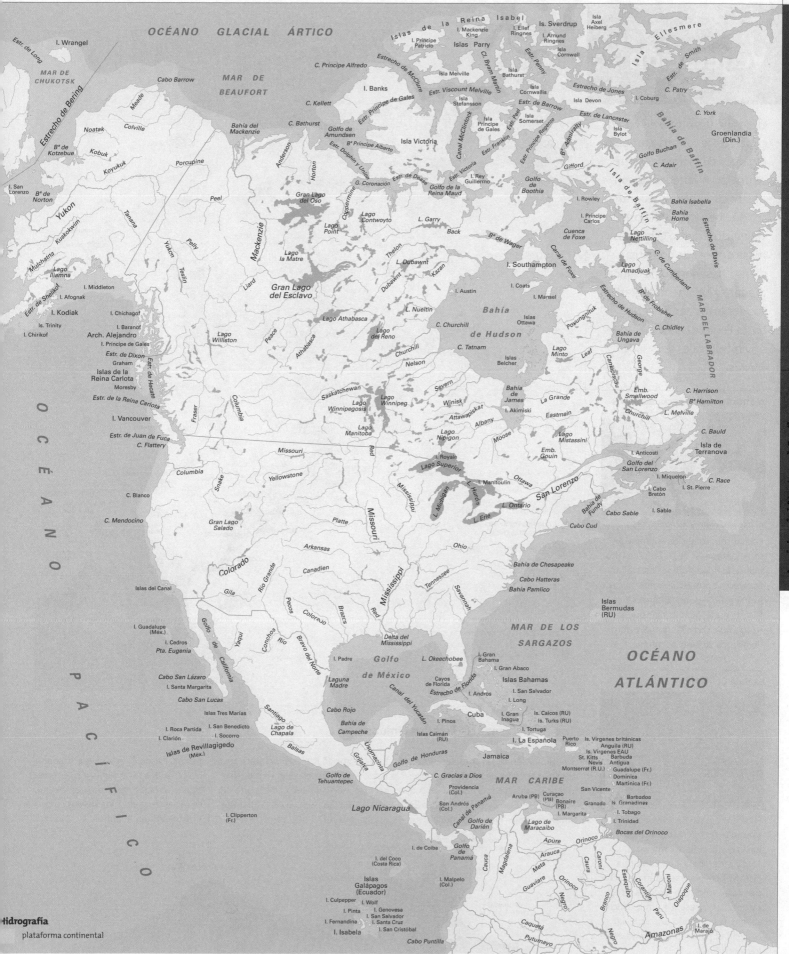

OCÉANO GLACIAL ÁRTICO

Estr. de Long
I. Wrangel

MAR DE CHUKOTSK

Estrecho de Bering

MAR DE BEAUFORT

Islas de la Reina Isabel
Is. Sverdrup
Isla Axel Heiberg

Isla Ellesmere

I. Mackenzie King
I. Ellef Ringnes
I. Amund Ringnes
Islas Parry
Cl. Byam Martin

Estr. de Smith
C. Patry

Cabo Barrow
C. Príncipe Alfredo
Estrecho de McClure
Isla Melville
Cl. Byam Martin
Isla Bathurst
Estr. Penny
Isla Cornwall
Estr. de Jones
I. Coburg
C. York

Groenlandia (Din.)

Meade
C. Kellett
C. Bathurst
I. Banks
Estr. Príncipe de Gales
Isla Stefansson
Isla Cornwallis
Estr. de Barrow
Isla Devon
Bahía de Baffin

Noatak
Colville
Bahía del Mackenzie
Golfo de Amundsen
Golfo de Amundsen
Estr. Dolphin y Union
Isla Victoria
Isla Príncipe de Gales
Isla Somerset
Estr. Príncipe Regente
Isla Bylot
Golfo Buchan
C. Adair

Kobuk
Anderson
Bª Príncipe Alberto
Isla Victoria
Estr. Victoria
Estr. Franklin
Bª de Admiralty
Gifford

Bª de Kotzebue
Yukon
Kuskokwim
Porcupine
Horton
G. Coronación
Estr. de Dease
Golfo de la Reina Maud
I. Rey Guillermo
Golfo de Boothia
Bahía Isabella
Bahía Home
Estrecho de Davis

I. San Lorenzo
Bª de Norton
Peel
Gran Lago del Oso
Coppermine
Lago Contwoyto
L. Garry
Bª de Wager
I. Rowley
Príncipe Carlos
Lago Nettilling

Mulchatna
Lago Iliamna
Lago Point
Lago la Matre
Thelon
Back
Cuenca de Foxe
Lago Amadjuak

Estr. de Sheikof
I. Middleton
Tanana
Liard
Mackenzie
Dubawnt
L. Dubawnt
Kazan
I. Southampton
Canal de Foxe
Bª de Frobisher

I. Afognak
I. Kodiak
I. Chichagof
Gran Lago del Esclavo
L. Nueltin
Bahía de Hudson
I. Coats
I. Mansel
Bahía de Ungava

Is. Trinity
I. Chirikof
I. Baranof
Arch. Alejandro
Lago Williston
Lago Athabasca
Lago del Reno
C. Churchill
Islas Ottawa
Powungnituk
C. Chidley
MAR DEL LABRADOR

I. Príncipe de Gales
Estr. de Dixon
Graham
Peace
Athabasca
Churchill
C. Tatnam
Islas Belcher
Bahía de Ungava
George

Islas de la Reina Carlota
Moresby
Saskatchewan
Nelson
Severn
Lago Minto
Leaf
Canapiscau
Emb. Smellwood
C. Harrison
Bª Hamilton

I. Vancouver
Fraser
Columbia
Lago Winnipegosis
Lago Winnipeg
Winisk
Bahía de James
La Grande
Churchill
L. Melville

Estr. de la Reina Carlota
Estr. de Juan de Fuca
C. Flattery
Lago Manitoba
Attawapiskat
Albany
I. Akimiski
Eastmain
Lago Mistassini
C. Bauld
Isla de Terranova

OCÉANO PACÍFICO
Columbia
Missouri
Yellowstone
Red
Lago Nipigon
Moose
Emb. Gouin
I. Anticosti
Golfo del San Lorenzo
I. Miquelon
C. Race

C. Blanco
Snake
L. Royale
Lago Superior
Ottawa
San Lorenzo
I. Cabo Bretón
I. St. Pierre

C. Mendocino
Gran Lago Salado
Platte
Missouri
Mississippi
L. Michigan
L. Huron
I. Manitoulin
L. Ontario
Bahía de Fundy
Cabo Sable
I. Sable

Arkansas
Ohio
L. Erie
Cabo Cod

Colorado
Río Grande
Canadien
Tennessee
Bahía de Chesapeake

Islas del Canal
Gila
Pecos
Brazos
Red
Mississippi
Savannah
Cabo Hatteras
Bahía Pamlico

I. Guadalupe (Méx.)
Golfo de California
Conchos Río
Colorado
Bravo del Norte
Delta del Mississippi
Islas Bermudas (RU)

I. Cedros
Pta. Eugenia
Yaqui
I. Padre
Golfo de México
L. Okeechobee
I. Gran Bahama
I. Gran Abaco
MAR DE LOS SARGAZOS
OCÉANO ATLÁNTICO

Cabo San Lázaro
I. Santa Margarita
Laguna Madre
Cayos de Florida
Islas Bahamas
I. San Salvador

Cabo San Lucas
Santiago
Cabo Rojo
Canal del Yucatán
Estrecho de Florida
I. Andros
I. Long

Islas Tres Marías
I. San Benedicto
Lago de Chapala
Bahía de Campeche
I. Pinos
Cuba
I. Gran Inagua
Is. Caicos (RU)
Is. Turks (RU)

I. Roca Partida
I. Socorro
Balsas
Islas Caimán (RU)
I. Tortuga

I. Clarión
Islas de Revillagigedo (Méx.)
Grijalva
Usumacinta
Golfo de Honduras
I. La Española
Puerto Rico
Is. Vírgenes británicas
Anguila (RU)

Golfo de Tehuantepec
Jamaica
Is. Vírgenes EAU
St. Kitts
Nevis
Barbuda
Antigua
Montserrat (R.U.)
Guadalupe (Fr.)
Dominica
Martinica (Fr.)

I. Clipperton (Fr.)
C. Gracias a Dios
MAR CARIBE
San Vicente

Providencia (Col.)
Aruba (PB)
Curaçao (PB)
Bonaire (PB)
Granado
Barbados
Is. Granadinas

San Andrés (Col.)
Lago Nicaragua
Canal de Panamá
I. Margarita
I. Tobago

I. del Coco (Costa Rica)
I. de Coiba
Golfo de Darién
Lago de Maracaibo
I. Trinidad
Bocas del Orinoco

Islas Galápagos (Ecuador)
I. de Coiba
Golfo de Panamá
Magdalena
Apure
Orinoco
Caura
Caroní
Essequibo

I. Culpepper
I. Wolf
I. Malpelo (Col.)
Cauca
Meta
Arauca
Orinoco
Corentijn

I. Pinta
I. Genovesa
I. San Salvador
I. Santa Cruz
Guaviare
Negro
Branco
Paru
Oiapoque

I. Fernandina
I. Isabela
I. San Cristóbal
Caquetá
Putumayo
Negro
Amazonas
I. de Marajó

Cabo Puntilla

Hidrografía
plataforma continental

# Vegetación

El extenso territorio de América del Norte conserva amplias regiones aún vírgenes y ofrece una gran variedad de contrastes climáticos y geográficos que tienen su reflejo en la vegetación: desde la inmensa masa de bosque boreal canadiense, pasando por la mítica pradera y los cinematográficos desiertos de California, hasta llegar a las exuberantes selvas tropicales del sur de México.

## Montañas Rocosas canadienses

En las cotas altas de las cordilleras se encuentran condiciones climáticas semejantes a las de las latitudes propias de la taiga. Aquí se desarrollan frondosos bosques de coníferas, cuya forma cónica es una adaptación al frío y la nieve, pues impide que ésta se acumule sobre las ramas, evitando, así, que su peso las rompa.

## La Baja California

El centro y el sur de California presentan un clima mediterráneo que hacia el sur se hace cada vez más seco y árido. En la Baja California (México), las plantas están perfectamente adaptadas a las altas temperaturas y la escasez de agua, e incluso han desarrollado una especial capacidad para rebrotar después de los incendios.

## Vegetación natural

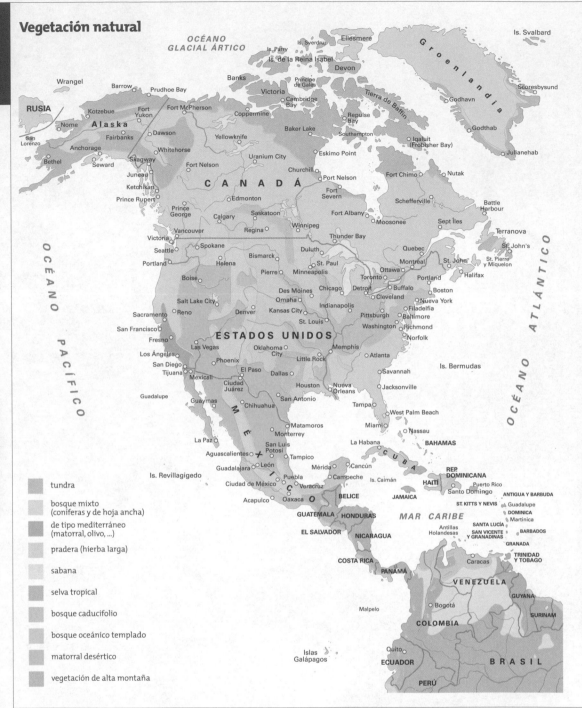

- tundra
- bosque mixto (coníferas y de hoja ancha)
- de tipo mediterráneo (matorral, olivo, …)
- pradera (hierba larga)
- sabana
- selva tropical
- bosque caducifolio
- bosque oceánico templado
- matorral desértico
- vegetación de alta montaña

## Los ecosistemas de Estados Unidos

La orientación de las cordilleras impide la penetración de los vientos húmedos oceánicos hacia el interior del continente. Por otro lado, las grandes llanuras centrales facilitan la circulación hacia el sur de las masas de aire frío polar. Así, en invierno, el viento frío y seco del norte llega hasta el golfo de México. Por su parte, la costa atlántica está bajo la influencia de la corriente marina fría del Labrador, que expone a las latitudes templadas a rigurosos fríos invernales. En cambio, en verano, estas costas reciben los vientos cálidos y húmedos del Atlántico.

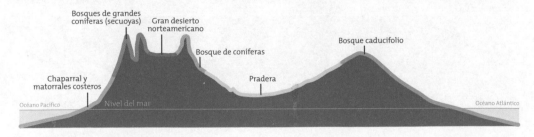

Bosques de grandes coníferas (secuoyas)
Gran desierto norteamericano
Bosque de coníferas
Bosque caducifolio
Chaparral y matorrales costeros
Pradera
Océano Pacífico
Nivel del mar
Océano Atlántico

# Usos del suelo

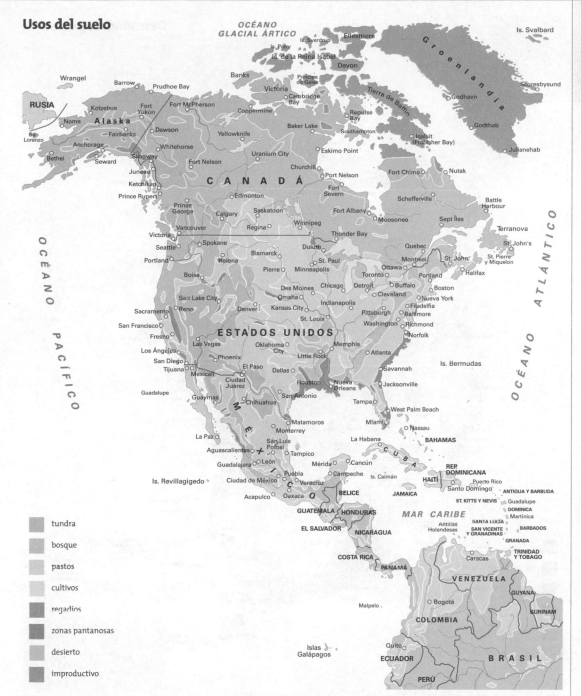

- tundra
- bosque
- pastos
- cultivos
- regadíos
- zonas pantanosas
- desierto
- improductivo

## La pradera americana

○ Campos de labranza en Kansas

Las grandes praderas de Estados Unidos se extienden por diez estados, desde Montana, al norte, hasta Texas, al sur. Hoy en día, la pradera virgen prácticamente ya no existe, porque se dedica al cultivo de cereales y a pasto para el ganado. Por esta razón, las manadas de bisontes desaparecieron y el número de perritos de las praderas se ha reducido drásticamente. El subsuelo está ocupado por el acuífero Ogallala, el más grande del mundo, que ya ha empezado a dar síntomas de agotamiento debido al uso abusivo de sus aguas freáticas.

## La gran secuoya

En la costa oeste, la corriente cálida del Pacífico hace que el clima sea más caluroso que en el este. Las vertientes occidentales de las cordilleras reciben abundantes lluvias, que facilitan el desarrollo de densos bosques de coníferas como las gigantescas secuoyas, el ser vivo más grande del planeta, que llegan a superar los 80 metros de altura.

# La desaparición del bosque templado

Los bosques templados de hoja caduca están formados por árboles que pierden sus hojas en otoño, permanecen inactivos durante el invierno y recuperan el follaje con la primavera, por lo cual tienen un período de crecimiento que suele durar tan sólo de cuatro a seis meses.

Este ciclo constituye un magnífico ejemplo de la adaptación de las plantas a los ritmos estacionales. Ocupan áreas situadas entre los 30 y los 50 grados de latitud norte, donde las precipitaciones anuales oscilan entre los 750 y los 2.500 mm y donde los cambios de estación son muy grandes, incluso extremos. Antiguamente, estos bosques ocupaban extensas regiones de Europa, Asia y Norteamérica, pero siempre han sido los bosques más explotados por el hombre, que durante cientos de años ha usado su madera como fuente de energía, material de construcción o, simplemente, los ha talado para obtener nuevas tierras de cultivo.

Prácticamente hasta el inicio de la revolución industrial, que trajo consigo el uso del carbón mineral, la madera de estos bosques fue el principal recurso energético del mundo occidental. En los mapas adjuntos se observa la disminución de estos bosques en Estados Unidos desde la llegada de los europeos al continente.

**1620**

**1990**

○ Áreas de bosques vírgenes en Estados Unidos en 1620 y en 1990

# Distribución de la población

El territorio continental de Norteamérica ofrece extensas zonas deshabitadas, en especial en el norte ártico y el centro de Canadá. Por el contrario, las costas atlántica y pacífica y la región de los Grandes Lagos están densamente pobladas, así como las islas del Caribe. Los norteamericanos viven principalmente en zonas urbanas, algunas de las cuales se encuentran entre las ciudades más populosas del planeta.

| Densidad de población | hab/km² |
|---|---|
| Barbados | 625,6 |
| San Vicente y las Granadinas | 305,1 |
| Haití | 296,1 |
| Trinidad y Tobago | 253,0 |
| Jamaica | 239,2 |
| Santa Lucía | 238,7 |
| Granada | 237,1 |
| República Dominicana | 176,8 |
| Antigua y Barbuda | 164,6 |
| St. Kitts y Nevis | 105,9 |
| Dominica | 104,5 |
| Cuba | 101,7 |
| México | 52,1 |
| Estados Unidos | 30,2 |
| Bahamas | 22,3 |
| Canadá | 3,1 |

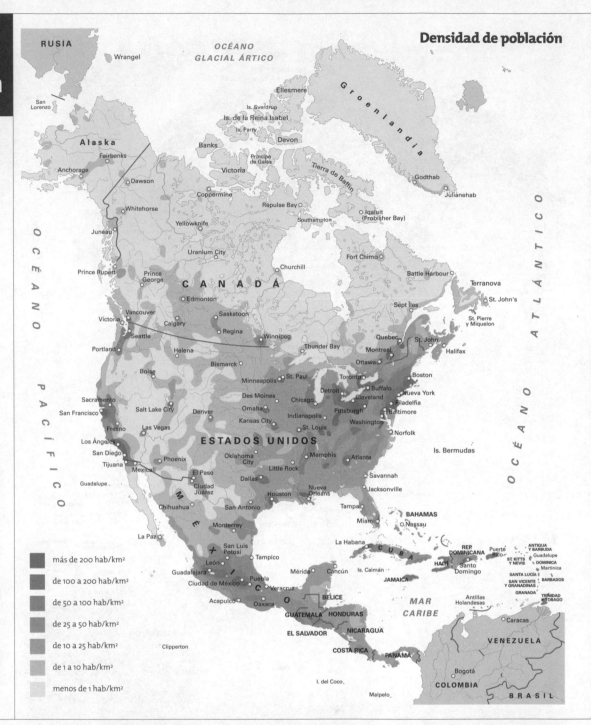

**Densidad de población**

- más de 200 hab/km²
- de 100 a 200 hab/km²
- de 50 a 100 hab/km²
- de 25 a 50 hab/km²
- de 10 a 25 hab/km²
- de 1 a 10 hab/km²
- menos de 1 hab/km²

| Principales aglomeraciones urbanas del continente | mill. hab |
|---|---|
| Nueva York (EUA) | 21,6 |
| Ciudad de México | 20,9 |
| Los Ángeles (EUA) | 16,9 |
| Chicago (EUA) | 9,4 |
| Washington (EUA) | 7,8 |
| San Francisco (EUA) | 7,3 |
| Filadelfia (EUA) | 6,3 |
| Boston (EUA) | 5,9 |
| Detroit (EUA) | 5,8 |
| Dallas/Fortworth (EUA) | 5,6 |
| Toronto (Canadá) | 4,9 |
| Houston (EUA) | 4,9 |
| Atlanta (EUA) | 4,5 |

**Nueva York (Estados Unidos)**
El espectacular crecimiento de la capital financiera de Estados Unidos se inició en el siglo XIX, al convertirse en la puerta de entrada de la inmigración europea y alcanzar los tres millones de habitantes a finales de aquel siglo.

**La Habana (Cuba)**
La Habana, que acoge al 20% de la población total de Cuba, es el referente cultural del país y uno de los más importantes de Latinoamérica. La ciudad sufrió la crisis de los años 80 y disminuyó su crecimiento hasta un 0,7%.

**Toronto (Canadá)**
Toronto se encuentra a orillas del lago Ontario y es el mayor centro económico y demográfico de Canadá. Con la apertura del canal de San Lorenzo pasó de un millón de habitantes en 1950, a los 5,2 millones de finales del siglo XX.

# Población urbana

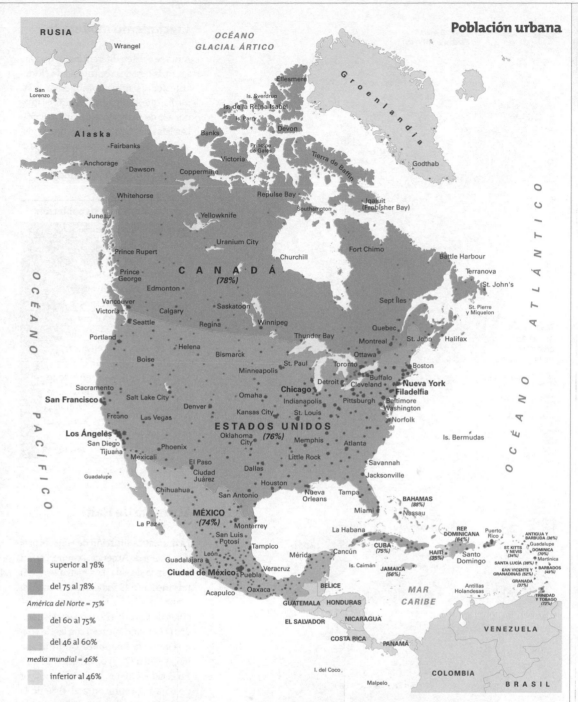

**Países más urbanizados**

| | |
|---|---|
| Bahamas | 89% |
| Canadá | 79% |
| EUA | 77% |
| Cuba | 76% |
| México | 75% |
| Trinidad y Tobago | 74% |

**Países menos urbanizados**

| | |
|---|---|
| St. Kitts y Nevis | 34% |
| Haití | 36% |
| Antigua y Barbuda | 37% |
| Santa Lucía | 38% |
| Granada | 38% |
| Barbados | 50% |

## La ciudad ideal

Vancouver, una ciudad porturaria de la costa oeste de Canadá de unos 500.000 habitantes, fue elegida por la consultora internacional William M. Mercer como la mejor ciudad del mundo para vivir. Entre los diversos factores que la elevaron a esta distinción destacan su prosperidad económica, su entorno natural y una buena planificación urbanística, en la que se incluyen grandes zonas verdes. Además, sus compatriotas también eligieron Vancouver como la ciudad más bonita de Canadá.

○ Vista de Vancouver (Canadá)

**Leyenda del mapa:**

- superior al 78%
- del 75 al 78%
- *América del Norte = 75%*
- del 60 al 75%
- del 46 al 60%
- *media mundial = 46%*
- inferior al 46%

# Ciudad de México: los problemas ambientales de una megalópolis

La capital de México está considerada, junto con Los Ángeles (Estados Unidos), San Pablo (Brasil) y Santiago (Chile), una de las megalópolis más irrespirables del planeta. En un área de 1.480 km², Ciudad de México acoge a más de 20 millones de personas y a industrias de todo tipo –textil, caucho, plástico, metalúrgica, refinerías...–. No obstante, el 80% de la contaminación del aire no proviene de las transformaciones industriales, sino de los más de 3,5 millones de vehículos de motor que recorren sus calles.

Estos factores, junto a su ubicación en una depresión rodeada de montañas a 2.239 metros de altura, convierten el aire en insalubre. La alta concentración de ozono, monóxido de carbono y partículas en suspensión en el aire tienen como consecuencia el aumento de las enfermedades respiratorias.
En Ciudad de México se han realizado estudios que demuestran la relación entre la contaminación atmosférica y la hipertensión de unos 46.000 adultos. También se considera que alrededor del 70% de las muertes de los niños

menores de cinco años se deben a infecciones pulmonares causadas por los agentes contaminantes.
Las medidas de control tomadas a partir de 1991 por las autoridades para mejorar la calidad del aire en el Valle de México permitieron reducir la concentración de plomo en un 98%, mientras el dióxido de azufre disminuyó hasta alcanzar un nivel inocuo y el ozono empezó a mostrar una tendencia favorable. Frente a los 30 días de contingencia ambiental que se registraron en 1992, en 2002 sólo se aplicó uno.

## Crecimiento de la población urbana

| | |
|---|---|
| Haití | 3,73% |
| S. Vicente y las Granadinas | 3,49% |
| Rep. Dominicana | 2,68% |
| Bahamas | 2,06% |
| México | 1,89% |
| Jamaica | 1,80% |
| Santa Lucía | 1,62% |
| Trinidad y Tobago | 1,46% |
| Barbados | 1,39% |
| Antigua y Barbuda | 1,19% |
| Estados Unidos | 1,06% |
| Cuba | 0,97% |
| Canadá | 0,95% |
| St. Kitts y Nevis | −0,01% |

# Crecimiento y composición de la población

En América del Norte habitan más de 457 millones de personas, pero aproximadamente el 85% lo hace en dos países: Estados Unidos y México. La población nativa prácticamente ha desaparecido o permanece reducida en reservas. La única excepción es México, donde la mayoría de la población es mestiza, mientras que gran parte de los habitantes del resto del subcontinente tiene sus orígenes en Europa y África. Las tendencias demográficas de Norteamérica se caracterizan, a grandes rasgos, por un crecimiento bajo o moderado de la población, una alta esperanza de vida y una tasa de fecundidad media.

## Población por países

| | habitantes |
|---|---|
| Estados Unidos | 294.040.000 |
| México | 103.460.000 |
| Canadá | 31.510.000 |
| Cuba | 11.300.000 |
| República Dominicana | 8.750.000 |
| Haití | 8.330.000 |
| Jamaica | 2.650.000 |
| Trinidad y Tobago | 1.300.000 |
| Bahamas | 310.000 |
| Barbados | 269.000 |
| Santa Lucía | 148.000 |
| S. Vicente y las Granadinas | 119.000 |
| Granada | 81.000 |
| Dominica | 78.000 |
| Antigua y Barbuda | 73.000 |
| St. Kitts y Nevis | 38.000 |

## Porcentaje sobre la población total

- **63,6%** Estados Unidos
- **22,2%** México
- **6,8%** Canadá
- **7,4%** Caribe

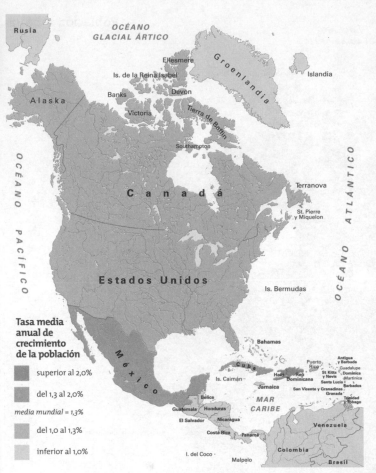

**Tasa media anual de crecimiento de la población**

- superior al 2,0%
- del 1,3 al 2,0%

*media mundial = 1,3%*

- del 1,0 al 1,3%
- inferior al 1,0%

## Crecimiento moderado

Aunque existen diferencias de un país a otro, la tasa de crecimiento de Norteamérica es muy homogénea y su media, que se sitúa en el 0,95%, es inferior a la de sus vecinos del Sur (1,95%). Las islas del Caribe son las que registran los mayores contrastes, ya que pasa del 1,8% de Bahamas al crecimiento negativo (–0,1%) de Dominica.

### Cuándo duplicaría su población*

| | |
|---|---|
| Dominica | **nunca** (crecimiento negativo) |
| Granada | en el 2283 |
| Cuba | en el 2173 |
| Barbados | en el 2138 |
| Trinidad y Tobago | en el 2138 |
| Ant. y Barbuda | en el 2115 |
| S. Vicente y Gran. | en el 2099 |
| Estados Unidos | en el 2086 |
| Jamaica | en el 2077 |
| Canadá | en el 2069 |
| Santa Lucía | en el 2049 |
| Saint Kitts y Nevis | en el 2047 |
| México | en el 2043 |
| Haití | en el 2041 |
| Rep. Dominicana | en el 2041 |
| Bahamas | en el 2038 |

*\* Si mantuviera su actual tasa de crecimiento.*

## El drama de Haití

La dramática situación de Haití, el país más pobre de América, se refleja en su esperanza de vida. Los haitianos viven una media de 49,5 años, edad muy temprana no sólo si se la compara con las cifras de Canadá (79,3) o Estados Unidos (77,4), sino también con las de vecinos como la República Dominicana (66,7), Cuba (76,7) o Jamaica (75,7). En Estados Unidos, la población mayor de 65 años representa el 19% de la población. De ellos, 9,2 millones superan los 80 años de edad. En el 2050, Estados Unidos será, tras Japón, el país con más centenarios: 473.000 personas.

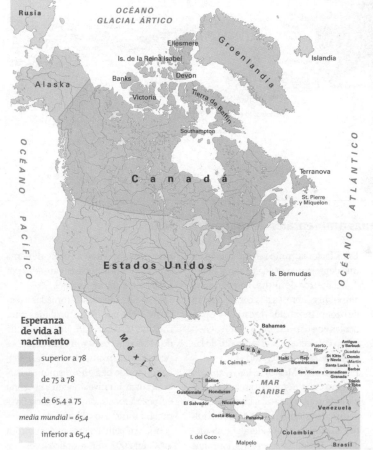

**Esperanza de vida al nacimiento**

- superior a 78
- de 75 a 78
- de 65,4 a 75

*media mundial = 65,4*

- inferior a 65,4

### Esperanza de vida

| | años |
|---|---|
| Canadá | 79,3 |
| Estados Unidos | 77,4 |
| Barbados | 77,2 |
| Cuba | 76,7 |
| Jamaica | 75,7 |
| (...) | |
| St. Kitts y Nevis | 70,0 |
| Bahamas | 67,1 |
| República Dominicana | 66,7 |
| Granada | 64,5 |
| Haití | 49,5 |

## Composición étnica

La mayor parte de la población de la región es de origen europeo (Canadá y Estados Unidos) o afroamericano (Caribe), mientras que México tiene mayoría mestiza y amerindia, como casi todos los países del sur y del centro de América. En Estados Unidos también es muy importante la presencia de grupos de origen asiático y latinoamericano.

⬥ Imagen de China Town, el barrio chino de Nueva York (Estados Unidos)

### Canadá

La mayor parte de la población es descendiente de europeos.

**44%** Origen británico
**25%** Origen francés
**20%** Otros europeos
**4%** Inuits/otros nativos
**7%** Otros

### Cuba

Descendientes de europeos y africanos monopolizan la población.

**51%** mulatos
**37%** origen europeo
**11%** afroamericano
**1%** origen asiático

### México

Mayor proporción de población mestiza o de origen amerindio.

**55%** mestizos
**20%** amerindios
**16%** origen europeo
**9%** otros

### Estados Unidos

Potentes minorías derivadas de la inmigración de los siglos XVIII a XX.

**69,1%** origen europeo
**12,5%** origen latinoam.
**12,1%** afroamericanos
**0,7%** nativos americanos
**3,6%** origen asiático
**1,9%** otros

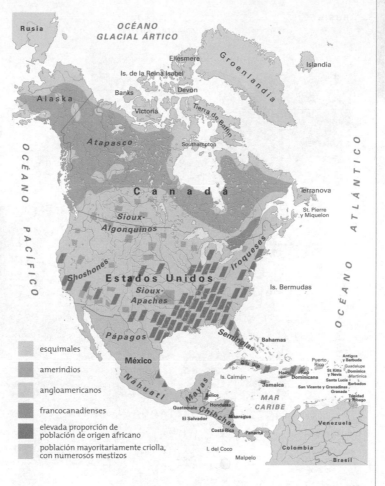

esquimales
amerindios
angloamericanos
francocanadienses
elevada proporción de población de origen africano
población mayoritariamente criolla, con numerosos mestizos

## Tendencias demográficas

Las variaciones en las tasas de fecundidad en la región son escasas: en México la media se sitúa en los 2,5 hijos por mujer, en las Antillas es de 2,3, mientras que en Canadá y Estados Unidos esta cifra se reduce a 1,8. Estas pequeñas diferencias, además, se irán ajustando con el paso de los años, ya que se prevé que en el 2050 la mayoría de los países de Norteamérica y el Caribe tendrán una tasa de fecundidad de 2,1 hijos, a excepción de Trinidad y Tobago, Canadá, Cuba y Barbados, donde será de 1,9.

### Edad media de la población · años

| | |
|---|---|
| Canadá | 36 |
| Estados Unidos | 35 |
| Barbados | 32 |
| Cuba | 32 |
| Antigua y Barbuda | 29 |
| (...) | |
| St. Kitts y Nevis | 23 |
| Santa Lucía | 23 |
| México | 22 |
| Granada | 18 |
| Haití | 18 |

### Tasa de fecundidad · hijos por mujer

| | |
|---|---|
| Haití | 4,0 |
| República Dominicana | 2,7 |
| México | 2,5 |
| Granada | 2,5 |
| St. Kitt y Nevis | 2,4 |
| (...) | |
| Dominica | 2,0 |
| Trinidad y Tobago | 1,5 |
| Cuba | 1,5 |
| Barbados | 1,5 |
| Canadá | 1,5 |

## Los Ángeles y Miami: el poder latino en Estados Unidos

Los Ángeles es el paradigma de diversidad étnica en el siglo XXI. Históricamente, la ciudad californiana ha sido un gran núcleo de atracción de inmigrantes gracias a su clima seco y cálido, a su puerto y a la proximidad de la frontera mexicana.

Gran parte del impulso demográfico de esta ciudad ha tenido lugar a causa de la inmigración latina, especialmente de México, Honduras y El Salvador. El proceso ha sido lento, pero ininterrumpido: en 1950 la población de origen latinoamericano representaba menos del 6% de la población total de la ciudad; en 1970, esta cifra ya había

aumentado hasta el 18%. En sólo diez años, los hispanos ya suponían el 28% de los ciudadanos; en 1992 eran el 33% y en el 2000, el 44%.

Otros grupos étnicos de gran presencia en Los Ángeles son los asiáticos, con un 12% de la población, y los afroamericanos, con un 9,5%.

En la costa atlántica, Miami también ha experimentado una fuerte inmigración hispana. Desde 1970, los emigrantes cubanos se fueron instalando en la ciudad hasta llegar a representar el 40% de la población. El español es un idioma habitual en sus calles e incluso existe un barrio llamado Little Havanna.

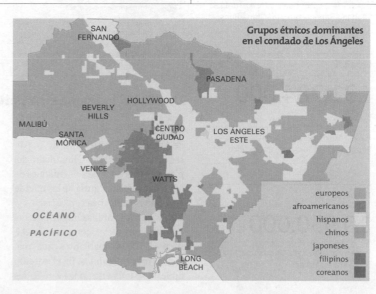

Grupos étnicos dominantes en el condado de Los Ángeles

europeos
afroamericanos
hispanos
chinos
japoneses
filipinos
coreanos

# Lenguas y etnias

En Norteamérica se encuentra el país con mayor número de hablantes en inglés (Estados Unidos) y en español (México). Junto a estos dos idiomas mayoritarios conviven las lenguas amerindias mexicanas, los distintos criollos antillanos y los idiomas maternos de los inmigrantes, que se conservan sólo en el ámbito familiar. Canadá, finalmente, adoptó el bilingüismo para ser fiel a sus orígenes francoanglófonos.

## Lenguas más habladas

51,2% Inglés
30,3% Español
2,5% Francés
1,6% Criollo haitiano
14,4% Resto de lenguas

## Inglés

# 221.905.000

hablantes

**Países:** EUA, Canadá, Puerto Rico, Jamaica, Bahamas, Antigua y Barbuda, Barbados, Granada, Saint Kitts y Nevis, Trinidad y Tobago, San Vicente y las Granadinas.

## Español

# 131.284.000

hablantes

**Países:** México, Estados Unidos, Cuba, República Dominicana y Puerto Rico.

## Francés

# 10.950.000 hablantes

**Países:** Canadá, Haití, Guadalupe, Martinica, Estados Unidos.

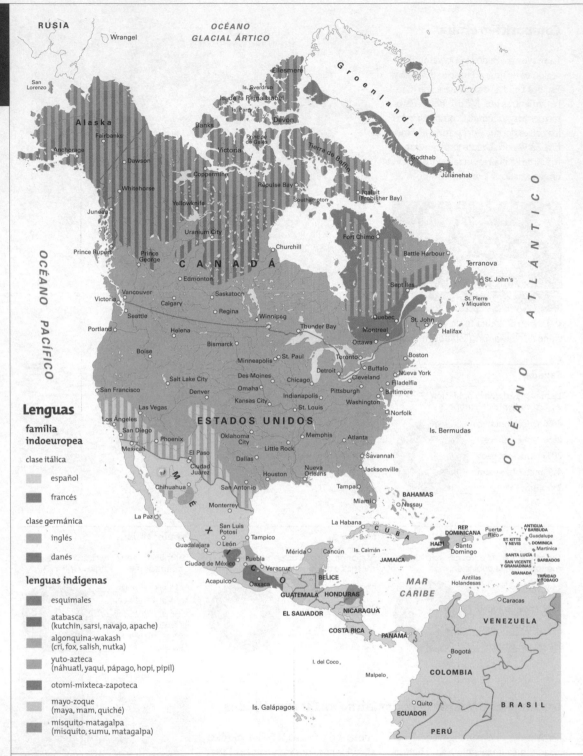

**Lenguas**

**familia indoeuropea**

clase itálica
- español
- francés

clase germánica
- inglés
- danés

**lenguas indígenas**
- esquimales
- atabasca (kutchin, sarsi, navajo, apache)
- algonquina-wakash (cri, fox, salish, nutka)
- yuto-azteca (náhuatl, yaqui, pápago, hopi, pipil)
- otomí-mixteca-zapoteca
- mayo-zoque (maya, mam, quiché)
- misquito-matagalpa (misquito, sumu, matagalpa)

## Una Babel indígena en América del Norte

México es el paraíso etno-lingüístico de América del Norte y uno de los países con mayor variedad lingüística del planeta. Alrededor de seis millones de personas hablan alguna de las más de 50 lenguas indígenas censadas. Entre ellas, las familias lingüísticas del náhuatl y del maya, con aproximadamente 1.700.000 hablantes cada una, son las más extendidas. En el extremo opuesto se encuentran las variedades mexicanas de los grupos hokano (6.000 personas) y algonquino (300). Los expertos han dividido las lenguas autóctonas de México en tres grupos (hokano, otomangue y yutonahua –en el que está integrado el náhuatl–) y seis familias que no guardan relación con los anteriores (algonquina, huave, maya, mixe-zoque, tarasca y totonaca). De entre estas familias dispersas, el tarasco o purépecha constituye, además, una singular rareza, puesto que, hablada por 120.000 personas en el estado de Michoacán, es una lengua aislada, no relacionada con ninguna otra en el mundo. Otras lenguas mexicanas con más de 100.000 usuarios son, en el grupo otomangue, el zapoteco, el mazahua, el mixteco y el otomí; en la familia maya, el yucateco, el tzeltal, el tzotzil y el huasteco, y en la totonaca, el totonaco.

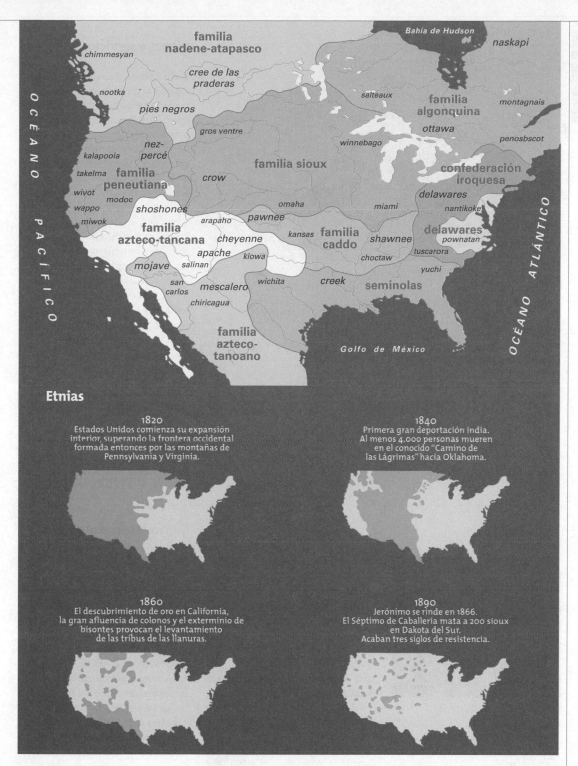

## Mapa de familias y etnias

OCÉANO PACÍFICO

OCÉANO ATLÁNTICO

Bahía de Hudson

Golfo de México

chimmesyan
familia nadene-atapasco
naskapi
cree de las praderas
nootka
salteaux
montagnais
pies negros
familia algonquina
gros ventre
ottawa
winnebago
penosbscot
nez-percé
kalapooia
familia peneutiana
crow
familia sioux
confederación iroquesa
takelma
delawares
wivot
modoc
nantikoke
wappo
shoshones
omaha
miami
miwok
arapaho
pawnee
familia azteco-tancana
cheyenne
kansas
familia caddo
shawnee
delawares
pownatan
apache
kiowa
tuscarora
mojave
salinan
choctaw
yuchi
san carlos
mescalero
wichita
creek
seminolas
chiricagua
familia azteco-tanoano

## Etnias

**1820**
Estados Unidos comienza su expansión interior, superando la frontera occidental formada entonces por las montañas de Pennsylvania y Virginia.

**1840**
Primera gran deportación india. Al menos 4.000 personas mueren en el conocido "Camino de las Lágrimas" hacia Oklahoma.

**1860**
El descubrimiento de oro en California, la gran afluencia de colonos y el exterminio de bisontes provocan el levantamiento de las tribus de las llanuras.

**1890**
Jerónimo se rinde en 1866. El Séptimo de Caballería mata a 200 sioux en Dakota del Sur. Acaban tres siglos de resistencia.

---

**Criollo haitiano**
**7.150.000** hablantes
Países: Haití, República Dominicana

**Criollo jamaicano**
**2.544.000** hablantes
País: Jamaica

**Náhuatl**
**1.697.000** hablantes
País: México

**Maya**
**1.690.000** hablantes
País: México

**Chino**
**1.319.000** hablantes
País: Estados Unidos

**Italiano**
**1.308.000** hablantes
País: Estados Unidos

**Criollo francés de las Pequeñas Antillas**
**1.024.980** hablantes
Países: Dominica, Granada, Guadalupe, Martinica, Santa Lucía

---

## Los pueblos nativos

Canadá, México y Estados Unidos son los únicos países de la región en los que aún habitan sus pobladores originarios. En Canadá existen tres grandes grupos: los inuits, los *métis* (mestizos) y los indios norteamericanos. Estados Unidos acoge a casi dos millones de indios americanos agrupados mayoritariamente en 25 tribus y México es el país con mayor porcentaje de población nativa, con nueve millones de amerindios.

**Inuits (Canadá, EEUU y Groenlandia)** Unos 145.000 inuits, antiguamente conocidos como esquimales, viven repartidos entre Alaska, el norte de Canadá y Groenlandia, donde suponen el 80% de la población. Entre sus características está la economía de subsistencia, orientada básicamente a la pesca y que varía según la región.

**Tarahumaras (México)** Los tarahumaras son unos 77.000 y prefieren denominarse Rarámuri, que significa "Corredores a pie", en relación a sus prácticas atléticas. Han conseguido conservar la mayor parte de sus costumbres, ya que viven en la sierra del norte de México, donde lograron aislarse hasta finales del siglo XX.

**Pies negros (Estados Unidos)** Los pies negros, que reciben su nombre del color de sus mocasines, son un pueblo de la pradera de Estados Unidos. Aunque actualmente existen unos 37.000 pies negros, en 1882 estuvieron a punto de desaparecer cuando se extinguió el bisonte, la base de su economía tradicional.

# Coyuntura económica

América del Norte también deja traslucir sus contrastes en la economía. En el subcontinente conviven las superpotencias económicas de Canadá y Estados Unidos con la débil economía de Haití, uno de los países más pobres del mundo. En el punto intermedio se encuentran la potencia emergente de México y los pequeños estados caribeños que han sabido forjarse una economía estable fundamentalmente gracias al turismo. Mención aparte merece el caso cubano y su peculiar situación económica.

## La deuda externa

México y los países caribeños tienen acumulada una deuda externa que, como en el caso de Jamaica y Dominica y Saint Kitts y Nevis, puede superar el 50% de su PBI. No obstante, la media de deuda externa en los países caribeños representa el 28% del PBI de cada estado, mientras que en México, el país de la región que debe más dinero, corresponde al 18,8% de su producto bruto interno. Haití (8,25%) y Bahamas (7,7%) son los países con el menor porcentaje de deuda respecto a su PBI.

| Deuda externa | Millones de dólares |
|---|---|
| México | 158.290 |
| Cuba | 11.280 |
| Rep. Dominicana | 5.093 |
| Jamaica | 4.956 |
| Trinidad y Tobago | 2.422 |
| Haití | 1.250 |
| Barbados | 701 |
| Bahamas | 382 |
| Santa Lucía | 238 |
| Antigua y Barbuda | 231 |
| Granada | 215 |
| Dominica | 207 |
| San Vicente y las Granadinas | 194 |
| Saint Kitts y Nevis | 171 |

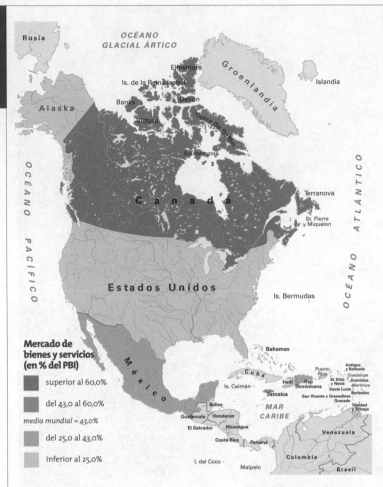

Mapa de América del Norte y el Caribe.

**Mercado de bienes y servicios (en % del PBI)**

- superior al 60,0%
- del 43,0 al 60,0%
- *media mundial = 43,0%*
- del 25,0 al 43,0%
- inferior al 25,0%

## Turismo

○ Playa de Nassau, Bahamas

El turismo es la actividad en la que se basa la economía de la mayoría de los países caribeños y un sector que ofrece pingües beneficios a los estados norteamericanos. Estados Unidos, por ejemplo, es el país del mundo que más dinero ingresa con el turismo, y sin embargo, gracias a su diversificada y potente economía, éste sólo significa un 0,9% de su PBI.

México y los países antillanos lideran el sector turístico dedicado a los cruceros, buena parte de los cuales está en manos de empresas multinacionales. Por esta razón, y al igual que sucede con las cadenas hoteleras, un gran porcentaje de los beneficios directos derivados del turis-

mo no revierte directamente en las arcas nacionales. Aun así, de la actividad turística depende aproximadamente el 40% del PBI de países como Antigua y Barbuda y Santa Lucía y más del 30% de Bahamas y Barbados.

En el caso particular de Cuba, el gobierno castrista ha visto en el turismo la tabla de salvación y una buena entrada de divisas para su maltrecha economía.

| Ingresos por turismo | Millones dólares |
|---|---|
| EUA | 74.400 |
| Canadá | 10.000 |
| México | 7.200 |
| Rep. Dominicana | 2.500 |
| Cuba | 1.700 |
| Jamaica | 1.200 |
| Barbados | 703 |
| Santa Lucía | 291 |
| Bahamas | 256 |
| Antigua y Barbuda | 256 |
| Trinidad y Tobago | 201 |
| San Vicente y las Granadinas | 77 |
| Saint Kitts y Nevis | 66 |
| Granada | 63 |
| Dominica | 38 |
| Haití | 37 |

## Bienes y servicios

El mercado de bienes y servicios se refiere a la riqueza que un país genera mediante las exportaciones de todo tipo de productos (materias primas, manufacturas, turismo...), a excepción de las divisas y las inversiones financieras. En los países más desarrollados, un índice alto, como el de Canadá, que se sitúa en el 62,9% de su Producto Bruto Interno, refleja una gran dependencia de la economía global.

Por el contrario, Estados Unidos, al disponer de un amplio mercado nacional, tiene un porcentaje del PBI en relación al mercado de bienes y servicios de sólo un 20,4%. En un punto intermedio se encuentra México, con un 29,3%, un porcentaje sensiblemente inferior al de 1996, cuando el mercado exterior significaba para el país norteamericano el 40% de su PBI.

### Exportaciones de bienes y servicios

millones de dólares

| Estados Unidos | 960.100 |
|---|---|
| Canadá | 275.900 |
| México | 129.520 |

## Crecimiento económico

Estados Unidos disfrutó entre 1992 y el 2000 de una de las expansiones económicas más espectaculares de su historia reciente. El país más poderoso y rico del mundo se convirtió también en el máximo representante de la nueva economía, basada en el crecimiento económico a través de la aplicación de las nuevas tecnologías y la liberalización del comercio y los capitales.

Los vecinos de Estados Unidos –Canadá y México– se han beneficiado de esta bonanza económica, sobre todo tras la entrada en vigor del Tratado de Libre Comercio entre estos tres países en 1994. Las exportaciones de Canadá a Estados Unidos crecieron un 169% en el período de 1989 a 1999, por lo que actualmente la producción de mercancías canadienses para la exportación a Estados Unidos es mayor que la de las destinadas al consumo interno.

México experimentó un crecimiento similar. En sólo cinco años (de 1994 a 1999) dobló sus intercambios comerciales con Estados Unidos. Especialmente beneficioso para la economía mexicana fue el incremento de las exportaciones a su vecino del norte, que

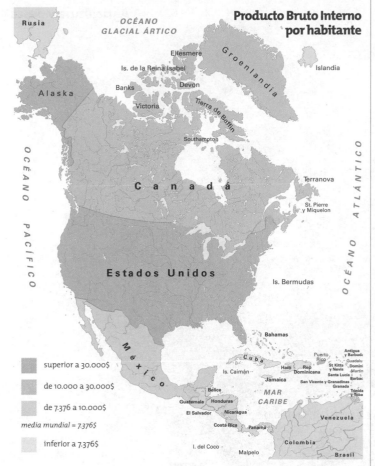

## Producto Bruto Interno por habitante

- superior a 30.000$
- de 10.000 a 30.000$
- de 7.376 a 10.000$

*media mundial = 7.376$*

- inferior a 7.376$

## Tasa media de crecimiento anual del PBI

- superior al 6,0%
- del 4,0 al 6,0%
- del 2,7 al 4,0%

*media mundial = 2,7%*

- inferior al 2,7%

en 1997 representaban el 85% del mercado exterior mexicano. Este aumento tuvo su reflejo en el crecimiento global de la economía azteca, que pasó del 1,1% en el decenio 1980-1990 al 2,5% en el período 1990-1998.

La mayoría de las economías caribeñas también se beneficiaron del auge económico estadounidense. La región pasó de un crecimiento del 1% al 8,7%.

Dos de los países más favorecidos fueron las Bahamas, gracias al impulso de su turismo, y Trinidad y Tobago, merced a la explotación de sus recursos petrolíferos. En la otra cara de la moneda se encuentra Haití, que sigue siendo el país más pobre de todo el continente americano y no hay señales de que la coyuntura de crisis, pobreza y endeudamiento pueda cambiar.

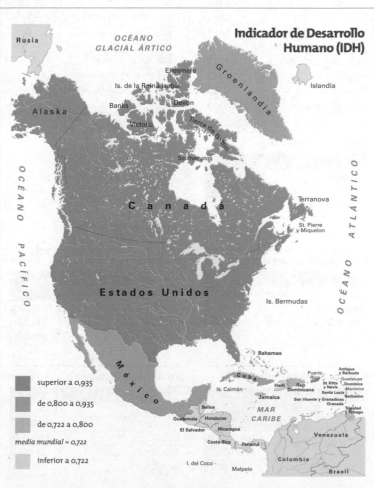

## Indicador de Desarrollo Humano (IDH)

- superior a 0,935
- de 0,800 a 0,935
- de 0,722 a 0,800

*media mundial = 0,722*

- inferior a 0,722

| PBI por habitante | dólares |
|---|---|
| Estados Unidos | 34.320 |
| Canadá | 27.130 |
| Bahamas | 16.270 |
| Barbados | 15.560 |
| Saint Kitts y Nevis | 11.300 |
| Antigua y Barbuda | 10.170 |
| Trinidad y Tobago | 9.100 |
| México | 8.430 |
| República Dominicana | 7.020 |
| Granada | 6.740 |
| Dominica | 5.520 |
| San Vicente y las Granadinas | 5.330 |
| Santa Lucía | 5.260 |
| Cuba | 5.259 |
| Jamaica | 3.720 |
| Haití | 1.860 |

| IDH | |
|---|---|
| Estados Unidos | 0,937 |
| Canadá | 0,937 |
| Barbados | 0,888 |
| Bahamas | 0,812 |
| Saint Kitts y Nevis | 0,808 |
| Cuba | 0,806 |
| Trinidad y Tobago | 0,802 |
| México | 0,800 |
| Antigua y Barbuda | 0,798 |
| Dominica | 0,776 |
| Santa Lucía | 0,775 |
| Jamaica | 0,757 |
| San Vicente y las Granadinas | 0,755 |
| Granada | 0,738 |
| República Dominicana | 0,737 |
| Haití | 0,467 |

# Agricultura, ganadería y pesca

El predominio de Estados Unidos en el sector primario es abrumador. Además de disponer de una gran superficie y de un clima templado, Estados Unidos cuenta siempre con las técnicas más innovadoras. Canadá y México son también dos grandes productores internacionales, mientras que las pequeñas islas caribeñas no pueden competir con sus vecinos continentales ni en territorio ni en recursos.

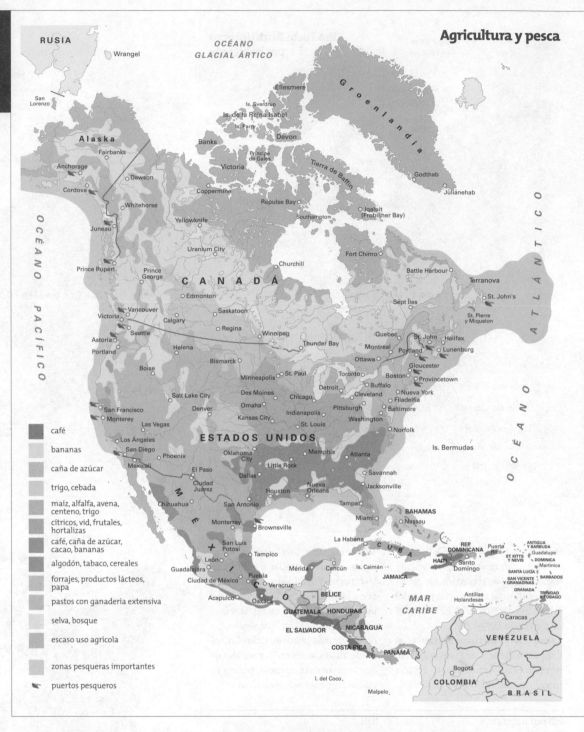

| café |
| bananas |
| caña de azúcar |
| trigo, cebada |
| maíz, alfalfa, avena, centeno, trigo |
| cítricos, vid, frutales, hortalizas |
| café, caña de azúcar, cacao, bananas |
| algodón, tabaco, cereales |
| forrajes, productos lácteos, papa |
| pastos con ganadería extensiva |
| selva, bosque |
| escaso uso agrícola |
| zonas pesqueras importantes |
| puertos pesqueros |

## Superficie agrícola · Miles de hectáreas

| | |
|---|---|
| Estados Unidos | 418.250 |
| México | 107.200 |
| Canadá | 74.700 |
| Cuba | 6.665 |
| República Dominicana | 3.639 |
| (...) | |
| Antigua y Barbuda | 12 |
| Bahamas | 12 |
| Granada | 12 |
| Saint Kitts y Nevis | 9 |

## Producción de cereales · Millones tm

| | |
|---|---|
| EUA | 343,8 |
| Canadá | 51,3 |
| México | 29,6 |
| Rep. Dominicana | 0,56 |
| Cuba | 0,55 |

## Exportación de cereales · Miles tm

| | |
|---|---|
| EUA | 91.155.000 |
| Canadá | 20.045.000 |
| México | 374.636 |
| S. Vicente y las Granadinas | 26.000 |
| Trinidad y Tobago | 9.200 |

## Producción caña de azúcar · Miles tm

| | |
|---|---|
| México | 49.274.000 |
| Cuba | 36.000.000 |
| EUA | 32.972.500 |
| Rep. Dominicana | 4.784.000 |
| Jamaica | 2.600.000 |
| Trinidad y Tobago | 1.500.000 |

## Producción de cítricos · Miles tm

| | |
|---|---|
| EUA | 15.679.000 |
| México | 5.098.000 |
| Cuba | 703.000 |
| Jamaica | 154.000 |
| Rep. Dominicana | 141.000 |

## Producción de tabaco bruto · Miles tm

| | |
|---|---|
| EUA | 498.900 |
| Canadá | 71.000 |
| México | 43.500 |
| Cuba | 30.000 |
| Rep. Dominicana | 17.000 |
| Jamaica | 1.800 |

## El mercado agrícola de América del Norte

Estados Unidos es, con el 31% de las exportaciones, el mayor proveedor mundial de cereales. Además tiene en sus manos el 16% del volumen total de cereales y produce casi el 40% del maíz de todo el planeta. Todo eso dedicando apenas el 3% de su población activa a la agricultura, pero con el mayor número de maquinaria agrícola del mundo.

Canadá es el séptimo productor y el cuarto exportador mundial de cereales, aunque gran parte de su territorio no puede ser aprovechado para la explotación agrícola. Junto a Estados Unidos, representa el 18% de las exportaciones globales de productos agropecuarios.

México también es uno de los mayores productores de cereales, sobre todo de maíz, y de café, del que es el cuarto mayor productor.

Por su parte, los estados caribeños exportan frutas, especialmente bananos, plátanos, naranjas y mangos, y, sobre todo, caña de azúcar. También son muy importantes los cultivos de tabaco y de arroz en cáscara.

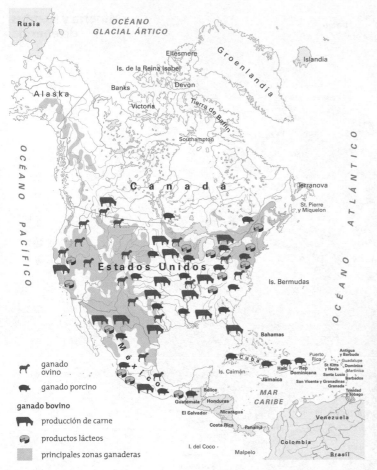

### ganado ovino
### ganado porcino
### ganado bovino
- producción de carne
- productos lácteos
- principales zonas ganaderas

## Ganadería

La explotación ganadera en Estados Unidos es, más allá de lo comercial, una parte de su cultura, de tal modo que hasta la figura del *cowboy* ha llegado a identificarse con la personalidad del país. Así no es de extrañar que sea el mayor productor mundial de carne de vaca, de aves de corral, y de derivados, los cuales se fabrican en puntos próximos a áreas urbanas en contraposición a las explotaciones ganaderas de las zonas rurales.

México es también un gran productor de carne (el quinto de carne de ave) pero la mayor parte de su producción, al igual que en los países del Caribe, se dedica al consumo nacional.

○ La cultura ganadera estadounidense ha creado sus propias tradiciones

### Producción por especies

| | |
|---|---|
| Gallinas y pollos | 2.463.375.000 |
| Ganado vacuno | 150.196.000 |
| Pavos | 94.205.000 |
| Cerdos | 90.137.000 |
| Patos | 16.000.000 |
| Ganado ovino | 14.578.000 |

### Producción carne de cerdo   Miles tm

| | |
|---|---|
| EUA | 8.532.000 |
| Canadá | 1.675.000 |
| México | 1.034.000 |
| Cuba | 110.000 |
| Rep. Dominicana | 61.000 |

### Producción carne de bovino   Miles tm

| | |
|---|---|
| EUA | 12.311.000 |
| México | 1.415.000 |
| Canadá | 1.260.000 |
| Cuba | 75.000 |
| Rep. Dominicana | 69.000 |

### Producción carne de ave   Miles tm

| | |
|---|---|
| EUA | 16.471.000 |
| México | 1.896.000 |
| Canadá | 1.065.000 |
| Rep. Dominicana | 254.000 |
| Jamaica | 73.000 |

## Recursos pesqueros

Todos los estados de Norteamérica poseen costa, por lo que la pesca es parte ineludible de su economía. Canadá es, además, el país con mayor longitud costera del planeta, y ya desde el 1500 los recursos pesqueros de su vertiente atlántica eran explotados. Actualmente, el 75% del volumen de sus capturas proviene precisamente del Atlántico.

El caso de Estados Unidos es justamente el contrario, ya que su principal suministrador es el Pacífico y, sobre todo, Alaska. EUA es el tercer exportador mundial de pescado y uno de los máximos productores de bacalaos, lenguados, boquerones y colines.

México posee la mayor explotación pesquera dentro del grupo de los países caribeños (incluidos Venezuela, Colombia y Guatemala), mientras que las islas antillanas extraen los mayores beneficios económicos de los crustáceos.

### Producción de pescado   Millones tm

| | |
|---|---|
| EUA | 5.448.000 |
| México | 1.528.000 |
| Canadá | 1.030.000 |
| Cuba | 123.000 |
| Rep. Dominicana | 15.200 |

### Exportación de pescado   Millones tm

| | |
|---|---|
| EUA | 177.000 |
| Canadá | 144.000 |
| México | 35.300 |
| Trinidad y Tobago | 3.350 |
| Jamaica | 1.250 |

○ Dutch Harbor, en las Aleutianas, es uno de los mayores puertos pesquero de EUA

## Consumo de carne y pescado

La elevada ingestión de proteínas es un buen índice del desarrollo de un país, aunque no indica necesariamente una alimentación correcta. Estados Unidos y Canadá, por ejemplo, destacan en consumo de carne, pero ocupan un discreto lugar en el de pescado, lo que muestra un gran desequilibrio, sobre todo considerando que el pescado es más saludable que la carne.

Con estas premisas, los países de las Pequeñas Antillas son los que en general presentan unos hábitos alimentarios más equilibrados, mientras que los norteamericanos muestran el gran desequilibrio ya citado y los de las Grandes Antillas son deficitarios en ambos indicadores.

### Consumo de pescado y marisco
kilos/persona/año

| | |
|---|---|
| Barbados | 40,3 |
| Antigua y Barbuda | 38,6 |
| Saint Kitts y Nevis | 37,3 |
| Dominica | 34,9 |
| Granada | 27,6 |
| Santa Lucía | 22,7 |
| Canadá | 21,8 |
| Bahamas | 21,7 |
| Estados Unidos | 20,3 |
| San Vicente y las Granadinas | 19,4 |
| Jamaica | 16,8 |
| Trinidad y Tobago | 14,1 |
| Cuba | 12,5 |
| República Dominicana | 12,4 |
| México | 10,5 |
| Haití | 2,7 |

### Consumo de carne
kilos/persona/año

| | |
|---|---|
| Estados Unidos | 124,0 |
| Canadá | 101,1 |
| Bahamas | 95,1 |
| Barbados | 92,7 |
| Antigua y Barbuda | 82,5 |
| Santa Lucía | 75,6 |
| Saint Kitts y Nevis | 73,4 |
| Dominica | 55,4 |
| San Vicente y las Granadinas | 54,7 |
| Jamaica | 54,3 |
| México | 52,9 |
| Granada | 43,8 |
| República Dominicana | 40,0 |
| Trinidad y Tobago | 32,7 |
| Cuba | 26,9 |
| Haití | 10,2 |

# Minería, energía e industria

América del Norte es a la vez el mayor productor y el mayor consumidor de energía y minerales. Sólo entre Canadá y Estados Unidos se consume el 30% de la energía necesaria para hacer funcionar todos los países del mundo. En cuanto a la industria, existen grandes diferencias entre la Norteamérica plenamente industrializada, el emergente México y la limitada industria caribeña.

## Producción de petróleo

| | millones de barriles/día |
|---|---|
| EUA | 5,8 |
| México | 3,1 |
| Canadá | 2,0 |
| Trinidad y Tobago | 0,1 |
| Cuba | 0,05 |
| Barbados | 0,01 |

## Exportación de petróleo

| | millones de barriles/día |
|---|---|
| México | 1,9 |
| Canadá | 1,1 |
| Trinidad y Tobago | 0,6 |
| Estados Unidos | 0,2 |

## Importación de combustibles
(% del total de combustibles consumidos)

| | |
|---|---|
| Bahamas | 91,0% |
| Rep. Dominicana | 25,4% |
| Jamaica | 13,1% |
| Haití | 12,9% |
| Cuba | 8,7% |
| Barbados | 8,0% |
| Granada | 8,0% |
| Saint Kitts y Nevis | 7,4% |
| Santa Lucía | 7,3% |

## Uso de combustibles tradicionales
(% sobre el total de la energía térmica)

| | |
|---|---|
| Haití | 80,5% |
| Saint Kitts y Nevis | 50,0% |
| Cuba | 26,1% |
| República Dominicana | 15,2% |
| Barbados | 6,7% |
| Jamaica | 6,3% |
| México | 5,6% |

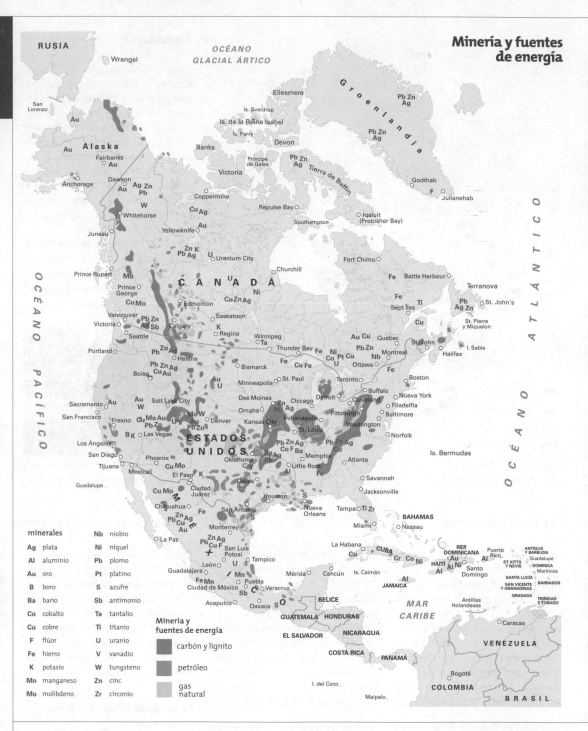

**minerales**

| | | | | |
|---|---|---|---|---|
| Ag | plata | Nb | niobio | |
| Al | aluminio | Ni | níquel | |
| Au | oro | Pb | plomo | |
| B | boro | Pt | platino | |
| Ba | bario | S | azufre | |
| Co | cobalto | Sb | antimonio | |
| Cu | cobre | Ta | tantalio | |
| F | flúor | Ti | titanio | |
| Fe | hierro | U | uranio | |
| K | potasio | V | vanadio | |
| Mn | manganeso | W | tungsteno | |
| Mo | molibdeno | Zn | cinc | |
| | | Zr | circonio | |

**Minería y fuentes de energía**

- carbón y lignito
- petróleo
- gas natural

## Minerales y energía

El territorio de América del Norte es muy rico en recursos minerales y energéticos. Estados Unidos y Canadá están entre los principales productores de aluminio, platino, cinc, oro, cobre y cobalto, entre otros. Canadá extrae una tercera parte de la producción mundial de uranio, un mineral imprescindible para la energía nuclear, de la que Estados Unidos es el mayor productor para la obtención de electricidad (30,3%). México es el país que dispone de los mayores yacimientos de plata y el cuarto productor mundial de molibdeno, el mismo lugar que ocupa Jamaica entre los explotadores de bauxita. El subcontinente también posee grandes reservas de gas natural y petróleo, del que Estados Unidos es el segundo mayor productor, y México, el quinto. Trinidad y Tobago también explota sus recursos petrolíferos desde 1975.

En cuanto a la energía hidroeléctrica, Canadá es el máximo productor gracias a sus numerosos recursos hídricos, mientras que las islas antillanas obtienen la mayor parte de la energía eléctrica mediante los métodos de combustión (petróleo, gas, carbón...).

○ Minas de Valenciana, México

# Industria

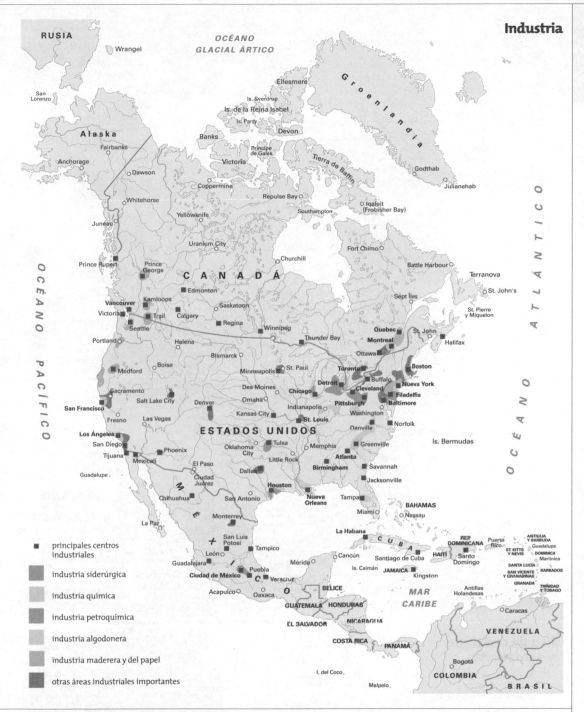

principales centros industriales

industria siderúrgica

industria química

industria petroquímica

industria algodonera

industria maderera y del papel

otras áreas industriales importantes

## Producción de energía eléctrica
(miles de millones de kwh)

| | |
|---|---|
| Estados Unidos | 3.802,1 |
| Canadá | 587,1 |
| México | 198,6 |
| Cuba | 14,4 |
| Rep. Dominicana | 9,2 |
| Jamaica | 6,2 |
| (…) | |
| Santa Lucía | 0,1 |
| Antigua y Barbuda | 0,1 |
| Saint Kitts y Nevis | 0,1 |
| San Vicente y las Granadinas | 0,1 |
| Dominica | 0,0 |

## Consumo de energía eléctrica por habitante (kwh)

| | |
|---|---|
| Canadá | 15.795 |
| Estados Unidos | 12.485 |
| Bahamas | 5.176 |
| Trinidad y Tobago | 3.709 |
| Barbados | 2.608 |
| Jamaica | 2.319 |
| México | 1.571 |
| (…) | |
| San Vicente y las Granadinas | 759 |
| Dominica | 549 |
| Haití | 35 |

## Energía eléctrica: origen

### Cuba

90% Térmica

9,8% Solar, eólica, geotérmica y otras

0,6% Hidroeléctrica

### Canadá

27% Térmica

0,8% Solar, eólica, geotérmica y otras

59,8% Hidroeléctrica

12,2% Nuclear

### Estados Unidos

70% Térmica

9% Hidroeléctrica

18,6% Nuclear

2,1% Solar, eólica, geotérmica y otras

### Haití

56% Térmica

2,5% Solar, eólica, geotérmica y otras

41,4% Hidroeléctrica

## El sector industrial en América del Norte y el Caribe

Desde la Segunda Guerra Mundial, Estados Unidos es el país más industrializado y el líder indiscutible de la economía global. Las manufacturas que aportan más beneficios a su Producto Bruto Interno son las dedicadas al transporte (automóviles, aviones, equipamiento espacial…), la maquinaria eléctrica y la química, principalmente.

La mayor parte de estas industrias se sitúan en el sector noreste del país, a diferencia de las industrias de electrónica y alta tecnología, que se han ido ubicando preferentemente en el llamado Sun Belt, en el sur de Estados Unidos. El Silicon Valley, en la bahía de San Francisco, es la máxima expresión de este nuevo concepto industrial y económico.

Canadá concentra sus manufacturas en los aledaños de las grandes ciudades (Vancouver, Winnipeg, Calgary…) y a lo largo de todo el Canal de San Lorenzo, aunque también ha formado un área para la fabricación de productos tecnológicos en su territorio oeste.

México posee dos grandes focos industriales: Ciudad de México y, recientemente, la frontera con Estados Unidos. Esta zona se ha revalorizado industrialmente gracias a las maquiladoras, fábricas que pueden ser de capital y dirección extranjera, en las que se aprovecha el competitivo coste laboral mexicano.

Varios países caribeños, como Barbados, Jamaica y Bahamas, entre otros, también intentan atraer la inversión extranjera ofreciendo a cambio mano de obra barata.

# Comercio y transporte

Dos grandes organizaciones determinan la actividad comercial en Norteamérica y el Caribe: el Tratado de Libre Comercio para los estados continentales y el CARICOM, para los caribeños. El contraste entre los resultados económicos de estos dos ámbitos es tan grande como la calidad y la cobertura de sus infraestructuras.

## Balance comercial de los países del TLC

### Importaciones y exportaciones

variación porcentual   *Importaciones* ■   *Exportaciones* ■

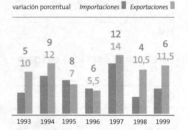

| | 1993 | 1994 | 1995 | 1996 | 1997 | 1998 | 1999 |
|---|---|---|---|---|---|---|---|
| | 5 | 9 | 8 | 6 | 12 | 4 | 6 |
| | 10 | 12 | 7 | 5,5 | 14 | 10,5 | 11,5 |

## Principales proveedores

**36,3%** Mercado interno
**34,3%** Asia
**20,2%** Europa y CEI
**5,1%** América Latina
**2,2%** Oriente Medio
**1,5%** África

## Principales clientes

**49%** Mercado interno
**21,1%** Asia
**20,1%** Europa y CEI
**6,2%** América Latina
**2,4%** Oriente Medio
**1,2%** África

Con la firma del Tratado de Libre Comercio entre Estados Unidos, Canadá y México, crecieron espectacularmente las transacciones comerciales entre estos tres países y aumentó su preponderancia a nivel internacional. En 1999, Norteamérica copaba el 22% de las importaciones y el 17% de las exportaciones mundiales.

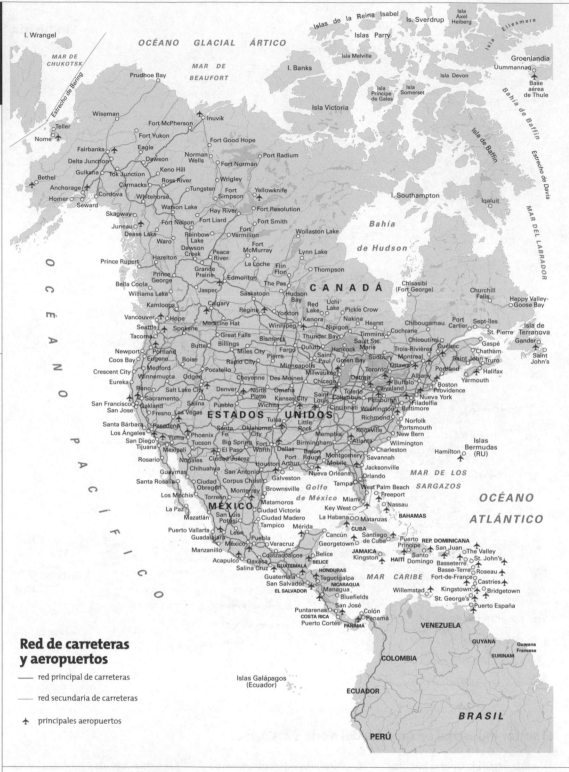

## Red de carreteras y aeropuertos

— red principal de carreteras

— red secundaria de carreteras

✈ principales aeropuertos

## Muchos kilómetros sin pavimentar

Pese a tener una de las más completas redes de transporte del mundo, Norteamérica aún presenta una elevada proporción de carreteras públicas sin pavimentar. La Unión Europea, por ejemplo, posee un 92,5% de carreteras pavimentadas. En los casos de Canadá o Estados Unidos, las causas son la inmensidad del territorio y la profusión de zonas prácticamente despobladas.

| Carreteras y caminos pavimentados en la red pública nacional | | | % sobre el total |
|---|---|---|---|
| Barbados | 95,9% | Cuba | 49,0% |
| Jamaica | 70,7% | St. Kitts y Nevis | 42,4% |
| Granada | 61,3% | Canadá | 35,3% |
| Estados Unidos | 58,8% | S. Vicente y las Granadinas | 30,7% |
| Bahamas | 57,4% | México | 29,7% |
| Trinidad y Tobago | 51,1% | Haití | 24,3% |
| Dominica | 50,4% | Santa Lucía | 5,2% |
| República Dominicana | 49,4% | Antigua y Barbuda | No hay datos |

## Las vías de comunicación de América del Norte

⊙ El Golden Gate de San Francisco

En Estados Unidos y Canadá existen 6,5 millones de kilómetros de terreno pavimentado, una distancia con la que se podría ir y volver a la Luna unas ocho veces. Los estadounidenses, además de una completa red ferroviaria y algunos de los puertos y aeropuertos con más tráfico del mundo, disponen del Sistema Interestatal de Autopistas, que une los 50 estados contiguos mediante una serie de autopistas que conectan entre sí el 90% de las ciudades de más de 50.000 habitantes y que permite cruzar el país de costa a costa sin detenerse en un solo semáforo.

Canadá también tiene cubierta la mayor parte de su territorio mediante autopistas, trenes y canales fluviales, y para comunicarse con el inaccesible norte dispone del servicio de más de 700 pequeñas compañías aéreas.

Por México discurre un tramo de la carretera Panamericana y las autopistas están organizadas en un sistema radial que toma como centro neurálgico Ciudad de México.

## Transporte en el Caribe

Para el comercio internacional y el desembarco de turistas, los países caribeños dependen, de una buena infraestructura portuaria y del transporte aéreo. Para la comunicación interna, sólo en las islas más grandes, y en especial Cuba y Jamaica, tiene cierta relevancia el entramado ferroviario. En todo el archipiélago, los principales medios de locomoción *(en la imagen, un autobús público de Haití)* son el automóvil, el autobús y el camión.

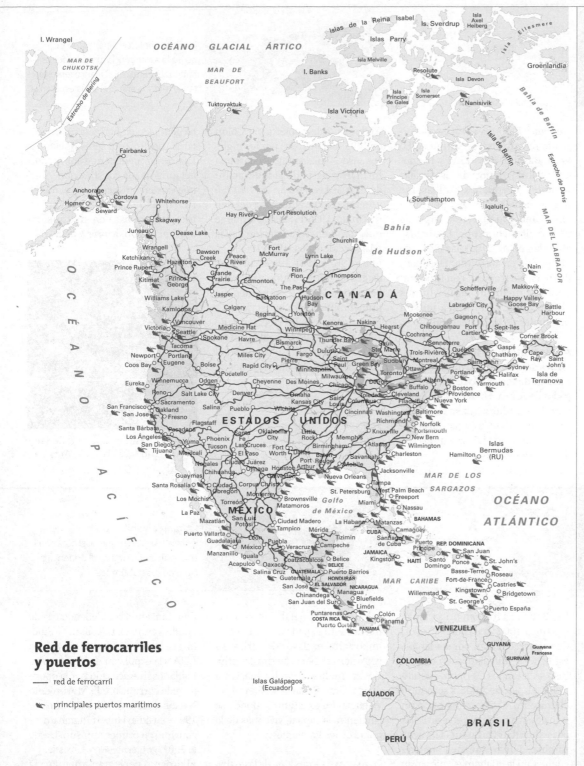

## Red de ferrocarriles y puertos

— red de ferrocarril

🛶 principales puertos marítimos

## El plan de comunicaciones Puebla-Panamá

⊙ Cumbre de representantes de los ocho estados implicados en el plan

Los gobiernos de México y de los siete países de América Central están decididos a impulsar el Plan Puebla-Panamá, un gran proyecto de obras públicas que prevé unir todos los países de la región mediante una amplia red de carreteras, vías férreas, conexiones energéticas y fibra óptica entre los estados sureños mexicanos de Campeche, Chiapas, Guerrero, Oaxaca, Puebla, Quintana Roo, Tabasco, Veracruz y Yucatán –los más deprimidos del país– y los centroamericanos de Belice, Costa Rica, El Salvador, Guatemala, Honduras, Nicaragua y Panamá. Los opositores a esta obra –entre los cuales se encuentran la izquierda mexicana y los zapatistas– temen que dañe ecosistemas vírgenes y ven detrás de ella los intereses de Estados Unidos para controlar la región.

# Antigua y Barbuda

El rojo simboliza el dinamismo, y el negro, la ascendencia africana de sus habitantes. El azul y el blanco representan el mar y la arena; el sol, la esperanza.

**Nombre oficial del país:**
Antigua y Barbuda
**Nombre del país en inglés:**
Antigua and Barbuda
**Superficie:** 442 km²
**Población:** 73.000 hab
**Densidad:** 164,6 hab/km²
**Capital:** Saint John's (23.000 hab)
**Otras ciudades:**
Codrington (1.000 hab)
**Lengua:** inglés
**Moneda:** dólar del Caribe Oriental
(100 centavos)

**Direcciones útiles de Internet:**
www.antigua-barbuda.org
www.antigua-barbuda.com
www.antiguatoday.com

Antigua y Barbuda es un estado formado por tres islas: Antigua (280 km²), Barbuda (161 km²) y Redonda (1,5 km²), dentro de las Antillas Menores o Pequeñas Antillas. Las dos primeras tienen un relieve bastante llano, con una costa salpicada de arrecifes coralinos. Las bahías abundan en Antigua y las playas de arena fina en Barbuda. Disfrutan de un clima tropical, con una temperatura media de 26°C y lluvias abundantes. Los huracanes son habituales de julio a octubre.

**Ascendencia africana** Los habitantes son en su mayoría descendientes de los esclavos negros llegados de África. Un 80% son negros y un 8% mulatos. Las religiones mayoritarias son la anglicana (44%) y la protestante (41%), seguidas de la católica (10%).

Antigua fue descubierta por Colón en 1493. Colonizadas por los ingleses desde 1632, Antigua y Barbuda formaron parte de la federación de las islas Leeward de 1871 a 1956 y fueron colonia autónoma del Reino Unido (1956-1958), hasta que se integraron en la Federación de las Islas Occidentales (1958-1962). Entre 1967 y 1981, fue estado asociado del Reino Unido y se independizó en 1981. Desde ese año fue primer ministro el laborista Vere C. Bird, quien, tras las elecciones de 1994, fue sustituido por su hijo, Lester Bird, quien todavía sigue en el poder. Durante los últimos años se

ha generado en Barbuda un importante movimiento secesionista. La economía depende sobre todo del turismo y la construcción. Aunque existen otros cultivos, el mayoritario es la caña de azúcar. La industria se basa en su transformación en ron, licores y azúcar.

🔊 Músico 'rasta' en una calle de Saint John's, la capital, en la isla de Antigua

| Ranking IDH | Esperanza de vida |
|---|---|
| 55° | 71,0 |
| 173 países analizados | años |

# Bahamas

La franja amarilla recuerda la arena de la playa, y el turquesa, el océano. El triángulo negro indica el origen africano de sus habitantes.

**Nombre oficial del país:**
Commonwealth de las Bahamas
**Nombre del país en inglés:**
Commonwealth of the Bahamas
**Superficie:** 13.930 km²
**Población:** 310.000 hab
**Densidad:** 22,3 hab/km²
**Capital:** Nassau (171.542 hab)
**Otras ciudades:** Freeport
**Lengua:** inglés (oficial)
**Moneda:** dólar bahameño
(100 centavos)

**Direcciones útiles de Internet:**
www.TheBahamasGuide.com
www.bahamas.com
www.bahamas-on-line.com
www.bahamastravelchannel.com
www.caribbeansupersite.com/bahamas

Las Bahamas forman un archipiélago de 3.100 islas, islotes y cayos, que se caracterizan por ser largos, estrechos y muy llanos: en ningún caso superan los 60 metros de altitud. En la isla de Andros se localiza el único río, el Goose, así como un lago de agua dulce. En el resto de las islas abundan las lagunas de agua salobre. Los huracanes son frecuentes en las Bahamas, que gozan de un clima tropical con abundantes precipitaciones.

**Concentración insular** La población está formada por negros y mulatos y una minoría blanca de origen británico. La mayoría de los antiguos

habitantes murió trabajando en las minas de La Española, y por ello se importaron esclavos de África. La población se asienta en las islas principales: Andros, Gran Inagua, Gran Abaco, Gran Bahama y Nueva Providencia. En esta última, donde se encuentra la capital, vive más de la mitad de los habitantes.

**En manos de lores** Una de las Bahamas, San Salvador o Watling, fue la primera tierra americana que descubrió Cristóbal Colón en su viaje de 1492. Los ingleses se establecieron en las Bahamas en 1648 y Carlos II de Inglaterra las cedió a seis lores propietarios, que descuidaron su gobierno. El archipiélago dispuso de consejo legislativo en 1841 y en 1964 se le otorgó la autonomía interna. Las elecciones de 1967 y de 1972 fueron ganadas por el Partido Liberal Progresista. Su líder, Lynden Pind-

ling, consiguió la independencia de Londres en 1973. La política de Pindling se caracterizó por su apoyo a los EUA y la expulsión de inmigrantes haitianos; fue acusado por la oposición de corrupción. El Movimiento Nacional Libre ganó los comicios de 1992 y su líder, Hubert Ingraham, se convirtió en primer ministro. Desde el 2002, gobierna Perry Christie. El turismo tiene gran importancia (92% de la población dedicado al sector servicios en 1998) por el buen clima, las playas y las buenas comunicaciones (1.292.000 turistas en 1997). Además, es un importante paraíso fiscal. Todo eso explica que tenga una de las mayores rentas del continente. En Nueva Providencia y Gran Bahama se han desarrollado nuevas industrias: química, cemento y una refinería de petróleo que sitúa a las Bahamas entre las primeras de América en capacidad de refinación.

| Ranking IDH | Esperanza de vida |
|---|---|
| 48° | 67,1 |
| 173 países analizados | años |

La vegetación típica de las Bahamas es la de la sabana tropical, con gran riqueza de especies de **orquídeas**.

El **junkanoo**, un carnaval lleno de color y ritmo, es una de las costumbres más características de las islas.

En el siglo XVIII se construyeron en Nassau refugios contra piratas, entre ellos, **Fort Fincastle**.

## Las Bahamas, puerta de América

Cristóbal Colón zarpó de Palos (España) el 3 de agosto de 1492. Tras cruzar el Atlántico, alcanzó tierra el 12 de octubre en Guanahaní (la isla de San Salvador o Watling), en las Bahamas, un grupo de islas que estaba habitado por los indios arawaks.

En ese primer viaje, la expedición exploró otras islas del archipiélago (Santa María, Fernandina e Isabela), Cuba (a la que llamó Juana, ya en las Grandes Antillas) y La Española (hoy Haití y la República Dominicana), donde se alzó el primer asentamiento español: Fuerte Navidad.

Tras regresar a España, el genovés no tardó ni un año en partir de nuevo hacia América. En su segundo viaje, Colón descubrió las Pequeñas Anti-

llas, Puerto Rico y Jamaica. También circunnavegó la isla de Cuba y fundó La Isabela, en la isla de La Española (el

Fuerte Navidad había sido arrasado por los indígenas para vengarse de las violaciones de que habían sido

víctimas). En su tercer y cuarto viajes, el descubridor alcanzó las costas de la América continental.

# Barbados

El tridente central y las franjas azules se refieren a la estrecha relación del país con el mar. El amarillo simboliza la arena de las playas.

**Nombre oficial del país:**
Barbados
**Nombre del país en inglés:**
Barbados
**Superficie:** 430 km²
**Población:** 269.000 hab
**Densidad:** 625,6 hab/km²
**Capital:** Bridgetown (7.500 hab)
**Otras ciudades:**
Speighstown, Holetown
**Lengua:** inglés (oficial)
**Moneda:** dólar de Barbados
(100 centavos)

**Direcciones útiles de Internet:**
www.barbadosnow.com
www.barbados.org
www.foreign.barbadosgov.com
www.caribbeansupersite.com/barbados

Barbados es la isla más oriental de las Antillas. Las playas de arena fina recorren toda su costa, rodeada de arrecifes de coral, y en el interior aparecen pequeñas colinas –la más alta, el monte Hillaby (336 m)–. El curso de agua más importante es el río Constitución. Tiene un clima tropical, con una temperatura media de 26°C y precipitaciones abundantes, más copiosas en el interior. Los huracanes son habituales, acompañados de lluvias y vientos que pueden alcanzar entre los 120 y 250 km/h.

Es una isla superpoblada: en 1990 contaba con 269.000 habitantes, sobre todo negros y mulatos. Aunque su población crece a un ritmo lento, un 0,4 % anual, la densidad de población es la más elevada del subcontinente. La principal ciudad es Bridgetown, que no alcanza los 8.000 habitantes. La isla estaba habitada por la etnia arawak, que desapareció debido a las

○ Danza típica del Caribe (Barbados)

duras condiciones de trabajo a la que fue sometida. Como en otras islas del Caribe, se importaron esclavos de África para trabajar. Visitada por españoles y portugueses, fue ocupada por los ingleses en 1627. En 1838 se abolió definitivamente la esclavitud.

Barbados formó parte de la Federación de las Islas Occidentales (1958-1962) y obtuvo el autogobierno en 1961. En las elecciones de 1962 ganó el Democratic Labour Party dirigi-

do por Errol Walton Barrow, que fue primer ministro al obtenerse la independencia en 1966. Desde 1998 es primer ministro el laborista Owen Arthur. En el 2001, el gobierno se planteó que la reina de Inglaterra dejara de ser jefe de Estado y convertir Barbados en una república.

Las grandes fuentes de riqueza (79% del PBI) son el turismo y la banca. La industria (16% del PBI) está dominada por el refinado de la caña de azúcar –el principal producto exportado–, aunque también se dedica a la elaboración de ron y melaza y a la confección textil. Tiene una de las rentas por habitante más elevadas de América Central y del Sur.

| Ranking IDH | Esperanza de vida |
| --- | --- |
| 26° | 77,2 |
| 173 países analizados | años |

# Canadá

El rojo recuerda a los canadienses caídos en la Primera Guerra Mundial y el blanco, los territorios nevados del norte. La hoja de arce es el símbolo del país.

**Nombre oficial del país:**
Canadá
**Nombre del país en inglés y francés:**
Canada
**Superficie:** 9.976.139 km²
**Población:** 31.271.000 hab
**Densidad:** 3,1 hab/km²
**Capital:** Ottawa (1.125.000 hab)

**Otras aglomeraciones urbanas:**
Toronto (4.950.000 hab),
Montreal (3.550.000 hab),
Vancouver (2.100.000 hab),
Edmonton (870.000 hab) y
Calgary (830.000 hab)
**Lenguas:** inglés y francés (oficiales)
**Moneda:** dólar canadiense
(100 centavos)

**Direcciones útiles de Internet:**
www.canadianculture.com
www.statcan.ca
www.gg.ca
**Placa de identificación:** CDN
**Prefijo telefónico:** 1
**Dominio de Internet:** ca
**Horario en relación con Greenwich:**
de -3.30 horas (Terranova)
a -8 horas (costa pacífica)
**Compañía aérea nacional:**
Air Canada

**Principal aeropuerto internacional:**
Lester B. Pearson, Toronto

Uno de los países más desarrollados del mundo y modelo de sociedad avanzada social, cultural y económicamente, Canadá vive pendiente de las aspiraciones soberanistas de Quebec, su provincia francófona.

## Geografía

🔾 El monte Rundle, en el parque nacional de Banff, en las montañas Rocosas

Canadá es el segundo país más extenso del mundo después de Rusia, con un área similar a la de Europa. Se extiende de este a oeste desde el Atlántico hasta el Pacífico, limita al norte con el océano Glacial Ártico, al sur con los Estados Unidos y al noroeste con Alaska. La frontera entre Canadá y los EUA es la más larga del mundo.

El litoral canadiense tiene una longitud de unos 60.000 kilómetros y es muy irregular y fragmentado. En la costa noreste del país destacan la enorme bahía de Hudson y la península del Labrador. Al sur de esta unidad se halla el golfo de San Lorenzo, que forma el estuario del río homónimo.

Las mareas están presentes en todo el litoral. En la bahía de Fundy, en la costa atlántica, se producen las mayores oscilaciones de todo el mundo. Se alcanzan diferencias de 19,60 metros entre la marea alta y la baja.

Las islas son otro elemento importante de la geografía canadiense. En el Atlántico, las más destacadas son Terranova, Príncipe Eduardo, Cabo Bretón y Anticosti. En el Pacífico sobresalen Vancouver y el archipiélago de la Reina Carlota.

**Grandes islas** El conjunto insular ártico canadiense abarca 1.350.000 km² y está rodeado de banquisa durante buena parte del año. Entre las muchas islas que lo componen destacan la Tierra de Baffin –la quinta mayor isla del mundo–, Southampton, Victoria, Banks, Melville, Ellesmere y el archipiélago de la Reina Isabel.

El relieve de Canadá sigue las líneas de todo el continente, con el escudo canadiense en el centro y el norte, dos sistemas montañosos –los Apalaches y las Rocosas– orientados de norte a sur, y grandes llanuras al sur.

El escudo canadiense se extiende desde el río Mackenzie hasta la península del Labrador, rodeando la gran cubeta de la bahía de Hudson. Abarca casi la mitad de la superficie del país y tiene una altitud media de 300 metros. Se trata de una región muy antigua y erosionada, repleta de grandes lagos y cubierta de bosques de coníferas.

🔾 Lago Superior, en la provincia de Ontario

La **Policía Montada del Canadá**, creada en 1873, hace cumplir la ley en todo el territorio federal.

**Michael J. Fox** (1961) protagonizó el film *Regreso al futuro* y las series televisivas *Family ties* y *Spin City*.

El cómico **Jim Carrey** (1962) convirtió en éxitos films como *La máscara, Ace Ventura* y *El show de Truman*.

Los Apalaches, al este, son un sistema que cruza los Estados Unidos y que llega ya muy debilitado al Canadá (montes Notre Dame, 1.268 m). La vegetación la forman bosques de abetos, cedros y fresnos.

En el oeste se encuentran dos alineaciones principales: las Rocosas y la cadena Costera. Las Rocosas canadienses discurren por el interior, con altitudes que rozan los 4.000 metros (Mt. Robson, 3.954 m). La cadena Costera alcanza altitudes incluso superiores (Mt. Waddington, 4.042 m) y se sumerge en el mar originando profundos fiordos. En los Montes de San Elías, cerca de Alaska, se halla el monte Logan, el punto más elevado de Canadá (6.050 m).

La vegetación es común a todas estas cadenas: los pisos inferiores son ocupados por bosques de abetos y cedros, mientras que en los superiores se desarrollan los prados de alta montaña. Entre las Rocosas y la cadena Costera se abre una meseta árida, cubierta de lavas volcánicas.

**La pradera** Las llanuras interiores coinciden con la mitad meridional de las provincias centrales (Manitoba, Saskatchewan y Alberta) y se elevan a medida que avanzan hacia las Rocosas. El norte de estas llanuras está cubierto por bosques que dejan paso a praderas de gramíneas en el sur. Por último, el sureste del país está ocupado por la depresión de los Grandes Lagos y su río emisor, el San Lorenzo, que forma uno de los mayores estuarios del mundo.

○ Manada de bisontes en el Parque Nacional Wood Buffalo

○ Costa oriental de la isla de Terranova, cerca de la capital, Saint John's

Otro curso fluvial importante es el Mackenzie, el más largo del país y el segundo de Norteamérica, después del Mississippi. Nace en las Rocosas septentrionales y vierte sus aguas al Ártico luego de recorrer 4.241 kilómetros bajo varios nombres (Finlay, Peace y Slave). El Yukón (3.185 km) nace en la cadena Costera candiense, cruza Alaska y desagua en el mar de Bering formando un gran delta.

**Distintas cuencas** Los cursos que discurren hacia el Pacífico, como el Columbia y el Fraser, también son notables, aunque de menor longitud. En ellos abundan los saltos y los rápidos, debido al desnivel que deben salvar en su recorrido. Todos los ríos de las cuencas ártica y pacífica son de régimen nival, con caudales máximos en junio y mínimos en marzo/abril. Los ríos de la vertiente atlántica, en cambio, son cortos y de régimen regular.

Los lagos son un elemento hidrológico muy presente en el país. Situados en el escudo canadiense, se suceden, de noroeste a sudeste, el Gran Lago del Oso –el más extenso–, el Gran Lago del Esclavo, el Athabasca, el lago de los Renos, el Winnipeg y los Grandes Lagos, cuatro de ellos (Superior, Hurón, Erie y Ontario) fronterizos con Estados Unidos.

El rasgo principal del clima es el frío, causado por la influencia de la masa de aire del Ártico. En las latitudes altas el clima es polar, con temperaturas de hasta -40ºC en invierno y precipitaciones que caen en forma de nieve la mayor parte del año. En el interior el clima es continental. Los inviernos son gélidos, los veranos, breves y las precipitaciones, moderadas.

En la costa atántica, la corriente fría del Labrador produce una disminución térmica generalizada, mientras que en la costa oeste se registran temperaturas más suaves y precipitaciones más abundantes debido a las masas de aire húmedo del Pacífico. La cadena Costera impide la llegada de estas lluvias a las tierras situadas al oeste de las Rocosas y origina en esta región una elevada aridez.

Ese contraste entre ambas costas también se refleja en la temperatura de las aguas. Mientras que la costa pacífica está siempre libre de hielos, la bahía de Hudson, la costa de Labrador e incluso el estuario del San Lorenzo están ocupados por bancos de hielo durante casi medio año.

Las zonas más frías son el hábitat de focas, morsas, osos polares, zorros y renos. En las más templadas viven el lobo, el coyote, el ciervo, el bisonte, el castor, la marta, el visón, la nutria y la ardilla, entre muchos otros. La cabra blanca es la especie más emblemática de las montañas del oeste.

**Máximas altitudes**

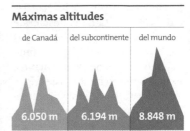

| de Canadá | del subcontinente | del mundo |
|---|---|---|
| 6.050 m | 6.194 m | 8.848 m |
| Mt. Logan | Mt. McKinley | Everest |

## Cumbres, glaciares, lagos turquesa y osos grizzly

Las montañas Rocosas albergan varios de los más interesantes espacios protegidos de Canadá. Los parques nacionales de Banff y Jasper –al este de la cordillera– y los de Yoho y Kootenay –al oeste– suman en conjunto más de 20.000 km² de naturaleza virgen cuya riqueza biológica y paisajística valió su inclusión entre los lugares considerados Patrimonio de la Humanidad en 1984. Entre sus grandes atractivos destacan los inacabables bosques de coníferas, álamos y abedules, sus lagos turquesa, sus inmensos glaciares *(el Athabasca, en la foto)*, sus cumbres de 4.000 metros y su riquísima fauna, con osos grizzly, osos negros, pumas, linces, lobos, coyotes, alces, cabras blancas, muflones, wapitís y águilas calvas, entre muchas otras especies.

El cantante y compositor **Neil Young** (1945) ha construido una sólida carrera a caballo entre el rock y el folk.

Con su voz grave y sus letras existencialistas, **Leonard Cohen** (1934) trasciende la música pop.

**Bryan Adams** (1959) alcanzó el éxito con temas como *All for love, Heaven* o *Everything I do, I do it for you.*

## Demografía

La inmensa mayoría de los actuales habitantes de Canadá desciende de colonos europeos: británicos (44%) y franceses (25%), así como italianos, alemanes y ucranianos. Existen también minorías de origen asiático y un 4% de indígenas amerindios. La población canadiense no se explica sin la inmigración. En 1871, Canadá contaba con 3,6 millones de habitantes. Cuarenta años después (1911) había duplicado su población (7,2 millones) y otros 40 más tarde (1951) había vuelto a duplicarla (14 millones).

Los europeos desembarcaron en la costa atlántica de Canadá en el siglo XVI. A mediados del XVIII empezó la colonización de la costa del Pacífico. El interior se mantuvo prácticamente inexplorado hasta la construcción del ferrocarril, en el XIX.

Los canadienses de origen francés se concentran especialmente en la provincia de Quebec, donde son mayoría y conservan su idioma, que es oficial no sólo en dicha provincia, sino también en el resto del estado. También hay grupos francófonos en Nueva Brunswick y Ontario.

**Francófonos** La inmigración francesa acabó en 1763, pero los francófonos mantuvieron hasta 1960 una proporción del 30% de la población gracias a su elevada natalidad, que compensaba la inmigración británica.

◔ Indio de la familia de los atapascos cerca de Banff (Alberta)

**Mapa:**
Parque Nacional
Parque Territorial
Reserva Fluvial

Nunavut, la tierra de los inuit

Ellesmere Island
Groenlandia
Grise Fiord
Bathurst Island
Beechey Island
Resolute
North Baffin
Nanisivik
Pond Inlet
Arctic Bay
Clyde River
Broughton Island
Cambridge Bay
Mount Pelly
Taloyoak
Igloolik
Auyuittuq
Kugluktuk
Hall Beach
Pangnirtung
Kekerten
Umingmaktok
Gjoa Haven
Pelly Bay
Sylvia Grinnell
Bloody Falls
Northwest Passage
Soper River
Qaummaarviit
Bathurst Inlet
Repulse Bay
Mallikjuaq
IQALUIT
Wager Bay
Kimmirut
Cape Dorset
Katannilik
Thelon River
Baker Lake
Coral Harbour
Territorios del Noroeste
Chesterfield Inlet
Rankin Inlet
Ijiraliq (Meliadine) River
Kazan River
Whale Cove
Arviat
Alberta
Quebec
Saskatchewan
Manitoba
Sanikiluaq

Durante las cuatro últimas décadas del siglo XX, el crecimiento de la población fue disminuyendo hasta situarse en el 0,8% anual entre 1995 y el 2000. La densidad (3,1 hab/km²) es la octava más baja del mundo. Los habitantes se distribuyen de forma muy desigual y se concentran en las áreas costeras meridionales del Atlántico y el Pacífico, así como a lo largo de la frontera con los Estados Unidos. Las riberas de los lagos Erie y Ontario y el valle del río San Lorenzo son las zonas más densamente pobladas. Más de las tres cuartas partes de la población vive en zonas urbanas, mientras que el territorio situado al norte está escasamente poblado a causa de los rigores del clima. Las tierras que rodean a la bahía de Hudson están ocupadas por los inuit.

**Nunavut** En Canadá viven 25.000 esquimales o inuit, que culminaron en abril de 1999 una histórica reclamación sobre la tierra que habitan al conseguir del gobierno canadiense la creación del nuevo territorio independiente de Nunavut. Se trata de la parte oriental de los Territorios del Noroeste *(mapa superior)*, que ocupa 350.000 km² –el 20% de la superficie del país– y cuya capital es Iqaluit, en la Tierra de Baffin.

**Población envejecida** El índice de fecundidad es bajo y ha disminuido en el último cuarto de siglo. Para el período 2000-2005 se cifra en 1,5 hijo por mujer. La mortalidad infantil (5‰) es de las más bajas del continente y del mundo.

La esperanza de vida es de 76,7 años para los hombres y 81,9 para las mujeres. La población canadiense tiende al envejecimiento: se estima que en el 2005, el 18,7% de la población superará los 64 años, mientras que los menores de 15 sólo representarán el 27,7%.

| Ranking IDH | Esperanza de vida |
|---|---|
| **8°** | 79,3 |
| 173 países analizados | años |

## Economía

### Principales proveedores

67,2% Estados Unidos

13,5% Asia

10% Unión Europea

### Principales clientes

87,1% Estados Unidos

5,5% Asia

4,5% Unión Europea

Canadá es uno de los países más desarrollados del mundo, como denota la octava posición que ocupa en el ranking mundial de desarrollo humano y la novena en cuanto al PBI por habitante. La distribución de la población activa por sectores (un 3,6% se dedica al primario, un 22,5% al secundario y un 74% al terciario) también muestra el desarrollo del país.

A causa del rigor del clima, sólo se cultiva el 4,7% del suelo. Pese a ello, el sector agrícola, completamente mecanizado, es muy potente. Sus principales cultivos son los cereales –es el séptimo productor mundial–, principalmente trigo, avena, cebada y maíz. También es importante la producción de plantas oleaginosas, tabaco, patatas, remolacha y frutas. Las zonas agrícolas por excelencia son las regiones centrales del sur. En ganadería dominan el bovino y porcino.

◔ Puerto de Vancouver, en la costa del Pacífico, con la ciudad al fondo

El atleta **Donovan Bailey** (1967) ostentó el récord mundial de los 100 metros entre 1996 y 1999 (9"84).

**Wayne Gretzky** (1961) ha sido considerado el mejor jugador de hockey sobre hielo de todos los tiempos.

Los récords atléticos de **Ben Johnson** (1961) quedaron ensombrecidos por el uso de sustancias prohibidas.

○ Las corrientes fluviales son la forma tradicional de transporte de la madera

Los bosques ocupan cerca del 45% del territorio. Abundan el abeto, el pino y el cedro. La Columbia Británica es la provincia maderera por excelencia. Sus recursos forestales generan una gran actividad industrial: pasta de papel, papel prensa, etcétera.

La flota pesquera captura salmón en el Pacífico y bacalao en Terranova, Nueva Escocia y el Labrador, aunque también es importante la pesca de arenque, atún y fletán. Asociada con esta actividad, la industria conservera está muy desarrollada.

**Potencia energética** Tradicionalmente en los primeros puestos de producción de níquel y cinc, es también un productor destacable de amianto, plomo, cadmio, cobalto, magnesio, platino, titanio, aluminio, molibdeno y oro.

Entre sus recursos energéticos cuenta con abundantes reservas de petróleo alrededor de Edmonton (Alberta), carbón y gas natural, pero se destaca sobre todo en la extracción de uranio (del que es primer productor mundial). Sus cuencas hidrográficas (caudalosas y con abundantes desniveles) se aprovechan para gene-

rar energía hidroeléctrica. Por todo eso, tiene un índice de cobertura energética muy elevado: 149,4%.

La industria canadiense está muy participada por capitales estadounidenses en los sectores automovilístico, informático, electrónico, aeronáutico y químico. Canadá posee, además, industrias alimentaria, textil, maderera y papelera, productos energéticos, metalúrgica, electrodomésticos y cemento. Ontario, al este, es la provincia más industrializada.

El sector servicios se ha desarrollado profundamente. La comunicación y la información son actual-

mente los principales motores de la economía canadiense. El turismo también representa una gran fuente de ingresos. La red de comunicaciones es muy amplia: suma unos 391.800 km de carreteras y cerca de 70.000 km de vías ferroviarias. Los puertos más importantes son Vancouver, Montreal, Halifax, Bacancour, Churchill y Saint John's.

**Influencia estadounidense** En comercio internacional, el principal proveedor y cliente de Canadá es Estados Unidos. Tradicionales socios comerciales, el buen entendimiento aumentó a partir de la firma del Acuerdo de Libre Comercio Canadá-Estados Unidos (ALE) en 1989 y más tarde, en 1992, con el Acuerdo de Libre Comercio Norteamericano (NAFTA) entre estos países y México. Canadá exporta productos manufacturados (66,4%), agrícolas (13,3%) y energéticos y minerales (10,3%).

El aumento de las exportaciones —entre 1989 y 1999 se incrementaron un 169% con los Estados Unidos— y el desarrollo de la *nueva economía* se tradujo en 1999 en el mayor crecimiento económico dentro de los países del G-7 (4,2%). El índice de paro bajó hasta un nivel que no se observaba desde mediados de los setenta (6,6%), la inflación está bajo control (1,7% en 1999) y las arcas públicas son excedentarias (superávit del 2,9%).

**Producción de cobalto**

| País | % |
| --- | --- |
| Finlandia | 21,1% |
| Canadá | 14,3% |
| Noruega | 13,7% |
| Rusia | 13,6% |
| Zambia | 13,4% |

**Producción de uranio**

| País | % |
| --- | --- |
| Canadá | 32,1% |
| Australia | 18,9% |
| Namibia | 8,5% |
| Níger | 7,8% |
| Estados Unidos | 5,8% |

**Producción de níquel**

| País | % |
| --- | --- |
| Rusia | 24,2% |
| Canadá | 17,8% |
| Australia | 11,9% |
| Nueva Caledonia | 8,6% |
| Indonesia | 8% |

**Producción de cadmio**

| País | % |
| --- | --- |
| Japón | 14% |
| Canadá | 11% |
| China | 10,7% |
| Bélgica | 6,7% |
| Alemania | 6,2% |

## Historia y Actualidad

**Año de constitución del estado:** 1867 (creación de la Federación de Canadá) y 1931 (el Reino Unido reconoce la plena independencia)

**Forma de estado:** estado federal. El jefe de estado es el soberano del Reino Unido, representado por un gobernador general.

**Sistema de gobierno:** democracia parlamentaria

**Organizaciones internacionales:** ONU, OTAN, Commonwealth y TLC

La primera expedición inglesa a la costa atlántica canadiense estuvo a cargo de John Cabot en 1497, mientras que el francés Jacques Cartier exploró el río San Lorenzo en 1534. La primera colonia francesa en esa región fue fundada por Samuel de Champlain en el 1608. Pronto comenzaron los enfrentamientos con los ingleses por el dominio de las tierras. Los conflictos siguieron a partir de 1670 y duraron casi un siglo.

En 1713, por el Tratado de Utrecht, Francia cedió Nueva Escocia a Inglaterra y renunció a Terranova y a la bahía de Hudson. Sin embargo, la

### 'Colmillo blanco'

En 1896, el descubrimiento de oro en el valle del río Klondike, un afluente del Yukón, provocó la llegada de 60.000 buscadores en apenas un año. En los primeros cuatro años se extrajo el equivalente a 50 millones de dólares de la época en ese metal. En pocos meses, Dawson pasó de ser un modesto campamento minero a albergar 40.000 almas y autoproclamarse "la París del Norte". Uno de estos buscadores fue el escritor Jack London, quien reflejó la fiebre del oro en su novela *Colmillo blanco*.

En su obra *Generación X*, **Douglas Coupland** (1961) retrataba una juventud consumista y sin valores.

 **David Cronenberg** (1943) es director, guionista y productor de películas como *Crash* o *Existenz*.

 El realizador **James Cameron** (1954) dirigió *Terminator* y *Aliens* y ganó el Oscar por *Titanic* en 1998.

## Historia y Actualidad

guerra de Sucesión austríaca (1745-1748) y la guerra de los Siete Años (1756-1763) agudizaron la rivalidad entre británicos y franceses. Las primeras victorias se decantaron del lado francés, cuyas tropas dirigía el general Montcalm, pero James Wolfe, que capitaneaba las británicas, se apoderó de Quebec y por el Tratado de París (1763), Nueva Francia fue cedida a los ingleses, excepto las islas de Saint Pierre y Miquelon, que aún hoy son territorio francés.

La *Quebec Act* (1774), primera ley constitucional, recogía el compromiso de la administración británica a conservar la legislación francesa y la religión católica. A fines del siglo XVIII, la población británica de Canadá secundó la rebelión de las colonias británicas de América, pero los francófonos se pusieron de parte del Reino Unido, que logró conservar la colonia canadiense. Tras la Paz de Versalles (1783), algunos colonos norteamericanos fieles a la metrópoli se refugiaron en Canadá y fundaron Nueva Brunswick y Nueva Escocia.

**Francófonos y anglófonos** El problema de los francófonos en el Canadá británico se intentó solucionar con la constitución de 1791, la *Canada Act*, que establecía un consejo y una asamblea electiva legislativa por cada zona en las que se dividió el territorio del río San Lorenzo: el Alto Canadá –futu-

○ Tropas inglesas en las guerras franco-británicas (1745)

ro Ontario, inglés y protestante–, el Bajo Canadá –Quebec, francés y católico– y quedaron independientes Nueva Escocia, la isla del Príncipe Eduardo y la isla del Cabo Bretón (unida a Nueva Escocia en 1820).

Al mismo tiempo, siguieron las expediciones del escocés Alexander Mackenzie –quien llegó al Ártico en 1789 y al Pacífico en 1793–, se colonizaron nuevos territorios –Manitoba– y fueron llegando muchos emigrantes del Reino Unido, atraídos por las posibilidades económicas del Nuevo Mundo, lo que facilitó el aumento de la población anglófona.

Durante la guerra entre Estados Unidos y el Reino Unido en 1812, se intentó unir Canadá con los EUA,

pero se mantuvo la división entre los dos países (Paz de Gante, 1814).

En 1837, los territorios franceses se rebelaron contra el gobierno representativo de las colonias, dirigidos por Louis J. Papineau. Paralelamente a esta revuelta tenía lugar la capitaneada por Mackenzie en el Alto Canadá, que pedía mayor representación en el gobierno.

Lord Durham, que había sido enviado para poner orden a las revueltas, sugirió al parlamento la dotación de una nueva constitución y la unión del Alto Canadá británico y el Bajo Canadá francés (*Act of Union*, 1840). Además, se estableció el paralelo 49°N como límite con los Estados Unidos en los estados occidentales.

**La Federación** En 1867 se promulgó la *British North America Act*, por la que se acordaba la constitución de una federación canadiense formada por cuatro provincias: Nueva Brunswick, Nueva Escocia, el Alto Canadá (Ontario) y el Bajo Canadá (Quebec). Fue el primer territorio del imperio británico que adquirió el estatuto de dominio, con pleno autogobierno.

Entre 1867 y 73, y 1878 y 91, el primer ministro John MacDonald promovió el comercio internacional. Con el gobierno del liberal Wilfrid Laurier (1896-1911), se establecieron los límites con Alaska y se confirmaron los lazos con el Reino Unido.

La historia del país en el siglo XX estuvo marcada por la participación en muchos conflictos en ayuda de la metrópoli, como en la guerra del Transvaal (1899-1902). En la Primera Guerra Mundial, Canadá militó en el bando aliado y estuvo presente como potencia internacional en la Conferencia de Versalles (1919).

**Plena independencia** Durante el mandato del liberal William L. Mackenzie King (1921-30), Canadá reivindicó para el Reino Unido su soberanía. La conferencia imperial de 1926 reconoció la plena independencia, reafirmada definitivamente por el Estatuto de Westminster (1931), que al mismo tiempo firmaba el ingreso de Canadá en la Commonwealth.

---

### El paso del Noroeste: una epopeya poco rentable

Desde el siglo XVII, los comerciantes europeos anhelaban la idea de encontrar un paso marítimo por el norte de América como vía más corta para llegar a China y Japón.

No obstante, los distintos intentos se topaban con enormes dificultades climáticas –el Ártico se hiela por completo durante más de medio año– y geográficas –la región a cruzar es un laberinto de islas y canales que no fue cartografiado con detalle hasta hace unas décadas–.

En 1906, tras multitud de intentos

fallidos, el noruego Roald Amundsen –primer hombre que pisó el Polo Sur– alcanzó las costas de Alaska después de tres largos años de viaje desde Oslo (*véase ruta de la expedición en las páginas 46 y 47 del tomo 1*).

El Paso del Noroeste, sin embargo, perdió enseguida su interés comercial, puesto que en 1914 se inauguró el canal de Panamá, que permitía cruzar América evitando el interminable rodeo del cabo de Hornos y las duras condiciones del entonces recién descubierto paso por el Ártico.

Nacida en 1878, **Elizabeth Arden** desarrolló una línea cosmética y de belleza que aún hoy es un referente.

Una de las modelos más cotizadas de los 90, **Linda Evangelista** nació el 1965 en Saint Catharines (Ontario).

La actriz y *playmate* **Pamela Anderson** (1967), famosa por *Baywatch,* fue un fenómeno en Internet.

**División administrativa**

0     250     500 km

○ El primer ministro Pierre E. Trudeau

Desde aquel momento, el sistema político se caracterizó por la alternancia en el gobierno federal entre el Partido Liberal y el Conservador. Cuando estalló la Segunda Guerra Mundial, Mackenzie King era el primer ministro. Se movilizó a un millón de hombres, la industria se puso al servicio de la guerra y se exportó trigo al Reino Unido.

Acabada la guerra, Canadá fue miembro fundador de la ONU en 1945 y de la OTAN en 1949. Intervino en la guerra de Corea (1950-53) y envió tropas a Europa occidental en 1951. En 1957, los conservadores volvieron al gobierno de la mano de John Diefenbaker, que inició un programa de reformas sociales con gran aceptación, aunque las reivindicaciones nacionalistas en Quebec mermaron su popularidad.

**El problema quebequés** En 1968, el liberal Pierre Elliott Trudeau fue elegido primer ministro y tuvo que enfrentarse al auge del nacionalismo francófono de Quebec. Trudeau intentó reforzar el federalismo reformando la constitución (1982), pero los malos resultados económicos lo perjudicaron en las urnas.

El Partido Conservador se hizo con el poder en 1984 y Martin Brian Mulroney fue primer ministro. Mulroney y Ronald Reagan, presidente de los Estados Unidos, firmaron un tratado de libre cambio en 1988, lo que supuso la supresión de las tarifas aduaneras entre ambos estados. En 1992 se aprobó una reforma constitucional –el acuerdo de Charlottetown–, que intentaba solucionar el problema de Quebec y el de otras provincias –como Nueva Brunswick, Manitoba y Terranova– que aspiraban a tener mayor grado de autonomía. Aunque fue aprobada por todas las fuerzas políticas, seis provincias la rechazaron en referéndum. Ante tantos desacuerdos, Mulroney dimitió y Kim Campbell fue elegida jefe del partido y, después, primera ministra en 1993.

Los comicios de 1993 representaron una gran derrota del Partido Conservador –su presencia parlamentaria se redujo a dos escaños– y el triunfo de los liberales. Jean Chrétien fue nombrado primer ministro y renovó la confianza de los canadienses en las elecciones del 2000.

○ Grabado que ilustra la muerte del general británico James Wolfe

## Fechas clave

Lord Durham | MacDonald | Mackenzie King | Mulroney | Chrétien

**1534** Jacques Cartier explora Canadá.

**1763** Paz de París. Francia cede Canadá a Gran Bretaña.

**1791** Establecimiento de la constitución canadiense, la *Canada Act.*

**1867** Canadá obtiene la autonomía con el Estatuto de Dominio.

**1914-18** Participación en la Primera Guerra Mundial.

**1931** Estatuto de Westminster. Plena soberanía de Canadá y entrada en la Commonwealth.

**1939-45** Participación en la Segunda Guerra Mundial.

**1950-53** Participación en la guerra de Corea.

**1982** Reforma constitucional.

**1988** Tratado de libre comercio con los Estados Unidos.

**1993** Victoria del Partido Liberal en las elecciones, con Jean Chrétien como primer ministro.

**1992** Canadá, Estados Unidos y México firman el NAFTA.

Los elaborados espectáculos del **Cirque du Soleil** han dado la vuelta al mundo desde su creación en Quebec en 1984 y han supuesto toda una revolución en la concepción del circo moderno.

Nacido en 1971, el piloto de Fórmula 1 **Jacques Villeneuve** se convirtió en 1995 en el ganador más joven del Campeonato de Indy Car. Es hijo del malogrado piloto Gilles Villeneuve.

## Historia y Actualidad

# Quebec, una "sociedad distinta"

Situada en el este del país, Quebec es la mayor provincia de Canadá, exceptuando Nunavut, y comprende tres regiones geográficas: parte del escudo canadiense, el extremo septentrional de los Apalaches y el valle del San Lorenzo.

Uno de cada cuatro canadienses es quebequés y tres de cada cuatro quebequeses son de origen francés, mientras que sólo el 4,2% tiene orígenes británicos. La provincia posee importantes recursos ganaderos y mineros. La extracción de amianto es destacable a nivel mundial. También obtiene cobre, hierro, cinc, oro, plata, níquel y cromo. Sus abundantes recursos forestales generan una gran actividad industrial. El turismo es destacable.

Desde el siglo XVII, los territorios que rodean el valle del San Lorenzo motivaron diversas guerras entre franceses y británicos. En 1763, los franceses cayeron derrotados y la región pasó a ser oficialmente colonia inglesa, pero la mayoría de la población francófona (unas 70.000 personas) prefirió permanecer allí.

En 1774, la *Quebec Act* trató de acomodar las leyes de Gran Bretaña a la mentalidad de los colonos franceses, pero sin algunas de las libertades fundamentales para los ingleses. En aquella ocasión, se denominó Quebec a la región comprendida entre el Mississipi y los Grandes Lagos al oeste, la Tierra de Rupert al norte, Terranova y Nueva Escocia al este y las Trece Colonias, al sur.

◐ Montreal es la mayor ciudad de Quebec y la segunda de Canadá

◑ De Gaulle, en su discurso desde el balcón del ayuntamiento de Montreal

Aunque en 1791 la provincia se dividió en el Bajo y el Alto Canadá, en 1837, tras la fracasada revolución por el autogobierno, el Reino Unido reunió de nuevo los dos territorios en la *Act of Union* (1840). Con la creación del estado federal (1867), se recuperó el antiguo Bajo Canadá con el nombre de provincia de Quebec.

**Sentimiento secesionista** A mediados del siglo XX, la mayoría francófona de Quebec experimentó una creciente opinión favorable al independentismo, alentada por la visita del presidente francés Charles de Gaulle, quien en 1967 pronunció la famosa frase "Viva Quebec libre". Este sentimiento secesionista culminó con la fundación en 1968 del Partido Quebequés, liderado por René Levesque.

La cuestión quebequesa adquirió tintes dramáticos cuando en 1970 el radical Frente de Liberación de Quebec (FLQ) secuestró y asesinó al ministro de Trabajo de Quebec, Pierre Laporte. El gobierno federal instauró el estado de emergencia hasta abril de 1971 e ilegalizó al FLQ.

Mientras, crecía el descontento por la política económica, cultural y lingüística del gobierno federal. En 1976, el Partido Quebequés ganó las elecciones provinciales. El gobierno de Leves-

que inició una política en defensa de la autodeterminación que condujo a la celebración, el 20 de mayo de 1980, de un referéndum para decidir sobre la oportunidad de negociar una *soberanía asociada*, primer paso hacia la independencia. El resultado fue decepcionante para los soberanistas, que obtuvieron el 40% de los votos.

En 1982, Pierre Trudeau, primer ministro federal, propició la elaboración de una nueva constitución que la población canadiense no aceptó. Tras la proclamación como primer ministro del conservador Brian Mulroney, en 1984, el gobierno federal y Quebec firmaron los acuerdos del lago Meech (3 de julio de 1987), por los cuales la provincia ratificaba la constitución federal con algunas enmiendas que reforzaban sus diferencias culturales ("sociedad distinta").

Tras el fallido intento de reforma constitucional de 1990 –acuerdo de Charlottetown–, rechazado por seis provincias, se celebró un nuevo referéndum sobre la soberanía quebequesa el 30 de octubre de 1995. Los resultados confirmaron un importante crecimiento de los sentimientos independentistas, aunque todavía no mayoritarios: los partidarios de mantenerse como provincia dentro del estado federal de Canadá ganaron por sólo 50.000 votos.

En 1998, los independentistas protestaron ante la decisión del Tribunal Supremo federal que les negaba el derecho de autodeterminación. No obstante, al dejar abierta la posibilidad de negociar la independencia si la mayoría de la población lo desea, se abre la puerta a un nuevo referéndum sobre el futuro de Quebec.

### Las dos consultas

**Referéndum por la soberanía 1980**

40,4% Sí
59,6% No

**Referéndum por la soberanía 1995**

49,4% Sí
50,6% No

## Fechas clave

**1763** La región del Quebec es declarada colonia inglesa.
**1774** Se dicta la *Quebec Act*.
**1840** *Act of Union*.
**1867** Quebec se integra en el estado federal candiense.
**1970** El Frente de Liberación de Quebec secuestra y asesina a Pierre Laporte, ministro de Trabajo.

**1976** El Partido Quebequés de René Levesque vence en los comicios.
**1980** Primer referéndum: clara derrota soberanista.
**1987** Acuerdos del lago Meech.
**1990** Acuerdo de Charlottetown, rechazado por seis provincias.
**1995** Nueva derrota soberanista en el segundo referéndum.

# Cuba

El azul son las antiguas divisiones territoriales; el blanco, la pureza; el rojo, la sangre vertida por la libertad, y la estrella, un símbolo de fraternidad.

**Nombre oficial del país:**
República de Cuba
**Superficie:** 110.861 km²
**Población:** 11.271.000 hab
**Densidad:** 101,7 hab/km²
**Capital:** La Habana
(2.450.000 hab)

**Otras ciudades:**
Santiago de Cuba (445.000 hab)
Camagüey (295.000 hab) y
Holguín (245.000 hab)
**Lengua:** español (oficial)
**Moneda:** peso cubano
(100 centavos)

**Direcciones útiles de Internet:**
www.cubatravel.cu
www.cubagov.cu
www.cubaweb.cu
www.cubarte.cult.cu
**Placa de identificación:** C
**Prefijo telefónico:** 53
**Dominio de Internet:** .cu
**Horario en relación con Greenwich:**
−5 horas
**Compañía aérea nacional:**
Cubana

**Principal aeropuerto internacional:**
José Martí Internacional
(La Habana)

La desaparición de la Unión Soviética y el bloqueo de los Estados Unidos han dejado a Cuba, único régimen comunista del continente americano, en una situación económica muy precaria.

## Geografía

Cuba es la mayor y más occidental de las Grandes Antillas. Se sitúa entre el mar Caribe y el océano Atlántico, y forma, junto a la isla de la Juventud, el archipiélago de Camagüey, el de los Jardines de la Reina y otras 3.715 islas, islotes y cayos (arrecifes), la República de Cuba.

Su costa, rodeada de arrecifes coralinos, está compuesta por una gran variedad de accidentes geográficos, tales como playas de arena fina, acantilados, golfos y bahías que constituyen excelentes puertos naturales.

Sólo una cuarta parte del país es montañosa. En la región occidental de la isla destacan las sierras de los Órganos y del Rosario, cuyas cimas no alcanzan los 700 metros de altitud. En el centro insular, la sierra de Escambray presenta alturas mayores, próximas a los 1.200 metros. Pero la unidad más importante es la Sierra Maestra, en el sureste del país, donde se localiza el pico Turquino, que con 1.973 metros es el punto más elevado de Cuba. Al oeste de esta cordillera se encuentra la meseta de Camagüey.

**Vegetación y clima tropicales** Cuba cuenta con una importante red de aguas subterráneas y con numerosos cursos fluviales, aunque son cortos y poco caudalosos. Entre ellos destacan los ríos Cauto, Zaza y Sagua Grande, los tres más largos de la república.

La isla disfruta de un clima tropical, con una temperatura media de 25ºC y precipitaciones abundantes que alcanzan los 1.300 milímetros anuales durante la estación húmeda, de mayo a octubre. Huracanes como el Michelle (2001) azotan habitualmente la zona entre julio y octubre.

La formación vegetal dominante es el bosque tropical, donde crecen especies como la palma, la caoba y el ébano. Su fauna la componen insectos, peces, aves, murciélagos y reptiles como la tortuga, la iguana y una familia de cocodrilos *(Crocodylus rhombifer)* que habita únicamente en el sur de Cuba y en la isla de la Juventud y que puede medir hasta 3,7 metros de largo.

### Máximas altitudes

| de Cuba | del subcontinente | del mundo |
|---------|-------------------|-----------|
| 1.973 m | 6.194 m | 8.848 m |
| Pico Turquino | M. McKinley | Everest |

⊙ Paisaje de la campiña cubana

⊙ Cocodrilo *(Crocodylus rhombifer)*

## Demografía

| Ranking IDH | Esperanza de vida |
|-------------|-------------------|
| **51°** | **76,7** |
| 173 países analizados | años |

La mitad de los cubanos son mulatos y un 37% son descendientes de los españoles que llegaron en dos grandes oleadas migratorias: la colonización y la etapa de la dictadura de Francisco Franco. El resto es de origen africano, ya que no quedan descendientes de los pueblos indígenas.

Más de dos millones de cubanos viven en Estados Unidos, en un éxodo que comenzó a ser masivo en la década de 1970. La colonia cubana se establece principalmente en Miami, donde representa dos tercios de la población de la capital del estado de Florida. Esta comunidad mantiene fuertes vínculos con la isla, ya que aporta unos 800 millones de dólares a su economía y es el bastión del movimiento anticastrista en el exilio.

Con un crecimiento interanual estimado del 0,3% en el período comprendido entre 2000 y 2005, Cuba ocupa, junto a Trinidad y Tobago y Dominica, la tercera posición entre los países con menor crecimiento demográfico de Norteamérica y las Antillas. La población se concentra mayoritariamente en las zonas urbanas, y la mortalidad infantil, del 7‰, es la más baja de toda Latinoamérica y el Caribe. Un índice de fecundidad bajo (1,5%) y una elevada esperanza de vida convierten a Cuba en un país de población madura, cuya edad media (34,5 años) sólo es superada en el subcontinente por Canadá y Estados Unidos.

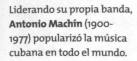

Liderando su propia banda, **Antonio Machín** (1900-1977) popularizó la música cubana en todo el mundo.

**Celia Cruz** (1924-2003) conocida como *la Reina de la Salsa*, vivió exiliada en los Estados Unidos desde 1960.

La actuación de **Jorge Perugorría** (1965) en *Fresa y chocolate* le abrió las puertas de la industria cinematográfica.

# Economía

◉ Recolección de caña de azúcar

La economía cubana, basada históricamente en la agricultura, experimentó una profunda transformación desde la revolución de 1959. La reforma agraria consistió en la expropiación de los latifundios, la eliminación de los arrendamientos y la creación de empresas o granjas agrícolas estatales, según el modelo soviético, y de asociaciones de campesinos.

Otra importante medida fue la diversificación de cultivos, propiciada en gran parte por la necesaria independencia que imponía a la economía cubana el bloqueo comercial de Estados Unidos. La diversificación no pudo llevarse a los límites deseados debido a que su cultivo principal, la caña de azúcar, era su moneda de cambio en el comercio internacional. Para comenzar el desarrollo necesitaba importaciones, que consiguió principalmente de la URSS con el intercambio de azúcar por petróleo.

Las reformas también se centraron en industrializar el país, que hasta entonces se basaba casi exclusivamente en la transformación de productos agrícolas (refinerías de azúcar y manufactura de tabaco).

**El azúcar, base de la economía** Su principal cultivo sigue siendo la caña de azúcar, a la que dedica el 60% de los campos de cultivo. Sin embargo, la falta de fertilizantes y de combustible y la baja de los precios internacionales del azúcar hace que esta industria atraviese grandes dificultades: se estima que alrededor de la mitad de las centrales azucareras ya no son rentables.

Otros cultivos de exportación importantes son los cítricos, el café, que se cultiva en la zona oriental del país, y sobre todo, el tabaco. La agricultura cubana también produce bananas, cocos, fibras textiles (henequén, algodón...), cereales, tubérculos, cacao, maní y tomates. De sus bosques se obtienen gomas, resinas, aceites, fibras, esencias para tintes, leña y maderas para la construcción (pino, cedro, caoba...).

La ganadería, especialmente la bovina, se desarrolla con gran intensidad en la provincia de La Habana, especializada en la producción de leche, mientras que Camagüey se destaca por la obtención de carne.

La explotación minera se reduce al níquel de Moa y Nícaro y al cobre de Matahambre y Mantúa, refinado en Mella y en Santiago de Cuba. Varias compañías extranjeras han empezado a invertir en este sector: australianas en la industria del níquel, canadienses en la del oro, la plata y los metales básicos, y sudafricanas en el oro, el cobre y el níquel. Entre los recursos energéticos del país están el petróleo y el gas natural.

**Industria diversificada** La industria continúa dominada por las refinerías de azúcar y la manufactura del tabaco. También posee fábricas textiles, de calzado, de conservas, químicas, siderúrgicas y papeleras. Otra industria tradicional es la que se dedica a la obtención de ron, que, junto a la de cerveza y las refinerías de petróleo, acaba de configurar el perfil industrial cubano. Sus principales exportaciones son el azúcar y el tabaco e importa fertilizantes, petróleo y maquinaria.

A finales del siglo XX, el turismo se convirtió en una pieza clave de su economía. Pasó de 546.000 visitantes en 1993 a dos millones en 1999, principalmente de Canadá, Italia, Alemania y España, en este orden. Este flujo de turistas se tradujo en el ingreso de 1.700 millones de dólares, casi un 10% del PBI de Cuba.

Pese a la recuperación económica de mediados del 2000, el país sufre aún las consecuencias de la crisis de los noventa a raíz del cese de las importaciones de petróleo y materias primas de la antigua URSS. Además, la mala marcha del sector azucarero, unida al encarecimiento del petróleo, podría significar el despido de miles de personas.

No obstante, han aparecido signos positivos en sus relaciones internacionales: se han flexibilizado las relaciones con los EUA y se ha acordado con Venezuela el suministro de petróleo en condiciones ventajosas.

## Principales proveedores

- **51,1%** Unión Europea
- **16,8%** América Latina
- **9,8%** Canadá
- **22,3%** Otros países

## Principales clientes

- **29,6%** Unión Europea
- **22%** Rusia
- **13,4%** Canadá
- **35%** Otros países

## La ley Helms-Burton

El Congreso de los Estados Unidos aprobó la ley Helms-Burton en 1996 con el objetivo de reforzar el bloqueo económico que su país ejercía sobre Cuba desde 1962. Mediante esta ley, que penaliza a las empresas que establezcan contactos con la isla mediante terceros países, el gobierno estadounidense impidió que Cuba accediera a préstamos del FMI y el Banco Mundial.

## Los mejores puros del mundo

La rica tierra roja de Vuelta Abajo hace que el tabaco cubano sea inimitable y esté considerado como el mejor del mundo. Su explotación es posible gracias a la concesión de créditos de España, que importa casi el 65% de la producción anual cubana, y a la demanda de países como Argentina, Suiza y el Reino Unido.

◉ Vista de una carbonera en plena ebullición

En *El siglo de las luces*, el escritor **Alejo Carpentier** (1904-1980) imprimió el estilo del realismo mágico americano.

Premio Cervantes en 1997, **Guillermo Cabrera Infante** (1929) es un firme opositor al régimen castrista.

Cuba declaró heroína nacional a **Alicia Alonso** (1923), fundadora y directora del Ballet Nacional de Cuba.

## Historia y Actualidad

**Constitución del estado:** 1902 (independencia de España en 1898)
**Forma de estado:** república
**Sistema de gobierno:** democracia popular
**Organizaciones internacionales a las que pertenece:** ONU, SELA

○ La Real Factoría de Tabacos, en Sevilla (España)

Colón descubrió Cuba el 27 de octubre de 1492. En ese momento, el territorio estaba poblado por los indios ciboneyes, guanacahíbes y taínos, que se extinguieron a principios del siglo XVI con la colonización, que fue dirigida a partir de 1511 por Diego Velázquez de Cuéllar. La situación estratégica de Cuba no fue desdeñada por los conquistadores españoles, que la escogieron como punto de partida de la flota que debía partir hacia Sevilla con el oro y la plata de Sudamérica y, en especial, de Perú.

La Real Factoría de Tabacos monopolizó el comercio de este producto desde 1717 y obligó a los vegueros (explotadores de tabaco) a quemar los excedentes de las cosechas que no compraba, lo cual provocó varias revueltas a lo largo del siglo.

**La alternativa estadounidense** Ya en el XIX, muchos de los hacendados enriquecidos preferían integrarse en los Estados Unidos, ya que no estaban de acuerdo con la política de la administración española, que monopolizó la producción y el comercio de tabaco y cargó a la isla de impuestos para paliar su grave situación económica.

De hecho, los hacendados temían que España aboliera la esclavitud. Por esta razón, luego de la guerra de Secesión estadounidense y la consecuente liberación de los esclavos, se acabó el interés de los cubanos poderosos por los Estados Unidos. Sin embargo, a finales del siglo XIX, los intereses económicos e ideológicos dividieron a la clase dirigente cubana, que dudó entre luchar por la independencia, ser anexionada por los Estados Unidos, o conseguir de la metrópoli algunas reformas, como un nuevo sistema arancelario y un régimen político más igualitario.

Los movimientos reformistas fracasaron y durante la revolución española de 1868, Carlos Manuel de Céspedes proclamó la república y liberó a sus esclavos. Estalló entonces una cruenta guerra de diez años de duración, que causó numerosas muertes y el exilio de muchas familias acaudaladas a los Estados Unidos. La Paz de Zanjón en 1878 dio la guerra por terminada y garantizó las libertades que había concedido la república cubana. En 1886 se abolió la esclavitud definitivamente.

**La revolución de Martí** Después de unos tímidos intentos de descentralización por parte del ministro de Ultramar, Antonio Maura, el descontento en la isla fue creciendo. El Partido Revolucionario Cubano, liderado por José Martí, reemprendió la guerra en 1895 con el Grito de Baire, bajo las órdenes de los generales Antonio Maceo y Máximo Gómez. La contienda fue desfavorable al ejército español y las bajas entre los soldados fueron cuantiosísimas.

España concedió la autonomía en el año 1897. Sin embargo, Estados Unidos acusó a España de la explosión del crucero acorazado *Maine* en la bahía de La Habana y le declaró la guerra. La armada estadounidense pronto aplastó a la flota española, que fue destruida en la bahía de Santiago. La Paz de París de 1898 consagró la pérdida de Cuba, Puerto Rico y las Filipinas.

La isla fue ocupada por el ejército norteamericano durante tres años, hasta que en 1902 se proclamó la República Cubana, aunque todo se hizo bajo la supervisión de Washington. Estados Unidos impuso, además, la Enmienda Platt en el 1901, según la cual el gobierno norteamericano podía intervenir militarmente en la isla cuando lo creyera conveniente, y así lo hizo en 1906, 1912, 1917, 1920 y 1933. En 1934 se abolió la ley.

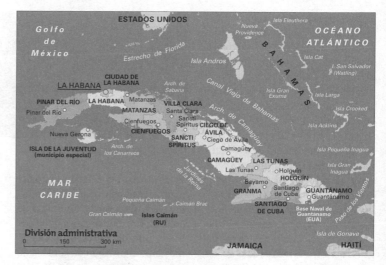

**ESTADOS UNIDOS**

Golfo de México · OCÉANO ATLÁNTICO · BAHAMAS · MAR CARIBE · JAMAICA · HAITÍ

LA HABANA · CIUDAD DE LA HABANA · PINAR DEL RÍO · Pinar del Río · Matanzas · MATANZAS · VILLA CLARA · Santa Clara · Cienfuegos · Sancti Spíritus · CIENFUEGOS · SANCTI SPÍRITUS · CIEGO DE ÁVILA · Ciego de Ávila · Camagüey · CAMAGÜEY · LAS TUNAS · Las Tunas · Bayamo · Holguín · HOLGUÍN · GRANMA · Santiago de Cuba · GUANTÁNAMO · Guantánamo · SANTIAGO DE CUBA · Base Naval de Guantánamo (EUA) · ISLA DE LA JUVENTUD (municipio especial) · Nueva Gerona · Arch. de los Canarreos · Jardines de la Reina · Pequeña Caimán · Caimán Brac · Gran Caimán · Islas Caimán (RU)

**División administrativa**
0 · 150 · 300 km

Céspedes · Martí · Maceo · Batista · Castro

## Fechas clave

**1511** Diego Velázquez de Cuéllar inicia la conquista de la isla.
**1868** Grito de Yara. Proclamación de la República por parte de Carlos Manuel de Céspedes.
**1878** Paz de Zanjón.
**1886** Abolición de la esclavitud.
**1895** Grito de Baire. Inicio de la guerra de independencia.
**1897** España concede la autonomía.
**1898** Cuba deja de ser colonia de España, que reconoce la derrota ante Estados Unidos tras la Paz de París.

**1902** Proclamación de la República Cubana.
**1934** Abolición de la Enmienda Platt.
**1959** Entrada de Fidel Castro en La Habana y de sus compañeros del Movimiento 26 de Julio.
**1961** Fracaso de la CIA en Bahía de Cochinos.
**1962** Crisis de los misiles. La URSS desmantela las armas nucleares que apuntaban a Estados Unidos.
**1976** Nueva constitución.
**1998** El papa Juan Pablo II visita Cuba.

○ Ilustración de un grupo de insurrectos de la Guerra Hispanonorteamericana

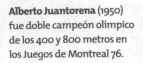
**Alberto Juantorena** (1950) fue doble campeón olímpico de los 400 y 800 metros en los Juegos de Montreal 76.

**Javier Sotomayor** (1967) fue plusmarquista mundial de salto en alto y campeón olímpico en Barcelona 92.

La custodia de **Elián González** se convirtió en el 2000 en otro motivo de lucha entre Castro y el exilio cubano.

## Historia y Actualidad

Cuba cedió la base de Guantánamo y se convirtió en un protectorado de los EUA. La corrupción aumentó con las presidencias de Ramón Grau San Martín (1944-48) y Carlos Prío Socarrás (1948-52), que se alternaron con las dictaduras de los generales Gerardo Machado (1924-33) y Fulgencio Batista (1939-43 y 1952-59).

Tras un primer intento de derrocar a Batista en 1953, un grupo de guerrilleros liderado por Fidel Castro, Camilo Cienfuegos y Ernesto *Che* Guevara organizó el Movimiento 26 de Julio, fuerza que logró entrar en La Habana en 1959 y tomar posesión del gobierno. Un año más tarde, el gobierno revolucionario nacionalizó todas las compañías norteamericanas en la isla. Este hecho significó la ruptura de las relaciones diplomáticas entre los

◑ Revolucionarios cubanos en 1959

EUA y Cuba y el acercamiento del régimen de Castro a la URSS.

En 1961, una expedición militar de exiliados cubanos, organizada por los EUA, intentó derrocar a Castro mediante la invasión de la Bahía de Cochinos. La operación fracasó y el clima de Guerra Fría recrudeció.

La instalación de misiles soviéticos en la isla, en 1962, provocó uno de los incidentes más graves de la Guerra Fría. La retirada soviética, después de tensas negociaciones entre Moscú y Washington, evitó un enfrentamiento de consecuencias imprevisibles.

La nueva constitución de 1976 proclamó a Castro presidente del Consejo de Estado, cargo que ejercería a la vez que el de primer secretario del Partido Comunista.

El ajuste económico que se inició tras el fin de la URSS y la promulgación de la ley Helms-Burton (1996), que reforzaba el embargo, empobrecieron el país. Aunque a partir de 1998 Castro suavizó sus relaciones con Europa y permitió la visita de Juan Pablo II –el estadounidense Bill Clinton autorizó el envío de medicinas y alimentos–, la elección de George W. Bush (2000) endureció la pugna.

En el 2003, Castro ordenó el fusilamiento de los secuestradores de un ferry, con el que pretendían huir a Estados Unidos, y reanudó la persecución de los disidentes. En el 2004, el gobierno norteamericano dictó nuevas normas para reducir el flujo de divisas procedentes de EUA y las visitas a Cuba de grupos culturales y académicos.

# Dominica

La cruz representa la religión católica, mientras que el loro *sisserou*, especie endémica de Dominica, simboliza la consecución de las aspiraciones.

**Nombre oficial del país:**
Commonwealth de la Dominica
**Nombre del país en inglés:**
Commonwealth of Dominica
**Superficie:** 750 km²
**Población:** 78.000 hab
**Densidad:** 104,5 hab/km²
**Capital:** Roseau (16.500 hab)
**Otras ciudades:** Portsmouth (4.000 hab)
**Lenguas:** inglés y criollo
**Moneda:** dólar del Caribe Oriental (100 centavos)

**Direcciones útiles de Internet:**
www.dominica.com
www.dominica.dm
www.government.dm

Dominica es una de las islas volcánicas de las Antillas Menores. La mayor parte de su superficie es montañosa. La altura máxima es el monte Diablotins, de 1.447 metros. La red hidrográfica se compone de numerosos ríos y arroyos poco caudalosos, como el Layou, el Pagua y el Castle Bruce. También disfruta del lago Boiling y de abundantes fuentes termales. El clima es tropical, con precipitaciones abundantes. La mayor parte de la población de la isla es mestiza o de origen africano, aunque también existen minorías europeas y asiáticas. Además, una pequeña comunidad de indios caribes vive en la costa este. La religión

católica es mayoritaria. La población de Dominica sufrió un crecimiento del – 0,1% entre 1995 y 2000. Descubierta por Colón, ingleses y franceses se la disputaron hasta que quedó en manos británicas, tras el Tratado de Versalles (1783). En 1940 pasó a las islas Windward como colonia separada y formó parte de la Federación de las Islas Occidentales (1958-1962). Por el acuerdo de Westminster, en 1967, fue declarada estado libre asociado al Reino Unido. En 1978 obtuvo la independencia como república en el seno de la Commonwealth.

El Dominica Freedom Party ganó las elecciones de 1980 y su líder, Mary Eugenia Charles, se convirtió en la primera mujer que dirigió un gobierno de los estados caribeños. En los comicios del año 2000 resultó ganador el laborista Rosie Douglas, que murió a los ocho

◑ Vista del río Roseau a su paso por la capital homónima

meses y fue sustituido por Pierre Charles, su ministro de Obras Públicas. Con el objeto de impulsar el turismo, el gabinete aceptó capitales de procedencia dudosa. Junto al turismo, la economía se basa en el sector bananero, aunque también se cultivan cítricos, coco, cacao y caña de azúcar. La pesca y la extracción de piedra pómez completan las actividades del sector primario. La industria produce conservas y licores.

| Ranking IDH | Esperanza de vida |
|---|---|
| 67° | 73,9 |
| 173 países analizados | años |

# Estados Unidos

Las estrellas representan a cada uno de los estados de la nación. Las trece franjas blancas y rojas son las colonias que se unieron por la independencia.

**Nombre oficial del país:**
Estados Unidos de América
**Nombre del país en inglés:**
United States of America
**Superficie:** 9.363.123 km²
**Población:** 291.038.000 hab
**Densidad:** 30,2 hab/km²
**Capital:** Washington
(7.850.000 hab)
**Otras aglomeraciones urbanas:**
Nueva York (21.650.000 hab),
Los Ángeles (16.900.000 hab),
Chicago (9.400.000 hab),
San Francisco (7.300.000 hab),
Filadelfia (6.300.000 hab),
Boston (5.950.000 hab),
Detroit (5.850.000 hab),
Dallas/Fortworth (5.600.000 hab),
Houston (4.950.000 hab) y
Atlanta (4.500.000 hab)
**Lenguas:** inglés, español, chino, francés, italiano, alemán, coreano, vietnamita, tagalo, polaco, japonés, etc
**Moneda:** dólar estadounidense
(100 centavos)

**Direcciones útiles de Internet:**
www.whitehouse.org
www.census.gov
www.50states.com
www.usatourist.com
**Placa de identificación:** USA
**Prefijo telefónico:** 1
**Dominio de Internet:** .us (acompañado del código del estado)
**Horario en relación con Greenwich:**
de -5 a -11 horas
**Principales compañías aéreas:**
American Airlines
Trans World Airlines
United Airlines
Continental Airlines
**Principales aeropuertos:**
Atlanta
Chicago O'Hare
Los Ángeles

Los Estados Unidos terminaron la Guerra Fría como única superpotencia mundial, pero este nuevo orden los convirtió en el principal objetivo de una nueva forma de guerra: el terrorismo a gran escala.

## Geografía

○ Las cataratas del Niágara se forman entre los lagos Erie y Ontario

Estados Unidos es el segundo mayor país de América después de Canadá y el cuarto a escala mundial, luego de Rusia, Canadá y China. Situado en la franja central de Norteamérica, se extiende desde la costa atlántica hasta la pacífica. Al norte comparte con Canadá la frontera terrestre más larga del mundo y al sur limita con México. Está formado por 48 estados contiguos, más Alaska, en el noroeste, y las islas Hawai, en el Pacífico.
La costa atlántica está muy fragmentada. Abundan las bahías, calas y pequeñas islas. Sus dos accidentes más relevantes son la península de Florida y el golfo de México. En la costa del Pacífico, más regular, aparecen numerosos acantilados y bahías como la de San Francisco y la de San Pablo. Más al norte se localizan el golfo y la península de Alaska, que da lugar al estrecho de Bering.

**Los Apalaches** Las principales unidades de relieve de Estados Unidos son el sistema de los Apalaches, el sistema occidental y las llanuras interiores. El sistema de los Apalaches es

una cordillera de orogenia relativamente antigua, orientada del noreste al suroeste, situada cerca de la costa atlántica y separada de ésta por la llanura litoral.
Se divide en tres cadenas: la septentrional –localizada casi totalmente en territorio canadiense y modelada sobre todo por el glaciarismo–, la central y la meridional, esta última formada por los montes Apalaches propiamente dichos. Éstos se dividen a su vez en dos alineaciones paralelas: la oriental y la occidental. El sistema oriental lo integran los montes Azules, que presentan las máximas

altitudes de toda la cordillera (Mt. Mitchell, 2.037 m). Al este se extiende una amplia meseta.
La línea occidental está formada por numerosos pliegues que han dado lugar a un paisaje de crestas y valles, por donde los ríos han ido excavando su curso. El Gran Valle es la depresión que separa ambas alineaciones. El clima de toda la región oriental es templado y húmedo, con inviernos suaves en los que la irrupción de masas de aire polar provoca descensos bruscos de las temperaturas y heladas. Los veranos son cálidos y húmedos, como consecuencia de la llegada de masas de aire marítimo tropical. Las lluvias son abundantes todo el año, pero aumentan en verano. El régimen pluviométrico oscila entre los 1.000 y 1.500 milímetros anuales. En invierno son frecuentes las nevadas, que se mantienen en las cumbres de los Apalaches hasta el deshielo primaveral. El clima favorece la presencia de extensos bosques caducifolios.

**Las montañas Rocosas** El sistema occidental lo componen dos conjuntos montañosos de orografía relativamente reciente: las cordilleras del Pacífico al oeste, y las Rocosas al este. Estas últimas recorren el país de norte a sur y se dividen en cuatro sectores.

### Las fronteras más largas del mundo entre dos países

|  |  |
|---|---|
| Canadá-EUA* | 8.893 km |
| Kazajstán-Rusia | 6.846 km |
| Argentina-Chile | 5.150 km |
| China-Mongolia | 4.673 km |
| Bangladesh-India | 4.053 km |
| China-Rusia | 3.645 km |
| Mongolia-Rusia | 3.441 km |
| China-India | 3.380 km |
| Estados Unidos-México | 3.326 km |

* Incluye los 2.477 km de frontera con Alaska

**Edgar Allan Poe** (1809-1849) fue un maestro del género del terror. Sus relatos cortos han sido llevados al cine en decenas de ocasiones. También se le considera el precursor de la novela policíaca.

La proclamación de **Abraham Lincoln** (1809-1865) como presidente de los EUA dio esperanzas a los esclavos y provocó la independencia de los estados del Sur, origen de la guerra de Secesión.

## Geografía

### *El Gran Cañón del Colorado*

Durante seis millones de años, el río Colorado ha ido erosionando la meseta homónima hasta formar un cañón de 446 kilómetros de longitud y 1.500 metros de profundidad máxima que constituye uno de los paisajes más espectaculares del planeta. En su acción erosiva, el río ha dejado al descubierto las distintas capas de roca que han formado la meseta a lo largo de las sucesivas eras geológicas.

Las Rocosas del Sur, el primero de estos sectores, están formadas por dos cadenas orientadas de norte a sur, con numerosos picos que superan los 4.000 metros. Su cima más alta es el monte Elbert, de 4.399 metros, y el límite de nieves perpetuas se sitúa en torno a los 3.000 metros. Las Rocosas Centrales constituyen el segundo sector y siguen la misma orientación, salvo en los montes Vinta, que discurren de oeste a este. Las Rocosas del Norte registran alturas menores y las Rocosas canadienses forman el área más septentrional de este sistema.

En la vertiente occidental de las Rocosas se suceden las mesetas. Las principales son la meseta del Colorado, formada por altiplanicies que se alternan con profundos cañones, la meseta de Columbia Snake y la Gran Cuenca. En esta llanura abundan los depósitos salinos y desiertos como el del Lago Salado o el Valle de la Muerte, depresión que registra su punto más bajo a 86 metros por debajo del nivel del mar.

#### Máximas altitudes

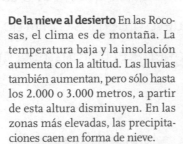

| de los Estados Unidos | | del mundo |
|---|---|---|
| 6.194 m | 5.492 m | 8.848 m |
| M. McKinley | St Elias | Everest |

**De la nieve al desierto** En las Rocosas, el clima es de montaña. La temperatura baja y la insolación aumenta con la altitud. Las lluvias también aumentan, pero sólo hasta los 2.000 o 3.000 metros, a partir de esta altura disminuyen. En las zonas más elevadas, las precipitaciones caen en forma de nieve.

En las áreas más bajas dominan las praderas, que son sustituidas por bosques de coníferas conforme aumenta la altitud. En las regiones más altas aparecen prados con algún que otro arbusto aislado. Las especies vegetales dominantes son el abeto y el pino, y la fauna está compuesta por alces, osos, bisontes, linces, nutrias y varias especies de águila.

En la Gran Cuenca y el Valle de la Muerte, el clima es estepario o desértico, con temperaturas medias que superan los 35ºC. La máxima temperatura registrada en América del Norte, 57ºC, se dio, precisamente, en el Valle de la Muerte.

Las precipitaciones son escasas debido a la presencia de las cordilleras del Pacífico. Esta barrera montañosa frena las masas de aire húmedo procedentes del Pacífico, lo que ocasiona la escasez de lluvias en todas las tierras localizadas al este del sistema montañoso. Asociado a este fenómeno aparece el *foëhn*, también llamado *chinook*, un viento cálido y seco que desciende de las montañas a la llanura. Los matorrales y arbustos dominan el paisaje, habitado por reptiles y roedores.

Sierra Nevada y la cordillera de las Cascadas son las dos estribaciones interiores de las cordilleras del Pacífico. Sus picos superan los 4.000 metros, como el monte Whitney (4.418 m), en California, el más elevado de Estados Unidos, excluyendo las cumbres de Alaska.

**La erupción del St. Helens** La cordillera de las Cascadas alberga multitud de volcanes, entre los cuales destacan el monte Rainier (4.392 m), el Baker (3.285 m), el Hood (3.424 m), el Adams (3.751 m), el Shasta

◑ Paisaje de dunas en el Valle de la Muerte, en el centro de California

(4.317 m), el Lassen (3.187 m) y el St. Helens (2.550 m). La erupción de este último en 1980 fue una de las más violentas del siglo XX y provocó el hundimiento del cono volcánico, que perdió 400 metros de altitud. Las cordilleras costeras son las alineaciones exteriores y sus cumbres tiene una altura media de 2.000 metros. En esta región, en la confluencia de las placas Norteamericana y del Pacífico, se localiza la falla de San Andrés, que origina numerosos movimientos sísmicos. El clima es templado, con una elevada humedad, por la proximidad del Pacífico, y notables lluvias, más abundantes en invierno. El bosque de coníferas perennifolio cubre amplias extensiones. Destacan los bosques de secuoyas roja y gigante. Este árbol, considerado el ser vivo más grande del mundo, puede alcanzar los 100 metros de altura y un diámetro de diez metros y se estima que vive entre 2.000 y 4.000 años. El abeto de Douglas es otra conífera típica.

Las llanuras interiores ocupan las tierras situadas entre los Apalaches, las Rocosas, los Grandes Lagos y el golfo de México. En ellas se distinguen tres regiones: la cuenca del Mississippi, los Grandes Lagos, y las llanuras y montañas interiores. En la cuenca del Mississippi, el fenómeno del glaciarismo dio lugar a la aparición de numerosos lagos y depósitos de material arrastrado por los glaciares.

**Grandes lagos y llanuras** Los Grandes Lagos, salvo el lago Michigan, que se encuentra totalmente en territorio estadounidense, se hallan en la zona fronteriza, por lo que Canadá y Estados Unidos comparten su dominio y explotación. Las llanuras más septentrionales son la continuación de la pradera canadiense y están separadas de las llanuras litorales, próximas al golfo de México, por las montañas interiores: las mesetas de Ozark y los montes de Ouachita.

El clima es continental con oscilaciones acusadas de temperatura, veranos

◑ El monte St. Helens antes y después de la erupción del 18 de mayo de 1980

**Thomas Alva Edison** (1847-1931) fue uno de los inventores más prolíficos de todos los tiempos: el microteléfono, el telégrafo, la lámpara de incandescencia y el fonógrafo se deben a su ingenio.

**Frank Lloyd Wright** (1867-1959) está considerado como uno de los mejores arquitectos de Estados Unidos. Introdujo en esta disciplina importantes innovaciones estéticas y estructurales.

○ Vista del monte McKinley, en Alaska, punto culminante de los Estados Unidos

cálidos e inviernos fríos. Estas temperaturas son más bajas en el norte y aumentan en el sur. De igual manera, las precipitaciones son más abundantes a medida que se avanza hacia los territorios del este.

La vegetación varía del bosque, en las zonas más húmedas y frías, a la pradera y las estepas con hierbas bajas y pequeños arbustos, en las más cálidas y secas. El bisonte es el animal más emblemático de las praderas.

**La península de Alaska** El estado más septentrional del país es Alaska, una enorme península que comprende, al norte, la cadena de Brooks, cuyas cimas no superan los 2.800 metros, y al sur la cordillera de Alaska, donde se registra la mayor altura del país, el monte McKinley, de 6.194 metros. El valle del río Yukón, una región de llanuras y mesetas, separa las dos cordilleras. También forman parte de Alaska el archipiélago volcánico de las Aleutianas y el archipiélago Alexander.

El clima es templado en una estrecha franja de la costa del Pacífico. En el resto del estado es subártico continental, húmedo, frío y con un verano corto y fresco. Las temperaturas del mes más cálido no alcanzan los 15ºC mientras que las del mes más frío descienden por debajo de los –25ºC, lo que significa una amplitud térmica anual de 40ºC.

Estas bajas temperaturas provocan la aparición del permafrost o suelo permanentemente helado, cuya capa más superficial se derrite en verano. Las precipitaciones, líquidas o en forma de nieve, superan escasamente los 300 milímetros anuales, y son más abundantes en verano. La insolación varía entre 6 y 18 horas diarias, según la época del año.

Las formaciones vegetales adaptadas a este clima son el bosque de coníferas, formado sobre todo por abetos y pinos, y la tundra. En cuanto a su fauna, destacan el oso, la foca, la morsa, la nutria, el castor y el lobo. Los osos de la isla Kodiak son los mayores osos pardos del planeta.

Junto con Alaska, Hawai es el otro estado que no es contiguo al resto de estados de la Unión. Se trata de un archipiélago de origen volcánico situado en el centro del Pacífico. En Hawai, la isla mayor, se encuentran dos de los mayores volcanes activos del planet: el Mauna Loa (4.169 m) y el Mauna Kea (4.205 m). El archipiélago disfruta de un clima tropical, con una temperatura de 24ºC durante todo el año y precipitaciones abundantes. El bosque tropical es la formación vegetal característica.

**El Mississippi** La red hidrográfica se compone de numerosos ríos. Los principales cursos fluviales que desembocan en el océano Atlántico

son el Hudson, el Delaware y el Potomac. En el golfo de México vierten sus aguas el Mississippi y el río Bravo, también llamado Río Grande del Norte. Este último discurre por los estados de Colorado y Nuevo México, en Estados Unidos, y después se adentra en territorio mexicano. El Mississippi, unido a sus afluentes Red Rock y Missouri, es el río más largo de América del Norte, con un recorrido total de 5.970 kilómetros. Por sí solo es el más caudaloso del subcontinente y tiene una anchura máxima de cerca de 1.400 metros y una profundidad de hasta 30 metros. Su curso es accidentado, con zonas de rápidos y saltos de agua cerca de su nacimiento, aunque poco a poco se ensancha y se vuelve apto para la navegación.

Las crecidas de caudal son frecuentes y provocan la inundación de las áreas próximas. Desemboca en el golfo de México, formando un extenso delta. Sus principales afluentes son el Illinois, el Ohio, el Arkansas, el Rojo y el Missouri. Este último nace en las Rocosas y recorre nada menos que 3.969 kilómetros antes de desembocar en el Mississippi.

En el golfo de California desemboca el Colorado, después de fluir 2.800 kilómetros desde su nacimiento en las montañas Rocosas. Este río recibe su nombre del color rojizo de sus aguas, provocado por la gran carga de sedimentos que transporta.

Entre los ríos que vierten sus aguas al Pacífico destacan el Columbia, que fluye a través de Canadá y Estados Unidos y forma un estuario en su desembocadura, y su afluente, el Snake, que nace en el Parque Nacional de Yellowstone y tiene un régimen nival. En el estado de Idaho, el Snake origina el cañón homónimo y las cascadas Shoshone, que salvan un desnivel de 65 metros. En el norte del cañón aparece un espacio natural llamado las Mil Fuentes, donde brotan numerosos manantiales a lo largo de una línea de rocas de 800 metros de longitud.

En el territorio de Alaska, el río Yukón cruza la península y desagua en el mar de Bering.

**Los Grandes Lagos** En la frontera con Canadá, los lagos Superior, Michigan, Hurón, Erie y Ontario forman la región de los Grandes Lagos, que nació por la acción erosiva de los glaciares. En el desnivel existente entre el Erie y el Ontario se forman las cataratas del Niágara, una parte de las cuales se halla en territorio canadiense. Este conjunto de lagos vierte sus aguas al océano Atlántico a través del río San Lorenzo.

El Gran Lago Salado, situado en la Gran Cuenca, recibe las aguas de los ríos Jordan y Weber, pero carece de salida natural. La evaporación contribuye al aumento de la concentración salina de sus aguas.

## El Parque de Yellowstone

Creado en 1872, el Parque Nacional de Yellowstone, en el estado de Wyoming, fue el primer espacio protegido del mundo. La fauna, la flora y sobre todo la enorme actividad geotérmica impresionaron a los pioneros que llegaron a esta región de las Rocosas. Yellowstone es un auténtico museo al aire libre de los procesos geológicos ocurridos en la Tierra desde el Eoceno hasta la actualidad, con la mayor caldera volcánica del mundo, 27 bosques fósiles de más de 50.000 años de antigüedad, géiseres, surtidores, fuentes de agua termal sobre terrazas de travertino y el espectacular cañón del río Yellowstone.

Ernest Miller Hemingway (1898-1961), autor de la novela *El viejo y el mar*, ganó el Pulitzer de Literatura en 1953 y el Nobel en 1954. El escritor se suicidó tras sufrir varios accesos de locura y amnesia.

Personajes como Mickey Mouse, Pinocho, Dumbo y Bambi vieron la luz en el imperio de cine animado que levantó el dibujante **Walter Elian Disney** (1901-1966), ganador de varios Oscar.

## Demografía

En el territorio de los Estados Unidos vivían unos 1,5 millón de indios americanos, cuando los primeros europeos llegaron en el siglo XVI a América del Norte. Estos indios pertenecían a diferentes tribus: cherokee, sioux, cheyenne, navajo y apache, entre otras.

A lo largo del siglo XIX, con la Conquista del Oeste, los colonos de origen europeo eliminaron sistemáticamente a la población autóctona, que acabó recluida en reservas localizadas en la mitad oeste del país.

Tras la llegada de los europeos, la siguiente corriente migratoria se produjo durante la primera y la segunda décadas del siglo XVII, con la entrada en el país de numerosos esclavos negros utilizados como mano de obra en los campos de algodón y tabaco de los estados del sur. A mediados del siglo XIX, los irlandeses emigraron a Estados Unidos obligados por la escasez de alimentos en su país. Les siguieron, en número, británicos, escandinavos, alemanes, franceses y suizos. A finales del siglo XIX y principios del XX fueron los mediterráneos, especialmente italianos, los europeos del este y pequeños grupos de orientales los que emigraron hacia los EUA.

**Freno a la inmigración masiva** El flujo de inmigrantes disminuyó a partir de la Primera Guerra Mundial. En la segunda mitad del siglo XX se redujo sensiblemente la llegada de europeos, a la vez que aumentaba la población latinoamericana y asiática. Estos colectivos se concentran en lugares concretos: los puertorriqueños en Nueva York, los mexicanos en California y Texas, los cubanos en Florida y los chinos en San Francisco y Nueva York.

Los principales estados receptores de inmigrantes son Nuevo México, Texas, California, Florida y el área urbana de Nueva York. En el caso de California, muchos de estos recién llegados son estadounidenses.

**Sociedad multiétnica** La población de Estados Unidos está compuesta por una mayoría de origen europeo (69,1%) y las minorías de latinoamericanos (12,5%), afroamericanos (12,1%) y asiáticos (3,6%). La variedad de orígenes ha configurado una sociedad multirracial que recibe el nombre de *melting pot* o crisol cultural. Esta diversidad ha trascendido también al terreno lingüístico y religioso. Muchos emigrantes conservaron algunos rasgos de sus tierras de origen a modo de señas de identidad, y con el tiempo han pasado a configurar el carácter nacional.

Un 14% de la población conserva su lengua de origen. Entre éstas, las más usadas son el español, con 17 millones de hablantes, el francés, el alemán, el italiano y el chino.

Otra de las características demográficas de Estados Unidos es la irregular distribución de la población. Las mayores concentraciones se producen en el área litoral entre Boston y Washington, en la región de los Grandes Lagos y en las áreas de influencia de las grandes ciudades de la costa del Pacífico, como Seattle, San Francisco y Los Ángeles.

En cambio, los estados de las llanuras interiores y del sistema montañoso del oeste están muy poco poblados. La densidad más baja corresponde a Alaska (2 hab/km²).

En las ciudades se concentra la mayoría de la población. La mayor urbe de Estados Unidos es Nueva

○ El puente sobre el East River, inaugurado en 1909, une Manhattan y Brooklyn

| Ranking IDH | Esperanza de vida |
|---|---|
| 7° | 77,4 |
| 173 países analizados | años |

York, que, con más de 21 millones de habitantes, forma, junto a Boston, Filadelfia, Baltimore y Washington una de las tres grandes megalópolis estadounidenses, con un área que supera los mil kilómetros de longitud. La segunda gran conurbación la forman Chicago, Detroit, Cleveland y Pittsburgh, y la tercera se extiende por la costa del Pacífico, desde Santa Bárbara hasta San Diego.

**Bajo crecimiento** A partir de la década de los ochenta se redujo el crecimiento demográfico, que en el período 1995-2000 se estancó en un 0,8% anual. De mantenerse en este índice se necesitan más de 90 años para que se duplique la población. No obstante, la tasa de fecundidad se mantiene estable desde mediados de los años ochenta. El promedio se sitúa en dos hijos por mujer, mientras que en las décadas anteriores era de 1,8. El incremento de la fecundidad es atribuible, además de a la juventud de las colectividades de inmigrantes, a la baja tasa de mortalidad infantil (7‰).

La estructura por edades corresponde a una población madura (35,8 años de edad media). Además, se estima que, durante los cinco primeros años del siglo XXI, las generaciones en edad adulta representan el 51,5% de la población estadounidense.

○ Indio navajo, etnia que ocupaba los territorios del actual estado de Nuevo México

### La pluralidad religiosa de Estados Unidos

Estados Unidos es, dentro de los países desarrollados, una de las sociedades más religiosas. En una encuesta de 1997, se calculaba que había más estadounidenses que acudían a los actos religiosos que a los partidos de las ligas profesionales. El catolicismo, con unos 63 millones de fieles, es el credo individual mayoritario. Las iglesias protestantes suman 93 millones de creyentes, pero éstos se distribuyen en más de 200 credos distintos. Casi cuatro millones de estadounidenses se identifican como judíos en el sentido religioso, a los que hay que añadir otros dos millones que se consideran hebreos desde el punto de vista cultural o étnico. El islam tiene 3,5 millones de creyentes y es la colectividad que más crece. Este perfil religioso se completa con unas 300.000 congregaciones locales *(en la foto, un coro de gospel)*.

Gracias a su particular concepto de los negocios, **John Davison Rockefeller** (1839-1937) se convirtió en el propietario de uno de los mayores monopolios del sector petrolífero del mundo.

**Bill Gates** (1955), uno de los pioneros de la industria informática, es propietario de Microsoft, el mayor productor de software para PC, lo que lo convierte en uno de los hombres más ricos del mundo.

## Economía

◔ Ganado vacuno pastando en tierras de Virginia

### Producción de cereales

| País | % |
|---|---|
| China | 22,1% |
| Estados Unidos | 16,3% |
| India | 11,1% |
| Francia | 3,1% |
| Indonesia | 2,8% |
| Rusia | 2,6% |
| Canadá | 2,6% |

### Producción de trigo

| País | % |
|---|---|
| China | 19,6% |
| India | 12,1% |
| Estados Unidos | 10,7% |
| Francia | 6,3% |
| Rusia | 5,3% |
| Canadá | 4,6% |
| Australia | 3,6% |

### Exportación de cereales

| País | % |
|---|---|
| EUA | 31% |
| Francia | 11,3% |
| Argentina | 10,1% |
| Canadá | 8,3% |
| Australia | 7,9% |

### Producción de maíz

| País | % |
|---|---|
| EUA | 39,9% |
| China | 21% |
| Brasil | 5,4% |
| México | 3,1% |
| Francia | 2,6% |

Estados Unidos es la primera potencia económica mundial y el principal exponente del modelo de desarrollo capitalista. Genera aproximadamente el 25% del PBI mundial, ocupa el primer lugar en producción agrícola, minera, energética e industrial. Además, adquiere una dimensión que sobrepasa sus fronteras nacionales gracias a las numerosas multinacionales con capital estadounidense que operan en todo el planeta.

**El granero del mundo** La agricultura de los Estados Unidos (1,6% del PBI y 2,4% de la población activa) se distingue por la racionalidad de las explotaciones y la mecanización y tecnificación de los cultivos.
Gracias a una gran variedad de climas y a suelos de características muy diferentes, obtiene una amplia gama de productos propios de regiones templadas y subtropicales. Además, la alta tecnología que utiliza los convierten en uno de los mayores productores agropecuarios.
La mayor parte de la superficie agrícola se destina al cultivo de cereales, sobre todo trigo y maíz. Las principales regiones trigueras (primer exportador mundial y tercer productor) se localizan en Dakota, Montana, Oklahoma y Kansas. El maíz (40% de la producción mundial en 1997) se cultiva en Iowa, Illinois, Indiana, Minnesota y Nebraska.
Otros cultivos destacables son los de soja, sorgo, mijo y arroz. Entre los cultivos industriales destaca el algodón (segundo productor). La producción algodonera está encabezada por el estado de Texas, seguido de California, Mississippi y Arizona.
En cuanto a la fruta, es un gran productor a escala internacional de manzanas, duraznos, frutos cítricos (naranjas, pomelos y limones), uva (quinto productor mundial), tomates, papas y cebolla. Hortalizas y fruta son materia prima para una poderosa industria conservera. California y Florida son las primeras regiones hortofrutícolas. Entre los cultivos tropicales, concentrados en el sureste del país, se encuentran el tabaco (segundo productor mundial), la caña de azúcar (cuarto productor mundial) y el maní.

**Ganadería productiva** La explotación ganadera es una de las primeras del mundo, gracias al elevado rendimiento en productos alimenticios. Los EUA son uno de los primeros productores de leche de vaca, así como de carne bovina (ganadería en régimen extensivo) y porcina. La avicultura, muy desarrollada y tecnificada, es una de las actividades más importantes del sector primario.
Casi una tercera parte del territorio está ocupada por bosques. La explotación forestal genera más de 495 millones de metros cúbicos de madera, que lo convierten en uno de los primeros productores mundiales de pasta de papel y de madera (Oregón, Washington, Georgia, Carolina del Norte y del Sur). Las especies más abundantes son el pino y el abeto.
En cuanto a la pesca, Estados Unidos es la quinta potencia mundial en volumen de capturas, aunque tiene una relevancia relativa para su economía. Las principales capturas son de salmón, atún y bonito. La actividad pesquera se concentra en las costas del golfo de México (Dulac, Pascagoula) y en el Pacífico sur (San Pedro).
Durante el siglo XX, Estados Unidos fue el primer productor en valor de minerales, hasta que en los setenta la Unión Soviética lo adelantó. En 1979 extrajo el 30% de la producción minera mundial y en 1985, el 25%. Después, países como China, Brasil, Australia y Rusia consiguieron superar o igualar los recursos mineros norteamericanos.

**Riqueza en el subsuelo** Estados Unidos ocupa los primeros lugares en la producción mundial de minerales como el cobre, el carbón, el uranio, el molibdeno y los fosfatos. También, pero en menor medida, es un gran productor de hierro, plata, mercurio y tungsteno. Pese a ello, debe importar otros minerales: bauxita, estaño, manganeso, cobalto, cromo, cinc, níquel y titanio.
Las reservas de hierro son abundantes, pero la producción ha pasado del primer lugar mundial al séptimo. Los mayores yacimientos se

◔ Embarcaciones amarradas en un puerto pesquero de Florida

Leonard *Chico* (1887-1961), Julius *Groucho* (1890-1976) y Adolph *Harpo* (1888-1964), los

más célebres de los **Hermanos Marx**, triunfaron con sus comedias durante los años 30.

**George Orson Welles** (1915-1985), productor, director, guionista y actor, contribuyó a una

profunda renovación de los recursos estéticos y narrativos del lenguaje cinematográfico.

## Economía

⊙ Instalaciones de una mina de oro en Fairbanks (Alaska)

encuentran en la región de los Grandes Lagos, donde se extrae el 80% de la producción. El cobre, un material básico para la industria eléctrica, se obtiene en las minas de Arizona, Utah, Montana, Nuevo México y Nevada , que convierten al país en el segundo productor mundial.

Los otros metales no férricos importantes son el plomo, el cinc (quinto productor del mundo), el oro y la plata. También destacan el azufre, como primer productor mundial, y el uranio, como quinto.

**Producción de energía** Estados Unidos dispone de una considerable variedad y abundancia de recursos energéticos, un factor clave para convertirse en la primera gran potencia industrial. Un ejemplo de ello es que son el segundo productor mundial de carbón y lignito. Las principales cuencas carboníferas se localizan en los Apalaches, el Mississippi medio y las Rocosas.

El país también es el segundo productor mundial de petróleo, recurso básico para el funcionamiento del inmenso sistema de transportes estadounidense. En orden de importancia, los yacimientos petrolíferos se ubican en los estados de Texas, Alaska, Luisiana, Oklahoma, Wyoming, Nuevo México y California.

La industria petrolera es una de las

que tiene mayor grado de monopolización. Entre las pocas empresas que controlan la extracción, el refinado y la comercialización del petróleo hay que señalar a Exxon (Standard Oil of New Jersey), Mobil Oil, Texaco y Standard Oil of California. A pesar de ser uno de los primeros extractores de petróleo, la producción nacional sólo satisface un 50% de las necesidades.

Junto a las zonas petrolíferas existen ricos yacimientos de gas natural, sobre todo en Texas y Luisiana. A diferencia del petróleo, el gas natural, del que también es el segundo productor mundial, prácticamente iguala a la demanda interna.

La energía nuclear tiene una importancia creciente. Se obtiene en las

más de 100 centrales repartidas por todo el territorio y proporciona casi el 20% de la electricidad que utiliza el país. Estados Unidos ocupa la primera posición mundial en su producción. Entre otras centrales, destacan las de Diablo Canyon, Peach Bottom y Three Miles Island.

La producción de energía eléctrica –la mayor del mundo– se beneficia de la abundancia de carbón y de las grandes instalaciones hidroeléctricas, especialmente las de las cataratas del Niágara y las del valle del Tennessee. En conjunto, se alcanzan los 3.870 mil millones de kw/h, lo que corresponde al 26,4% de la electricidad generada en todo el planeta.

El sector industrial ha sido la base principal del desarrollo y riqueza de los Estados Unidos, aunque a finales del siglo XX representaba únicamente el 26% del PBI y ocupaba al 22% de la población activa.

**Líderes económicos** El país norteamericano es el líder en todos los sectores industriales, tanto desde el punto de vista técnico como por el volumen de producción. Las abundantes materias primas, el enorme potencial energético, la existencia de mano de obra cualificada y el hecho de contar con un inmenso mercado nacional e internacional son las bases de su desarrollo industrial.

Predomina la producción en gran escala de bienes manufacturados que incorporan un alto nivel de tec-

nología. El aparato productivo se estructura en *trusts* (sistema de empresas que pretende monopolizar un sector industrial) y *holdings* (sociedades que controlan un grupo de empresas mediante la adquisición de acciones), con los que controlan la producción y el empleo de grandes sectores productivos.

**Aglomeraciones industriales** Hay tres grandes regiones industriales. En el noreste se encuentra la más potente del mundo, entre el Atlántico Medio y los Grandes Lagos, que también se extiende por Canadá y abarca las aglomeraciones de Nueva York y Chicago. Una segunda región se sitúa en el golfo de México, centrada en Texas (Dallas, Houston) y que llega al norte de México. La de California (Los Ángeles y San Francisco) es la más reciente y dinámica; allí se encuentra el Silicon Valley.

La industria siderúrgica se desarrolla principalmente en Detroit, Cleveland, Buffalo y Pittsburgh. Estados Unidos ocupa el segundo lugar en la producción de acero, pero la metalurgia más relevante es la del aluminio, fundamentada en un consumo que tiende a sustituir al acero.

La enorme industria del automóvil, altamente monopolizada en empresas como General Motors, Ford y Chrysler, todavía conserva el 15% de la producción mundial, pero ha perdido el liderazgo en favor de Japón. Se localiza sobre todo en las

### Producción de molibdeno

| | |
|---|---|
| EUA | 32,3% |
| China | 24,6% |
| Chile | 20,2% |
| México | 5,8% |
| Canadá | 4,6% |

### Producción de cobre

| | |
|---|---|
| Chile | 34,7% |
| Estados Unidos | 12,7% |
| Indonesia | 6,1% |
| Australia | 5,8% |
| Canadá | 4,9% |

### Producción de oro

| | |
|---|---|
| Rep. Sudafricana | 18,9% |
| Estados Unidos | 14,3% |
| Australia | 12,8% |
| China | 7,1% |
| Canadá | 6,7% |

### Producción de carbón

| | |
|---|---|
| China | 25% |
| EUA | 22,8% |
| India | 7,3% |
| Australia | 6,7% |
| Rusia | 5,7% |

### Producción de plomo

| | |
|---|---|
| China | 22,4% |
| Australia | 20,3% |
| Estados Unidos | 16,8% |
| Perú | 8,5% |
| Canadá | 6% |

### Producción de plata

| | |
|---|---|
| México | 14% |
| Perú | 13,3% |
| Estados Unidos | 11,7% |
| Australia | 10,3% |
| Chile | 8,3% |

La pareja de cómicos **Stan Laurel** (1890-1965) y **Oliver Hardy** (1892-1957) protagonizó más de cien films.

**John Wayne** (1907-1979), un mito de la historia del cine, es el símbolo del western por antonomasia.

Una de las grandes actrices de todos los tiempos, **Bette Davis** (1908-1989) protagonizó *Eva al desnudo*.

## El Silicon Valley

Situado al sureste de la bahía de San Francisco (California), el Silicon Valley es el mayor centro mundial dedicado a la electrónica y la informática, tanto en lo referente a la producción como, sobre todo, al desarrollo y a la investigación. En esta región se concentra la industria estadounidense de las nuevas tecnologías, responsable, en buena parte, del enorme crecimiento económico del país durante la última década del siglo XX.

ciudades de Detroit, Toledo, Cleveland e Indianápolis.

Otras industrias relevantes son las de fabricación de electrodomésticos, turbinas, maquinaria agrícola y material ferroviario, cuyo centro de producción se halla en las ciudades del noreste, como Chicago, Dayton y Pittsburgh. La producción de gasolina es, con diferencia, la más elevada del mundo: más de una tercera parte del conjunto mundial.

En la industria textil, las fibras artificiales, concentradas en el sector noreste del país, han adquirido la hegemonía sobre los tejidos tradicionales de lana y algodón.

La industria alimentaria se reparte por todo el territorio: la de harina en Kansas City y Buffalo, la de conservas en California y Florida y la de quesos en Wisconsin. California tiene una larga tradición vitivinícola, mientras que en la Gran Llanura y en el Corn Belt se desarrolla la industria cárnica. Por el valor de la producción, los subsectores más sobresalientes son los de producción de maquinaria, material de transporte, alimentación y química.

**Una sociedad de servicios** El sector terciario, que proporciona el 68,7% del PBI y ocupa al 74,4% de la población activa, alcanza unas dimensiones colosales gracias al avanzado estadio de urbanización de la sociedad. Las actividades principales son el comercio, el transporte, la administración y los servicios (bancos, seguros, enseñanza e investigación). En la red de comunicaciones, el transporte por carretera comprende un 28% del tráfico de mercancías y el 82% del de pasajeros, mientras que para el ferrocarril, estos porcentajes son del 38% y el 0,7%, respectivamente. La aviación sólo representa el 0,4% del transporte comercial, pero es el segundo medio más utilizado por los estadounidenses con un 18%, debido a las grandes distancias del país. Mediante la navegación interna se transporta el 15% de las mercancías.

La mayor red de carreteras del planeta cubre más de 6,5 millones de kilómetros, de los cuales 90.000 son de autopista y 650.000 de autovía. El ferrocarril, con 222.000 km de vías, es privado, y su importancia fuera de los centros urbanos se redujo a medida que se extendía el uso del automóvil y la aviación.

Entre los 5.100 aeropuertos públicos de los EU se encuentran algunos de los más grandes del mundo, como los de Atlanta, Chicago o Los Ángeles. Las primeras compañías aéreas son American Airlines, Delta Airlines y Northwest Airlines, que sufrieron graves crisis a raíz de los atentados del 11 de septiembre del 2001.

Estados Unidos dispone también de 41.500 kilómetros de vías navegables que se concentran sobre todo en la región de los Grandes Lagos, con los puertos de Chicago, Detroit y Cleveland. Tiene también importancia el tráfico por el canal de Welland y la red del Mississippi. En relación con la navegación marítima, los puertos de Nueva Orleans, Houston y Nueva York están entre los más importantes en tonelaje de mercancías.

Base del capitalismo financiero, el sistema bancario estadounidense es el más importante del mundo. El Federal Reserve System ejerce las funciones de banco central (emisión de moneda, control del crédito y política monetaria). En 1998 había 11.600 entidades financieras, algunas de las cuales son grandes bancos que operan a escala internacional, como el Chase Manhattan Corp., Citicorp, NationsBank Corp., JP Morgan & Co y BankAmerica Corp.

Nueva York es el principal centro ban-

○ Refinería de petróleo en el estado de Texas

### Producción de electricidad

| País | % |
|---|---|
| **EUA** | 26,4% |
| China | 8,4% |
| Japón | 7,2% |
| Rusia | 5,6% |
| Canadá | 3,9% |
| Alemania | 3,7% |
| Francia | 3,6% |
| India | 3,5% |

### Producción de petróleo crudo

| País | % |
|---|---|
| Arabia Saudita | 11,9% |
| **Estados Unidos** | 10,3% |
| Rusia | 8,8% |
| Irán | 5,1% |
| México | 4,7% |
| China | 4,6% |
| Venezuela | 4,6% |
| Noruega | 4,3% |
| Irak | 4% |
| Reino Unido | 4% |

### Producción de gas natural

| País | % |
|---|---|
| Rusia | 24,4% |
| **EUA** | 22% |
| Canadá | 7,2% |
| Reino Unido | 4,3% |
| Argelia | 3,4% |

### Producción de energía nuclear

| País | % |
|---|---|
| **EUA** | 30,3% |
| Francia | 15,6% |
| Japón | 13,1% |
| Alemania | 6,6% |
| Rusia | 4,7% |

### Producción de aluminio

| País | % |
|---|---|
| **EUA** | 16% |
| Rusia | 13,3% |
| China | 11,1% |
| Canadá | 10,1% |
| Australia | 7,2% |

### Producción de acero

| País | % |
|---|---|
| China | 14,2% |
| **EUA** | 13% |
| Japón | 12,1% |
| Rusia | 5,5% |
| Corea del Sur | 5,2% |

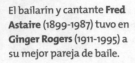

El bailarín y cantante **Fred Astaire** (1899-1987) tuvo en **Ginger Rogers** (1911-1995) a su mejor pareja de baile.

**Humphrey Bogart** (1899-1957) será siempre recordado por su papel de Rick en *Casablanca*.

**Frank Sinatra** (1915-1998), *La Voz*, ha sido un personaje central de la música estadounidense.

## Economía

○ La Bolsa de Nueva York, en Wall Street, en una hora de plena actividad

cario del país y del planeta y su bolsa de valores, el famoso Wall Street, acapara cerca del 50% de la capitalización bursátil mundial. Las bolsas de Chicago, Washington, Boston, San Francisco y Filadelfia son otros destacados mercados de valores.

**Nuevas tecnologías** Desde los años ochenta, Estados Unidos apuesta por las nuevas tecnologías de la información y las telecomunicaciones. De este modo, son norteamericanas empresas de predominio absoluto como IBM, Microsoft y Apple. También es notable la industria del espectáculo, localizada en California (Hollywood y Los Ángeles) y que suministra producciones de difusión mundial. Todavía reciente, pero con un futuro prometedor, resulta la incipiente industria de la biotecnología, en particular las aplicaciones basadas en la genética.

Después de Francia, Estados Unidos es el primer destino turístico del mundo, especialmente Nueva York, California y Florida. Los visitantes proceden mayoritariamente de Canadá, México y Europa occidental, que junto a los turistas nacionales se gastan unos 380.000 millones de dólares, lo que correspondería a multiplicar 157 veces el PBI del país más pobre del mundo, Sierra Leona. No obstante, éste es otro de los sectores fuertemente afectados por los atentados del 2001.

**Balanza deficitaria** La balanza comercial estadounidense tiene, desde 1968, un saldo deficitario: las exportaciones representaron en 1997 el 8,5% del PBI, y las importaciones, el 11%. Entre los productos exportados, la maquinaria no relacionada con la automoción representa cerca del 31% del total, seguida de los automóviles o partes de motores, productos químicos y alimenticios y aparatos de precisión.

De las partidas de importación, la mitad corresponde a maquinaria y aparatos de transporte, con un peso importante de la automoción. Le siguen el textil, los productos químicos y el petróleo y derivados.

La denominada "área del dólar" comprende, además de Estados Unidos y Canadá, a países centroamericanos (El Salvador, Honduras, Nicaragua, Costa Rica y Panamá), antillanos (Haití y la República Dominicana) y sudamericanos (Colombia y Ecuador). El dólar goza de un elevado prestigio por su estabilidad y cotización libre y elevada. Es una moneda que atrae capital extranjero de tal modo que ha llegado a superar las inversiones norteamericanas fuera de sus fronteras.

**Expansión y crisis** Después de un período de expansión económica que supuso el crecimiento más acelerado de todo el siglo XX (entre el 4% y el 5% anual del PBN durante las décadas de 1960 y 70), la crisis del petróleo a mediados de los setenta provocó un retroceso que hizo descender la media anual a un 2,3%. Tras la recuperación de los años ochenta, en 1990 entró de nuevo en crisis, con un alto nivel de endeudamiento, una inhibición del consumo privado, un aumento del paro y el crecimiento del déficit federal.

El crecimiento del PBI en 1992 coincidió con la victoria electoral del demócrata Bill Clinton y marcó el inicio del relanzamiento económico. Desde entonces hasta 1996, la economía creció a una media de 1,7%. A partir de este año se inició una expansión que, hasta el 2000, mantuvo un ritmo próximo al 3,5% anual. La estabilización de la inflación y una baja tasa de paro contribuyeron a fortalecer la confianza de los inversores, que reanimaron el mercado bursátil.

El crecimiento de la economía norteamericana se debe, en primer lugar, a la creciente internacionalización de la economía. Un segundo factor se basa en un elevado grado de flexibilidad en el mercado laboral y un intervencionismo estatal mucho menor. El tercer factor es el consumo incentivado desde el gobierno que, junto a la reducción de la administración pública, consiguieron eliminar el crónico déficit presupuestario.

Un cuarto factor, muchas veces señalado como el principal, es la consolidación y la expansión de las nuevas industrias tecnológicas. Estados Unidos es el líder indiscutible en las telecomunicaciones y la informática, con el fenómeno de Internet como sector más destacado.

La expansión económica se estancó a finales del 2000 con un crecimiento del PBI próximo a cero. El gobierno de George W. Bush adoptó medidas de política monetaria, como reducir los tipos de interés, para incentivar la economía, lo que proporcionó un crecimiento del 2,4% en 2002.

### Principales proveedores

**39,9%** Asia

**30,1%** NAFTA

**19,1%** Unión Europea

**10,9%** Otros países

### Principales clientes

**36,2%** NAFTA

**27,5%** Asia

**21,9%** Unión Europea

**14,4%** Otros países

## Del consumismo a la pobreza

El PBI por habitante de los Estados Unidos es de 34.320 dólares, sólo superado por Luxemburgo. No obstante, aunque hay una amplia clase media, en 1998 existían 34,5 millones de estadounidenses (un 13% de la población) que vivían por debajo del nivel de pobreza. Los gastos del gobierno se destinan en gran parte a la defensa nacional: aproximadamente un 4% del PBN, la partida más cuantiosa de los presupuestos (16%), después de la seguridad social y del plan de sanidad nacional (34%). El nivel medio de vida es muy elevado: el consumo diario de calorías es de los más altos del mundo, así como el número de automóviles, electrodomésticos, televisores y computadoras por habitante.

**Buffalo Bill** era el sobrenombre de William Frederick Cody (1846-1917). Le fue adjudicado por su habilidad de tirador al abatir bisontes con los que abastecía de carne a los trabajadores del ferrocarril.

El general **George Armstrong Custer** (1839-1876) murió en la batalla de Little Big Horn contra los sioux, episodio que inspiró numerosos westerns, como *Murieron con las botas puestas*.

## Historia y Actualidad

**Constitución del estado:** 1776 (independencia de Gran Bretaña)
**Forma de estado:** república federal
**Sistema de gobierno:** democracia presidencialista
**Organizaciones internacionales a las que pertenece:** ONU, OEA, OTAN, NAFTA.

Antes de la llegada de los europeos, el norte del continente americano estaba habitado por pueblos amerindios que pertenecían a 58 familias lingüísticas. Los indígenas se organizaban en grupos según su forma de vida y economía. Por ejemplo, los indios de las praderas eran nómadas y cazadores de bisontes. En cambio, los algonquinos eran sedentarios.
La mayoría de estas tribus se vio forzada a abandonar el territorio cercano a la costa del Atlántico. Los colonos blancos, llegados entre los siglos XVI y XVII, impusieron su poder y las obligaron a adentrarse hacia el interior –con anterioridad, es probable que los vikingos llegaran en el siglo XI a la península del Labrador, Vinland–.

La costa del Pacífico y sus territorios adyacentes fueron explorados para la Corona de Castilla por Álvar Núñez Cabeza de Vaca (1528-1532), Hernando de Soto (1538-1541), Francisco Vázquez de Coronado (1540-1544) y Juan Rodríguez Cabrillo (1542). Estas tierras no despertaron el interés de los conquistadores del mismo modo que las de Centroamérica y Sudamérica, por lo que formaron el Virreinato de Nuevo México y la colonización española se redujo a enclaves misioneros.

**Franceses e ingleses** En el siglo XVI, Inglaterra se interesó por las tierras de la zona atlántica e impulsó los viajes de John Cabot entre 1497 y 1498. Francia también participó en la carrera colonial y se estableció en la zona de Quebec, a lo largo del Mississippi y de sus afluentes hasta el golfo de México (1603). Los territorios franceses recibieron el nombre de Luisiana y ocuparon gran parte del centro de los Estados Unidos. En 1620 arribó el navío *Mayflower* a las costas

⊙ Álvar Núñez Cabeza de Vaca (1507-1559)

cercanas a la actual Massachusetts llevando a los primeros colonos ingleses, los puritanos. En 1640, la costa del Atlántico estaba escasamente poblada, y franceses e ingleses se disputaban las tierras en pugna con los indios.
La administración inglesa de las trece colonias de América fue desigual: Carolina del Norte y del Sur, Maryland, Nueva Hampshire, Nueva Jersey, Maine y Pennsylvania, en la costa atlántica, fueron donadas a los lores propietarios que residían en Inglaterra. Virginia fue cedida a compañías comerciales de accionistas. Massachusetts, Rhode Island y Connecticut fueron asentamientos de los primeros colonos ingleses y sus descendientes hacia 1602-1682, y Georgia fue fundada en 1732 como colonia de rehabilitación para ex presidiarios.
En el Norte, la tierra era trabajada por los propios colonos. En el Sur, la falta de mano de obra indígena se palió con el secuestro de africanos para trabajar como esclavos en las plantaciones de tabaco, algodón y arroz. Tras la guerra franco-india (1754-1760), provocada por la expansión de los colonos ingleses hacia el interior, las posesiones de Francia se redujeron y Canadá, la región de los Grandes Lagos y las tierras al este del Mississippi pasaron a dominio británico por el Tratado de París (1783).

**Rebelión de los colonos** Los nuevos impuestos dictados por Gran Bretaña y el monopolio de la Compañía de Indias Occidentales (*Boston Tea Party*, 1773) irritaron a los colonos, que fundaron sociedades patrióticas y celebraron el Congreso Continental de Filadelfia (1774). Se inició la guerra de los colonos, liderados por el general George Washington, contra los realistas –bando que reunía a Gran Bretaña y a los partidarios de

Mapa de los estados de Estados Unidos con sus fechas de incorporación:

- Washington 11-XI-1889
- Columbia
- Oregon 14-II-1859
- Idaho 3-VII-1890
- Montana 8-XI-1889
- Wyoming 10-VII-1890
- Dakota del Norte 2-XI-1889
- Dakota del Sur 3-XI-1889
- Minnesota 11-V-1858
- Wisconsin 29-V-1848
- Michigan 26-I-1837
- Maine 16-III-1820
- Vermont 4-III-1791
- Nva. Hampshire 21-VI-1788
- Nevada 31-X-1864
- Utah 4-I-1896
- Gran Lago Salado
- Colorado 1-VIII-1876
- Nebraska 1-III-1867
- Iowa 28-XII-1846
- Illinois 3-XII-1818
- Indiana 11-XII-1816
- Ohio 1-III-1803
- Nueva York 26-VII-1788
- Pennsylvania 12-XII-1787
- Massachusetts 6-II-1788
- Rhode Island 29-V-1790
- Connecticut 9-I-1788
- Nueva Jersey 18-XII-1787
- Delaware 7-XII-1787
- California 9-IX-1850
- Arizona 14-XI-1912
- Nuevo México 6-I-1912
- Kansas 29-I-1861
- Missouri 10-VIII-1821
- Kentucky 1-VI-1792
- Virginia Occ. 20-VI-1863
- Virginia 25-VI-1788
- Maryland 28-IV-1788
- Oklahoma 16-XI-1907
- Arkansas 15-VI-1836
- Tennessee 1-VI-1796
- Carolina del Norte 21-IX-1789
- Texas 29-XII-1845
- Mississippi 10-XII-1817
- Alabama 14-XII-1819
- Georgia 2-I-1788
- Carolina del Sur 23-V-1788
- Is. Bermudas (RU)
- Luisiana 30-IV-1812
- Florida 3-III-1845
- Alaska 3-I-1959 (adquirida a Rusia en 1867)
- Hawai 21-VIII-1959 (anexionadas en 1898)
- Puerto Rico (cedido por España en 1898) Estado libre asociado desde 1952
- Base de Guantánamo (ocupada desde 1903)
- Islas Vírgenes americanas (adquiridas a Dinamarca en 1917)

OCÉANO PACÍFICO — OCÉANO ATLÁNTICO — GOLFO DE MÉXICO — MÉXICO — BELICE — JAMAICA — CUBA — BAHAMAS — CANADÁ — Grandes Lagos — Río Grande — Colorado — Missouri — Mississippi

**La expansión territorial de los Estados Unidos**

- los 13 estados en 1776
- expansión hasta 1783
- expansión hasta 1803
- expansión en 1818/19
- expansión en 1842, 1845/46
- expansión hasta 1852
- incorporaciones posteriores

6-I-1912 fecha de incorporación a la Unión como estado federal

El presidente demócrata **John Fitzgerald Kennedy** (1917-1963) fue asesinado en Dallas a plena luz del día. El oscuro magnicidio, atribuido a **Lee Harvey Oswald**, conmocionó a la sociedad estadounidense.

El reverendo **Martin Luther King** (1929-1968) lideró la lucha por los derechos civiles de los negros, culminada con la marcha sobre Washington. Suyo es el famoso discurso *I had a dream* (Tuve un sueño).

## Historia y Actualidad

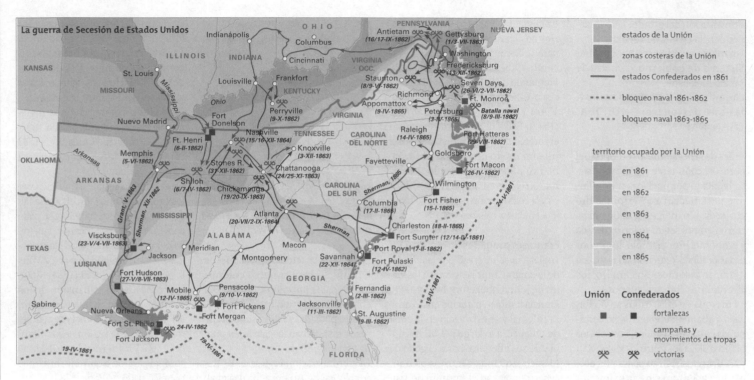

**La guerra de Secesión de Estados Unidos**

Leyenda:
- estados de la Unión
- zonas costeras de la Unión
- estados Confederados en 1861
- bloqueo naval 1861-1862
- bloqueo naval 1863-1865

territorio ocupado por la Unión
- en 1861
- en 1862
- en 1863
- en 1864
- en 1865

| Unión | Confederados | |
|---|---|---|
| ■ | ■ | fortalezas |
| → | → | campañas y movimientos de tropas |
| ⚔ | ⚔ | victorias |

la Corona–. Los realistas, derrotados en Yorktown, ocuparon con sus familias el Canadá inglés.

La lucha por la independencia trajo medidas revolucionarias. La Declaración de Independencia (1776) plasmó algunos de los principios de la Europa revolucionaria: soberanía popular, separación de poderes, libertad religiosa, igualdad ante la justicia, libertades civiles, sufragio universal, confiscación de tierras a los lores y fin de la esclavitud. Posteriormente, el ejercicio de la esclavitud se dejó a voluntad de los estados: mientras el Norte la abolía, se generalizó en el Sur –Virginia, las dos Carolinas, Maryland y Delaware–.

El Tratado de París institucionalizó el nuevo estado y reconoció la soberanía de los Estados Unidos hasta el Mississippi. Tennessee, Kentucky y Ohio fueron incorporados entre 1792 y 1803. Hubo una nueva guerra con la ex metrópoli entre 1812 y 1814, pero su derrota obligó al Reino Unido a desistir en la reclamación de las tierras. La emigración interna y externa creció vertiginosamente. Se ocuparon los nuevos estados de Indiana (1816),

Mississippi (1817), Illinois (1818) y Alabama (1819). Michigan, Iowa y Wisconsin se incorporaron a la Unión entre 1837 y 1848.

La Luisiana fue comprada en 1803 a Francia, que la había recibido de España, y generó los estados de Luisiana (1812), Missouri (1821) y gran parte de Dakota, Wyoming y Nebraska. Por su parte, Arkansas, Kansas y Oklahoma se mantuvieron como territorios indios y acogieron a las tribus

expulsadas. En 1820, la población llegó a los diez millones y se inició la expansión hacia el Oeste, hasta llegar a la costa del Pacífico.

Los estados del Sur se convirtieron en importantes productores de algodón, gracias a la revolución industrial y a la población esclava, que alcanzó la cifra de cuatro millones de personas hacia el año 1860. Los grandes terratenientes sureños acaparaban todos los cargos políticos en el seno

de una sociedad conservadora y racista, con sufragio restringido y las libertades de opinión y reunión limitadas. La esclavitud era tan rentable que se extendió hacia el norte, más allá de la zona donde estaba permitida.

La expansión de estos estados hacia el sur y el oeste a partir de 1846 –victoria de EUA en la guerra contra México–, supuso la anexión de los territorios del golfo de México y California. Ésta se erigió en estado libre (1850), pero los estados de Florida (1845), Arkansas (1836) y Texas (1848) siguieron la línea esclavista.

Los políticos del Sur dominaron el congreso, el tribunal de justicia y la Casa Blanca hasta que un hombre de convicciones antiesclavistas, Abraham Lincoln, fue elegido presidente en 1861. La oposición de los estados sureños a esta decisión originó la Guerra Civil. Carolina del Sur se proclamó independiente el 20 de diciembre de 1860. Le seguirían días después los estados de Florida, Texas, Luisiana, Mississippi, Alabama y Georgia. Estos estados formaron una república, la *Confederate States of America*, a la que se sumaron los estados de

○ Venta de esclavos negros en un almacén del sur de los Estados Unidos

**Elvis Presley** (1935-1977), llamado *El Rey*, popularizó el rock&roll y se convirtió en su máxima figura en los años 50 con temas como *Heartbreak Hotel*, *Blue swede shoes*, *Hound dog* y *Love me tender*.

Mito del cine y mayor *sex symbol* de todos los tiempos, **Marilyn Monroe** (1926-1962) murió en extrañas circunstancias tras brillar en films como *Una Eva y dos Adanes* y *La tentación vive arriba*.

Arkansas, Carolina de Norte, Virginia y Tennessee en 1861. Delaware, Maryland, Kentucky, Missouri y Virginia Occidental también eran proesclavistas, pero no se unieron a la Confederación. Con los bandos definidos, la Guerra de Secesión fue especialmente cruenta en algunos estados del Sur, que sufrieron la superioridad militar de los estados norteños, más industrializados. La victoria del Norte se concretó en Appomattox (1865), tras una guerra civil con más de 700.000 muertos. La esclavitud fue abolida el 18 de diciembre de 1865 por la 13ª enmienda a la Constitución y por otras dos en las que se reconocía el derecho de voto de los ciudadanos negros. Pero no borró la mentalidad racista de muchos estados del Sur, materializada en la formación de grupos segregacionistas como el Ku Klux Klan.

A finales del siglo XIX, los EUA vivieron una época de enorme desarrollo industrial, comercial y financiero que se manifestó en su última gran expansión territorial: hacia el oeste. Aparecieron grandes compañías petroleras, como la Standard Oil de Rockefeller. Además, el ferrocarril experimentó un rápido crecimiento y pronto atravesó el territorio de este a oeste (en 1869, los EUA se cruzaban de costa a costa en cinco días). La necesidad de ampliar la red ferroviaria, buscar nuevas tierras donde establecerse y la explotación de las minas de oro del oeste provocó la aniquilación de los indios. Muchas tribus indias aliadas con los enemigos de los Estados Unidos habían sido masacradas durante el siglo XVIII. Otras se vieron empujadas a las tierras del noroeste. Finalmente, estas regiones se incorporaron como estados a finales del siglo XIX.

El descubrimiento de minas de oro y la proclamación de la *Homestead Act* (1862), que asignaba tierras gratuitas a los colonos, aceleró la conquista del oeste y supuso la incorporación de Colorado, Idaho, Montana, Wyoming y las dos Dakotas entre 1876 y 1890. En 1907, la creación del estado de Oklahoma acabó con el último territorio indio. La población india se había reducido de los 1.500.000 de antes de la llegada de los europeos a 200.000. Los indios supervivientes quedaron dispersos entre Oklahoma, Nuevo México y Arizona. Estos dos últimos estados formaron parte de los Estados Unidos en 1912.

A fines del siglo XIX, los Estados Unidos ya eran la primera potencia industrial del mundo y la segunda potencia marítima. Los presidentes William McKinley y Theodore Roosevelt promovieron la expansión en el Caribe y en el Pacífico (Cuba, Puerto Rico, Filipinas, Hawai, entre 1897 y 1898; Panamá, entre 1903 y 1909).

A inicios del siglo XX se aplicó el viejo lema del presidente Monroe "América para los americanos", que propugnaba la penetración económica y neoimperialista de los EUA por todo el continente. La intervención en la Primera Guerra Mundial (1917) y la concesión de créditos a los países europeos a partir de 1914, convirtió a los EUA en la primera potencia mundial, económica y política. La crisis de 1929 –*crack* de la Bolsa de Nueva York– trajo una gran depresión, aliviada por la política intervencionista en materia económica y social del presidente Franklin D. Roosevelt (*New Deal*, 1933-1945). La victoria de los EUA en la Segunda Guerra Mundial confirmó su supremacía mundial. El presidente Harry

## La caza de brujas

**D**urante los años de la Guerra Fría, el senador Joseph McCarthy (1909-1957, *foto*) inició una ofensiva de espionaje e intriga para desenmascarar e inhabilitar profesionalmente a aquellos norteamericanos sospechosos de simpatizar con el comunismo. El exceso de celo llevó a McCarthy a realizar acusaciones indiscriminadas y procesar a intelectuales, políticos, escritores, actores y directores de cine como Arthur Miller, Charles Chaplin, Bertoldt Brecht y Elia Kazan. Finalmente, la llamada "caza de brujas" encontró la oposición de una opinión popular mayoritaria.

# Una condena muy polémica

○ Número de ejecuciones desde la reintroducción de la pena de muerte en 1976

Uno de los grandes reproches de la comunidad internacional –especialmente de la Unión Europea– a los Estados Unidos es la existencia de la pena de muerte en la mayor parte de sus estados. Pese a que la mayoría de la población estadounidense es favorable a la pena capital, se han publicado muchos estudios que ponen en duda la efectividad de este castigo en la prevención de homicidios. Además, según un informe de Amnistía Internacional, entre las 85 personas ejecutadas en el año 2000 había menores de edad en el momento de cometer el delito, presos con discapacidad psíquica y ciudadanos extranjeros a quienes se les habían negado sus derechos consulares.

○ El Ku Klux Klan reclamaba la supremacía blanca e intimidaba a la población negra

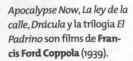

Apocalypse Now, La ley de la calle, Drácula y la trilogía El Padrino son films de **Francis Ford Coppola** (1939).

El famoso director **Steven Spielberg** (1947) es autor, entre otras, de Tiburón, E.T. y La lista de Schindler.

Psicoanálisis, sexo y humor son las claves de los films del director, actor y guionista **Woody Allen** (1935).

## Historia y Actualidad

Truman (1945-1953) concedió grandes créditos a Europa para su reconstrucción con el plan Marshall y se aseguró así la dependencia económica europea respecto a EUA.

Esta hegemonía fue compartida con la URSS. El choque entre dos países tan opuestos política y económicamente dio lugar al tenso enfrentamiento conocido como la Guerra Fría. Cada potencia mantuvo un pulso con los países en la órbita de la otra. El intervencionismo de los EUA y la URSS en los conflictos que surgieron en el mundo a partir de 1945 fue continuo, y alcanzó su punto culminante en 1962, con la crisis de los misiles. El mundo respiró cuando los soviéticos retiraron los misiles instalados en la Cuba comunista.

En los años cincuenta y sesenta la población negra reivindicó activamente sus derechos civiles y se pro-

dujo una ola de ideologías conservadoras y racistas. El asesinato de Martin Luther King (1968) radicalizó a grupos como los Musulmanes Negros y los Panteras Negras. Estados Unidos y la URSS intensificaron su pugna espacial. En 1958, durante el mandato de Dwight Eisenhower (1953-1961), los EUA lanzaron su primer satélite. John F. Kennedy impulsó el proyecto, pero fue asesinado en 1963. Finalmente, Estados Unidos ganó la carrera: bajo el mandato de Lyndon Johnson, el hombre llegó a la Luna en 1969. El ciclo de Johnson trajo otra consecuencia: la desastrosa guerra de Vietnam. El republicano Richard Nixon (1969-1974) retiró las tropas estadounidenses en 1973 e inauguró la política de distensión con la URSS y China, pero dimitió por su implicación en el espionaje elec-

### Fechas clave

D. D. Eisenhower | J. F. Kennedy | R. Nixon | J. E. Carter | B. Clinton

**1620** Llegada del Mayflower con los primeros colonos ingleses.

**1776** Declaración de independencia.

**1787** Constitución de los EUA.

**1812-14** Segunda Guerra de Independencia contra el Reino Unido.

**1823** Doctrina Monroe: "América para los americanos".

**1846-48** Guerra contra México.

**1861-65** Guerra civil o de Secesión.

**1865** Abolición de la esclavitud.

**1869** Se inaugura el primer ferrocarril transcontinental.

**1898** Guerra con España.

**1917-18** Intervención en la Primera Guerra Mundial.

**1929** Crack de la Bolsa de Nueva York e inicio de la Depresión.

**1941-45** Intervención en la Segunda Guerra Mundial.

**1948-52** Plan Marshall de ayuda a la reconstrucción de Europa.

**1950-53** Guerra de Corea.

**1963** Asesinato de J. F. Kennedy.

**1964-73** Guerra de Vietnam.

**1989** Cumbre de Malta. Termina la Guerra Fría.

**1992-2000** Presidencia de Bill Clinton.

**2001** Atentado terrorista en EUA. Respuesta bélica de Bush y la OTAN.

**2003** Tropas de EUA invaden Irak.

Louis Armstrong (1900-1971), primer virtuoso del jazz, introdujo los solos y la improvisación en el género.

El atleta negro **Jesse Owens** (1913-1980) ganó cuatro oros en los Juegos de Berlín 1936 ante la mirada de Hitler.

**Muhammad Ali** (1942) fue el primer púgil en ganar tres veces el cetro mundial de los pesos pesados.

# Golpe al corazón de los Estados Unidos

El 11 de septiembre del 2001, el territorio continental estadounidense sufrió la peor agresión de su historia. Cuatro aviones comerciales con pasajeros a bordo, secuestrados por integristas islámicos suicidas, se estrellaron contra las famosas torres gemelas de Manhattan, contra el Pentágono de Washington y en una zona rural cercana a Pittsburgh, causando la muerte de más de 3.000 personas.

Los atentados, perfectamente planificados, buscaban la máxima repercusión, de ahí la elección de los objetivos –el Pentágono, centro neurálgico de la defensa estadounidense, y el World Trade Center de Manhattan, símbolo del poderío económico de la gran potencia– y la cadencia de horarios: el segundo avión se estrelló contra la torre sur 18 minutos después de que el primero lo hiciera sobre la torre norte, el tiempo justo para que medio mundo lo viera en directo. Además, se especula que el aparato que cayó cerca de Pittsburgh tenía como objetivo la Casa Blanca, el Capitolio o la residencia presidencial de Camp David.

**La sombra de Bin Laden** Las investigaciones demostraron que 19 terroristas divididos en cuatro grupos entraron como pasajeros en sendos aviones comerciales, armados sólo con cuchillas cortapapeles, y que algunos de ellos aprendieron a pilotar un avión en vuelo en escuelas privadas de Florida. Más tarde fueron relacionados con la organización terrorista Al Qaeda (La

○ Desolador paisaje de Manhattan tras los brutales ataques aéreos contra las torres gemelas del World Trade Center

Base), cuyo líder, el millonario saudita Osama Bin Laden, residía en Afganistán protegido por el régimen integrista de los talibanes.

Bin Laden ya estaba acusado de financiar otros actos terroristas contra Estados Unidos: la bomba en el World Trade Center que causó seis muertos en 1993 y los atentados en las embajadas norteamericanas en Kenya y Tanzania, que sumaron 247 víctimas en 1998. Para Bin Laden, el daño infligido se justificaba por el intervencionismo militar de los Estados Unidos en los países árabes y especialmente por consentir la represión israelí sobre el pueblo palestino.

Los atentados tuvieron efectos demoledores para los estadounidenses, tanto en el campo económico como en el moral y psicológico. La acción terrorista provocó una crisis bursátil y un descenso generalizado del consumo. Especialmente afectados quedaron los sectores aeronáutico, turístico y financiero, a causa del miedo de los consumidores a desplazarse en avión.

**Inseguridad** En el plano psicológico, la sociedad estadounidense, acostumbrada a que sus *marines* librasen los combates muy lejos de sus fronteras, vio cómo se desvanecía en pocos minutos la secular sensación de seguridad total con la que había crecido. A esta impresión contribuyó el hecho de que el enemigo no fuera un estado, sino un grupo terrorista.

Además, tanto la CIA como el FBI, incapaces de detectar los movimientos de un grupo tan amplio de terroristas, quedaron humillados como garantes de la seguridad nacional.

Los líderes de todo el mundo, a excepción de Irak y Afganistán, condenaron la tragedia. La OTAN aplicó el artículo V de su Carta, que declara que una agresión a un país miembro se considera un ataque a todos los integrantes de la alianza. Apenas transcurrido un mes de los atentados, cazas estadounidenses y británicos iniciaban los bombardeos contra los talibanes afganos. La guerra se saldó con el derrocamiento del régimen talibán, pero ni su líder, el mulá Omar, ni Bin Laden pudieron ser detenidos.

## La secuencia de los atentados

**8.45 h** Un avión Boeing 767 impacta contra la torre norte del World Trade Center.
**9.03 h** Un segundo Boeing 767 se estrella contra la torre sur.
**9.30 h** Bush informa a la nación de que aparentemente se trata de un ataque terrorista.
**9.40 h** Se cierra el espacio aéreo de los EUA por primera vez en la historia del país.
**9.43 h** Un tercer avión (Boeing 757) colisiona con el Pentágono, en Washington.
**9.45 h** Se evacua la Casa Blanca. El caos se apodera de toda la nación.
**10.05 h** La torre sur del World Trade Center se derrumba.
**10.10 h** Un cuarto avión (Boeing 757) se estrella en una zona rural de Pennsylvania.
**10.28 h** La torre norte se desmorona.

○ Desplome de la torre sur

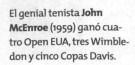

El genial tenista **John McEnroe** (1959) ganó cuatro Open EUA, tres Wimbledon y cinco Copas Davis.

**Pete Sampras** (1971) fue número uno durante seis años y el tenista más joven en ganar el Open de EUA.

**Tiger Woods** (1975) es uno de los cinco golfistas que ha ganado los cuatro torneos del Grand Slam.

## Historia y Actualidad

toral *(asunto Watergate)*.

La situación económica era desfavorable, ya que la crisis del petróleo de 1973 afectó a la cotización del dólar. El mandato de Gerald Ford dejó paso al del demócrata Jimmy Carter (1977-1981), que moderó la carrera armamentística, apoyó a China en detrimento de Taiwán y buscó la paz entre Egipto e Israel (Camp David, 1978). El triunfo del republicano Ronald Reagan (1981-1988) supuso la vuelta al anticomunismo. Retomó la carrera armamentística –euromisiles, "guerra de las galaxias"– e intervino militarmente en Líbano, Granada (1983) y Libia (1986).

Por suerte, los contactos con la URSS de Mijaíl Gorbachov mejoraron gracias al progresivo abandono del comunismo en los países del este de Europa y se acordó la mutua eliminación de misiles (Washington, 1987). En 1988, el republicano George H. W. Bush fue elegido presidente. En 1989 envió tropas a Panamá para capturar al general Noriega. La invasión

○ El presidente George W. Bush

de Kuwait por el Irak de Saddam Hussein desencadenó la entrada de EUA en la guerra del Golfo (1991). El deterioro económico llevó al demócrata Bill Clinton a la presidencia (1992). Su mandato estuvo marcado por fracasos (Somalia, Bosnia, Haití) y escándalos (Monica Lewinsky), pero logró la Paz de Dayton (1995) para Bosnia y Herzegovina y la economía avanzó. En el 2000 fue elegido presidente por un margen muy ajustado y con mucha polémica el republicano George W. Bush.

El atentado del 11 de septiembre del 2001 radicalizó la política exterior de Bush. Aumentó considerablemente el presupuesto de Defensa, planteó el proyecto de escudo antimisiles para defenderse de los "estados irresponsables" del "eje del mal" (Irak, Irán y Corea del Norte ) y siguió apoyando la acción israelí en Palestina. En el interior, cumplió su promesa de rebajas fiscales, pero se vio involucrado en la quiebra irregular de Enron, la gran empresa del sector eléctrico.

Reforzado por el éxito republicano en las elecciones de representantes de 2002, Bush ordenó la invasión de Irak con la excusa de que este país desobedecía una resolución de la ONU sobre la inspección de su supuesto arsenal de armas de destrucción masiva. La rendición de las tropas de Sadam Husein fue relativamente rápida, pero la posguerra se convirtió enseguida en una cruenta retahíla de atentados de la resistencia contra los invasores y un lastre para las aspiraciones de reelección de Bush en noviembre del 2004.

# Granada

El amarillo, verde y rojo simbolizan el sol, la agricultura y el valor. Las estrellas son las parroquias y la nuez moscada, un tributo a esta riqueza agrícola.

**Nombre oficial del país:** Granada
**Nombre del país en inglés:** Grenada
**Superficie:** 344 km²
**Población:** 81.000 hab
**Densidad:** 237,1 hab/km²
**Capital:** St. George's (4.440 hab)
**Otras poblaciones:** Hermitage, Willis, Union, Birch Grove y Concord
**Lengua:** inglés
**Moneda:** dólar del Caribe Oriental (100 centavos)

ⓘ

**Direcciones útiles de Internet:**
www.grenadaguide.com
www.grenada.org
www.grenadaexplorer.com
www.spiceisle.com
www.geographia.com/grenada

| Ranking IDH | Esperanza de vida |
|---|---|
| **92°** | 64,5 |
| 173 países analizados | años |

El estado de Granada se sitúa en el sureste del mar Caribe y comprende la isla homónima y las Granadinas meridionales. La isla de Granada es de origen volcánico, con numerosas fuentes termales y cráteres, que, en algunos casos, se inundaron originando lagos. En el interior se alza una sierra cuya máxima altura es el pico de Sainte Catherine, de 840 metros. El clima es tropical –27°C de media–, con abundantes lluvias, huracanes y tormentas tropicales.

La población del país, mayoritariamente católica, está formada por descendientes de esclavos africanos, mestizos y minorías de origen europeo. Aunque menor que en épocas recientes, la alta densidad obliga a emigrar a parte de la población. Por ello, y pese a una fecundidad de 2,5 hijos por mujer, el crecimiento anual es muy bajo: – 0,2%.

**Inestabilidad política** Descubierta por Colón en 1498, la isla recibió el nombre de Concepción. Fue ocupada por Francia en 1674 hasta que pasó a soberanía británica en 1763. Estado asociado al Reino Unido en 1967, se independizó en 1974. El socialista Maurice Bishop accedió al poder tras un golpe de estado en 1979. Pero su asesinato en 1983 desencadenó la intervención militar de Estados Unidos, temeroso de la aproximación del gobierno de Granada a las teorías castristas. Las elecciones de 1984 dieron la victoria al New National Party (NNP), liderado por Herbert Blaize, fallecido en 1989. Le sustituyó Ben Jones. En 1990, el candidato del Congreso Nacional Democrático, Nicholas Braithwaite venció. Cinco años más tarde, Keith Mitchell formó un nuevo gobierno del NNP. Los principales cultivos son la nuez moscada –Granada es conocida como la "isla de las especias de Occidente"–, el cacao y el plátano. La actividad industrial se limita a la transformación de productos agrícolas, mientras el turismo va en ascenso.

○ *Marines* en la invasión de Granada

# Haití

La bandera se inspira en la enseña francesa, aunque evita el blanco, que se asocia con los esclavistas. El azul representa a los negros y el rojo, a los mulatos.

**Haití comparte la isla La Española con la República Dominicana. Su precaria economía y la sucesión de gobiernos corruptos han hecho de esta república caribeña el país más pobre de América.**

**d**

**Nombre oficial del país:**
República de Haití
**Nombre del país en francés y criollo:**
République d'Haïti / Repiblik Dayti
**Superficie:** 27.750 km²
**Población:** 8.218.00 hab
**Densidad:** 296,1 hab/km²
**Capital:** Puerto Príncipe
(1.975.000 hab)

**Otras ciudades:**
Cap-Haïtien (68.000 hab)

⚬ Cap-Haïtien

**Lenguas:** criollo y francés (oficiales)
**Moneda:** gourde (100 céntimos)

## Geografía

Haití ocupa el tercio occidental de la isla La Española, en el Caribe. Tiene una costa abrupta y está formado por dos penínsulas paralelas separadas por el golfo de la Gonâve, donde se localiza la isla del mismo nombre. El territorio es predominantemente montañoso, con bosques tropicales y fértiles llanuras, y su punto más elevado es el Pic La Selle, de 2.680 metros. Sus elementos hidrográficos principales son el río Artibonite, de 280 kilómetros y navegable en gran parte de su recorrido, y el lago Saumatre. El clima es tropical con lluvias durante todo el año, húmedo en la costa y más fresco en las montañas.

### Máximas altitudes

| de Haiti | del subcontinente | del mundo |
|---|---|---|
| 2.680 m | 6.194 m | 8.848 m |
| Pic La Selle | M. McKinley | Everest |

## Demografía

⚬ Niña haitiana de origen africano

El 95% de la población desciende de esclavos africanos, salvo una minoría mulata resultado de la unión de africanos y franceses. Junto al catolicismo, un gran número de haitianos practica el vudú. La densidad es la tercera más alta del continente y la población se concentra en núcleos rurales. La fecundidad es elevada (4 hijos por mujer), al igual que la mortalidad infantil, la más alta de América, con un 63,2‰. La edad media de Haití es 18 años, la más baja de Norteamérica.

| Ranking IDH | Esperanza de vida |
|---|---|
| **148°** | **49,5** |
| 173 países analizados | años |

## Economía

Haití es un país principalmente agrícola, y produce café, que destina sobre todo a la exportación, cítricos, tabaco, algodón, sisal, caña de azúcar, cereales y cacao. Entre sus recursos forestales se encuentran el cedro, la caoba y el pino. De su subsuelo extrae bauxita, oro, estaño, plata, cobre, hierro, antimonio y manganeso, pero las explotaciones las llevan a cabo empresas extranjeras.

Su industria se basa en la manufactura de tabaco y tejido, la destilación de ron y las refinerías de azúcar. Posee un elevado índice de cobertura energética en comparación con sus vecinos de las Antillas (75,6%).

La falta de transparencia política provocó la suspensión de 500 millones de dólares en ayuda internacional. Estos ingresos eran fundamentales para Haití, ya que su bajo PBI por habitante (1.860 dólares) le sitúa en la cola del ranking mundial, no sólo del PBI sino también del Índice de Desarrollo Humano (IDH). Dada la situación política, las arcas públicas ven disminuir sus ingresos, al recaudar sólo el 40% de los impuestos.

**i**

**Direcciones útiles de Internet:**
www.haititourisme.org
www.haiti.org
www.haitiglobalvillage.com
www.haitiwebs.com
**Placa de identificación:** RH
**Prefijo telefónico:** 509
**Dominio de Internet:** .ht
**Horario en relación con Greenwich:**
−5 horas
**Principal aeropuerto internacional:**
Puerto Príncipe

## Historia y Actualidad

**Constitución del estado:** 1804 (independencia de Francia)
**Forma de estado:** república
**Sistema de gobierno:** democracia presidencialista
**Organizaciones internacionales:** ONU, OEA, CARICOM

Hasta que fue colonizada por los franceses en 1697, Haití perteneció a España como parte de La Española, isla descubierta por Colón en 1492. Durante la Revolución Francesa, Toussaint-Louverture encabezó un movimiento secesionista que provocó la renuncia territorial de Francia en 1804.

Los conflictos y la pobreza han caracterizado su existencia. En 1957, François Duvalier se hizo con el poder e instauró una dictadura corrupta que siguió su hijo, huido a Francia en 1986. El gobierno quedó en manos de una junta cívico-militar, encabezada por el general Henry Nauply. En 1990 hubo elecciones supervisadas por la ONU y ganó el sacerdote católico Jean-Bertrand Aristide, quien fue derrocado por el general Raoul Cédras. En 1994, la intervención militar de los EUA acabó con la dictadura. En 1995 ganó las elecciones René Préval, colaborador de Aristide. Sus relaciones empeoraron y Aristide fundó el partido Fanmi Lavalas, que venció en las elecciones del 2000 con acusaciones de fraude. En el 2004, Aristide tuvo que abandonar el país tras la entrada en Puerto Príncipe de los rebeldes antigubernamentales.

# Jamaica

El verde simboliza la agricultura y la esperanza. El dorado, las riquezas naturales y el sol, y el negro se identifica con el sufrimiento de los esclavos.

**Nombre oficial del país:**
Jamaica
**Nombre del país en inglés:**
Jamaica
**Superficie:** 10.990 km²
**Población:** 2.627.000 hab
**Densidad:** 239 hab/km²
**Capital:** Kingston (539.000 hab)
**Otras ciudades:**
Spanish Town (93.000 hab) y
Montego Bay (84.000 hab)

◔ Mercado de Montego Bay

**Lenguas:** inglés (oficial) y criollo
**Moneda:** dólar jamaicano
(100 centavos)

**Direcciones útiles de Internet:**
www.jamaicans.com
www.statinja.com
www.jis.gov.jm
www.jamaicatravel.com
**Placa de identificación:** JA
**Prefijo telefónico:** 1876
**Dominio de Internet:** .jm
**Horario en relación con Greenwich:**
−5 horas
**Compañía aérea nacional:**
Air Jamaica

**Principal aeropuerto internacional:**
Norman Manley International,
Kingston

La isla de Jamaica es la tierra de los rastafaris y el reggae, dos ejemplos de la fusión de sus diferentes herencias culturales. Su economía se basa en el turismo y en la producción de bauxita y caña de azúcar.

## Geografía

◔ Costa septentrional de la isla

Jamaica es la tercera isla más grande de las Antillas y se sitúa al sur de Cuba. Una cordillera atraviesa su territorio, donde se localiza su pico más elevado, la Montaña Azul, de 2.256 metros. Las llanuras costeras, bajas e irregulares, se interrumpen por colinas y mesetas. Jamaica cuenta también con varias fuentes termales y ríos, entre los que destaca el Black. Huracanes y terremotos sacuden con frecuencia la isla, que está cubierta por una vegetación tropical que deja paso a la sabana en las áreas más secas. El clima es tropical en la costa y templado en el interior.

## Demografía

| Ranking IDH | Esperanza de vida |
|---|---|
| 77° | 75,7 |
| 173 países analizados | años |

En Jamaica conviven minorías de asiáticos y europeos junto a una mayoría de descendientes de los esclavos africanos. El perfil religioso está configurado por una gran variedad de confesiones cristianas (católicos, baptistas, anglicanos...) y el movimiento rastafari, el cual se ha convertido en una de las principales señas de identidad nacional, religiosa y cultural. La franja costera del país acoge a la mayor parte de una población que tiene un crecimiento demográfico moderado (0,9% al año).

◔ Cultivo de mandioca

## Economía

Jamaica es un importante centro turístico regional, cuyo peso económico creció en los años noventa con la ayuda de sustanciosas inversiones extranjeras. Su economía se centra, además de en el turismo, en la producción de azúcar y en la extracción de bauxita, industria que ya no se alimenta exclusivamente de capital extranjero, puesto que en 1974 el país compró acciones a las principales empresas extractoras.

La actividad agraria se dedica al cultivo de productos para la exportación, como el café y el tabaco, y para el consumo autóctono. Además es un tradicional productor de pimienta. Entre las actividades industriales predominan la transformación de productos agrarios, la fabricación de cemento, de fertilizantes, de derivados del petróleo y la industria textil.

**Grandes diferencias sociales** No obstante, todas estas riquezas no revierten igualitariamente sobre la población, ya que Jamaica está históricamente dominada por unas pocas familias adineradas.

## Historia y Actualidad

**Constitución del estado:** 1962 (independencia del Reino Unido)
**Forma de estado:** monarquía del Reino Unido representada por un gobernador general
**Sistema de gobierno:** parlamentario
**Organizaciones internacionales a las que pertenece:** ONU, OEA, CARICOM, Commonwealth

La isla, descubierta por Colón en 1494, fue conquistada por los ingleses en 1655. La esclavitud fue abolida en

1833, pero hubo una gran tensión racial hasta que en 1866 se estableció una constitución que intentó integrar la población esclava con la de origen europeo. Logró la autonomía interna en 1959 y la independencia dentro de la Commonwealth en 1962.
Ese año ganó las elecciones el Jamaica Labour Party, pero en 1972 y 1976 la victoria fue para el socialista People's National Party, dirigido por Michael Manley. Como primer ministro, Manley impulsó diferen-

tes reformas, pero graves disturbios políticos y sociales propiciaron la vuelta al poder del JLP, liderado por Edward P.G. Seaga.
En 1989 volvió a ganar el PNP y Manley dirigió de nuevo el gobierno de la isla, hasta que, tras su retirada en 1992, fue sustituido por Percival J. Patterson. Reelegido en 2002, Patterson comenzó su cuarto mandato consecutivo sin conseguir su objetivo principal: frenar el alto índice de criminalidad y de corrupción policial.

# México

El verde simboliza la independencia; el blanco, la pureza; y el rojo, la unidad del territorio. El nopal, el águila y la serpiente provienen de una leyenda india.

México, el país del mundo con más emigración, vive al inicio del siglo XXI una histórica transición democrática, acompañada del impulso económico que supuso su asociación con Estados Unidos y Canadá.

**Nombre oficial del país:**
Estados Unidos Mexicanos
**Superficie:** 1.967.183 km²
**Población:** 101.965.000 hab
**Densidad:** 52,1 hab/km²
**Capital:** Ciudad de México
(20.950.000 hab)

**Otras aglomeraciones urbanas:**
Guadalajara (4.150.000 hab),
Monterrey (3.750.000 hab), Puebla
(1.925.000 hab), León (1.375.000
hab), Toluca (1.450.000 hab), Ciudad
Juárez (1.450.000 hab), Tijuana
(1.450.000 hab)
**Lenguas:** español (oficial), náhuatl,
maya y otras lenguas amerindias
**Moneda:** peso (100 centavos)

**Direcciones útiles de Internet:**
www.presidencia.gob.mx
www.inegi.gob.mx
www.mexview.com
www.mexico-wow.com
**Placa de identificación:** MEX
**Prefijo telefónico:** 52
**Dominio de Internet:** .mx
**Horario en relación con Greenwich:**
De -6 a -8 horas
**Compañías aéreas nacionales:**
Aeroméxico y Mexicana de Aviación

**Principal aeropuerto internacional:**
Benito Juárez, Ciudad de México

## Geografía

País de grandes contrastes paisajísticos, México ocupa el tercio meridional de América del Norte. Linda al norte con Estados Unidos, al sur con Guatemala y Belice, al este con el golfo de México y el Caribe, y al oeste con el Pacífico. En buena medida, las grandes unidades del relieve mexicano son la continuación de la geografía estadounidense.

La costa del Pacífico es una combinación de playas de relieves abruptos y numerosas islas, muchas de las cuales son las cumbres de antiguas cordilleras que quedaron sumergidas bajo el mar. El accidente geográfico más importante de esta región es la península de California o simplemente Baja California, que discurre paralela a la costa oeste de México. En esta península se localiza la sierra de Baja California, prolongación de la cordillera del Pacífico de los Estados Unidos.

**Clima mediterráneo** En la región más meridional de la península, el clima es mediterráneo, con una temperatura media anual próxima a los 25°C en la costa, que disminuye a medida que aumenta la altura en la sierra. Las escasas lluvias oscilan entre los 200 y 300 milímetros anuales. Con

○ Paisaje del volcán Ixtaccíhuatl, en la Sierra Nevada

estas condiciones climáticas, la vegetación está formada por matorrales y pequeños árboles, conocidos en México como chaparrales.

La región continental contigua a la Baja California está ocupada por el desierto de Sonora, el más extenso de América del Norte, que reparte su territorio entre México y Estados Unidos. En el extremo norte y en la costa del golfo de California, el clima es desértico. La escasez de lluvias origina un paisaje árido, con numerosas especies de cactus. En Sonora, las temperaturas superan en verano los 40°C y en invierno se mantienen por debajo de los 15°C.

**La costa oriental** La costa del golfo de México es la continuación de las grandes llanuras de América del Norte. En su perfil se destaca la península de Yucatán, en la que el agua disuelve el material calizo que la forma, dando lugar a un peculiar paisaje cárstico. Toda la región disfruta de un clima tropical, con temperaturas medias de 25°C y precipitaciones copiosas gracias a la influencia de los vientos alisios provenientes del Atlántico.

Los huracanes azotan la costa este a finales de verano y en otoño, con vientos fuertes que oscilan entre los 120 y los 250 km/h, asociados a episodios de lluvias torrenciales. Se forman en el centro del océano, cuando la temperatura del agua es elevada, y su trayectoria es parabólica.

El bosque tropical cubre la mayor parte de este territorio, en el que

○ Costa del golfo de California

○ Arrecifes en el mar Caribe

El **Popocatépetl** está en el eje Neovolcánico y es uno de los volcanes activos de México. Aunque su actividad histórica se ve limitada a emisiones de humo, de ahí su nombre, que significa "el monte que humea", en los últimos tiempos se han observado explosiones en su cima. Si esta actividad aumenta, podría derretirse el glaciar que cubre la cima y provocar una avalancha de barro que en pocas horas alcanzaría ciudades situadas a más de 40 km.

## Geografía

habitan jaguares, tapires y osos hormigueros. El bosque deja paso a la sabana arbolada en las áreas más secas y a los manglares en las pantanosas. En éstos abundan las aves, los insectos y los reptiles, como la iguana y la tortuga.

La Meseta ocupa el centro de México. Es un gran altiplano que aumenta de altitud de norte a sur, desde los 1.200 hasta los 2.200 metros, con amplias depresiones que surcan su territorio. La temperatura anual oscila de los 18ºC a los 20ºC y las lluvias son escasas, inferiores a

⊙ Iguana de la península de Yucatán

⊙ El cañón del Sumidero, en la meseta de Chiapas

los 800 milímetros en las regiones más húmedas, y por debajo de los 400 milímetros en las áridas. La vegetación característica es la estepa de plantas espinosas, entre las que se destaca la yuca.

**Volcanes nevados** La Meseta está rodeada de cadenas montañosas: la Sierra Madre Occidental, la Sierra Madre Oriental y el eje Neovolcánico. La Sierra Madre Occidental es la continuación de las cordilleras estadounidenses del Pacífico y se eleva conforme avanza hacia el sur hasta alcanzar los 3.500 metros de altura. La Sierra Madre Oriental es menos elevada y, con una longitud de unos 1.400 kilómetros, es la prolongación de las Rocosas.

El eje Neovolcánico discurre de oeste a este, desde el Pacífico hasta el golfo de México. En él se hallan las cumbres más altas del país, entre las que se encuentran numerosos volcanes muy activos, como el Citlaltépetl, de 5.747 metros, o el Popocaté-

petl, de 5.465 metros. El clima es de montaña, con temperaturas medias de 18 a 20ºC que descienden conforme aumenta la altura. Por encima de los 4.000 o 4.500 metros, las nieves son perpetuas.

Al sur de la cordillera Neovolcánica se localiza la depresión del río Balsas, que la separa de la Sierra Madre del Sur, de la Sierra Madre de Oaxaca y de la Sierra Madre de Chiapas. A continuación de esta última sierra se encuentra la meseta de Chiapas, barrera natural a las masas húmedas de los alisios atlánticos, que descargan en sus laderas abundantísimas lluvias que alcanzan los 4.000 milímetros al año.

**El istmo de Tehuantepec** La unidad más meridional del relieve mexicano es el istmo de Tehuantepec, que con poco más de 200 kilómetros de anchura es la región más angosta del país. Consiste en una franja de tierra de escasa altitud situada entre el golfo de México y el

océano Pacífico. El istmo separa la región de Chiapas del resto del territorio y en épocas geológicas anteriores era un estrecho marino.

Por esta razón, ya desde la época de la colonización española se pensó en el Tehuantepec como el lugar idóneo para la ubicación de un canal transoceánico. Sin embargo, los grandes costos hicieron desestimar el istmo mexicano en favor del de Panamá. México dispone de varios ríos importantes. Entre los cursos fluviales que desembocan en la vertiente oriental, los principales son el río Bravo y el

río Grande, que ejerce de frontera natural entre México y los Estados Unidos. Entre los ríos atlánticos, también destacan el Pánuco y el Grijalva, que drenan la meseta de Chiapas, y el Hondo, el único que baña la península de Yucatán.

En la cuenca del Pacífico, el más destacado es el río Grande de Santiago, en cuyo curso se halla el lago Chapala, el mayor del país. En el golfo de California desaguan el Yaqui, el Fuerte y el Sonora.

### Máximas altitudes

| de México | del subcontinente | del mundo |
|---|---|---|
| 5.747 m | 6.194 m | 8.848 m |
| Citlaltépetl o Pico Orizaba | M. McKinley | Everest |

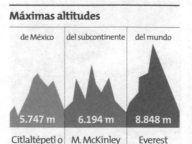

⊙ Cactus de la Sierra Madre del Sur

**Luis Miguel** (1970), uno de los mejores intérpretes de la música latina, ganó su primer Grammy a los 15 años.

**Salma Hayek** (1970) consiguió el pasaporte a Hollywood gracias a su papel en *Abierto hasta el amanecer*.

Los temas de **Armando Manzanero** (1935) han sido interpretados por artistas como Sinatra y Elvis Presley.

# Demografía

○ Plaza del Zócalo y fachada del Palacio Nacional, en Ciudad de México

| Ranking IDH | Esperanza de vida |
|---|---|
| **54°** | 74,6 |
| 173 países analizados | años |

El 75% de los mexicanos vive en ciudades. La población urbana creció de forma espectacular a causa del fuerte éxodo rural. Este fenómeno provocó la aparición de grandes suburbios con condiciones de vida muy precarias en los alrededores de las ciudades. Las principales aglomeraciones son Ciudad de México, con cerca de 21 millones de habitantes, Guadalajara, Monterrey, Puebla, León, Toluca, Ciudad Juárez y Tijuana.
La población mexicana es muy joven. Según las previsiones, para los primeros cinco años del siglo XXI los menores de 15 años representarán más del 53,4% de la población. El segundo grupo será el de los adultos, con un 39%, mientras que el 7,6% restante estará compuesto por personas mayores de 64 años.

**Evolución de la población**    mill. hab

Antes de la conquista, los pobladores de México eran descendientes de civilizaciones muy desarrolladas y pertenecían a culturas en época floreciente, como los aztecas o los mayas. Con la llegada de los españoles en el siglo XVI, la población indígena se redujo a causa de las luchas, de los malos tratos y, sobre todo, de la introducción de enfermedades europeas desconocidas en el continente.
En la composición étnica actual, el grupo mayoritario es el de los mestizos, seguido de los amerindios, de la población de origen europeo y de minorías negras descendientes de los esclavos africanos.
México es el país con más hispanohablantes del mundo. Junto al español, los indígenas han mantenido sus propias lenguas durante siglos. En

el 2000, más de seis millones de mexicanos se expresaban en una lengua amerindia. Las más habladas son el náhuatl, el maya, el mixteco y el zapoteco. También herencia colonial es la religión católica, la más extendida entre sus habitantes (97%).
En el último decenio del siglo XX cobraron mucha fuerza las reivindicaciones indigenistas en el estado de Chiapas, cuya población, de estirpe maya, vive en condiciones muy inferiores a las de la media del país.

**Explosión demográfica** México es el tercer país más poblado de América, después de Estados Unidos y Brasil. Su número de habitantes ha aumentado constantemente desde el siglo XVIII. El crecimiento demográfico ha sido siempre acelerado, pero, al contrario que en otros países americanos, este hecho no es consecuencia exclusiva de la llegada de inmigrantes, sino del crecimiento natural de la población.
A finales de los setenta y principios de los ochenta del siglo XX, este crecimiento era del 2,4% anual. Esta tendencia se suavizó a fin de siglo hasta situarse en el 1,6%, un valor propio de los países en desarrollo.
Esta ralentización se vio acompañada de un descenso de la fecundidad y de la mortalidad infantil. Entre 1975

y 1985, las mujeres tenían un promedio de 5,9 hijos. De ellos, 52 de cada mil morían antes de cumplir un año de vida. Veinticinco años más tarde, la media se redujo hasta los 2,5 hijos y la mortalidad infantil se moderó a una tasa del 28,2 por mil.
La distribución de la población presenta marcados contrastes. Las áreas más pobladas son el centro de la Meseta –donde se localiza Ciudad de México–, la costa occidental de la península de Yucatán y las franjas costeras del Pacífico y el golfo de México. La Baja California y las regiones desérticas fronterizas con los EUA son las que registran densidades más bajas, con menos de 2 hab/km².

○ Vista de la ciudad de Guanajuato

## Mexicanos en Estados Unidos

Aproximadamente ocho millones de mexicanos viven y trabajan sin documentos en Estados Unidos, en un fenómeno migratorio causado por las dificultades económicas y la vecindad –ambos países comparten 3.326 kiló-

metros de frontera *(en la foto, un tramo entre San Diego y Tijuana)*–. En enero del 2004, el presidente George W. Bush anunció un programa para legalizar a once millones de inmigrantes indocumentados, cinco de ellos procedentes de México. El presidente Vicente Fox y las comunidades inmigrantes en EUA han objetado el plan, formulado en año electoral, porque la propuesta de la Casa Blanca sólo prevé legalizar a los indocumentados por un plazo de tres años.

⦿ Acapulco, en la costa pacífica, se desarrolló como único puerto de aguas profundas al sur de San Francisco y es hoy un superdesarrollado centro turístico de fama mundial

La carrera cinematográfica de **Anthony Quinn** (1915-2001), ganador de dos Oscar como mejor actor secundario, se desarrolló sin interrupción desde los años 30 hasta la década de los 80.

*Cantinflas*, el personaje creado por el cómico **Mario Moreno** (1913-1993), se distinguió siempre por su nobleza de corazón, su sentimentalismo y por su característica verborrea incontenible.

## Economía

México es un país con grandes bienes naturales, especialmente recursos minerales y energéticos. A finales del siglo XX, el estado llevó a cabo un gran esfuerzo de modernización y experimentó un importante desarrollo de la industria y los servicios. La agricultura, que ocupa al 24,2% de la población activa y el 13% de la superficie del país, tiene que enfrentarse al problema de la aridez de buena parte de las tierras cultivadas mediante el riego artificial. Por otro lado, el dominio del sistema latifundista hace que existan muchos campesinos sin tierras, a pesar de las diversas reformas emprendidas a partir de la revolución de 1910.

### Gran productor de cereales
Entre sus cultivos destaca la producción de maíz (la cuarta mundial), trigo, arroz, cebada y otros cereales. También es el quinto productor mundial de mijo, sorgo y caña de azúcar, que se cultiva en las tierras cálidas de los llanos. Además, es el cuarto productor mundial de café, que crece en las tierras templadas.

Para producir tejidos, México cuenta con plantaciones de lino, de algodón y de sisal. Otros productos agrícolas de interés son el cacao, las bananas, las hortalizas, los frijoles (de gran importancia en la gastronomía del país) y el tabaco, cultivado en Nayarit, Veracruz y Oaxaca.

### Principales proveedores

**74,6%** Estados Unidos

**9,3%** Unión Europea

**9,2%** P. en desarrollo

**6,9%** Otros países

### Principales clientes

**83,1%** Estados Unidos

**5%** América Latina

**3,3%** Unión Europea

**8,6%** Otros países

⊙ Mercado en Ciudad de México

En su ganadería se distinguen, por orden de importancia, las cabañas bovina, porcina, caprina, equina y ovina. La pesca constituye una actividad importante en el golfo de California y la península de Yucatán, y se captura sobre todo atún, sardina, camarón y langosta.

Entre sus preciados recursos forestales están el chicle (una gomorresina que proviene del tronco del chicozapote) y sustancias usadas como tintes, que se extraen de las selvas del sureste. También posee maderas preciosas como el ébano, el cedro, el sándalo, la caoba y el palo de rosa.

### El petróleo como base económica
El petróleo es el bien más preciado de su subsuelo. Los principales yacimientos se localizan en las costas del golfo de México y posee una extensa red de refinerías y oleoductos. Los estados petroleros por excelencia son Tabasco y Veracruz, mientras que las refinerías más importantes son las de Minatitlán, Poza Rica, Atecapotzalco, Reynosa, Salamanca y Madero.

En 1938 México nacionalizó la industria petrolera. La economía del país se benefició de esta medida y crecieron la inversión privada y el gasto público, pese a que la producción disminuyó —pasó de la cuarta a la séptima posición mundial—.

Con la subida de los precios del crudo en los años setenta y a partir de la entrada en funcionamiento de los yacimientos de Tabasco y Chiapas, en 1979, el país vivió una expansión económica que lo indujo a seguir invirtiendo y endeudarse. No obstante, cuando en los ochenta cayó el precio del petróleo, México había alcanzado una de las deudas más elevadas del mundo y no pudo hacer frente a sus pagos, lo que desembocó en una grave crisis financiera.

### Primer productor de plata
Otra de sus grandes riquezas minerales es la plata, de la que es el primer productor mundial y que se extrae en los estados de Hidalgo, Zacatecas y Chihuahua. También posee molibdeno (su producción es la cuarta mundial), plomo y zinc, además de oro, hierro y cobre.

En cuanto a sus recursos energéticos, junto al petróleo, dispone de carbón, gas natural, uranio y producción hidroeléctrica, lo que le permite autoabastecerse y exportar (índice de cobertura energética del 149,6%).

Buena parte de su industria se desarrolla a partir de los recursos minerales y destacan, por tanto, la de la refi-

⊙ Consumo autóctono de maíz

### Producción de plata

| | |
|---|---|
| México | 14% |
| Perú | 13,3% |
| Estados Unidos | 11,7% |
| Australia | 10,3% |
| Chile | 8,3% |

nación de petróleo y la metalúrgica. Otras industrias importantes son la mecánica (automóviles, maquinaria textil, material ferroviario y construcciones metálicas), la química, la textil, la alimentaria, la papelera, la del calzado y la fabricación de fertilizantes, neumáticos, vidrio y cemento.

El sector de los servicios ocupa al 53,4% de los trabajadores del país. Su principal rubro es el turismo, ya sea el arqueológico (yacimientos mayas y aztecas) o el de costa (Acapulco, Veracruz y Cancún, primordialmente).

Sus comunicaciones terrestres son algo deficitarias dada la orografía y disposición radial en torno a Ciudad de México. Tiene cerca de 334.000 kilómetros de carreteras, unos 27.000 kilómetros de vías férreas y varios puertos y más de 1.700 pistas de aterrizaje y aeropuertos, entre los que destaca el de la Ciudad de México.

### Los beneficios del TLCAN
El crecimiento económico de México desde mediados de los años noventa se explica en gran parte por la firma del Tratado de Libre Comercio

⊙ Pescador en el lago Catemaco, cráter de un antiguo volcán

**Diego Rivera** (1886-1957) fue el mayor exponente del muralismo mexicano, uno de los movimientos más importantes de la pintura americana. También fue dibujante, ilustrador, escritor y político.

**Frida Kahlo** (1907-1954), figura mítica de la pintura mexicana y mujer de Diego Rivera, realizó sobre todo autorretratos cuya fantasía y estilo se inspiraron en el arte popular mexicano.

## Economía

Norteamericano (TLCAN), gracias al que el país ha duplicado su comercio exterior con Estados Unidos y Canadá. Exporta bienes manufacturados (88,8% de las exportaciones), productos petroleros (el 8,2%), agropecuarios (2,7%) y productos extractivos no petroleros (0,3%).

**Movimiento de importaciones** El 73,3% de las importaciones son bienes intermedios, ya que el comercio entre empresas es muy importante y gran parte de esos bienes son exportados como bienes finales después de un proceso productivo. Del resto de las importaciones, el 15,5% son bienes de capital y el 11,2%, bienes de consumo.

Antes de integrarse en el Tratado de Libre Comercio, México entró en la década de 1990 con un crecimiento lento y un paro elevado. En diciembre de 1994 sufrió una grave crisis económica que causó la devaluación del peso y una caída de la producción y de los salarios reales. En 2001, los salarios continuaban siendo un 25% inferiores a los de 1994.

Vistos los buenos resultados del TLCAN y la importancia que tiene para el país el comercio exterior (30% del PBI), México defiende la extensión del acuerdo al resto de América y quiere avanzar en los

⊙ La Bolsa, en Ciudad de México

niveles de integración con una moneda única.

Al margen de este tratado, México firmó acuerdos de libre comercio con Colombia, Venezuela, Costa Rica y Bolivia (1995), con Nicaragua y Chile (1999) y con la UE en el 2000, con la que prevé eliminar las tarifas arancelarias en el 2010.

Otros aspectos de su política económica es el escalonamiento de la devolución de la deuda pública para evitar desastres financieros como el de 1994 y controlar la elevada inflación (16,6%). Sus esfuerzos también están orientados a promover el empleo, disminuir el déficit de la balanza de pagos, mantener una reserva de moneda extranjera importante y disminuir las desigualdades entre ricos y pobres y entre los estados más desarrollados del norte y los más atrasados del sur.

## Historia y actualidad

**Constitución del estado:** 1821 (independencia de España)
**Forma de estado:** república federal
**Sistema de gobierno:** democracia presidencialista
**Organizaciones internacionales a las que pertenece:** ONU, OEA, TLC

El actual territorio de México ha sido cuna de múltiples culturas y civilizaciones. Los primeros restos arqueológicos encontrados en México datan del 9000 a.C. El territorio fue habitado durante el Paleolítico por pueblos de cazadores y recolectores, de los que se han encontrado restos en Tepexpán y Tamaulipas. La primera gran civilización mexicana, la de los olmecas, tuvo su mayor período de esplendor entre el 1500 y el 600 a.C.

Los olmecas dieron paso a la época clásica, con las culturas teotihuacana (siglos III-VI) y maya. Los mayas, una de las civilizaciones más avanzadas de la América precolonial, se desarrollaron en el sureste de México, la península de Yucatán y Guatemala. Vivían del cultivo del maíz, difundieron el cacao y el tabaco, y proyectaron grandes construcciones.

Hacia el siglo IX, el pueblo tolteca creó un imperio con capital en Tula. Los toltecas tenían en Quetzalcóatl a su máxima divinidad, un culto que fue continuado por los aztecas. En el siglo XIV, la civilización azteca fundó un imperio muy jerarquizado, organizado bajo una monarquía teocrática. Este pueblo guerrero creó una de las civilizaciones más complejas del centro y el sur de América. Construyeron grandes edificios y templos, y realizaron importantes complejos urbanísticos. Su economía se basaba en el cultivo del maíz y su comercio alcanzó todos los territorios de Mesoamérica.

Los primeros españoles llegaron a México en 1511, pero fue Hernán Cortés quien en 1519 organizó una expedición encaminada a la conquista del territorio. Cortés avanzó hasta Tenochtitlán y fue recibido por el rey azteca Moctezuma II, quien en un principio no había luchado contra los españoles al identificarlos con el dios Quetzalcóatl.

**Nueva España** Cortés hizo prisionero a Moctezuma en 1521 y, un año después, fue nombrado gobernador de México. En 1535, Carlos I creó el Virreinato de Nueva España. Durante el período virreinal se llevó a cabo la explotación de los indígenas, quienes, pese a ser oficialmente libres, eran obligados a trabajar como esclavos. La precaria condición de vida de los indígenas causó un descenso demográfico que tuvo que ser suplido con mano de obra africana.

La destrucción del sistema socioeconómico y el descenso demográ-

⊙ Complejo turístico de Cancún, en la costa de la península de Yucatán

### Fechas clave

| Hidalgo | Iturbide | Juárez | Porfirio Díaz | Cárdenas | Vicente Fox |

**1519** Hernán Cortes conquista el Imperio Azteca.
**1535** Creación del Virreinato de Nueva España.
**1820** Plan de Iguala.
**1821** Proclamación de independencia de México.
**1823** Proclamación de la República.
**1836** Separación de Texas.
**1853** Revolución liberal.
**1846-48** Guerra entre México y EUA.

**1864** Maximiliano de Habsburgo, emperador.
**1877-1911** Dictadura de Porfirio Díaz.
**1910** Principio de la Revolución mexicana de los campesinos.
**1911** Plan de Ayala.
**1917** Constitución de Querétaro.
**1929** Formación de PNR (convertido en PRI en 1946).
**2000** Vicente Fox, del PAN, elegido presidente. Fin de la hegemonía del PRI.

**Doroteo Arango, "Pancho Villa"** (1878-1923), fue una de las figuras más populares de la Revolución Mexicana. Luchó contra la dictadura de Porfirio Díaz y apoyó el constitucionalismo.

**Emiliano Zapata** (1879-1919), héroe de los campesinos mexicanos, lideró la Revolución desde 1910 y encarnó la lucha por la mejora de las condiciones de vida de las clases menos favorecidas.

○ Pirámide de Kukulkán, en la ciudad maya de Chichén Itzá, al norte de Yucatán

fico trajeron consigo una grave recesión económica, que mejoró con las nuevas medidas administrativas que, a principios del siglo XVIII, introdujeron los Borbones, la nueva dinastía reinante en España. En esa época se conquistó California.

**Lucha por la independencia** El descontento de la burguesía criolla con la administración central, la explotación de los indígenas, la revuelta de las colonias inglesas de América del Norte y la Revolución Francesa forjaron, a finales del XVIII y principios del XIX, la lucha por la independencia. La primera revuelta secesionista estuvo liderada por el sacerdote

○ Estatua tolteca en Tula (Hidalgo)

Miguel Hidalgo en la ciudad de Dolores, en septiembre de 1810. José Morelos se encargó de continuar y organizar la lucha.

La revuelta fue duramente reprimida en 1815 por los realistas y la aristocracia, pero la persistencia de la guerrilla forzó en 1820 un pacto entre el general realista Agustín de Iturbide y el independentista Vicente Guerrero. El pacto, llamado el Plan de Iguala, preveía la independencia de México bajo una monarquía. Finalmente, el último virrey de Nueva España, Juan O'Donojú, reconoció la plena soberanía de México. En 1822, Iturbide se proclamó emperador bajo el nombre de Agustín I e instauró un gobierno conservador. Su mandato duró sólo diez meses, ya que el general Antonio López de Santa Anna, apoyado por los republicanos y parte de la aristocracia, derrocó al gobierno y convocó un congreso constituyente que promulgó la Constitución Federal de los Estados Unidos de México en 1824. Sin embargo, López de Santa Anna acabó ejerciendo de dictador.

**La guerra con Estados Unidos** La inestabilidad favoreció las revueltas indias y la expansión de los estadounidenses. En 1836, Texas, hasta entonces bajo dominio mexicano, se independizó. En 1846, Estados Unidos declaró la guerra a México con el objetivo de dominar la región de Califor-

nia. Tras su victoria en 1848, los estadounidenses ocuparon los territorios que actualmente forman los estados de Arizona, California, Colorado, Nuevo México, Nevada, Utah y parte de Wyoming. En 1853, el tratado de Mesilla definió el límite de Nuevo México e incorporó una franja más de territorio a Estados Unidos.

Ese mismo año, una revolución liberal rompió con el viejo orden colonial. Empezó un período de reformas destinado a reducir el poder de la Iglesia y de las clases más poderosas.

**La guerra de Reforma** Pero la constitución liberal de 1857 provocó una guerra civil que duró tres años. Estados Unidos apoyó a los liberales, y Francia, el Reino Unido y España, a los conservadores. Gracias a la ayuda francesa, los conservadores acabaron dominando todo el país y en 1864 se proclamó emperador Maximiliano de Habsburgo, hermano del emperador de Austria. El dirigente liberal Benito Juárez, con el apoyo de Estados Unidos y de la burguesía

liberal, continuó la guerra en el norte. En 1867 y tras la la victoria de Querétaro, Juárez consiguió ocupar Ciudad de México, pero los liberales tampoco lograron enderezar la delicada situación económica.

○ El emperador azteca Moctezuma II

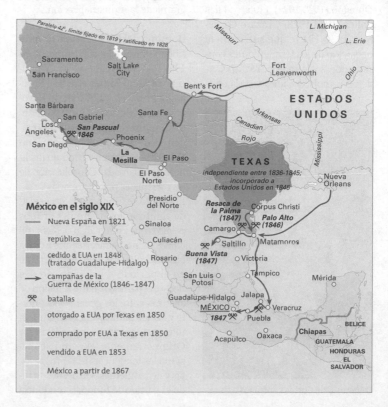

**México en el siglo XIX**
— Nueva España en 1821
▮ república de Texas
▮ cedido a EUA en 1848 (tratado Guadalupe-Hidalgo)
→ campañas de la Guerra de México (1846–1847)
✄ batallas
▮ otorgado a EUA por Texas en 1850
▮ comprado por EUA a Texas en 1850
▮ vendido a EUA en 1853
▮ México a partir de 1867

La obra de **Carlos Fuentes** (1928), ganador del Premio Rómulo Gallegos y del Príncipe de

Asturias, se distingue por reflejar los valores esenciales de la sociedad mexicana.

El poeta y ensayista **Octavio Paz** (1914-1998), Premio Cervantes en 1981 y Nobel de Literatura en

1990, es uno de los escritores iberoamericanos con mayor difusión internacional.

## Historia y Actualidad

En 1875, el general Porfirio Díaz dirigió una sublevación militar que puso fin a la etapa liberal instaurando una dictadura represiva, apoyada por los terratenientes criollos y mestizos. Su gobierno empobreció notablemente a los campesinos, que durante la década de 1910 se enfrentaron a la oligarquía y a los liberales, dirigidos por Doroteo Arango (Pancho Villa) y Emiliano Zapata.

Los revolucionarios contaron con el apoyo de algunos grandes hacendados, como Venustiano Carranza. En 1914, Carranza tomó el poder mientras Villa continuaba la revolución hasta 1923, cuando fue asesinado. Carranza, por su parte, fue elegido presidente tras la proclamación de la Constitución de Querétaro de 1917. La nueva carta magna, muy progresista para la época, propugnaba la expropiación de los bienes de la Iglesia y la devolución de las tierras comunales a los indígenas.

Se inició entonces una etapa de reformas moderadas con Álvaro Obregón (1920-1924), Plutarco Elías Calles (1924-1928) y Lázaro Cárdenas (1930-1940), que sufrieron la oposición de los terratenientes conservadores y la Iglesia. Lázaro Cárdenas impulsó los ideales de la revo-

⬤ Emiliano Zapata y algunos de sus 25.000 seguidores, durante la Revolución

⬤ Victoria de Cortés contra los aztecas

lución mediante el refuerzo del sindicalismo, la radicalización de la reforma agraria y el refuerzo del programa de la industrialización.

**Dominio del PRI** El Partido Revolucionario Institucional fue fundado en 1929 por Plutarco Elías Calles. Al principio se llamó Partido Nacional Revolucionario y en 1938, Partido Revolucionario Mexicano. En 1946 adoptó su nombre actual, bajo la presidencia de Manuel Ávila Camacho (1940-1946), quien introdujo las líneas de la llamada "Consolidación de las conquistas revolucionarias".

El partido se fundó por la necesidad de aglutinar los diferentes grupos políticos que presentaban ciertas similitudes en sus planteamientos y cuyas bases ideológicas se habían gestado en el período revolucionario. De hecho, el partido plasmó la fusión de alianzas entre los generales del norte y los jefes influyentes del sur con intereses agrarios y sindicalistas. Originariamente, el partido cohesionó las tendencias más progresistas y de izquierdas. De hecho, cuando el partido se fundó, la tendencia

radical parecía la dominante, pero el ala más moderada se fue haciendo con el control de forma progresiva y arrinconó a los líderes más izquierdistas. En este sentido y con su paulatina institucionalización, el partido perdió su carácter inicial de "guardián de la revolución" y se convirtió en un mero gestor administrativo del estado mexicano.

El PRI adquirió el fuerte componente burocrático que lo caracterizó durante décadas para gozar de mayor estabilidad política. Como contrapartida, también generó altos índices de corrupción administrativa difícil de controlar.

Desde 1929, el PRI impuso sus candidatos a la presidencia. Éstos reforzaron el poder del partido con la nacionalización de los recursos naturales (petróleo y cobre) y una mejora global de las condiciones de vida. Pero también desarrollaron una política conservadora, autoritaria e ineficaz que no ha solucionado problemas internos como la emigración a los Estados Unidos, las guerrillas rurales, la reforma agraria o las condiciones del mercado de trabajo.

El PRI se convirtió en una forma segura de triunfar en el campo político. Los métodos para afianzar e incluso aumentar este poder no fueron siempre democráticos, y prácticas como el veto a los partidos de la oposición o la manipulación de las elecciones se hicieron habituales.

México vivió durante más de setenta años bajo una democracia de un solo partido y su principal oposición, el Partido Acción Nacional (PAN), fundado en 1939, estuvo marginado durante años. Además, los partidos de tendencia socialista o comunista no fueron representativos.

El sistema entró en crisis en los sesenta ante el descontento de la población y el deterioro de la situación en el campo y en la ciudad.

⬤ Ernesto Zedillo

Varios de los relatos de **Juan Rulfo** (1918-1986), Premio Príncipe de Asturias en 1983, han sido llevados al cine. Su obra más famosa, *Pedro Páramo*, muestra su particular visión de México.

El **Subcomandante Marcos**, líder del Ejército Zapatista de Liberación Nacional y representante de las comunidades indígenas mexicanas, ha conseguido mantener su anonimato desde 1994.

El aumento del precio del crudo en 1973 calmó las protestas, pero la crisis resurgió en la década de los ochenta a raíz de una nueva caída del precio del petróleo. El presidente José López Portillo (1976-1982) nacionalizó la banca para hacer frente a la crisis. Su mandato estuvo marcado por un claro distanciamiento de los Estados Unidos, y aunque legalizó partidos políticos de la oposición, redujo la influencia del ala izquierda del PRI.

Miguel de la Madrid (1982-1988) se centró en combatir el déficit público y el endeudamiento exterior. Sus intentos por combatir la corrupción administrativa resultaron ineficaces.

**La escisión de Cárdenas** La grave situación provocó una escisión en el PRI, dirigida por Cuauhtémoc Cárdenas, quien se opuso a que Carlos Salinas de Gortari fuese el candidato oficial a la presidencia. A pesar de ello, Salinas de Gortari (1988-1994) resultó elegido. El nuevo presidente inició un proceso de privatizaciones, pero se vio salpicado por escándalos de corrupción.

En 1994, con Ernesto Zedillo como presidente, el PRI se debilitó a causa de su división en facciones lideradas por diferentes candidatos. Esta fractura ideológica permitió descollar a dos partidos: un renovado Partido Acción Nacional, de tendencia

○ Celebración del 72º aniversario del PRI en marzo del 2001

○ Propaganda del EZLN

**La lucha zapatista** En 1994, los campesinos indígenas, organizados en el Ejército Zapatista de Liberación Nacional (EZLN), iniciaron una insurrección armada en el estado de Chiapas, tradicionalmente el de menor renta e inversión oficial de México. La violenta represión del ejército no pudo acabar con la guerrilla y obligó al gobierno de Ernesto Zedillo a una negociación directa con los líderes de la revuelta. Desde 1995, el gobierno mantiene contactos con el EZLN.

moderada cristiana y liberal, y al Partido de la Revolución Democrática (PRD), de izquierdas, encabezado por Cuauhtémoc Cárdenas.

En 1996, las elecciones se celebraron dentro de la aceptación del pluralismo político y el PRI perdió votos con los que fue "castigado" electoralmente por los años de inoperancia y corrupción. Al final, perdió las elecciones de julio de 2000, que ganó el PAN. Su líder, Vicente Fox, obtuvo el 43% de los votos emitidos. El candidato del PRI, Francisco Labastida, consiguió el 37% y Cuauhtémoc Cárdenas, del PRD, el 17% de los sufragios.

**La victoria del PAN** La victoria de Vicente Fox, el nuevo jefe de estado y de gabinete, acabó con 70 años de gobiernos ininterrumpidos y monopolizados por el PRI. El primer presidente del PAN organizó un gobierno de base social muy amplia —con hombres de negocios, expertos en administración independientes e intelectuales progresistas— con la intención de luchar contra la corrupción, reformar las instituciones, promover el crecimiento económico,

redistribuir la riqueza y reforzar la seguridad. Sin embargo, la reforma fiscal –calificada por el gobierno como imprescindible para el crecimiento económico–, tropezó con la oposición, que domina las cámaras de diputados y senadores.

## México, una república presidencialista

L a Constitución de 1917 concede amplios poderes al presidente de la República. Entre sus funciones están la selección del gabinete, el fiscal general, los diplomáticos, los militares de alto rango y los jueces de la Suprema Corte *(en la imagen, el presidente Vicente Fox, con el gobernador de Guerrero, René Juárez, en Los Pinos)*.

○ Seguidora de Cuauhtémoc Cárdenas

# República Dominicana

El color rojo simboliza la sangre vertida por la independencia. La cruz blanca está relacionada con la fe, mientras que el azul lo está con la libertad.

**Nombre oficial del país:**
República Dominicana
**Superficie:** 48.730 km²
**Población:** 8.618.000 hab
**Densidad:** 176,8 hab/km²
**Capital:** Santo Domingo
(2.900.000 hab)

⟳ El río Ozama cruza Santo Domingo

**Otras ciudades:** Santiago de los Caballeros (1.300.000 hab) y Concepción de la Vega (189.000 hab)
**Lengua:** español
**Moneda:** peso dominicano
(100 centavos)

**Direcciones útiles de Internet:**
www.estadistica.gov.do
www.dominicana.gov.do
www.presidencia.gov.do
www.dominicanaonline.com
**Placa de identificación:** DOM
**Prefijo telefónico:** 1809
**Dominio de Internet:** .do
**Horario en relación con Greenwich:**
–4 horas
**Compañía aérea nacional:**
Aerolíneas Santo Domingo
**Principal aeropuerto internacional:**
Aeropuerto Internacional de las Américas (Santo Domingo)

La República Dominicana es el primer destino turístico de las Antillas. Comparte historia y geografía con Haití, pero se desmarca económicamente de su vecino, ya que es el país con mayor crecimiento del Caribe.

## Geografía

La República Dominicana ocupa los dos tercios occidentales de la isla La Española, que comparte con Haití. Sus costas, bañadas al sur por el mar Caribe y al norte por el Atlántico, son recortadas y con numerosos accidentes geográficos, como las bahías de Ocoa y la de Samaná.

El interior es montañoso y está formado por dos alineaciones principales que se extienden paralelas a la costa: la cordillera Septentrional y la cordillera Central. Las elevaciones son mayores en la cordillera Central y superan los 3.000 metros, como el Pico Duarte, el punto más elevado de las Antillas. El valle del Cibao se abre entre ambas unidades y constituye el área más fértil de la república. Los principales ríos son el Yaque del Norte, el Yaque del Sur y el Yuna. El Enriquillo, situado por debajo del nivel del mar, es el mayor lago. El país disfruta de un clima tropical, con una media de 25ºC y lluvias distribuidas irregularmente sobre el territorio que originan paisajes distintos: bosques tropicales, áreas de sabana y manglares en las costas pantanosas.

En mayo del 2004, la crecida del río Soliette, provocada por una tormenta tropical de dimensiones desconocidas en la isla, causó más de 600 muertos en la localidad de Jimaní y varios centenares más en la vecina Haití.

### Máximas altitudes

| de la República Dominicana | del subcontinente | del mundo |
|---|---|---|
| 3.175 m | 6.194 m | 8.848 m |
| Pico Duarte | M. McKinley | Everest |

## Demografía

⟳ Vista de Puerto Plata, al norte del país

| Ranking IDH | Esperanza de vida |
|---|---|
| **93º** | **66,7** |
| 173 países analizados | años |

Tres de cada cuatro dominicanos son mestizos. La cuarta parte restante la integran minorías de origen europeo –sobre todo, descendientes de colonos españoles– y africano –descendientes de esclavos–. El catolicismo es la religión hegemónica (95%).

Sus habitantes se concentran en la costa y en el valle del Cibao y cerca del 66% lo hace en áreas urbanas. Santo Domingo, capital del estado y la ciudad fundada por europeos más antigua de América, alberga a un tercio de los habitantes del país.

El crecimiento demográfico es alto y se cifró en el 1,7% para los últimos cinco años del siglo XX. Es el segundo crecimiento más rápido de Norteamérica y el Caribe y se prevé que su población se duplicará en el 2041. Las mujeres tienen una media de 2,7 hijos, de los cuales un 36‰ muere durante el primer año de vida; éste es el segundo nivel de mortalidad infantil más alto del subcontinente, sólo superado por el de Haití.

## Economía

Dentro del conjunto de las Antillas, la República Dominicana es el país con mayor aumento del PBI (6% entre 1991 y 2001). Las inversiones extranjeras se han multiplicado, especialmente porque el turismo –es el líder regional en entrada de turistas– está en pleno crecimiento. Los otros sectores en auge son el de la construcción y el de las comunicaciones. La producción y exportación de productos agrícolas sigue siendo importante. No obstante, su principal cultivo, la caña de azúcar, sufrió un grave retroceso en 1999, cuando las exportaciones cayeron un 39%. También disminuyeron las exportaciones de café en un 23% y las de cacao en un 25%.

El país posee recursos minerales, como el níquel, la bauxita y el oro. Su industria está ligada a los productos agrarios y minerales, y se basa en las refinerías de azúcar, la obtención de ron, la manufactura de tabaco y el tratamiento de la producción mineral. La mayoría de empresas estatales está en proceso de privatización.

### Principales proveedores

**31%** Estados Unidos
**13%** Venezuela
**5%** México
**2%** Japón
**1%** Panamá
**48%** Otros

### Principales clientes

**10%** Estados Unidos
**2%** Bélgica y Luxemb.
**1%** Haití
**87%** Otros

El escritor y político **Joaquín Balaguer** (1907-2002) fue siete veces presidente de la república. Tras 70 años vinculado a la política dominicana, en el 2000 se presentó a las elecciones con 93 años.

El lago Enriquillo, situado en el valle de Neiba, es el más grande de las Antillas. Tiene una agua sulfurosa e hipersalina donde habitan **cocodrilos** de la especie *Crocodylus acutus*.

## Historia y Actualidad

**Constitución del estado:** 1844 (independencia de España en 1843)
**Forma de estado:** república
**Sistema de gobierno:** democracia parlamentaria
**Organizaciones internacionales a las que pertenece:** ONU, OEA

Antes de la llegada de Colón, la isla la habitaban indios lucayos, taínos, ciguayos y caribes. Los españoles le dieron el nombre de La Española y empezaron su explotación. No obstante, a mediados del siglo XVI, la migración española disminuyó y en 1697, España cedió a Francia la parte occidental de la isla, que más tarde se constituiría en Haití. El resto del territorio, bajo el nombre de Santo Domingo, también pasó a soberanía francesa en 1795. En 1809, mediante el movi-

⊙ Catedral gótica de Santo Domingo

miento La Reconquista, Santo Domingo volvió a control de España, de la que se independizó en 1843, aunque entre 1861 y 1865 retornó efímeramente a la soberanía española para escapar del dominio de Haití. De 1883 a 1899, el presidente Ulises Heureaux llevó a cabo una política modernizadora financiada con capital norteamericano. En 1930, Rafael

Leónidas Trujillo estableció una férrea dictadura hasta su asesinato en 1961. En las elecciones de 1962 triunfó Juan Bosch, pero un golpe de estado lo obligó a exiliarse un año después. Tras unos años de inestabilidad y una intervención de los *marines* estadounidenses, en 1965 asumió la presidencia el conservador Joaquín Balaguer, quien se mantuvo en el poder hasta 1978. En las elecciones de ese año ganó Silvestre Guzmán, del Partido Revolucionario Dominicano, pero Balaguer volvió al poder en 1986 y permaneció en él hasta 1994 pese a las acusaciones de venalidad. La situación económica empeoró y la corrupción se generalizó, lo que facilitó la victoria electoral de Leonel Fernández, del PDI, en 1996. Éste inició la privatización del sector público.

En el 2000 fue elegido presidente Hipólito Mejía (PRD), de centro izquierda, quien se enfrentó a la quiebra de varias entidades financieras. La inestabilidad económica desembocó en tumultos y aceleró la emigración, situación que permitió la vuelta al poder de Leonel Fernández tras ganar los comicios del 2004, apenas una semana antes de las graves inundaciones de Jimaní.

### Fechas clave

**1697** Partición de la isla La Española entre España y Francia.
**1930-1961** Dictadura de Trujillo.
**1962** Triunfo y exilio de Juan Bosch.
**1966-1978** Presidencia de Balaguer.
**1986** Reelección de Balaguer.
**2004** Inundaciones en Jimaní.

# Saint Kitts y Nevis

Aunque no se reconoce oficialmente, los colores de la bandera son los que identifican a los rastafaris. Las estrellas representan la esperanza y la libertad.

**Nombre oficial del país:**
Federación de Saint Kitts y Nevis
**Nombre del país en inglés:**
Federation of Saint Kitts and Nevis
**Superficie:** 267 km²
**Población:** 38.000 hab
**Densidad:** 105,5 hab/km²
**Capital:** Basseterre (19.000 hab)
**Otras poblaciones:** Charlestown
**Lenguas:** inglés (oficial), criollo inglés, patois
**Moneda:** dólar del Caribe Oriental (100 centavos)

**Direcciones útiles de Internet:**
www.stkittsnevis.net
www.stkitts-nevis.com
www.nevisweb.kn
www.caribbeansupersite.com/stkitts

Saint Kitts y Nevis son dos islas volcánicas de las Antillas Menores, en el Caribe oriental. Saint Kitts (168 km²) está atravesada por una cadena montañosa de vegetación frondosa. El clima es tropical, con una temperatura media de 26,7°C y lluvias copiosas. En Nevis, las primaveras frías y las calurosas se alternan periódicamente.
Su población desciende mayoritariamente de los esclavos negros, pero también hay europeos, asiáticos y mestizos. Junto al inglés, el idioma oficial, se hablan criollo inglés y un dialecto del francés, el *patois*. Con sólo un 34% de población en las ciudades, es el país menos urbanizado de América.

Colón descubrió estas islas en 1493, y dio el nombre de su patronímico, San Cristóbal, a la actual Saint Kitts. A partir de 1628 fueron colonizadas por los ingleses. Junto con Anguila, formaron parte de la Federación de las Indias Occidentales (1958-1962). En 1967 se declaró estado asociado al Reino Unido con el nombre de Saint Christopher, Nevis y Anguila, pero esta última se segregó en 1980.

**Hegemonía laborista** En 1983 obtuvo la independencia, aunque el Partido Laborista ya ejercía labores de gobierno desde 1967. En 1995, Denzil Douglas, del Partido Laborista, ocupó el cargo de primer ministro. Douglas obtuvo un éxito avasallador en las elecciones de 2000, cuando dejó al principal partido de la oposición, el Movimiento de Acción del Pueblo, sin escaños.

La economía se basa en el turismo y la agricultura, aunque el tradicional cultivo de la caña de azúcar se está abandonando porque las fuertes tormentas malogran las cosechas a menudo. El turismo vivió un momento crítico en 2000, cuando cerró un gran hotel, cuya actividad suponía la mitad de los ingresos turísticos. del país

⊙ Vista de la plaza Pall Mall, en el centro de Basseterre

| Ranking IDH | Esperanza de vida |
|---|---|
| 50° | 70,0 |
| 173 países analizados | años |

# San Vicente y las Granadinas

Los tres diamantes de la bandera representan las islas de San Vicente y las Granadinas, que se identifican como las gemas de las Antillas.

**Nombre oficial del país:**
San Vicente y las Granadinas
**Nombre del país en inglés:**
Saint Vicent and the Grenadines
**Superficie:** 388 km²
**Población:** 119.000 hab
**Densidad:** 305,1 hab/km²
**Capital:** Kingstown (15.600 hab)
**Otras ciudades:** Georgetown, Charlestown y Clifton
**Lenguas:** inglés y criollo inglés
**Moneda:** dólar del Caribe Oriental (100 centavos)

**Direcciones útiles de Internet:**
www.svgtourism.com
www.grenadines.net
www.scubasvg.com

San Vicente y las Granadinas es un archipiélago de las Pequeñas Antillas que limita al oeste con el mar Caribe y al este con el Atlántico. Está formado por la isla de San Vicente y las islas Granadinas septentrionales: Bequia, Canouan, Mustique, Mayreau y Unión. Se distinguen por sus playas de arena y los arrecifes de coral.
La isla de San Vicente es de origen

⚓ Catedral de Saint George, en Kingstown

volcánico. El volcán Soufrière, cuya último erupción ocurrió en 1979, aún permanece activo. El clima está influido por los vientos alisios, que aportan humedad y abundantes lluvias. La población es de ascendencia africana o mulata, aunque también hay grupos de origen asiático y europeo. Los cultos anglicano y metodista son los más practicados e influyen notablemente en la vida social del país. Las islas estaban habitadas por los indios caribes cuando Colón las descubrió en 1498 y fueron disputadas por franceses e ingleses hasta que pasaron definitivamente a dominio británico en 1783. Miembro de la Federación de Islas Occidentales (1958-1962), en 1969 consiguió el estatuto de estado asociado al Reino Unido y en 1979 se independizó. Aquel mismo año ganó las elecciones Milton Cato, del Partido Labo-

| Ranking IDH | Esperanza de vida |
|---|---|
| **79°** | **74,1** |
| 173 países analizados | años |

rista. En los comicios de 1984 lo relevó James Mitchell, jefe del Nuevo Partido Democrático. Pese al descontento por su labor y la corrupción, Mitchell consiguió un apretado y discutido triunfo en 2000. Pero en las elecciones anticipadas de 2001 ganó el laborista Ralph Gonsalves.
El país basa su economía en la agricultura y el turismo. Los cultivos más destacados son el plátano, el algodón, el coco y la caña de azúcar. La marihuana también se cultiva ilegalmente. En junio de 2003, la OCDE retiró al país de la lista de los estados que no colaboran en la lucha contra el blanqueo de dinero negro.

# Santa Lucía

El doble triángulo del interior de la bandera simboliza la creación geológica de las Pitones y su fondo azul hace alusión a la vastedad del mar.

**Nombre oficial del país:**
Santa Lucía
**Nombre del país en inglés:**
Saint Lucia
**Superficie:** 620 km²
**Población:** 148.000 hab
**Densidad:** 238,7 hab/km²
**Capital:** Castries (54.500 hab)
**Otras ciudades:** Soufrière
**Lenguas:** inglés y criollo
**Moneda:** dólar del Caribe Oriental (100 centavos)

**Direcciones útiles de Internet:**
www.st-lucia.com
www.stlucia.org
www.stats.gov.lc
www.stluciaguide.com
www.caribbeansupersite.com/stlucia

Santa Lucía es un estado insular de las Pequeñas Antillas situado al sureste del mar Caribe. De origen volcánico, tiene un relieve montañoso cubierto de selva tropical, que en algunas regiones ha sido sustituida por campos de cultivo. El clima es tropical, con una temperatura media de 26ºC y lluvias frecuentes, abundantes en el interior. Los huracanes no son habituales, pero en 1999 el ciclón *Lenny* devastó la ciudad de Soufrière.
La población es mayoritariamente mulata o de ascendencia africana y de religión católica. Aunque el idioma oficial es el inglés, también se utiliza el *patois,* un dialecto criollo

| Ranking IDH | Esperanza de vida |
|---|---|
| **70°** | **72,5** |
| 173 países analizados | años |

derivado del francés, que desde 1998 está permitido asimismo en el parlamento. Sólo el 38% de los habitantes de Santa Lucía vive en las ciudades; la mayoría, en Castries. Cuando Colón llegó a esta isla en 1502 estaba poblada por los indios caribes. Disputada por franceses e ingleses durante los siglos XVII y XVIII, pasó definitivamente a dominio británico en 1814. Formó parte de la Federación de Islas Occidentales entre 1958 y 1962, y en 1967 se incorporó a los Estados Asociados de las Islas Occidentales.

**Alternancia democrática** Santa Lucía logró la independencia en 1979 y en las elecciones de ese año ganó el Partido Laborista, liderado por Allan Louisy, que fue nombrado primer ministro. En 1982 asumió el cargo John Compton, dirigente del Partido de los Trabajado-

res Unidos, que fue reelegido hasta 1992. En 1997, el triunfo fue para el laborista Kenny Anthony.
Santa Lucía es el principal productor y exportador de plátanos de la región. El turismo representa la segunda fuente de ingresos. La industria, fruto de inversiones extranjeras, produce aceites, bebidas, embalajes y fertilizantes.

⚓ El Gros Piton, en la bahía Soufrière

# Trinidad y Tobago

El color rojo de la bandera expresa la vitalidad de la tierra y la energía del sol. El blanco representa el mar y el negro sugiere fortaleza .

**Nombre oficial del país:**
República de Trinidad y Tobago
**Nombre del país en inglés:**
Republic of Trinidad and Tobago
**Superficie:** 5.130 km²
**Población:** 1.298.000 hab
**Densidad:** 253 hab/km²
**Capital:** Puerto España (63.900 hab)
**Otras ciudades:** San Fernando, Scarborough y Arima

⚲ Scarborough (Tobago)

**Lenguas:** inglés (oficial), hindi y criollo
**Moneda:** dólar de Trinidad y Tobago (100 centavos)

ⓘ

**Direcciones útiles de Internet:**
www.visittnt.com
www.discovertrinidad.com
www.tobagoguide.com
www.gov.tt
**Placa de identificación:** TT
**Prefijo telefónico:** 868
**Dominio de Internet:** .tt
**Horario en relación con Greenwich:**
−4 horas
**Compañía aérea nacional:**
West Indies Airways

**Principal aeropuerto internacional:**
Piarco, Puerto España (Trinidad)

Trinidad y Tobago es el país antillano más próximo a Sudamérica. Sus tierras ofrecen una gran diversidad ecológica y de recursos energéticos en los que basa su economía. Su principal problema es la tensión interétnica.

## Geografía

Trinidad y Tobago, el estado caribeño más meridional, se sitúa a unos 15 km de la costa noreste de Venezuela. Está constituido por las dos islas que le dan nombre junto a otros pequeños islotes. La costa de Trinidad, la mayor de las islas, es abrupta y escarpada, y el interior lo atraviesan tres conjuntos montañosos: la sierra del Norte, la Central y la del Sur. Los ríos son abundantes y a lo largo de su recorrido son frecuentes las cataratas.
Tobago está definida por una única sierra, la cadena Mayor, y por sus extensos arrecifes de coral. De clima tropical –con una temperatura media de 26°C–, las dos islas disponen de una variada flora y fauna, en la que se distingue la tortuga laúd, el reptil de mayor tamaño del mundo.

⚲ Costa septentrional de Trinidad

## Demografía

La población de Trinidad y Tobago está prácticamente dividida en dos grandes grupos: los de origen africano y los de origen asiático. La comunidad sudasiática, la más grande del Caribe, todavía mantiene sus raíces musulmanas e hindúes. Así, junto a una mayoría cristiana, el hinduismo es la segunda religión con más fieles, además de una minoría islámica. Del mismo modo, el hindi convive lingüísticamente con el inglés, el español y un dialecto criollo. Esta mezcla étnica y cultural es especialmente tensa en Trinidad.
El crecimiento demográfico es bajo, puesto que sólo aumenta un 0,3% al año. También son bajas la fecundidad (1,55 hijo por mujer) y la mortalidad infantil (14,1‰). La esperanza de vida, por el contrario, es alta y se sitúa en 68,4 años para los hombres y 74,4 para las mujeres.

| Ranking IDH | Esperanza de vida |
|---|---|
| **53°** | **71,3** |
| 173 países analizados | años |

## Economía

⚲ Refinería de petróleo en Pointe-a-Pierre, en la isla de Tobago

A finales de los sesenta se descubrieron grandes yacimientos de petróleo, gas natural y asfaltos naturales, lo que supuso un revulsivo para la economía del país, de tal modo que a finales del siglo XX el petróleo representaba el 48% de sus exportaciones. El asfalto se encuentra en Pitch Lake, que es el depósito natural más grande del mundo. Los cultivos principales son el cacao y la caña de azúcar, que nutren a la industria azucarera y la del ron. El sector turístico, con unos 4 millones de visitantes al año, se concentra en Tobago. La balanza comercial es positiva y tiene en Estados Unidos a su principal cliente y proveedor.

## Historia y Actualidad

**Constitución del estado:** 1962 (independencia del Reino Unido)
**Forma de estado:** república.
**Sistema de gobierno:** democracia parlamentaria
**Organizaciones internacionales:** ONU, OEA, CARICOM y Commonwealth

Habitadas por los caribes y los igneri y descubiertas por Colón en 1498, las islas de Trinidad y Tobago pasaron a control inglés en el siglo XVIII. En

1885 se fusionaron en una sola unidad administrativa. En 1956 obtuvieron la autonomía, presidida por Eric Williams, líder del Movimiento Nacional del Pueblo (MNP). Hasta 1962, año de su independencia, formaron parte de la Federación de las Islas Occidentales. El MNP, el partido de la comunidad negra, venció en las elecciones de 1966 y ejerció una política prooccidental. En 1986 subió al poder Arthur Robinson, de la Alianza Nacional por la Reconstrucción.

En 1990, un grupo de activistas islámicos protagonizó un fallido golpe de estado. Basdeo Panday, del Congreso Nacional Unido (CNU), ocupó el gobierno de 1995 a 2001 y fue el primer dirigente indio del país.
Tras el empate electoral de 2001 entre el MNP y el CNU, que paralizó el país, el primero venció en las urnas en 2002. El jefe de gobierno es Patrick Manning. Entre 1997 y 2003, Arthur Robinson (MNP) fue el presidente de la república ; le sucedió Max Richards.

# Territorios dependientes

Las Pequeñas Antillas son de origen volcánico y varios de sus aspectos económicos y demográficos dependen de la actividad de los volcanes. Las erupciones del **Soufrière**, en Montserrat, por ejemplo, dejaron deshabitado el sur de la isla, y en 1999 obligaron a desplazar sus industrias al norte.

## ANGUILA
Reino Unido

El territorio comprende la isla de Anguila, de 91 km², y la de Sombrero, de sólo 5 km². Pertenecen a las Pequeñas Antillas y su población ronda los 13.000 habitantes. Las playas y calas recorren sus costas y gozan de un clima tropical.
En 1980, los isleños decidieron no seguir el ejemplo de las islas Saint Kitts y Nevis en el camino del autogobierno, y prefirieron conservar la estabilidad económica que proporciona la dependencia del Reino Unido. Su próspera economía se basa en el turismo de lujo y en los servicios financieros.

⊙ Playa de la bahía Mead, en Anguila

## ARUBA Y ANTILLAS NEERLANDESAS
Países Bajos

Las Antillas Neerlandesas están formadas por cinco islas del mar Caribe: dos de ellas, situadas frente a las costas de Venezuela (Curaçao y Bonaire) y las tres restantes, al este de Puerto Rico (San Martín –cuya mitad norte pertenece a Francia–, San Eustaquio y Saba). La superficie total es de 960 km² y la población supera los 216.000 habitantes.
La isla de Aruba (193 km²), situada al oeste de Curaçao, fue una de las Antillas Neerlandesas, pero en 1986 se convirtió en una dependencia de los Países Bajos separada. La principal actividad económica de Aruba y Curaçao, las islas más ricas, es la refinación de petróleo venezolano.

⊙ Nuuk, capital de Groenlandia, en época de deshielo

## BERMUDAS
Reino Unido

El archipiélago fue descubierto en 1503 por el español Juan de Bermúdez, pero pasó a dominio británico en 1612. Se encuentra en el océano Atlántico, a 650 kilómetros de la costa de Carolina del Norte, y lo forman 180 islas coralinas. Diez de ellas están conectadas por puentes, para formar la isla principal, Gran Bermuda, donde está Hamilton, la capital.
La población, de 64.000 habitantes, es en su mayoría de origen africano. El archipiélago es la colonia británica más antigua y conserva elementos de la cultura y las costumbres inglesas en su modo de vida. Desde 1968 cuenta con una administración que le garantiza cierta autonomía interna aunque la tendencia independentista gana terreno. Vive del turismo y de los servicios financieros *offshore* (con los que se eluden las cargas fiscales).

⊙ Bahía de Little Sound, Gran Bermuda

## GROENLANDIA
Dinamarca

Groenlandia es un territorio autónomo unido a la corona de Dinamarca. Con 2.186.000 km², es la mayor isla del mundo después de Australia. Está situada en el océano Atlántico, con prácticamente todo su territorio dentro del Círculo Polar Ártico. Los mares que la rodean están casi siempre helados y gran parte de su territorio está permanentemente cubierto de hielo. La costa está salpicada de fiordos.

**Un clima extremado** El clima es ártico, pero debido a su gran extensión presenta algunas variaciones. En la costa, las precipitaciones, a menudo en forma de nieve, son muy abundantes. En el interior, los inviernos son muy severos y los veranos más suaves, sobre todo en las áreas protegidas de los fuertes vientos. El norte es totalmente ártico.
La población, una mezcla de inuits y europeos, apenas supera los 56.000 habitantes y se concentra en una estrecha franja costera. Con sólo 0,2 hab/km², su densidad de población es la más baja del planeta. Nuuk es la capital y ciudad principal.

El territorio basa su economía en la caza y en la pesca. Posee importantes yacimientos de criolita destinados a la exportación y reservas de otros minerales. La mayor parte de los intercambios los hace con Dinamarca, de la que intenta independizarse comercialmente.

**Influencia noruega y danesa** La isla fue descubierta por el noruego Eric el Rojo, quien la bautizó con el nombre de *Greenland* o tierra verde. En el siglo XIII, la isla estuvo bajo la soberanía noruega, pero despertó poco interés en los exploradores, sobre todo por los rigores de su clima.
En 1721, el danés Hans Egede se asentó en la isla y estableció una colonia administrada por Dinamarca, según se acordó en 1914 con el Tratado de Kiel. Desde 1953 es un condado danés. En 1978 surgió un partido nacionalista que todavía conserva la mayoría en el parlamento, el cual goza de gran autonomía.

## GUADALUPE
Francia

Este archipiélago de las Pequeñas Antillas está formado por las islas de Basse-Terre, Grande-Terre, Marie-Galante, La Désirade y Les Saintes, San Bartolomé y el norte de la isla de San Martín. Fue descubierto por Colón en 1493, pero los franceses lo ocuparon en 1635. Desde 1946 se considera un departamento de ultramar. En los años cincuenta crecieron los grupos nacionalistas, lo que forzó a la metrópoli a conceder en 1982 una ley de descentralización.

⊙ Mercado de Pointe-à-Pitre (Guadalupe)

**Knud Rasmussen** (1879-1933), de madre groenlandesa, realizó reveladores estudios sobre los inuits.

El puertorriqueño **Benicio del Toro** (1967) ganó un Oscar como mejor actor secundario en *Traffic*.

**José Feliciano** (1945), guitarrista y cantante puertorriqueño ciego de nacimiento, ha ganado seis Grammy.

## ISLAS CAIMÁN
### Reino Unido

Las tres islas caribeñas Gran Caimán, Pequeña Caimán y Caimán Brac, forman las Caimán, de 259 km² y 40.000 habitantes. Descubiertas por Colón en 1503, desde el siglo XVIII dependen del Reino Unido, que les otorgó una constitución en 1962. Su principal fuente de ingresos son los servicios financieros, que ocupan el quinto puesto mundial en el negocio *offshore*, con 580 bancos.

## ISLAS TURKS Y CAICOS
### Reino Unido

Este archipiélago de las Antillas está formado por dos grupos insulares: el de Turks y el de Caicos, con ocho grandes islas y numerosos cayos, islotes y arrecifes coralinos. La población es de unas 20.000 personas, la mayoría de origen africano.
Tras depender administrativamente de Jamaica, en 1976 el Reino Unido les otorgó la autonomía, bajo la autoridad de un gobernador británico, pero a partir de 1996 ganó peso el movimiento independentista. Las islas registraron en 1999 el crecimiento económico más fuerte de todos los países de la región (8,7%), gracias al turismo de lujo.

## ISLAS VÍRGENES BRITÁNICAS
### Reino Unido

Las Islas Vírgenes del Reino Unido se componen de 86 islas y cayos que se encuentran en el extremo oriental de las Grandes Antillas. Muchas de las islas son de origen volcánico, excepto la isla Anegada, formada por coral y piedra caliza. Su clima tropical, moderado por los vientos alisios, atrae a un gran número de turistas. Road Town, en la costa meridional y con un aeropuerto internacional, es la capital de las islas. Su población apenas sobrepasa las 21.000 personas.

## ISLAS VÍRGENES ESTADOUNIDENSES
### Estados Unidos

Las Islas Vírgenes estadounidenses, localizadas al este de Puerto Rico, están formadas por tres islas principales (Saint Thomas, Saint John y Saint Croix) y numerosos islotes. La capital es Charlotte Amalie y la población total se sitúa alrededor de los 125.000 habitantes. Estas islas tienen en el turismo su principal fuente de ingresos, pero poseen una elevada deuda pública. En varias regiones su economía también está ligada a la agricultura o a los servicios. Colonizadas por Dinamarca en 1670, fueron compradas por los Estados Unidos en 1917. Desde 1979 cuentan con un gobernador elegido por los habitantes de la isla.

## MARTINICA
### Francia

◔ Bahía de Fort-de-France (Martinica)

Esta isla de las Pequeñas Antillas es de origen volcánico y su relieve es montañoso. Su población es de 425.000 habitantes y su ciudad más importante es Fort-de-France.
Fue descubierta por Colón en 1502, pero los franceses la colonizaron a partir de 1653. En 1940 permaneció bajo el régimen de Vichy y padeció el bloqueo británico, hasta que en 1943 pasó a ser dominada por la Francia Libre de De Gaulle. En 1946 se constituyó como departamento libre de ultramar. En 1982 obtuvo de París un régimen autonómico y un año después celebró sus primeras elecciones al consejo regional. Su economía se basa en la exportación de caña de azúcar y de bananas.

◔ Vivienda típica de la isla Montserrat

## MONTSERRAT
### Reino Unido

Isla montañosa de las Pequeñas Antillas, de clima tropical y víctima de frecuentes erupciones volcánicas. La actividad plutónica provocó que entre 1994 y 1999 la población descendiera de 11.000 a 4.000 habitantes, cantidad que en 2003 ya había sido doblada.
Descubierta por Colón en 1493, fue colonizada por los ingleses en 1632. Junto con las islas de Sotavento, formó parte de la Federación de las Islas Occidentales entre 1958 y 1962. En 1960 se le otorgó una constitución con un consejo presidido por el soberano del Reino Unido y un consejo legislativo. La capital es Plymouth.

## PUERTO RICO
### Estados Unidos

Conjunto insular de las Grandes Antillas perteneciente a Estados Unidos y que comprende la isla de Puerto Rico y otras menores. La isla principal está atravesada por diversas cadenas montañosas y el clima es tropical con influencia de los vientos alisios. La población total se sitúa alrededor de los 3.800.000 de habitantes, en su mayoría hispanos, y las densidades más altas se localizan en San Juan, la capital.

La isla, descubierta por Cristóbal Colón en 1493, estuvo dominada por España hasta que le concedió una tardía autonomía en 1897. Tras la guerra Hispanoamericana de 1898 cayó en el área de influencia de los Estados Unidos, y en 1950 se declaró estado libre asociado de los EUA.

**Casi un país** Sila Calderón, la gobernadora de la isla desde noviembre del 2000, es partidaria de conservar la autonomía frente a los Estados Unidos. Pero actualmente, Puerto Rico es el territorio dependiente más poblado del mundo y, probablemente, también el que disfruta de un mayor desarrollo industrial.
El sector industrial comprende la fabricación textil y de calzado, cemento, papel y vidrio, además de instrumentos ópticos y de precisión. También se dedica a la refinación de petróleo y a la transformación de productos agrícolas, como la obtención de ron, de cigarrillos y de productos lácteos. La agricultura perdió peso en favor de la industria y los servicios, en los que se destaca el turismo.

◔ Vista de San Juan de Puerto Rico

## SAINT PIERRE Y MIQUELON
### Francia

Conjunto de islas del océano Atlántico situado al sur de Terranova que constituye uno de los departamentos franceses de ultramar desde 1976. La población es de origen francés y apenas alcanza los 7.000 habitantes. En 1984 fue dotado de un estatuto de *Colectividad Territorial* con cierta autonomía descentralizadora. Una de sus actividades económicas es la pesca del bacalao.

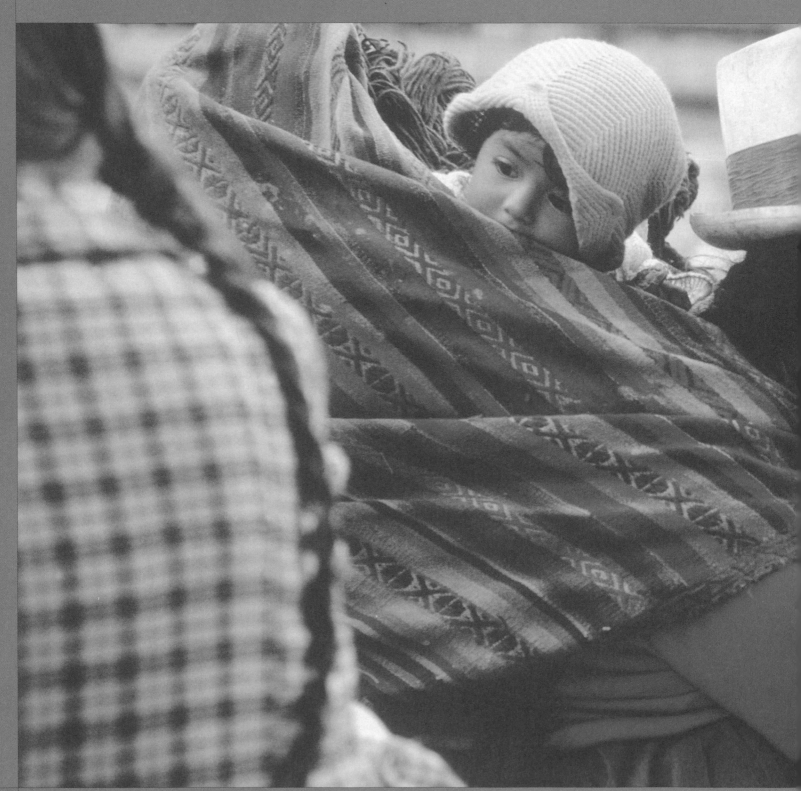

**○ Amerindios peruanos** La riqueza étnica y cultural de América del Sur es extraordinaria. Tras siglos de olvido e, incluso, marginación, la población amerindia ha adquirido mayor relevancia social y ha hecho de sus diferencias un signo de identidad y orgullo. Por su parte, los gobiernos estatales promueven nuevas políticas en las que se reconoce y respeta la diversidad etnolingüística.

# América del Sur, Central y la Antártida

# América Central y del Sur física

**Superficie total de Sudamérica:**
17.820.770 km²
(12% del total de las tierras emergidas)
**Superficie total de Centroamérica:**
522.760 km²
(0,35% del total de las tierras emergidas)
**Superficie total de la Antártida:**
13.209.000 km²
(8,9% del total de las tierras emergidas)

**Extremo septentrional de Sudamérica:**
Punta Gallinas (Colombia), 12°28'N
**Extremo meridional de Sudamérica:**
Cabo de Hornos (Chile), 55°59'S
**Extremo oriental de Sudamérica:**
Cabo Branco (Brasil), 34°47'O
**Extremo occidental de Sudamérica:**
Punta Pariñas (Perú), 81°15'O
**Punto más meridional de la Antártida
(y de la Tierra):**
Polo Sur, 90°S

**Pico culminante de Sudamérica:**
Cerro Aconcagua (Argentina), 6.960 m
**Mayor depresión de Sudamérica:**
Península Valdés (Argentina), -40 m
**Río más largo:** Amazonas (Perú,
Colombia, Brasil), 6.450 km
**Mayor lago:**
Titicaca (Perú/Bolivia), 8.300 Km²

## Relieve (altura en metros)

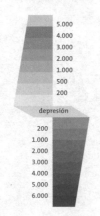

5.000
4.000
3.000
2.000
1.000
500
200

depresión

200
1.000
2.000
3.000
4.000
5.000
6.000

**Proyección acimutal equivalente de Lambert**

0          500          1000 km

Escala  1: 30.000.000
1 cm corresponde a 300 km

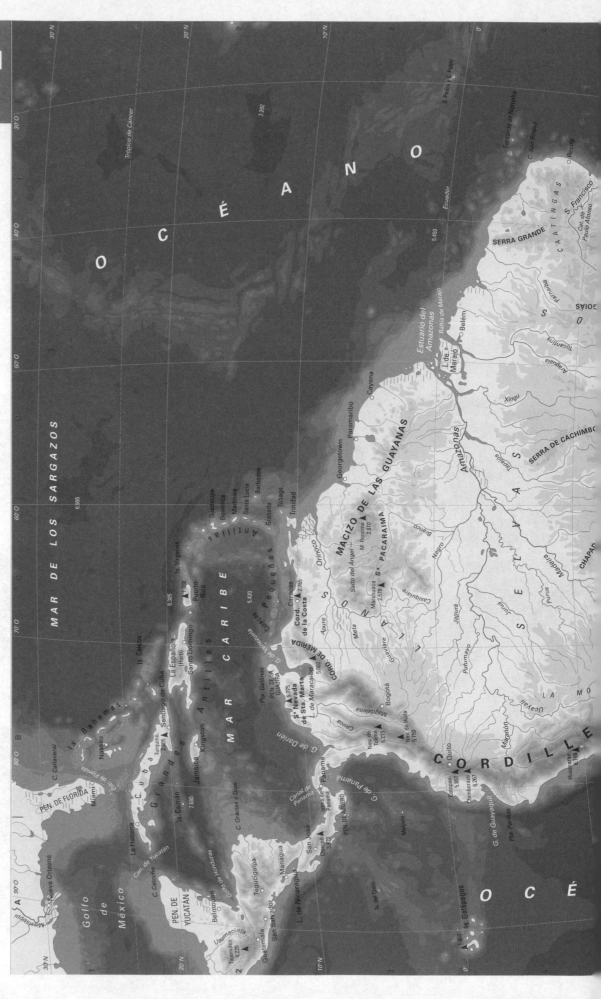

O C É A N O   A T L Á N T I C O

O C É A N O   P A C Í F I C O

América del Sur, Central y la Antártida

Salvador
B.ª de Todos los Santos
Trinidad
Is. Martim Vaz

SERTÃO
Chapada Diamantina
S.ª DO ESPINHAÇO
S.ª GERAL DE
P
M
Brasília
MESETA BRASILEÑA
P.º da Bandeira 2.890
Grande
Aguhas Negras 2.787
San Pablo
C. Frío
Río de Janeiro

MATO GROSSO
Gran Pantanal
Paraguay
Asunción
Cat. del Iguazú
SERRA DO MAR
Porto Alegre
Laguna dos Patos
Río Grande
Laguna Merín
Montevideo
Río de la Plata
C. San Antonio

LOS PARECIS
Guaporé
Mamoré
Pilcomayo
Teuco
GRAN CHACO
MESOPOTAMIA
Uruguay
Paraná
Salado
Santa Fe
Paraná
Buenos Aires
1.243
Bahía Blanca

YUNGAS
Sucre
L. de Poopó
Salinas Grandes
S.ª DE CÓRDOBA
PAMPAS
Salado
Colorado
G. de San Matías

Madre de Dios
Ausangate 6.384
L. Titicaca
Arequipa 6.550
Sajama 6.520
La Paz
Llullaillaco 6.723
Ojos del Salado 6.908
Aconcagua 6.960
DESIERTO DE ATACAMA
CORDILLERA DE LOS ANDES
Santiago
Negro
Tronador 3.554

Lima
Coropuna 6.613
G. de Arica
8.050
Valdivia
Chiloé
Arch. de los Chonos
PEN. DE TAITAO
S. Valentín 4.058

Is. Desventuradas
S. Félix  S. Ambrosio
Arch. Juan Fernández

PATAGONIA
G. de San Jorge
C. Tres Puntas
G. de San Jorge
L. Buenos Aires
L. Viedma
Lago Argentino
CORD. PATAGÓNICA
Estr. de Magallanes
Wellington
Bahía Grande
Tierra del Fuego
Navarino
Hoste
I. de los Estados
C. Hornos

6.020
Is. Malvinas

Georgias del Sur
8.264
1.915
Is. Sandwich del Sur

Is. Orcadas del Sur

Estr. de Drake
5.290

Is. Shetland del Sur
PEN. ANTÁRTICA

Círculo Polar Antártico

Trópico de Capricornio

# América Central y del Sur política

## Superficie de los países y territorios de América Central y del Sur

| | |
|---|---|
| Brasil | 8.511.965 km² |
| Argentina | 2.791.810 km² |
| Perú | 1.285.216 km² |
| Colombia | 1.138.914 km² |
| Bolivia | 1.098.581 km² |
| Venezuela | 910.250 km² |
| Chile | 756.945 km² |
| Paraguay | 406.752 km² |
| Ecuador | 283.561 km² |
| Guyana | 214.970 km² |
| Guatemala | 198.890 km² |
| Uruguay | 176.215 km² |
| Surinam | 163.270 km² |
| Nicaragua | 130.000 km² |
| Honduras | 112.090 km² |
| Guayana Francesa | 91.000 km² |
| Panamá | 77.080 km² |
| Costa Rica | 50.700 km² |
| Belice | 22.960 km² |
| El Salvador | 21.040 km² |

## Superficie de América del Sur

- 47,8% Brasil
- 15,6% Argentina
- 7,2% Perú
- 6,4% Colombia
- 6,1% Bolivia
- 5,1% Venezuela
- 4,2% Chile
- 7,6% Otros

## Superficie de América Central

- 32,4% Guatemala
- 21,3% Nicaragua
- 18,3% Honduras
- 12,6% Panamá
- 8,2% Costa Rica
- 3,7% Belice
- 3,4% El Salvador

Proyección acimutal equivalente de Lambert

0    500    1000 km

Escala 1: 30.000.000
1 cm corresponde a 300 km

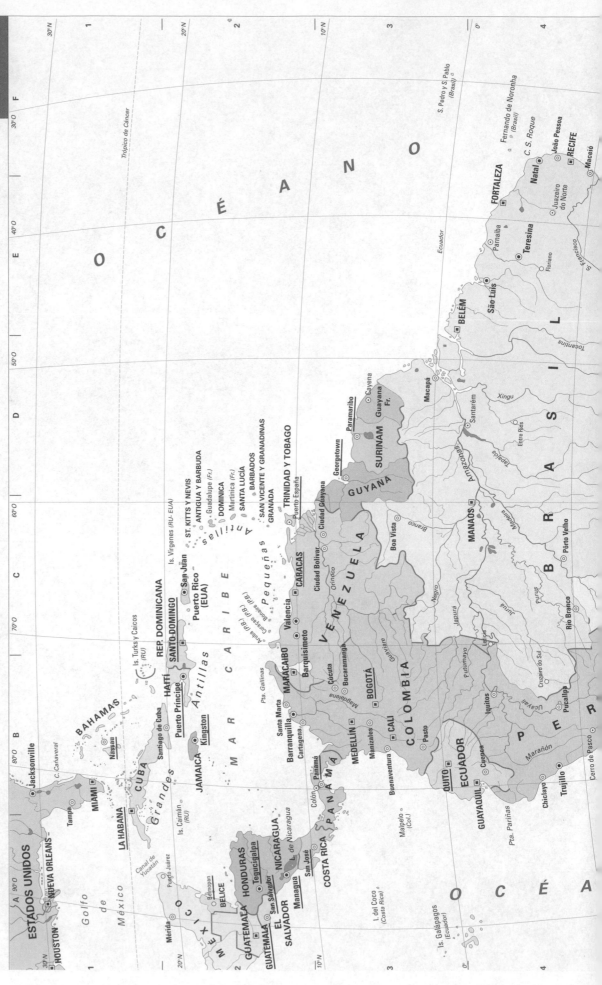

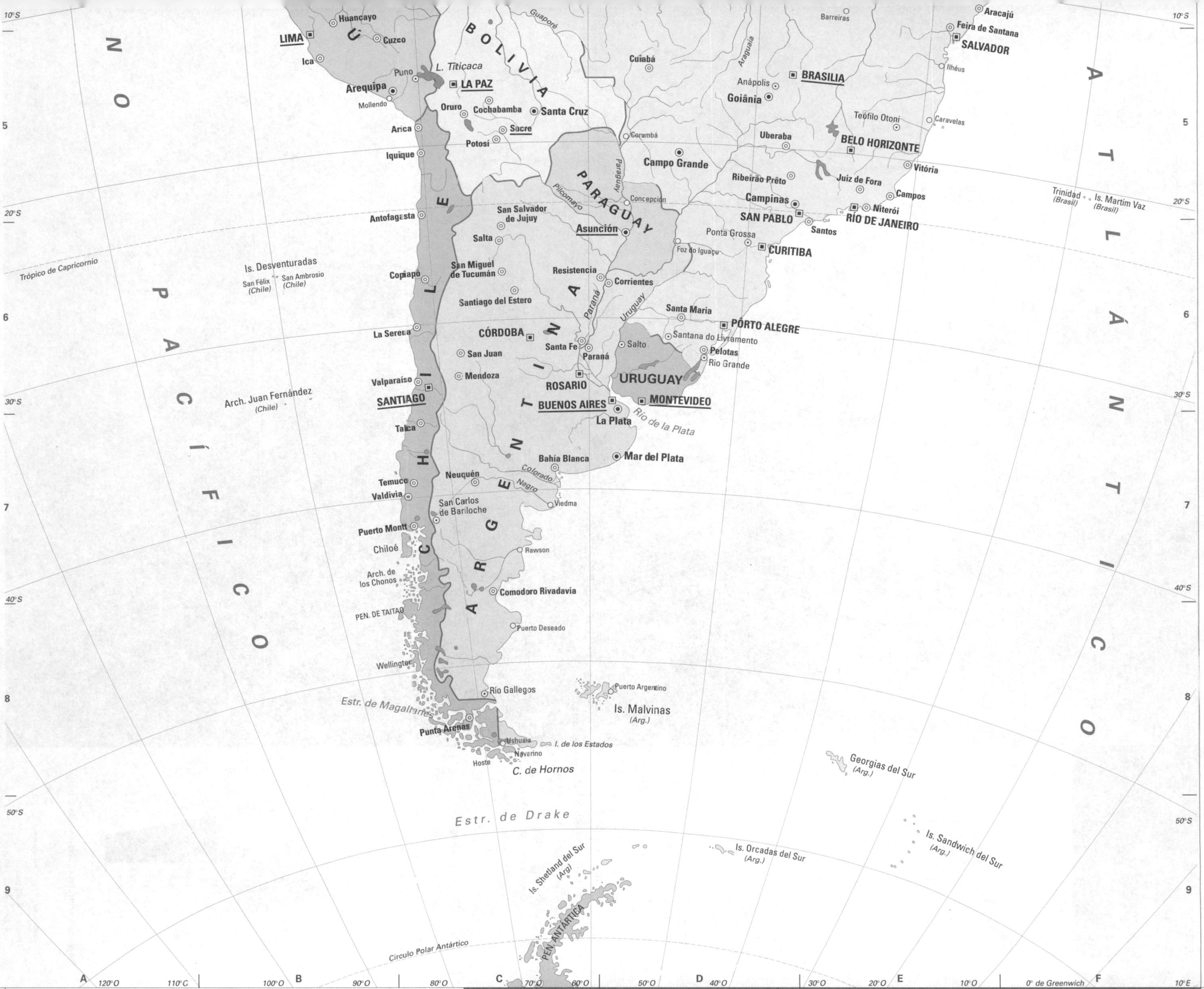
OCÉANO PACÍFICO
OCÉANO ATLÁNTICO
BOLIVIA
PARAGUAY
URUGUAY
CHILE
ARGENTINA
PERÚ
LIMA
Huancayo
Cuzco
Ica
Arequipa
Mollendo
Puno
L. Titicaca
LA PAZ
Oruro
Cochabamba
Santa Cruz
Sucre
Potosí
Arica
Iquique
Antofagasta
Copiapó
La Serena
Valparaíso
SANTIAGO
Talca
Temuco
Valdivia
Puerto Montt
Chiloé
Arch. de los Chonos
PEN. DE TAITAO
Wellington
Estr. de Magallanes
Punta Arenas
Ushuaia
Navarino
Hoste
C. de Hornos
I. de los Estados
Río Gallegos
Puerto Deseado
Comodoro Rivadavia
Rawson
San Carlos de Bariloche
Neuquén
Viedma
Colorado
Negro
Bahía Blanca
Mar del Plata
La Plata
BUENOS AIRES
Río de la Plata
MONTEVIDEO
ROSARIO
Santa Fe
Paraná
CÓRDOBA
San Juan
Mendoza
Santiago del Estero
San Miguel de Tucumán
Salta
San Salvador de Jujuy
Resistencia
Corrientes
Asunción
Pilcomayo
Paraguay
Concepción
Uruguay
Salto
Santa Maria
Santana do Livramento
PÔRTO ALEGRE
Pelotas
Rio Grande
Foz do Iguaçu
Ponta Grossa
CURITIBA
SAN PABLO
Santos
Campinas
RÍO DE JANEIRO
Niterói
Campos
Juiz de Fora
Vitória
Ribeirão Prêto
Uberaba
Campo Grande
Corumbá
Cuiabá
Guaporé
Araguaia
Anápolis
Goiânia
BRASILIA
BELO HORIZONTE
Teófilo Otoni
Caravelas
Ilhéus
SALVADOR
Feira de Santana
Aracajú
Barreiras
Trinidad (Brasil)
Is. Martim Vaz (Brasil)
Is. Desventuradas
San Félix (Chile)
San Ambrosio (Chile)
Arch. Juan Fernández (Chile)
Trópico de Capricornio
Puerto Argentino
Is. Malvinas (Arg.)
Georgias del Sur (Arg.)
Is. Sandwich del Sur (Arg.)
Is. Orcadas del Sur (Arg.)
Is. Shetland del Sur (Arg)
PEN. ANTÁRTICA
Estr. de Drake
Círculo Polar Antártico
10°S
20°S
30°S
40°S
50°S
5
6
7
8
9
A
B
C
D
E
F
120° O
110° O
100° O
90° O
80° O
70° O
60° O
50° O
40° O
30° O
20° O
10° O
0° de Greenwich
10° E

# América central

Límite internacional

Ruta principal

✈ Aeropuerto

🐋 Puerto

## Poblaciones

⌂ de más de 1.000.000 de hab.

◉ de 500.000 a 1.000.000 de hab.

◎ de 250.000 a 500.000 hab.

⊙ de 100.000 a 250.000 hab.

○ de menos de 100.000 hab.

⁙ Ruina arqueológica

▲ Altitud en metros

⬗ Lago, laguna, embalse

— Corriente de agua

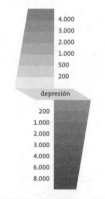

Relieve (altura en metros)

4.000
3.000
2.000
1.000
500
200

depresión

200
1.000
2.000
3.000
4.000
6.000
8.000

Proyección acimutal equivalente de Lambert

0    100    200 km

Escala 1:6.000.000
1 cm corresponde a 60 km

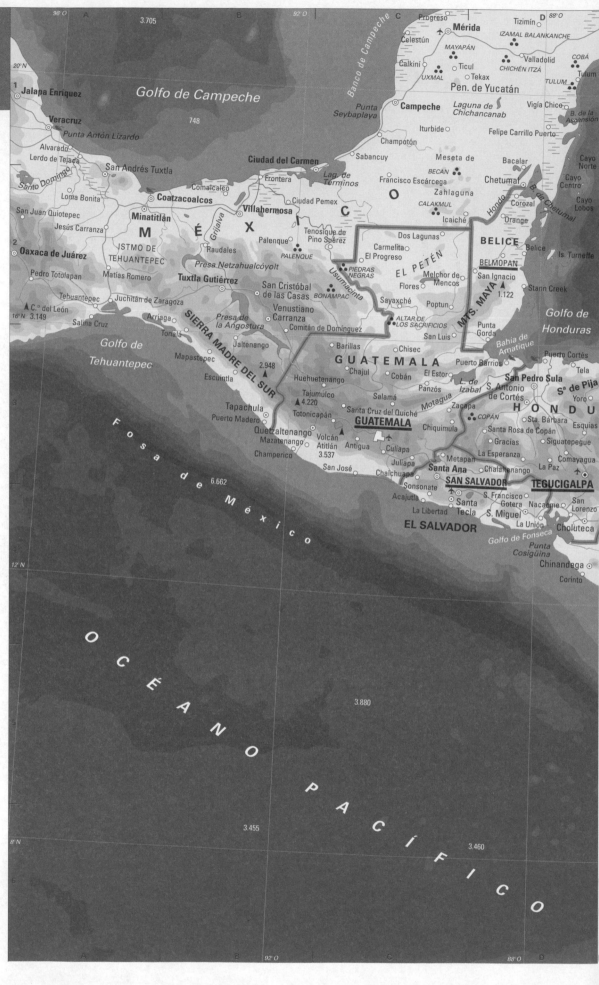

Golfo de Campeche

3.705

Progreso
Mérida
Celestún
Tizimín
IZAMAL BALANKANCHE
MAYAPÁN
Calkiní
Ticul
Valladolid
COBÁ
UXMAL
Texax
CHICHÉN ITZÁ
Pen. de Yucatán
TULUM
Tulum

Jalapa Enriquez

Veracruz
Punta Antón Lizardo
Alvarado
Lerdo de Tejada
San Andrés Tuxtla
Loma Bonita
Santo Domingo
San Juan Quiotepec
Jesús Carranza

Campeche
Laguna de
Chichancanab
Punta
Seybaplaya
Vigía Chico
B. de la
Ascensión
Iturbide
Champotón
Sabancuy
Meseta de
Bacalar
Cayo
Norte
Ciudad del Carmen
Frontera
Lag. de
Términos
Francisco Escárcega
BECAN
Chetumal
Cayo
Centro
Comalcalco
Ciudad Pemex
Zahlaguna
CALAKMUL
Hondo
Corozal
Cayo
Lobos
Coatzacoalcos
Villahermosa
Orange
Icaiché
Minatitlán
Tenosique de
Pino Suárez
Dos Lagunas
BELICE

M   É   X   I   C   O

Oaxaca de Juárez
ISTMO DE
TEHUANTEPEC
Palenque
PALENQUE
Carmelita
El Progreso
Belice
Is. Turneffe
Pedro Totolapan
Raudales
Presa Netzahualcóyolt
PIEDRAS
NEGRAS
EL PETÉN
BELMOPAN
San Ignacio
Matías Romero
Usumacinta
Melchor de
Mencos
1.122
Stann Creek
Tuxtla Gutiérrez
San Cristóbal
de las Casas
BONAMPAC
Flores
MTS. MAYA
C.º del León
3.149
Tehuantepec
Juchitán de Zaragoza
Venustiano
Carranza
Sayaxché
Poptun
Golfo de
Honduras
Arriaga
Presa de
la Angostura
Comitán de Domínguez
ALTAR DE
LOS SACRIFICIOS
Punta
Gorda
Salina Cruz
Tonalá
San Luis
Bahía de
Amatique
Puerto Cortés
SIERRA MADRE DEL SUR
Jaltenango
Barillas
Chisec
Golfo de
Tehuantepec
Mapastepec
2.948
Huehuetenango
GUATEMALA
Puerto Barrios
Tela
Escuintla
Chajul
Cobán
El Estor
Sª de Pija
San Pedro Sula
Tajumulco
Salamá
Panzós
L. de
Izabal
S. Antonio
de Cortés
Tapachula
4.220
Santa Cruz del Quiché
Motagua
Zacapa
H O N D U
Puerto Madero
Totonicapán
GUATEMALA
COPÁN
Sta. Bárbara
Esquias
Quetzaltenango
Chiquimula
Santa Rosa de Copán
Mazatenango
Volcán
Atitlán
Antigua
Culiapa
Gracias
Siguatepeque
Champerico
3.537
Juliapa
La Esperanza
Comayagua
San José
Chalchuapa
Metapan
Chalatenango
La Paz
Santa Ana
6.662
Sonsonate
TEGUCIGALPA
SAN SALVADOR
S. Francisco
Acajutla
Santa
Tecla
La Libertad
S. Miguel
La Unión
Cholúteca
EL SALVADOR
Golfo de Fonseca
Punta
Cosigüina
Chinandega
Corinto

O C É A N O          P A C Í F I C O

Fosa de México

3.880

3.455

3.460

Fosa de México

**CUBA**

Isla Mujeres
Puerto Juárez
Cancún
Cozumel
Isla Cozumel

Santa Cruz del Sur
Guayabal
Golfo de Guacanayabo
Manzanillo
Niquero
C. Cruz
S<sup>a</sup> Maestra
Palma Soriano
Turquino 2.005

Victoria de las Tunas
Bayamo
Contramaestre
S<sup>a</sup> del Cristal
San Luis
Santiago de Cuba

Holguín
Bañes
Antilla
Moa
Sagua de Tánamo
Baracoa
Guantánamo

20 N

4.565

Pequeña Caimán
Gran Caimán
Georgetown
Is. Caimán (RU)
Caimán Brac

**Fosa de las Caimán**

Paso de los Vientos

1

**HAITÍ**

2.615

6.415

Is. Swan/Cisne (Hond.)

Lucea
Montego Bay
Cambridge
Savanna-la-Mar
Black River
Spanish Town
May Pen
**JAMAICA**
Ocho Ríos
Port Antonio
**KINGSTON**
Pta. Portland

Jérèmie

Navassa (EUA; reivind. por Cuba y Haití)

Canal de Jamaica

2

20

Cayos Morant
Cayos Pedro

16 N

Islas de la Bahía
Roatán
C. de Honduras

Trujillo
Irona
Cabo Camarón
Pta. Patuca

Cayo Gorda

Banco de Serranilla (Col.)

**M A R**

4.345

La Ceiba
▲ 2.450
Aguán
Sico
San Esteban
S<sup>a</sup> de Agalta

Brus Laguna
Lag. de Caratasca
C. Falso

Catacamas
Patuca
S<sup>a</sup> de Dipilto
▲ 2.590
Wampusirpi
Puerto Lempira
Coco
C. Gracias a Dios

Cayos Misquitos

Banco de Serrana (Col.)

293

Juticalpa
Danlí
Oculí
Auasbila
San Ramón
Obrayeri
Pta. Gorda

860

4.532

Yuscarán
Cord. Isabella
1.963
Bonanza
Puerto Cabezas
Carata

Ocotal
Siuna
Providencia (Col.)

Somoto

**NICARAGUA**
Estelí
Jinotega
La Cruz de Río Grande
Prinzapolca

**C A R I B E**

3.715

El Sauce
Chichigalpa
Cord. del Darién
Matagalpa
Grande
Río Grande
Cayos de Perlas
San Andrés (Col.)

León
L. de Managua
Montañas de Huapí
Pta. de Perlas
Cayos de Albuquerque

**MANAGUA**
Juigalpa
Rama
Is. del Maíz (Nic.)

Masaya
Acoyapa

Jinotepe
Isla de Ometepe
L. de Nicaragua
Bluefields
3.510

**Granada**
Rivas
34
San Miguelito
Pta. del Mono

**BARRANQUILLA**

C. Santa Elena
La Cruz
San Carlos
San Juan
Bahía de San Juan del Norte
San Juan del Norte

**Soledad**

Golfo del Papagayo
Liberia
Altamira
San Juan
Tortuguero
3.072
3.986

Sabanalarga

Puerto Potrero
**COSTA RICA**
Guápiles
Limón
Canal de Panamá
3.337

**Cartagena**
I. Barú
Arjona

Nicoya
Alajuela
Heredia
▲ 3.432
Volcán Irazú

Pta. Mona

Pta. Manzanillo
Palenque
Colón
Pta. San Blas

San Juan Nepomuceno
El Carmen de Bolívar
Corozal

Punta Guiones
PEN. DE NICOYA
Puntarenas
**SAN JOSÉ**
Cartago
Pandora
Arch. Bocas del Toro
Palmas Bellas
**PANAMA**
Balboa Heights
Cordillera de San Blas
Ailigandí
Permé

Golfo de Morrosquillo
**Sincelejo**

C. Blanco
Dominical
▲ Cerro Chirripó 3.820
Bocas del Toro
Golfo de los Mosquitos
Donoso
La Chorrera
S<sup>a</sup> de Cañazas

Lorica
Cereté
Sahagún

B<sup>a</sup> de Coronado
Palmar
Robalo
Volcán de Chiriquí 3.477
San Cristóbal
Chame
**P A N A M Á**
Rey
Acandí

**Montería**
Ciénaga de Oro

Puerto Cortés
Golfito
David
San Francisco
Río Hato
Penonomé
Arch. de las Perlas
Golfo de San Miguel
La Palma
G. de Urabá

**COLOMBIA**

Punta San Pedro
PEN. DE OSA
C. Matapalo
Puerto Armuelles
Tole
Santiago de Veraguas
Golfo de Parita
Garachiné
Puerto Piña

Turbo
Planeta Rica
Caucasia

Pta. Burica
Chitré
Sona
Las Tablas
Golfo de Panamá
DARIÉN

Montelíbano
Uré
Cáceres

Golfo de Chiriquí
Coiba
Cebaco
PEN. DE AZUERO
Pedasí
Pta. Mala
Pta. Caracoles
Chigorodó
Riosucio
Dabeida

Cáceres
Zaragoza

Jicarón
Morro de Puercos
Jurado
Atrato

**CORD. OCCIDENTAL**

Yarumal

Pta. Naranjas
C. Marzo
Golfo de Cupica
Ciénaga de Tadía

Santa Rosa de Osos

131

# Sudamérica
# septentrional

**Límite internacional**

Ruta principal

✈ Aeropuerto

⚓ Puerto

**Poblaciones**

⬠ de más de 1.000.000 de hab.

◉ de 500.000 a 1.000.000 de hab.

◎ de 250.000 a 500.000 hab.

⊙ de 100.000 a 250.000 hab.

○ de menos de 100.000 hab.

⁂ Ruina arqueológica

▲ Altitud en metros

= Paso, portillo, portezuelo

⬭ Lago, laguna, embalse

〜 Corriente de agua

**Relieve (altura en metros)**

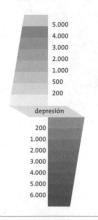

5.000
4.000
3.000
2.000
1.000
500
200

depresión

200
1.000
2.000
3.000
4.000
5.000
6.000

**Proyección acimutal equivalente de Lambert**

0          250          500 km

Escala 1:15.000.000
1 cm corresponde a 150 km

MAR      CARIBE

Pequeñas Antillas

OCÉANO      PACÍFICO

PANAMÁ

COLOMBIA

MEDELLÍN

SANTA FE DE
BOGOTÁ

CALI

ECUADOR

QUITO

GUAYAQUIL

VENEZUELA

MARACAIBO

CARACAS

MACIZO

PERÚ

LIMA

BOLIVIA

LA PAZ

Archipiélago de Colón
(Islas Galápagos)
(Ecuador)

Golfo de Arica

GRANADA

Tobago

Puerto España — Trinidad

**TRINIDAD Y TOBAGO**

*Delta del Orinoco*

Mabaruma

Cuyuni

Barica

Mackenzie

Georgetown

New Amsterdam

Groningen Nieuw-Amsterdam

Imbaimadai

**G**

Corantijne Totness Albina

Paramaribo

M. Roraima Cat. Kaieteur Brokopondo

2.810

Apoteri

Corantijn Saint-Laurent-du-Maroni

Sinnamary

Kourou

PACARAIMA

**S U R I N A M**

1.280

Cayena

C. Orange

Boa Vista Lethem

**L A S**

Essequibo

**G U A Y A N A S**

Maroni Cottica

Saut-Georges

**Guayana Francesa**

i m a

Caracarai

Sierra Acaraí

SIERRA TUMUCUMAQUE

Oyapock Oiapoque

Calçoene

Janapeú

Maloca

Curuá

Paru

Amapá Amapá

C. Norte

Trombetas

Faro Óbidos

Almeirim

Teresinha

Araguari

I. de Maracá

Jari

**Macapá**

16

*Estuario del Amazonas*

Chaves

Soure

B. de Marajó

Ecuador

**MANAOS**

Itacoatiara

Parintins

Monte Alegre

Porto de Moz

**P**

I. de Marajó

Vigía

Bragança

Cametá

**BELÉM**

Viseu

Cururupu

B. de São Marcos

0°

Manacapuru

Solimões

Tupinambaranas Maués

Barreirinha

Santarém

Aveiro

Anabu

**a**

**r**

Capim

Camiranga

Alcântara

**São Luís**

Rosário

Pernalba

Madeira

Sucunduri

Itaituba

Tapajós

São Félix do Xingu

Altamira

Itacaiúnas

Tucuruí

Jacundá

**a**

Monção

Santa Inés

Guruji

SIERRA DE PIRACAMBU

Itapicuru

Camocim

Pernaíba

Pedreiras

**Bacabal**

Caxias

Piripiri

SIERRA DE IBIAPABA

Sobral

**FORTALEZA**

Fernando de Noronha (Brasil)

Atol das Rocas

Aripuanã

Sumaúma

Castanho

**S**

Iriri

Fresco

Marabá

**Imperatriz**

**Maranhão**

Mearim

**Teresina**

Floriano

Oeiras

Picos

**Ceará**

Crateús

Iguatú

Aracati

Mossoró

Macau

Sousa

**Rio Grande do Norte**

**Natal**

C. de São Roque

Fernando de Noronha

Roosevelt

Juruena

SIERRA DE GRADAÚS

SIERRA DE ESTRONDO

Carolina

Filadélfia

Balsas

SIERRA DE PIAUÍ

**A**

Paulistana

Remanso

Gurguéia

Parnaguá

Parnaíba

Petrolina

Crato

Patos

Serra Talhada

Juàzeiro do Norte

**Paraíba**

Cabedelo

**Campina Grande**

**João Pessoa**

**P e r n a m b u c o**

**Caruaru**

Garanhuns

**Olinda**

**RECIFE**

Vilhena

Pedro Afonso

Macaúba

Palmas do Tocantins

SIERRA DE TOMBADOR

675

Diamantino

**M a t o**

**G r o s s o**

SIERRA DE RONCADOR

SIERRA FORMOSA

Libertad

Peixe

Porto Nacional

**Tocantins**

I. de Bananal

**B**

**a**

Paranaguá

Santo

Juàzeiro

Jacobina

Itapicuru

Lagarto

Paulo Afonso

Cat. Paulo Afonso

São Francisco

Penedo

**Alagoas**

**Maceió**

**Sergipe**

**Aracaju**

Estáncia

**DE PARECIS**

**M a t o**

Tamitatoala

Culuene

MESETA DEL

Montes

**G r o s s o**

Araguaia

Tocantins

Barra

Grande

Ibotirama

Corrente

Bom Jesus da Lapa

Carinhanha

CHAPADA DIAMANTINA

1.850

Feira de Santana

Entre Ríos

Alagoinhas

**SALVADOR**

5.300

San José de Chiquitos

Roboré

**Cuiabá**

**MATO GROSSO**

Ceres

**Goiás**

**BRASILIA** D.F.

**Goiânia**

Anápolis

**G**

**o**

**i**

**á**

**s**

São Francisco

**M E S E T A**

Vitória da Conquista

Itabuna

Jequié

Ilhéus

Camacã

Caravieiras

B. de Todos los Santos

Gandu

Contas

*Bañados de Izozog*

Puerto Suárez

Corumbá

Pantanal

SIERRA DE DIVISÕES

1.010

SIERRA DE ARARAS

Rio Verde

Jataí

**G**

Meia Ponte

Corumbá

Araguari

**B**

**r**

**a**

**s**

**i**

**l**

**e**

**ñ**

**a**

Piripora

Diamantina

Corinto

Montes Claros

Pedra Azul

Jequitinhonha

SIERRA DE CHIFRE

Nanuque

Teófilo Otôni

Caravelas

Arch. dos Abrolhos

Porto Seguro

Mayor Pablo Lagerenza

**GRAN CHACO**

**PARAGUAY**

Puerto Olimpo

Salto del Guairá

Puerto Suárez

**Mato Grosso**

SERTÃO DE MARACAJÚ

**do Sul**

SERTÃO DE CAMAPUÃ

Aporé

**Campo Grande**

Coxim

Paranaíba

**Uberlândia**

Araguari

**Uberaba**

Franca

Sete Lagoas

SIERRA DE ESPINHAÇO

2.033

Represa Tres Marias

Ouro Prêto

Itabira

**Minas Gerais**

Governador Valadares

P. da Bandeira 2.890

**Espírito Santo**

Caratinga

**Vitória**

**Vila Velha**

Mariscal Estigarribia

Bela Vista

Dourados

**São José do Rio Prêto**

Três Lagoas

**Presidente Prudente**

Marília

Barretos

Catanduva

Araçatuba

Araraquara

**Ribeirão Prêto**

Poços de Caldas

Barbacena

Represa de Furnas

**San Pablo**

São Carlos

**Bauru**

**Juiz de Fora**

Barra de São Francisco

Campos

Cachoeiro de Itapemirim

60° O 50° O 40° O

60° O 40° O

10° N

0°

10° N

20° S

35

5.300

133

# Sudamérica meridional

Límite internacional

Ruta principal

✈ Aeropuerto

⚓ Puerto

**Poblaciones**

⬚ de más de 1.000.000 de hab.

◉ de 500.000 a 1.000.000 de hab.

◉ de 250.000 a 500.000 hab.

⊙ de 100.000 a 250.000 hab.

○ de menos de 100.000 hab.

∴ Ruina arqueológica

▲ Altitud en metros

= Paso, portillo, portezuelo

◗ Lago, laguna, embalse

〜 Corriente de agua

**Relieve (altura en metros)**

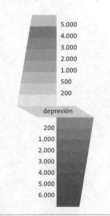

5.000
4.000
3.000
2.000
1.000
500
200

depresión

200
1.000
2.000
3.000
4.000
5.000
6.000

Proyección acimutal equivalente de Lambert

0      250      500 km

Escala 1: 15.000.000
1 cm corresponde a 150 km

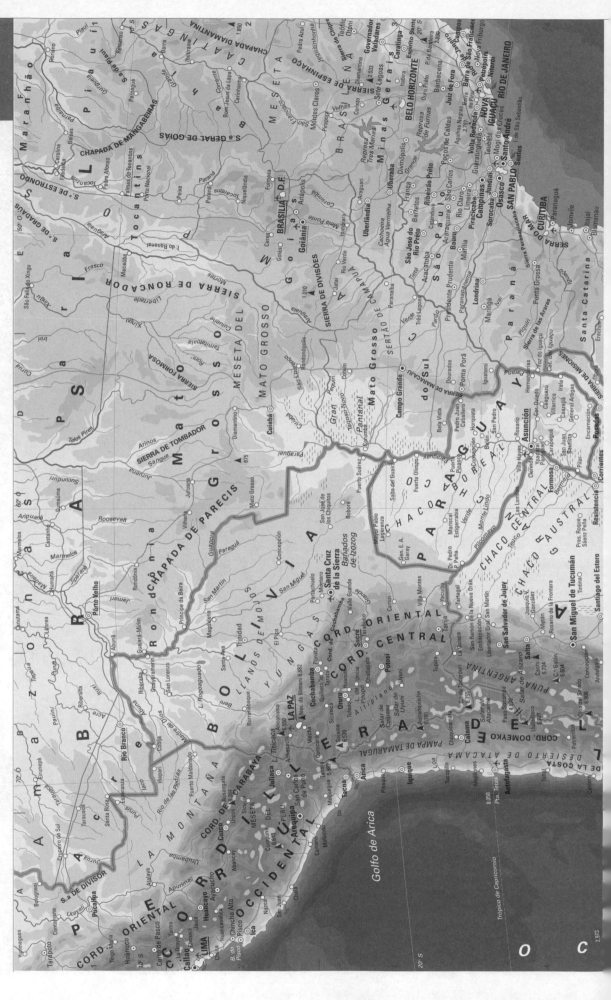

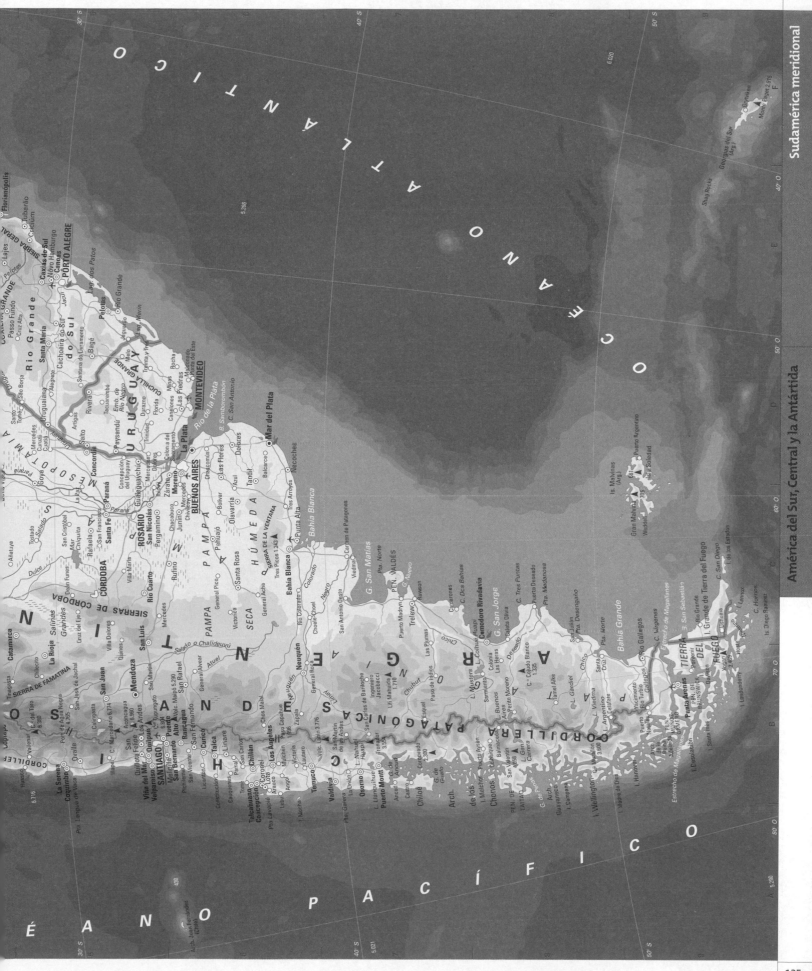

OCÉANO ATLÁNTICO

OCÉANO PACÍFICO

ÉANO PACÍFICO

MESOPOTAMIA

URUGUAY

Río Grande do Sul

CUCHILLA GRANDE

SERRA GERAL

PAMPA HÚMEDA

PAMPA SECA

SIERRAS DE CÓRDOBA

CORDILLERA

A N D E S

LOS ANDES

CORDILLERA PATAGÓNICA

TIERRA DEL FUEGO

I. Grande de Tierra del Fuego

SIERRA DE FAMATINA

Estrecho de Magallanes

Florianópolis
Tubarão
Criciúma
Lajes
Passo Fundo
Cruz Alta
Caxias do Sul
Novo Hamburgo
Canoas
PORTO ALEGRE
São Borja
Santa Maria
Cachoeira do Sul
Bagé
Santo Tomé
Uruguaiana
Alegrete
Pelotas
Rio Grande
Rivera
Tacuarembó
Artigas
Salto
Paysandú
Mercedes
Concordia
Durazno
Florida
Canelones
Las Piedras
MONTEVIDEO
Trinidad
Dolores
Río de la Plata
La Plata
BUENOS AIRES
Moreno
Zárate
Mar del Plata
Necochea
Balcarce
Tandil
Azul
Las Flores
Chivilcoy
Mercedes
Bragado
Junín
Pergamino
San Nicolás
ROSARIO
Santa Fe
PARANÁ
Goya
Santo Tomé
La Paz
San Francisco
CÓRDOBA
Río Cuarto
Villa María
Rafaela
San Cristóbal
Rufino
Venado Tuerto
General Pico
Santa Rosa
General Acha
Bahía Blanca
Punta Alta
Tres Arroyos
SIERRA DE LA VENTANA
Tres Picos 1 243
Bahía Blanca
Carmen de Patagones
Viedma
San Antonio Oeste
G. San Matías
PEN. VALDÉS
G. Nuevo
Puerto Madryn
Trelew
Rawson
Comodoro Rivadavia
G. San Jorge
Caleta Olivia
Puerto Deseado
Pta. Desengaño
San Julián
Santa Cruz
Río Gallegos
Bahía Grande
C. Vírgenes
Punta Arenas
Ushuaia
Río Grande
San Sebastián
C. San Diego
I. de los Estados
C. Hornos

Is. Malvinas (Arg.)
Gran Malvina
Puerto Argentino
I.ª Soledad

Georgias del Sur (Arg.)
Grytviken
Monte Paget 2.915

CATAMARCA
La Rioja
San Juan
Mendoza
Aconcagua 6.960
Tupungato
Volc. Maipo 5.290
San Rafael
Neuquén
San Carlos de Bariloche
Esquel
Las Heras
Sarmiento
Río Mayo
L. Buenos Aires
L. Pueyrredón
L. Viedma
L. Argentino
El Calafate

La Serena
Coquimbo
Valparaíso
Viña del Mar
Quillota
SANTIAGO
San Bernardo
Rancagua
San Fernando
Curicó
Talca
Linares
Chillán
Los Ángeles
Coronel
Lota
Concepción
Talcahuano
Temuco
Valdivia
Osorno
Puerto Montt

Arch. de los Chonos
PEN. DE TAITAO
Arch. de la Reina Adelaida
Archip. Madre de Dios
I. Wellington
I. Hanover
I. Desolación

PENÍNSULA BRUNSWICK

Arch. Juan Fernández (Chile)

# Colombia
# y Venezuela

## Límite internacional
Límite de división administrativa

Ruta principal

✈ Aeropuerto

⚓ Puerto

### Poblaciones

⬠ de más de 1.000.000 de hab.

◉ de 500.000 a 1.000.000 de hab.

◎ de 250.000 a 500.000 hab.

⊙ de 100.000 a 250.000 hab.

○ de menos de 100.000 hab.

▲ Altitud en metros

▬ Lago, laguna, embalse

〜 Corriente de agua

### Relieve (altura en metros)

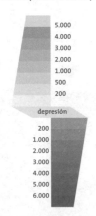

5.000
4.000
3.000
2.000
1.000
500
200

depresión

200
1.000
2.000
3.000
4.000
5.000
6.000

Proyección acimutal equivalente de Lambert

0    100    200 km

Escala 1: 7.500.000
1 cm corresponde a 75 km

MAR CARIBE

PEN. DE LA GUAJIRA

Pta. Gallinas

Carrizal

Riohacha

Maicao

Santa Marta

SIERRA NEVADA DE

Barranquilla

Ciénaga    P. Cristóbal Colón 5.775

SANTA MARTA

Inciarte

Soledad

MARACAIBO

La Concepción

Sabanalarga

SIERRA DE PERIJÁ

C. de San Juan de Guía

4.023

Cartagena    Valledupar

Turbaco    Calamar

Arjona    Fundación    Agustín Codazzi    Machiques

I. de Barú    3.750

El Carmen de Bolívar    Plato    El Difícil    Lagunetas

Magdalena    Chiriguaná    Casigua

1.042    Is. de San Bernardo    Mompós    El Banco    Encontrados    San Carlos del Zulia

Arch. de San Blas    G. de Morrosquillo    Sincelejo    Magangué    Cga. de Ayapel    Ayacucho    El Vigía

Pta. Manzanillo    Lorica    Convención    Tovar

G. de los Mosquitos    Cga. Grande    Sahagún    Ocaña    Táchira

Colón    Montería    Majagual    Simití    Cúcuta    San Cristóbal

Donoso    Rio Diablo    Necoclí    Caucasia    CORD.

ISTMO DE PANAMÁ    Pirrea    Turbo    Tucurá    Zaragoza    Puerto Wilches    C. El Viejo 4.100    Pamplona

PANAMÁ    Permé    SERRANÍA DE SAN JERÓNIMO    Cauca    Sagamoso    Arauca

La Chorrera    Balboa Heights    La Palma    SIERRA DE SAN LUCAS    Paramillo 3.960    Valdivia    Puerto Wilches    Bucaramanga    Tame

Santa Catalina    El Real    Riosucio    Mutatá    Yarumal    Barrancabermeja    San Gil    Málaga

Penonomé    Garachiné    Infantas    Socorro    Alto Ritacuva 5.493

Santiago de Veraguas    Chitré    SERRANÍA DEL DARIÉN    Bello    Puerto Berrío    Barbosa

Las Tablas    G. de Urabá    Itagüí    MEDELLÍN    Duitama    Paz del Río

PEN. DE AZUERO    Tonosí    Pta. Mala    Atrato    Envigado    Puerto Nuevo    Chiquinquirá    Tunja    Sogamoso

Pta. Mariato    C. Marzo    Bolívar    Sonsón    La Dorada    Trinidad

Cupica    SERRANÍA DE BAUDÓ    Quibdó    Manizales    Honda    Zipaquirá    Yopal

3.986    Pta. Solano    Nev. del Ruiz 5.400    Amero    Facatativá    Maní

Condoto    Santa Rosa de Cabal    Nev. de Tolima 5.215    SANTA FE DE BOGOTÁ    San Pedro de Arimena

El Valle    Negriá    Cartago    Pereira    Tocaima    Aguaclara

C. Corrientes    Armenia    Calarcá    Girardot    Villavicencio    Meta

Togoroma    San Juan    Ibagué    Espinal    Acacías    Puerto López

OCÉANO    Buenaventura    Buga    Calcedonia    Chaparral    CORDILLERA ORIENTAL    Manacacias

B. de Buenaventura    Tuluá    Alpujarra    Uribe    Puerto Limón    L. Uva

PACÍFICO    San Isidro    Palmira    Aipe    SIERRA DE LA MACARENA    Chafurray

I. Ají    CALI    Nev. de Huila 5.750    C. Neiva 3.520    L. Mapiripán

I. Gorgona    Micay    Santander    Neiva    Puerto La Concordia

Pta. Guascama    Rosas    Campoalegre    San José del Guaviare

3.232    1.140    Iscuandé    Popayán    San Vicente del Caguán    Calamar

Naranjo    V. Papacé 4.646    Puerto Rico    Las Juntas

Tumaco    Barbacoas    Chita    San Agustín    Yari    SIERRA DE CHIRIBIQUETE

C. Manglares    El Diviso    V. Galeras 4.276    V. Doña Juana 4.250    Florencia    Miraflores

B. de Ancón de Sardinas    Nev. de Cumbal 4.764    Morelia    L. de Chaira    Vaupés

Esmeraldas    San Lorenzo    Túquerres    Pasto    Mocoa    Caguán    Cuñare

Pta. Galera    Concepción    Ipiales    Puerto Limón    Macujer

Muisne    Tulcán    Puerto Asís    Puerto Príncipe    Puerto Huitoto    La Chorrera

Cojimíes    Otavalo    Santa Rosa de Sucumbíos    La Tagua    Barras

Pedernales    Ibarra    Aguarico    Cuyabeno    Güepi    Putumayo

0° de Greenwich    Jana    Pichincha 4.783    QUITO    Napo    Urbina    Santa María    Arica

Bahía de Caráquez    Santo Domingo    Cotopaxi 5.897    Pantoja    Puerto Arturo

Chone    ECUADOR    Tena    Curaray    Providencia

B. de Manta    Quevedo    Pujilí    Latacunga    Puerto Napo    La Chorrera    Arica

Manta    Portoviejo    Ambato    Puyo    Curaray

Jipijapa    Balzar    Chimborazo 6.267    Tungurahua 5.016    Santa Clotilde

I. La Plata    Vinces    Guaranda    Tigre    Puerto Arturo

Salango    Daule    Babahoyo    Guamote    Riobamba    Sangay 5.230    San Cristóbal

GUAYAQUIL    Milagro    Macas    Pastaza    Napo    Tarr

Salinas    Chunchi    Cord. Real    Andoas    Pebas

La Puntilla    El Tambo    PERÚ

G. de Guayaquil    Puná    Azogues    Cuenca

Playas    Puná    Daule    El Tambo

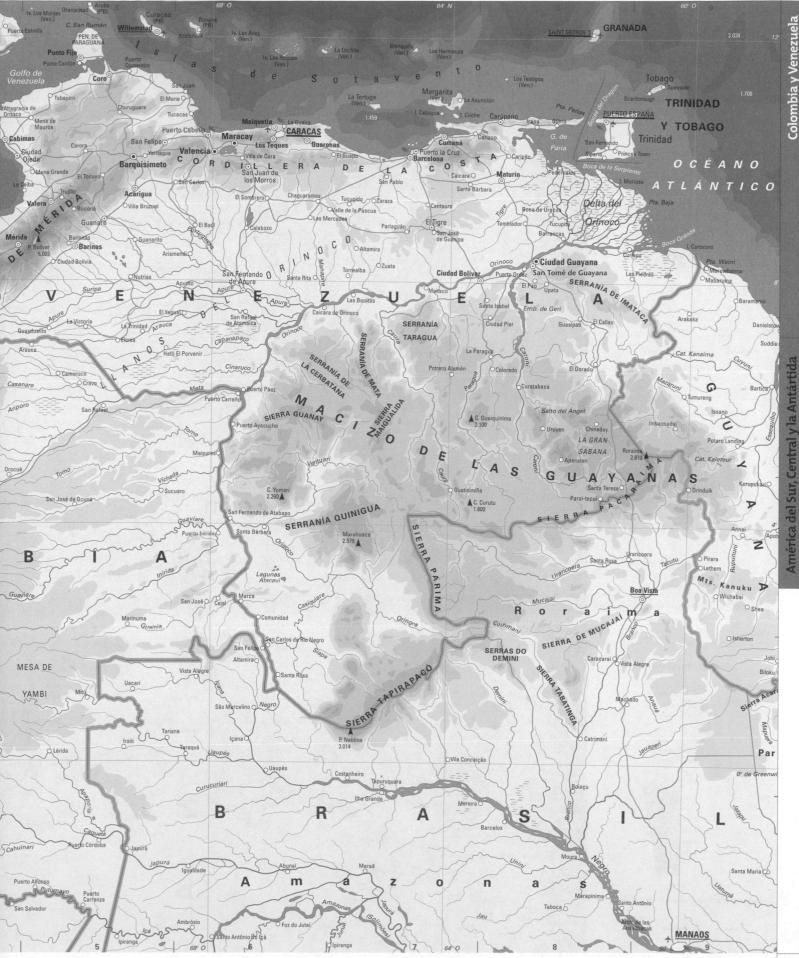

# Sudamérica central

**Límite internacional**

Límite de división administrativa

Ruta principal

✈ Aeropuerto

⚓ Puerto

**Poblaciones**

⌂ de más de 1.000.000 de hab.

◉ de 500.000 a 1.000.000 de hab.

◎ de 250.000 a 500.000 hab.

⊙ de 100.000 a 250.000 hab.

○ de menos de 100.000 hab.

∴ Ruina arqueológica

▲ Altitud en metros

= Paso, portillo, portezuelo

Lago, laguna, embalse

Corriente de agua

**Relieve (altura en metros)**

5.000
4.000
3.000
2.000
1.000
500
200

depresión

200
1.000
2.000
3.000
4.000
5.000
6.000

**Proyección acimutal equivalente de Lambert**

0   100   200 km

Escala 1: 7.500.000
1 cm corresponde a 75 km

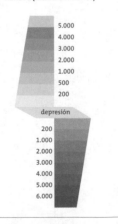

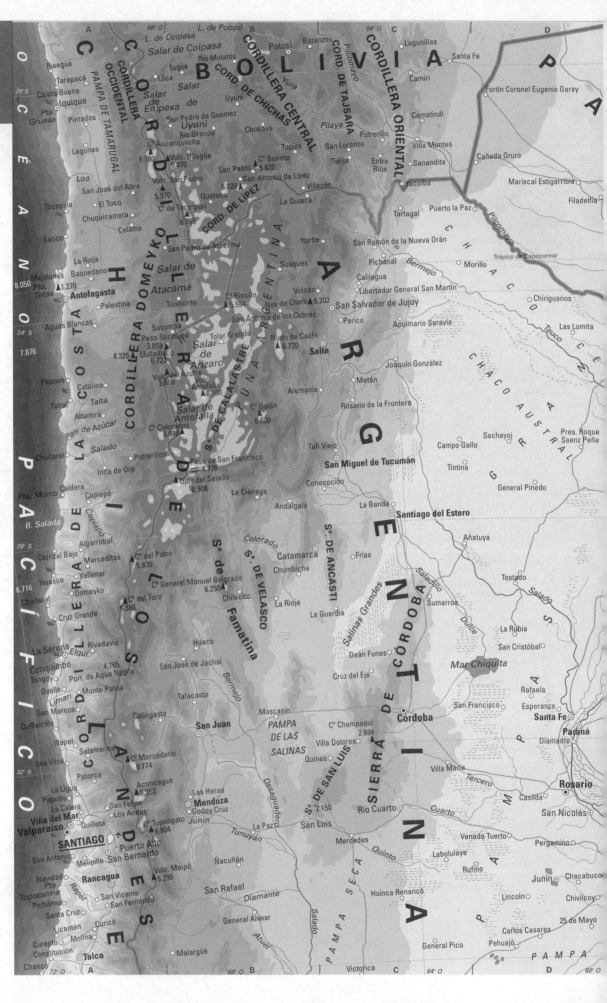

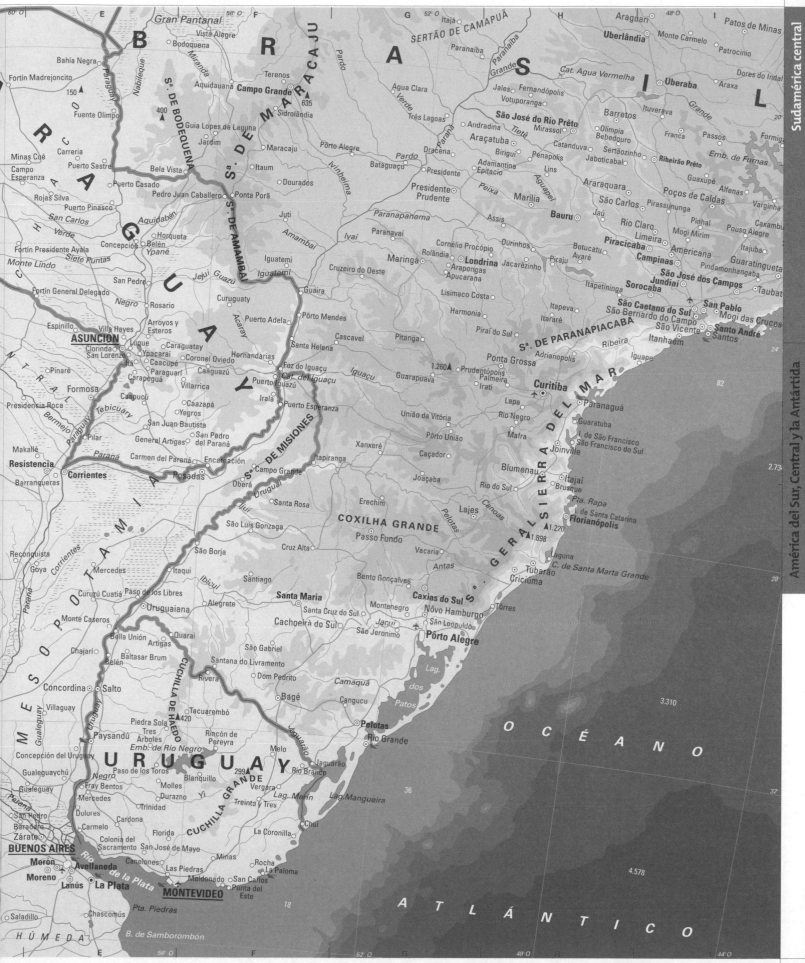

60° O
E
Gran Pantanal
56° O
F
G
52° O
SERTÃO DE CAMAPUÃ
Itajá
H
Araguari
48° O
I
Patos de Minas

Vista Alegre
Bodoquena
Paranaíba
Paranaíba
Uberlândia
Monte Carmelo
Patrocinio

Bahía Negra
Miranda
Grande
Cat. Agua Vermelha
Dores do Indal

Fortín Madrejoncito
Sª. DE BODEQUENA
Aquidauanã
Campo Grande
Agua Clara
Jales
Fernandópolis
Uberaba
Araxa

Minas Cué
Carreria
Sidrolândia
Verde
Tres Lagoas
Votuporanga
Mirassol
São José do Rio Prêto
Barretos
Ituverava
Emb. de Furnas

Campo Esperanza
Puerto Sastre
635
Maracaju
Pôrto Alegre
Andradina
Tietê
Catanduva
Olimpia
Bebedouro
Franca
Passos
Formiga

Rojas Silva
Bela Vista
Itaum
Pardo
Dracena
Birigui
Penapolis
Sertãozinho
Ribeirão Prêto
Jaboticabal

Puerto Pinasco
Guia Lopes da Laguna
Jardim
Dourados
Bataguaçu
Presidente
Adamantina
Epitacio
Lins
Guaxupé
Alfenas

San Carlos
Verde
Pedro Juan Caballero
Ponta Porã
Presidente Prudente
Araraquara
Poços de Caldas
Varginha

Horqueta
Belén
Ypané
Juti
Peixa
Marília
São Carlos
Pirassununga
Limeira
Mogi Mirim
Itajuba

Fortín Presidente Ayala
Concepción
Paranapanema
Assis
Rio Claro
Piracicaba
Americana
Guaratinguetá

Monte Lindo
San Pedro
Iguatemi
Cornélio Procópio
Ourinhos
Botucatu
Campinas
Pindamonhangaba

Fortín General Delegado
Negro
Rosario
Curuguaty
Cruzeiro do Oeste
Maringá
Rolândia
Londrina
Jacarézinho
Piraju
Avaré
São José dos Campos
Taubat

Espinillo
Villa Hayes
Arroyos y Esteros
Puerto Adela
Guaíra
Pôrto Mendes
Apucarana
Harmonia
Itapeva
Jundiaí
São Caetano do Sul
San Pablo

ASUNCION
Caraguatay
Santa Helena
Cascavel
Pitanga
Piraí do Sul
Itararé
Sª. DE PARANAPIACABÁ
São Bernardo do Campo
Mogi das Cruces

Clorinda
San Lorenzo
Ypacaraí
Coronel Oviedo
Hernandarias
Foz do Iguaçu
São Vicente
Santo André

Itá
Caacupé
Caaguazú
Cat. del Iguaçu
Iguaçu
Guarapuava
1.260
Prudentópolis
Adrianopolis
Ribeira
Iguape
Santos

Formosa
Paraguarí
Villarrica
Puerto Iguazú
Ponta Grossa
Palmeira
Itanhaém

Carapeguá
Cáazapá
Irala
Puerto Esperanza
Lapa
Irati
Curitiba
Paranaguá

Presidencia Roca
Caapucú
Yegros
União da Vitória
Rio Negro
Guaratuba

Pilar
San Juan Bautista
Xanxeré
Pôrto União
Mafra
I. de São Francisco

Resistencia
General Artigas
San Pedro del Paraná
Itapiranga
Caçador
São Francisco do Sul

Corrientes
Carmen del Paraná
Encarnación
Sª. DE MISIONES
Joaçaba
Blumenau
Joinville

Barranqueras
Paraná
Posadas
Campo Grande
Erechim
Lajes
Rio do Sul
Itajaí
Brusque

Oberá
Uruguaí
Santa Rosa
COXILHA GRANDE
Canoas
1.220
Pta. Rapa
I. de Santa Catarina

Reconquista
Corrientes
Mercedes
Itaqui
Ijuí
São Luís Gonzaga
Passo Fundo
Vacaria
1.898
Florianópolis

Goya
Curuzú Cuatiá
Paso de los Libres
São Borja
Cruz Alta
Antas
Laguna

Uruguaiana
Alegrete
Santiago
Bento Gonçalves
Criciuma
C. de Santa Marta Grande

Monte Caseros
Ibicuí
Santa Maria
Santa Cruz do Sul
Montenegro
Caxias do Sul
Nôvo Hamburgo
Tubarão
Torres

Bella Unión
Artigas
Quarai
Cachoeira do Sul
Jacuí
São Leopoldo
São Jeronimo

Chajarí
Baltasar Brum
São Gabriel
Santana do Livramento
Pôrto Alegre
Torres

Concordina
Salto
CUCHILLA DE HAEDO
Rivera
Dom Pedrito
Lag. dos Patos

Villaguay
Piedra Sola
420
Tacuarembó
Rincón de Pereyra
Camaquã

Concepción del Uruguay
Paysandú
Tres Árboles
Melo
Canguçu

Gualeguaychú
Emb. de Río Negro
Molles
Jaguarão
Pelotas
Rio Grande

URUGUAY
Paso de los Toros
299
Blanquillo
Río Branco

Gualeguay
Negro
CUCHILLA GRANDE
Yí
Vergara
Lag. Merín
Lag. Mangueira

San Pedro
Fray Bentos
Durazno
Treinta y Tres

Baradero
Mercedes
Dulores
Trinidad
Chui

Zárate
Cardona
Florida
La Coronilla

BUENOS AIRES
Carmelo
Colonia del Sacramento
San José de Mayo
Minas
Rocha
La Paloma

Morón
Avellaneda
Canelones
Las Piedras
Maldonado
San Carlos
Punta del Este

Moreno
Lanús
La Plata
Río de la Plata
MONTEVIDEO

Saladillo
Chascomús
Pta. Piedras
B. de Samborombón

HÚMEDA

OCÉANO

ATLÁNTICO

# Antártida

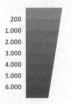
Altitud en metros

Glaciar

Barrera de hielos

## Relieve marino (en metros)

200
1.000
2.000
3.000
4.000
5.000
6.000

**Proyección acimutal equidistante**

0    250    500 km

Escala 1:18.000.000
1 cm corresponde a 180 km

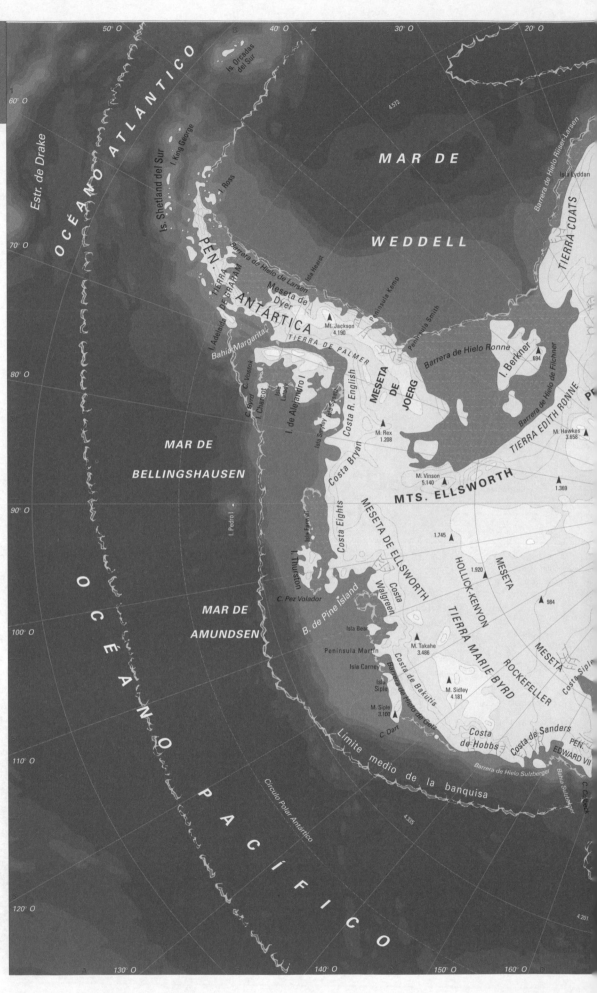

Estr. de Drake

OCÉANO ATLÁNTICO

Is. Orcadas del Sur

Is. Shetland del Sur

I. King George

I. Ross

PEN.

Barrera de Hielo Rüser-Larsen

Isla Lyddan

MAR DE WEDDELL

TIERRA COATS

TIERRA DEGRAHAM

Barrera de Hielo de Larsen

Meseta de Dyer

Isla Hearst

Mt. Jackson 4.190

Península Kemp

Península Smith

TIERRA DE PALMER

ANTÁRTICA

I. Adelaida

Bahía Margarita

C. Byrd

C. Vostok

Isla Lassiter

Isla Charcot

I. de Alejandro I

Isla Smyley

Isla Spaatz

Costa R. English

Costa Bryan

MESETA DE JOERG

Barrera de Hielo Ronne

I. Berkner

694

Barrera de Hielo de Filchner

M. Rex 1.208

M. Vinson 5.140

TIERRA EDITH RONNE

M. Hawkes 3.658

PE

MAR DE BELLINGSHAUSEN

MTS. ELLSWORTH

1.369

I. Pedro I

Costa Eights

1.745

MESETA DE ELLSWORTH

HOLLICK-KENYON

1.920

MESETA

I. Thurston

C. Pez Volador

Isla Farwell

Costa Walgreen

984

MAR DE AMUNDSEN

B. de Pine Island

Isla Bear

MESETA

TIERRA MARIE BYRD

ROCKEFELLER

MESETA

Costa Siple

Peninsula Martin

M. Takahe 3.486

Isla Carney

Costa de Bakutis

M. Sidley 4.181

Isla Siple

M. Siple 3.100

Barrera de Hielo de Getz

C. Dart

Costa de Hobbs

Costa de Sanders

PEN. EDWARD VII

Limite medio de la banquisa

Barrera de Hielo Sulzberger

Bahía Sulzberger

OCÉANO PACÍFICO

Círculo Polar Antártico

4.305

4.201

4.572

50° O    40° O    30° O    20° O

60° O

70° O

80° O

90° O

100° O

110° O

120° O

130° O    140° O    150° O    160° O

Barrera de Hielo Fimbul

MTS. MÜHLIG-HOFFMAN
3.300

TIERRA DE LA
PRINCESA ASTRID

TIERRA DE NUEVA SUABIA

PENÍNSULA
RIISER-LARSEN

TIERRA DE
PRINCESA RAGNHILD

Bahía Lützow-Holm

TIERRA DE LA REINA MAUD

M. Vorterkaka
3.630

Mt. Fukushima
2.360

TIERRA DE
PRÍNCIPE HARALD

TIERRA DEL
PRÍNCIPE
OLAF

Bahía Casey
Isla Blanca
Bahía Amundsen
C. Ann

3.212

TIERRA
ENDERBY

C. Boothby

Costa Mawson

Bahía de
Eduardo VIII

3.498

2.532

2.311

3.318

3.624

Mt Macey
1.960

C. Darnley

TIERRA DE
McROBERTSON

CORDILLERA DEL
PRÍNCIPE CARLOS

Bahía
Mackenzie

2.512

M. Menzies
3.355

Banco de
Hielo
Amery

Glaciar Fisher

2.628

2.980

Glaciar Lambert

TIERRA INGRID
CHRISTENSEN

B. Olaf Prydz

2.190

3.718

MESETA
DE AMÉRICA

TIERRA PRINCESS
ELIZABETH

MTS.
NSACOLA

MESETA POLAR

2.600

3.106

TIERRA DE LEOPOLDO
Y ASTRID

Banco de Hielo del Oeste

MAR DE

DAVIS

2.804

M. Brown
2.133

3.100

TIERRA KAISER
WILHELM II

I. Drygalski

POLO SUR

3.832

3.650

3.660

3.497

TIERRA
QUEEN MARY

Banco de Hielo Shackleton

Isla Masson

M
O
N
T
E
S

3.269

MTS.
DRONNING
MAUD

T
R
A
N
S
A
N
T
Á
R
T
I
C
O
S

2.801

2.896

Glaciar
Denman

Oasis de
Bunger

I. Mill

Costa Gould

Blizzard
3.372

M. Kirkpatrick
4.530

M. Amundsen
1.219

Isla Bowman

Glaciar Nimrod

2.593

Costa Shackleton

M. Albert Markham
3.785

2.407

2.854

B. Vincennes

Barrera de Hielo de Ross

Glaciar
de Byrd

Costa
Hillary

2.192

TIERRA
BUDD

Barrera de Hielo Shackleton

TIERRA KNOX

I. Roosevelt

TIERRA
SABRINA

Glaciar Totten

Shapeless
2.739

3.030

T I E R R A

D E

W I L K E S

Glaciar Frost

TIERRA
BANZARE

C. Poinsett

M. Erebus
3.795    I. Ross

C. Crozier

MAR DE ROSS

481

Costa Scott

Costa Borchgrevink

TIERRA VICTORIA

2.498

C. Goodenough

B. Porpoise

TIERRA
CLARIE

M. Levick
2.774

2.220

TIERRA
ADÉLIE

MAR DE URVILLE

C. Hallett

M. Sabine
3.719

C. Adare

Mt. Blowaway
1.942

Glaciar
Rennick

C. Hudson

POLO SUR
MAGNÉTICO

Límite   máximo   de   la   banquisa

Estr. de McMurdo

O
C
É
A
N
O

Í
N
D
I
C
O

# Geología y relieve

El relieve de Sudamérica está intensamente determinado por los Andes, que discurren paralelos al Pacífico desde Venezuela hasta el sur de Chile. Al oeste de la cordillera, se llega a la costa en unas decenas de kilómetros. Al este, en cambio, se abren inmensas llanuras aluviales —las cuencas del Orinoco, el Amazonas y el Paraná— sólo limitadas por la plataforma de las Guayanas y el escudo brasileño. América Central, por su parte, es una zona ístmica de gran relieve entre el mar Caribe y el océano Pacífico.

## Choque de placas

Geológicamente, América del Sur y Central se caracterizan por ser zonas de intenso contacto entre placas tectónicas. En la costa del Pacífico, las placas oceánicas de Nazca y de Cocos se deslizan por debajo de las placas Sudamericana y de las Antillas. El calor del interior de la Tierra funde las placas oceánicas a medida que se hunden bajo las continentales y el magma generado emerge a través de infinidad de volcanes (en la imagen, el volcán Osorno, en Chile).

La colisión entre estas placas es también el origen de los grandes sismos que tienen lugar en Sudamérica (Chile, 1960; Perú, 1970) y Centroamérica (Nicaragua, 1972; Guatemala, 1976; México, 1985; El Salvador, 2001).

Neozoico
Cenozoico
Mesozoico
Paleozoico
rocas metamórficas
rocas plutónicas
rocas volcánicas
— fallas principales

## Los Andes: la columna vertebral de Sudamérica

Con una longitud de 7.500 kilómetros desde el lago Maracaibo hasta Tierra del Fuego y una altitud máxima de 6.960 metros en la cima del Aconcagua, los Andes son la cadena montañosa más larga del mundo y la más elevada si se exceptúan las grandes cordilleras de Asia Central. Los Andes discurren muy próximos a la costa del Pacífico y en muchos tramos se desdoblan en dos e incluso tres cadenas paralelas, hecho especialmente patente en Colombia, Perú y Bolivia. Las regiones elevadas que se encuentran entre estas cade-nas paralelas reciben el nombre de altiplano y son mesetas que en ocasiones superan los 5.000 metros de altitud.

Los Andes se originaron durante el período cretácico, a consecuencia de la subducción de la placa del Pacífico bajo la placa americana. Las fuerzas tectónicas que provocaron esta colisión son aún hoy la causa de las erupciones volcánicas y los terremotos que periódicamente azotan a los países andinos.

Por su altitud y su disposición longitudinal, la gran cordillera andina también influye decisivamente en el clima.

### Puntos culminantes de los Andes

| | |
|---|---|
| Aconcagua (Arg) | 6.960 m |
| Ojos del Salado (Arg/Chile) | 6.908 m |
| Bonete (Arg/Chile) | 6.872 m |
| Tupungato (Arg/Chile) | 6.804 m |
| Pissis (Argentina) | 6.783 m |
| Mercedario (Argentina) | 6.774 m |
| Huascarán (Perú) | 6.768 m |
| Llullaillaco (Arg/Chile) | 6.727 m |
| Cachi (Argentina) | 6.724 m |
| El Libertador (Argentina) | 6.724 m |
| Incahuasi (Arg/Chile) | 6.624 m |
| Yerupajá (Perú) | 6.617 m |
| Galán (Argentina) | 6.604 m |
| El Muerto (Arg/Chile) | 6.545 m |

# Grandes regiones naturales

**Map of South America with labels:**

MAR CARIBE

Belmopan
Guatemala
Tegucigalpa
San Salvador
Managua
San José
Panamá
*depresión del Darién*
Isla del Coco
Malpelo
Islas Galápagos

Santa Marta
Barranquilla
Cartagena
Maracaibo
*depresión de Maracaibo*
*depresión del Magdalena*
Medellín
Bogotá
Cali
Pasto
Quito
Guayaquil
Cuenca
Iquitos
Chiclayo
Trujillo
Pucallpa

CUENCA DEL ORINOCO
Caracas
San Félix de Guayana
Ciudad Bolívar
Georgetown
Paramaribo
Cayena

Pequeñas Antillas

*costa Atlántica baja*

*fosa Rupunumi*
Boa Vista
Macapá
Manaos
Belém
São Luís
Fortaleza
Fernando de Noronha

CUENCA DEL AMAZONAS

*costa Atlántica baja*

Teresina
Natal
João Pessoa
Recife
Maceió
Aracajú
Salvador

Río Branco
Pôrto Velho
Lima
El Callao
Huancayo
Ica
Cuzco
Arequipa
La Paz
Cochabamba
Oruro
Santa Cruz
Sucre
Potosí
*cuenca del Altiplano*
Iquique
Antofagasta
Copiapó
La Serena
Valparaíso
Santiago
Talca
Temuco
Valdivia
Puerto Montt

*depresión Xingú-Isla de Bananal*
*depresión de Bahía Sergipe*
Feira de Santana

Cuiabá
*Pantanal*
Campo Grande
Goiânia
Brasília
Uberaba
Belo Horizonte
Vitória
Ribeirão Prêto
Campinas
San Pablo
Santos
Curitiba
Campos
*costa Atlántica baja*
Río de Janeiro

LLANURA CHACO-PAMPEANA

S. Salvador de Jujuy
Salta
S. Miguel de Tucumán
Santiago del Estero
Córdoba
S. Juan
Mendoza
Asunción
Resistencia
Corrientes
Sta. María
Santa Fe
Paraná
Rosario
Pôrto Alegre
Pelotas
*costa Atlántica baja*
Montevideo
Buenos Aires
La Plata
Mar del Plata
Bahía Blanca
Neuquén

Comodoro Rivadavia

Islas Malvinas (Arg.)

Punta Arenas
Tierra del Fuego

*Cabo de Hornos*

OCÉANO PACÍFICO

Península Antártica

**Legend:**

- escudo del Brasil
- plataforma de la Guayana
- Patagonia extraandina
- sierras pampeanas
- sistema andino
- llanura sedimentaria subandina
- plataforma centroamericana
- depresiones y costas bajas

# El clima modelador

El clima ha modificado decisivamente la morfología del continente sudamericano. El mapa inferior muestra los cambios de nivel que han experimentado los océanos y la masa continental a medida que se han sucedido las eras glaciales (frías) e interglaciales (cálidas).

En el período interglaciar, con el ascenso de las temperaturas, el nivel del mar creció y llegó a inundar vastas zonas de las cuencas del Amazonas y del Paraná. En cambio, durante el período glacial, los océanos se helaron y causaron el descenso del nivel del mar y el afloramiento de tierras que ahora se encuentran sumergidas, como la plataforma continental del mar Argentino.

Otra consecuencia de la glaciación fue la creación de numerosos lagos glaciares de gran tamaño. Aún hoy se conservan restos de los que se originaron durante la glaciación de Wisconsin, como el Titicaca, en Perú, o el Buenos Aires, el Argentino y el Viedma, en Argentina, muchos de los cuales aún se alimentan de impresionantes ventisqueros.

**Map of South America (glaciation):**

MAR CARIBE

Islas Galápagos

OCÉANO PACÍFICO

OCÉANO ATLÁNTICO

Islas Malvinas (Arg.)

Georgias del Sur (Arg.)

Península Antártica

**Glaciación de Wisconsin y período interglacial**

- zona cubierta de hielo
- lagos glaciares
- lago interglacial en el centro oeste de Argentina
- transgresiones marinas durante el período interglacial
- avance de la costa durante el período glaciar

# El Campo de Hielo Patagónico

El Campo de Hielo Patagónico es la mayor reserva de hielo continental del planeta, exceptuando las enormes masas heladas de la Antártida y Groenlandia. Ocupa una superficie de 17.000 km² repartidos entre Chile y Argentina, en el extremo sur de los Andes. De esta vastísima meseta helada nacen 47 glaciares, 34 hacia el Pacífico y 13 hacia el Atlántico. En la imagen, las nubes cubren un extremo del campo de hielo. Arriba, a la derecha, el lago Viedma, y en el centro, paralelo al campo de hielo, puede verse el ventisquero Upsala.

# Clima

Tanto América Central como América del Sur se caracterizan por albergar una gran variedad de climas: la cálida humedad de la Amazonia o del Caribe, el frío seco de la Patagonia, la aridez de Atacama, los vientos gélidos de Tierra del Fuego... La explicación reside en la gran cantidad de latitudes que ocupa el continente, en la diferencia de temperaturas entre los océanos colindantes y en la imponente presencia de los Andes.

## La Antártida gélida y seca

El clima extremo convierte a la Antártida en un continente especialmente ingrato. Las precipitaciones son muy escasas, con una media anual de sólo 50 mm, y las temperaturas, siempre bajo cero, mantienen un promedio de -50°. Mientras que en el interior el viento es débil, en la costa soplan ráfagas huracanadas de más de 200 km/h.

**Clima tropical**
- selva pluvial
- estación húmeda
- precipitaciones periódicas
- seco
- semidesértico y desértico

**Clima templado cálido subtropical**
- semidesértico y desértico
- estación seca e invierno húmedo
- estepario con estación húmeda
- estación húmeda e invierno seco
- húmedo de pradera
- húmedo con estación cálida

**Clima templado fresco**
- oceánico
- oceánico de invierno húmedo

**Clima estepario de invierno frío**
- estepario seco
- semidesértico y desértico

**Clima nival**
- montaña
- subpolar oceánico

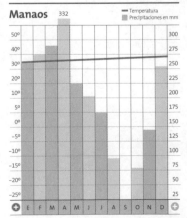

**Manaos** 332
— Temperatura
▮ Precipitaciones en mm

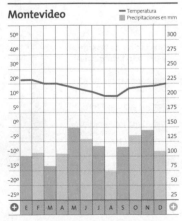

**Montevideo**
— Temperatura
▮ Precipitaciones en mm

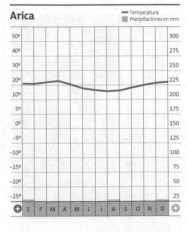

**Arica**
— Temperatura
▮ Precipitaciones en mm

## Selva, pradera y desierto

Los gráficos adjuntos muestran las temperaturas y las precipitaciones de tres lugares muy dispares de Sudamérica a lo largo del año. Manaos, situada junto al Amazonas, es el modelo de clima tropical, con temperaturas altas y precipitaciones muy abundantes. Montevideo, en el Río de la Plata, es el ejemplo de clima templado húmedo, con temperaturas suaves y precipitaciones sostenidas. Arica, en Atacama, es el modelo de clima desértico, sin apenas lluvias.

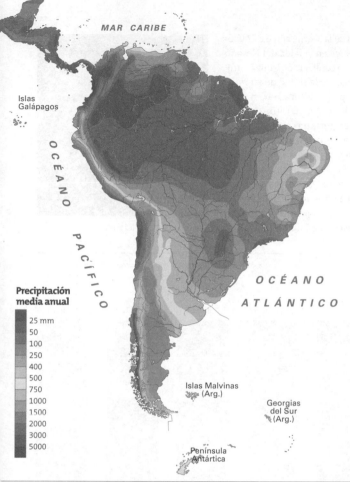

MAR CARIBE

Islas
Galápagos

OCÉANO

PACÍFICO

OCÉANO

ATLÁNTICO

**Precipitación
media anual**

25 mm
50
100
250
400
500
750
1000
1500
2000
3000
5000

Islas Malvinas
(Arg.)

Georgias
del Sur
(Arg.)

Península
Antártica

## Los Andes y la aridez

La cordillera de los Andes ejerce una gran influencia sobre el reparto de las precipitaciones por el continente. En Perú y el norte de Chile, los Andes impiden el paso de los vientos húmedos procedentes de la Amazonia. Por esa razón, el desierto de Atacama se considera el lugar más seco del mundo. En él pueden pasar decenas de años sin que caiga una sola gota.

En la Patagonia, en cambio, los vientos húmedos predominantes provienen del Pacífico. Así, en estas latitudes, los Andes impiden que las lluvias que riegan el centro y el sur de Chile alcancen también las llanuras patagónicas argentinas.

○ Desierto de Atacama (Chile)

## Temperaturas estables

La mayor parte de la superficie de América del Sur y Central se concentra en latitudes tropicales y ecuatoriales en las que apenas hay oscilaciones térmicas entre los meses de verano e invierno. En estas regiones, como la Amazonia (foto superior), son las precipitaciones las que caracterizan las distintas estaciones.

Por esa razón, sólo en el Cono Sur, totalmente inmerso en la franja de climas templados, se produce una variación importante de temperaturas según las estaciones.

Además, en América del Sur, como ocurre en todos los territorios del hemisferio sur, los inviernos son menos rigurosos gracias al predominio de las grandes masas oceánicas, que moderan la temperatura.

### Temperaturas en enero

superior a 25°C
entre 20° y 25°C
entre 10° y 20°C
entre 0° y 10°C
inferior a 0°C

### Temperaturas en julio

superior a 25°C
entre 20° y 25°C
entre 10° y 20°C
entre 0° y 10°C
inferior a 0°C

# Hidrografía

El 26 % del agua dulce de la Tierra se encuentra en Sudamérica, donde destacan por su enorme extensión las cuencas del Amazonas –la mayor del planeta– y del Paraná. Por su estructura geológica, el continente presenta dos grandes tipos de ríos: los que desembocan en el Atlántico son largos, caudalosos y de aguas tranquilas, mientras que los que lo hacen en el Pacífico son cortos y torrenciales, ya que en su recorrido desde los Andes hasta el océano deben salvar un gran desnivel.

## Un mar de agua dulce

Con 8.300 km², el Titicaca es el mayor lago de América del Sur y el lago navegable más elevado del mundo –está situado a 3.810 metros sobre el nivel del mar–. Se extiende entre los territorios de Bolivia y Perú, tiene 196 kilómetros de longitud y una profundidad máxima de 280 metros. En sus aguas nace el río Desaguadero que lo une a otro lago, el Poopó, situado en Bolivia. Su presencia suaviza las temperaturas extremas propias del clima árido del altiplano andino.

### Los mayores lagos de Sudamérica

| | |
|---|---|
| Titicaca (Perú/Bolivia) | 8.300 km² |
| Poopó (Bolivia) | 2.800 km² |
| Buenos Aires / General Carrera (Argentina/Chile) | 2.240 km² |
| Argentino (Argentina) | 1.415 km² |
| Colhué Huapi (Argentina) | 803 km² |
| Nahuel Huapi (Argentina) | 550 km² |

## Amazonas, el río de los récords

La cuenca del Amazonas es la más extensa del mundo, con un área de 7,5 millones de km² que abarca un 25% del continente y drena territorio de Brasil, Guyana, Venezuela, Colombia, Perú, Ecuador y Bolivia. Es también el más caudaloso del planeta, con un volumen medio de 230.000 m³ de agua por segundo, y el que cuenta con un mayor número de afluentes –unos mil, muchos de ellos aún inexplorados–. Tomando como referencia la línea fluvial Amazonas-Ucayali-Apurímac, el gigante sudamericano es también el más largo de la Tierra, con 6.872 kilómetros. Nace en la falda del Nevado Mismi, en la cordillera de Chila (Perú), y cubre más de la mitad de su recorrido sin apenas desnivel –60 metros en 3.500 km–. En su último tramo alcanza una anchura cercana a los 20 kilómetros. Forma un estuario de 400 km y sus aguas penetran 150 km en el Atlántico. En un segmento angosto de su recorrido, en Óbidos (Brasil), alcanza los 240 metros de profundidad y es navegable por buques de todo calado hasta el puerto de Iquitos, en Perú.

○ Un meandro del Amazonas

### Los ríos más largos de Sudamérica

*Los ríos señalados desembocan en el Amazonas; los demás, en el Atlántico

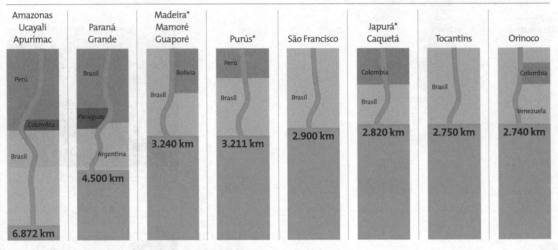

| Amazonas Ucayali Apurímac | Paraná Grande | Madeira* Mamoré Guaporé | Purús* | São Francisco | Japurá* Caquetá | Tocantins | Orinoco |
|---|---|---|---|---|---|---|---|
| Perú / Colombia / Brasil | Brasil / Paraguay / Argentina | Bolivia / Brasil | Perú / Brasil | Brasil | Colombia / Brasil | Brasil | Colombia / Venezuela |
| 6.872 km | 4.500 km | 3.240 km | 3.211 km | 2.900 km | 2.820 km | 2.750 km | 2.740 km |

## La Hidrovía

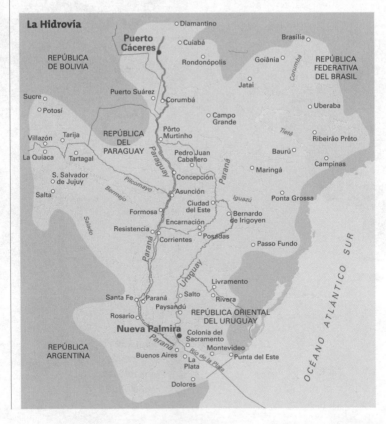

## Transporte fluvial

La Hidrovía Paraguay-Paraná es un proyecto para la mejora de la navegación en la cuenca del Río de la Plata, en concreto, en el tramo comprendido entre Puerto Cáceres (Brasil), en el extremo norte, y Nueva Palmira (Uruguay), en el sur. En total, un curso fluvial de 3.400 kilómetros que recorre cinco países –Argentina, Uruguay, Brasil, Paraguay y Bolivia– y pretende convertirse en una plataforma de desarrollo económico del Mercosur. El proyecto consiste en una serie de actuaciones –derrocamiento, dragado, balizamiento...– para alcanzar una determinada profundidad del canal que posibilite la navegación de buques de gran calado, tanto de día como de noche y durante todas las épocas del año. La Hidrovía facilitará el intercambio de importantes volúmenes de productos regionales a través de largas distancias y con el mínimo costo posible, además de constituirse como un gran eje de integración.

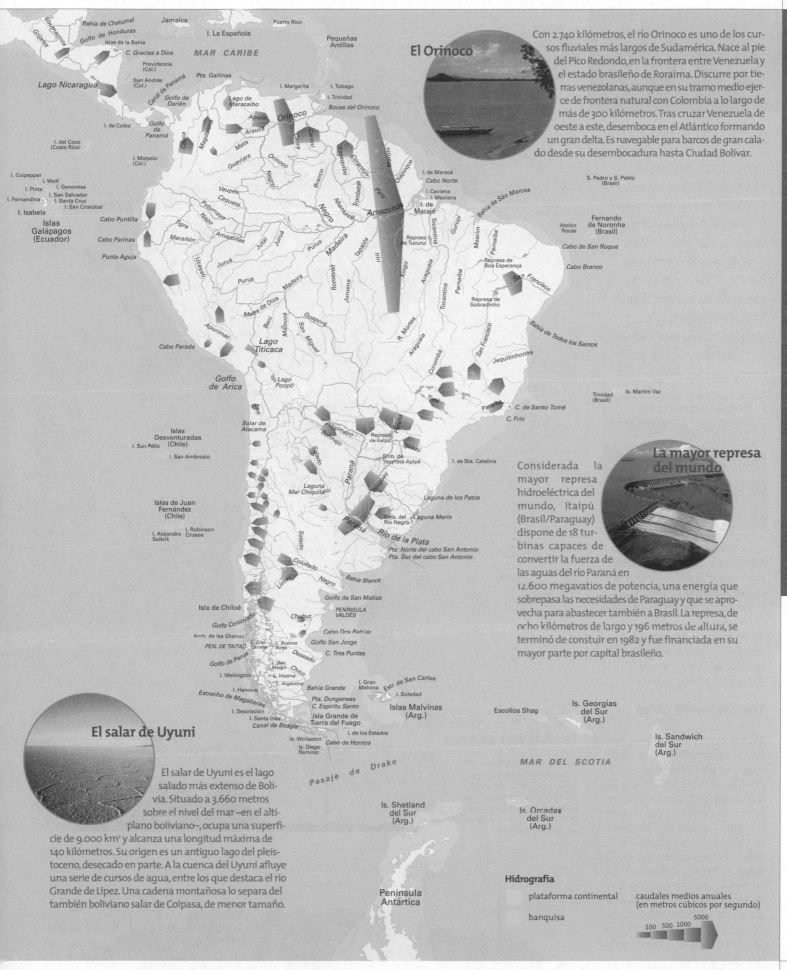

## El Orinoco

Con 2.740 kilómetros, el río Orinoco es uno de los cursos fluviales más largos de Sudamérica. Nace al pie del Pico Redondo, en la frontera entre Venezuela y el estado brasileño de Roraima. Discurre por tierras venezolanas, aunque en su tramo medio ejerce de frontera natural con Colombia a lo largo de más de 300 kilómetros. Tras cruzar Venezuela de oeste a este, desemboca en el Atlántico formando un gran delta. Es navegable para barcos de gran calado desde su desembocadura hasta Ciudad Bolívar.

## La mayor represa del mundo

Considerada la mayor represa hidroeléctrica del mundo, Itaipú (Brasil/Paraguay) dispone de 18 turbinas capaces de convertir la fuerza de las aguas del río Paraná en 12.600 megavatios de potencia, una energía que sobrepasa las necesidades de Paraguay y que se aprovecha para abastecer también a Brasil. La represa, de ocho kilómetros de largo y 196 metros de altura, se terminó de constuir en 1982 y fue financiada en su mayor parte por capital brasileño.

## El salar de Uyuni

El salar de Uyuni es el lago salado más extenso de Bolivia. Situado a 3.660 metros sobre el nivel del mar –en el altiplano boliviano–, ocupa una superficie de 9.000 km² y alcanza una longitud máxima de 140 kilómetros. Su origen es un antiguo lago del pleistoceno, desecado en parte. A la cuenca del Uyuni afluye una serie de cursos de agua, entre los que destaca el río Grande de Lípez. Una cadena montañosa lo separa del también boliviano salar de Coipasa, de menor tamaño.

### Hidrografía

plataforma continental

banquisa

caudales medios anuales
(en metros cúbicos por segundo)

100  500  1000  5000

# Vegetación

América Central y del Sur abarcan una enorme extensión de latitudes que les permite albergar una gran variedad de regiones biogeográficas. Entre ellas, la mayor extensión de selvas y bosques lluviosos del mundo, debido a que dos terceras partes de su superficie se hallan entre los trópicos y alcanza su máxima anchura cerca del ecuador, donde reina la Amazonia.

## El desierto sudamericano

La pampa patagónica es un bioma formado por gigantescas mesetas cubiertas de vegetación esteparia. En estas latitudes, los vientos húmedos procedentes del Pacífico ya han depositado su carga de lluvia en los Andes. Por esa razón, en dirección al este el ambiente es cada vez más seco. La estepa se convierte casi en un desierto.

## Un continente único

Hace 70 millones de años, tuvo lugar la fragmentación de Gondwana, un gran continente situado en el hemisferio sur. Uno de los fragmentos se desplazó hacia el oeste, dando lugar a un gran océano central. El océano sería el Atlántico y el fragmento, Sudamérica. El nuevo continente permaneció aislado durante millones de años, lo que permitió que conservara gran parte de la flora y la fauna originarias. La posterior unión de las dos Américas por el istmo de Panamá provocó un gran trasiego de especies, sobre todo del norte al sur.

## Regiones biogeográficas

## Ecosistemas andinos

Los perfiles adjuntos representan sendas secciones de los Andes y de sus tierras adyacentes a la altura de Ecuador y del norte de Chile y Argentina, con la vegetación correspondiente a cada altitud y longitud.

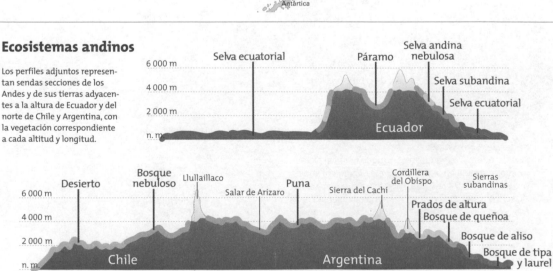

## Vegetación natural

### Mapa: vegetación

MAR CARIBE
Pequeñas Antillas

Belmopán
BELICE
GUATEMALA
Guatemala
HONDURAS
Tegucigalpa
San Salvador
NICARAGUA
EL SALVADOR
Managua
San José
COSTA RICA
PANAMÁ
Panamá
Isla del Coco

Santa Marta
Barranquilla
Cartagena
Maracaibo
Barquisimeto
Valencia
Caracas
San Félix de Guayana
Ciudad Bolívar
Georgetown
Paramaribo
Cayena
VENEZUELA
GUYANA
SURINAM
Guayana Francesa
Cúcuta
Medellín
Manizales
Bogotá
COLOMBIA
Malpelo
Buenaventura
Cali
Pasto

Llanos

Boa Vista

Macapá

Quito
ECUADOR
Guayaquil
Cuenca
Iquitos
Manaos
Belém
São Luís
Fortaleza
Fernando de Noronha

Islas Galápagos

Chiclayo
Trujillo
Pucallpa
PERÚ
Río Branco
Pôrto Velho
BRASIL
Teresina
Natal
João Pessoa
Recife
Maceió
Aracajú

Selvas

Caatinga

Lima
El Callao
Huancayo
Ica
Cuzco
BOLIVIA
La Paz
Arequipa
Oruro
Cochabamba
Santa Cruz
Sucre
Potosí

Campos

Cuiabá
Brasilia
Goiânia
Uberaba
Campo Grande
Belo Horizonte
Feira de Santana
Salvador

OCÉANO PACÍFICO

Arica
Iquique
Antofagasta
Copiapó
La Serena

Puna

Ribeirão Prêto
Juíz de Fora
Vitória
Campinas
San Pablo
Niterói
Río de Janeiro
Campos
Santos
Curitiba
Pôrto Alegre
Pelotas
PARAGUAY
Asunción
S. Salvador de Jujuy
Salta
S. Miguel de Tucumán
Resistencia
Corrientes
Santiago del Estero
Sta. María
Córdoba
S. Juan
Santa Fe
Paraná
URUGUAY
Rosario
Montevideo
Buenos Aires
La Plata
CHILE
Valparaíso
Santiago
Mendoza
Talca

Pampa

Mar del Plata
Temuco
Valdivia
Puerto Montt
Neuquén
Bahía Blanca
ARGENTINA

OCÉANO ATLÁNTICO

Comodoro Rivadavia

Islas Malvinas (Arg.)

Punta Arenas
Tierra del Fuego

Georgias del Sur (Arg.)

Cabo de Hornos

Península Antártica

#### Leyenda
- tundra
- bosque mixto (coníferas y de hoja ancha)
- de tipo mediterráneo (matorral, olivo, ...)
- pradera (hierba larga)
- estepa (hierba corta)
- sabana
- selva tropical
- bosque tropical semicaducifolio
- bosque tropical xerófilo
- bosque subtropical
- semidesértico (zarzal, espinosas)
- hierba baja de suelo seco, cactus
- desierto de arena
- puna
- vegetación de alta montaña
- bosque pantanoso
- manglar costero

### Las plantas de la aridez

En los Andes, a partir de los 43 grados de latitud sur, el clima de los valles se vuelve cada vez más seco. Allí dominan los bosques de araucarias *(foto superior)*, bosques de coníferas que en los tiempos de los grandes reptiles se extendían por gran parte del hemisferio norte pero que ya sólo se encuentran en algunas regiones del hemisferio sur. Son árboles unisexuados cuyas ramas salen regularmente del tronco y, en ellas, las hojas se disponen como escamas, anchas en la base y con el ápice espinoso. Las flores masculinas forman inflorescencias, mientras que las femeninas surgen aisladas.

En la costa oeste, desde cerca del ecuador hasta los 45 grados de latitud sur, se extiende una de las zonas más áridas del mundo. En la parte central se encuentra el desierto de Atacama, donde puede pasar más de un año sin que caiga una gota de lluvia. Las plantas sólo se nutren del agua del rocío o de las neblinas. Los cactus tipo candelabro *(foto derecha)* tienen sistemas de almacenamiento de agua muy perfeccionados.

## Las comunidades vegetales

Sudamérica presenta una clara diferenciación de oeste a este. Los Andes y la corriente oceánica fría de Humboldt condicionan los climas y las comunidades ecológicas. En la costa oeste se sitúan algunos de los desiertos más secos de la Tierra y los Andes actúan como una barrera que altera todo el sistema de vientos procedentes del Pacífico. Esta variedad de climas y de relieves determina la existencia de una gran diversidad de comunidades vegetales. La posición latitudinal de América central (*gráfico de la derecha*) corresponde a climas cálidos, pero en las montañas es la altura la que determina la distribución de los ecosistemas. Las regiones costeras tienen un verano permanente y abundantes lluvias y alcanzan hasta los 1.000 metros de altura. A partir de aquí hay una transición hacia los bosques tropicales templados y los bosques mixtos de clima frío. Todos estos ecosistemas se ven afectados por los frecuentes huracanes que se originan a finales del verano sobre el océano y que se desplazan por toda la región.

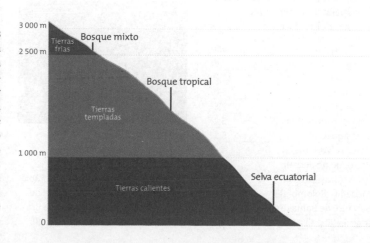

3 000 m
2 500 m
1 000 m
0

Tierras frías
Bosque mixto
Tierras templadas
Bosque tropical
Tierras calientes
Selva ecuatorial

# Distribución de la población

La principal característica de la población centro y sudamericana es el gran desequilibrio en su distribución geográfica. Mientras la inmensa mayoría se concentra en la costa, enormes regiones del interior quedan prácticamente deshabitadas. Otra peculiaridad del continente es su alta tasa de población urbana: tres de cada cuatro latinoamericanos viven en una ciudad.

| Densidad de población | hab/km² |
|---|---|
| El Salvador | 304,9 |
| Guatemala | 110,5 |
| Costa Rica | 80,1 |
| Honduras | 60,5 |
| Ecuador | 45,2 |
| Nicaragua | 41,0 |
| Panamá | 40,6 |
| Colombia | 38,2 |
| Venezuela | 27,7 |
| Perú | 20,8 |
| Brasil | 20,6 |
| Chile | 20,6 |
| Uruguay | 19,2 |
| Paraguay | 14,1 |
| Argentina | 13,7 |
| Belice | 10,9 |
| Bolivia | 7,9 |
| Guyana | 3,6 |
| Surinam | 2,6 |

más de 200 hab/km²
de 50 a 200 hab/km²
de 10 a 50 hab/km²
de 1 a 10 hab/km²
menos de 10 hab/km²

| Principales aglomeraciones urbanas del continente | mill. hab |
|---|---|
| San Pablo (Brasil) | 19,9 |
| Buenos Aires (Argentina) | 13,8 |
| Río de Janeiro (Brasil) | 12,0 |
| Lima (Perú) | 8,0 |
| Bogotá (Colombia) | 7,8 |
| Belo Horizonte (Brasil) | 5,2 |
| Santiago (Chile) | 5,1 |
| Caracas (Venezuela) | 4,4 |
| Porto Alegre (Brasil) | 3,9 |
| Recife (Brasil) | 3,7 |
| Medellín (Colombia) | 3,4 |
| Salvador de Bahía (Brasil) | 3,3 |
| Brasilia (Brasil) | 3,2 |

San Pablo (Brasil)
19,9 millones de habitantes
11,6% de la población del país
Sin ser la capital del estado, San Pablo es la quinta ciudad más poblada del mundo y el motor económico de Brasil, ya que produce el 30% de su PBI.

Buenos Aires (Argentina)
13,8 millones de habitantes
37,2% de la población del país
El Gran Buenos Aires, que en 1950 ya contaba cinco millones de habitantes, llegó a albergar al 35,2% de la población del país en los años 70 y 80.

Lima (Perú)
8,0 millones de habitantes
31,2% de la población del país
En Lima viven más personas que en el resto de las principales ciudades peruanas juntas. Y, de momento, sigue creciendo a un ritmo del 2,3% por año.

# Población urbana

**MAR CARIBE**

Belmopan
BELICE *(48%)*
GUATEMALA *(40%)*
**Guatemala**
HONDURAS *(54%)*
Tegucigalpa
San Salvador
EL SALVADOR *(61%)*
NICARAGUA *(56%)*
Managua
San José
COSTA RICA *(59%)*
PANAMÁ *(56%)*
**Panamá**
Isla del Coco
Malpelo
Islas Galápagos

Santa Marta
Barranquilla
Cartagena
Maracaibo  **Caracas**
Barquisimeto  Valencia
Cúcuta  Ciudad Bolívar
Bucaramanga
**Medellín**
Manizales
Buenaventura  **Bogotá**
**Cali**  **COLOMBIA** *(75%)*
Pasto
**ECUADOR** *(63%)*  **Quito**
**Guayaquil**
Cuenca  Iquitos

**VENEZUELA** *(87%)*
Boa Vista
GUYANA *(37%)*
Paramaribo
Georgetown
Cayena
SURINAM *(75%)*
Guayana Francesa *(-)*

Pequeñas Antillas
San Félix de Guayana

Macapá

**Belém**
Manaos

Chiclayo
Trujillo
**PERÚ** *(73%)*  Pucallpa
El Callao  Huancayo
**Lima**  Cuzco
Ica
Arequipa  **La Paz**
**BOLIVIA** *(63%)*
Oruro  Cochabamba
Arica  Sucre  Potosí
Iquique
Antofagasta
S. Salvador de Jujuy
Copiapó  Salta
La Serena  S. Miguel de Tucumán
**CHILE** *(86%)*
Valparaíso  Santiago del Estero
**Santiago**  San Juan
Talca  Mendoza
**ARGENTINA** *(88%)*
Temuco
Valdivia  Neuquén
Puerto Montt

Río Branco  Pôrto Velho

Cuiabá
Santa Cruz
Campo Grande
**PARAGUAY** *(57%)*
Asunción
Resistencia
Corrientes
Santa María
Santiago del Estero
**Córdoba**  Santa Fe
Paraná
**Rosario**
**Buenos Aires**
La Plata
Mar del Plata
Bahía Blanca

São Luís
Teresina
**Fortaleza**
Fernando de Noronha
Natal
João Pessoa
**Recife**
Maceió
Aracajú
Feira de Santana
**Salvador**

**Brasília**
Goiânia
Uberaba
Ribeirão Prêto
Campinas
**San Pablo**
Santos
**Curitiba**

**Belo Horizonte**
Vitória
Juiz de Fora
Campos
Niterói
**Río de Janeiro**

**BRASIL** *(82%)*

**Pôrto Alegre**
Pélotas

URUGUAY *(92%)*
**Montevideo**

**OCÉANO PACÍFICO**

**OCÉANO ATLÁNTICO**

Comodoro Rivadavia

Islas Malvinas (Arg.)

Punta Arenas
Tierra del Fuego
Cabo de Hornos

Georgias del Sur (Arg.)

Península Antártica

**Leyenda:**
- superior al 85%
- del 66 al 85%
- *media América Central y Sur= 66%*
- del 60 al 66%
- del 46 al 60 %
- *media mundial = 46%*
- inferior al 46%

## Países más urbanizados

| | |
|---|---|
| Uruguay | 92% |
| Argentina | 88% |
| Venezuela | 87% |
| Chile | 86% |
| Brasil | 82% |
| Colombia | 75% |

## Países menos urbanizados

| | |
|---|---|
| Guyana | 37% |
| Guatemala | 40% |
| Belice | 48% |
| Honduras | 53% |
| Panamá | 56% |
| Nicaragua | 56% |

## Suburbios y sanidad

El continuo y masivo éxodo de habitantes de los núcleos rurales, que se inició en la década de los setenta, ha provocado un crecimiento desmesurado y desorganizado de las ciudades de acogida. Así nacieron enormes suburbios periféricos como las favelas brasileñas, que reciben este nombre de la flor que crece en las laderas de las colinas, o las callampas chilenas. La construcción, casi siempre artesanal, de viviendas en terrenos no urbanizados tiene como consecuencia la falta de salubridad. Un ejemplo: en Venezuela, el 26% de la población urbana no tiene acceso a instalaciones sanitarias adecuadas.

○ Interior de una casa de un barrio humilde de Salvador de Bahía (Brasil)

## Mayor proporción de población urbana pobre

| | |
|---|---|
| Honduras | 56,0% |
| Perú | 50,3% |
| El Salvador | 43,1% |
| Guatemala | 33,7% |
| Nicaragua | 31,9% |
| Bolivia | 29,3% |
| Ecuador | 25,0% |
| Paraguay | 19,6% |
| Panamá | 15,3% |
| Brasil | 13,1% |
| Colombia | 8,0% |

## Los problemas medioambientales en las megalópolis sudamericanas

La contaminación atmosférica es un problema de primer orden en las principales ciudades de América del Sur.

Cuatro urbes del continente sudamericano aparecen en el ranking de las 21 metrópolis más contaminadas del planeta: Santiago de Chile, Buenos Aires, Río de Janeiro y San Pablo. Los niveles de polución que se alcanzan en estas urbes, que superan en muchos casos los permitidos por la Organización Mundial de la Salud, provienen de la expansión industrial y, sobre todo, del escape de los automóviles. Santiago, donde la contaminación ambiental es especialmente acuciante, duplica cada cinco años su parque automovilístico, lo que obligó al gobierno municipal a restringir el uso del auto durante la semana. Se estima que otras muchas ciudades del continente alcanzan niveles de contaminación similares a los de estas cuatro urbes, pero la mayoría de ellas no dispone de sistemas de medición y control.

### Contaminación en el aire

| Ciudad | SO₂ | PTS | Plomo | CO | NO₂ | O₃ |
|---|---|---|---|---|---|---|
| Buenos Aires | − | ● | ● | − | − | − |
| Río de Janeiro | ● | ● | ● | ● | − | − |
| Santiago | ● | ● | ● | ● | ● | ● |
| San Pablo | ● | ● | ● | ● | ● | ● |

● Problema grave: los estándares de la OMS se exceden en más del doble.
● Serio a moderado: exceso inferior al doble. Los estándares a corto plazo se exceden regularmente.
● Contaminación baja: los estándares de la OMS se exceden ocasionalmente.
− No hay suficientes datos para la evaluación
SO₂: dióxido de azufre. PTS: partículas en suspensión. CO: monóxido de carbono. NO₂: dióxido de nitrógeno. O₃: ozono

# Crecimiento y composición de la población

Desde la colonización europea, América ha amparado a aquellos emigrantes que llegaron en busca de una oportunidad. Todos se hicieron un lugar junto a los habitantes originarios del continente, los amerindios, formando una amalgama de culturas y etnias de una riqueza excepcional. En la actualidad, la región ya ha sobrepasado los 395 millones de habitantes. Brasil, con el 46% del territorio, suma el 45% de la población del continente. En los últimos años, el fenómeno demográfico más destacado ha sido la desaceleración de la tasa de crecimiento, tradicionalmente muy elevada.

## Población por países

| Población por países | habitantes |
|---|---|
| Brasil | 176.247.000 |
| Colombia | 43.526.000 |
| Argentina | 37.981.000 |
| Perú | 26.662.000 |
| Venezuela | 25.226.000 |
| Chile | 15.613.000 |
| Ecuador | 12.810.000 |
| Guatemala | 12.036.000 |
| Bolivia | 8.645.000 |
| Honduras | 6.781.000 |
| El Salvador | 6.415.000 |
| Paraguay | 5.740.000 |
| Nicaragua | 5.335.000 |
| Costa Rica | 4.094.000 |
| Uruguay | 3.391.000 |
| Panamá | 3.064.000 |
| Guyana | 764.000 |
| Surinam | 432.000 |
| Belice | 251.000 |

## Población por nacionalidades

3,9% Chile
6,4% Venezuela
6,8% Perú
9,6% Argentina
11% Colombia
17,7% resto Am. Sur/Central
44,6% Brasil

Tasa media anual de crecimiento de la población

- superior al 2,5%
- del 2,0 al 2,5%
- del 1,6 al 2,0%
- *América Central y Sur = 1,6%*
- del 1,3 al 1,6%
- *media mundial = 1,3%*
- inferior al 1,3%

Esperanza de vida al nacimiento

- superior a 73
- de 71 a 73
- *América Central y Sur = 71*
- de 65,4 a 71
- *media mundial = 65,4*
- inferior a 65,4

## Un crecimiento moderado

Los países de la región, sobre todo los más industrializados, han reducido progresivamente su tasa de crecimiento. La evolución demográfica de estos países es idéntica a la de los europeos, aunque está en un estadio menos avanzado.

### Cuándo duplicaría su población*

|  |  |
|---|---|
| Guyana | nunca (crecimiento negativo) |
| Surinam | en el 2107 |
| Uruguay | en el 2094 |
| Brasil | en el 2064 |
| Chile | en el 2059 |
| Argentina | en el 2054 |
| El Salvador | en el 2046 |
| Panamá | en el 2046 |
| Venezuela | en el 2042 |
| Ecuador | en el 2041 |
| Colombia | en el 2038 |
| Costa Rica | en el 2038 |
| Perú | en el 2037 |
| Bolivia | en el 2036 |
| Honduras | en el 2032 |
| Belice | en el 2029 |
| Guatemala | en el 2026 |
| Paraguay | en el 2026 |
| Nicaragua | en el 2025 |

*\* Si mantuviera su actual tasa de crecimiento.*

## Mayor longevidad

La esperanza de vida de la población de Centro y Sudamérica ha aumentado paralelamente al desarrollo económico y social experimentado por cada uno de los países del continente. Así, se calcula que el porcentaje de varones nacidos entre 1995 y el 2000 que superará los 80 años es del 30%, una cifra muy similar a la de Europa. En cuanto a las mujeres, el porcentaje ronda el 44%, una esperanza de vida superior al de asiáticas y africanas. De todos modos, las diferencias entre países son aún notables, como demuestran los casi 15 años que separan a Costa Rica de Guyana.

### Esperanza de vida

| Esperanza de vida | años |
|---|---|
| Costa Rica | 78,1 |
| Chile | 76,1 |
| Uruguay | 75,3 |
| Panamá | 74,7 |
| Argentina | 74,2 |
| (...) | |
| Honduras | 68,9 |
| Brasil | 68,1 |
| Guatemala | 65,8 |
| Bolivia | 63,9 |
| Guyana | 63,2 |

## Composición étnica de la población

zonas de población mayoritariamente amerindia

población amerindia con baja proporción de mestizos

población mayoritariamente criolla con numerosos mestizos

población mayoritariamente criolla con numerosos mulatos y negros

población de origen europeo renovada por la inmigración del siglo XX

elevada proporción de población de origen africano

## Diversidad demográfica

América del Sur y Central ofrece una amalgama de etnias que varía en su presencia y porcentaje de un país a otro, en función de su historia y los movimientos migratorios. No obstante, se pueden distinguir tres grandes grupos: los países con predominio de población amerindia o mestiza (Centroamérica, Ecuador, Paraguay, Bolivia, Venezuela, Perú y Brasil), los de población de origen europeo (Chile, Argentina y Uruguay) y los que se caracterizan por su gran diversidad étnica (Belice, Surinam y Guyana). Estos últimos también se distinguen por haber recibido unos flijos migratorios sensiblemente diferentes a las del resto del continente.

### Bolivia

Mayor presencia de población amerindia.

37% Quechuas
32% Aymarás
13% Mestizos
10% Origen europeo
8% Otros

### El Salvador

Población con predominio de habitantes mestizos.

89% Mestizos
10% Amerindios
1% Origen europeo

### Uruguay

La inmensa mayoría de los habitantes tiene sus raíces en Europa.

90% Origen europeo
6% Mestizos
4% Afroamericanos

### Guyana

La población se caracteriza por la diversidad de sus orígenes.

52% Origen asiático
38% Afroamericanos
4% Amerindios
2% Origen europeo
4% Otros

## Características demográficas

Aunque el promedio de hijos por pareja en América Central y del Sur está en los 3, dos tercios de los 19 países del continente están en la franja de los dos hijos por pareja. Sólo Guatemala mantiene una fecundidad alta, con una media de cuatro hijos por mujer. Lógicamente, la fecundidad y, por lo tanto, la natalidad de un país, en interacción con otros factores como la mortalidad infantil o la esperanza de vida, determinan la composición y las características demográficas de los países.

| Edad media de la población | años |
|---|---|
| Uruguay | 32 |
| Argentina | 29 |
| Chile | 28 |
| Brasil | 25 |
| Colombia | 25 |
| (...) | |
| Bolivia | 20 |
| Paraguay | 20 |
| Belice | 19 |
| Honduras | 19 |
| Guatemala | 18 |

| Tasa de fecundidad | hijos por mujer |
|---|---|
| Guatemala | 4,4 |
| Paraguay | 3,8 |
| Bolivia | 3,8 |
| Nicaragua | 3,7 |
| Honduras | 3,7 |
| (...) | |
| Chile | 2,3 |
| Guyana | 2,3 |
| Uruguay | 2,3 |
| Costa Rica | 2,2 |
| Brasil | 2,2 |

# Lenguas
y etnias

La diversidad lingüística de América Central y del Sur es un fiel reflejo de sus características étnicas y socioculturales. Junto al uso mayoritario del español y el portugués, herencia de los primeros colonizadores europeos, un 15% de la población del continente aún se expresa en las lenguas indígenas que han logrado sobrevivir al paso de los siglos. Estas lenguas representan, además, el mejor legado cultural del abigarrado mosaico étnico americano.

## Lenguas más habladas

**44,6%** Español
**40,7%** Portugués
**1,59%** Quechua
**1,28%** Guaraní
**11,7%** Resto de lenguas

## Español

# 167.000.000

hablantes

**Países:** Argentina, Bolivia, Chile, Colombia, Costa Rica, Ecuador, El Salvador, Guatemala, Honduras, Nicaragua, Panamá, Paraguay, Perú, Uruguay y Venezuela

## Portugués

# 153.000.000

hablantes

**Países :** Brasil y Uruguay

## Quechua

# 6.000.000 hablantes

**Países :** Perú, Ecuador, Bolivia y Argentina

MAR CARIBE

OCÉANO PACÍFICO

Islas Galápagos

OCÉANO

ATLÁNTICO

Islas Malvinas (Arg.)

Georgias del Sur (Arg.)

**familia indoeuropea**

clase itálica (románica)

- español
- portugués
- francés

clase germánica

- inglés
- holandés

**lenguas indígenas**

- maya-zoque (kekchí, mam, quiché)
- misquito-matagalpa (misquito, sumu, matagalpa)
- tupí-guaraní (guaraní, chané, maue, cayabí)
- chibcha (cuna, muisca, páez)
- quechua
- aymará
- araucana o mapuche
- arawak (guajiro, achagua, baré, masco)
- caribe (chocó, motilón, carijona)
- ge (cayapó, cherente, chavante)
- pano (mayoruna, remo, pacaguara)
- otras lenguas (tucano, uitoto, jíbaro, chapacura, samuco, ...)

## La nueva conciencia de la diversidad

En la actualidad, entre 175 y 250 lenguas amerindias se encuentran en grave peligro de extinción en América Central y del Sur. De ellas, muchas corresponden a las pequeñas poblaciones de indígenas que habitan en la cuenca brasileña del Amazonas. Precisamente, Brasil ha sido el país que ha sufrido la mayor pérdida de idiomas autóctonos. Se calcula que en su territorio han desaparecido unas 540 lenguas amerindias desde que se inició la colonización europea.

No obstante, desde el último cuarto del siglo XX se ha observado una mayor preocupación por conservar los rasgos culturales de los diferentes grupos étnicos. Además de la creación en el 2000 del Foro Permanente de los Pueblos Indígenas en el seno de la ONU, la mayoría de los países centro y sudamericanos ha modificado sus textos constitucionales con el fin de reconocer los derechos de los amerindios y proteger sus particularidades socioculturales. Con este objetivo, tres países –Perú (quechua), Paraguay (guaraní) y Bolivia (quechua y aymará)– han declarado oficiales lenguas amerindias. Además, son muchos los estados (Chile, Guatemala, Perú...) que ofrecen la posibilidad de recibir educación en la lengua propia.

## Map labels

**Etnias**

huastecas
náhuatl
ixcatecos
mayas
quichés
Altiplanos centrales y meridionales
borucas
cunas
guaímíes
chocó
Centroamérica
tainos
Antillas
MAR CARIBE
caribes
caribes
OCÉANO

Colombia
Islas Galápagos
páez
pijao
achaguas
cayapas
caras
colorados
mantas
jíbaros
huitotos
caquetíos
cumanagotos
chirianás
macusíes
arawak
tupí
Amazonia
muras
mundurucúes
kawaib
carajás
Brasil oriental
OCÉANO PACÍFICO
quechuas
sirionós
nambíkwaras
camayuras
Andes centrales y meridionales
aymarás
mojos
atacameños
bororos
botocudos
araucanos
matacos
diaguita
guaraníes
Chaco
charrúas
huarpes
chechect
puelches
mapuches
Pampa
tehuelches
chonos
Islas Malvinas (Arg.)
Georgias del Sur (Arg.)
atacalutes
onas
yamanas
OCÉANO ATLÁNTICO

## Etnias

**Guaraní**

4.820.000 hablantes

Países: Paraguay y Argentina.

**Aymará**

2.200.000 hablantes

Países: Bolivia, Perú, Chile y Argentina

**Quiché**

1.120.000 hablantes

País: Guatemala

**Inglés**

1.080.000 hablantes

Países: Guyana y Belice

**Mam**

446.000 hablantes

País: Guatemala

**Kekchí**

363.000 hablantes

Países: Guatemala, El Salvador y Belice

**Holandés**

322.000 hablantes

País: Surinam

## Los pueblos nativos

La población nativa de América en tiempos precolombinos alcanzaba los 70 millones de personas. A partir de la conquista, esta cifra disminuyó sucesivamente hasta llegar a los 20 ó 30 millones registrados a finales del siglo XX. Actualmente, las comunidades amerindias suelen integrar los estratos más pobres de sus sociedades y tropiezan con graves dificultades para desarrollar plenamente su cultura.

**Mayas (Guatemala)** La comunidad etnolingüística maya supone en la actualidad el 45% de la población guatemalteca. Se trata de una gran familia étnica a la que pertenecen varias tribus que aún conservan su estilo de vida tradicional.

**Araucanos (Chile y Argentina)** Antes de la llegada de los españoles, había más de un millón de araucanos. Actualmente son poco más de 200.000. La inmensa mayoría habita en Chile, ya que en Argentina fueron exterminados o se mestizaron.

**Shuar (Ecuador)** Los shuar, que habitan en la Amazonia ecuatoriana y no sobrepasan los 11.000 individuos, reivindican este nombre frente a los de jíbaro o salvaje por los que son conocidos por su costumbre –la Tsantsa– de reducir las cabezas de sus enemigos muertos.

# Coyuntura económica

Pese a que la pobreza retrocedió notablemente durante la última década en la región, la política económica ultraliberal aplicada por la mayoría de los gobiernos centro y sudamericanos amplió los desequilibrios en el reparto de la riqueza. A pesar de ello, el crecimiento económico continuó en casi todos los estados y se redujo la inflación a niveles más razonables que los de épocas anteriores. Sin embargo, la crisis asiática de 1997 y los *cracks* brasileño (1998) y argentino (2002) han paralizado en parte ese progreso.

### La pobreza

● Favelas de Gavea, en Río de Janeiro

América Central y del Sur es uno de los continentes más inequitativos del mundo en la distribución de la riqueza. Entre los años 1990 y 1997, la población pobre –el 40% de los hogares– participó solamente del 10% al 17% de los ingresos de los países de la zona, mientras que los hogares ricos –el 10% del total– disfrutaron de entre el 30 y el 40% de los ingresos generados.

La pobreza ha continuado manteniéndose en tasas elevadas en la última década. En 1990, el 41% de los hogares de la región centro y sudamericana estaba por debajo de la línea de la pobreza, y en 1997 este porcentaje sólo bajó al 36%. En 1998, más del 40% de la población de países como Guatemala, Honduras o Nicaragua sobrevivió con menos de un dólar al día.

**Mercado de bienes y servicios** (en % del PBI)

- superior al 43,0%
- *media mundial = 43,0%*
- del 30,0 al 43,0%
- del 15,0 al 30,0%
- inferior al 15,0%

## Deuda externa

Durante la década de los setenta, América Latina fue, junto a África y los países del antiguo bloque socialista, una de las regiones que más créditos pidió al sistema bancario internacional para emprender ambiciosas obras de infraestructura. Los gobiernos se endeudaron y a mediados de los ochenta la situación se tornó ingobernable.

Durante los años noventa, América Latina optó por privatizar parte de su infraestructura. Esta decisión produjo una considerable inyección de dinero y modificó la balanza de la deuda, pero no resolvió el problema. Actualmente, Brasil y Argentina son los estados que más dinero adeudan.

Pero Nicaragua es el país con la situación financiera más grave: la relación entre deuda e ingresos por exportaciones es la más alta de América Latina. En 1995, la deuda externa de Nicaragua representaba el 515% de su Producto Bruto Interno (PBI). Ese mismo año, Guyana debía el 301% de su PBI, Honduras el 109%, y Bolivia el 79%. Muchos de estos países son también los principales receptores de la ayuda internacional a causa de los graves desastres climáticos y geológicos que padece periódicamente la región. El paso del huracán Mitch en 1998 obligó a Honduras y Nicaragua a depender por completo de la ayuda internacional para reconstruir sus países. Sus economías no habían previsto catástrofes de tal envergadura, pese a encontrarse en una zona de alto riesgo.

| Deuda externa 2001 | Millones de dólares |
|---|---|
| Brasil | 226.362 |
| Argentina | 136.709 |
| Chile | 38.360 |
| Colombia | 36.699 |
| Venezuela | 34.660 |
| Perú | 27.512 |
| Ecuador | 13.910 |
| Uruguay | 9.706 |
| Panamá | 8.245 |
| Nicaragua | 6.391 |
| Honduras | 5.051 |
| El Salvador | 4.683 |
| Bolivia | 4.682 |
| Costa Rica | 4.586 |
| Guatemala | 4.526 |
| Paraguay | 2.817 |
| Guyana | 1.406 |

## Industria

Como parte del PBI, el valor de la industria mide la producción de sectores como la minería, la manufactura, la construcción, la electricidad, el agua y el gas. El tejido industrial centro y sudamericano es pobre, ya que en la época colonial las manufacturas se importaban de la metrópoli, por lo que su participación en el total del PBI continental no alcanza el 40%.

| Participación de la industria en el PBI | |
|---|---|
| Perú | 36,8% |
| Ecuador | 35,2% |
| Guyana | 32,5% |
| Honduras | 30,9% |
| Chile | 30,4% |
| Brasil | 28,8% |
| Argentina | 28,7% |
| Bolivia | 28,7% |
| Salvador | 28% |
| Uruguay | 27,5% |
| Surinam | 26,3% |
| Paraguay | 26,2% |
| Belice | 25,5% |
| Colombia | 25,1% |
| Costa Rica | 24,3% |
| Nicaragua | 21,5% |

## Crecimiento económico

América del Sur aparecía a finales del siglo XX como una zona especialmente prometedora en el plano económico, ya que en 1997 registraba un crecimiento del 5,4% mientras que el PBI mundial sólo subió una media del 3%. Sin embargo, la crisis asiática del verano de 1997, que castigó a las exportaciones latinoamericanas, limitó el crecimiento medio de 1998 al 2,1%. Posteriormente, en 1999, la crisis brasileña redujo el crecimiento al 0,4%. Por el contrario, en el año 2000, la economía se recuperó en un 4%.

La política antiinflacionista de muchos estados consiguió moderar los desmesurados niveles de inflación, que en 1993 fueron del 877%. Sin embargo, entre 1997 y 1998 lograron situarse en el 10,3%, y en 1999 y 2000 descendieron al 9%. En el período 1990-98, la inflación anual representó para países como Brasil o Surinam el 350% y el 140%, respectivamente, del PBI.

Pese a todo, Sudamérica sigue presentando grandes desigualdades socioeconómicas entre países y regiones. Mientras en 1998 los estados del Cono

## Producto Bruto Interno por habitante

**Leyenda:**
- superior a 7.376$
- *media mundial = 7.376$*
- de 5.715 a 7.376$
- *América Central y Sur = 5.715$*
- de 5.000 a 5.715$
- de 4.000 a 5.000$
- inferior a 4.000$

## Tasa media de crecimiento anual del PBI

**Leyenda:**
- superior al 2,7%
- *media mundial = 2,7%*
- del -0,9 al 2,7%
- *América Central y Sur = -0,9%*
- disminución del -3 al -0,9%
- diminución superior al -3%

Sur (Argentina, Chile y Uruguay) y Brasil tenían el PBI por habitante y el Índice de Desarrollo Humano (IDH) más altos del continente, el PBI por habitante de los estados andinos y centroamericanos no superaba la media mundial de 6.526 dólares. Además, estados como Ecuador, Honduras, Bolivia y Nicaragua ni siquiera superaban el promedio de 3.270 dólares arrojado ese mismo año por todos los países en desarrollo del mundo.

| PBI por habitante (2001) | dólares |
|---|---|
| Argentina | 11.320 |
| Costa Rica | 9.460 |
| Chile | 9.190 |
| Uruguay | 8.400 |
| Brasil | 7.360 |
| Colombia | 7.040 |
| Panamá | 5.750 |
| Venezuela | 5.670 |
| El Salvador | 5.260 |
| Paraguay | 5.210 |
| Belice | 4.959 |
| Guyana | 4.690 |
| Surinam | 4.599 |
| Perú | 4.570 |
| Guatemala | 4.400 |
| Ecuador | 3.280 |
| Honduras | 2.830 |
| Nicaragua | 2.450 |
| Bolivia | 2.300 |

| IDH (2001) | |
|---|---|
| Argentina | 0,849 |
| Uruguay | 0,834 |
| Costa Rica | 0,832 |
| Chile | 0,831 |
| Panamá | 0,788 |
| Colombia | 0,779 |
| Brasil | 0,777 |
| Belice | 0,776 |
| Venezuela | 0,775 |
| Surinam | 0,762 |
| Perú | 0,752 |
| Paraguay | 0,751 |
| Guyana | 0,740 |
| Ecuador | 0,731 |
| El Salvador | 0,719 |
| Bolivia | 0,672 |
| Honduras | 0,667 |
| Guatemala | 0,652 |
| Nicaragua | 0,643 |

## Indicador de Desarrollo Humano (IDH)

**Leyenda:**
- superior a 0,800
- de 0,754 a 0,800
- *América central y sur = 0,754*
- de 0,722 a 0,754
- *media mundial = 0,722*
- inferior a 0,722

# Agricultura, ganadería y pesca

La riqueza de los recursos naturales de América del Sur y Central permitió a las nuevas especies adaptarse a la perfección al nuevo continente y convivir con los cultivos y ganados que existían antes de la colonización. Junto a la explotación comercial de estos productos, la pesca también se adecuó a las nuevas exigencias mundiales de competitividad. Países como Chile y Perú se sitúan entre los mayores exportadores.

## Población activa dedicada a la agricultura

| | |
|---|---|
| Guatemala | 52% |
| Honduras | 39% |
| Belice | 31% |
| Guyana | 30% |
| Nicaragua | 28% |
| (...) | |
| Argentina | 2% |
| Bolivia | 2% |
| Colombia | 1% |

## Producción de cereales  Millones tm

| | |
|---|---|
| Brasil | 47,5 |
| Argentina | 33,7 |
| Perú | 3,4 |
| Colombia | 3,3 |
| Chile | 2,2 |

## Exportación de cereales  Millones tm

| | |
|---|---|
| Argentina | 18,6 |
| Uruguay | 0,84 |
| Guyana | 0,25 |
| Chile | 0,17 |
| Surinam | 0,11 |

## Exportación de café  Miles de dólares

| | |
|---|---|
| Brasil | 2.323.998 |
| Colombia | 1.324.965 |
| Guatemala | 587.151 |
| Honduras | 268.011 |
| Perú | 267.638 |
| Costa Rica | 249.220 |

## Exportación de azúcar  Miles de dólares

| | |
|---|---|
| Brasil | 1.910.726 |
| Colombia | 1.324.965 |
| Guatemala | 188.189 |
| Guyana | 177.000 |
| El Salvador | 46.482 |

## Exportación de bananas  Miles dólares

| | |
|---|---|
| Ecuador | 954.427 |
| Costa Rica | 564.000 |
| Colombia | 559.546 |
| Panamá | 184.050 |
| Guatemala | 146.700 |
| Honduras | 38.000 |

**Leyenda del mapa:**

- trigo y otros cereales
- trigo, maíz, cebada, papa
- vid, frutales
- arroz, trigo, maíz
- café, algodón, caña de azúcar
- cacao, frijol, mandioca, arroz
- café
- bananas
- arroz
- pastos con pequeñas áreas cultivadas
- selva, bosque
- escaso uso agrícola
- zonas pesqueras importantes
- puertos pesqueros

## Los recursos agrícolas

El cultivo de cereales está muy extendido en América del Sur y Central, pero la mayor parte de la producción tiene como destino el consumo interno de cada país. La gran excepción es Argentina, que dedica a la exportación el 55% de los cereales que cosecha.

En líneas generales, sin embargo, donde los países centro y sudamericanos consiguen más divisas es en el sector hortifrutícola, especialmente con algunos productos como el café, el cacao o el tabaco. Mención aparte merece el comercio del azúcar, con cuya exportación se logran más beneficios que con todos los cereales.

**Tractores**  unidades

Brasil 806.000
Argentina 280.000
Chile 54.000
Venezuela 49.000

## Ganadería

La explotación ganadera, y muy especialmente la del ganado bovino, ha tenido tradicionalmente un gran peso en la economía de Sudamérica e incluso ha llegado a influir en la personalidad y la iconografía de algunos de sus países, como Argentina y Uruguay. Del mismo modo, los países andinos, ya desde los tiempos del imperio inca, han tenido en las llamas, las alpacas y las vicuñas una base insustituible de su economía local. De la llama, el mayor camélido andino, se aprovecha todo: fuerza, carne, leche, piel, cuero y estiércol.

**Leyenda del mapa:**
- ganado ovino
- ganado porcino
- ganado bovino
- llamas
- alpacas y vicuñas
- principales zonas ganaderas

○ Dos ejemplares de llamas

### Producción por especies

| | |
|---|---|
| Gallinas y pollos | 1.717.446.000 |
| Ganado vacuno | 316.537.000 |
| Ganado ovino | 82.042.000 |
| Cerdos | 7.450.000 |
| Caprinos | 7.350.000 |
| Caballos | 5.400.000 |

### Camélidos de Sudamérica

| | |
|---|---|
| Llamas | 3.300.000 |
| Alpacas | 3.000.000 |
| Vicuñas | 130.000 |

### Exportación de carne de bovino   Miles tm

| | |
|---|---|
| Brasil | 381.092 |
| Argentina | 298.961 |
| Uruguay | 197.482 |
| Paraguay | 21.967 |
| Costa Rica | 16.191 |

### Exportación de carne de ave   Miles tm

| | |
|---|---|
| Brasil | 805.244 |
| Chile | 19.777 |
| Argentina | 17.097 |
| Ecuador | 2.789 |
| Costa Rica | 1.689 |

### Exportacion de carne de cerdo   Miles tm

| | |
|---|---|
| Brasil | 106.970 |
| Chile | 10.375 |
| Costa Rica | 1.241 |
| Guatemala | 877 |
| Argentina | 535 |

## Consumo de carne

Existen pequeñas diferencias entre las dietas alimentarias de América del Sur y Central. La gran cabaña de ganado vacuno de Sudamérica permite a sus habitantes consumir 31,2 kilos por persona al año, cifra que convierte al vacuno en la principal fuente de proteínas animales y elemento básico de su alimentación. La carne de ave suministra unos 19 kilos al año a cada sudamericano y la carne de cerdo, poco más de siete. El consumo de carne de cordero y de cabra es mínimo en Sudamérica y nulo en Centroamérica.

El principal aporte de proteínas entre los habitantes del istmo proviene de la ingestión de carne de ave (22,8 kilos por persona y año). Cada centroamericano ingiere también anualmente unos diez kilos de carne de vaca y poco más de cuatro kilos de carne de cerdo.

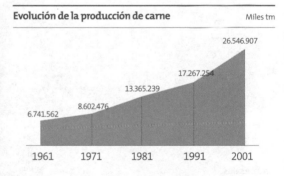

○ Cría de ganado bovino en Canelones, Uruguay

### Evolución de la producción de carne   Miles tm

- 1961: 6.741.562
- 1971: 8.602.476
- 1981: 13.365.239
- 1991: 17.267.254
- 2001: 26.546.907

### Mayores productores de lana

Argentina, además de ser el estado de América Central y del Sur que produce más lana, es stambién el máximo exportador, ya que dedica un 25,3% de su producción al comercio exterior. Le siguen, en orden decreciente, Uruguay, Brasil y Chile.

- Argentina 34,6%
- Uruguay 26,6%
- Brasil 13,4%
- Chile 9%
- Perú 6,7%

### Mayores productores de leche

La práctica totalidad de la producción de leche en América del Sur y Central procede de la vaca. De los principales países productores, sólo Brasil, Chile y Ecuador disponen también de una pequeñísima proporción de leche de cabra.

- Brasil 45,2%
- Argentina 21,2%
- Colombia 11,4%
- Chile 4,3%
- Ecuador 4%

### Mayores productores de huevos

La producción de huevos en la región está orientada íntegramente al consumo nacional. Sólo un mínimo porcentaje se destina a la exportación, como demuestra el 0,1% de Brasil, el máximo productor de América del Sur.

- Brasil 46,9%
- Colombia 11,7%
- Argentina 9,5%
- Venezuela 5,6%
- Perú 5,4%

# Minería, energía e industria

Ya desde los tiempos coloniales, la explotación de minerales se perfiló como uno de los pilares económicos del centro y, sobre todo, del sur de América. Hoy en día, muchos países sudamericanos se encuentran a la cabeza de la producción y la exportación de estos recursos a escala mundial. Del mismo modo, varios estados obtienen pingües beneficios de sus reservas energéticas.

## Exportación de minerales y metales
millones de dólares

|  |  |
|---|---|
| Chile | 6.632 |
| Brasil | 4.883 |
| Perú | 1.906 |
| Venezuela | 949 |
| Argentina | 811 |

## Producción de hierro
millones tm

|  |  |
|---|---|
| Brasil (2º) | 180 |
| Venezuela (11º) | 10,4 |
| Chile (15º) | 5,5 |
| Perú (19º) | 2,9 |
| Colombia (26º) | 0,3 |

## Producción de cobre
millones tm

|  |  |
|---|---|
| Chile (1º) | 3.691 |
| Perú (6º) | 520 |
| Argentina (13º) | 170 |
| Brasil (24º) | 40 |
| Colombia (44º) | 1,4 |

## Producción de estaño
millones tm

|  |  |
|---|---|
| Perú (3º) | 25,8 |
| Brasil (4º) | 18,3 |
| Bolivia (5º) | 11,3 |

## Producción de cinc
millones tm

|  |  |
|---|---|
| Perú (4º) | 869 |
| Brasil (12º) | 153 |
| Bolivia (13º) | 152 |
| Honduras (21º) | 39 |
| Chile (33º) | 16 |

*El número entre paréntesis señala la posición del país en el ranking mundial de producción.*

## Minería, industria y fuentes de energía

- principales áreas industriales
- carbón y lignito
- petróleo
- gas natural
- nitratos

## Minerales

- **Ag** plata
- **Al** aluminio
- **Au** oro
- **Bi** bismuto
- **Cr** cromo
- **Cu** cobre
- **F** flúor
- **Fe** hierro
- **Mn** manganeso
- **Mo** molibdeno
- **Nb** niobio
- **Ni** niquel
- **Pb** plomo
- **Pt** platino
- **Sb** antimonio
- **Sn** estaño
- **Ti** titanio
- **U** uranio
- **W** tungsteno
- **Zn** cinc

*El Tratado Antártico prohíbe la explotación comercial del territorio protegido. Los minerales metálicos localizados en la Antártida sólo figuran en el mapa como información que confirma el hecho de que las montañas transantárticas estuvieron conectadas con los Andes. También existen vastas reservas de carbón y depósitos de petróleo y gas natural.*

## Principales centros mineros durante el período colonial

**minas de plata**

**minas de oro**

**zonas auríferas**

**territorio ocupado por España y Portugal hacia 1565**

### Producción de oro y plata

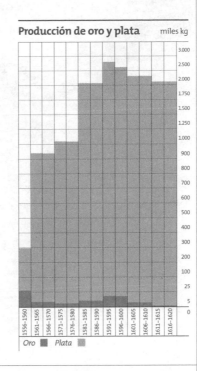

miles kg

Oro ■  Plata ■

---

**Petróleo: producción** millones de barriles

| | |
|---|---|
| Venezuela 1.157 | |
| Brasil | 354 |
| Argentina | 309 |
| Colombia | 267 |
| Ecuador | 137 |
| Perú | 42 |

**Petróleo: exportación** millones barriles

| | |
|---|---|
| Venezuela 817 | |
| Colombia | 126 |
| Argentina | 122 |
| Ecuador | 91 |
| Perú | 17 |
| Guatemala | 6,1 |

**Electricidad: producción**

miles de millones de kWh

| | |
|---|---|
| Brasil 316,9 | |
| Argentina | 75,2 |
| Venezuela | 70,4 |
| Paraguay | 50,3 |
| Colombia | 45,0 |

**Electricidad: consumo**

miles de millones de kWh

| | |
|---|---|
| Brasil 336,2 | |
| Argentina | 75,6 |
| Venezuela | 65,5 |
| Colombia | 42,0 |
| Chile | 26,7 |

### Energía eléctrica: origen

**Paraguay**

0,1% Térmica

0,2% Geotérmica, eólica y solar

99,7% Hidroeléctrica

**El Salvador**

14,2% Geotérmica, eólica y solar

36,5% Hidroeléctrica

49% Térmica

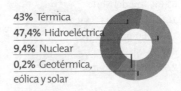

**Argentina**

43% Térmica

47,4% Hidroeléctrica

9,4% Nuclear

0,2% Geotérmica, eólica y solar

---

## Las minas de plata

Las principales extracciones de plata en la época colonial se situaban en Nueva España –Guanajuato y Zacatecas (México)– y en el virreinato del Perú –Oruro y Potosí (Bolivia)–. Las explotaciones bolivianas se agotaron rápidamente. Mientras que las de México consiguieron mantenerse hasta el siglo XIX, las de Bolivia empezaron a manifestar su decadencia a partir de 1630.

Potosí es el exponente más claro de la sobreexplotación argentífera. En 1582, se extraía plata simultáneamente de 89 minas, lo que la convirtió en la ciudad más próspera y poblada del nuevo continente. Esta situación duró hasta el siglo XVIII, cuando, una vez agotados los principales filones, el municipio empezó a perder habitantes hasta quedarse con sólo 8.000.

⊙ Instalación minera en Potosí (Bolivia)

## Las minas de oro

Como sucedió con los yacimientos de plata, las explotaciones del virreinato del Perú fueron las primeras en bajar su rendimiento. Por su parte, las minas de Nueva Granada, que comprendía los territorios de Ecuador, Colombia, Venezuela y Panamá, vivieron dos períodos muy bien diferenciados: desde 1600 a 1730, y a partir de 1750, cuando aumentó espectacularmente su producción. Nueva España, el virreinato de México y Guatemala, empezó a extraer oro en 1670 –un siglo antes de que lo hiciera Chile– y consiguió aumentar su producción progresivamente hasta 1800.

# Comercio y transporte

Como resultado de la apertura comercial y la creación de bloques económicos como el Mercosur, la Comunidad Andina o el Mercado Común Centroamericano, la participación de esta región en el comercio mundial aumentó significativamente en los años noventa. En este período se mantuvo entre los líderes en la exportación de petróleo y minerales. No obstante, el comercio intrarregional continúa sufriendo las dificultades de la deficiente infraestructura de transportes.

## Importaciones y exportaciones

variación porcentual    *Importaciones* ■   *Exportaciones* ■

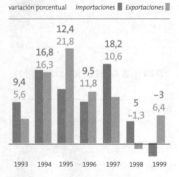

| | 1993 | 1994 | 1995 | 1996 | 1997 | 1998 | 1999 |
|---|---|---|---|---|---|---|---|
| | 9,4 / 5,6 | 16,8 / 16,3 | 12,4 / 21,8 | 9,5 / 11,8 | 18,2 / 10,6 | 5 / -1,3 | -3 / 6,4 |

## Principales proveedores

- **49,5%** Am. del Norte
- **16,1%** Am. Latina
- **19,3%** Europa Oc.
- **11,8%** Asia
- **3,3%** Resto del mundo

## Principales clientes

- **61,6%** Am. del Norte
- **16%** Am. Latina
- **12,9%** Europa Oc.
- **6%** Asia
- **2,9%** Resto del mundo

## Principales aeropuertos

Por tráfico de mercancías

| | |
|---|---|
| San Pablo (Brasil) | 426.713 tm |
| Campinas (Brasil) | 229.327 tm |
| Río de Janeiro (Brasil) | 144.552 tm |
| Manaos (Brasil) | 123.098 tm |
| Buenos Aires (Argentina) | 109.435 tm |

Mapa: Red de carreteras y aeropuertos

— red principal de carreteras
— red secundaria de carreteras
✈ principales aeropuertos

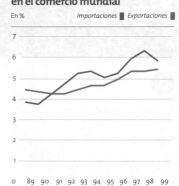

# Red de ferrocarril y puertos marítimos

— red de ferrocarril

🚢 principales puertos marítimos

## Participación del continente en el comercio mundial

En % — Importaciones ■ Exportaciones ■

(gráfico: años 89 90 91 92 93 94 95 96 97 98 99; eje 1–7)

## La red de transportes

Las carreteras nacionales, vías de transporte dominantes tanto para pasajeros como para carga, se encuentran interconectadas a lo largo de tres ejes. El principal es la carretera Panamericana, que une las capitales del continente desde México DF hasta Buenos Aires. La ruta contornea el océano Pacífico y cruza los Andes a más de 3.500 metros.

El transporte ferroviario carece de sistemas nacionales modernos y de interconexiones. Además, ha perdido implantación en muchos países en los últimos 30 años a causa de la privatización de gran parte de las principales líneas. La longitud total de la red es de 91.174 kilómetros.

El tráfico fluvial de carga se ha visto limitado por problemas físicos y restricciones administrativas en el comercio intrarregional, pero representa cerca del 90% del comercio exterior de la región.

Por lo que respecta al tráfico aéreo, predomina el transporte de pasajeros sobre el de mercancías.

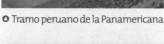

⦿ Tramo peruano de la Panamericana

⦿ Puerto Madero, en Buenos Aires

## Principales puertos

Tráfico de mercancías

| | nº contenedores |
|---|---|
| Colón (Panamá) | 1.175.673 |
| Buenos Aires (Argentina) | 1.076.102 |
| Santos (Brasil) | 774.959 |
| Puerto Limón (Costa Rica) | 590.259 |
| Puerto Cabello (Venezuela) | 496.315 |

# Argentina

Esta bandera data de 1812, aunque los colores ya se habían empleado en 1810 en las escarapelas que utilizó la población durante la Revolución de Mayo.

A pesar de ser uno de los países más extensos y con mayores riquezas naturales de América del Sur, Argentina arrastra una profunda crisis económica, hipotecada por una enorme deuda exterior.

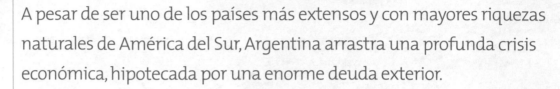

**d**

**Nombre oficial del país:**
República Argentina
**Superficie:** 2.791.810 km²
**Población:** 37.981.000 habitantes
**Densidad:** 13,7 hab/km²
**Capital:** Buenos Aires
(13.800.000 hab)

**Otras aglomeraciones urbanas:**
Córdoba (1.525000 hab),
Rosario (1.375.000 hab) y
Mendoza (1.025.000 hab)
**Lenguas:** español (oficial)
**Moneda:** peso (100 centavos)

**i**

**Direcciones útiles de Internet:**
www.turismo.gov.ar
www.gobiernoelectronico.ar
www.indec.mecon.gov.ar
www.argentinaonview.com
**Placa de identificación:** RA
**Prefijo telefónico:** 54
**Dominio de Internet:** .ar
**Horario en relación con Greenwich:**
De –4 a –3 horas
**Compañía aérea nacional:**
Aerolíneas Argentinas

**Principal aeropuerto internacional:**
Ezeiza (Buenos Aires)

## Geografía

En Argentina se distinguen cinco unidades geográficas bien diferenciadas: la cordillera de los Andes –que ejerce de larguísima frontera natural con Chile–, el Gran Chaco, la Mesopotamia, la Pampa y la Patagonia.

La región más norteña de los Andes argentinos la ocupa el altiplano de la Puna de Atacama, que alcanza una altitud media de entre 3.000 y 4.000 metros y se halla rodeado de cadenas montañosas con picos que superan los 6.000 metros. En las depresiones se encuentran importantes depósitos de sales, como el Salar de Arizaro o el de Antofalla. Dada la escasez de precipitaciones, los cursos regulares de agua son casi inexistentes.

**Llanuras, bosques y glaciares** En la parte central de la cordillera se alcanzan las máximas altitudes: el Cerro Aconcagua (6.960 m) y el Cerro Bonete (6.908 m). El fenómeno del glaciarismo, importante en esta zona y más al sur –en los Andes Patagónicos–, ha dado lugar a numerosos circos, lagos y glaciares como el Viedma o el Perito Moreno.

El territorio del Gran Chaco, localizado al norte del país, lo forman llanuras en las que antiguos lagos se

○ El delta del río Parana es el origen del estuario del Río de la Plata

secaron dando lugar a salares y lodazales. Las formaciones vegetales propias de esta región son el bosque tropical en los lugares más húmedos y la sabana en los más secos. La red hidrográfica la integran ríos cuyo curso discurre de oeste a este, como el Pilcomayo y el Salado, que vierten sus aguas al Paraguay, o como el Bermejo, que desaparece en el subsuelo.

Al este del Chaco se encuentra la Mesopotamia, una depresión pantanosa limitada por colinas y localizada entre dos de los principales cursos fluviales del país: el Paraná y el

Uruguay, que forman un delta de 14.000 km² antes de desaguar en el Río de la Plata, uno de los mayores estuarios del mundo.

Alrededor del Río de la Plata, se extiende la Pampa, una fértil llanura cubierta de limos y arenas que ofrece un paisaje de prados y pastos. En la parte oriental de este territorio se encuentran las sierras pampeanas. Los principales ríos de la Pampa son el Colorado, el Atuel y el Salado. Este último separa el Chaco y la Pampa. La Patagonia, en el sur, es una meseta dispuesta en forma de terrazas y atravesada por valles excavados por ríos como el Chubut, el Chico y el Deseado. La estepa herbácea es la formación vegetal dominante.

### Máximas altitudes

| de Argentina y del continente | | del mundo |
|---|---|---|
| 6.960 m | 6.908 m | 8.848 m |
| Aconcagua | Cerro Bonete | Everest |

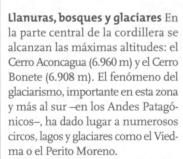

 El glaciar Perito Moreno es una de las joyas del Parque Nacional de Los Glaciares

En la región de **Ushuaia**, en Tierra del Fuego, se han clasificado cerca de 500 especies de flores.

La etnia **colla** es la única cultura de las regiones montañosas que sobrevive, al noroeste del país.

En Argentina, el **cóndor** (*Vultur gryphus*) vive en todas las provincias andinas y las de Córdoba y San Luis.

## Demografía

En el extremo más austral del país se halla Tierra del Fuego, y al sudeste de la costa argentina, las Islas del Atlántico Sur, que comprenden las Malvinas de 12.173 km², el archipiélago de las Georgias del Sur y las islas Sandwich del Sur.

**Un clima variable** El clima de la Argentina presenta cambios en función de la latitud, la altitud y la proximidad al mar. En el noroeste es subtropical. Los Andes son semiáridos en el norte y fríos en el sur. Las tierras bajas occidentales son áridas. En la Pampa es templado y en la Patagonia, de templado a frío.

La fauna también varía según las características del terreno. En los Andes se encuentran camélidos como la llama, el guanaco y la vicuña, y aves como el cóndor. Las regiones del Gran Chaco y la Mesopotamia están habitadas por aves exóticas, simios, jaguares, pumas y reptiles. En la Pampa y la Patagonia abundan los ciervos, los gamos, los ñandúes y las liebres, y en Tierra del Fuego, elefantes marinos, pingüinos y aves marinas.

### *Las cataratas del Iguazú*

El río Iguazú nace en el estado brasileño de Paraná y forma un gran sistema de cataratas cerca de su confluencia con el río Paraná, en la frontera entre Brasil y Argentina. En ambas riberas pueden admirarse sobrecogedores saltos de agua. La imagen corresponde al salto Dos Hermanas, en Misiones (Argentina).

○ Vista aérea de Buenos Aires

La población argentina es básicamente de origen europeo, debido a la llegada masiva de inmigrantes italianos, españoles, británicos, alemanes y franceses desde la segunda mitad del siglo XIX. También llegaron, en menor medida, rusos, polacos, sirios y emigrantes de otros países sudamericanos. A partir de 1940 se redujo notablemente la inmigración y la población fue aumentando como consecuencia de su crecimiento vegetativo.

Argentina es el quinto país más poblado del continente americano, después de Estados Unidos, Brasil, México y Colombia. El crecimiento anual de la población ha ido disminuyendo en los últimos años y se sitúa en el 1,3 por mil para el período 1995-2000, una cifra inferior a la media de los países de América del Sur. Con este moderado crecimiento, se calcula que la población del país se duplicará en algo más de 50 años. La densidad de población es baja y su distribución sobre el territorio es irregular. Las regiones más densamente pobladas son las llanuras fértiles que gozan de un clima suave,

como el territorio del Río de la Plata y sus afluentes principales, en las provincias de Buenos Aires, Entre Ríos, Santa Fe, Córdoba y San Luis, situadas en la costa oriental del país, donde se localizan las principales ciudades de la Argentina. Otro núcleo importante de población es la provincia interior de Tucumán, donde la explotación de la caña de azúcar es una actividad económica importante que requiere grandes contingentes de mano de obra. Las densidades menores se observan en lugares más inhóspitos, como las zonas pantanosas del Chaco y las regiones frías de

la Patagonia, Tierra del Fuego y los Andes y sus alrededores.

El abandono de las áreas rurales y el asentamiento de la población en las grandes ciudades ha comportado un importante descenso de la población agraria en favor de la urbana, que representa el 88,3% del total del país, una de las proporciones más altas del planeta. El área metropolitana de Buenos Aires, con una extensión de 3.880 km², concentra a un tercio de los habitantes de la Argentina. A raíz de la gran crisis económica del 2000 se inició una gran corriente migratoria hacia Europa.

○ Ushuaia, capital de Tierra del Fuego

○ El barrio de la Boca en Buenos Aires

El escritor **Jorge Luis Borges** (1899-1986), premio Cervantes y Caballero de la Orden del Imperio Británico, fue uno de los más brillantes y polémicos autores de la Argentina.

**Julio Cortázar** (1914-1984) escribió cuentos y novelas con los que deslumbró por su fantasía y su refinamiento literario. También fue autor de un libro de poesía y de una obra de teatro.

## Demografía

| Ranking IDH | Esperanza de vida |
|---|---|
| **33°** | **74,2** |
| 173 países analizados | años |

Las otras ciudades más pobladas de Argentina son Córdoba, Rosario y Mendoza, con más de un millón de habitantes, y La Plata, Mar del Plata, San Miguel de Tucumán y Salta, con más de medio millón.

La estructura de la población es la propia de un país joven, ya que se calcula que para el período 2000-2005 el 44,3% de los argentinos serán menores de quince años, el 40,2% serán adultos de entre 15 y 64 años y el 15,5% restante lo formarán la población de 65 o más años.

**Esperanza de vida** La proporción de personas de la tercera edad ha crecido en los últimos años, siguiendo la tendencia del resto de los países desarrollados. El incremento de la esperanza de vida y la disminución progresiva de la natalidad y la fecundidad han favorecido este aumento. La media de hijos por mujer es de entre dos y tres, valor similar a la media de los países sudamericanos. La mortalidad infantil es moderada (20‰).

### Los gauchos

El gaucho surgió en el siglo XVI del mestizaje entre españoles e indias. Su destreza para montar a caballo y para usar el lazo hizo de ellos peones muy apreciados para manejar las reses de las explotaciones ganaderas de las pampas del Río de la Plata.

## Economía

◔ Carga de un buque mercante cerealero en Rosario, en la provincia de Santa Fe

| Exportación mundial de cereales | |
|---|---|
| Estados Unidos | 31% |
| Francia | 11,3% |
| Argentina | 10,1% |
| Canadá | 8,3% |
| Australia | 7,9% |

| Producción mundial de maíz | |
|---|---|
| EUA | 39,9% |
| China | 21% |
| Brasil | 5,4% |
| México | 3,1% |
| Francia | 2,6% |
| Argentina | 2,2% |

Argentina tiene uno de los niveles de industrialización más elevados de Sudamérica. Desde los años noventa, el sector secundario representa el 30% del PBI. Pero el papel de la agricultura y la ganadería sigue siendo fundamental, no sólo por su peso específico dentro del PBI –algo inferior al 20%–, sino porque la industria principal depende de ellas.

**Riqueza agrícola y ganadera** La obtención de cereales ocupa más de la mitad de la superficie destinada a fines agrícolas. La pampa húmeda es la comarca cerealista de referencia. Allí destaca, por tonelaje, la producción de maíz y de trigo. El cultivo de oleaginosas aumenta, sobre todo el de soja y girasol. Otras labores importantes son la vid en el Chaco, Mendoza y San Juan, y las producciones frutícolas del delta del Paraná y el valle del Río Negro.

Las zonas ganaderas más destacadas se corresponden exactamente con las extensas llanuras de pastos naturales que posee el país. De mayor a menor número de cabezas se encuentran el ganado bovino en las provincias de Buenos Aires, Córdoba, Santa Fe y Entre Ríos, el ovino en la Patagonia y, a distancia, el caprino. Esta gran industria ganadera, una de las principales del mundo, convierte a la Argentina en uno de los mayores productores de queso y manteca.

Rico en minerales, el país posee hierro, estaño, cinc, antimonio, oro, plata y cobre en las regiones andinas y carbón en el sur.

**Independencia energética** Los yacimientos de mayor importancia son los de petróleo y gas natural en Chubut, Santa Cruz, Tierra del Fuego, Neuquén, Mendoza, Salta, Jujuy y Río Negro. Existen varias refinerías y una extensa red de gasoductos y oleoductos.

Su denso entramado hidrográfico es de gran importancia económica, ya que proporciona, además de agua para el regadío, energía hidroeléctrica. Destacan Desaguadero, Mendoza, San Juan y Dulce como cuencas hidrográficas, y Chocón, Salto Grande y Yacyretá como centrales hidroeléctricas. Primer productor de energía sudamericano, la Argentina dispone de un índice de cobertura energética del 132,1%.

**Industria y transportes** En el sector industrial destacan las actividades ligadas a la obtención de productos agropecuarios (carne congelada, productos lácteos...), las industrias textil, química, papelera, siderúrgica y mecánica, y la fabricación de cemento, vidrio y cerámica.

Los principales puertos están en Buenos Aires, Bahía Blanca, Rosario, La Plata, Santa Fe y San Nicolás. El país posee una red de vías férreas de 40.000 kilómetros y cuenta con 312.000 kilómetros de carreteras, de los que unos 4.800 corresponden a la Panamericana.

◔ Ganado vacuno en la Pampa

**Carlos Gardel** (1890-1935) fue compositor y cantante de tangos. Su talento y su carisma lo convirtieron en un mito.

**Julio Bocca** (1967) es uno de los más altos exponentes de la danza clásica y contemporánea a escala internacional.

El pianista y director de orquesta **Daniel Barenboim** (1942) es el director de la Ópera de Berlín desde 1992.

## Historia y Actualidad

Entre 1888 y 1929, la Argentina vivió su época de mayor esplendor gracias a la gran demanda mundial de alimentos. Tras la crisis del 29, el país impulsó su industrialización para obtener una mayor autonomía; luego, con la Segunda Guerra Mundial y la posguerra, conoció una etapa de auge que terminó drásticamente con el espectacular aumento de la inflación en los años setenta y ochenta y la pérdida de varios mercados para sus exportaciones agropecuarias.

**El fracaso del austral** La introducción de una nueva divisa, el austral, en 1985, causó una especulación que aumentó la deuda externa. Pese a que las medidas adoptadas durante los diez años de presidencia de Carlos Menem, entre las que se incluye la vuelta al peso en 1991, contuvieron la inflación y generaron un crecimiento anual del 3,8% entre 1989 y 1998, el Estado tuvo que enfrentarse a una deuda externa de 145.000 millones de dólares, a la disminución de las exportaciones y a la devaluación de la moneda en enero de 1999, lo que provocó la caída del PBI y la quiebra financiera del país.
Los gobiernos posteriores de Fernando de la Rúa y Néstor Kirchner buscan liberalizar los intercambios agrícolas e impulsar el Mercosur a fin de desarrollar la exportación agrícola y manufacturera.

### Principales proveedores

31,4% América Latina
27,8% Unión Europea
19,5% Estados Unidos
21,3% Otros países

### Principales clientes

49,6% América Latina
17,7% Unión Europea
17,2% Asia
15,5% Otros países

**Constitución del estado:** 1816 (independencia de España).
**Forma de estado:** república federal
**Sistema de gobierno:** democracia presidencialista
**Organizaciones internacionales a las que pertenece:** ONU, OEA y Mercosur

En 1516, el castellano Juan Díaz de Solís, que buscaba un paso entre el Atlántico y el Pacífico, fue el primer europeo en llegar al Río de la Plata. Cuatro años más tarde, el portugués Fernando de Magallanes bordeó toda la costa argentina y descubrió el estrecho que hoy lleva su nombre. En 1526-27, el veneciano Sebastián Caboto se internó en el Río de la Plata, remontó el Paraná y descubrió los ríos Paraguay y Pilcomayo, pero se topó con la hostilidad de los indios.
Los españoles, para cerrar el paso a los portugueses, organizaron varias expediciones que exploraron el territorio argentino y fundaron diversas ciudades. Durante los siglos XVII y XVIII, el Río de la Plata, que incluía la Argentina y otros territorios vecinos, mantuvo una gran actividad comercial localizada en Buenos Aires. La confusión política creada en España por la ocupación francesa de 1808 fue aprovechada por los criollos rioplatenses para constituir una Junta de Gobierno en Buenos Aires (1810). En 1812, José de San Martín formó un gobierno y convocó una asamblea constituyente integrada por representantes de todas las provincias. Restablecido el rey español en su trono (1814), San Martín dirigió la lucha contra la corona, que aún controlaba Perú, y declaró la independencia de la Argentina, en 1816.
Entre 1814 y 1835 hubo una gran inestabilidad originada por el enfrentamiento entre los unitarios, partidarios de un gobierno central fuerte emplazado en Buenos Aires, y los federales, que defendían una amplia autonomía para las provincias en el marco de una federación.
Entre 1835 y 1852, estuvo en el poder el federalista Juan Manuel de Rosas, quien se enfrentó a varias insurrecciones dentro de la Confederación, a las delicadas relaciones con sus vecinos por cuestiones fronterizas y a las pretensiones de franceses y británicos de influir en la región.

○ Ruinas de la iglesia de la misión jesuítica de San Ignacio Miní, en Misiones

### *Fechas clave*

 San Martín
 Mitre
 Perón
 Menem
 De la Rúa
 Kirchner

**1516** Los españoles, en el Río de la Plata.
**1520** Magallanes descubre el estrecho que lleva su nombre.
**1526-1527** Caboto se interna en el Río de la Plata.
**1810** Se constituye la Junta de Gobierno de Buenos Aires.
**1816** Proclamación de la independencia de la Argentina.
**1862** El general Mitre, presidente de la República Argentina.
**1865-1870** Guerra contra Paraguay
**1916** Presidencia de los radicales.
**1943** Golpe militar.

**1946** El general Perón, presidente.
**1947** Sufragio femenino.
**1952** Muere Eva Duarte, primera esposa de Perón.
**1955** Golpe militar contra Perón.
**1958** Los radicales, en la presidencia.
**1966** Establecimiento de la dictadura militar.
**1973** El general Perón, nuevamente presidente.
**1976** Golpe militar y establecimiento de la dictadura.
**1982** Guerra de las Malvinas contra el Reino Unido.

**1983** El radical Alfonsín, presidente.
**1985** Juicio a los militares responsables de los crímenes de la dictadura.
**1989** Menem, presidente.
**1990** Indulto a los condenados por los crímenes de la dictadura.
**1998** Arrestos domiciliarios a los responsables de la dictadura.
**1999** El radical De la Rúa, presidente.
**2001** Gran crisis económica. De la Rúa dimite. Duhalde, presidente.
**2003** Nuevas elecciones. Néstor Kirchner es investido presidente.

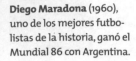

**Diego Maradona** (1960), uno de los mejores futbolistas de la historia, ganó el Mundial 86 con Argentina.

**Juan Manuel Fangio** (1911-1995), leyenda del automovilismo, obtuvo cinco títulos mundiales de Fórmula 1.

La tenista **Gabriela Sabatini** (1970) ha sido la única argentina que ha ganado torneos de Grand Slam.

## Historia y Actualidad

**División administrativa**

0    200    400 km

experimentar un elevado crecimiento (que propició una gran inmigración, sobre todo de italianos y españoles) a verse afectado por una grave crisis económica y social.

En 1890 nació la Unión Cívica Radical, un movimiento opositor cuyo objetivo era democratizar el régimen. Durante esos años, los anarquistas se habían reforzado y la clase obrera había intensificado sus movilizaciones para lograr mejoras laborales. Los conservadores siguieron en el poder unos años más, pero en las elecciones de 1916 triunfó la Unión Cívica Radical, liderada por Hipólito Yrigoyen. El primer gobierno radical introdujo una serie de reformas sociales, pero tuvo que enfrentarse a una complicada situación social, como la insurrección de enero de 1919, duramente reprimida por el ejército. Los radicales se mantuvieron en el poder hasta 1930, año en el que una junta militar encabezada por el general José Félix Uriburu protagonizó un golpe de estado que puso fin a la normalidad democrática.

**El peronismo** En las elecciones de 1946, la candidatura del general Juan Domingo Perón se impuso a los partidos tradicionales. De esta manera aparecía en Argentina el peronismo, que se apoyaba en los amplios sectores populares defraudados por la inoperancia de los partidos que habían gobernado hasta entonces. Perón llevó a cabo una política populista, nacionalizó algunos sectores de la economía e impulsó una legislación social de carácter progresista. En este sentido, en 1947, las mujeres obtuvieron el derecho al voto.

En 1951, Perón revalidó su triunfo electoral, pero mantuvo intactas las estructuras sociales y económicas de la Argentina tradicional y defraudó a sus seguidores. La muerte de su esposa Eva Duarte (1952), que contaba con un gran apoyo popular, el empeoramiento de la crisis y algunos enfrentamientos con la Iglesia reforzaron la oposición al régimen, acusado de personalista y autoritario.

A mediados de 1955, sectores militares aprovecharon la debilidad de Perón para promover un movimiento insurreccional que le desplazó del poder. Perón se exilió y asumió la presidencia el general Pedro Eugenio Aramburu, quien reprimió duramente a los peronistas que pretendían recuperar el poder.

**La dictadura militar** Con la reaparición de los partidos tradicionales, en las elecciones de 1958 triunfó el candidato radical Arturo Frondizi. Los radicales continuaron en el poder hasta ser desplazados por un golpe militar en 1966.

El régimen golpista prohibió los partidos políticos y practicó una política económica liberal. Ostentó el poder hasta que el pueblo pidió y logró el regreso de Perón, que llevaba 17 años exiliado. Su esposa, María Estela Martínez, fue elegida vicepresidenta en septiembre de 1973.

Sin embargo, Perón, que a su vuelta había practicado una política de acercamiento a los conservadores, murió pocos meses más tarde y le sucedió su esposa. La presidenta acentuó la evolución hacia la derecha, y la violencia y la represión sumieron al país en un clima de inestabilidad.

En marzo de 1976, un golpe militar llevó al poder a una junta liderada por el general Jorge Videla. Los militares, que aceleraron la destrucción económica del país, impusieron una *guerra sucia* contra todo aquel que fuese sospechoso de oponerse al régimen, con miles de detenciones, torturas, ejecuciones y desapariciones.

En 1980, el general Roberto Viola sucedió a Videla como jefe de la junta y en 1981 el poder pasó al general Leopoldo Galtieri.

Éste, en un intento de desviar la atención de los graves problemas del país, intentó recuperar las Malvinas por la fuerza, pero los británicos organizaron una potente expedición naval que derrotó a las fuerzas argentinas destacadas en el recobrado archipiélago. Galtieri dimitió y se abrió así un período de transición que culminó

En 1853, los representantes de las provincias aprobaron la Constitución de la Confederación Argentina, de la que quedó excluida Buenos Aires, donde habían ganado los centralistas. En 1859, Buenos Aires declaró la guerra a la Confederación, pero perdió y tuvo que aceptar la Constitución de 1853. En 1861, el general Mitre, gobernador de Buenos Aires, venció a los federalistas y fue elegido presidente. Con Mitre se impuso un estado liberal de corte europeo. Las fronteras de la región se estabilizaron tras la victoria de la Triple Alianza (Argentina, Brasil y Uruguay) en la guerra contra Paraguay (1865-1870). En 1880, Buenos Aires se convirtió en la capital de la República Argentina.

A fines del siglo XIX, el país pasó de

**Ernesto Che Guevara** (1928-1967) fue un ejemplo de lucha y revolución para acabar con la explotación capitalista en América.

**Eva Duarte** (1919-1952), esposa del presidente Juan Domingo Perón, fue una ferviente protectora de los más desfavorecidos.

**Joaquín Lavado, Quino** (1932), creador de *Mafalda*, usó sus viñetas para expresar ideas de gran trasfondo político y existencial.

con las elecciones democráticas de octubre de 1983. En ellas venció el radical Raúl Alfonsín. Bajo su mandato se investigaron los crímenes de la dictadura: Videla, Viola y Massera fueron condenados a cadena perpetua. Los responsables de la guerra de las Malvinas, entre ellos Galtieri, también fueron encarcelados por negligencia. Pero el gobierno de Alfonsín no pudo solucionar la grave crisis económica en que se encontraba el país.

**El mandato de Menem** En 1989 el peronista Carlos Ménem accedió a la presidencia e implantó un riguroso plan de austeridad y de privatizaciones. En 1990, indultó a los militares condenados por los crímenes de la dictadura. En 1994 reformó la Constitución para optar a la reelec-

○ Alfonsín, camino de la Presidencia

ción, que logró un año más tarde. Pese a las reformas económicas, se agudizó el paro obrero y creció la conflictividad social.

En las elecciones parlamentarias de 1997, la oposición de centroizquierda obtuvo un significativo avance. En 1998, el Parlamento anuló las leyes que exoneraban a los militares de sus crímenes durante la dictadu-

ra y el general Videla y el almirante Massera fueron detenidos. Además, el juez español Baltasar Garzón solicitó a las autoridades argentinas la detención de tres generales –entre ellos, Galtieri– y de 150 oficiales argentinos por violaciones de los derechos humanos.

En 1999 obtuvo la presidencia Fernando de la Rúa, candidato de la Alianza por el Trabajo, la Justicia y la Educación (coalición de la Unión Cívica Radical y el Frente por un País Solidario). En junio del 2001, con el país sumido en una gran crisis económica, el ex presidente Menem fue detenido acusado de venta ilegal de armas. Argentina estaba técnicamente en suspensión de pagos cuando los ingresos del Estado no bastaron para pagar los plazos

de la deuda exterior. Tras sacrificar a varios ministros de Economía, De la Rúa tuvo que dimitir en diciembre del 2001. En apenas dos semanas hubo cinco presidentes. El último, el peronista Eduardo Duhalde, enemigo irreconciliable de Menem, prometió elecciones.

En el 2003, el gobernador de la provincia de Santa Cruz, el justicialista Néstor Kirchner, venció en los comicios a Menem, quien, pese a ganar en la primera vuelta, abandonó la carrera electoral, después de que los sondeos anunciaran el éxito clamoroso de su rival. Tras su investidura, el nuevo presidente consiguió un pacto con el FMI y dio muestras de tener la intención de romper con la corrupción y sanear la vida pública y económica del país.

# Belice

El escudo que aparece en el centro corresponde al escudo de armas que se concedió al país en 1907, cuando era conocido como Honduras Británica.

**Nombre oficial:** Belice
**Nombre del país en inglés:** Belize
**Superficie:** 22.960 km²
**Población:** 251.000 habitantes
**Densidad:** 10,9 hab/km²
**Capital:** Belmopan (6.800 hab)
**Otras ciudades:** Ciudad de Belice (54.000 hab)
**Lenguas:** inglés (oficial), español, lenguas indias (ketchi, maya-mopan) y garifuna
**Moneda:** dólar beliceño (100 centavos)

**Direcciones útiles de Internet:**
www.BelizeHistory.com
www.belize.net
www.belize.com

La unidad de relieve más importante de Belice es la cordillera Maya, situada al sur del país. El resto del territorio se caracteriza por la presencia de colinas cubiertas de bosques tropicales en el interior y llanuras pantanosas en la costa, en la cual la formación vegetal dominante es el manglar. Los arrecifes bordean toda la costa del país. Sus principales ríos son el Hondo, frontera natural con México, y el Belice. El clima es de tipo tropical y los huracanes son un fenómeno frecuente. En octubre del 2000, el *Keith* dejó sin hogar a 3.000 personas.

**Diversidad de etnias** Su población es de origen africano, aunque también hay minorías de origen hispano, anglosajón y amerindio. La densidad es muy baja con relación al resto de países de América Central debido al reducido número de habitantes del país. El 48,1% de esta pobla-

ción vive en la capital, Belmopan, y en las ciudades de la costa, como Corozal, Belice y Punta Gorda.

Englobado en el imperio maya antes de la llegada de los españoles, el territorio se convirtió en colonia británica en 1850, aunque fue siempre reclamado por Guatemala y México. Desde 1964, Belice disfrutó de autonomía interna, pero la autoridad efectiva continuó en manos del gobernador británico.

El Partido de Unidad Popular, dirigido por George Price, encabezó el movimiento independentista. En 1981, siguiendo una resolución aprobada por la ONU, Belice accedió a la independencia. Aunque Guatemala

reconoció el nuevo estado en 1991, las discrepancias fronterizas han generado tensiones.

La agricultura es la principal actividad económica del país. Se cultivan la caña de azúcar, los cítricos y los plátanos, sobre todo para exportación. La industria escasea y las comunicaciones son deficientes, pero gracias al crecimiento de sus exportaciones y al aumento del turismo su PBI subió un 3,5% en 2002.

| Ranking IDH | Esperanza de vida |
|---|---|
| 66° | 71,7 |
| 173 países analizados | años |

○ Vista del canal Over Creek a su paso por Ciudad de Belice

# Bolivia

La franja roja simboliza el valor de los soldados, la amarilla se identifica con los recursos minerales del país y la verde, con la fertilidad de la tierra.

Junto a Paraguay, Bolivia es el único país latinoamericano sin costas en el océano. Atravesado en su mitad oeste por los Andes, tres cuartas partes de su población viven en el altiplano, a 4.000 metros de altura.

**Nombre oficial del país:**
República de Bolivia
**Superficie:** 1.098.581 km²
**Población:** 8.645.000 habitantes
**Densidad:** 7,9 hab/km²
**Capitales:** Sucre (453.756 hab), sede del poder judicial, y La Paz (1.700.000 hab), sede del gobierno.

◐ La Paz

**Otras ciudades:** Santa Cruz de la Sierra (1.350.00 hab) y Cochabamba (882.857 hab)
**Lenguas:** español, quechua, aymará (oficiales) y guaraní
**Moneda:** boliviano (100 centavos)

**Direcciones útiles de Internet:**
www.congreso.gov.bo
www.boliviaweb.com
www.bolivia.com
www.ine.gov.bo
**Placa de identificación:** BOL
**Prefijo telefónico:** 591
**Dominio de Internet:** .bo
**Horario en relación con Greenwich:**
−4 horas
**Compañía aérea nacional:**
Lloyd Aéreo Boliviano

**Aeropuertos internacionales:**
El Alto (La Paz)
Viru Viru (Santa Cruz)

## Geografía

En Bolivia, los Andes alcanzan su máxima amplitud. En territorio boliviano, las cordilleras Occidental y Oriental llegan a separarse más de 600 kilómetros. Entre ambas sierras, situado a más de 4.000 metros de altura, se encuentra el altiplano, donde abundan los salares. En el altiplano, el clima es estepario y la vegetación, escasa. La fauna propia de la región incluye especies como la llama, la alpaca, la vicuña y el cóndor.
El territorio de los Llanos, al este, lo forman mesetas bajas y llanuras aluviales, y se caracteriza por tener un clima tropical con abundantes precipitaciones de octubre a mayo. En el Chaco, al sur, las lluvias son más escasas. La formación vegetal dominante es la selva en las zonas más húmedas y la sabana en las secas.
Los principales ríos son el Beni, el Mamoré, el Guaporé, el Desaguadero –que fluye del lago Titicaca al lago Poopó–, el Pilcomayo y el Bermejo.

◐ Balsa tradicional en el lago Titicaca

### Máximas altitudes

| de Bolivia | del continente | del mundo |
|---|---|---|
| 6.542 m | 6.960 m | 8.848 m |
| Nevado Sajama | Aconcagua | Everest |

## Demografía

◐ Indio aymará tocando la zampoña

La población boliviana es de origen indio o español. La mezcla de ambas etnias ha dado lugar al otro gran grupo: los mestizos. La comunidad indígena representa más de la mitad de la población. Entre los indios, los quechua y los aymará son los más numerosos.
El crecimiento de la población boliviana fue lento hasta mediados del siglo XX y se aceleró en la segunda mitad. La densidad es baja –7,6 hab/km²– y la distribución sobre el territorio es irregular, ya que tres de cada cuatro habitantes viven en el alti-

| Ranking IDH | Esperanza de vida |
|---|---|
| **112°** | 63,9 |
| 173 países analizados | años |

plano, que ocupa tan sólo el 30% del país. Las llanuras del noroeste son las regiones menos habitadas, mientras que el 61,9% de los bolivianos se concentra en las principales ciudades del país: La Paz, Sucre, Santa Cruz de la Sierra y Cochabamba.

**Alta tasa de fecundidad** La estructura de la población es joven, con un 70,3% de menores de quince años y tan sólo un 7,1% de ancianos. Esta desproporción se debe tanto a una alta tasa de fecundidad –la segunda mayor del continente, con 3,8 hijos por mujer– como a la baja esperanza de vida (el peor registro de Sudamérica). Pese a que las cifras han mejorado en los últimos tiempos, los hombres apenas viven de media más de 62 años, mientras que las mujeres alcanzan una edad media de 66 años. La mortalidad infantil es la más alta de todo el subcontinente, con un 55,6‰, proporción que quintuplica la de países vecinos como Chile.

◐ Vista de Potosí, antigua ciudad minera, hoy Patrimonio de la Humanidad

**Antonio José de Sucre** (1795-1830) liberó Bolivia del dominio español y fundó la República de Bolívar.

**Víctor Paz Estenssoro** (1907-2001) encabezó la revolución del Movimiento Nacional Revolucionario.

**Hugo Banzer** (1926-2002) presidió el país de 1971 a 1978 tras un golpe y salió elegido presidente en 1997.

## Economía

La mayor parte de los bolivianos vive de la minería o de la industria del petróleo y del gas natural. Entre las riquezas mineras del país, concentradas en Potosí, La Paz, Oruro y Cochabamba, se encuentran el estaño, el oro, la plata y el cinc.

En cuanto a la agricultura, se cultiva sobre todo maíz, café, algodón, azúcar, arroz, patata, cacao, cebada y quinua. Las principales industrias son las de derivados agrarios (cerveza, cigarrillos, azúcar), la textil y las cementeras. Sin embargo, la escasa red de comunicaciones del país dificulta el desarrollo de la actividad económica.

Con el gobierno del Movimiento Nacionalista Revolucionario se nacionalizaron las minas y se emprendió una reforma agraria que no tuvo el éxito esperado en 1952. Ahora, Estados Unidos se ha comprometido a subvencionar un programa de desarrollo y diversificación agrícola, a condición de que se destruyan las plantaciones de coca, de las que Bolivia es el tercer productor mundial tras iniciarse su cultivo en 1980.

**Producción mundial de estaño**

| | |
|---|---|
| China | 37,6% |
| Indonesia | 21,5% |
| Perú | 13,6% |
| Brasil | 6,1% |
| Bolivia | 4,7% |

**Principales proveedores**

34,9% América Latina
26,3% Estados Unidos
19,8% Japón
19% Otros países

**Principales clientes**

44,2% América Latina
23,6% Unión Europea
23% Estados Unidos
9,2% Otros países

## Historia y Actualidad

**Constitución del estado:** 1825 (independencia de España).
**Forma de estado:** república
**Sistema de gobierno:** democracia presidencialista
**Organizaciones internacionales a las que pertenece:** ONU, OEA, Comunidad Andina y ALADI

Escultura de la civilización Tiahuanaco

En la época precolombina, los principales pueblos que ocupaban el territorio boliviano eran los aymará y los quechua, que desde el siglo XIII se hallaban bajo el dominio inca. Con la conquista del imperio inca se inició la explotación española de la región, muy rica en minerales.

El territorio boliviano, que dependía del Virreinato de Perú, recibió entidad administrativa en la segunda mitad del siglo XVI con la fundación de la Audiencia de Charcas. En la segunda mitad del siglo XVIII, Charcas fue incorporado al nuevo Virreinato del Río de la Plata. En 1781, La Paz sufrió el asedio de los indígenas como consecuencia de la sublevación de Tupac Amaru.

En 1808, la Audiencia de Charcas aprovechó el vacío de poder en España causado por la invasión napoleónica para hacerse cargo del gobierno. Pero los independentistas fueron inicialmente sometidos por el Virreinato de Perú y las nuevas autoridades revolucionarias del Río de la Plata. Bolívar y San Martín liberaron Perú del dominio español y el general Sucre hizo lo propio en Bolivia. El 6 de agosto de 1825, una asamblea de provincias altoperuanas proclamó la independencia de la República Unitaria de Bolívar (después Bolivia), presidida por Sucre, pero el nuevo estado aún tardó en emanciparse de la tutela peruana.

Durante el siglo XIX se sucedieron diferentes caudillos militares, que consolidaron el dominio de una oligarquía conservadora que controlaba las tierras y los recursos mineros del país. La derrota de Perú y Bolivia en la guerra contra Chile (1879-83) dejó al país sin salida al Pacífico. Entre 1932 y 1935, Bolivia declaró y perdió la guerra del Chaco contra Paraguay. En un ambiente de profunda crisis económica, las protestas sociales se agudizaron, mientras que, por su parte, los indios empezaron a organizarse para poner fin a la explotación que padecían.

**La revolución minera** En 1952, una revolución protagonizada por los mineros y liderada por el Movimiento Nacionalista Revolucionario (MNR) llevó al poder a Víctor Paz Estenssoro. El nuevo gobierno radical expropió las minas, socializó sectores productivos y aprobó una reforma agraria, pero topó con la fuerte oposición de los conservadores y de la izquierda revolucionaria.

En 1964, gobiernos militares derrocaron el del MNR y se inició una larga etapa de gobiernos dictatoriales que reprimieron duramente a la guerrilla revolucionaria guevarista. En el período 1971-78, el general Hugo Banzer consiguió una cierta estabilidad institucional.

Después de otra etapa de gobiernos ineficaces, en 1982 accedió a la presidencia Hernán Siles Suazo, líder de una coalición de izquierdas. Siles afrontó una grave crisis económica, agudizada por la corrupción y el tráfico de drogas.

A partir de 1985, Paz Estenssoro, de nuevo presidente, impulsó una política ultraliberal para reducir la inflación y la deuda externa. La austeridad siguió bajo las presidencias de Paz Zamora y Sánchez de Lozada.

Hugo Banzer, presidente desde 1997, declaró el estado de sitio en abril del 2000 para hacer frente a la ola de conflictos generados por la política de ajuste económico. En agosto del 2001, Banzer cedió la presidencia al vicepresidente Jorge Quiroga por motivos de salud y falleció nueve meses después. Un año más tarde, Gonzalo Sánchez de Lozada, del MNR, recuperó la presidencia.

**La "guerra del gas"** El orgullo patrio y las reclamaciones de sindicatos y organizaciones indígenas alimentaron en octubre del 2003 la revuelta social conocida como la "guerra del gas". La noticia de que la exportación del gas natural del país se haría a través de un puerto chileno provocó la indignación popular, que degeneró en sangrientos enfrentamientos. Ante el incremento de la violencia, Gonzalo Sánchez de Lozada abandonó el país y el vicepresidente, Carlos Mesa, asumió la presidencia. El nuevo mandatario obtuvo el respaldo mayoritario de la población en el referéndum sobre el aprovechamiento del gas natural celebrado en julio de 2004.

### Fechas clave

| | |
|---|---|
| 1559 | Creación de la Audiencia de Charcas. |
| 1776 | Charcas se incorpora al Virreinato de Perú. |
| 1809 | Inicio de la insurrección contra el dominio español. |
| 1825 | Sucre libera Bolivia y funda la República de Bolívar. |
| 1879-1880/83 | Guerra del Pacífico contra Chile. |
| 1941 | Paz Estenssoro funda el MNR. |
| 1952-1964 | Gobierno del MNR. |
| 1967 | El Che, asesinado en la represión militar contra la guerrilla. |
| 1971-1978 | Dictadura de Hugo Banzer. |
| 1985 | Paz Estenssoro inicia la política económica ultraliberal. |
| 1997-2001 | Presidencia de Hugo Banzer. |
| 2002 | Sánchez de Lozada, presidente. |
| 2003 | La "guerra del gas" |

# Brasil

El verde simboliza los bosques, y el amarillo, las minas de oro. Las estrellas son las constelaciones que pueden contemplarse desde Río de Janeiro.

Brasil es el país más extenso y más poblado de Sudamérica. Sus recursos naturales lo convierten en un gigante agrícola e industrial, pero tanta riqueza queda tradicionalmente en manos de unos pocos.

**Nombre oficial del país:**
República Federativa del Brasil
**Nombre del país en portugués:**
República Federativa do Brasil
**Superficie:** 8.511.965 km²
**Población:** 176.257.000 hab
**Densidad:** 20,6 hab/km²
**Capital:** Brasilia (3.250.000 hab)
**Otras aglomeraciones urbanas:**
San Pablo (19.900.000 hab),
Río de Janeiro (12.050.000 hab),
Belo Horizonte (5.200.000 hab)
Porto Alegre, (3.900.000 hab) y
Recife (3.750.000 hab)

◑ Playa de Copacabana, en Río

**Lenguas:** portugués (oficial)
y diversas lenguas amerindias
**Moneda:** real (100 centavos)

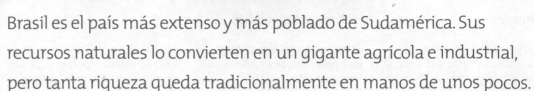

**Direcciones útiles de Internet:**
www.brazil.gov.br
www.redegoverno.gov.br
www.brazilsite.com
**Placa de identificación:** BR
**Prefijo telefónico:** 55
**Dominio de Internet:** .br
**Horario en relación con Greenwich:**
De −5 a −3 horas
**Compañías aéreas nacionales:**
Varig, TransBrasil, TAM

**Principal aeropuerto internacional:**
Guarulhos (San Pablo)

## Geografía

Con una superficie superior a los 8,5 millones de kilómetros cuadrados, Brasil es el mayor país de América del Sur y el quinto a escala mundial, por detrás de Rusia, Canadá, China y Estados Unidos. Está formado por tres grandes unidades de relieve: la cuenca del Amazonas, la Meseta Brasileña y el Macizo de las Guayanas.

La cuenca del Amazonas ocupa una tercera parte del territorio brasileño. Con una altura media que no supera los 200 metros, se trata de una inmensa llanura cubierta de un espeso manto de vegetación, atravesada por caudalosos ríos.

El Amazonas es el curso fluvial principal. Con una longitud aproximada de 6.800 kilómetros, es el río más largo del mundo. Su cuenca hidrográfica –que abarca unos 7,5 millones de kilómetros cuadrados– es también la mayor del planeta y recoge aguas de Brasil, Colombia, Perú, Ecuador, Bolivia y Venezuela.

El río forma amplios meandros móviles que varían su posición y se estrangulan dando lugar a la aparición de islas a lo largo del curso fluvial. También son frecuentes las cataratas y las áreas lacustres.

◑ La meseta del Mato Grosso

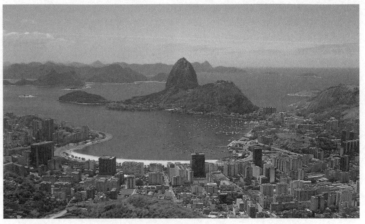

◑ Vista de Río de Janeiro y de la bahía de Guanabara

El gigante amazónico desemboca en el Atlántico, donde forma un estuario de 400 kilómetros de anchura, lugar en el que deposita diariamente tres millones de toneladas de sedimentos. En la época de crecidas inunda las zonas llanas, llegando a cubrir enormes superficies.

**Ríos de colores** Entre sus afluentes principales destacan el Negro, el Japurá, el Içá (Putumayo) y el Marañón por el norte y el Xingu, el Tapajós, el Madeira, el Purús y el Juruá por el sur. Muchos de estos ríos arrastran grandes cantidades de sedimentos mezclados con restos vegetales y humus, elementos que confieren al agua un color oscuro. El caudal del río Negro, por ejemplo, se distingue aún después de haberse unido al del Amazonas.

El clima de la cuenca amazónica es tropical húmedo, con una temperatura media de 26ºC. Las precipitaciones son abundantes, con valores medios de 2.000 mm/año y repartidas a lo largo de los doce meses, aunque son más abundantes de octubre a marzo.

Las cálidas temperaturas y las abundantes lluvias provocan la aparición del bosque lluvioso o pluviselva, caracterizado por la presencia de tres estratos de vegetación: un primer estrato de árboles que alcanzan alturas de más de 40 metros, un segundo nivel con alturas entre 15 y 30 metros y un tercero de 5 a 15 metros. Las especies arbóreas más abundantes son el castaño y el árbol del caucho. Alrededor de su tronco crecen abundantes lianas y se desarrolla un sotobosque de helechos, orquídeas, musgos y líquenes.

Desde hace unas décadas, esta gran masa vegetal se enfrenta a la amenaza de la deforestación. La explotación de los recursos madereros y la cría de ganado están provocando la tala masiva de árboles. La desaparición de la cubierta vegetal comporta una rápida erosión del suelo e impide que crezcan nuevas plantas.

**Fauna amazónica** Entre los animales que se han adaptado a la vida de la Amazonia figuran monos, pumas, jaguares y ocelotes, serpientes de cascabel, anacondas y otras boas, innu-

Este disfraz se utiliza en el **bumba-meu-boi,** una fiesta folclórica brasileña que mezcla música, danza y teatro con elementos de la cultura indígena, africana y luso-brasileña.

La **capoeira** es una danza de combate ritualizada y estilizada de origen negro, introducida en Brasil por los esclavos bantúes de Angola y diseminada por todo el territorio brasileño.

## Máximas altitudes

| de Brasil | del continente | del mundo |
|---|---|---|
| 3.014 m | 6.960 m | 8.848 m |
| Pico da Neblina | Aconcagua | Everest |

merables familias de aves (guacamayos, colibríes y tucanes) e insectos, como por ejemplo, la hormiga marabunta. En los ríos se han contabilizado hasta más de 700 especies de peces y animales acuáticos, como pirañas, tortugas, delfines y caimanes.

**La meseta brasileña** Al sur de la cuenca amazónica se sitúa la meseta brasileña, formada por una cadena montañosa situada en su extremo oriental y las mesetas del interior. En la primera unidad de relieve se alcanzan alturas cercanas a los 3.000 metros. Las máximas elevaciones aparecen en el Pico da Bandeira (2.897 m), en la Serra da Mantiqueira y en el Pedra Açu (2.232 m).

En el interior se encuentran mesetas como las del Mato Grosso y Goiás, y cordilleras de escasa altura como la Serra do Tombador y la Serra Dourada. La altitud media de toda esta

◐ Isla de la Bahía, en Isla Grande, dentro del estado de Río de Janeiro

región es de 500 metros y la red hidrográfica principal la forman los ríos Tocantins y Xingu.

El clima es tropical con cierta tendencia a la aridez y se caracteriza por tener una estación seca en invierno y una húmeda en verano. La temperatura media es de 22ºC y las precipitaciones son moderadas cerca de la costa y poco abundantes en el interior. La formación vegetal dominante es el bosque mixto de árboles de hoja caduca y de hoja perenne, que en las zonas más secas deja paso a la sabana arbustiva o herbácea.

Entre el Mato Grosso y los países vecinos –Bolivia y Paraguay– se sitúa el Gran Pantanal, una llanura aluvial de 280.000 km² drenada por el río Paraguay. El territorio es llano y con escasa pendiente, factor que facilita la inundación de grandes superficies en las que durante la época de lluvias –de julio a octubre– se forman numerosas lagunas.

Aparte de los pastizales inundables, en el Gran Pantanal también existen zonas dominadas por la sabana, los bosques de galería y los bosques secos. Las aves acuáticas pueblan la región en determinadas estaciones del año. La acción del hombre –contaminación, expansión de los

campos de cultivo, construcción de infraestructuras de comunicación y proyectos de canalización– está amenazando la integridad de esta región.

**Playas y montañas** El macizo de las Guayanas ocupa poca superficie dentro del territorio brasileño, pero es en este relieve donde se sitúa el punto más elevado de Brasil: el Pico da Neblina (3.014 m), que forma parte de la Serra do Imeri. Las formas del relieve más características son los tepuyes, mesetas escalonadas con vertientes escarpadas.

El clima es tropical, con una temperatura media anual de 26ºC y abundantes precipitaciones de 1.500-2.000 mm/año. La cubierta vegetal la forman selvas densas en las regiones más húmedas y sabanas en las más secas. Estos ecosistemas albergan una gran diversidad de especies, sobre todo en las familias de las aves, los reptiles y los insectos.

Brasil tiene también 7.500 kilómetros de costa poco accidentada, en la que se forman numerosas rías y bahías que ejercen de puertos naturales. Es el caso de la bahía de Todos os Santos, frente a la ciudad de Salvador. Las playas del sur y del noreste –entre las que destacan las de

Recife, Fortaleza y Florianópolis– son uno de los mayores atractivos turísticos del país.

En el litoral, la temperatura media es superior a los 20ºC y las precipitaciones oscilan entre los 1.300 mm y 2.000 mm/año. Las temperaturas disminuyen a medida que se avanza de la costa hacia el interior y hacia el sur del país. En esta región, los bosques originales han quedado muy degradados por la acción humana. En la costa sur predomina el pino y, en general, toda la zona es de naturaleza arbustiva.

Otro de los grandes atractivos turísticos de Brasil por su enorme belleza natural es el Parque Nacional de Iguazú, que limita con el espacio reservado del mismo nombre situado en territorio argentino.

Las cataratas que se precipitan cerca de la ciudad de Foz de Iguazú son el principal atractivo del Parque Nacional. Se reparten entre los dos países y están constituidas por 270 saltos de agua de entre 40 y 60 metros de altura que forman una espectacular herradura de agua de casi tres kilómetros de longitud.

## El árbol del caucho

En la Amazonia brasileña, el cultivo del árbol del caucho (*Hevea brasiliensis*) es frecuente a las orillas del río Tapajós. La recogida del látex se lleva a cabo por el procedimiento de sangría, según el método asiático, que consiste en practicar una incisión oblicua en la corteza.

◐ Indio bororo con plumaje ceremonial

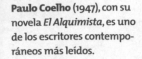
Paulo Coelho (1947), con su novela *El Alquimista*, es uno de los escritores contemporáneos más leídos.

El prestigio de **Sonia Braga** (1950), actriz y mito erótico de los años 70, ha superado las fronteras de su país.

**Gisele Bündchen** (1980) nacida en el estado de Río Grande del Sur, es una modelo de fama internacional.

## Demografía

◐ Tienda callejera en Salvador de Bahía

◐ La catedral metropolitana de San Pablo

A principios del siglo XV el territorio brasileño tenía unos cuatro millones de habitantes, todos ellos amerindios pertenecientes a cinco grandes pueblos: caribes, tupi-guaraníes, tapúes, tapuyas y arauás. A esta primigenia población se sumaron los colonizadores portugueses que llegaron a partir del siglo XVI y llevaron con ellos gran número de esclavos africanos. Todos estos movimientos migratorios explican que Brasil sea un país de gran riqueza étnica.

**El quinto del mundo** Brasil cuenta con 176 millones de habitantes, cifra que lo sitúa como el quinto país más poblado del mundo. En los últimos años, el crecimiento anual ha ido disminuyendo. En el período 1975-85 la tasa de crecimiento era propia de países en desarrollo. Con valores del 2,2% anual, se estimaba que en algo más de 30 años Brasil duplicaría el número de habitantes.

En el intervalo 1985-95, la tasa se redujo hasta el 1,6% y el período necesario para la duplicación se amplió hasta los 50 años. En el último quinquenio del siglo XX, el crecimiento anual se situó en el 1,3%, cifra que lo dejó por debajo de la media de los países de Sudamérica. Este último promedio indica un crecimiento moderado. De mantenerse, Brasil necesitará un lapso de unos

### Evolución de la población
hab

176.247.000

119.002.706

51.944.397

30.635.605

14.333.915

1890  1920  1950  1980  2003

70 años para doblar su población. Pese a ser el quinto país más poblado del planeta, la densidad de población es baja (20,6 hab/km²), a causa de su enorme superficie y de la existencia de vastísimas zonas despobladas en el interior.

**Población urbana** La distribución de la población es muy irregular. El sur y toda la costa del este son las zonas más pobladas, principalmente las grandes ciudades y sus áreas metropolitanas. Las densidades más bajas se registran en el norte y el oeste, coincidiendo con las regiones naturales de la Amazonia y el Mato Grosso. En esta parte del país tan sólo se alcanzan densidades moderadas en las márgenes de los principales cursos fluviales.

Hasta la década de los setenta, la población brasileña era mayoritariamente rural. En la actualidad, en cambio, cuatro de cada cinco brasileños viven en grandes aglomeraciones urbanas como San Pablo –con cerca de 20 millones de habitantes–, Río de Janeiro –la antigua capital, con 12 millones– y ciudades como Belo Horizonte, Porto Alegre, Recife o Salvador de Bahía, todas ellas con más de tres millones de habitantes.

**Población joven** Brasil presenta una estructura poblacional joven. Se calcula que en el período 2000-2005 el 43,7% de los habitantes serán menores de quince años y tan sólo el 7,8% lo formarán mayores de 65.

La esperanza de vida al nacer ha aumentado en los últimos años, y pasó de 62,4 años en el período 1975-85 a 65,2 de 1985 a 1995. Para el intervalo 1995-2000 la esperanza de vida fue de 63,1 años para los hombres y 71 para las mujeres. Esta diferencia de casi ocho años según el sexo se considera normal en los países desarrollados.

La mortalidad infantil, con una tasa del 38,4 por mil, es moderada, aunque se sitúa por encima de la media de Sudamérica (32,5‰). Sin embargo, experimentó una espectacular disminución en los últimos 25 años del siglo XX, ya que en 1975 siete de cada cien niños brasileños morían antes de alcanzar el año.

Por otra parte, en el último cuarto de siglo, la media de hijos por mujer ha quedado reducida a la mitad, pasando de 4,5 en 1975 a 2,3 en el 2000. Este descenso, que se debe especialmente a la generalización en el uso de métodos de planificación familiar entre las clases media y baja, provocará, en los próximos años, un progresivo envejecimiento de la población. A ello contribuirá también un notable aumento de la esperanza de vida.

| Ranking IDH | Esperanza de vida |
|---|---|
| 64° | 68,1 |
| 173 países analizados | años |

### La creación de Brasilia

Inaugurada en 1960, Brasilia, capital político-administrativa del Brasil, fue construida para atraer hacia el interior a las clases más desfavorecidas de las urbes superpobladas de la costa. Tiene forma de cruz y su trazado y edificación son geométricos. El arquitecto y urbanista Oscar Niemeyer (1907) fue el director del equipo que la construyó y es el creador de su catedral *(en la foto)* y de muchos otros de sus edificios emblemáticos.

**Leonardo Boff** (1938), defensor de la Teología de la Liberación, realiza una importante labor humanitaria ayudando a las mujeres y a los niños pobres de las metrópolis brasileñas.

**Sebastião Salgado** (1944) es mundialmente conocido por sus fotos de gentes y pueblos condenados al éxodo a causa de los efectos de la globalización y de la economía despiadada.

## Economía

Pese a que en las últimas décadas Brasil ha experimentado un importante desarrollo industrial –con un crecimiento del 13% anual entre 1967 y 1973 y del 7% hasta 1981–, el porcentaje de la población activa dedicada a la agricultura ha disminuido de una forma muy lenta. El trasvase al sector secundario (industria) ha sido bajo comparado con el trasvase al sector terciario (servicios).

El sector servicios no ha dejado de crecer desde 1975 (37,8% de la población activa) hasta 1999, donde representa más de la mitad de la población activa. En 1997, los sectores primario y secundario se repartían, respectivamente, el 24,1% y el 21,1% de los trabajadores.

**Desigualdad económica** El hecho de que la industrialización se concentre en el triángulo que forman Río de Janeiro, San Pablo y Minas Gerais, y de que las comunicaciones se vean dificultadas por la geografía del país, hacen que el desarrollo industrial no se extienda uniformemente por todo el territorio, la que ahonda las diferencias económicas y sociales entre los dos bloques de población. De hecho, el mayor problema del Brasil es la distribución desigual de la renta entre regiones y clases sociales.

La actividad agrícola se concentra en la obtención de café, bananas, cacao, tabaco, azúcar, frijoles, frutas

○ Plantación de café cerca de São Tomé

cítricas, maíz, soja, algodón, arroz, trigo, papas y mandioca. Brasil ocupa los primeros lugares en la explotación de la mayoría de estos bienes, y es el número uno mundial en la producción de café, uno de los elementos fundamentales de su economía.

En los años treinta, el cultivo del café representaba el 80% de sus ingresos por exportaciones y más de la mitad de la producción mundial. En los noventa, su peso en la economía brasileña se redujo significativamente, pero el país es aún el primer productor mundial. En la producción de caña de azúcar, soja y cacao, Brasil ocupa el segundo lugar.

**Escasa superficie agrícola** Los estados dedicados a la agricultura son principalmente Minas Gerais, San Pablo, Paraná, Río Grande del Sur y Bahía. Las zonas agrícolas suponen sólo el 5% de la superficie total de Brasil, aunque existen varias áreas por explotar, como la cuenca del Amazonas y el oeste del país.

La explotación forestal es importante. Brasil es el primer productor sudamericano de caucho y tiene una relevante producción de pino de Paraná, que sirve de materia prima a las industrias maderera y papelera. También exporta otras especies como el cedro y el nogal. El 60% del país es superficie forestal, centrada especialmente en los estados de Piauí, Amazonas, Pará, Paraná, Marañón y Acre.

Dentro del sector primario, la ganadería se ha desarrollado de una for-

ma importante en las últimas décadas, situando al país como primer productor mundial de carne. Destacan el ovino, el bovino (segundo productor tras la India y por delante de los Estados Unidos) y el porcino.

En el sector minero posee las segundas reservas más grandes del mundo de hierro en Minas Gerais y Pará (Serra dos Carajás), además de manganeso, cromo, níquel, carbón, fosfatos, cobre, uranio y bauxita. También posee petróleo, aunque la producción nacional no cubre más del 50% del consumo del país. Debido a sus caudalosas pendientes hidrográficas, el 80% de la energía consumida en el país es hidroeléctrica.

**Industria y comunicaciones** El sector secundario gira en torno a la industria del automóvil, la siderurgia, la química, el textil, los derivados de la agricultura (azúcar, cacao, café, carne), y la metalurgia (acero, aluminio, hierro, cinc, plomo).

Los transportes y los servicios financieros son las actividades más destacadas del sector servicios. Hay 42.300 kilómetros de ríos navegables, la red de carreteras tiene una longitud de casi un millón y medio de kilómetros –de los que sólo 75.000 están asfaltados– y dispone de 31.000 km de vías férreas. Sus principales puertos son Santos, Río, Porto Alegre, Recife, Belém, Macapá y Salvador.

A partir de la crisis energética de los años setenta, Brasil experimentó un creciente déficit en su balanza por cuenta corriente. Para compensarlo, el Estado brasileño sufrió un enorme endeudamiento externo. En los noventa, los tipos de interés se mantuvieron demasiado elevados para atraer capital. Eso frenó el consumo y la actividad del país.

Sólo se pudo contener la situación cuando el real, la moneda brasileña, perdió hasta el 80% de su valor en relación con el dólar y el FMI acudió en su auxilio. Este hecho, unido a una política monetaria que logró bajar los tipos del 45% al 19% y devaluar la moneda, ayudó a mejorar la balanza por cuenta corriente y logró que la economía brasileña diera signos de recuperación desde marzo de 1999.

### Producción mundial de estaño

| | |
|---|---|
| China | 37,6% |
| Indonesia | 21,5% |
| Perú | 13,6% |
| **Brasil** | 6,1% |
| Bolivia | 4,7% |

### Producción mundial de hierro

| | |
|---|---|
| China | 23,5% |
| **Brasil** | 17,6% |
| Australia | 15,2% |
| Rusia | 6,9% |
| India | 6,4% |

○ Mina de hierro de Serra dos Carajás

### Principales proveedores

**28,1%** Unión Europea
**23,6%** Estados Unidos
**21,7%** América Latina
**21,3%** Otros países

### Principales clientes

**27,9%** América Latina
**24,6%** Unión Europea
**19,4%** Estados Unidos
**28,1%** Otros países

El poeta y compositor **Vinicius de Moraes** (1913-1980) fue, con otros artistas brasileños como Jobim, João Gilberto, Maria Creuza y Toquinho, el máximo exponente de la *bossa nova*.

La producción del compositor y musicólogo **Heitor Villa-Lobos** (1887-1959), figura emblemática de la música latinoamericana, mezcla el estilo romántico y clásico con el folclor brasileño.

## Historia y Actualidad

**Constitución del estado:** 1822 (independencia de Portugal).
**Forma de estado:** república federal
**Sistema de gobierno:** democracia presidencialista
**Organizaciones internacionales a las que pertenece:** ONU, OEA, Mercosur y ALADI

En 1500 desembarcó en Brasil el navegante portugués Pedro Álvares Cabral. La población indígena era diversa (tupíes, tapúes, caribes y maipures), pero escasa, y se encontraba aún en el Neolítico. Brasil había quedado en manos de Portugal tras el reparto del mundo con España en el tratado de Tordesillas (1494).
A partir de 1530 llegaron los primeros colonizadores al noreste del país. Allí talaron grandes zonas de jungla y establecieron plantaciones de caña de azúcar. Como ocurrió en otras regiones americanas, los indios se resistieron a trabajar en las plantaciones y huyeron. Los colonos resolvieron el problema llevando grandes cantidades de esclavos africanos.

En el siglo XVII, con el descubrimiento de oro y diamantes en la región de la actual Río de Janeiro, los colonizadores se trasladaron al interior para explotar los yacimientos. Río se convirtió en un gran puerto y pasó a ser la capital en 1763.
En el norte, los colonizadores también penetraron en el interior, pero la única ruta practicable, a través del Amazonas y sus afluentes, les condujo a cruzar la línea trazada en Tordesillas. En 1750 España y Portugal firmaron el tratado de Madrid, por el que se reconocía el dominio portugués sobre todo el territorio del actual Brasil.

**El exilio del rey portugués** Con la invasión de Portugal por Napoleón (1807), el príncipe regente Juan VI se trasladó a Brasil con toda la corte. Su permanencia en Río de Janeiro, que se alargó hasta 1821, agudizó las tensiones entre los portugueses y los brasileños. Por otra parte, se extendieron por el territorio las ideas de las revoluciones Francesa y Americana y los ejemplos de la emancipación de las colonias españolas.
Tras una primera revuelta brasileña en 1817, el rey aceptó una constitución (1821). Pero cuando el monarca regresó a Portugal, Pedro I –primogénito del rey y regente de Brasil– declaró la independencia de Brasil en 1822 y adoptó el título de emperador. De esta manera, en 1822, Brasil se convirtió en un imperio independiente con un régimen constitucional.
En 1831, ante la tendencia al autoritarismo del rey, los militares dieron un golpe de estado y el monarca huyó del país dejando en el trono a su hijo de cinco años. Durante la regencia (1831-1840), Brasil se convirtió en un país liberal, con un sistema político basado en la alternancia de conservadores y liberales en el poder.
Tras el aplastamiento de algunas revueltas republicanas, el rey Pedro II fue declarado mayor de edad en 1840. Durante su reinado se consolidó el régimen bipartidista. Sin embargo, las guerras contra Argentina (1825-1828) y Paraguay (1865-1870) contribuyeron a fortalecer el papel político del ejército.

**Una nueva nación** En la segunda mitad del siglo XIX, Brasil experimentó un gran crecimiento económico, basado en la producción de café y favorecido por la extensión del ferrocarril por el interior del país. En 1881 los liberales forzaron la implantación del sufragio universal y en 1888, el emperador Pedro II liberó a los esclavos y se negó a indemnizar a sus antiguos propietarios.
Mientras tanto, crecía en el país el movimiento republicano y federalista, que en 1889 consiguió la adhesión de una parte importante del ejército, ante lo cual el emperador tuvo que exiliarse al no contar ya con el apoyo de los latifundistas. Se proclamó así la República de los Estados Unidos del Brasil.
Tras un período inicial de inestabilidad, en 1894 accedió a la presidencia de la república el primer civil, Prudente de Morais, que tuvo que sofocar una revuelta campesina entre 1896 y 1897. El país prosperó y la inmigración aumentó de forma notable, pero las protestas de los campesinos continuaron.

○ La iglesia barroca de São Francisco de Assis, en Minas Gerais

### Fechas clave

| Cabral | Pedro I | Pedro II | Vargas | Cardoso | Lula |

**1494** Tratado de Tordesillas: Portugal obtiene el dominio del Brasil.
**1500** Pedro Álvares Cabral desembarca en Brasil.
**1549** Portugal crea el Gobierno General del Brasil.
**1580-1640** Los reyes de España ostentan la corona de Portugal.
**1807** La corte portuguesa se traslada a Brasil.
**1815** Proclamación del reino de Brasil
**1817** Primera revuelta independentista.
**1822** Brasil, estado independiente.
**1831** Establecimiento del liberalismo.
**1840-1889** Reinado de Pedro II.
**1888** Abolición de la esclavitud.
**1889** Proclamación de la República de los Estados Unidos del Brasil.
**1893-1895** Guerra Civil.
**1896-1897** Revuelta campesina.

**1917** Entrada en la I Guerra Mundial
**1922** Celebración de la Exposición Internacional de Río de Janeiro.
**1930-1945** Primera etapa presidencial de Getulio Vargas.
**1937** Fundación del Estado Novo.
**1950-1954** Segunda etapa presidencial de Getulio Vargas.
**1960** Inauguración de Brasilia, nueva capital.
**1964-1984** Régimen controlado por los militares.
**1985** Presidencia de Sarney y democratización del país.
**1988** Constitución democrática.
**1989** Collor de Melo, presidente.
**1992** El parlamento destituye al presidente Collor de Melo.
**1994** Cardoso, presidente.
**1999** Devaluación monetaria.
**2002** 'Lula' gana las elecciones.

○ Esclavos lavando piedras preciosas

**Edson Arantes do Nascimento, Pelé** (1940), está considerado el mejor futbolista de la historia.

Dotado de enorme talento e imaginación, condujo a Brasil al título mundial en 1958 y 1970.

El automovilista **Ayrton Senna** (1960-1994) es uno de los grandes mitos de la Fórmula 1. Tricampeón del mundo (1988, 90 y 91), murió al estrellar su Williams en el circuito de Imola (Italia).

La demanda de productos brasileños durante la Primera Guerra Mundial impulsó la industria del país. La guerra consolidó el nacionalismo y estimuló las exportaciones de todo tipo de productos. Este desarrollo, paralizado por la crisis de 1929, propició el crecimiento de una burguesía urbana industrial y comercial que desafió el poder tradicional de la oligarquía terrateniente y minera. También creció el proletariado industrial.

**La época de Getúlio Vargas** Las elecciones de 1930 llevaron a la presidencia a Getúlio Vargas, que tenía el apoyo de la nueva burguesía. El presidente sofocó los intentos de involución de la oligarquía y las rebeliones comunista y fascista, y anunció el nacimiento del Estado Novo (1937), basado en un equilibrio entre clases. Se trataba de una dictadura, pero el país vivió un gran crecimiento.

En 1942, Brasil se unió a los aliados en la Segunda Guerra Mundial. Vargas convocó a elecciones en 1945 para democratizar el régimen, pero los militares dieron un golpe de estado y controlaron el proceso. El general Eurico Gaspar Dutra, ganador de las elecciones, impulsó una nueva constitución de carácter democrático.

En 1950 Vargas regresó a la presidencia y aplicó una política intervencionista que lo enemistó con Estados Unidos y preocupó a los militares. Ante la crisis y la salida a la luz pública de la corrupción del gobier-

⊙ Carnaval de Río de Janeiro

no, Vargas se vió obligado a dimitir, pero antes se suicidó (1954).

El nuevo presidente, Juscelino Kubitschek, sofocó un golpe militar con el respaldo de la izquierda y en 1960 inauguró Brasilia, la nueva capital. Le sucedieron Janio Quadros, simpatizante de Fidel Castro, y João Goulart, que aplicó una reforma agraria que le enemistó con la oligarquía. En 1964 fue destituido por un golpe militar apoyado por EUA, inicio de una dictadura proestadounidense.

En los setenta creció la fuerza de la oposición democrática y de izquierdas pese a que las elecciones eran una farsa favorable al partido gubernamental (ARENA). En 1984, el partido oficialista se dividió, lo que hizo posible el triunfo del opositor Tancredo Neves, cuyo mandato significó el punto final de la dictadura.

En 1985 subió al poder el vicepresidente José Sarney, que aplicó una política de austeridad y de raerme democrático. La constitución de 1988 restableció el sistema presidencialista y consolidó el estado federal.

Las elecciones de 1989 se celebraron en un clima de crisis. Venció el populista Fernando Collor de Melo, destituido por corrupción en 1992. En 1994, el conservador Fernando Henrique Cardoso (reelegido en 1998), que impulsó un contestado plan neoliberal de estabilización económica, acordado con el FMI.

A fines de 1998, la elevada deuda pública, el desequilibrio de la balanza comercial y los altísimos tipos de interés condujeron al país a una gran crisis. El real perdió hasta el 80% de su valor frente al dólar. Para evitar un hundimiento que afectaría a toda la región, el FMI y los países ricos se apresuraron a ayudar a Brasil, que se comprometió a equilibrar su presupuesto con reformas radicales.

**Triunfo de 'Lula'** En las elecciones de octubre del 2002, el socialista Luiz Inácio 'Lula' da Silva, del Partido de los Trabajadores, logró 52,8 millones de votos (61,27%), cifra récord histórica en la primera victoria de la izquierda en Brasil, tras superar al oficialista José Serra. Pese al rigor económico, impuesto por el FMI, la presidencia de Lula ha dado nuevas esperanzas a los brasileños.

**Chico Mendes** (1944-1988), conocido mundialmente por su lucha en defensa de la Amazonia y por impulsar la Alianza de los Pueblos de la Selva, fue asesinado el 22 de diciembre de 1988 en Xapuri, pequeña ciudad de la Amazonia brasileña. Su oposición a la deforestación que afectaba a Acre y su defensa de los pueblos de la floresta (indios, recolectores de caucho y habitantes de las riberas de los ríos) le dieron una gran proyección internacional.

## La Amazonia, el paradigma de la diversidad en peligro

○ Vista de la selva en el río Madeira, cerca de Manicoré

La Amazonia ocupa una extensión de 7,5 millones de km². La mayor parte pertenece a Brasil, pero también es compartida por los estados de Bolivia, Perú, Colombia, Venezuela, Guyana y Surinam. Esta vasta región, que representa el 40% de los bosques tropicales del mundo, alberga más de la mitad de todas las especies vegetales y animales conocidas.

Aquí se encuentra la mayor diversidad biológica por unidad de superficie del planeta. En una hectárea se han identificado 300 especies distintas de árboles y en un solo árbol se pueden localizar hasta 650 especies distintas de coleópteros (escarabajos). Es fácil comprender el gran interés que las multinacionales farmacéuticas tienen por estos territorios, ya que cerca del 80% de los medicamentos utilizados en la medicina occidental se basan en productos extraídos de sus plantas y sus animales.

○ Indígena yanomami de la Amazonia

**La Amazonia como ecosistema** La selva del Amazonas es lo que en ecología se conoce como un ecosistema en su etapa de clímax, es decir, en su etapa de máxima madurez, cuando todos sus recursos biológicos y minerales están siendo utilizados con mayor rentabilidad. En ese aprovechamiento máximo, todo el oxígeno que las plantas elaboran producto de la fotosíntesis es consumido en la respiración y otros procesos oxidativos de la comunidad biológica de este gigantesco ecosistema.

No se trata, por lo tanto, de un pulmón renovador del oxígeno de la atmósfera terrestre, como han llegado a decir algunos medios de comunicación. Tampoco se trata de la extensión verde más grande del planeta, ya que los bosques boreales de Siberia y de Canadá ocupan mayor superficie. Lo que sí es cierto y de vital importancia, es que la Amazonia constituye la mayor reserva biológica del planeta y la principal fuente de productos medicinales para las enfermedades actuales y probablemente también para las futuras.

En las selvas amazónicas viven 330.000 indígenas que constituyen 220 etnias y hablan 180 lenguas diferentes. Estas etnias comprenden grupos de tamaño muy diverso, desde 140.000 miembros a tan sólo tres personas. Además de estos grupos, aún existen indios que no han tenido ningún contacto con la cultura civilizada. Se cree que hay entre 25 y 40 tribus que no superan el centenar de personas cada una.

**Deforestación** La selva amazónica está en peligro de muerte y sus recursos, reales y potenciales, se perderán para las generaciones futuras. Desde los tiempos de la colonización se calcula que se han perdido 552.000 km² de selva; y el ritmo de destrucción se ha acelerado en las últimas décadas hasta casi 20.000 km² al año. En junio del 2001, las autoridades brasileñas informaron del descubrimiento entre los estados de Amazonas y Rondonia de un área ilegalmente deforestada de 3.200 hectáreas, la mayor extensión talada hallada en la región.

Esta implacable realidad se manifiesta día a día por el continuo avance de las industrias madereras, finan-

○ Mujeres y niños yanomanis pescando con *timbó*, una planta tóxica

○ Tala de árboles en un bosque del macizo de las Guayanas, en la Amazonia

En la selva amazónica, la vegetación es grandiosa y la fauna variadísima. Cuenta con unas 8.000 especies de plantas, como **orquídeas**, bromelias o musgos. Los **jaguares**, los cunaguaros, los tapires, los osos hormigueros, los pecaris, una gran variedad de aves multicolores, algunas especies de monos y la anaconda, el mayor reptil del mundo, también habitan sus profundas tierras.

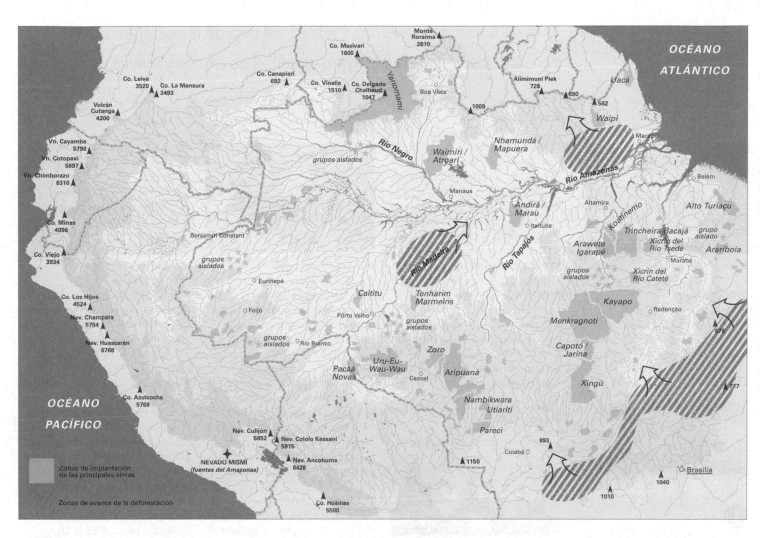

ciadas con capital internacional, y por los incendios provocados por ganaderos y agricultores, que intentan extraer a la selva nuevos campos de forraje y de cultivo.

Sólo en la Amazonia brasileña funcionan a pleno rendimiento 22 empresas madereras extranjeras. Provenientes en su mayoría de Estados Unidos, Japón, Alemania y el Reino Unido, las madereras se han instalado a lo largo del límite meridional de la selva y avanzan inexorablemente hacia el norte. A estas empresas se han sumado otras madereras de Malaysia e Indonesia, localizadas en dos amplias zonas del centro y el norte del país.

Según publica el Instituto Brasileño del Medio Ambiente, el 90% de la madera consumida en Brasil procede de la selva amazónica. Además, diversos periódicos y otras publicaciones de la región han denunciado que es muy sencillo hacerse con escrituras de propiedad falsas de extensísimos territorios que en realidad pertenecen al gobierno. Éstos después son vendidos a bajo precio a las industrias madereras para su explotación.

**Las 'termitas'** En los últimos 20 años, la Amazonia se ha convertido en lugar de acogida para miles de familias de campesinos de las provincias del noreste del país y para desempleados de la industria de Manaos. Se les llama *termitas* y constituyen un enemigo implacable. Son leñadores reciclados desde las más diversas profesiones (ex agricultores sin tierras, antiguos *garimpeiros*, *seringueiros* y aventureros de toda índole) y forman un ejército de 300.000 hombres. Van armados de motosierras y han convertido la deforestación en su único recurso de supervivencia.

Estas personas, la mayoría analfabetas e inconscientes de la acción destructora que están llevando a cabo, son explotadas por las empresas madereras, sobre todo las de Malaysia e Indonesia. Cobran unos 12 dólares por cada árbol de caoba derribado, que luego se venderá en Estados Unidos por más de 5.000 dólares. Cada año, estos leñadores clandestinos cortan 50 millones de metros cúbicos, de los cuales sólo una quinta parte se extrae de zonas en las que se prevé algún plan de reforestación.

○ Monos capuchinos de la Amazonia

# Chile

La estrella es el símbolo del progreso y el honor; el azul, el del cielo; y el blanco, de la nieve de los Andes. El rojo representa la sangre de los patriotas.

**Nombre oficial del país:**
República de Chile
**Superficie:** 756.945 km²
**Población:** 15.613.000 habitantes
**Densidad:** 20,6 hab/km²
**Capital:** Santiago de Chile
(5.150.000 hab)

◔ Congreso Nacional

**Otras ciudades:**
Concepción (356.371 hab),
Viña del Mar (326.448 hab) y
Valparaíso (282.850 hab)
**Lenguas:** español (oficial)
y mapuche
**Moneda:** peso (100 centavos)

**Direcciones útiles de Internet:**
www.gobiernodechile.cl
www.turismochile.com
www.ine.cl
**Placa de identificación:** RCH
**Prefijo telefónico:** 56
**Sufijo de Internet:** .cl
**Horario en relación con Greenwich:**
–4 horas
**Compañía aérea nacional:**
LAN-Chile, LADECO

**Principal aeropuerto internacional:**
Comodoro Arturo Merino Benítez
(Santiago)

Formado por una larguísima y angosta franja de territorio entre los Andes y la costa del Pacífico, Chile posee una de las geografías más peculiares del planeta, con gran variedad de climas y relieve.

## Geografía

Chile es el séptimo país sudamericano en cuanto a extensión, con 756.945 km², sin incluir los dos millones de kilómetros cuadrados de la Antártida sobre los que reclama su soberanía. Su longitud es de 4.300 kilómetros, su anchura máxima, de 400 kilómetros y la mínima, de 40. Lo forman tres unidades orográficas: los Andes, la Depresión Central y la cordillera de la Costa.

La cordillera de los Andes recorre el país de norte a sur y ejerce de frontera con Argentina (la segunda más larga del mundo entre dos países). En las regiones norte y central se registran sus alturas máximas. Volcanes

◔ Cráter del volcán Villarrica

◔ Desierto de Atacama

activos, altos picos nevados y una elevada actividad sísmica caracterizan la geografía de esta cordillera.

El clima varía en función de la longitud y la altitud: la temperatura baja a medida que ambas aumentan. Las precipitaciones son más abundantes con el incremento de altitud, pero esta tendencia sólo es cierta hasta los 3.000 metros, punto a partir del cual las lluvias disminuyen. La llama, la alpaca y la vicuña son los mamíferos propios de la región del norte.

**Del desierto a los bosques** Al norte de la Depresión Central está el desierto de Atacama, el lugar más seco del planeta. Con una altitud media de 600 metros y una super-

### Máximas altitudes

| de Chile | del continente | del mundo |
|---|---|---|
| 6.870 m | 6.960 m | 8.848 m |
| Ojos del Salado | Aconcagua | Everest |

ficie de 363.000 km², es una región de extrema aridez, con precipitaciones de apenas 200 mm/año y una temperatura media de 18ºC, muy suave gracias a la influencia de la corriente fría de Humboldt.

El sector central de la depresión es la región más fértil. Goza de un clima mediterráneo y la riegan los ríos engrosados por el deshielo de los Andes. La vegetación la componen plantas como el quillay –árbol endémico de Chile y Perú–, el litre y el peumo. En el paisaje transformado por el hombre abundan los viñedos, los frutales y las huertas.

Al sur del río Bío Bío, la Depresión Central se transforma en profundos valles, bosques y lagos. Los vientos oceánicos propician un suave clima marítimo y una gran humedad.

La cordillera de la Costa discurre paralela a la de los Andes y apenas supera los 2.000 metros. Al sur de la isla de Chiloé, la cordillera se hunde en el mar y aflora en forma de islas. Más al sur, aparecen el archipiélago de Chonos y el de Reina Adelaida. En el extremo meridional del país abundan los glaciares, los fiordos y las morrenas.

Los ríos chilenos son muy cortos por la proximidad de los Andes al mar. Los del norte bajan secos la mayor parte del año, los del centro tienen regímenes muy estacionales y los del sur son muy caudalosos.

◔ Guanacos en el Parque Nacional del Torres de Paine, en la Patagonia chilena

El español **Pedro de Valdivia** (1497-1553) fundó, entre otras, las ciudades de Santiago, Valdivia, Concepción y Villarrica. Murió frente a los araucanos al querer conquistar el sur de Chile.

Los **araucanos** (o mapuches) habitaron el sur de Chile durante siglos y opusieron una feroz resistencia a la conquista española. Actualmente viven en distintas regiones del centro y el sur.

## Demografía

La población chilena es una mezcla de los pueblos indígenas (araucanos) y de los colonizadores españoles. Algunos europeos se instalaron en el país a finales del siglo XIX y principios del XX, pero el flujo de inmigrantes nunca ha sido destacable en Chile. La población aumentó poco a poco en el siglo XIX, aceleró su crecimiento en la segunda mitad del siglo XX y alcanzó los 15.019.000 habitantes en 1992.

**Ciudades muy pobladas** La densidad de población tiene una distribución irregular. Grandes áreas del territorio están casi deshabitadas debido a la hostilidad del entorno, mientras que el centro de Chile está muy poblado y contiene las grandes ciudades del país: Santiago, con más de cinco millones de habitantes, y Concepción, Valparaíso y Viña del Mar, con unos 300.000 cada una.

En el futuro se prevé un envejecimiento de la población, ya que en los últimos años el promedio de personas de la tercera edad ha crecido. La disminución proporcional del número de jóvenes se deberá al aumento de la esperanza de vida –la más elevada de Sudamérica, con 73 años para los hombres y 79 para las mujeres– y a la disminución de la media de hijos por mujer (2,3), cifra inferior a la media del continente.

| Ranking IDH | Esperanza de vida |
|---|---|
| **42°** | **76,1** |
| 173 países analizados | años |

○ Iglesia de San Francisco de Calama

## Economía

○ La mina de cobre de Chuquicamata, situada en el desierto de Atacama

La minería constituye la actividad principal de la economía chilena. La extracción de cobre, mineral del que Chile es el mayor productor mundial, es la primera fuente de ingresos del país. Sus yacimientos más importantes son los de Chuquicamata –la mayor explotación cuprífera a cielo abierto del mundo–, El Salvador y El Teniente –la mayor explotación subterránea del globo–.

**La riqueza del subsuelo** El conocido nitrato de Chile o caliche, comúnmente llamado nitrato de sosa o salitre, se localiza en Vitoria, Pedro de Valdivia y María Elena. De él se obtiene el yodo, del que Chile es el primer productor mundial. El hierro se extrae en El Romeral y El Tofo, el carbón en Arauco, Valdivia, Llanquihue y Magallanes, y el petróleo en el sur, cerca de Punta Delgada. Otros yacimientos destacables son los de azufre, manganeso, oro, plata, plomo, molibdeno y mercurio.

En agricultura, Chile cultiva principalmente cereales: trigo en la fértil región central, que se extiende desde Valparaíso a Valdivia; cebada, avena y maíz en el sur del país; y arroz, centeno, tabaco y fruta. La viticultura se ha extendido considerablemente en la región de Santiago. Los vinos chilenos tienen notable prestigio en los mercados mundiales. La ganadería chilena la forman principalmente las cabañas ovina y bovina, y la avicultura va ganando peso. La riqueza forestal se localiza al sur del país, donde se explotan el coihué, el olmo, el roble, el pino, el tepa, el raulí, el olivillo y la araucaria. Chile ocupa uno de los primeros lugares en capturas pesqueras dentro de Sudamérica. Los principales puertos son Puerto Montt, Valparaíso y Valdivia. En torno a las islas de Juan Fernández se cría la langosta y en las costas de Chiloé, las ostras. La pesca de la ballena ha disminuido de forma considerable.

Entre las industrias tradicionales destacan la textil, la alimentaria, la papelera, los curtidos y el calzado. La siderurgia se vio potenciada con la construcción de las plantas de Huachipato, Talcahuano y del Corral, que permiten la exportación de hierro y acero. Otras industrias

### Principales proveedores

**25,3%** América Latina
**22,5%** Estados Unidos
**20,9%** Unión Europea
**31,3%** Otros países

### Principales clientes

**31,2%** Asia
**24%** Unión Europea
**22,8%** América Latina
**22%** Otros países

El poeta **Pablo Neruda** (1904-1973), que fue cónsul de Chile en la España en guerra, ganó el Nobel de Literatura en 1971. Desde 1924, obras como *Veinte poemas de amor* le dieron fama en España y América y lo convirtieron en uno de los autores más importantes de la lengua castellana.

En 1973, los militares de la dictadura mataron al popular cantautor chileno **Víctor Jara** (1932-1973).

## Economía

⊙ Mina de salitre en Antofagasta

en ascenso son la farmacéutica, la química y la maderera.

La red chilena de carreteras alcanza los 80.000 kilómetros y la vía férrea, 10.000 km. El país posee cerca de 80 aeropuertos. En el plano comercial, las principales exportaciones son de cobre, hierro, acero, celulosa y harina de pescado. Entre otros bienes, Chile tiene que importar maquinaria y material eléctrico y de transporte.

Chile pertenece a varias organizaciones de cooperación económica. En 1996 firmó un acuerdo con el Mercosur para la creación de una zona de libre comercio en un plazo de diez años. La integración comercial fue uno de los objetivos del presidente Ricardo Lagos para el año 2000.

### Producción de plata

| | |
|---|---|
| México | 14% |
| Perú | 13,3% |
| Estados Unidos | 11,7% |
| Australia | 10,3% |
| Chile | 8,3% |

### Producción de cobre

| | |
|---|---|
| Chile | 34,7% |
| Estados Unidos | 12,7% |
| Indonesia | 6,1% |
| Australia | 5,8% |
| Canadá | 4,9% |

### Producción de molibdeno

| | |
|---|---|
| E.U. | 32,3% |
| China | 24,6% |
| Chile | 20,2% |
| México | 5,8% |
| Canadá | 4,6% |

## Historia y Actualidad

**Constitución del estado:** 1818 (independencia de España).
**Forma de estado:** república
**Sistema de gobierno:** democracia presidencialista
**Organizaciones internacionales:** ONU, OEA y Comunidad Andina

En el siglo XV, el norte del territorio chileno estaba ocupado por los incas y el sur por los araucanos. La conquista española del norte (1541) fue relativamente fácil, pero los araucanos opusieron una fuerte resistencia que se prolongó durante todo el siglo XVII. El XVIII, aunque con algunas rebeliones indígenas, fue la época de la consolidación española.

En 1810, gracias a la invasión francesa de España, Chile constituyó una junta de gobierno. Los chilenos, liderados por Bernardo O'Higgins, se enfrentaron a las tropas españolas entre 1813 y 1818, año en que consiguieron la independencia.

En 1823, la oposición conservadora obligó a dimitir a O'Higgins y empezó un período de inestabilidad que concluyó en 1833 con la promulgación de una constitución conservadora.

**Insurrección y reforma** Tras un largo período conservador, los liberales llegan al gobierno, pero una insurrección derroca al reformista Balmaceda en 1891 e implanta un régimen parlamentario. En 1920, la inquietud de la clase media y el proletariado por su marginación del sistema político-social produjo un movimiento reformista que llevó a la presidencia a Arturo Alessandri.

Tras ser aprobada la nueva constitución de 1925, los presidentes radicales del Frente Popular aceleraron

### El misterio de los moais

Desde que en 1722 llegaron los primeros europeos, arqueólogos y etnógrafos estudian cómo hicieron los indios rapa nui para construir y transportar a lo largo de la Isla de Pascua estas gigantescas estatuas de piedra.

la industrialización del país y promulgaron leyes sociales. La economía y la situación general mejoraron también con el democristiano Eduardo Frei Montalva (1964-1970), que se impuso a Allende en las elecciones de 1964. En 1970, Allende llegó a la presidencia. Su programa se basó en la socialización del país (reforma agraria y nacionalización de la banca y de los monopolios económicos), a la cual se opusieron la derecha y los democristianos conservadores.

### Fechas clave

| O'Higgins | Frei Montalva | Pinochet y Allende | Frei Ruiz-Tagle | Lagos |
|---|---|---|---|---|

**1813-1818** Guerra de la Independencia de Chile.
**1818** Chile se declara independiente.
**1833** Constitución conservadora.
**1879-1883** Guerra contra Bolivia y Perú.
**1891** Implantación de un régimen parlamentario.
**1925** Constitución democrática.
**1938-1948** Frente Popular.
**1964** Eduardo Frei, presidente.

**1970** Allende, presidente.
**1973** Golpe de estado militar.
**1974** El general Pinochet, presidente de la república.
**1989-2000** Presidencias de los democristianos Aylwin y Frei.
**1998** Pinochet, detenido en Londres.
**2000** El socialista Lagos, presidente.
**2001** Inicio del procesamiento de Pinochet en Chile.

La obra de la escritora y periodista **Isabel Allende** (1942), sobrina del derrocado presidente, ha estado marcada por el éxito, desde que publicó, en 1982 y desde el exilio, *La casa de los espíritus*.

La escritora **Gabriela Mistral** (1889-1957) fue maestra rural y cónsul de su país en Nápoles, Lisboa y Río de Janeiro. Nobel de Literatura en 1945 es, con Neruda, la más grande figura literaria chilena.

○ El palacio de la Moneda de Santiago

A pesar de ello, se aprobaron medidas como la nacionalización del cobre, hasta entonces en manos estadounidenses. En medio de un ambiente muy radicalizado, las fuerzas armadas, con el apoyo de la CIA norteamericana, dieron un golpe de estado (septiembre de 1973) que derrocó violentamente al gobierno e instauró una dictadura militar.

**Los años de dictadura** La junta militar impuso una terrible represión contra la oposición y anuló todas las medidas sociales y económicas de Allende. En diciembre de 1974, el general Pinochet fue designado presidente. A las continuas violaciones de los derechos humanos, torturas y miles de asesinatos y desapariciones, se unieron los asesinatos de destacados opositores exiliados.

En 1988, la oposición acordó un plan para la transición a la democracia y los electores rechazaron la continuidad de Pinochet en la presidencia. En las primeras elecciones libres (1989) venció el democristiano Patricio Aylwin, aunque Pinochet continuó como jefe del ejército.

La Comisión para la Verdad y la Reconciliación investigó las violaciones de los derechos humanos durante y tras el golpe, pero el juicio a los culpables no fue posible por la amnistía aprobada en la dictadura. En 1993 resultó elegido el democristiano Eduardo Frei y en 1998 Pinochet abandonó la jefatura de las fuerzas armadas y se convirtió en senador vitalicio. En las elecciones del 2000, Ricardo Lagos se impuso al derechista Joaquín Lavín.

## El caso Pinochet

El 21 de septiembre de 1998, Augusto Pinochet salió de Chile rumbo a Londres, con pasaporte diplomático, para ser operado de una hernia discal. Nada más llegar fue detenido por la policía británica a requerimiento del juez español Baltasar Garzón, que lo acusaba del asesinato de ciudadanos españoles en Chile entre 1973 y 1983. En octubre, Garzón amplió su acusación y le imputó delitos de genocidio, terrorismo y torturas.

En España, la Audiencia Nacional se declaró competente para procesarlo, y en noviembre, su gobierno, a instancias de Garzón, pidió al reino Unido su extradición a España para juzgarlo por los delitos imputados.

Mientras, un Comité de la Cámara de los Lores británica se pronunció a favor de su extradición a España pese a las protestas del gobierno chileno, en defensa de su soberanía jurídica. En diciembre de 1998, el Comité de Apelaciones de la Cámara de los Lores anuló este dictamen, pero en marzo de 1999 consideró que Pinochet podía ser extraditado sólo por los delitos cometidos después de diciembre de 1988 (fecha de la ratificación por Chile y el Reino Unido de la Convención Internacional contra la Tortura).

En abril, Jack Straw, ministro del Interior británico, reiteró su decisión de extraditarlo, pero ésta se vio retardada por el ingreso de Pinochet en un hospital británico. El tribunal competente dio luz verde a la extradición, pero los defensores del general y la embajada chilena en Londres solicitaron al gobierno británico un examen

### Fechas clave

| Garzón | Guzmán | Straw | Pinochet |

**Septiembre de 1998**
Pinochet viaja a Londres.
**Octubre de 1998**
La policía británica detiene a Pinochet.
**Noviembre de 1998**
España pide su extradición y los lores le niegan la inmunidad.
**Diciembre de 1998**
Los lores anulan su fallo anterior.
**Marzo de 1999**
Pinochet sólo será juzgado por delitos de tortura cometidos después de 1988.
**Abril de 1999**
Straw autoriza la extradición.

**Octubre de 1999**
Pinochet alega razones de salud.
**Enero del 2000**
Londres libera al general.
**Marzo del 2000**
Pinochet regresa a Chile.
**Agosto del 2000**
Pierde la inmunidad parlamentaria.
**Enero del 2001**
El juez Guzmán decreta el procesamiento de Pinochet.
**Julio del 2002**
Sobreseído el caso por la demencia vascular que sufre Pinochet.

médico, que demostraría que su salud se había deteriorado, de forma que no podía ser juzgado en España y debía volver a Chile.

A inicios del 2000, el ministerio del Interior británico anunció que Pinochet no estaba en condiciones para ser juzgado y, por razones humanitarias, rechazó la extradición a España. De regreso en Chile, Pinochet, menos incapacitado de lo que habían dejado creer los informes médicos, fue arropado por los militares y por sus seguidores políticos. No obstante, fue encausado por el juez Juan Guzmán Tapia por el caso de la *caravana de la muerte*, que recorrió, tras el golpe de estado, varias localidades del norte de Chile para sacar de la cárcel y ejecutar

○ Chilenos se manifiestan mostrando fotos de sus familiares desaparecidos

a algunos opositores de izquierda. A ello se unió una multitud de querellas criminales presentadas contra Pinochet en los tribunales chilenos.

En agosto del 2000, la Corte Suprema chilena confirmó la decisión de junio de la Corte de Apelación de Santiago de retirar la inmunidad parlamentaria al senador para poder procesarlo. Tras un largo debate, en enero del 2001 el juez Guzmán decretó su procesamiento, pese a la existencia de unos informes neurológicos que mostraban que el ex dictador sufría una "demencia vascular en grado moderado a leve". El julio del 2002, esa misma enfermedad fue la causa del sobreseimiento del caso contra Pinochet, decretado por la Corte Suprema.

○ Familias de las víctimas piden justicia

○ Seguidores de Pinochet en Santiago

# Colombia

El amarillo evoca el pueblo. El azul es el océano que lo separa de los antiguos colonizadores y el rojo, la sangre que vertiría ante otra invasión.

**Nombre oficial del país:**
República de Colombia
**Superficie:** 1.138.914 km²
**Población:** 43.526.000 habitantes
**Densidad:** 38,2 hab/km²
**Capital:** Bogotá (7.800.000 hab)
**Otras aglomeraciones urbanas:**
Medellín (3.450.000 hab), Cali
(2.555.000 hab) y Barranquilla
(1.750.000 hab)

◔ Barranquilla

**Lenguas:** español (oficial)
y lenguas indígenas
**Moneda:** peso (100 centavos)

**Direcciones útiles de Internet:**
www.presidencia.gov.co
www.colombia-travelnet.com
www.nuestracolombia.org.co
www.guiaturismo.com.co
**Placa de identificación:** CO
**Prefijo telefónico:** 57
**Dominio de Internet:** .co
**Horario en relación con Greenwich:**
−5 horas
**Compañía aérea nacional:** Avianca

**Principal aeropuerto internacional:**
El Dorado (Bogotá)

País de la América andina con costas en el Caribe y el Pacífico, Colombia es conocida por su café, sus minas de esmeraldas y por el narcotráfico, principal preocupación de su gobierno, junto con el terrorismo.

## Geografía

Colombia ocupa el extremo noroccidental de América del Sur. Sus 3.208 kilómetros de costa están bañados por el mar Caribe y por el océano Pacífico. Limita con Panamá al norte, con Venezuela y Brasil al este, y con Perú y Ecuador al sur.
La soberanía territorial de Colombia incluye, en el Caribe, el archipiélago de San Andrés, la isla de Providencia y las islas de Rosario, San Bernardo y Fuerte. En el Pacífico, comprende las islas de Gorgona, Gorgonilla y Malpelo.

**Un relieve accidentado** La orografía presenta una gran variedad de accidentes y formaciones geológicas acentuadas por la erosión, lo que se traduce en una enorme diversidad de regiones geográficas. Se divide en tres ámbitos principles: los Andes, las llanuras costeras y los Llanos.
Los tres macizos andinos –la cordillera Occidental, la Central y la Oriental– se extienden por el suroeste y el oeste y ocupan un tercio de la superficie del país. Las cordilleras Central y Oriental están dominadas por picos volcánicos nevados, el más conocido de los cuales es el Nevado del Ruiz, con una altitud de 5.400 metros.
En la cordillera Occidental, las cimas más altas sobrepasan los 4.000 metros. El punto más elevado del país es el pico Cristóbal Colón (5.775 m),

◔ Costa norte del país en el mar Caribe, cerca de Cartagena de Indias

enclavado en la Sierra Nevada de Santa Marta, que discurre junto a la costa del Caribe.
Como abrupto contraste a las cordilleras y a las mesetas que las separan, existen en las costas del Caribe y del Pacífico y en vastas zonas del interior planicies muy extensas que dan nombre a las llanuras costeras y a la región de los Llanos.
En la costa del Pacífico se extienden tierras bajas, jalonadas de ríos de cursos breves e hileras de colinas, periódicamente inundadas por el mar, como sucede en la falsa isla en que se transforma la península de Salamanca, al norte. El resto de la costa está constituido por grandes playas arenosas sometidas al influjo de las corrientes y los vientos marinos.
También la erosión y la actividad tectónica han originado en las costas formas abruptas, tanto en las orillas del Caribe –donde el mar se bate contra la base de la Sierra Nevada de Santa Marta–, como en el litoral del

Pacífico, quebrado por golfos, deltas, promontorios y cabos. La región de los Llanos, al este de Colombia, corresponde a las cuencas de los ríos Orinoco y Amazonas.

**Hidrografía y clima** Las cordilleras albergan las cuencas de los ríos más importantes. El Magdalena nace al sur de Popayán y avanza hacia el norte, entre las cordilleras Central y Oriental, hasta desembocar en el Caribe. En su último tramo recibe las aguas del Cauca, que fluyen entre las cordilleras Central y Occidental.
El clima es variado: en la selva amazónica, la costa norte del Pacífico y el valle del Magdalena es tropical. En las costas del Caribe, partes del litoral pacífico y algunas zonas del interior es monzónico (parecido al tropical, pero con una estación seca). En las llanuras costeras, los Llanos y el este del litoral caribeño predomina el clima de la sabana, y en las cordilleras, el de montaña.

### Máximas altitudes

| de Colombia | del continente | del mundo |
|---|---|---|
| 5.775 m | 6.960 m | 8.848 m |
| Pico Colón | Aconcagua | Everest |

Uno de los atractivos turísticos de Colombia es el **Museo del Oro de Bogotá**. Allí se guardan 25.000 piezas de orfebrería precolombina, la colección más importante de ese período en el mundo.

El tratamiento exagerado de las proporciones en las figuras es la marca personal e inconfundible del pintor y escultor **Fernando Botero** (1932), uno de los artistas más prestigiosos del mundo.

## Demografía

La población colombiana tiene tres orígenes: amerindios, españoles y africanos. La mitad de la población es mestiza, descendiente de indígenas y españoles u otros europeos. Una cuarta parte mezcla raíces africanas e indias o europeas; cerca de un 20% son de ascendencia europea; hay un 4% de africanos puros y sólo un 1% son indios que no han sido absorbidos por el resto de la población.

La lengua oficial es el castellano, pero se hablan más de 180 lenguas y dialectos indígenas, clasificados en siete grupos principales: aymará, arawak, chibcha, caribe, quechua, tupíguaraní y yurumanguí.

La fuerte emigración rural que ha experimentado el país en los últimos decenios ha elevado la población urbana, que ahora constituye el 75,5%, un índice alto pero que aún queda lejos de los de Argentina (88,3%) y Uruguay (92,1%).

| Ranking IDH | Esperanza de vida |
|---|---|
| **63°** | 72,2 |
| 173 países analizados | años |

### *La Atenas de América*

**Y**a en la época colonial, Santa Fe de Bogotá fue considerada como la Atenas de América y el país ha mantenido esta tradición desde la creación de la república. De hecho, la mayor parte de las 40 universidades del país están en la capital, así como la Biblioteca Nacional, que almacena 350.000 volúmenes.

## Economía

⊙ Industria azucarera en el valle del río Cauca

Colombia es uno de los países más ricos de América del Sur en recursos naturales. Entre sus exportaciones figuran el petróleo, el carbón (tiene las mayores reservas de América Latina), el café, la caña de azúcar, el oro, las esmeraldas (primer productor mundial), los productos químicos y textiles, y el cuero.

Sin embargo, su exportación más significativa, aunque ilegal, está en el narcotráfico. Colombia es el primer productor de marihuana del continente, el principal transformador de la coca proveniente de Perú, Ecuador y Bolivia, y el primer exportador de cocaína hacia los Estados Unidos. La cifra de negocios del narcotráfico está estimada en 6.000 millones de dólares, un 10% del PBI.

El sector agrícola tiene una variada producción, con importantes cultivos de café, caña de azúcar, plátanos, maíz, tabaco, algodón, legumbres, frutas y flores, cuya exportación ha aumentado en los últimos años.

**Ganadería e industria textil** En ganadería, Colombia dispone de buenas reservas en los valles del río Magdalena y en las llanuras orientales, donde se encuentran cabañas bovinas, equinas, porcinas y ovinas, muy ligada esta última a la destacable industria textil colombiana.

Entre los años 30 y 60, la industrialización permitió crear una sólida estructura fabril de textiles y productos de consumo, hasta alcanzar el estatus de país autosuficiente en estas ramas de la industria, especialmente agroalimentación, textil, cuero y calzado.

Es destacable su independencia energética, ya que tiene un índice de cobertura del 259,1%. La comunicación fluvial se desarrolla a lo largo del río Magdalena, el ferrocarril tiene una extensión de 3.500 kilómetros y las carreteras, de difícil construcción por el irregular relieve de gran parte del país, cubren 107.400 km.

**Mala distribución de la riqueza** Sin embargo, como en muchos estados sudamericanos, la mala distribución de la riqueza y de la tierra, y las desigualdades sociales, mal endémico del país, determinan la existencia de importantes focos de pobreza que han contribuido a agravar la violencia y la permanente confrontación social. Los últimos datos señalan que la mitad de la población se sitúa por debajo del umbral de la pobreza, tendencia que ha aumentado con la fuerte emigración rural.

La crisis política y social ha incidido negativamente en la economía. En 1999 se registró un crecimiento negativo del –5%, pese al promedio de 3,6% de crecimiento anual durante el período 1988-1998. La tasa de desempleo subió en 1999 al 20% y la inflación alcanzó cotas del 10%.

**La ayuda internacional** La deuda exterior se ha elevado a 34.350 millones de dólares y el gobierno se ha visto obligado a solicitar, por primera vez, una ayuda de 2.700 millones de dólares al FMI, que ha exigido privatizaciones, reformas fiscales y reducciones en el gasto público. También en 1999 Colombia presentó a Estados Unidos una solicitud de ayuda militar para luchar contra el tráfico de droga, que supuso una dotación económica de 1.600 millones de dólares. Otra negociación destacable del presidente Andrés Pastrana fue la que mantuvo en mayo del 2000 con Manuel Maluranda, jefe de las FARC, que sentó las bases para negociar reformas económicas.

### Principales proveedores

- 35,1% Estados Unidos
- 26,3% América Latina
- 19,6% Unión Europea
- 19% Otros países

### Principales clientes

- 38,8% Estados Unidos
- 26,3% América Latina
- 24,2% Unión Europea
- 10,7% Otros países

⊙ Plantación de tabaco en la Sierra Nevada del Cucuy

Premio Nobel en 1982, **Gabriel García Márquez** (1928) es mundialmente reconocido por su uso  del realismo mágico. Con *Cien años de soledad*, *Gabo* marcó la historia literaria del siglo XX.

El futbolista **Carlos Valderrama** (1961) ha sido declarado dos veces el mejor jugador de Amé-  rica y ha participado en tres Mundiales como capitán del combinado colombiano.

## Historia y Actualidad

**Constitución del estado:** 1819 (independencia de España: República de la Gran Colombia). 1830 (república soberana)
**Forma de estado:** república unitaria
**Sistema de gobierno:** democracia presidencialista
**Organizaciones internacionales:** ONU, OEA, MCCA, Comunidad Andina y ALADI

La ocupación española comenzó en 1500 y se consolidó con la fundación de Cartagena en 1532. Jiménez de Quesada exploró la región andina y fundó Santa Fé de Bogotá en 1538. El levantamiento contra la corona española culminó en la batalla de Boyacá, en 1819. Ese mismo año, Simón Bolívar creó la República de la Gran Colombia, pero ésta desapareció en 1830 con la separación de Venezuela y Ecuador.
En 1840 se configuraron dos facciones políticas –conservadores y liberales– cuya rivalidad se transformó en un sangriento enfrentamiento civil que marcó la historia moderna de Colombia. Ambos bandos se sucedieron en el poder sin dejar de luchar durante décadas.
Los liberales abolieron la esclavitud, expropiaron las tierras de la Iglesia y decretaron la libertad de culto en 1863. Estas medidas provocaron nuevas tensiones sociales. Los conservadores volvieron al poder en 1880, promulgaron la Constitución unitaria de 1886, que permanece vigente, y devolvieron las propiedades de la Iglesia.
En 1899 estalló otra vez la guerra civil, que duró hasta 1903, año en

○ *El Obispo*, rescultura realizada por la cultura de San Agustín

que Panamá se alzó contra el gobierno de Colombia, con el apoyo de Estados Unidos, y declaró la independencia de la zona donde se construiría el Canal. La Gran Depresión de 1930 permitió la vuelta al poder de los liberales, que impulsaron una política de reformas sociales destinadas a resolver la situación del campesinado y los indígenas.

**Una nueva guerra civil** El predominio liberal acabó en las elecciones de 1946 con la victoria del conservador Ospina Pérez, que abrió una fase de duras represalias contra los liberales. El asesinato del líder liberal Jorge Eliecer Gaitán, en 1948, desencadenó una cruenta guerra civil, que se prolongó hasta 1953.

El general conservador Laureano López implantó en 1950 un duro régimen represivo que se mantuvo hasta el golpe de estado de 1953, protagonizado por el general Rojas Pinilla, un dictador populista que intentó detener la violencia y estimular la economía. Su régimen fue depuesto en 1957 por una junta militar que restauró el sistema democrático en 1958, iniciando un período de alternancia entre conservadores y liberales que duró 16 años.
A partir de finales de los años 60, las transformaciones económicas, sociales y demográficas añadieron nuevos conflictos a las secuelas de las guerras civiles. Los guerrilleros, que contaban con el apoyo del pueblo, y los poderosos narcotraficantes, que habían declarado una guerra abierta a las autoridades, dificultaron la evolución pacífica del país.
El conservador Andrés Pastrana, presidente de 1998 al 2002, ejerció una

política de diálogo con la guerrilla. En el 2000, Estados Unidos lanzó el Plan Colombia con el fin de colaborar con el gobierno colombiano en la erradicación de la guerrilla y el narcotráfico. La respuesta fue la reanudación de los ataques guerrilleros y el contraataque de los grupos de autodefensa (paramilitares).
A principios del 2002, Pastrana exigió a las FARC el cese de la violencia para proseguir las negociaciones, que finalmente dio por terminadas. El ejército retomó la zona neutral y las FARC respondieron intensificando sus acciones.
En las elecciones presidenciales de mayo resultó elegido en la primera vuelta el liberal independiente Álvaro Uribe, quien propuso intensificar la lucha contra los grupos guerrilleros de forma radical y continuó con el proceso de solicitar ayuda internacional para estabilizar la vacilante economía.

### Fechas clave

| | |
|---|---|
| 1819 | Batalla de Boyacá. |
| 1830 | Venezuela y Ecuador dejan la República de la Gran Colombia. |
| 1840 | Luchas entre conservadores y liberales. |
| 1880 | Rafael Núñez al poder. |
| 1886 | Constitución conservadora. |
| 1899 | Guerra de los mil días. |
| 1903 | Independencia de Panamá. |
| 1930 | Período liberal hasta 1946. |

| | |
|---|---|
| 1948 | Comienzo de la guerra civil. |
| 1953 | Dictadura de Rojas Pinilla. |
| 1958 | Frente Nacional: alternancia entre liberales y conservadores. |
| 1960 | Se forman las FARC. |
| 1966 | Creación del ELN. |
| 1985 | El M19 mata a cien personas. |
| 1989 | El M19 se convierte en partido. |
| 1998 | Presidencia de Andrés Pastrana. |
| 2002 | Presidencia de Álvaro Uribe. |

**MAR CARIBE**

**División administrativa**

0    150    300 km

# Costa Rica

Con el azul y el blanco se recuerda la federación de las Provincias Unidas de América Central. El rojo es un tributo a la Revolución Francesa de 1848.

**Nombre oficial del país:**
República de Costa Rica
**Superficie:** 50.700 km²
**Población:** 4.094.000 habitantes
**Densidad:** 80,1 hab/km²
**Capital:** San José (315.900 hab)
**Otras ciudades:**
Alajuela (180.000 hab) y
Cartago (123.000 hab)

◐ Cartago

**Lenguas:** español (oficial) y criollo
**Moneda:** colón (100 céntimos)

Bañada por el Caribe y el Pacífico, Costa Rica aprovecha su gran riqueza medioambiental con fines turísticos y es el único país del mundo que, por mandamiento constitucional, no posee un ejército regular.

## Geografía

En el relieve de Costa Rica contrastan las montañas del interior con las llanuras de las regiones costeras del noroeste y el este. Las costas del Caribe son más bien llanas, con numerosas playas y albuferas, mientras que en las del Pacífico abundan los acantilados.

En el sistema montañoso, formado por la cordillera de Talamanca, la cordillera Central y la cordillera de Guanacaste, abundan los volcanes activos. El bosque húmedo cubre la vertiente caribeña, y el bosque de caducifolios, la vertiente pacífica. El clima del país es tropical.

◐ Parque Nacional de Manuel Antonio

## Demografía

| Ranking IDH | Esperanza de vida |
|---|---|
| **41°** | 78,1 |
| 173 países analizados | años |

La etnia dominante en el país son los blancos criollos. La tasa de crecimiento anual de la población es elevada (2,5%) y propia de los países en desarrollo. Con esta tasa, la población de Costa Rica se duplicará en un período de sólo 28 años.

Los costarricenses se concentran en las zonas costeras del país, tanto en la vertiente pacífica como en la caribeña, y sobre todo en las zonas rurales, ya que se trata de uno de los países menos urbanizados de América Latina. La media de hijos por mujer es de entre dos y tres, y la mortalidad infantil es del 10,5‰, valor que se considera bajo.

La estructura de la población es la propia de un país joven. Se estima que para el período 2000-2005, el 51,8% de los habitantes tendrá menos de 15 años y el porcentaje de personas de 65 años o más será del 8,2%.

## Economía

Costa Rica es un país tradicionalmente agrícola, pero con un rápido desarrollo de la minería y del sector manufacturero. El cedro y la caoba son sus principales riquezas madereras. Exporta café, plátanos, carne, cacao, maquiladoras, componentes electrónicos e importa combustibles, productos químicos y maquinaria. Los ingresos por turismo han aumentado en los últimos años.

**Principales proveedores**

**50,4%** Estados Unidos
**19,8%** América Latina
**9,3%** Unión Europea
**20,5%** Otros países

**Principales clientes**

**48,4%** Estados Unidos
**21,3%** Unión Europea
**17,2%** América Latina
**13,1%** Otros países

**Direcciones útiles de Internet:**
www.info.co.cr
www.costaricavirtual.go.cr
www.cr
**Placa de identificación:** CR
**Prefijo telefónico:** 506
**Dominio de Internet:** .cr
**Horario en relación con Greenwich:**
−6 horas
**Compañía aérea nacional:** Grupo Taca

**Principal aeropuerto internacional:**
Juan Santamaría (San José)

## Historia y Actualidad

**Constitución del estado:** 1821 (independencia de España). 1848 (república soberana)
**Forma de estado:** república
**Sistema de gobierno:** democracia presidencialista
**Organizaciones a las que pertenece:** ONU, OEA y MCCA

Hasta la llegada de los españoles, Costa Rica estuvo ocupada por los güetaros, los chorotegas y los borucas. Durante la época colonial formó parte de la Capitanía de Guatemala y se independizó de España en 1821. Dos años después se incorporó a las Provincias Unidas de América Central, de las que se separó en 1838, para proclamar la República en 1848.

Hasta 1902 se sucedieron varias dictaduras y se consolidó el dominio de la oligarquía propietaria de las plantaciones de café y de bananos, y el de Estados Unidos, a través del control de las explotaciones bananeras. En el siglo XX se implantó el régimen constitucional. Tras el gobierno del Partido Republicano Nacional (1940-1948) estalló una guerra civil, que ganaron los conservadores.

Hasta las elecciones de 2002, que pusieron fin al tradicional bipartidismo, liberales y conservadores se alternaron en la presidencia de la II República. A pesar de ello, el conservador Abel Pacheco es el actual presidente. En 1987, el presidente liberal Óscar Arias obtuvo el Nobel de la Paz por su plan para América Central.

# Ecuador

La bandera mantiene el diseño de su antigua federación en la Gran Colombia. En el escudo aparece el cóndor, el volcán Chimborazo y el río Guayas.

**Nombre oficial del país:**
República del Ecuador
**Superficie:** 270.640 km²
**Población:** 12.810.000 habitantes
**Densidad:** 45,2 hab/km²
**Capital:** Quito (1.575.000 hab)
**Otras ciudades:**
Guayaquil (2.039.789 hab),
Cuenca (200.000 hab) y
Ambato (150.000 hab)

⚓ Guayaquil

**Lenguas:** español (oficial), quichua shimi, awapi, tsafiqui, paicoca, aíngae, huaotirio, shuar chinchan y záparo
**Moneda:** dólar estadounidense (100 centavos), desde el 9 de enero del 2000

**Direcciones útiles de Internet:**
www.mmrree.gov.ec
www.inec.gov.ec
www.bce.fin.ec
www.sica.gov.ec
**Placa de identificación:** EC
**Prefijo telefónico:** 593
**Dominio de Internet:** .ec
**Horario en relación con Greenwich:**
–5 horas; –6 horas en Galápagos
**Compañías aéreas nacionales:**
Tame e Icaro

**Principales aeropuertos de país:**
Mariscal Sucre (Quito)
Simón Bolívar (Guayaquil)

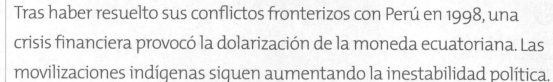

Tras haber resuelto sus conflictos fronterizos con Perú en 1998, una crisis financiera provocó la dolarización de la moneda ecuatoriana. Las movilizaciones indígenas siguen aumentando la inestabilidad política.

## Geografía

⚓ Quito se sitúa a 2.810 metros de altitud, muy cerca del volcán Pichincha

Situado en la zona ecuatorial de América del Sur, en la costa del Pacífico, Ecuador limita con Colombia por el norte, y por el sur y el este con Perú, país con el que ha tenido conflictos bélicos y sufrido importantes pérdidas de territorio en la cuenca amazónica. Con 270.640 km² es el menor de los estados andinos.

**Tres regiones** Los Andes atraviesan el país de norte a sur, y lo dividen en tres regiones muy diferenciadas, a las que debe añadirse el archipiélago de las Galápagos. La cordillera Occidental andina señala el límite de la planicie de la costa, la cordillera Central marca el entorno de la región de la Sierra, y la cordillera Occidental separa la región de Oriente, en la cuenca alta del Amazonas.
Las llanuras de la región de la costa descienden desde las estribaciones cordilleranas hacia el océano Pacífico y están en su mayor parte cubiertas por selvas tropicales.
En la franja central y norte de esta región existen algunas elevaciones montañosas de origen volcánico y baja altura, conocidas como las montañas Puca, el Colonche, el Chongón y el Paján, rodeadas de llanuras

ondulantes que se estrechan en la frontera con Colombia.
En el sur, las tierras son más llanas y convergen hacia el golfo de Guayaquil, donde está Puná, la principal isla de la costa ecuatoriana. La región está drenada por el río Guayas, formado por la conjunción de los ríos Daule y Babahoyo. Las temperaturas medias oscilan entre 23°C y 26°C. La estación lluviosa se registra entre diciembre y abril.
La región de la Sierra, encuadrada a este y oeste por las cordilleras Central y Occidental, corresponde a los Andes, está jalonada de volcanes y surcada por ríos que forman valles aislados y hendiduras u hoyas donde abundan los lagos.

⚓ El río Napo atraviesa Ecuador y Perú

### Máximas altitudes

| de Ecuador | del continente | del mundo |
|---|---|---|
| 6.310 m | 6.960 m | 8.848 m |
| Chimborazo | Aconcagua | Everest |

En los Andes ecuatorianos se encuentran verdaderos colosos, como el volcán Chimborazo, uno de los más altos del mundo, con 6.310 metros, o el Cotopaxi, con 5.897 metros, el volcán activo más alto del planeta. Varias montañas cubiertas de nieves perpetuas también superan los 5.000 metros.

**Torrentes y rutas fluviales** Los ríos de la Sierra crecen durante el deshielo y se abren paso torrencialmente a través de las hoyas en cursos rápidos y no navegables. Las corrientes que descienden hacia el este se convierten en la región de Oriente en las principales rutas fluviales de Ecuador, que se internan en la cuenca amazónica. La más importante es el río Napo, que sigue su curso por Perú hasta unirse al Amazonas.
En la Sierra, las temperaturas medias oscilan entre los 12°C y los 18°C y se registran dos estaciones lluviosas (noviembre y diciembre y de febrero a mayo).
La región de Oriente, que se extiende hacia el oeste desde la cadena occidental de los Andes, se integra en la gran cuenca del Amazonas y está cubierta por la selva tropical. En esta región, la lluvia es más uniforme ya que sólo hay una estación lluviosa. Las temperaturas medias oscilan entre los 23°C y los 26°C.

**La tortuga de las Galápagos** *(Geochelone elephantopus),* que habita en las islas que llevan su nombre, es una especie de gran tamaño, con un metro y medio de longitud y un peso de 250 kilos.

Patriota ecuatoriana y compañera de Simón Bolívar, **Manuelita Sáenz** (1795-1856) acompañó al Libertador en sus sueños de emancipación y promovió la independencia de Sudamérica.

## Las islas Galápagos

El archipiélago de las Galápagos está situado en el Pacífico oriental, a 972 kilómetros de la costa de Ecuador. Lo forman trece islas grandes, seis menores y 42 islotes. Fue refugio de piratas y cazadores de ballenas antes de integrarse a Ecuador en 1832. Tres años más tarde, el gran naturalista británico Charles Darwin las visitó como una escala de su largo viaje de cinco años por el mundo. La rica fauna de aves, tortugas gigantes e iguanas terrestres y marinas *(foto)* impresionó a Darwin y le permitió trazar las líneas maestras de su teoría de la evolución, plasmada en *El origen de las especies.* Base naval de los Estados Unidos desde 1942, las Galápagos fueron declaradas Parque Nacional en 1959. Cinco años más tarde se creó la Estación Internacional Darwin para proteger su fauna. Sus 15.000 habitantes viven en cinco de las islas, ya que las restan-

tes están protegidas. El 19 de enero del 2001, el carguero *Jessica* encalló frente a la isla San Cristóbal y derramó 650.000 litros de combustible, situando al borde del colapso a este singular ecosistema. Según los expertos, las corrientes evitaron una catástrofe, pero se desconocen los efectos que tendrá la contaminación en las especies endémicas del archipiélago.

### Mapa

Darwin
Wolf

OCÉANO

PACÍFICO

Roca Redonda
Pinta
Marchena
Genovesa
Volcán Ecuador △   △ Volcán Wolf
Santiago
Volcán Cumbre △   △ Volcán Darwin   △ Monte Cowan
Monte submarino Fitzroy
Fernandina
Volcán Alcedo △   Seymour   Balta
Rábida
Pinzón
Santa Cruz
Volcán Santo Tomás △   Santa Rosa   Centro de Investigación Charles Darwin   San Cristóbal
Santo Tomás
Puerto Ayora
Volcán Cerro Azul △   Santa Fe   Monte San Joaquín
Puerto Villamil   Puerto Baquerizo Moreno
Isabela
Tortuga   Lugar del accidente del 'Jessica'
Floreana
Española
Monte submarino Whitmer
0   50   100 km

**Accidente del 'Jessica'. Cronología**

*16 de enero de 2001, martes*
El buque 'Jessica', con 160.000 galones de diésel y 80.000 de bunker, encalla en la Bahía de Naufragio, de la Isla San Cristóbal, ocasionando un derrame de combustible

*19 de enero, viernes*
Aparecen las primeras fisuras en el casco

*21 de enero, domingo*
La mancha causa un derrame de 240.000 galones de combustible y ocupa unos 1.000 km²

*26 de enero, viernes*
La mancha se fragmenta y las corrientes la desplazan mar adentro. La zona afectada alcanza los 3.000 km²

Tortugas   Iguanas terrestres   Flamencos   Pingüinos   Pinzones   Lobos marinos
Pelícanos   Iguanas marinas   Albatros   Leones   Focas peleteras   Focas
Piqueros   Tiburones   Mantas   Delfines   Ballenas   Marea negra

## Demografía

El 63,4% de la población ecuatoriana vive en centros urbanos y la mitad en la región de la costa. Guayaquil concentra gran parte de la emigración rural en los barrios precarios que han crecido en las afueras. El índice de fecundidad se sitúa en el 2,7‰ y el 36% de la población es menor de quince años.

La gran mayoría de los ecuatorianos es de origen mestizo (55%). Sin embargo, una cuarta parte de la población pertenece a las diversas comunidades indígenas, que están organizadas desde 1986 en la Confederación de Nacionalidades Indígenas del Ecuador (CONAIE). El tercer grupo lo constituyen los criollos descendientes de europeos (10%), y existe también en la costa un grupo importante de origen africano (10%), en gran parte mulatos.

| Ranking IDH | Esperanza de vida |
|---|---|
| **96°** | 70,8 |
| 173 países analizados | años |

## Los pueblos indígenas

Los indios, aunque tienden a decrecer en número, son el segundo grupo étnico del Ecuador y están divididos en varias comunidades distintas. La más amplia y más pobre de ellas es la descendiente de los pura, en Chimborazo. Otros grupos son los otavalos, los salasacas, los colorados, los saraguros, los cayapas y los cañari. En la región amazónica, el grupo más importante es el de los shuar (jíbaros). Otras comunidades de la región son los záparos, los cofanes y los aupas.

## Economía

Ⓞ Secadero de café en Guayaquil

La economía ecuatoriana ha experimentado en la última década un crecimiento medio del 2,8%, aunque en 1999 sufrió un grave retroceso del –7%. Desde finales de los años 60, la explotación del petróleo ha elevado la producción por encima de los 19 millones de toneladas –85.049.000 de barriles al año– y sus reservas se calculan en unos 280 millones. El petróleo representa el 40% de las exportaciones y permitió obtener una balanza comercial positiva en 1999. En el sector agrícola, Ecuador es un importante exportador de bananas y el octavo productor mundial de cacao. Es significativa también su producción de caña de azúcar, arroz, algodón, maíz y café. Su riqueza maderera comprende grandes extensiones de eucalipto en todo el país, pinos y cedros cultivados en la región de la Sierra, nogales y romerillo.

La industria se concentra en Quito, Guayaquil y Cuenca, y está dirigida al mercado interno, sin que haya alcanzado un desarrollo competitivo.

### Principales proveedores

31,6% Estados Unidos
31,2% América Latina
14,4% Unión Europea
22,8% Otros países

### Principales clientes

36,5% Estados Unidos
23,9% Unión Europea
20,1% América Latina
19,5% Otros países

Eugenio Espejo (1747-95), médico, científico, escritor y precursor del periodismo. Creó el primer periódico del país: Primicias de la Cultura de Quito. Fue encarcelado por sus ideas independentistas.

El general y político Eloy Alfaro (1842-1912) fue uno de los máximos representantes del radicalismo liberal en Ecuador. Su pensamiento político perduró en el movimiento alfarista.

## Historia y actualidad

◐ La plaza de la Independencia de Quito

**Constitución del estado:** 1822 (independencia de España). 1830 (fundación de la república)
**Forma de estado:** república democrática
**Sistema de gobierno:** presidencial
**Organizaciones internacionales a las que pertenece:** ONU, OEA, ALADI y Comunidad Andina

Los primeros asentamientos humanos en Ecuador se registraron en La Costa, en la península de Santa Elena, en el sitio llamado Las Vegas, y en La Sierra, al sureste de Quito, en la hacienda El Inga. Entre los años 500 y 1500, en el periodo Integración florecen varias culturas, entre ellas Los Caras, quienes conquistan a las tribus de la sierra centro-norte que formaban la Confederación Quiteña. En el siglo XV, el inca Tupac-Yupanqui conquistó el territorio y lo incorporó a su imperio. En 1553, el español Sebastián de Benalcázar, lugarteniente de Francisco Pizarro, conquistó el país, que se añadió luego al Virreinato de Perú, hasta que se sumó en 1739 al de Nueva Granada, junto con Colombia y Venezuela.
La lucha por la independencia empezó en 1809 con la rebelión de los criollos y acabó en 1822 con el triunfo de Sucre en la batalla de Pichincha. Ecuador se incorporó a la Gran Colombia, formada por Nueva Granada (Colom-

bia y Panamá), Venezuela y Perú, hasta 1830, año en que se proclamó república independiente.
La política del siglo XIX estuvo marcada por la pugna entre conservadores y liberales. Entre 1860 y 1875, el conservador Gabriel García Moreno instauró un régimen autoritario vinculado a la Iglesia Católica, con una política de progreso en obras públicas, escuelas y hospitales.

**Turbulencia política** Al asesinato de García Moreno en 1875 siguió un período de anarquía en que se impusieron las ideas liberales, encarnadas en 1897 por el general Eloy Alfaro, presidente constitucional hasta que fue derrocado y asesinado en 1912. La turbulencia política se prolongó hasta 1948 en medio de intervenciones militares, depresión económica, conflictos sociales y la pérdida de su región amazónica tras una guerra con Perú en 1941.
La presidencia liberal de Galo Plaza (1948-1952) abrió un período más estable. Su sucesor, José María Velasco Ibarra, presidió la república en cinco ocasiones y fue derrocado cuatro veces por golpes militares.
En 1979, una nueva constitución llevó a la presidencia al socialdemócrata Jaime Roldós Aguilera, quien tuvo que afrontar otro conflicto fronterizo con Perú. A su muerte, en 1981,

fue reemplazado por el democristiano Osvaldo Hurtado, al que sucedió en 1984 el socialcristiano León Febres-Cordero. Sus medidas de austeridad provocaron un descontento social que dio la victoria en 1988 al socialdemócrata Rodrigo Borja, en cuyo mandato tuvo lugar un movimiento indígena que logró la distribución de 1.700.000 hectáreas a las comunidades indias.
El derechista Sixto Durán Ballén impulsó desde 1992 una política neoliberal con privatizaciones y ajustes cuestionados por la mayoría socialdemócrata, y provocó el abandono de la OPEP, mientras el país aumentaba la producción petrolera.
Otro conflicto fronterizo con Perú terminó en 1995 con el Acuerdo de Itamaraty y, en 1998, con la firma definitiva de la paz en Brasilia que

le dio a Ecuador acceso al Amazonas, derechos de navegación, dos zonas francas y dos parques naturales en la ex zona de conflicto.
La normalidad institucional se rompió en 1997 cuando el Congreso destituyó al presidente populista Abdalá Bucaram. Tras una asamblea constituyente en 1998 fue elegido presidente el democristiano Jamil Mahuad, depuesto en medio de una grave crisis económica que provocó una huelga general, movilizaciones indígenas y un intento de golpe de estado que duró cuatro horas.
El vicepresidente Gustavo Noboa asumió la presidencia en enero del 2000 y estableció en abril un acuerdo con el FMI para desbloquear créditos por valor de 2.000 millones de dólares para continuar la dolarización y aplicar medidas de ajuste.
Las esperanzas de recuperación se centraron en la construcción de un gran oleoducto desde la Amazonia hasta la costa pacífica para que la exportación de crudo se duplique a partir del 2003. En enero del 2001, el país se vio parcialmente paralizado por un nuevo levantamiento indígena contra las medidas de austeridad, el primero que acabó con la muerte de varios indios.
El coronel Lucio Gutiérrez, de 45 años, ganó las elecciones de noviembre del 2002 al frente del Partido Sociedad Patriótica 21 de enero, una alianza de movimientos indigenistas y organizaciones de izquierda, con el 55% de los votos tras superar a Álvaro Noboa.

### Fechas clave

| | |
|---|---|
| **1533** Benalcázar inicia la conquista. | **1941** Guerra con Perú. |
| **1739** Ecuador entra en el Virreinato de Nueva Granada. | **1948** Presidencia liberal de Plaza. |
| | **1979** Nueva constitución. |
| **1822** Ecuador logra la independencia con la batalla de Pichincha. | **1991** Se entregan 1,7 millones de hectáreas a los indígenas. |
| **1830** Proclamación de la república. | **1992** Ecuador abandona la OPEP. |
| **1860** El conservador García Moreno llega al poder. | **1995** Paz de Itamaraty con Perú. |
| **1875** Asesinato de García Moreno y período de anarquía. | **1997** Abdalá Bucaram, destituido. |
| | **1998** Firma de paz en Brasilia. |
| **1897** El liberal Alfaro, presidente. | **2000** Gustavo Noboa, presidente. |
| | **2002** Lucio Gutiérrez gana las elecciones. |

# El Salvador

El azul y el blanco evocan la solidaridad centroamericana. En el escudo se ubica el triángulo masón de la igualdad y la libertad.

## d

**Nombre oficial del país:**
República de El Salvador
**Superficie:** 21.041 km²
**Población:** 6.415.000 habitantes
**Densidad:** 304,9 hab/km²
**Capital:** San Salvador (972.810 hab)
**Otras ciudades:**
Santa Ana (208.300 hab) y
San Miguel (161.150 hab)

○ Santa Ana

**Lenguas:** español (oficial) y
nahuatlpipil
**Moneda:** dólar estadounidense (100
centavos), adoptado en enero del 2001

## i

**Direcciones útiles de Internet:**
www.casapres.gob.sv
www.sv
www.elsalvadorturismo.gob.sv
www.info.com.sv
**Placa de identificación:** ES
**Prefijo telefónico:** 503
**Dominio de Internet:** .sv
**Horario en relación con Greenwich:**
−6 horas
**Compañía aérea nacional:**
Grupo Taca

**Principal aeropuerto internacional:**
Cuscatlan (San Salvador)

El Salvador es el estado más pequeño de América Central y el más densamente poblado del continente. Tras firmar en 1991 el acuerdo de paz con el FMLN, su gobierno se concentra en relanzar la economía.

## Geografía

El Salvador es el país más pequeño de América Central. Tiene tres unidades de relieve: las cadenas montañosas –una al norte y otra paralela a la costa, donde abundan los volcanes como el Santa Ana, pico más alto del país (2.381 m)–, la Meseta Central –llanura fértil cubierta de materiales volcánicos y situada entre las dos cordilleras– y la llanura costera del Pacífico. En enero y febrero del 2001, dos fuertes terremotos que se saldaron con 1.000 muertos y 2.000 desaparecidos sacudieron el país cuando aún no se había recuperado del paso del huracán Mitch (1998).
La cubierta vegetal está formada por bosques de caducifolios en la costa y bosques de coníferas en las montañas. El clima es tropical, excepto en las montañas.

○ Volcán San Salvador

## Demografía

| Ranking IDH | Esperanza de vida |
|---|---|
| **103°** | **70,7** |
| 173 países analizados | años |

La población es indígena, mestiza o de origen europeo. Es el país más densamente poblado del continente americano. Las mayores concentraciones de población se alcanzan en la mitad occidental del país y la población urbana representa el 61,5%.
Aunque ha descendido del 2% al 1,6% por año, el crecimiento es rápido y se calcula que en 35 años la población se habrá duplicado. La media de hijos por mujer es de 2,8, y la mortalidad infantil, moderada: 26 de cada mil niños mueren antes de alcanzar un año de vida.
La estructura de la población es la de un país joven. Para el período 2000-2005 el 59,9% de los salvadoreños tendrá menos de 15 años y sólo el 8,4% superará los 64 años. Sin embargo, el progresivo aumento de la esperanza de vida está corrigiendo estas previsiones.

## Economía

El país depende del café, que constituye la mayor parte de sus exportaciones. La producción de maíz, arroz y judías, también importante, se dedica al consumo autóctono. En industria, el mayor sector es el de transformación de productos agropecuarios, seguido del textil y el químico. El país es deficitario en la producción de combustible, maquinaria, manufacturas y productos alimenticios.

### Principales proveedores

**43,9%** Estados Unidos
**28,2%** América Latina
**13,8%** Unión Europea
**14,1%** Otros países

### Principales clientes

**57,6%** Estados Unidos
**23,4%** América Latina
**15%** Unión Europea
**4%** Otros países

## Historia y Actualidad

**Constitución del estado:** 1821 (independencia de España). 1841 (república soberana)
**Forma de estado:** república
**Sistema de gobierno:** democracia presidencialista
**Organizaciones a las que pertenece:** ONU, OEA y MCCA

Dominado por los mayas, los toltecas y los aztecas, el territorio de El Salvador fue conquistado por los españoles en 1537. En la época colonial estuvo administrado por la Capitanía General de Guatemala, hasta que en 1821 alcanzó la independencia. Se constituyó en república soberana en 1841, tras formar parte de México y de la federación de las Provincias Unidas del Centro de América.
En el siglo XIX, la lucha entre liberales y conservadores originó varias guerras civiles. En 1931 empezó una larga etapa de dictaduras militares. En los años 70, los gobiernos conservadores y la oligarquía propietaria de las plantaciones de café reprimieron duramente a la oposición de izquierdas, hecho que recrudeció la actividad guerrillera del Frente Farabundo Martí para la Liberación Nacional, convertido en partido en 1991. En 1994 la derecha inició un plan de ajuste que, junto con el paso del huracán Mitch (1998), agudizó las penurias de la población. En el 2001, la adopción del dólar fue acogida con reservas por la población y con entusiasmo por las plazas financieras.

# Guatemala

Sobre los típicos colores de América Central aparece un escudo con un quetzal, ave nacional de Guatemala y símbolo de la libertad.

**Nombre oficial del país:**
República de Guatemala
**Superficie:** 108.890 km²
**Población:** 12.036.000 hab
**Densidad:** 110,5 hab/km²
**Capital:** Guatemala (1.850.000 hab)

○ Lavadero público en Guatemala

**Otras ciudades:**
Quezaltenango (103.600 hab) y
Escuintla (69.500 hab)
**Lenguas:** español (oficial),
23 lenguas indias (quiché,
cakquichel, mam...) y garifuna
**Moneda:** quetzal (100 centavos)
y dólar (100 centavos)

**Direcciones útiles de Internet:**
www.guatemala.travel.com.gt
www.guatemala2000.com.gt
www.guatemalaontheweb.com
www.inguat.net
**Placa de identificación:** GCA
**Prefijo telefónico:** 502
**Dominio de Internet:** .gt
**Horario en relación con Greenwich:**
−6 horas
**Compañía aérea nacional:** Aviateca

**Principal aeropuerto internacional:**
La Aurora (Guatemala)

El territorio de Guatemala forma parte del antiguo imperio maya y tiene salidas al océano Pacífico y al mar Caribe. Su historia reciente está marcada por una cruenta guerra civil que acabó en 1996.

## Geografía

Guatemala ocupa un territorio de 108.890 km², con costas en el Pacífico y en el Caribe. Tres unidades diferentes forman su relieve: la llanura litoral pacífica, atravesada por numerosos ríos de corto recorrido, los macizos volcánicos interiores y la meseta del Petén, una gran llanura en la que abundan los lagos.

Los principales ríos son el Usumacinta, el Sarstum, el Motagua y el Polochic. Este último desemboca en el lago Izábal, el más grande del país. En las llanuras litorales el clima es tropical, mientras que en las montañas es más suave. Los bosques de caducifolios cubren la costa pacífica, y la selva tropical domina la caribeña.

### Máximas altitudes

| de Guatemala | del continente | del mundo |
|---|---|---|
| 4.220 m | 6.960 m | 8.848 m |
| Tajumulco | Aconcagua | Everest |

## Demografía

La población guatemalteca es mayoritariamente indígena. Las grandes concentraciones demográficas se sitúan en la costa del Pacífico y el este. La proporción de población urbana, el 39,9% del total, es de las más bajas de toda Latinoamérica. Sin embargo, Guatemala posee el índice de fecundidad más alto del continente (cuatro hijos por mujer). El país tiene una mortalidad infantil alta (41,2‰) y una población joven. En el período 2000-2005, el 82,5% de los habitantes tendrá menos de 15 años.

En 1992, en plena conmemoración del quinto centenario de la llegada de los españoles a América, la dirigente indígena Rigoberta Menchú, de la etnia quiché, recibió el premio Nobel de la Paz por sus viajes alrededor del mundo denunciando la situación de los pueblos indígenas guatemaltecos.

| Ranking IDH | Esperanza de vida |
|---|---|
| 117° | 65,8 |
| 173 países analizados | años |

## Economía

La economía guatemalteca se basa en la agricultura, muy poco diversificada y dedicada a la exportación. El café, los plátanos y el algodón son sus principales bienes comerciales. Su riqueza forestal (caucho, chicle del Petén) está poco explotada por su mala red de carreteras. Las industrisa alimentaria y petrolera son las más destacadas. El turismo es una importante fuente de ingresos.

### Principales proveedores

**39,1%** Estados Unidos
**31,5%** América Latina
**10%** Unión Europea
**19,4%** Otros países

### Principales clientes

**54,6%** Estados Unidos
**25%** América Latina
**12%** Unión Europea
**8,4%** Otros países

## Historia y Actualidad

**Constitución del estado:** 1821 (independencia de España). 1839 (república soberana)
**Forma de estado:** república
**Sistema de gobierno:** presidencial
**Organizaciones a las que pertenece:** ONU, OEA y MCCA

Guatemala formó parte del imperio maya, fue conquistada por los españoles a partir de 1523 y pasó a formar parte del Virreinato de Nueva España en 1568. Proclamó su independencia en 1821, aunque siguió formando parte de México hasta 1823. En 1839 se convirtió en república soberana, con un régimen conservador que consolidó el dominio de una oligarquía terrateniente.

A partir de 1871, los liberales instauraron un gobierno más autoritario. Durante las décadas siguientes, las constantes guerras con El Salvador y Honduras arruinaron las finanzas del estado, que quedó a merced de los grandes bancos hasta 1944.

Entre 1945 y 1954 se impuso un régimen socializante, dirigido por Juan José Arévalo, en el curso del cual se

○ Pirámide maya de Tikal

En 1992, **Rigoberta Menchú** (1959), activista por la Paz y los Derechos Humanos de los pueblos indí-genas guatemaltecos, recibió el Premio Nobel de la Paz. Vive exiliada en México desde 1980.

**Miguel Ángel Asturias** (1899-1974), novelista y diplomático, ganó el Nobel de Literatura en 1967. Su obra está enraizada en las leyendas nacionales y las tradiciones indígenas americanas.

expropiaron las tierras incultas y los latifundios pertenecientes a extranjeros, especialmente de la United Fruit Company estadounidense.

En 1954, un grupo de exiliados financiado por la CIA promovió una acción militar que llevó al poder al dictador Carlos Castillo Armas. Su gobierno reprimió duramente las organizaciones y los partidos de izquierda y devolvió las tierras expropiadas a sus antiguos propietarios.

Los regímenes autoritarios se sucedieron y contaron con el apoyo norteamericano para reprimir las huelgas y los movimientos de la oposición. Las guerrillas se unificaron en 1968 y hostigaron a las fuerzas gubernamentales. Entre 1978 y 1982 murieron asesinadas destacadas personalidades políticas y se agudizó la protesta por

⊙ Panorámica de Antigua Guatemala

la situación de miseria en la que vivía la mayor parte de la población.

En 1985 terminó una larga época de dictadura y fue elegido presidente el democristiano Vinicio Cerezo, cuyo objetivo principal fue pacificar el país.

⊙ Iglesia colonial de Chichicastenango

Después de los acuerdos de Esquipulas entre los estados centroamericanos para pacificar la región en 1987 y de negociaciones que duraron casi nueve años, los representantes de los partidos políticos y de la guerrilla

cerraron un acuerdo de paz en 1996, bajo la presidencia de Ramiro de León Carpio, que había asumido democráticamente tres años antes.

En 1992, en plena conmemoración del quinto centenario de la llegada de los españoles a América, la dirigente indígena Rigoberta Menchú recibió el premio Nobel de la Paz por su labor de denuncia de la situación de los indígenas guatemaltecos. En el 2001, un informe patrocinado por la ONU denunció el intento de exterminio de estas comunidades.

Tras las elecciones de 1999, con la guerrilla convertida en partido político, ocupó la presidencia el conservador Alfonso Portillo. La izquierda quedó marginada del gobierno y las expectativas de cambio se paralizaron.

# Guyana

Esta bandera, que recibe por su diseño el nombre de "punta de flecha dorada", pretende representar el brillante futuro que el país aspira a alcanzar.

**Nombre oficial del país:** República Cooperativa de Guyana
**Nombre del país en inglés:** Cooperative Republic of Guyana
**Superficie:** 214.970 km²
**Población:** 764.000 hab
**Densidad:** 3,6 hab/km²
**Capital:** Georgetown (248.000 hab)
**Otras ciudades:** Corriverton
**Lenguas:** inglés (oficial), criollo, hindi y otras lenguas de la India asiática
**Moneda:** dólar de Guyana (100 centavos)

**Direcciones útiles de Internet:**
www.guyanaguide.com
www.guyana.org
www.helloguyana.com

El territorio de la República de Guyana está formado por una franja costera pantanosa, una meseta central en el interior del país y una zona montañosa situada en la frontera con Venezuela y Brasil –las montañas de Pacaraima–. Los ríos principales, el Essequibo, el Courantyne y el Berbice, desembocan en el Atlántico. El clima es tropical y las dos formaciones vegetales dominantes son la selva tropical y la sabana, esta última localizada en el sur del país.

La población desciende en buena parte de los inmigrantes llegados de la India, pero también es de origen africano, mestizo y amerindio. El país registra la esperanza de vida más baja de América Central y del Sur. Las mayores ciudades se encuentran en la costa, cerca de Georgetown.

El territorio más occidental de la Guyana, arrebatado a los holandeses en 1814, se convirtió en colonia británi-ca en 1831. En 1928 obtuvo un gobierno representativo. Con la victoria electoral del Partido Progresista del Pueblo en 1953, 1957 y 1961, se inició el proceso que condujo a la independencia en 1966, aunque la reina Isabel II conservó la jefatura nominal del Estado. En 1970 se convirtió en una república.

La vida política del país está dominada por dos formaciones políticas: el Partido Progresista del Pueblo (que representa los intereses de la mayoría india) y el Congreso Nacional del Pueblo (partido afroguyanés). La corta historia del país se ha caracterizado por las tensiones étnicas, la corrupción y la ineficacia gubernamental, que han obligado a aplicar un duro plan de austeridad en los años 90. En el 2001 salió elegido presidente Bharrat Jagdeo, del PPP. Su rival, Desmond Hoyte, del CNP, falleció al año siguiente, a los 73 años de edad.

El país es agrícola y minero. Tiene en la producción de azúcar, arroz, bauxita, oro y petróleo los principales componentes del PBI. Las industrias más importantes son la azucarera y la derivada de la bauxita, el mineral de aluminio. Pese a los intentos de nacionalización, hay muchas propiedades en manos extranjeras.

⊙ El parlamento de Georgetown

| Ranking IDH | Esperanza de vida |
|---|---|
| 91° | 63,2 |
| 173 países analizados | años |

# Honduras

Las cinco estrellas de la bandera hacen referencia a su antigua unión con Guatemala, Nicaragua, El Salvador y Costa Rica.

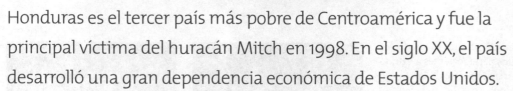

Honduras es el tercer país más pobre de Centroamérica y fue la principal víctima del huracán Mitch en 1998. En el siglo XX, el país desarrolló una gran dependencia económica de Estados Unidos.

**Nombre oficial del país:**
República de Honduras
**Superficie:** 112.090 km²
**Población:** 6.781.000 hab
**Densidad:** 60,5 hab/km²
**Capital:** Tegucigalpa
(1.225.000 hab)
**Otras ciudades:** San Pedro Sula
(385.000 hab) y La Ceiba (90.000 hab)

⊙ El río Choluteca a su paso por Tegucigalpa

**Lenguas:** español (oficial), lenguas indias (miskito, sumu, paya, lenca, etc) y garifuna
**Moneda:** lempira (100 centavos)

**Direcciones útiles de Internet:**
www.honduras.com
www.mayanet.hn
www.honduras.net
www.laprensahn.com
**Placa de identificación:** HN
**Prefijo telefónico:** 504
**Dominio de Internet:** .hn
**Horario en relación con Greenwich:**
−6 horas
**Compañía aérea nacional:**
Grupo Taca

**Principal aeropuerto internacional:**
Toncontín (Tegucigalpa)

## Geografía

Honduras presenta tres zonas geográficas diferenciadas: las llanuras del norte del país, que constituyen una franja paralela a la costa del Caribe; las tierras bajas del sur, que rodean la desembocadura del Choluteca, en el golfo de Fonseca; y las montañas del interior, cuyas alturas superan los 2.500 metros. El territorio hondureño tiene 650 kilómetros de costa en el Caribe y 95 km en el Pacífico.

El clima es litoral de alisios, con una temperatura media de 27ºC. Se caracteriza por tener una estación seca de noviembre a mayo. La vegetación la forman los manglares en las llanuras costeras del Pacífico, los bosques de coníferas en las cordilleras y la selva tropical en las áreas más húmedas. Honduras resultó el país más afecta-

do por el huracán Mitch, que asoló Centroamérica en octubre de 1998. El balance del paso del Mitch por la región *(en las imágenes pueden verse dos momentos de su recorrido)* fue de 9.214 muertos (5.657 de los cuales hondureños), 9.171 desaparecidos (8.058 hondureños), 1.200.000 evacuados o damnificados (618.000 hondureños) y pérdidas económicas por valor de 6.353 millones de dólares (3.308 en Honduras). Se perdió el 70% de la producción agrícola hondureña, se hundieron 99 puentes y San Pedro Sula, segunda ciudad del país, quedó bajo las aguas.

A esta situación se añadió la gran sequía del 2001, que acabó con el 80% de las cosechas y trajo el hambre a más de 150.000 campesinos.

## Demografía

La inmensa mayoría de la población es mestiza. Su distribución es bastante homogénea, aunque el noreste está menos poblado. Las ciudades concentran el 53,7% de los habitantes. La media de hijos por mujer es alta (entre 3 y 4), la mortalidad infantil moderada (32,1‰) y la población, muy joven: el 82% son menores de 15 años.

| Ranking IDH | Esperanza de vida |
|---|---|
| **113º** | **68,9** |
| 173 países analizados | años |

## Economía

Segundo país más pobre de América Central, Honduras basa su economía en la exportación de plátanos, carne, café y madera. Las variaciones en los precios internacionales de estos productos hacen que a menudo deba acudir a la ayuda internacional, por lo que su deuda externa es considerable. El huracán Mitch agravó considerablemente esta situación.

## Historia y Actualidad

**Constitución del estado:** 1821 (independencia de España). 1838 (república soberana)
**Forma de estado:** república
**Sistema de gobierno:** presidencial
**Organizaciones internacionales a las que pertenece:** ONU, OEA y MCCA

El territorio hondureño estuvo dominado por los mayas y por varios pueblos mesoamericanos. En la colonización española perteneció al Virrei-

nato de Nueva España. En el siglo XX, tuvo una dependencia absoluta de Estados Unidos, con las explotaciones mineras y bananeras.

Tras el conflicto militar con El Salvador (1969-70), los conservadores y los liberales pactaron turnarse en el gobierno, pero el ejército impuso un régimen militar. En los años 80 se inició un nuevo período democrático de gobiernos liberales. El establecimiento en Honduras de la guerrilla antisandinista, que contaba con

el apoyo militar norteamericano, provocó conflictos con Nicaragua. Desde 1994 los liberales siguieron una política de saneamiento económico, reforma social y desmilitarización de escasos frutos. En febrero del 2001 se reabrió el conflicto con Nicaragua por la soberanía de las islas caribeñas cercanas a la costa de los Mosquitos. En las elecciones de 2001, ganó el conservador Ricardo Maduro, que anunció reformas legislativas, sociales y económicas.

# Nicaragua

En el emblema central aparecen cinco volcanes que simbolizan los pueblos originarios de Nicaragua. Los colores indican la unidad de América Central.

**Nombre oficial del país:**
República de Nicaragua
**Superficie:** 130.000 km²
**Población:** 5.335.000 habitantes
**Densidad:** 41,0 hab/km²
**Capital:** Managua (1.125.000 hab)
**Otras ciudades:** León (150.000 hab)
y Masaya (75.000 hab)

◔ León

**Lenguas:** español (oficial), inglés, criollo, lenguas indias (miskito, sumu, etc) y garífuna
**Moneda:** córdoba (100 centavos)

**Direcciones útiles de Internet:**
www.presidencia.gob.ni
www.guiafacil.com.ni
www.intur.gob.ni
www.nicaweb.com
**Placa de identificación:** NIC
**Prefijo telefónico:** 505
**Dominio de Internet:** .ni
**Horario en relación con Greenwich:**
−6 horas
**Compañía aérea nacional:**
Nica (Grupo Taca)

**Principal aeropuerto internacional:**
Augusto César Sandino (Managua)

Nicaragua, el estado más pobre de América Central, ha visto agravada su situación por la sequía. La derecha gobierna desde 1990, pero los sandinistas constituyen aún una fuerza política de gran envergadura.

## Geografía

El relieve de Nicaragua está formado por una cordillera central, por un eje volcánico paralelo a la costa pacífica y por un conjunto de sierras a partir de las cuales la altura desciende hasta alcanzar las llanuras de la Costa de los Mosquitos, al este del país.
Los principales ríos son el Coco, el San Juan, el Grande de Matagalpa y el Escondido. El país cuenta con el lago más extenso de Centroamérica: el Nicaragua. El clima es tropical húmedo y la vegetación presenta bosques tropicales y áreas de sabana.
Nicaragua fue, tras Honduras, el país más afectado por el huracán Mitch en octubre de 1998, con 3.045 muertos, 970 desaparecidos y 370.000 damnificados, y fue el que más acusó la sequía que asoló la región en el 2001. La falta de lluvia afectó especialmente a los agricultores de subsistencia, que cultivan el alimento de sus propias familias. Las cosechas más afectadas fueron las de maíz, frijol, arroz y otros granos básicos.
Se calcula que la hambruna afecta ya a medio millón de campesinos nicaragüenses, muchos de los cuales han abandonado sus tierras y han emigrado a las ciudades en busca de alimento.

◔ Volcán Concepción, en la isla de Ometepe, a orillas del lago Nicaragua

## Demografía

| Ranking IDH | Esperanza de vida |
|---|---|
| **119°** | **69,5** |
| 173 países analizados | años |

La población nicaragüense es mayoritariamente mestiza (69%), aunque también hay importantes grupos de origen europeo, africano y amerindio. Durante el período 1995-2000, el crecimiento anual fue del 2,7%, valor elevado según el cual la población se duplicará en un intervalo de tiempo estimado de 25 años. Los habitantes se concentran en la mitad occidental del país y en la costa caribeña.

## Economía

Nicaragua tiene el menor PBI por habitante de Centroamérica y basa su economía en la agricultura dedicada a la exportación (algodón, café, azúcar, cacao, tabaco y plátanos) y en cultivos para el consumo autóctono (maíz y frijoles). También exporta carne, madera de cedro y caoba.

## Historia y Actualidad

**Constitución del estado:** 1821 (independencia de España). 1838 (estado soberano)
**Forma de estado:** república
**Sistema de gobierno:** presidencial
**Organizaciones a las que pertenece:** ONU, OEA y MCCA

Nicaragua fue conquistada por los españoles en el siglo XVI. La ciudad de León se independizó en 1821, pero el país no se adhirió a las Provincias Unidas de Centroamérica hasta 1825.

Tras una época conservadora, entre 1893 y 1909 la dictadura ilustrada del general Zelaya introdujo unas reformas sociales que llevaron a Estados Unidos a apoyar un golpe para restablecer el conservadurismo.
En 1934, el líder popular Augusto César Sandino fue asesinado por orden de Anastasio Somoza, quien se hizo con el poder, ayudado por Estados Unidos. En 1979, el Frente Sandinista ganó la guerra civil e instauró un régimen socialista, lo que

provocó el bloqueo norteamericano. En 1984, los sandinistas iniciaron la democratización del país.
En 1990 fue elegida presidenta la conservadora Violeta Barrios de Chamorro, que impulsó la liberalización económica. En 1997, el presidente Arnoldo Alemán sufrió una dura oposición cuando intentó suprimir algunas reformas sociales sandinistas. Pese a ello, en 2001, el vicepresidente Enrique Bolaños derrotó electoralmente al sandinista Daniel Ortega.

# Panamá

El rojo es el partido liberal y el azul, el conservador, mientras que el blanco simboliza la paz. Las estrellas significan pureza, honradez, autoridad y ley.

**Nombre oficial del país:**
República de Panamá
**Superficie:** 77.080 km²
**Población:** 3.064.000 habitantes
**Densidad:** 40,6 hab/km²
**Capital:** Panamá (460.000 hab)

⊙ El puente de las Américas cruza el canal de Panamá

**Otras ciudades:** San Miguelito (300.000 hab), Colón (160.000 hab) y David (140.000 hab)

⊙ Antigua fortaleza española en Colón

**Lenguas:** español (oficial), lenguas indias (guaymi, kuna, etc) e inglés
**Moneda:** balboa (100 centésimos) y dólar (100 centavos)

**Direcciones útiles de Internet:**
www.presidencia.gob.pa
http://panama.mipueblo.net
www.panamainfo.com
www.pa
**Placa de identificación:** PA
**Prefijo telefónico:** 507
**Dominio de Internet:** .pa
**Horario en relación con Greenwich:**
−5 horas
**Compañía aérea nacional:** COPA

**Principal aeropuerto internacional:**
Tocumen (Panamá)

Panamá es el más meridional de los siete países que forman América Central. Su fuerza económica proviene del sector bancario y de la utilización del canal, cuya soberanía recuperó en el año 2000.

## Geografía

⊙ Pantano y selva del centro del país

Panamá es el país centroamericano con más kilómetros de costa tanto en el Caribe como en el Pacífico, donde destaca la media luna del golfo de Panamá, cuyas aguas albergan el archipiélago de Las Perlas. Al suroeste de estas islas se localizan la península de Azuero y la isla de Coiba. Un sistema montañoso discontinuo y aislado por valles y llanuras bajas recorre el país de oeste a este, con la serranía Tabasará y la cordillera de San Blas. Los ríos más importantes son el Tuira y el Chagres. El clima, de tipo ecuatorial, es húmedo y cálido. La selva tropical es la vegetación característica de la costa caribeña, mientras que en la pacífica predominan los bosques de hoja caducifolia.

## Demografía

La mayoría de la población es de origen criollo, aunque existe una gran diversidad étnica. El crecimiento anual durante el período 1995-2000 fue del 1,6%. Con este ritmo, se calcula que el número de habitantes se duplicará en el año 2045.
La densidad de población aumenta notablemente en la región costera del golfo de Panamá, en la península de Azuero y, sobre todo, en las áreas metropolitanas de la ciudad de Panamá y de Colón. Sin embargo, el porcentaje de población urbana no es especialmente elevado, ya que representa el 56% del total de habitantes del país.
La tasa de fecundidad es de las más bajas de Centroamérica, con una media de 2,7 hijos por mujer. La mortalidad infantil es moderada: 21 de cada mil niños mueren antes de cumplir un año.

| Ranking IDH | Esperanza de vida |
|---|---|
| 58° | 74,7 |
| 173 países analizados | años |

## Economía

Tras Costa Rica, Panamá es el país con mayor PBI por habitante de América Central. Obtiene sus mayores beneficios del sector bancario, el turismo y la utilización del canal, sobre el que tiene la soberanía desde el 31 de diciembre de 1999. Exporta plátanos y mariscos, y tiene que importar petróleo. Las industrias química, del cemento y de materiales para la construcción son las más destacadas.

### Principales proveedores

**40,1%** Estados Unidos
**14,5%** Asia
**7,7%** Unión Europea
**37,7%** Otros países

### Principales clientes

**42,3%** Estados Unidos
**27,1%** Unión Europea
**24,4%** América Latina
**6,2%** Otros países

## Historia y Actualidad

**Constitución del estado:** 1821 (independencia de España). 1903 (independencia de Estados Unidos)
**Forma de estado:** república
**Sistema de gobierno:** democracia presidencialista
**Organizaciones internacionales:** ONU, OEA y MCCA

Panamá se emancipó del dominio español en 1821, pero fue incorporada a la Gran Colombia de Bolívar. Tras varias tentativas secesionistas, en 1846, Colombia y Estados Unidos firmaron un acuerdo para que la zona del paso ístmico quedara bajo la protección de EUA. Finalmente, en 1903 Panamá se proclamó independiente.
El canal, inaugurado en 1914, permaneció bajo la jurisdicción de Estados Unidos entre 1903 y 1979, período en que este país intervino activamente en la política local para mantener su dominio sobre el canal.
El jefe de la Guardia Nacional, Omar Torrijos, asumió la jefatura del gobierno en 1972. A su muerte, tomó el poder el general Manuel A. Noriega, partidario de una política populista y antinorteamericana. En diciembre de 1989, Estados Unidos invadió Panamá y condenó a Noriega por narcotráfico. Se celebraron elecciones y el nuevo parlamento ratificó la abolición del ejército. En 1999 resultó elegida presidenta Mireya Moscoso y el 31 de diciembre de 1999 la zona del canal pasó a plena soberanía panameña.

# Paraguay

Bandera de dos caras: en una, la estrella es la independencia; en la otra, un león, "Paz y Justicia" y el gorro frigio simbolizan la defensa de la libertad.

**Nombre oficial del país:**
República del Paraguay
**Superficie:** 406.752 km²
**Población:** 5.740.000 habitantes
**Densidad:** 14,1 hab/km²
**Capital:** Asunción (1.225.000 hab)

**Otras ciudades:**
Ciudad del Este (136.000 hab) y San Lorenzo (133.000 hab)
**Lenguas:** español y guaraní (oficiales)
**Moneda:** guaraní (100 céntimos)

**Direcciones útiles de Internet:**
www.paraguayred.com.py
www.presidencia.gov.py
www.dgeec.gov.py
www.infonet.com.py/ditur
**Placa de identificación:** PY
**Prefijo telefónico:** 595
**Dominio de Internet:** .py
**Horario en relación con Greenwich:**
−4 horas
**Compañía aérea nacional:** TAM

**Principal aeropuerto internacional:**
Silvio Pettirossi (Asunción)

Después de superar varios conflictos territoriales con los países vecinos y largos períodos de dictadura militar, Paraguay inauguró el siglo XXI con una crisis política y un grave deterioro económico.

## Geografía

Paraguay presenta tres regiones geográficas diferenciadas: el Gran Chaco, el Campo y la selva. El Gran Chaco es una llanura localizada al oeste del país, compartida con Bolivia y Argentina, cuya altitud desciende gradualmente desde el noroeste hacia el sureste. Está cubierta de pantanos y pastizales y las inundaciones son frecuentes en la época de lluvias.

La región central, también llamada el Campo, está compuesta por colinas y valles de tierras fértiles donde las formaciones vegetales características son la sabana, los bosques galería y las zonas pantanosas.

La meseta oriental o la selva es una planicie accidentada por colinas que alcanzan los 700 metros de altitud en las cordilleras de Amambay y Mabaracayú, ambas en la frontera con Brasil. La selva cubre casi toda la superficie de este territorio.

Su red hidrográfica es muy importante y está formada por los ríos Paraná y Paraguay –que ejercen de frontera con Brasil, país en el que nacen–, el Pilcomayo –que brota en Bolivia y es afluente del Paraguay– y por los lagos Ypoá, Ypacaraí y Verá. El clima es subtropical, con temperaturas elevadas y abundantes lluvias.

🔾 Vegetación típica del Chaco

## Demografía

🔾 Indios maka, en el norte del Chaco

| Ranking IDH | Esperanza de vida |
|---|---|
| **83°** | **70,9** |
| 173 países analizados | años |

La mayoría de la población paraguaya la integran indios y mestizos, aunque la sociedad está dominada por la minoría blanca. Durante el último quinquenio del siglo XX, el número de habitantes aumentó un 2,6% cada año. Con este rápido ritmo de crecimiento, la población se duplicará en un período de 25 años.

La densidad es muy baja (14,1 hab/km²) y existen notables diferencias entre las distintas regiones del país: el Chaco es la más despoblada, mientras que la selva concentra mayor número de personas. Las llanuras cercanas al río Paraguay tienen densidades moderadas. El porcentaje de población urbana es del 56,7%, y se localiza en las principales ciudades del país, como Asunción, Ciudad del Este, San Lorenzo y Fernando de la Mora.

La fecundidad es elevada –cada mujer tiene una media de 3,8 hijos– y la mortalidad infantil, moderada, alrededor del 37‰. La esperanza de vida es de 68,6 años para los hombres y de 73,1 para las mujeres.

## Economía

La economía paraguaya se basa en los productos agropecuarios y forestales, que representan el 75% de sus exportaciones. Entre sus recursos agrícolas destacan la caña de azúcar, el algodón, la soja y el tabaco. También produce cereales, maíz y mandioca, base tradicional de la alimentación del país. La ganadería, muy desarrollada, cuenta, en orden de importancia, con bovinos, porcinos y ovinos. Las principales especies forestales son el quebracho, la caoba, el nogal y el cedro.

Paraguay posee industria de yerba mate, cervecera, alimentaria, tabaquera, de obtención de ron y alcohol, de extracción de tanino y de preparación de carnes y pieles. Sus complejos hidroeléctricos, como la represa de Itaipú (cofinanciada con Brasil), le suponen un índice de cobertura energética del 175,2%.

Sus recursos fluviales le permiten además una excelente comunicación a través de los ríos Paraná y Paraguay. De sus vecinos importa maquinaria, materiales para la construcción y productos textiles y químicos.

### Principales proveedores

**52,7%** América Latina
**20,3%** Estados Unidos
**9,9%** Unión Europea
**17,1%** Otros países

### Principales clientes

**67,6%** América Latina
**21,6%** Estados Unidos
**7,4%** Asia
**3,4%** Otros países

**Augusto Roa Bastos** (1917), premio Cervantes 1989, está considerado el mejor autor paraguayo del siglo XX. En 1947 fue desterrado por oponerse a la dictadura. Regresó a Paraguay en 1989.

**José Luis Chilavert** (1965), capitán del combinado paraguayo, es uno de los mejores arqueros del mundo y destaca por su gran personalidad y por su fuerte disparo de golpe franco directo.

## Historia y Actualidad

**Constitución del estado:** 1811 (independencia de España)
**Forma de estado:** república
**Sistema de gobierno:** presidencial
**Organizaciones internacionales:** ONU, OEA, Mercosur y ALADI

Ocupado por los guaraníes, el territorio paraguayo fue conquistado por los españoles a principios del siglo XVI. En el XVII, los jesuitas instalados en el Gran Paraguay se opusieron a los colonizadores para defender a los indios. La corona española, asustada por el poder que había adquirido la compañía, la suprimió en 1768.
Tras años de crisis, Paraguay reanudó su desarrollo y en 1811 se constituyó un gobierno provisional que declaró la independencia. A principios del siglo XIX, José Gaspar Rodríguez de

◐ Misión jesuítica de la Santísima Trinidad de Paraná, fundada en 1706

Francia instauró una dictadura militar. Entre 1865 y 1870, las disputas por la zona de los ríos Paraguay y Paraná provocaron una guerra contra los países de la Triple Alianza (Argentina, Brasil y Uruguay), que sumió en la miseria a Paraguay.
A finales del siglo XIX se estableció un régimen constitucional, basado en dos partidos políticos, el Blanco o liberal y el Colorado o conservador. Tras unos años de prosperidad, la guerra del Chaco contra Bolivia (1932-35) provocó otra grave crisis económica. Una breve etapa de gobiernos reformistas quedó truncada por un golpe de estado en 1940. Se implantó entonces la dictadura del general Moriñigo (1940-48), que reprimió el intento de revolución izquierdista de 1947.
En 1954, una rebelión militar dio el poder al general colorado Alfredo Stroessner, que impuso un régimen brutal, opresivo y corrupto. En 1989, el general Andrés Rodríguez dirigió un golpe de estado y Stroessner abandonó el país.
Desde entonces, las disputas en el seno del Partido Colorado han dominado el panorama nacional. La violencia política causó en 1999 la dimisión del presidente Raúl Cubas, implicado en el asesinato del vicepresidente, y su sustitución por Luis González Macchi. Éste integró a la oposición en el gobierno por primera vez y redujo un alzamiento militar. En 2003, Nicanor Duarte revalidó en las urnas a los colorados.

### Fechas clave

| | |
|---|---|
| 1604 | Llegada de los jesuitas. |
| 1811 | Independencia de España. |
| 1865 | Guerra con la Triple Alianza. |
| 1932 | Guerra del Chaco con Bolivia. |
| 1954 | Golpe de estado de Stroessner. |
| 1989 | Golpe de estado de Rodríguez. |
| 1998 | Presidencia de Raúl Cubas. |
| 1999 | González Macchi, presidente. |
| 2003 | Presidencia de Nicanor Duarte. |

# Surinam

El color rojo significa amor y progreso; el verde, esperanza y riqueza; el blanco, justicia y libertad; y el amarillo, sacrificio y altruismo.

**Nombre oficial:**
República de Surinam
**Nombre del país en neerlandés:**
Republiek Suriname
**Superficie:** 163.270 km²
**Población:** 432.000 habitantes
**Densidad:** 2,6 hab/km²
**Capital:** Paramaribo (205.000 hab)
**Otras ciudades:** Nieuw Amsterdam
**Lenguas:** holandés (oficial), inglés, sranany tongo
**Moneda:** florín de Surinam (100 centavos)

**Direcciones útiles de Internet:**
www.suriname.org
www.surinfo.org
www.suriname-network.com

Surinam está situado al norte de Brasil, en la costa atlántica, entre Guyana y la Guayana francesa. En su mayor parte está cubierto por bosques tropicales y el resto lo forman llanuras costeras, mesetas centrales y el macizo de las Guayanas. El clima es caluroso y húmedo, sólo refrescado por los vientos alisios. Las lluvias son frecuentes, sobre todo en el interior.
La población de la antigua Guayana holandesa es una de las más abigarradas de América del Sur. La comunidad más importante es la hindú, seguida de los criollos, los amerindios y la población de origen africano. Otro grupo importante son los

| Ranking IDH | Esperanza de vida |
|---|---|
| **76°** | **71,1** |
| 173 países analizados | años |

javaneses, llegados durante el período colonial holandés. Este mosaico demográfico se refleja en la diversidad religiosa del país. Las religiones con más peso son la musulmana, la católica y la evangelista.
Pese a que Domingo Vera tomó posesión del territorio en 1593 en nombre de la corona española, Surinam fue ocupado a partir de 1613 por un destacamento inglés, y poblado posteriormente por holandeses y judíos procedentes de Holanda e Italia.
El tratado de Breda dio origen a la Guayana holandesa, cedida por los ingleses a cambio de Nueva York. La esclavitud y las rebeliones de los esclavos que huían hacia el interior marcaron la historia de la colonia hasta la abolición de la trata en 1863.
Desde su independencia (1975), Surinam ha tenido una agitada vida política, con problemas entre las comunidades y varios golpes de estado. Tras

el gobierno corrupto de Jules Wijdenbosch, las elecciones de mayo del 2000 dieron una amplia mayoría parlamentaria a la coalición centrista Frente Nuevo, liderada por Ronald Venetiaan, nuevo presidente.
La economía se basa en la exportación de bauxita, sector que cubre el 70% del PBI. El 55% de las exportaciones se dirige a Europa y el 37% de las importaciones viene de los EUA.

◐ Arquitectura holandesa en Paramaribo

# Perú

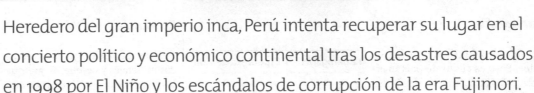

El general San Martín vio tantos flamencos de plumaje rojo y blanco cuando llegó a Perú, que quiso que estos colores formaran su bandera.

**Nombre oficial del país:**
República de Perú
**Superficie:** 1.285.216 km²
**Población:** 26.767.000 habitantes
**Densidad:** 20,8 hab/km²
**Capital:** Lima (8.000.000 hab)

**Otras ciudades:**
Arequipa (762.000 hab),
Trujillo (652.000 hab),
Chiclayo (517.000 hab),
Iquitos (367.000),
Chimbote (336.000 hab) y
Huancayo (327.000 hab)
**Lenguas:** español, quechua
(oficiales) y aymará
**Moneda:** nuevo sol
(100 céntimos)

**Direcciones útiles de Internet:**
www.inei.gob.pe
www.peru.com
www.peru-explorer.com
www.elcomercio.com.pe
www.rcp.net.pe
**Placa de identificación:** PE
**Prefijo telefónico:** 51
**Dominio de Internet:** .pe
**Horario en relación con Greenwich:**
−5 horas
**Compañía aérea nacional:** Aeroperú

**Principal aeropuerto internacional:**
Jorge Chávez (Lima)

Heredero del gran imperio inca, Perú intenta recuperar su lugar en el concierto político y económico continental tras los desastres causados en 1998 por El Niño y los escándalos de corrupción de la era Fujimori.

## Geografía

Perú presenta una enorme variedad geomorfológica que puede resumirse en tres grandes áreas: la costa, los Andes (montaña y altiplano), y la selva. La costa es una estrecha franja desértica entre el Pacífico y el límite occidental de los Andes, interrumpida por los pequeños valles que se forman en las inmediaciones de la desembocadura de los ríos de la vertiente pacífica.

La única excepción a la aridez de esta región está en las costas de Piura y Tumbes, en el extremo norte, con un clima semitropical, y vegetación y lluvias más abundantes. En la costa meridional, en cambio, abundan las zonas desérticas y las pampas, constituidas por mantos de lava y cruzadas por torrentes que permanecen secos la mayor parte del año.

Los Andes peruanos están formados por rocas calizas de la era cretácica y abarcan desde la cota de los 500

### El Candelabro de Paracas

E ste candelabro grabado en la arena del desierto de la pampa de Ingenio forma parte de un conjunto de geoglifos realizados hace 1.500 ó 2.000 años por la cultura preincaica de Nazca. Cubren unos 450 km² y sólo son visibles a vista de pájaro.

○ Paisaje del Parque Nacional de Huascarán, punto culminante de Perú

metros en su flanco occidental y la de los 1.500 metros del flanco oriental, hasta los 6.768 metros del Huascarán, el pico más alto del país.

**Las cordilleras y el altiplano** Los Andes se desdoblan en tres cordilleras –la Oriental, la Central y la Occidental– que se unen y entrecruzan de norte a sur. En el norte se distinguen la cordillera Negra Occidental y la Blanca. Más al sur, la sierra se ensancha y las cordilleras Central y Oriental pasan a delimitar las grandes mesetas del altiplano, donde se encuentra el Titicaca, el mayor lago de América Latina.

Hacia el este, los Andes descienden por la cordillera Oriental hasta los bosques de la Selva Alta –entre 400 y 1.000 metros– y finalmente hasta los bosques tropicales de la Selva Baja o Llano Amazónico.

La Selva Alta presenta un relieve bastante inclinado, con fuertes pendientes en las estribaciones andinas y un suave declive a lo largo de los valles. La Selva Baja, por debajo de los 500 metros de altura, es una vasta llanura formada por suelos aluviales y materiales acarreados por los ríos que vierten al Atlántico.

Los ríos pertenecen a tres cuencas: la del Pacífico –con cursos fluviales de poca longitud y caudal irregular–, la del Amazonas –río al que desembocan los cursos más largos y caudalosos del país, como el Marañón o el Huallaga– y los que terminan en el Titicaca. El río más largo es el Uyacali, de 1.800 kilómetros.

El clima se caracteriza por sus acusados contrastes. En general presenta temperaturas cálidas en el norte y templadas en el centro y el sur. En los Andes se define como tropical de montaña y en la Selva, ecuatorial.

### Máximas altitudes

| de Perú | del continente | del mundo |
| --- | --- | --- |
| 6.768 m | 6.960 m | 8.848 m |
| Huascarán | Aconcagua | Everest |

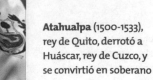

Atahualpa (1500-1533), rey de Quito, derrotó a Huáscar, rey de Cuzco, y se convirtió en soberano inca de 1523 a 1533. Su asesinato a manos de los españoles marcó el fin del imperio inca.

La artesanía inca se caracteriza por su sencillez y su uniformidad de estilo. De su producción destacan los **keros** o vasos de madera, como esta representación del dios Jaguar, del siglo XV.

## Demografía

Con más de 26 millones de habitantes, Perú es el quinto país más poblado de Latinoamérica, detrás de Brasil, Argentina, México y Colombia. Su crecimiento demográfico durante el quinquenio 1995-2000 fue moderado, con una media del 1,7% al año. El índice de fecundidad es alto, del orden de tres hijos por mujer, pero la tasa de mortalidad infantil en el intervalo 1995-2000 también fue elevada, ya que 45 de cada mil recién nacidos murieron antes de cumplir un año.

Una de las características de la población de Perú es su extremada juventud. En 1999, más de la mitad de los peruanos tenía menos de 25 años, y una tercera parte –unos ocho millones de personas– eran menores de 15 años. Los mayores de 65 años formaban el 4,7% de la población.

**Cambios en el futuro** Sin embargo, el aumento de la esperanza de vida, de 67,3 años para los hombres y 72,4 años para las mujeres en el período 2000-2005, y el progresivo declive de la tasa general de fecundidad, actualmente situada alrededor del 2,8‰, harán que en los próximos decenios vaya igualándose el desequilibrio entre jóvenes y adultos. Se espera que en el año 2020 los menores de 15 años representen el 25% de la población y los de 65 años y más, el 7,4%.

| Ranking IDH | Esperanza de vida |
|---|---|
| **81°** | **69,8** |
| 173 países analizados | años |

Perú es uno de los estados con la mayor diversidad étnica del mundo, ya que sus habitantes son de origen indio (quechuas en su mayoría), criollo, europeo, mestizo, africano, chino y japonés. Todos ellos se reparten en tres grandes regiones –la costa, la sierra y la selva–, hablan lenguas diversas y mantienen tradiciones diferentes. En la Amazonia peruana, por ejemplo, viven 43 grupos étnicos de doce familias lingüísticas distintas.

La distribución de la población sobre el territorio es muy irregular. Según los datos de 1998, la selva es la zona con la menor densidad (3 hab/km²), mientras que la costa, con 97 hab/km², y la sierra, con 23 hab/km², son las regiones con las densidades más altas.

En las últimas décadas se ha producido una constante migración de la sierra a la costa, donde se encuentran las principales ciudades. Casi tres de cada cuatro peruanos viven ya en zonas urbanas, el 29,1% lo hace en Lima y su área metropolitana, el 42,8% en el resto de las ciudades y solamente el 26,9% reside en las zonas rurales.

## Economía

Perú es un país de grandes recursos minerales y pesqueros, aunque los planes de irrigación han permitido ampliar también la variedad de cultivos. Mientras el mercado interno consume cereales, los productos destinados a la exportación son el algodón, la caña de azúcar y el café. La explotación ganadera (vacas, ovejas, cabras, cerdos, aves, llamas y alpacas) también es de importancia, así como la explotación de caucho y de diversas maderas.

La pesca representa un gran aporte de divisas. Perú es el primer productor mundial de harina de pescado y el segundo en capturas totales de pescado y marisco, aventajado sólo por China. También es el quinto productor mundial de cobre, mineral que suma más del 40% de las exportaciones mineras, y posee importantes yacimientos de oro, plata, zinc, plomo y molibdeno.

**Industria y energía** Perú obtiene la mayor parte de la energía de plantas hidroelécricas y posee grandes reservas de gas natural y de petróleo, aunque sus importaciones de crudo aún son elevadas. La industria es hoy el sector más dinámico en creación de empleo. Las más destacadas son la alimentaria, la textil y la química y petroquímica. Por otro lado, el turismo ha cuadruplicado sus ingresos en sólo diez años.

### Principales proveedores

**33,5%** Estados Unidos
**21,6%** Unión Europea
**14,5%** Asia
**30,4%** Otros países

### Principales clientes

**32,7%** Estados Unidos
**29,8%** América Latina
**20,9%** Unión Europea
**16,6%** Otros países

## Historia y Actualidad

**Constitución del estado:** 1824 (independencia de España)
**Forma de estado:** república
**Sistema de gobierno:** parlamentario
**Organizaciones internacionales a las que pertenece:** ONU, OEA, Comunidad Andina y ALADI

○ Ruinas incas de Machu Picchu

El territorio del Perú albergó desde antiguo un gran desarrollo cultural. Alrededor del 2800 a.C. ya existía una cultura homogénea que se extendía por la sierra y la costa septentrional. Las ruinas de Chavín de Huántar son el mejor ejemplo de esta época.

Otras culturas antiguas fueron Paracas, Moche –sociedad muy evolucionada dirigida por sacerdotes-guerreros–, Nazca –con sus enormes y misteriosas "líneas"–, Lambayeque –con sus avanzados sistemas hidráulicos–, Chimú –cuya capital, Chan Chan, ha sido la mayor ciudad de barro en el mundo– y Chancay.

En el siglo XV floreció el poderoso imperio incaico, que se organizó en torno a Cuzco desde 1430 hasta la llegada de los españoles (1532). Los incas crearon un estado teocrático que fue creciendo a base de una hábil política de alianzas y se expandió a partir del reinado de Pachacútec.

En 1470, las conquistas de Túpac Inca Yupanqui llegaron hasta el actual Ecuador y, hacia el sur, hasta Chile y el noroeste argentino. Con Huayna Cápac acabaron las conquistas en el norte: alcanzó el sur de Colombia y consolidó el dominio incaico en la totalidad del imperio.

A su muerte le sucedió su hijo Huáscar, que se enfrentó a su hermano Atahualpa, que tenía a su cargo el

○ El mercado de Pisac, una antigua ciudad incaica al noreste de Cuzco

El escritor **Mario Vargas Llosa** (1936) ha destacado también como ensayista y autor de obras de tea- tro. Fue candidato presidencial en 1989 y ganó el premio Príncipe de Asturias en 1986.

La obra de **Alfredo Bryce Echenique** (1939) se caracteriza por su mezcla de humor y ternura. Es autor del libro de cuentos *Huerto cerrado* (1968) y de la novela *Un mundo para Julius*, de 1970.

norte del imperio. De este modo estalló una guerra fratricida que acabó con la unidad imperial y permitió el triunfo de los españoles.

**Centro de la América española** En 1542, Perú se convirtió en parte del gigantesco virreinato homónimo, que comprendía toda la Sudamérica española y que dos siglos más tarde se desmembró en tres: Nueva Granada, Perú y Río de la Plata. Los inicios de la dominación española estuvieron marcados por las disputas entre conquistadores y por la resistencia de éstos a la autoridad del rey. En general, la época colonial se caracterizó por la influencia de la Iglesia y por el proceso de síntesis del mundo andino con la cultura europea.

En 1820, con el desembarco de José de San Martín al sur de Lima se iniciaron las luchas contra España, que terminaron en 1821 con la proclamación de la independencia, que se obtuvo definitivamente con la capitulación de Ayacucho en 1824.

Los primeros años de independencia tuvieron como principales actores a San Martín y Bolívar. Hasta 1845 los cambios políticos fueron intensos, pero las tempranas guerras con Bolivia (1828), la Gran Colombia (1829) y, en especial, las guerras de la Confederación Perú-boliviana (1835-1839), involucraron al país en esfuerzos costosos y desestabilizantes.

Tras el gobierno de Ramón Castilla (1840-64), en el que se reorganizó el país, se monopolizó la explotación del guano y se prohibió la esclavitud, hubo una época de conflictos: la guerra contra España (1866), la crisis económico-financiera (1866-79) y la guerra del Pacífico (1879-83), en la que el país fue ocupado por Chile.

La reconstrucción duró hasta 1930 y fue obra sobre todo del presidente Augusto Leguía. En esta época, caracterizada por los conflictos fronterizos con Ecuador y Colombia y el crecimiento de la izquierda, Raúl Haya de la Torre funda el APRA.

En 1968 tuvo lugar un golpe militar liderado por Juan Velasco Alvarado, que ejerció todos los poderes, prohibió los partidos y llevó a cabo una política intervencionista: nacionalizó las riquezas naturales del país y los medios de comunicación.

**Aires nuevos** En 1975, Francisco Morales Bermúdez inició un proceso de liberalización, que culminó con la promulgación de una nueva constitución (1979) y el traspaso de poderes a los civiles. En las elecciones de 1980 venció el líder de Acción Popular, Fernando Belaúnde Terry, que liberó a todos los presos políticos, privatizó los medios de comunicación y promocionó la inversión privada, pero no pudo resolver los problemas económicos, a los que se unieron las acciones terroristas del grupo maoísta Sendero Luminoso y del Movimien-

COLOMBIA

ECUADOR

Golfo de Guayaquil

TUMBES · Tumbes

Iquitos

LORETO

PIURA · Piura

Bª de Sechura

AMAZONAS · Chachapoyas · Moyobamba

LAMBAYEQUE · Chiclayo

I. Lobos de Tierra

I. Lobos de Afuera

CAJAMARCA · Cajamarca

SAN MARTÍN

I. de Macabí

LA LIBERTAD · Trujillo

Pucallpa

BRASIL

Islas Guañape

ANCASH · Huaraz

HUÁNUCO · Huánuco

PASCO · Cerro de Pasco

UCAYALI

MADRE DE DIOS

Puerto Maldonado

Is. de Huaura

JUNÍN

LIMA · Huancayo

CALLAO · Callao · LIMA

MAR DE GRAU

HUANCAVELICA · Huancavelica

CUZCO · Cuzco

Is. Ballestas

Ica · ICA

Ayacucho

AYACUCHO

Abancay

APURÍMAC

PUNO · Puno

BOLIVIA

Bahía Lomitas

Bahía San Nicolás

OCÉANO PACÍFICO

AREQUIPA

Arequipa

Lago Titicaca

Punta Tinaja

MOQUEGUA · Moquegua

**División administrativa**

Punta Coles

TACNA · Tacna

0   100   200   300 km

CHILE

to Revolucionario Túpac Amaru.

En 1985 presidió el país el progresista Alan García, que regresó a la política de nacionalizaciones. Sin embargo, la corrupción y el fracaso de su proyecto de estatización de la banca le obligaron incluso a exiliarse, tras un mandato que terminó con una inflación acumulada del 7.000%.

En 1990 se celebraron unas elecciones que llevaron al poder por sorpresa a Alberto Fujimori, ciudadano peruano de origen japonés que aplicó un plan económico totalmente liberal, con privatizaciones que ayudasen a reducir el peso del Estado y a aumentar sus ingresos para lograr la reinserción financiera internacional del Perú y disminuir la inflación. Para lograr estos objetivos y triunfar sobre los movimientos subversivos,

Fujimori propició un autogolpe de estado (1992), disolvió el congreso y concentró todo el poder. En este marco antidemocrático ganó a Javier Pérez de Cuéllar, ex secretario de la ONU, en las elecciones de 1995.

Los siguientes comicios (2000) se celebraron pese a las objeciones internas y externas. Empezó así una resistencia pacífica que triunfó tras el descubrimiento de una gran red de corrupción liderada por Vladimiro Montesinos, asesor de Fujimori.

La transición, encabezada por Valentín Paniagua, inició el proceso de recuperación de los valores morales y democráticos. En esta línea se enmarcan las elecciones del 4 de junio del 2001, en las que el centrista Alejandro Toledo fue elegido presidente, derrotando al renacido Alan García.

## Fechas clave

| Leguía | Belaúnde | García | Fujimori | Toledo |

| 1821 | Proclamación de independencia. |
| 1824 | Capitulación de Ayacucho. |
| 1835-1839 | Perú y Bolivia se unen en una confederación. |
| 1866 | Guerra contra España. |
| 1879-1883 | Guerra del Pacífico. |
| 1908 | Presidencia de Augusto Leguía. |
| 1924 | Fundación del APRA. |
| 1948 | Golpe militar de Manuel Odría. |
| 1968 | Golpe contra Belaúnde. |
| 1980 | Reelección de Belaúnde y creación de Sendero Luminoso. |
| 1985 | Alan García, presidente. |
| 1990 | Elección de Fujimori. |
| 1995 | Fujimori gana a Pérez de Cuéllar. |
| 1998 | Paz con Ecuador. |
| 2000 | Dimisión de Fujimori. |
| 2001 | Alejandro Toledo, presidente. |

# Uruguay

Los colores son herencia de las Provincias Unidas del Río de la Plata, el sol es la libertad y las barras se inspiran en la bandera de los Estados Unidos

**d**

**Nombre oficial del país:**
República Oriental del Uruguay
**Superficie:** 176.215 km²
**Población:** 3.391.000 habitantes
**Densidad:** 19,2 hab/km²
**Capital:** Montevideo (1.800.000 hab)

**Otras ciudades:**
Salto (120.000 hab) y
Paysandú (78.000 hab)
**Lenguas:** español (oficial)
**Moneda:** peso uruguayo
(100 centavos)

**i**

**Direcciones útiles de Internet:**
www.ine.gub.uy
www.uruguaytotal.com
www.turismo.gub.uy
www.observa.com.uy
**Placa de identificación:** ROU
**Prefijo telefónico:** 598
**Dominio de Internet:** .uy
**Horario en relación con Greenwich:**
–3 horas
**Compañía aérea nacional:** Pluna

**Principal aeropuerto internacional:**
Carrasco (Montevideo)

Dependiente de sus grandes socios del Mercosur, el más pequeño de los estados de la Sudamérica hispana, que alcanzó el nivel de vida más alto del continente, intenta superar una profunda crisis económica.

## Geografía

○ El cabo Polonio, en la costa del océano Atlántico, al este del país

Uruguay es, tras Surinam, el estado más pequeño de América del Sur. País de relieves suaves, destaca por su amplia red hidrográfica, con dos grandes ríos: el Uruguay y su afluente, el Negro. Entre las sierras que rompen el paisaje ondulado propio de la penillanura uruguaya se encuentran la cuchilla de Haedo y la cuchilla Grande, separadas por el río Negro.

La cuchilla de Haedo ocupa el eje norte del país. Se trata de una meseta ondulada de la que sobresalen diversas colinas con vertientes que descienden suavemente y cuyas alturas apenas superan los 400 metros. El relieve principal se orienta de noreste a suroeste y separa las cuencas hidrográficas del río Negro y el Uruguay.

Transversales a esta unidad se encuentran las cuchillas de Belén y del Daymán. La Cuchilla Grande domina el sureste del país y describe una media luna abierta al Atlántico. En esta unidad se encuentra el punto más alto del país, el Cerro Catedral, de 513 metros.

**Hidrografía y clima** La red hidrográfica se distribuye en dos grandes cuencas: la interior y la atlántica. La cuenca atlántica está integrada por ríos de corto recorrido que desaguan en el mar y se divide a su vez en dos subcuencas: la del Río de la Plata –al oeste– y la de la laguna Merín, al este.

La cuenca interior la forman los ríos que desembocan en el Uruguay. Su afluente más caudaloso, el río Negro, cruza el país de este a oeste y constituye a su vez una subcuenca de gran superficie. Al paso del río Negro por la región central del país se construyó una represa que dio lugar a la aparición del lago llamado Rincón del Bonete.

El clima es templado y carece de estación seca. La temperatura media en verano es de 22ºC y en invierno de 10ºC. Las precipitaciones son moderadas y se reparten uniformemente a lo largo de todo el año.

○ Venados en una llanura junto al mar

## Demografía

La población uruguaya se constituye esencialmente a partir del aporte de grupos de inmigrantes. Los pueblos indígenas originales han desaparecido, así que en la actualidad la inmensa mayoría de los uruguayos son descendientes de españoles, franceses, ingleses, italianos, alemanes, rusos, libaneses, judíos, armenios, griegos y brasileños llegados durante el siglo XIX y el XX, y de unos pocos guaraníes y africanos.

**Un crecimiento muy lento** El ritmo de crecimiento anual de la población durante el período 1995-2000 fue del 0,7%. Este porcentaje está muy por debajo de la media del resto de Latinoamérica y del promedio mundial, que fue del 1,3%. Si continúa esta tendencia, tendrían que pasar 100 años para que la población uruguaya se duplicase.

La densidad también es muy baja. Se cifra en sólo 19,2 habitantes por kilómetro cuadrado. Además, la distribución de la población sobre el territorio es muy desigual. Mientras el interior del país permanece prácticamente despoblado si se exceptúan las áreas urbanas, las mayores concentraciones humanas se registran en la costa y en la ribera del Uruguay, y especialmente en el área que rodea la capital, Montevideo.

○ Gaucho montado a caballo en los alrededores de Montevideo

El prolífico intelectual **Mario Benedetti** (1920) es un notable cronista de su país y de su tiempo.

**Juan Carlos Onetti** (1909-1995), premio Cervantes 1980, fue novelista y crítico literario.

**Enzo Francescoli** (1961) fue uno de los mejores jugadores en la historia de Uruguay y de River Plate.

## Economía

○ La avenida 18 de Julio, en el centro de Montevideo

La proporción de población urbana se encuentra entre las más elevadas del mundo, ya que el 91% de los uruguayos vive en ciudades, entre las que destacan Montevideo, con cerca de dos millones de habitantes, Salto y Paysandú, con más de 100.000 la primera de ellas, y la estación veraniega de Punta del Este, con cerca de 130.000 habitantes.

Cada mujer tiene una media de entre dos y tres hijos a lo largo de su vida, una tasa baja en relación con las de sus vecinos de continente, mientras la mortalidad infantil está muy controlada (18‰).

**Tendencia al envejecimiento** La estructura de la población también difiere notablemente de la de la mayoría de los países del continente. Se estima que para el período 2000-2005 la población menor de 15 años de Uruguay representará el 39,8% del total de habitantes, mientras que el 20,7% corresponderá a las personas de más de 65 años. Según estas cifras, la población uruguaya presenta una clara tendencia al envejecimiento, fenómeno que se observa en los países desarrollados y al que coadyuva el hecho de que la esperanza de vida sea alta (71,6 años los hombres, y 78,9 las mujeres).

| Ranking IDH | Esperanza de vida |
|---|---|
| **39°** | **75,3** |
| 173 países analizados | años |

La principal actividad económica de Uruguay es la ganadería. Gracias a sus abundantes pastos –el 80% del territorio– alimenta en explotaciones latifundistas a millones de cabezas de vacuno y ovino de las cuales obtiene lana, carne, leche y cuero. Los productos ganaderos representan el 65% de la exportación, motivo por el cual el comercio exterior del país depende en gran parte de los precios internacionales de la carne y la lana.

Este hecho, unido a que el sector ganadero se encuentra siempre al albur de sequías, inundaciones, plagas y otros fenómenos externos, hace que la situación económica del país sea muy fluctuante.

La agricultura es su segunda fuente de ingresos y da empleo al 13% de la población activa. Las zonas agrícolas se sitúan principalmente en el suroeste y los cultivos más extendidos son el trigo, el maíz, el arroz, la cebada, el algodón, la avena, el girasol, el lino, la remolacha, la soja, el tabaco, la vid y los frutales.

Las explotaciones forestales y la pesca no revisten gran importancia y sus recursos minerales son escasos: se extrae talco, mármol, cuarzo y granito. Al no poseer yacimientos de combustibles fósiles, Uruguay produce la energía necesaria en las plantas hidroeléctricas de los ríos Uruguay y Negro, aunque sólo cubre el 37,7 % de la energía consumida.

El sector secundario, que ocupa al 18% de la población activa, se localiza en Montevideo y se basa en la transformación de los productos agropecuarios y en la industria textil (lanera y algodonera). También son destacables la fabricación de cemento y neumáticos.

**La actividad terciaria** Los servicios representan el 65% del PBI. La actividad más destacable de este sector es el turismo, que aporta a la economía nacional cantidades equivalentes al total de exportaciones tradicionales. La República Oriental es el sexto país receptor de visitantes de Latinoamérica y ocupa el segundo lugar en América del Sur, por detrás de Argentina y antes que Brasil. Uruguay posee unos 3.500 kilómetros de vías férreas y 52.000 kilómetros de carreteras (de los cuales 2.484 kilómetros corresponden a la

○ El girasol es el principal cultivo de verano en el litoral uruguayo

### Principales proveedores

- **48,9%** América Latina
- **20,1%** Unión Europea
- **12,1%** Estados Unidos
- **18,9%** Otros países

### Principales clientes

- **62,9%** América Latina
- **16%** Estados Unidos
- **10,6%** Asia
- **10,5%** Otros países

carretera Panamericana). En Montevideo se encuentra el principal puerto del país. Por sus ventajas naturales, este puerto se convirtió durante el siglo XVIII en la primera puerta de entrada a los virreinatos del Río de la Plata y de Perú, y propició el desarrollo de la ciudad. El mayor aeropuerto del país es el de Carrasco, cerca de la capital.

La política económica del gobierno actual, que pretende diversificar su producción y potenciar la industria, no obtiene los resultados esperados. La devaluación de la moneda brasileña en 1999 y la caída de los precios de sus productos de exportación (lana, carne, tejidos, pieles, aceites y cemento) le llevaron a un descenso del PBI del 2,5% y a un paro del 11%.

○ Playa Maragatú, en Punta del Este, la capital turística del Uruguay

**José Batlle y Ordóñez** (1856-1929), dos veces presidente de Uruguay, ejerció una política decisiva para la modernización de su país. Con él, se consolidó la vigencia del sistema democrático oriental.

El pintor **Joaquín Torres García** (1874-1949) fue uno de los grandes pioneros del estilo constructivista.

## Historia y Actualidad

**Constitución del estado:** 1825
**Forma de estado:** república
**Sistema de gobierno:** presidencial
**Organizaciones internacionales a las que pertenece:** ONU, OEA y Mercosur y ALADI

Antes de la colonización española, el norte del Río de la Plata estaba poblado por tribus indígenas (charrúas, chanaes, tapes, arachanes y guaraníes). En 1617, los españoles incorporaron el territorio a la gobernación de Buenos Aires. Sin embargo, durante toda la época colonial, la región fue objeto de constantes disputas entre españoles y portugueses.

En 1811 empezó la revuelta contra los españoles; en 1825, Uruguay declaró la independencia, y en 1828 se creó la República Oriental como estado tapón entre Argentina y Brasil. En 1830 se aprobó la primera Constitución, centralista y autoritaria.

Entre 1839 y 1851 se desarrolló la Guerra Grande entre Uruguay y Argentina, que dividió al país entre soberanistas y partidarios de incorporarse al estado vecino. En la segunda mitad del siglo se fundaron los dos partidos que protagonizan la vida política del país: el Partido Blanco (conservador) y el Colorado (liberal).

### La Guerra de la Triple Alianza

En mayo de 1865, Uruguay se integró a la Triple Alianza, junto a Brasil y la Argentina, con el fin de contrarrestar la política expansionista del presidente paraguayo Francisco Solano López. La contienda duró cinco años y terminó con la victoria de los aliados. El cuadro superior representa la partida del ejército uruguayo.

### El 'maracanazo' de la celeste

El combinado uruguayo es uno de los más laureados en la historia del fútbol mundial, hecho especialmente destacable dada la escasa relevancia demográfica de la República Oriental. Ya en los años veinte, la generación de los Nasazzi, Andrade y Scarone ganó dos oros olímpicos (París 1924 y Amsterdam 1928) y el primer título mundial (Montevideo 1930), cuando el país contaba con apenas un millón y medio de habitantes. Pero estas hazañas quedaron eclipsadas veinte años más tarde por el *maracanazo*.

En 1950, Brasil organizaba la Copa del Mundo. El combinado *canarinho* ya empezaba a considerarse entonces como el mejor equipo del mundo. Todo estaba a favor de los locales, que protagonizaron una trayectoria impecable hasta el partido final. El rival en ese encuentro era Uruguay.

A Brasil le bastaba un empate para proclamarse campeón. Además, ya en el segundo tiempo, los locales se adelantaron 1-0. Pero posteriormente, primero Schiaffino y después Ghiggia, dieron la vuelta al marcador. Los casi 200.000 espectadores que llenaban el impresionante Maracaná enmudecieron y Uruguay logró su segundo título mundial.

De 1876 a 1890 hubo un paréntesis de gobiernos militares que concluyó con el retorno del Partido Colorado. La normalización democrática llegó bajo la presidencia de José Batlle (1903-07), quien introdujo algunas reformas sociales.

En 1933, un golpe liderado por Gabriel Terra impuso otra dictadura. En 1942, su sucesor, Alfredo Baldomir, instauró el sufragio universal y una constitución liberal. El país vivió una época de crecimiento, truncada en 1954. En 1958, los blancos asumieron el poder, pero la crisis alentó el terrorismo del Movimiento de Liberación Nacional-Tupamaros. En 1971, una tercera fuerza política, el Frente Amplio, agrupó a las fuerzas democráticas de izquierda. En 1973, otro golpe implantó un régimen militar que duró doce años. Los militares eliminaron a los tupamaros e impusieron una dura represión.

En las elecciones libres de 1984, el colorado Julio María Sanguinetti derrotó al candidato conservador y al de la Unión Cívica (progresista), e intentó hacer frente a la crisis económica y social. En 1990, el blanco Luis Alberto Lacalle liberalizó la economía y luchó contra la inflación. En 1995, Sanguinetti volvió a la presidencia con el apoyo de los blancos, frente a la amplia representación parlamentaria obtenida por Encuentro Progresista (Frente Amplio).

En 1999, la izquierda triunfó en las elecciones parlamentarias, pero el colorado Jorge Batlle logró el apoyo de los blancos y accedió a la presidencia en un período de crisis derivado de los apuros económicos de sus dos grandes vecinos, Brasil y Argentina. En julio del 2002, el FMI tuvo que intervenir para frenar la quiebra financiera del estado, la peor crisis económica de su historia, en medio de un tenso clima de revisión de los crímenes de la dictadura.

### Fechas clave

Artigas | Baldomir y Terra | Sanguinetti | Lacalle | Batlle

| | |
|---|---|
| 1811 Artigas proclama la independencia de Uruguay. | 1950 Uruguay, campeón mundial de fútbol en Maracaná. |
| 1828 Proclamación de la República del Uruguay. | 1971 Fundación del Frente Amplio. |
| 1839-1851 Guerra Grande entre Uruguay y Argentina. | 1973-1985 Dictadura militar. |
| 1933 Golpe de estado militar. | 1984 Sanguinetti, presidente. |
| 1942 Vuelta del constitucionalismo. | 1999 Triunfo del Frente Amplio en las elecciones parlamentarias. |
| | 1999 Jorge Batlle, presidente. |

# Venezuela

Las estrellas simbolizan las provincias que se independizaron en 1810; el verde es la riqueza del país; el azul, el mar; y el rojo, la sangre por la libertad.

**d**

**Nombre oficial del país:**
República Bolivariana de Venezuela
**Superficie:** 912.050 km²
**Población:** 25.226.000 habitantes
**Densidad:** 27,7 hab/km²
**Capital:** Caracas (4.450.000 hab)

**Otras aglomeraciones urbanas:**
Maracaibo (2.050.000 hab),
Valencia (1.675.000 hab),
Maracay (1.100.000 hab),
Barquisimeto (1.000.000 hab)
**Lenguas:** español (oficial)
**Moneda:** bolívar (100 céntimos)

**i**

**Direcciones útiles de Internet:**
www.ocei.gov.ve
www.venezuela-on-line.com
www.a-venezuela.com
www.venezuelatuya.com
**Placa de identificación:** YV
**Prefijo telefónico:** 58
**Dominio de Internet:** .ve
**Horario en relación con Greenwich:**
−4 horas
**Compañías aéreas nacionales:**
Avensa, Aeropostal

**Principal aeropuerto internacional:**
Simón Bolívar (Caracas)

Tras sufrir en 1999 una de las mayores catástrofes naturales del siglo, Venezuela, el país del oro negro del Caribe, inauguró el 2000 con una nueva constitución impulsada por el presidente Hugo Chávez.

## Geografía

Venezuela está formada por tres regiones geográficas: dos grandes macizos, uno constituido por los Andes y la cordillera de la Costa, y otro formado por el macizo de la Guayana, entre los cuales se extiende la región de los Llanos del Orinoco. Los Andes venezolanos se dividen en dos alineaciones: la sierra de Perijá, que se localiza en la frontera con Colombia, y la cordillera de Mérida, que incluye el punto más elevado del país, el pico Bolívar (5.007 m). Estas dos sierras están separadas por la cuenca del lago Maracaibo, abierto al mar por un estrecho de apenas cinco kilómetros y bordeado por un cinturón de tierras pantanosas.
En el sistema montañoso del Caribe las cumbres no superan los 3.000 metros. El macizo de la Guayana ocupa el sureste del país y es un conjunto de mesetas de cumbres planas

⊙ El Salto de Angel y el tepuy Auyñán

⊙ Embarcadero en el río Orinoco

y de vertientes abruptas cuyas alturas oscilan entre los 600 y los 700 metros. Estas formas del relieve reciben el nombre de tepuyes. El más elevado es el pico Roraima (2.772 m), situado en la sierra de Pacaraima.

**El Salto de Angel** No obstante, el accidente más conocido de esta región es el Salto de Angel, la catarata más alta del mundo, de longitud quince veces mayor que la del Niágara. Su caída es de 979 metros desde el borde del tepuy Auyñán. Fue descubierta en 1937 por el piloto estadounidense Jimmy Angel, de quien recibe su nombre.
Los Llanos del Orinoco ocupan el centro del país. Se trata de extensas superficies muy llanas cubiertas de finos sedimentos transportados por los ríos. Una parte de este territorio suele inundarse en la época de lluvias, a causa de la crecida de los ríos. La sabana es la principal forma de vegetación de la región, mientras que la zona más meridional del país está cubierta por una selva densa.
La red hidrográfica la componen dos grandes cuencas: la del Caribe, que incluye los ríos Catatumbo, Motatán, Tocuyo, Aroa y Manzanares, y la del Atlántico, donde destacan el Orinoco, el San Juan y el Cuyuní.

⊙ El pico Bolívar, en los Andes

El Orinoco es el río más importante de Venezuela y uno de los más largos de Sudamérica, con más de 2.740 kilómetros. Tiene poca pendiente y en su unión con el Apure, uno de sus ríos tributarios, la fuerza de las aguas es tan insuficiente que inundan todas las tierras bajas de los alrededores. De igual manera, la llegada del Orinoco al mar, donde forma un enorme delta de 20.000 km³, se ve dificultada por las mareas.
El clima venezolano es tropical y caluroso, con abundantes precipitaciones de julio a septiembre y una época seca de diciembre a mayo. Dos factores matizan esta tendencia general: los vientos alisios del noreste y el relieve, que provoca condensaciones y, por consiguiente, lluvias. En diciembre de 1999, una parte del país se vio muy afectada por grandes inundaciones de trágicas consecuencias.

### Máximas altitudes

| de Venezuela | del continente | del mundo |
| --- | --- | --- |
| 5.007 m | 6.960 m | 8.848 m |
| Pico Bolívar | Aconcagua | Everest |

Los indios **panares** pertenecen a la familia caribe y
ocupan el noroeste del
macizo de las Guayanas.

Los **concursos de belleza**
levantan pasión en Vene-
zuela, hasta el punto de que
existen escuelas de misses.

Con la obra *Mi padre el
inmigrante*, el poeta **Vicente Gerbasi** (1913-1992)
alcanzó fama mundial.

## Demografía

○ Cabaña típica de la selva venezolana

Durante el período 1995-2000, el crecimiento demográfico de Venezuela fue rápido –un 2% al año– y supe-
ró la media del resto de países de
América del Sur. Si continúa esta tendencia, la población venezolana
podría duplicarse en el año 2035.
El 70% de los venezolanos es mestizo, a causa de la mezcla de europeos, africanos e indígenas.
El índice de fecundidad es alto –cada
mujer tiene una media de 2,7 hijos
a lo largo de su vida– y la mortalidad
infantil ha mantenido un valor moderado, del orden del 19‰. Estos dos
fenómenos contribuyen a que el ritmo de crecimiento sea alto y a que la
proporción de jóvenes aumente. Se
calcula que en el primer quinquenio
del siglo XXI, el 55,3% de los habitantes serán menores de 15 años.
La densidad de población es baja
(27,7 hab/km²), y está mal repartida
en el territorio. El 87,2% de los venezolanos reside en las ciudades, que
se concentran en los litorales central
y occidental. La costa oriental, en el
área del delta del Orinoco, tiene muy
pocos habitantes, si bien la región
más deshabitada es la del macizo de
la Guayana.
A pesar de que la proporción de gente mayor es reducida (en el 2005 sólo
será el 7,2% de la población), la esperanza de vida crece, y es de 70,9 años
para los hombres y 76,6 años para las
mujeres.

| Ranking IDH | Esperanza de vida |
|---|---|
| 68° | 73,7 |
| 173 países analizados | años |

## Economía

La economía venezolana se basa en
las extracciones petrolíferas y depende por lo tanto de las fluctuaciones del
precio internacional del petróleo. La
participación de la industria y la minería dentro del PBI es de alrededor
del 47%, al igual que el sector terciario, mientras que la aportación al PBI
del sector primario es muy reducida.
Sin embargo, la población activa ocupada en la minería apenas llega al 1%.

**Nacionalización del petróleo** Desde que a principios del siglo XX se
explotaran los primeros yacimientos
petrolíferos y hasta que se promulgó
la Ley de Nacionalización del Petróleo en 1975, la industria petrolera fue
explotada en régimen de concesión
por compañías extranjeras como la
Standard Oil of New Jersey, la Gulf

○ Minas de hierro de San Isidro, en la región de la Guayana

**Principales clientes**

- 47,3% Estados Unidos
- 37% América Latina
- 7,6 % Unión Europea

**Principales proveedores**

- 42% Estados Unidos
- 21,4% Unión Europea
- 20% América Latina

○ Instalaciones petrolíferas en el lago
Maracaibo

Oil y la Shell de Venezuela. Desde
entonces, la compañía estatal Petró-
leos de Venezuela lleva a cabo su
explotación. Los ingresos fiscales
provenientes del petróleo financia-
ron gran parte del proceso de industrialización del país durante los años
sesenta y setenta.

**Otras riquezas naturales** Hasta que
se empezó a explotar el petróleo,
Venezuela era un país agrícola, y aún
cultiva café, cacao, caña de azúcar,
maíz, arroz, frutas, tabaco y algodón.
Sin embargo, la ganadería ofrece más
rentabilidad que la agricultura, por
lo que existen importantes explotaciones de ganado vacuno en el norte del país. Pese a la riqueza de sus
selvas, la explotación forestal está res-
tringida desde 1975. La pesca se practica en gran escala y se extraen perlas en la isla de Margarita.

Además de petróleo, Venezuela
posee hierro, gas natural, metano,
magnesita, oro, diamantes, carbón,
fosfato, asfalto y amianto. Gracias al
petróleo, su indice de cobertura energética es muy elevado (380,5%).
El sector industrial se basa en la actividad de las refinerías de crudo y las
petroquímicas, seguidas de la industria maderera, la farmacéutica, la
papelera, la metalúrgica, la textil, los
astilleros y la fabricación de cemento y de neumáticos.
Su red de comunicaciones está formada por unos 100.000 kilómetros
de carreteras y 440 kilómetros de vías
férreas, varios aeropuertos importantes y los puertos de La Guaira,
Puerto Cabello y Maracaibo. Su
balanza comercial es positiva. Exporta principalmente derivados del
petróleo y del hierro. Importa maquinaria y material de transporte.

○ Plantación de palma de coco a orillas del río Zulia

El humanista venezolano **Andrés Bello** (1781-1865), quien fue profesor de Geografía de Simón Bolívar, es considerado el caudillo intelectual de la independencia de Hispanoamérica.

**Simón Bolívar** (1783-1830), ilustre estadista y militar venezolano, también llamado "El Libertador", fue, junto a José San Martín, el forjador de la independencia latinoamericana.

# Historia y Actualidad

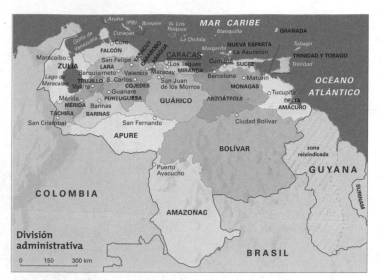

**División administrativa**
0    150    300 km

**Constitución del estado:** 1811 (independencia de España). 1830 (república soberana)
**Forma de estado:** república federal
**Sistema de gobierno:** democracia presidencialista
**Organizaciones internacionales:** ONU, OEA, Com. Andina, ALADI y OPEP

El asentamiento español en territorio venezolano se consolidó a finales del siglo XVI. En 1810 se produjo una revolución en Caracas que depuso a las autoridades españolas e inició el proceso hacia la soberanía. En 1811, el Congreso elegido en Caracas proclamó la independencia, pero en 1812 los españoles restablecieron su dominio. En 1813, Simón Bolívar liberó Caracas y en 1819 proclamó la República de la Gran Colombia, que comprendía Venezuela, Colombia, Panamá y Ecuador, y que se disolvió a la muerte de Bolívar, en 1830, cuando la república de Venezuela se separó de sus vecinas.
Entre 1830 y 1848 dominó el país el general Páez, que gobernó con el beneplácito de las clases hegemónicas. En los años 40 surgió una fuerte oposición, liderada por el Partido Liberal. En 1848 se instituyó un régimen militar de carácter populista que fue abolido por el movimiento antigubernamental de 1858. Con la victoria de los federales se impuso la Constitución de 1864, liberal democrática, que oponía el regionalismo al centralismo oligárquico.
El caudillismo del siglo XIX se prolongó en el XX. Cipriano Castro (1899-1908) promulgó una constitución nacionalista, pero su revolución fracasó por la intervención de Estados Unidos, que dio su apoyo a Juan Vicente Gómez. Éste se mantuvo en el poder desde 1908 a 1935.
Las libertades constitucionales se restablecieron con la presidencia de Eleazar López Contreras (1935-1941), que aprobó una nueva Constitución. En 1945, un movimiento de civiles y militares dio un golpe de estado e impuso hasta 1958 la dictadura de Marcos Pérez Jiménez.

**Alternancia de partidos** Con la victoria del candidato de la Acción Democrática (AD) Rómulo Betancourt en 1958, Venezuela entró en un período de democracia y estabilidad. Desde entonces hasta 1999, el presidente ha pertenecido a uno de los dos partidos principales: la socialista AD o el Partido Cristiano Social (COPEI), cuyas políticas no tienen diferencias significativas.

En 1976, durante el mandato de Carlos Andrés Pérez (presidente de 1974 a 1979, reelegido en 1989), se nacionalizó la industria petrolera.
En 1998, el militar golpista Hugo Chávez venció en las elecciones legislativas con su Movimiento V República y accedió a la presidencia en 1999 con el apoyo de la izquierda. En el 2000, el pueblo venezolano aprobó en referéndum una nueva constitución, que reforzaba los poderes del presidente e imponía una política social populista. En los meses posteriores, diversas medidas económicas y sociales intervencionistas provocaron el descontento de la patronal y del sindicato mayoritarios.
En abril del 2002, estos sectores, con el apoyo del ejército, intentaron un golpe de estado contra Chávez que fracasó por las diferencias entre sus promotores. Al imponerse las tendencias golpistas más conservadoras, los sindicatos y el ejército abandonaron al presidente provisional –Pedro Carmona, dirigente de la patronal– y Chávez volvió a ocupar el palacio presidencial de Miraflores al cabo de sólo dos días. Tras su regreso, Chávez no ha podido evitar que continúe el clima de división.

## Fechas clave

Bolívar    Betancourt    Pérez    Chávez

| | |
|---|---|
| **1810** Revolución en Caracas contra el dominio español. | **1958** Democratización de las instituciones venezolanas. |
| **1813** Simón Bolívar libera Caracas. | **1992** Intento de golpe de estado de Hugo Chávez. |
| **1819** Bolívar proclama la Gran República de Colombia. | **1993** Carlos Andrés Pérez, suspendido en sus funciones de presidente. |
| **1830** Independencia de la República de Venezuela. | **1999** Hugo Chávez, presidente. |
| **1864** Constitución de los Estados Unidos de Venezuela. | **2000** Constitución de la República Bolivariana de Venezuela. |
| **1945** Golpe de estado. | |

◐ El Capitolio Nacional de Caracas fue construido durante el siglo XIX

# Antártida

El 14 de diciembre de 1911, el noruego **Roald Amundsen** (1872-1928), acompañado por cuatro compañeros suyos, se convirtió en el primer hombre en pisar el Polo Sur geográfico.

El primer acercamiento a la Antártida lo realizó entre 1772 y 1775 el británico James Cook, quien, descubriendo las islas Sandwich del Sur, cruzó el Círculo Polar, pero no pudo llegar a la masa continental. En 1895, los noruegos Kristensen y Borchgrevink efectuaron el primer desembarco en el continente. El Polo Sur fue conquistado por el noruego Amundsen el 14 de diciembre de 1911, en una expedición que precedió en 34 días a la del inglés Scott.

El período comprendido entre las dos guerras mundiales estuvo marcado por las expediciones aéreas norteamericanas. A partir de 1945 se inició la etapa de investigación científica. Con este fin se creó un comité especial de investigación sobre la Antártida (SCAR) para fomentar la colaboración internacional y coordinar los descubrimientos.

**Un territorio protegido** Entre 1908 y 1942, el Reino Unido, Nueva Zelanda, Australia, Francia, Noruega, Chile y la Argentina reclamaron su soberanía sobre zonas del continente. Sin embargo, en 1959, se firmó el Tratado de la Antártida, que desconsidera toda reclamación de soberanía sobre sus territorios, reservados para investigaciones científicas.

A partir de los años 80, el territorio se convirtió en centro de atención internacional por motivos medioambientales, y en 1991 se firmó un protocolo internacional de protección ambiental. En esa misma época se detectó en la atmósfera antártica una disminución progresiva de la capa de ozono que podría provocar importantes cambios climáticos.

El casquete antártico abarca una superficie de 14.200.000 km² y está cubierto por 30.000.000 km³ de hielo, masa que corresponde a casi el 90% del total de agua dulce existente en la corteza terrestre. Este casquete se escarpa desde la costa y se allana después hacia el interior formando una enorme meseta.

**Flora y fauna escasas** La flora es escasa y se limita a las diferentes especies de musgos y líquenes que crecen en las pocas zonas que no están cubiertas de hielo. La fauna del interior del continente sólo está compuesta por pequeños invertebrados. La franja litoral la habitan focas, leones marinos y más de 40 familias de aves, entre las que destacan el petrel antártico y diferentes géneros de pingüino como el de Adelia, el emperador y el real. Sus aguas albergan varias especies de cetáceos, como la ballena azul, la ballena de aleta y la ballena boba.

El clima antártico es el más riguroso del planeta. Los fuertes vientos reinantes crean en torno al continente un cinturón tormentoso que lleva nubes, nieblas y ventiscas. En invierno, la temperatura puede descender hasta los –80°C. Estas duras condiciones han hecho que la actividad humana, incluso la económica, se vea seriamente dificultada.

Desde principios del siglo XIX la economía se ha centrado en la explotación de los animales que habitan el territorio, focas y ballenas sobre todo. Sin embargo, en 1994, 40 estados asumieron la resolución de la Comisión Ballenera Internacional de prohibir la caza del cetáceo en todas las aguas del sur de Australia, África, Sudamérica y la Antártida.

⊙ En el verano ártico, el hielo costero se rompe y se forman grandes icebergs

El **krill** es un crustáceo marino que habita en las aguas de la Antártida. Es un elemento básico dentro de la dieta de las especies animales de la región, sobre todo la de las ballenas.

Argentina es el país con más estaciones científicas en la Antártida. La base **Orcadas**, de 1904, fue la primera oficina de correo antártico y es la ocupación más antigua del continente.

Por otro lado, el turismo ha experimentado un espectacular crecimiento del 600%, en los últimos años. La escasa población está formada por los miembros de las expediciones científicas que trabajan en las diferentes bases localizadas en territorio antártico.

○ Elefantes marinos en la isla del rey Jorge

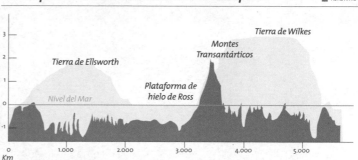

### Una capa de hielo de cinco kilómetros de espesor

Hielo
Tierra firme

Tierra de Ellsworth

Tierra de Wilkes

Montes Transantárticos

Plataforma de hielo de Ross

Nivel del Mar

La sección de la Antártida del gráfico superior revela datos sorprendentes: la plataforma continental sólo aflora al aire libre en un 2% de la superficie –algunos tramos de la costa y varias cadenas montañosas de notable altitud–. El resto del continente está sumergido bajo una capa de hielo que alcanza los 4,7 kilómetros de espesor en algunos puntos de la Tierra de Wilkes y presiona la roca a profundidades medias de 600 metros por debajo del nivel del mar.

# Territorios dependientes

El 4 de junio de 1996, la lanzadera **Ariane 501**, diseñada por la Agencia Espacial Europea, explotó en su vuelo inaugural a los 40 segundos de despegar, a unos 3.700 metros de altitud, tras desviarse de su ruta unos instantes antes. La causa del accidente fue un fallo de la computadora encargada de la orientación del aparato. En la foto, el lanzamiento del Ariane 502, que resultó exitoso.

## GUAYANA FRANCESA
### Francia

Cristóbal Colón descubrió las costas de la Guayana francesa en 1498, pero los europeos –primero los holandeses y después los franceses y los ingleses– empezaron a instalarse en estas tierras un siglo más tarde. Los franceses consiguieron dominar el territorio en 1664, pese a la fuerte oposición de los ingleses y los holandeses.

Durante el siglo XVIII, la colonia se mantuvo en un estado de suma precariedad, pero su ocupación interesaba a Francia por su ubicación estratégica como base naval vinculada a la presencia francesa en el Caribe. El poder lo ostentaba un gobernador nombrado por la corona. Con la Revolución Francesa, el gobierno implantó los principios revolucionarios, pero la colonia se convirtió en un centro de deportación para los disidentes políticos.

Hasta mediados del siglo XX, la Guayana dependió directamente de la metrópoli. En 1946, en la época de la descolonización, el territorio alcanzó su estatus actual al convertirse en territorio de ultramar, o departamento, de Francia.

Sus habitantes adquirieron entonces la categoría de ciudadanos franceses, con sus mismos derechos y deberes, tales como el derecho al voto en las elecciones nacionales de Francia. En 1983, la Guayana pudo elegir un Consejo Regional, organismo que dotó al territorio de una cierta autonomía.

○ Casas sobre el río Maroni, al noroeste del territorio de la Guayana Francesa

El gobierno francés es el principal poder empresarial, ya que en Kourou se encuentra la plataforma de lanzamiento del cohete del programa espacial europeo, el Ariane. Pero el departamento posee considerables recursos económicos.

Destaca por su riqueza forestal y sus recursos minerales, especialmente oro y bauxita, en los cuales basa su economía. La agricultura se concentra en el litoral y produce arroz, bananas, café y caña de azúcar. La industria está poco desarrollada y carece de una red de comunicaciones apropiada.

Durante los 90, la Guayana se ha visto afectada por las desigualdades sociales, el paro, la inmigración clandestina, el narcotráfico y los problemas medioambientales. Además, la base de Kourou, de gran peso económico, ha sido catalogada como gran emisor de gas metano, y por tanto, generador de efecto invernadero.

○ Plaza de las Palmeras en Cayena, capital de la Guayana francesa

**El Naranjo de Bulnes** Situados en el norte de España, los Picos de Europa son el punto culminante de la cordillera Cantábrica y forman un colosal afloramiento de piedra caliza y relieve cárstico. Por su belleza y singularidad, en 1918 se convirtieron en el primer parque nacional del país. En la imagen destaca la silueta altiva del Naranjo de Bulnes (2.519 m), cuya pared vertical es un gran desafío para los alpinistas.

# Europa

# Europa física

**Superficie total de Europa:**
9.957.000 km²
(6,7% del total de las tierras emergidas)

**Extremo septentrional :**
Cabo Norte (Isla Mangeroy, Noruega),
71°11'N

**Extremo meridional:**
Cabo Anemómylos (Isla de Creta, Grecia),
34°50'N

**Extremo oriental:**
Mar de Kama (Rusia),
68°05'E

**Extremo occidental:**
Bjargtangar (Islandia),
24°30'O

**Pico culminante de Europa:**
Monte Elbrus (Rusia), 5.642 m

**Mayor depresión de Europa:**
Depresión del Caspio
(Rusia/Kazajstán), –28 m

**Río más largo:** Volga (Rusia), 3.700 km

**Mayor lago:**
Ladoga (Rusia), 17.700 km²

**Mayor isla de Europa:**
Gran Bretaña, 229.880 km²

**Relieve (altura en metros)**

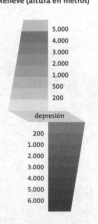

5.000
4.000
3.000
2.000
1.000
500
200

depresión

200
1.000
2.000
3.000
4.000
5.000
6.000

**Proyección acimutal equivalente de Lambert**

0       250       500 km

Escala 1: 15.000.000
1 cm corresponde a 150 km

MAR DE BARENTS

Mangeroy · Cabo Norte
Hammerfest · Varangerfjord · PEN. DE LOS PESCADORES
Senja · Finmarks-vidda · L. Inari · C. Kanin · PEN. DE KANIN
Vesteralen · Narvik · LAPONIA · L. Imandra · B. C'osskaja · Kolgujev
Lofoten · Kebnekaise 2.111 · MAANSELKÄ · PEN. DE KOLA · Pechora
Vestfjorden · MONTES ESCANDINAVOS · 578 · G. de Kandalaksa · Mezen · MTS. TIMAN · Narodnaia 1.894
Trondheimsfjord · MAR BLANCO · 463 · Tel posiz 1.617 · Sosva Sept.
Trondheim · Kemi · B. del Onega · Arhangel'sk · Pechora · Obi
Östersund · Luie · Torne · B. del Dvina · Mezen · MONTES URALES · Irtish
Indäls · Oulu · CARELIA · Pinega · Tavda
Ljusnan · Angerman · Skelleftte · L. Oulu · Dvina Sept. · Vichegda · Tufa
Gimma · Klar · SUOMENSELKÄ · Vichegda · Ekaterinburg · Iset
Glomma · G. de Botnia · L. Pielinen · L. Vyg · Kotlas · MTS. UVALES · Tobol
Oslo · MESETA LACUSTRE · L. Onega · Emb. del Kama · Perm · Celiabinsk
Oslofford · DE FINLANDIA · L. Saimaa · Viatka · Kama
SVEALAND · Päijänne · L. Blanco · 293 · Jamantau 1.638
L. Mälaren · SALPAUSSELKÄ · MTS. URALES
Dal · Is. Aland · Helsinki · San Petersburgo · Emb. de Rybinsk · Belaia · Ufa
L. Vänern · Estocolmo · G. de Finlandia · Neva · Yaroslavl · Sura · Emb. de Kuibishev
Göteborg · Vättern · Tallinn · L. Peipus · L. Ilmen · Emb. de Gorki · Volga · Samara · OBSHII SIRT
GÖTALAND · Gotland · Hiiumaa · MESETA DE 343 · Nijni Novgorod · Samara
ESCANIA · Öland · LIVONIA · VALDAI · Oka · Moscú · CUENCA DE MOSCÚ · Uralsk
Copenhague · 174 · Riga · Loval · 351 · ALTURAS DE MUGODZHARI
Selandia · Malmö · CURLANDIA · Dvina Occid. · Dniéper · Smolensk · Don · Gr. Uzen · ESTEPA DE LOS KIRGUISES
Bornholm · Niemen · BÁLTICO · Vilnius · Oka 293 · COLINAS DEL VOLGA · Ural · Emba
Lolland Falster · Rügen · G. de Danzig · DEL · Minsk · MESETA CENTRAL RUSA · Voronez · Jopet · Gr. Uzen
DE ALEMANIA · MASURIA · 346 · Berezina · Seim · Pšiol · Volgogrado · DEPRESIÓN DEL CASPIO · -28
Berlín · Oder · LLANURA · MASOVIA · POLESIA · Desna · Pripet · Don · Volga · Astrakán
Elba · Warta · Vistula · Bug · Marismas de Pinsk · Kiev · Jarkov · UCRANIA · Emb. de Cilmjansk · UST-URT
SAJONIA · Neisse · Oder · Varsovia · VOLINIA · Donets 367 · COLINAS DE IERGUENI
Mts. Metálicos · SILESIA · GALITZIA · MESETA DE PODOLIA · Dniéster · MESETA DE DONETS · Rostov · Don · MAR CASPIO
Praga · SUDETES · BESKIDES · Emb. de Kremenchug · Bug. Merid. · Manich
BOHEMIA · MORAVIA · TATRA · CÁRPATOS · Emb. de Kajovka · Dniéper · G. de Taganrog · Terek · G. de Kara Bogaz
SELVA DE BOHEMIA · Gerlach 2.655 · Tisza · Pietrosul 2.300 · MOLDAVIA · Odessa · MAR DE AZOV · CISCAUCASIA
Munich · Viena · Bratislava · LLANURA HÚNGARA · TRANSILVANIA · BESARABIA · Kerch · Kuban · CÁUCASO
TAUROS · Budapest · L. Balatón · Mures · Prut · CRIMEA · Estr. de Kerc · Elbrus 5.642 · Kázbek 5.050
Grossglockner 3.198 · Drave · ALPES DE TRANSILVANIA · Moldoveanu 2.543 · Mts. de Crimea · Kura · Tiflis
Triglav 2.863 · Liubliana · Zagreb · ESLAVONIA · VALAQUIA · Oltul · TRANSCAUCASIA · Aragac 4.090 · L. Sevan · Bakú
Karst · STIRIA · BOSNIA · Belgrado · Bucarest · Danubio · Constanza · Jerevan · Araks · B. de Kirov
G. de Venecia · Alpes Dináricos · DALMACIA · Morava · SERBIA · DOBRUDJA · Ararat 5.165 · MTS. ELBRUZ
ITÁLICA · APENINOS · Sarajevo · Durmitor 2.522 · BALCANES · MAR NEGRO · MONTES PÓNTICOS · Tabriz · Säbälan 4.811
Gran Sasso 2.912 · Gargano 1.056 · Sofia · Musala 2.925 · C. Ince · Erzurum · L. Urmia · MESETA DEL IRÁN
Roma · PEN. SALENTINA · Skopje · Montes Ródope · Bósforo · TAURO ARMENIO · MTS. ZAGROS
Nápoles · Vesubio 1.279 · G. de Tarento · Tirana · PENÍNSULA BALCÁNICA · Estambul · Kizilirmak · Éufrates · Murat · KURDISTÁN
APENINOS · PINDO · PEN. CALCIDICA · Mar de Mármara · Sakarya · Ankara · L. Van · Owzan
Is. Lipari · Olimpo 2.917 · TESALIA · TRACIA · MESETA · Malatya · Tigris · Diiala
La Sila 1.918 · MAR JÓNICO · Dardanelos · ASIA MENOR · Erciyas 3.916 · MESOPOTAMIA · Bagdad
Palermo · Espóradas Sept. · Lesbos · ANATOLIA · L. Tuz · TAURO ARMENIO · Alepo · Tigris
Sicilia · Etna 3.340 · MAR EGEO · Esmirna · Menderes · MTS. TAURO · Orontes · Éufrates
C. Passero · Estr. de Messina · Cicladas · Atenas · Bey 3.086 · G. de Antalya · G. de Iskenderun · DESIERTO DE SIRIA
Malta · PELOPONESO · Cabo Matapán · Espóradas Merid. · Rodas · Creta · Chipre · Nicosia · MEDITERRÁNEO

# Europa política

## Superficie de los países y territorios de Europa

| | |
|---|---|
| Rusia | 17.075.400 km² |
| *(Rusia europea 4.309.500 km²)* | |
| Ucrania | 603.700 km² |
| Francia | 547.026 km² |
| España | 504.782 km² |
| Suecia | 449.960 km² |
| Alemania | 357.050 km² |
| Finlandia | 337.010 km² |
| Noruega | 324.220 km² |
| Polonia | 312.677 km² |
| Italia | 301.225 km² |
| Reino Unido | 244.046 km² |
| Rumania | 237.500 km² |
| Bielorrusia | 207.600 km² |
| Grecia | 131.944 km² |
| Bulgaria | 110.912 km² |
| Islandia | 103.000 km² |
| Serbia y Montenegro | 102.200 km² |
| Hungría | 93.030 km² |
| Portugal | 92.080 km² |
| Austria | 83.850 km² |
| Rep. Checa | 78.864 km² |
| Irlanda | 70.280 km² |
| Georgia | 69.700 km² |
| Lituania | 65.200 km² |
| Letonia | 64.500 km² |
| Croacia | 56.538 km² |
| Bosnia y Herzegovina | 51.129 km² |
| Eslovaquia | 49.016 km² |
| Estonia | 45.100 km² |
| Dinamarca | 43.070 km² |
| Suiza | 41.288 km² |
| Países Bajos | 40.844 km² |
| Moldavia | 33.700 km² |
| Bélgica | 30.500 km² |
| Albania | 28.748 km² |
| Macedonia | 25.713 km² |
| Eslovenia | 20.251 km² |
| Luxemburgo | 2.586 km² |
| Islas Feroe | 1.399 km² |
| Andorra | 486 km² |
| Malta | 316 km² |
| Liechtenstein | 157 km² |
| San Marino | 61 km² |
| Gibraltar | 6 km² |
| Mónaco | 1,81 km² |
| Vaticano | 0,44 km² |

## Superficie de Europa

**41,9%** Rusia europea
**5,9%** Ucrania
**5,3%** Francia
**4,9%** España
**4,4%** Suecia
**3,5%** Alemania
**34,1%** Otros

Proyección acimutal equivalente de Lambert

0   250   500 km

Escala 1:15.000.000
1 cm corresponde a 150 km

# Europa
# septentrional

Límite internacional
Ruta principal
✈ Aeropuerto
⚓ Puerto

Poblaciones
⬠ de más de 1.000.000 de hab.
◉ de 500.000 a 1.000.000 de hab.
◎ de 250.000 a 500.000 hab.
⊙ de 100.000 a 250.000 hab.
○ de menos de 100.000 hab.

▲ Altitud en metros
⬯ Lago, laguna, embalse
〰 Corriente de agua

Relieve (altura en metros)
2.000
1.000
500
200
depresión
200
1.000
2.000
3.000
4.000

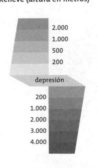

Proyección acimutal equivalente de Lambert

0    100    200 km

Escala 1: 6.000.000
1 cm corresponde a 60 km

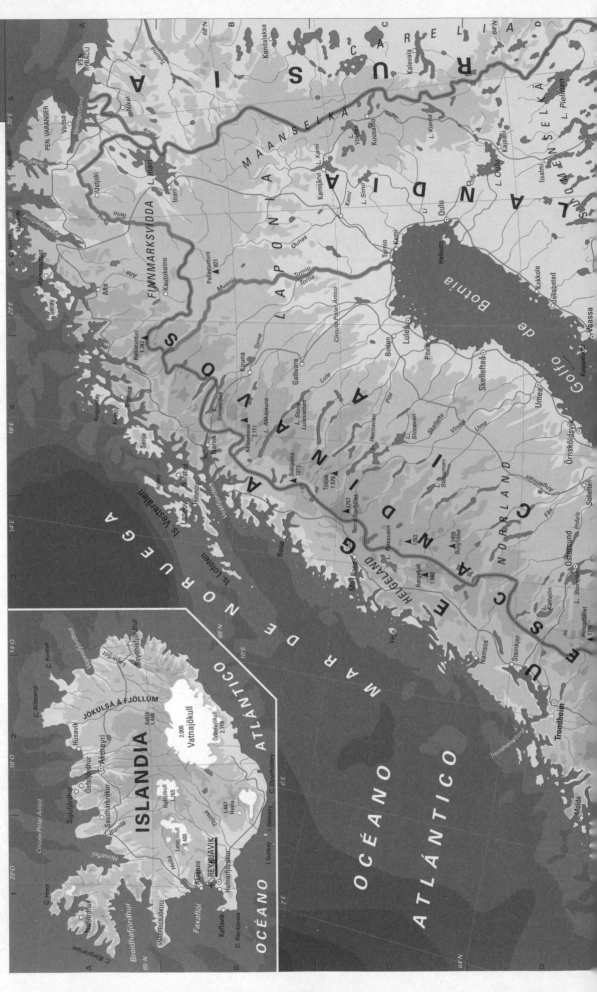

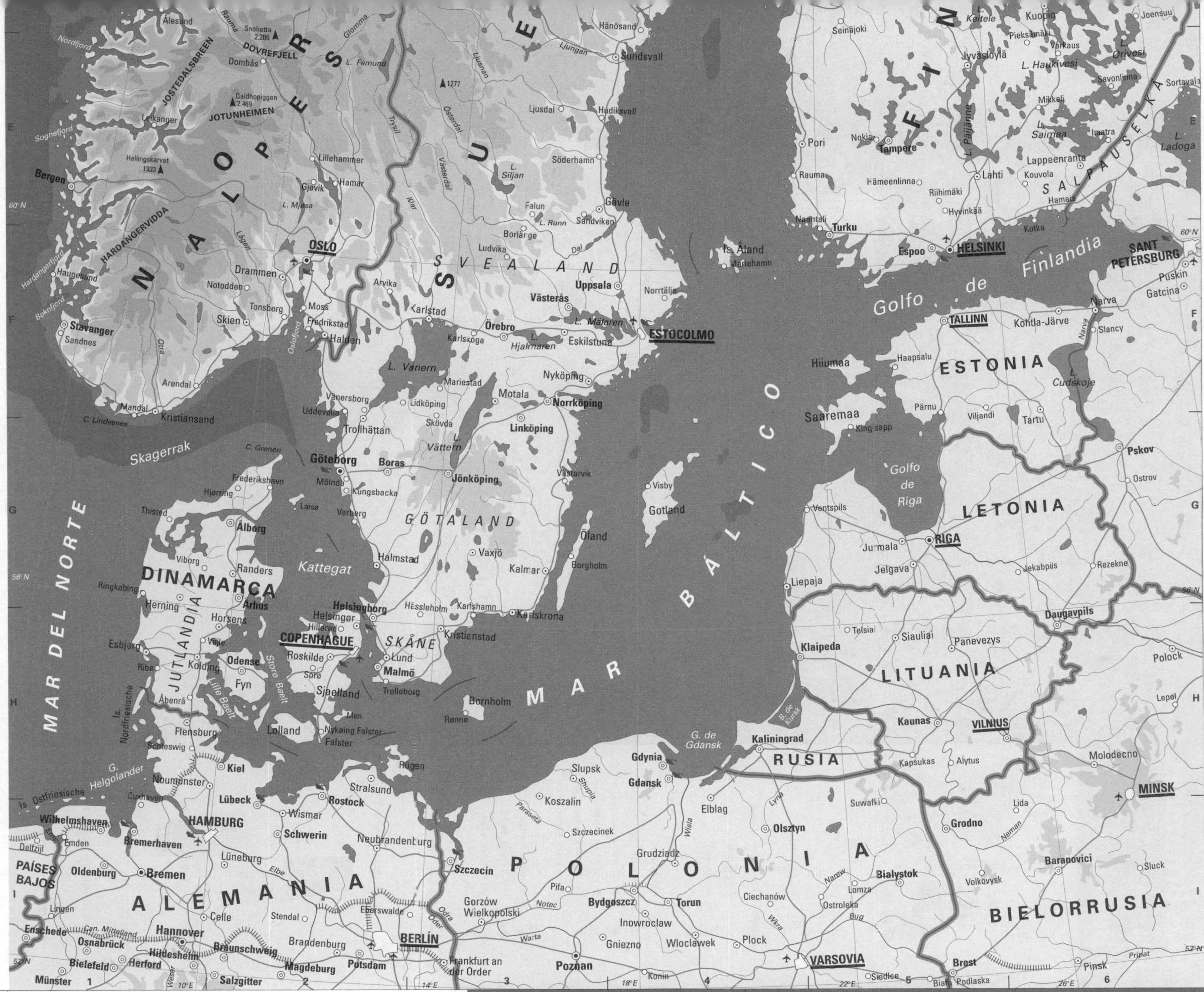

MAR DEL NORTE

MAR BÁLTICO

Golfo de Finlandia

Golfo de Riga

Skagerrak

Kattegat

NORUEGA

SUECIA

FINLANDIA

ESTONIA

LETONIA

LITUANIA

RUSIA

BIELORRUSIA

POLONIA

ALEMANIA

DINAMARCA

JUTLANDIA

SVEALAND

GÖTALAND

SKÅNE

**OSLO**
**ESTOCOLMO**
**HELSINKI**
**SANT PETERSBURG**
**TALLINN**
**RIGA**
**VILNIUS**
**MINSK**
**VARSOVIA**
**BERLÍN**
**COPENHAGUE**
**HAMBURG**

HARDANGERVIDDA
JOTUNHEIMEN
DOVREFJELL

SALPAUSSELKÄ

# Islas Británicas, Francia y Benelux

## Leyenda

— Límite internacional

— Ruta principal

✈ Aeropuerto

⚓ Puerto

### Poblaciones

⬠ de más de 1.000.000 de hab.

◉ de 500.000 a 1.000.000 de hab.

◎ de 250.000 a 500.000 hab.

⊙ de 100.000 a 250.000 hab.

○ de menos de 100.000 hab.

▲ Altitud en metros

◯ Lago, laguna, embalse

~ Corriente de agua

### Relieve (altura en metros)

```
4.000
3.000
2.000
1.000
500
200

depresión

200
1.000
2.000
3.000
4.000
```

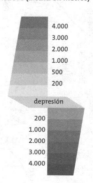

Proyección acimutal equivalente de Lambert

```
0    50    100    150 km
```

Escala 1: 5.000.000
1 cm corresponde a 50 km

# Europa central

## Límite internacional
## Ruta principal
✈ Aeropuerto
⚓ Puerto

### Poblaciones
⬚ de más de 1.000.000 de hab.
◉ de 500.000 a 1.000.000 de hab.
◎ de 250.000 a 500.000 hab.
⊙ de 100.000 a 250.000 hab.
○ de menos de 100.000 hab.

▲ Altitud en metros
🌊 Lago, laguna, embalse
〰 Corriente de agua

### Relieve (altura en metros)

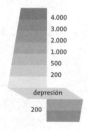

4.000
3.000
2.000
1.000
500
200
depresión

200

Proyección acimutal equivalente de Lambert

0   25   50   75   100   125 km

Escala 1:4.000.000
1 cm corresponde a 40 km

# Península Ibérica e Italia

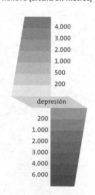

Límite internacional

Ruta principal

✈ Aeropuerto

Puerto

**Poblaciones**

⬠ de más de 1.000.000 de hab.

◉ de 500.000 a 1.000.000 de hab.

◎ de 250.000 a 500.000 hab.

⊙ de 100.000 a 250.000 hab.

○ de menos de 100.000 hab.

▲ Altitud en metros

Lago, laguna, embalse

Corriente de agua

**Relieve (altura en metros)**

4.000
3.000
2.000
1.000
500
200

depresión

200
1.000
2.000
3.000
4.000
6.000

Proyección acimutal equivalente de Lambert

0    50    100    150 km

Escala 1: 5.000.000
1 cm corresponde a 50 km

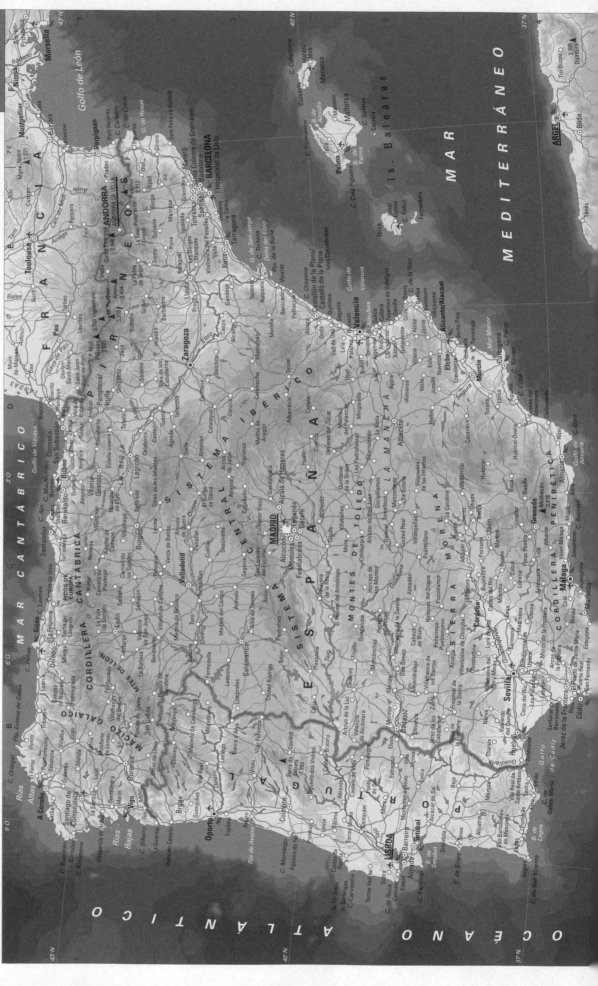

# Los Balcanes y Grecia

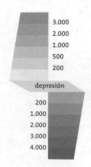

**Límite internacional**

Límite de división administrativa

Ruta principal

✈ Aeropuerto

⚓ Puerto

**Poblaciones**

⬠ de más de 1.000.000 de hab.

◉ de 500.000 a 1.000.000 de hab.

◎ de 250.000 a 500.000 hab.

◉ de 100.000 a 250.000 hab.

○ de menos de 100.000 hab.

▲ Altitud en metros

Lago, laguna, embalse

Corriente de agua

**Relieve (altura en metros)**

3.000
2.000
1.000
500
200

depresión

200
1.000
2.000
3.000
4.000

**Proyección acimutal equivalente de Lambert**

0    50    100    150 km

Escala 1:5.000.000
1 cm corresponde a 50 km

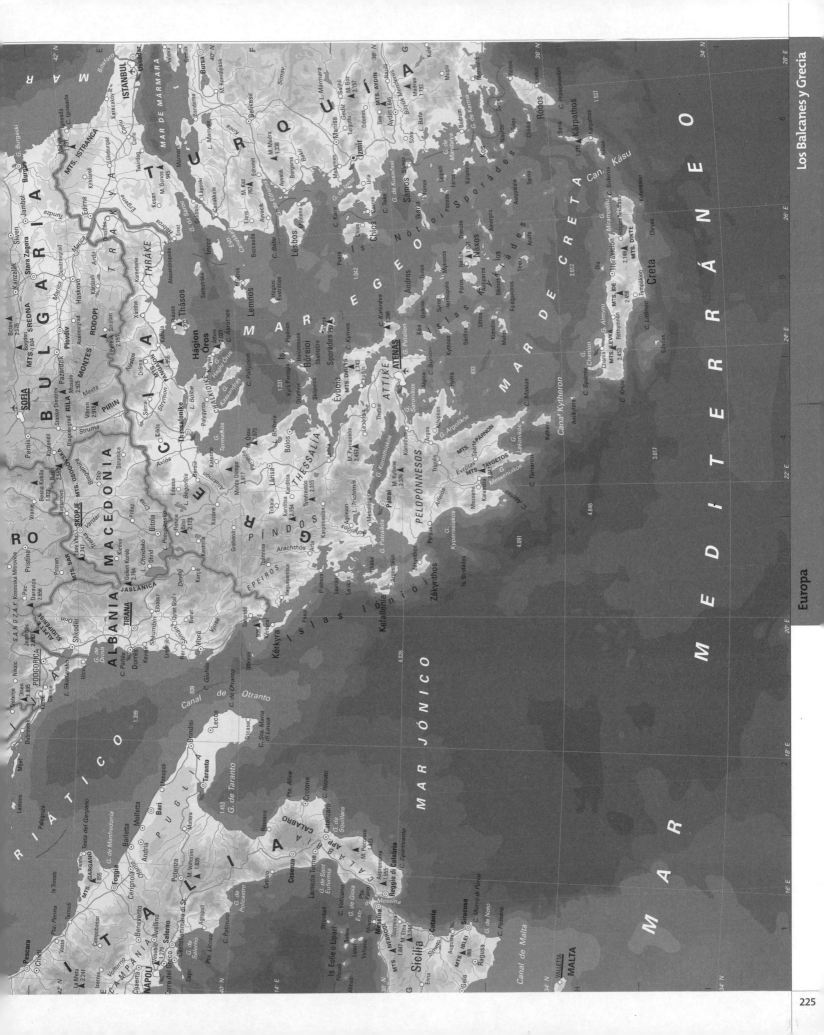

# Europa
# oriental

Límite internacional

Límite de división administrativa

Ruta principal

✈ Aeropuerto

⚓ Puerto

Poblaciones

⬜ de más de 1.000.000 de hab.

◉ de 500.000 a 1.000.000 de hab.

◉ de 250.000 a 500.000 hab.

⊙ de 100.000 a 250.000 hab.

○ de menos de 100.000 hab.

▲ Altitud en metros

Lago, laguna, embalse

Corriente de agua

**Relieve (altura en metros)**

5.000
4.000
3.000
2.000
1.000
500
200
depresión
200
1.000
2.000

**Proyección acimutal equivalente de Lambert**

0    100    200    300 km

Escala  1:10.000.000
1 cm corresponde a 100 km

MAR NEGRO
MAR CASPIO
MAR DE AZOV
MAR DE MÁRMARA
UCRANIA
BIELORRUSIA
KAZAKISTÁN
UZBEKISTÁN
TURKMENISTÁN
AZERBAIJÁN
GEORGIA
RUMANIA
BULGARIA
POLONIA
LITUANIA
LETONIA
MOLDAVIA
TURQUÍA
GRECIA
RUSIA
CÁUCASO
CÁRPATOS
MONTES DEL PONTO
DEPRESIÓN DEL CASPIO
PENÍNSULA DE CRIMEA
MOSCÚ
KIEV
MINSK
VILNIUS
RIGA
KISINIEV
BUCAREST
ANKARA
ESTAMBUL
TIFLIS
ERIVÁN
BAKÚ

# Geología y relieve

Europa, el segundo continente más pequeño del mundo tras Oceanía, es también el más llano, con una altura media de 230 metros. Las grandes llanuras, como la legendaria estepa rusa, se combinan con cordilleras de reciente formación geológica, como los Pirineos, los Alpes y el Cáucaso, que superan, respectivamente, los 3.000, 4.000 y 5.000 metros de altitud.

## De los Pirineos a los Urales

Aunque está considerada como uno de los seis continentes, Europa es, en realidad, una pequeña parte del continente euroasiático. Las llanuras ocupan las dos terceras partes de su superficie. La máxima expresión de esta planicie es la Gran Llanura del Norte, que se extiende 2.000 kilómetros desde las costas atlánticas francesas hasta los montes Urales, la frontera física con Asia.

Las cordilleras que se sitúan en los límites de esta llanura son geológicamente antiguas, por lo que la mayoría no superan los 2.000 metros de altura. Algunos de estos macizos son las montañas de las Islas Británicas y de Escandinavia, el Macizo Central francés y la Selva Negra, en Alemania.

Por el contrario, en el sur se encuentran las grandes cadenas montañosas europeas, que son, de oeste a este, la cordillera Cantábrica, los Pirineos, los Alpes, los Apeninos, los Cárpatos y los Balcanes. Finalmente, en el Cáucaso, que se prolonga mil kilómetros desde el mar Caspio hasta el Negro, se alzan impresionantes cumbres, como el monte Elbrus, el techo del continente con 5.642 metros de altitud, o el Kazbek *(foto)*.

### Las cumbres de Europa

| | |
|---|---|
| Elbrus (Rusia) | 5.642 m |
| Shkhara (Georgia) | 5.204 m |
| Dykh Tau (Rusia) | 5.201 m |
| Kashtan Tau (Rusia) | 5.147 m |
| Janqi (Georgia) | 5.052 m |
| Kazbek (Georgia) | 5.050 m |
| Mont Blanc (Francia) | 4.807 m |
| Monte Rosa (Suiza/Italia) | 4.634 m |
| Dom (Suiza) | 4.547 m |
| Liskamm (Italia/Suiza) | 4.529 m |

## Geología

- Cuaternario
- Terciario
- Secundario
- Paleozoico
- rocas metamórficas
- rocas plutónicas
- rocas volcánicas

## Regiones naturales

- llanuras aluviales
- meseta de lava
- plegamientos alpinos
- coberturas sedimentarias en macizos primarios
- macizos caledonianos
- macizos hercinianos
- escudos arcaicos
- coberturas sedimentarias en escudos arcaicos

## Orogénesis

La historia geológica de Europa comenzó hace aproximadamente 3.000 millones de años, pero hace 540 millones que el continente adquirió la apariencia que tiene en la actualidad. La región más antigua, geológicamente hablando, corresponde a la península Escandinava, que se asienta sobre la placa Fenoescandinava, aparecida durante la era precámbrica. La glaciación en este territorio acabó de conformar el aspecto que ofrece al provocar la aparición de los

⌀ El géiser Strokhur, en Islandia

- alcance de los hielos en la glaciación de Würm
- relieve de origen glaciar reciente
- relieve de origen glaciar antiguo
- dirección de pliegues
- principales fracturas
- volcanes ▲

fiordos y erosionar su superficie.

La segunda región geológica incluye todo el territorio comprendido entre el suroeste de Francia e Inglaterra y el oeste de Rusia. El material mayoritario de esta enorme franja son las rocas sedimentarias, sobre las que se asienta la Gran Llanura Europea, en la que se encuentran suelos muy fértiles.

La última región es la de formación más reciente y corresponde a todo el sur del continente. Hace aproximadamente 40 millones de años, la colisión entre la placa Africana y la Euroasiática dio lugar a la aparición de los principales sistemas montañosos de Europa, desde los Pirineos hasta el Cáucaso. Los cambios orogénicos aún con-

tinúan, como demuestran los sismos que, esporádicamente, tienen lugar en la región, sobre todo en Grecia, los Balcanes e Italia.

En el territorio italiano también se ubican algunos de los pocos volcanes que continúan activos en Europa –Etna, Stromboli...–, además de Islandia. Este estado insular se sitúa justo bajo el Círculo Polar Ártico, en el punto de choque entre la placa Euroasiática y la Norteamericana. Ese encuentro se manifiesta en forma de movimientos sísmicos, erupciones volcánicas y géiseres. La actividad volcánica es tan intensa que se estima que a partir del 1500 d.C. un tercio de la lava que fluye por la Tierra proviene de volcanes islandeses.

## Los fiordos

Los fiordos son uno de los elementos geológicos más representativos del paisaje de la costa oeste de Noruega, en Escandinavia. Su origen se remonta a hace unos 12.000 años, cuando el mar ocupó los espacios que los glaciares habían excavado en la costa atlántica durante el último período glacial.

Estos enormes entrantes pueden llegar a recorrer centenares de kilómetros desde la costa hacia el interior y están bordeados por acantilados separados entre sí por unos pocos kilómetros. Los fiordos llegan a alcanzar grandes profundidades, que van de una media de 305 metros bajo el nivel del mar hasta los 1.350.

⌀ Vista del fiordo Geiranger (Noruega)

## La cordillera alpina

Los Alpes son el principal sistema montañoso europeo. Ocupan un área de 30.000 km² y tienen 1.200 kilómetros de longitud. Situados en el centro y el sur de Europa, su superficie se reparte entre siete países: Francia, Italia, Suiza, Austria, Liechtenstein, Eslovenia y Alemania.

Sin contar las cumbres del Cáucaso, la cordillera alpina acoge las cimas más altas del Viejo Continente y tiene en el mítico Mont Blanc, de 4.807 metros, su punto más elevado. Los glaciares, que aparecen a partir de los 3.000 metros de altitud, representan actualmente un 2% de su superficie total.

⌀ Los Alpes, en la Provenza francesa

# Clima

Europa disfruta en la mayor parte de su territorio de un clima templado muy apto para el desarrollo humano. Pese a estar situada en latitudes septentrionales, los mares y océanos que la rodean tienen un gran poder moderador. El sur del continente es cálido y seco, y conforme se avanza hacia el norte y el oeste disminuyen las temperaturas y aumentan las variaciones térmicas.

## Contrastes de humedad y temperatura

Los gráficos adjuntos son modelos de los tres climas predominantes en Europa. Iraklion, capital de la isla griega de Creta, posee un clima mediterráneo, con temperaturas cálidas y precipitaciones escasas y estacionales. Los inviernos son muy suaves y los veranos, secos y calurosos.

Vigo, en Galicia (España), se inscribe en el clima oceánico, caracterizado por la abundancia de lluvias y las temperaturas suaves y sin grandes oscilaciones estacionales, con inviernos frescos y húmedos, y veranos muy suaves y algo menos lluviosos.

Kazán, en la Tartaria rusa, presenta un clima continental, con grandes oscilaciones térmicas y precipitaciones escasas. En la gran estepa rusa, los inviernos son gélidos y secos, y los veranos, cálidos y más lluviosos.

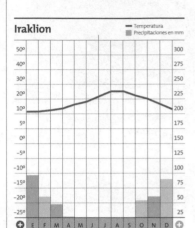

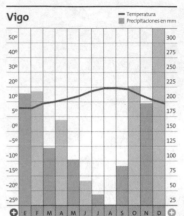

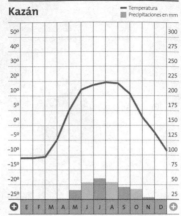

## Zonas climáticas

**Clima templado**
- seco mediterráneo
- seco subtropical
- húmedo oceánico
- húmedo continental

**Clima estepario**
- semidesértico frío

**Clima nival**
- boreal
- montaña
- polar

## Precipitación media anual

| | |
|---|---|
| | 250 mm |
| | 400 |
| | 500 |
| | 750 |
| | 1000 |
| | 2000 |

## Precipitaciones

Las precipitaciones son mucho más abundantes y constantes en el norte y centro de Europa, mientras en el sur son estacionales y, en muchos casos, en forma de tormentas. Según un estudio de la Unión Europea, con el paso del tiempo, estas tendencias se intensificarán, y en el año 2020 los inviernos serán más húmedos en el norte y los veranos mucho más cálidos en el sur. En las zonas meridionales de Europa también se agravará la escasez de agua *(en la foto, el desierto de Almería, en España)* y aumentará el riesgo de incendios.

## El efecto moderador de la Corriente del Golfo

Uno de los factores que más influyen en el clima europeo es la llamada Corriente del Golfo, que baña toda la costa atlántica del continente, desde Portugal hasta Noruega. Esta corriente conduce las aguas cálidas del golfo de México hasta la costa europea, ejerciendo un importante papel moderador de las temperaturas en la fachada atlántica del Viejo Continente.

La influencia suavizadora de la Corriente del Golfo es tal que en las costas de Irlanda, Escocia o Noruega pueden crecer y desarrollarse sin problemas plantas tropicales propias de latitudes mucho más cercanas al ecuador y que por lo tanto necesitan un alto aporte de calor para vivir.

El efecto de esta corriente cálida también se manifiesta en la gran diferencia de temperaturas medias entre lugares situados en la misma latitud a un lado y al otro del océano Atlántico, como muestra el mapa adjunto.

⬥ Palmeras en la población pesquera de Plockton, al noroeste de Escocia

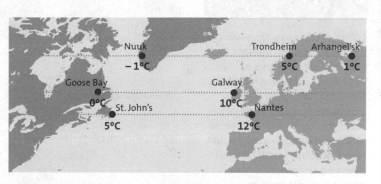

**temperaturas en enero**

| | |
|---|---|
| | superior a 10°C |
| | entre 5° y 10°C |
| | entre 0° y 5°C |
| | entre -5° y 0°C |
| | entre -10° y -5°C |
| | entre -15° y -10°C |
| | entre -20° y -15°C |
| | inferior a -20°C |

**temperaturas en julio**

| | |
|---|---|
| | superior a 25°C |
| | entre 20° y 25°C |
| | entre 15° y 20°C |
| | entre 10° y 15°C |
| | inferior a 10°C |

# Hidrografía

Un área relativamente pequeña y un relieve poco uniforme impiden a Europa disponer de ríos de la longitud del Amazonas, el Nilo o el Mississippi, ya que sólo en la gran llanura rusa los cursos pueden recorrer largas distancias. Con todo, la red hidrográfica europea, como sus mares y océanos, ha sido fundamental en la historia y la economía del continente.

### El Rin: la arteria industrial de Europa

El Rin, que nace en los Alpes suizos y desemboca en el mar del Norte, es uno de los principales ríos europeos, no tanto por su longitud (1.390 kilómetros) o caudal, como por su influencia en la economía de los países por los que fluye. El río es navegable durante 800 kilómetros y actualmente constituye una de las principales rutas de transporte fluvial del mundo *(en la imagen, el Rin a su paso por la ciudad alemana de Winsterdorf)*. En su cuenca se creó una potentísima industria –una quinta parte de las químicas del mundo se concentran allí– y ello ha comportado también graves problemas ecológicos, ya que en sus aguas se han detectado hasta 6.000 sustancias tóxicas.

### Mayores lagos de Europa

| | |
|---|---|
| Ladoga (Rusia) | 18.400 km² |
| Onega (Rusia) | 9.610 km² |
| Vänern (Suecia ) | 5.585 km² |
| Saimaa (Finlandia) | 4.400 km² |
| Rybinsk (Rusia) | 4.100 km² |
| Ilmen (Rusia) | 2.200 km² |
| Vättern (Suecia) | 1.912 km² |

## Las mil caras del Danubio

El río Danubio nace en la Selva Negra alemana y fluye hacia el este hasta desembocar en la costa rumana del mar Negro. Es, tras el Volga, el segundo río más importante de Europa por su longitud, su cuenca (817.000 km²) y su caudal medio (6.500 m³).

En su camino, el Danubio atraviesa nueve estados europeos, cuatro de los cuales –Austria, Eslovaquia, Serbia y Hungría *(en la foto, Budapest)*– tienen la capital en su ribera. Ya en los primeros siglos de nuestra era, el Danubio marcaba los límites del Imperio Romano, y en la actualidad ejerce de frontera entre varios estados de la Europa central y oriental.

El tráfico fluvial es intenso –aun sin llegar a los niveles del Rin– tanto en su propio curso como en el de 60 de sus 300 afluentes. Este uso de sus aguas se vio favorecido, además, por la comunicación mediante canales con los ríos Oder, Main y Rin, con los que se fomentó la ruta comercial entre el mar del Norte y el mar Negro.

El Danubio también posee un alto valor ecológico, especialmente en su delta, una región de marismas y lagunas que ocupa un área de 4.300 km².

### Los ríos más largos de Europa

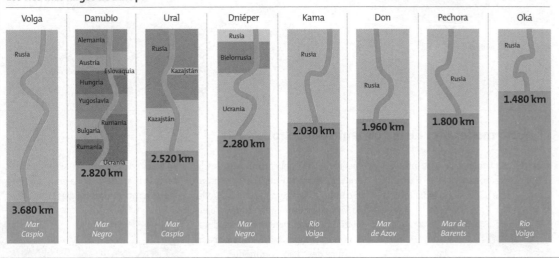

| Volga | Danubio | Ural | Dniéper | Kama | Don | Pechora | Oká |
|---|---|---|---|---|---|---|---|
| Rusia | Alemania | Rusia | Rusia | Rusia | | | Rusia |
| | Austria | Kazajstán | Bielorrusia | | Rusia | Rusia | |
| | Eslovaquia | | | | | | |
| | Hungría | | | | | | 1.480 km |
| | Yugoslavia | | Ucrania | | | | |
| | Rumania | Kazajstán | | | | 1.800 km | |
| | Bulgaria | | | 2.030 km | 1.960 km | | |
| | Rumania | 2.520 km | 2.280 km | | | | |
| | Ucrania | | | | | | |
| | 2.820 km | | | | | | |
| 3.680 km | | | | | | | |
| *Mar Caspio* | *Mar Negro* | *Mar Caspio* | *Mar Negro* | *Rio Volga* | *Mar de Azov* | *Mar de Barents* | *Rio Volga* |

### Tierras ganadas al mar

de 1200 a 1900

hasta 1990

trabajos posteriores

regiones inundadas por el maremoto del 1 de febrero de 1953

## La lucha de los Países Bajos contra el mar

Los Países Bajos poseen un tercio de su área bajo el nivel del mar, de ahí su nombre. Sin la intervención del hombre, las aguas del mar del Norte habrían acabado por cubrir la mitad de las tierras neerlandesas. Para evitarlo, sus habitantes construyeron diques, pólders y redes de drenaje.

Los pólders son terrenos pantanosos protegidos del mar mediante diques que se usan generalmente con fines agrícolas. Empezaron a construirse en la Edad Media y a partir del siglo XIV tomaron más impulso gracias al aprovechamiento de la energía de los molinos de viento para el drenaje de aguas, lo que acabó de conformar el paisaje holandés. Las principales obras de contención, no obstante, tuvieron lugar en el siglo XX con el cierre del golfo de Zuiderzee –que se convirtió en el mar de Ijssel–, la regulación del estuario de los ríos Escalda, Mosa y Rin, y la construcción de un dique de 30 km de longitud.

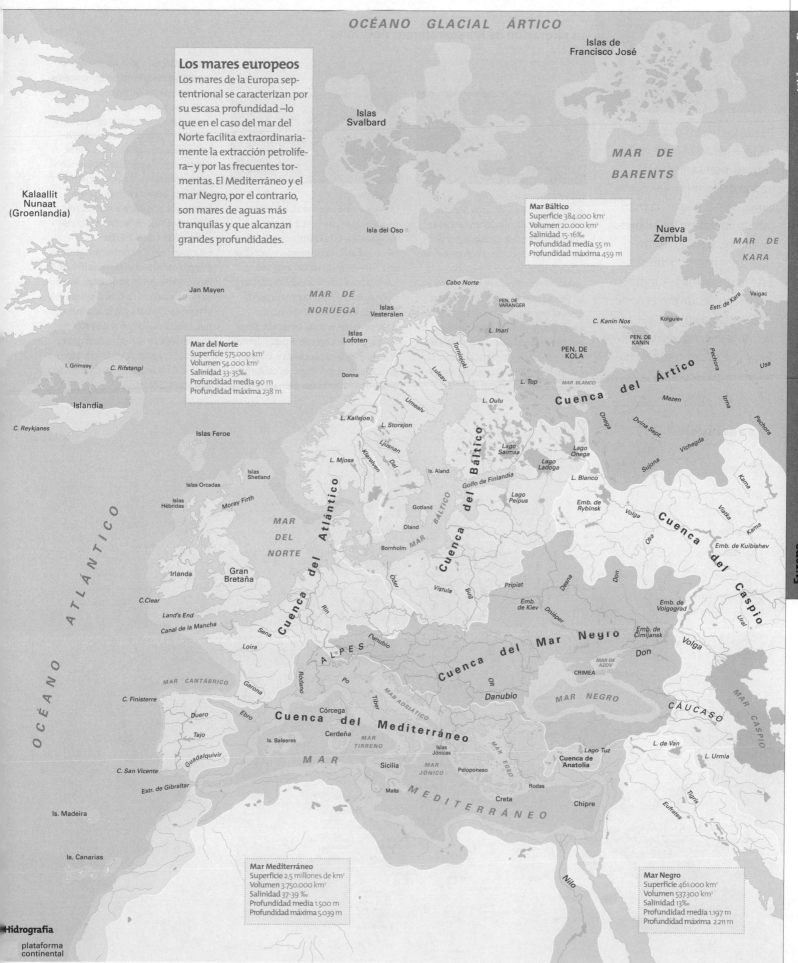

OCÉANO GLACIAL ÁRTICO

Islas de Francisco José

**Los mares europeos**

Los mares de la Europa septentrional se caracterizan por su escasa profundidad –lo que en el caso del mar del Norte facilita extraordinariamente la extracción petrolífera– y por las frecuentes tormentas. El Mediterráneo y el mar Negro, por el contrario, son mares de aguas más tranquilas y que alcanzan grandes profundidades.

Islas Svalbard

MAR DE BARENTS

Isla del Oso

Nueva Zembla

MAR DE KARA

**Mar Báltico**
Superficie 384.000 km²
Volumen 20.000 km³
Salinidad 15-16‰
Profundidad media 55 m
Profundidad máxima 459 m

Kalaallit Nunaat (Groenlandia)

Jan Mayen

MAR DE NORUEGA

Cabo Norte

PEN. DE VARANGER

Estr. de Kara

Vaigac

Islas Vesteralen

L. Inari

C. Kanin Nos

Kolguiev

PEN. DE KANIN

Pechora

Usa

Islas Lofoten

Torniojoki

Luleav

PEN. DE KOLA

Cuenca del Ártico

Pechora

Donna

Umealv

L. Top

MAR BLANCO

Mezen

Izma

I. Grimsey

C. Rifstangi

**Mar del Norte**
Superficie 575.000 km²
Volumen 54.000 km³
Salinidad 33-35‰
Profundidad media 90 m
Profundidad máxima 238 m

L. Kallsjon

L. Oulu

Onega

Dvina Sept.

Vichegda

Islandia

L. Storsjon

Lago Saimaa

Lago Onega

Kama

C. Reykjanes

Ljusnan

Dal

Lago Ladoga

Sujona

Islas Feroe

L. Mjosa

Klaralven

Is. Aland

L. Blanco

Viatka

Islas Shetland

Golfo de Finlandia

Emb. de Rybinsk

Volga

Kama

Islas Orcadas

Gotland

Lago Peipus

Emb. de Kuibishev

Islas Hébridas

Moray Firth

Oland

MAR DEL NORTE

Cuenca del Atlántico

Cuenca del Báltico

Bornholm

MAR BÁLTICO

Lago Peipus

Oka

Cuenca del Caspio

Irlanda

Gran Bretaña

Oder

Vistula

Pripiat

Desna

Don

Emb. de Volgograd

C. Clear

Rin

Bug

Emb. de Kiev

Dniéper

Ural

Land's End

Canal de la Mancha

Sena

Danubio

Emb. de Cimljansk

Volga

Loira

ALPES

Ródano

Po

Olt

Cuenca del Mar Negro

Don

OCÉANO ATLÁNTICO

MAR CANTÁBRICO

Garona

Tiber

MAR DE AZOV

CRIMEA

CÁUCASO

MAR CASPIO

C. Finisterre

Duero

Ebro

Córcega

MAR ADRIÁTICO

Danubio

MAR NEGRO

Tajo

Cerdeña

Cuenca del Mediterráneo

MAR TIRRENO

MAR EGEO

Lago Tuz

L. de Van

Guadalquivir

Is. Baleares

Sicilia

Islas Jónicas

Peloponeso

Cuenca de Anatolia

L. Urmia

C. San Vicente

MAR JÓNICO

Rodas

Estr. de Gibraltar

Malta

Creta

Chipre

Eufrates

Is. Madeira

MAR MEDITERRÁNEO

Tigris

Nilo

Is. Canarias

**Mar Mediterráneo**
Superficie 2,5 millones de km²
Volumen 3.750.000 km³
Salinidad 37-39 ‰
Profundidad media 1.500 m
Profundidad máxima 5.039 m

**Mar Negro**
Superficie 461.000 km²
Volumen 537.300 km³
Salinidad 13‰
Profundidad media 1.197 m
Profundidad máxima 2.211 m

**Hidrografía**

plataforma continental

233

# Vegetación

Desde los inicios de la Historia, la vegetación europea ha sufrido intensamente la acción del hombre. La vegetación original sólo se ha mantenido intacta en los lugares donde los asentamientos humanos han sido difíciles. Éste es el caso de la tundra –que se extiende por el norte de Escandinavia y Rusia– y de la franja de bosques de coníferas que cubre desde Noruega hasta los Urales.

## La alteración de los ecosistemas naturales

**El bioma mediterráneo**

En toda la cuenca del mar Mediterráneo se ha desarrollado una vegetación característica formada por densos bosques de encinas con un estrato arbustivo muy espeso. A causa de la constante manipulación humana y los frecuentes incendios, estos bosques se encuentran muy degradados y han sido sustituidos por un ecosistema de matorral alto con una importante presencia de plantas aromáticas. En la imagen, el canal de Navarrés, en Valencia (España).

**La estepa rusa**

La estepa rusa es, en realidad, una pequeña porción de la gran estepa euroasiática. Esta enorme región natural ocupa una franja de 300 kilómetros que nace en el sur de Ucrania, avanza luego a través del norte de Kazajstán y tiene su límite natural en las montañas Altai, en el continente asiático. Estrictamente, la zona conocida como estepa rusa se extiende a partir del norte de la cordillera caucásica y abarca toda la cuenca del Volga. No obstante, en el sur de Siberia también existe una

región esteparia boscosa que ejerce como territorio de transición entre los bosques mixtos del norte y la estepa propiamente dicha.

La vegetación originaria de la estepa consiste en grandes extensiones de herbazales, musgo, líquenes y árboles poco desarrollados. Esta vegetación se asienta sobre suelo negro o chernoziom, que debe su nombre al tono oscuro que adquiere por la acumulación de humus derivados de la descomposición de la hierba.

Esta gran cantidad de humus sitúa las estepas entre las tierras más fértiles de Rusia, por lo que la agricultura intensiva ha arrebatado de forma progresiva el terreno a la flora y la fauna autóctonas. Hoy, la mayor parte de estas tierras se dedican al cultivo de patatas, remolacha y girasol, y a la ganadería bovina. En la imagen, estepa cultivada en Kalmikia (Rusia).

## Usos del suelo

- tundra
- bosque
- pastos
- cultivos
- regadíos
- estepa
- improductivo

# La naturaleza amenazada

El proceso de la civilización europea ha ido paralelo a la desaparición de los bosques. Hoy en día la mayoría de esas masas forestales sobreviven como árboles aislados en medio de campos de cultivo o como bosques de galería, que establecen el límite de separación entre terrenos agrícolas colindantes o bordean carreteras.

Hasta finales del siglo XX, Europa Occidental fue, junto a Norteamérica, Cercano Oriente y el norte de África, una de las regiones que sufrió mayor pérdida de bosques originales. La deforestación llegó hasta tal punto que se calcula que en el continente sólo queda un 1% de la masa forestal originaria. Los bosques restantes son repoblados o regenerados por medios naturales.

Entre los países más afectados se sitúan Irlanda –cuyos bosques representan únicamente el 8,3% de su superficie–, Países Bajos y Dinamarca

**Grado de defoliación de los bosques**

**38,3%** Sin defoliar
**41,1%** Defoliación moderada
**20,2%** Defoliación grave
**0,4%** Árboles secos

–ambos con un 9,8% de masa forestal– o el Reino Unido –9,9%–.

Una vez superada la tala de bosques para la creación de campos de cultivo o nuevos núcleos de población, la lluvia ácida se perfiló como uno de los principales problemas medioambientales europeos. Sus efectos, junto a los de la contaminación atmosférica, causaron una defoliación de la cuarta parte de la masa árborea de Europa. En la República Checa, el problema llegó a ser crítico en 1996, cuando el 76% de sus árboles perdió las hojas.

○ Campos de cultivo de cereales y vid en Castilla-La Mancha (España)

Avisados por estas graves consecuencias, los gobiernos europeos tomaron medidas conjuntas para reducir las emisiones de azufre y otros contaminantes, lo que, junto a los programas nacionales de reforestación, ha conseguido frenar considerablemente la degradación y pérdida de bosques.

## Vegetación natural

- tundra
- bosque de coníferas
- de tipo mediterráneo (matorral, olivo, ...)
- sabana
- bosque caducifolio
- turberas y brezales
- estepa
- desierto
- vegetación de alta montaña

# Distribución de la población

Gracias sobre todo a su clima templado, Europa es una de las regiones más densamente pobladas del planeta y tiene un alto índice de urbanización. No obstante, esa tónica general presenta nítidos matices: las frías regiones del norte ruso y escandinavo están prácticamente despobladas y los países balcánicos mantienen tasas de población rural muy elevadas.

## Grandes contrastes

El Viejo Continente es, junto a Asia, el más densamente poblado del mundo, aunque presenta grandes contrastes. Los condados del centro de Inglaterra, la cuenca baja del Rin (Alemania) y el valle del Po (Italia) presentan las densidades más altas gracias a su secular tradición industrial y a su enorme dotación de servicios y comunicaciones. Estas regiones se caracterizan por su descentralización urbanística. Todas ellas incluyen no uno, sino varios núcleos de gran peso demográfico que muchas veces acaban compartiendo barrios, calles y edificios.

Así, en el centro de Inglaterra se encuentran Manchester, Liverpool, Leeds, Bradford y Sheffield; en la cuenca del Rin se suceden Colonia, Düsseldorf, Duisburgo, Essen y Dortmund, mientras que en el valle del Po destacan Turín y Milán. A estas regiones se suman las grandes metrópolis de París, Londres y Moscú, que siguen un modelo urbanístico centralizado más tradicional.

En contraste, a causa sobre todo del clima adverso, aún existen vastas regiones casi despobladas en Islandia, el norte de Escandinavia, Rusia y Escocia, y en la cuenca baja del Volga.

La proporción entre población urbana y rural también permite establecer grandes diferencias regionales. En general, en toda la Europa occidental las tasas de población urbana son altas o muy altas, mientras que en la Europa oriental, y especialmente en los Balcanes, se dan los mayores índices de población rural.

| Países con mayor densidad* | hab/km² |
|---|---|
| Países Bajos | 474,1 |
| Bélgica | 340,5 |
| Reino Unido | 243,2 |
| Alemania | 230,8 |
| Italia | 190,8 |
| Suiza | 173,7 |
| Luxemburgo | 172,9 |
| Rep. Checa | 129,9 |
| Moldavia | 126,1 |
| Dinamarca | 124,2 |
| Polonia | 119,5 |

*exceptuando los microestados

| Países con menor densidad | hab/km² |
|---|---|
| Islandia | 2,8 |
| Rusia | 8,4 |
| Noruega | 13,9 |
| Finlandia | 15,4 |
| Suecia | 19,7 |
| Estonia | 29,7 |
| Letonia | 36,1 |
| Bielorrusia | 47,9 |
| Lituania | 53,1 |
| Irlanda | 55,7 |
| Bulgaria | 71,8 |

*incluidos los habitantes de la Rusia asiática.

## Densidad

- más de 200 h/km²
- de 100 a 200 h/km²
- de 50 a 100 h/km²
- de 25 a 50 h/km²
- de 10 a 25 h/km²
- menos de 10 h/km²

## Principales aglomeraciones urbanas del continente

| | mill. hab |
|---|---|
| Moscú (Rusia) | 13,2 |
| París (Francia) | 9,6 |
| Londres (Reino Unido) | 7,6 |
| Essen (Alemania) | 6,5 |
| San Petersburgo (Rusia) | 5,1 |
| Milán (Italia) | 4,2 |
| Madrid (España) | 4,0 |
| Lisboa (Portugal) | 3,8 |
| Frankfurt (Alemania) | 3,6 |
| Katowice (Polonia) | 3,4 |

En 1900, seis de las diez mayores ciudades del mundo estaban en Europa. Un siglo más tarde, no aparece ninguna. Éste es un signo más de la pérdida de peso demográfico del Viejo Continente, pero también de un cambio de mentalidad enfocado a una mejora de la calidad de vida: los europeos se dieron cuenta de que las grandes aglomeraciones urbanas son insalubres y difíciles de administrar.

## Países más urbanizados*

| | |
|---|---|
| Bélgica | 97,4% |
| Islandia | 92,7% |
| Países Bajos | 89,6% |
| Reino Unido | 89,5% |
| Alemania | 87,7% |
| Dinamarca | 85,1% |
| Suecia | 83,3% |
| España | 77,8% |
| Francia | 75,5% |
| Noruega | 75,0% |

## Países menos urbanizados

| | |
|---|---|
| Moldavia | 41,4% |
| Albania | 42,9% |
| Bosnia y Herzegovina | 43,4% |
| Eslovenia | 49,1% |
| Serbia y Montenegro | 51,7% |
| Rumania | 55,2% |
| Eslovaquia | 57,6% |
| Croacia | 58,1% |
| Finlandia | 58,5% |

*exceptuando los microestados

## Población urbana

- superior al 75%
- del 60 al 75%
- del 46 al 60%
- media mundial = 46%
- inferior al 46%

# Red urbana en la Unión Europea

*Ciudades de la UE con más de 10.000 habitantes. El tamaño del círculo es proporcional a la población de la ciudad. De los países que no forman parte de la UE sólo se muestra la capital.*

# Crecimiento y composición de la población

Pese a sus pequeñas dimensiones, Europa es, tras Asia, el continente más poblado. No obstante, es el más envejecido, y durante el siglo XXI pasará a ser el menos habitado –a excepción de Oceanía –, a causa del drástico descenso en el ritmo de crecimiento. Factores como la inmigración ayudan a compensar este problema, pero generan otros nuevos en poblaciones generalmente homogéneas.

## Países más poblados de Europa    hab

| | |
|---|---|
| Rusia | 144.082.000* |
| Alemania | 82.414.000 |
| Francia | 59.850.000 |
| Reino Unido | 59.068.000 |
| Italia | 57.482.000 |
| Ucrania | 48.902.000 |
| España | 40.977.000 |
| Polonia | 38.622.000 |
| Rumanía | 22.387.000 |
| Países Bajos | 16.067.000 |
| Grecia | 10.970.000 |
| Serbia y Montenegro | 10.535.000 |
| Bélgica | 10.296.000 |
| República Checa | 10.246.000 |
| Portugal | 10.049.000 |
| Bielorrusia | 9.940.000 |
| Hungría | 9.923.000 |
| Suecia | 8.867.000 |
| Austria | 8.111.000 |
| Bulgaria | 7.965.000 |
| Suiza | 7.171.000 |
| Dinamarca | 5.407.000 |
| Eslovaquia | 5.398.000 |
| Finlandia | 5.197.000 |
| Georgia | 5.177.000 |

*incluida la población de la Rusia asiática.

## Porcentaje sobre la población total

20,1% Rusia
11,2% Alemania
8% Francia
8% Reino Unido
7,8% Italia
6,9% Ucrania
5,4% España
5,3% Polonia
27,3% Otros países

## Crecimiento población

- superior al 1,3%
- media mundial = 1,3%
- del 0,3 al 1,3%
- del 0,0 al 0,3%
- Europa = 0,0%
- disminución

## Fecundidad

- media mundial = 2,7
- superior a 2
- del 1,6 a 2
- de 1,4 a 1,6
- Europa = 1,4
- inferior a 1,4

## Esperanza de vida

- superior a 78
- de 74,2 a 78
- Europa = 74,2
- de 70 a 74,2
- inferior a 70
- media mundial = 65,4

## Crecimiento positivo

| | |
|---|---|
| Andorra | 3,9 |
| Bosnia y Herzegovina | 3,0 |
| Liechtenstein | 1,3 |
| San Marino | 1,3 |
| Luxemburgo | 1,1 |
| Mónaco | 1,1 |
| Islandia | 0,9 |
| Malta | 0,7 |
| Suiza | 0,7 |
| Irlanda | 0,7 |
| Macedonia | 0,6 |
| Austria | 0,5 |
| Noruega | 0,5 |
| Países Bajos | 0,4 |
| Francia | 0,4 |
| Dinamarca | 0,3 |
| Finlandia | 0,3 |
| Suecia | 0,3 |
| Grecia | 0,3 |
| Reino Unido | 0,2 |
| Polonia | 0,1 |
| Eslovaquia | 0,1 |
| Serbia y Montenegro | 0,1 |
| Alemania | 0,1 |
| Bélgica | 0,1 |

## Crecimiento cero

| | |
|---|---|
| Moldavia | 0,0 |
| Eslovenia | 0,0 |
| España | 0,0 |
| Italia | 0,0 |
| Portugal | 0,0 |

## Crecimiento negativo

| | |
|---|---|
| Croacia | -0,1 |
| Rusia | -0,2 |
| República Checa | -0,2 |
| Lituania | -0,3 |
| Bielorrusia | -0,3 |
| Ucrania | -0,4 |
| Rumania | -0,4 |
| Albania | -0,4 |
| Hungría | -0,4 |
| Bulgaria | -0,7 |
| Georgia | -1,1 |
| Estonia | -1,2 |
| Letonia | -1,5 |

Desde las últimas décadas del siglo XX, Europa tiene el índice de crecimiento de la población más bajo del mundo, debido especialmente a un drástico descenso de la fecundidad. De 1995 al 2000, el crecimiento medio de la población europea fue nulo, mientras que el de la mundial se situó en el 1,3%. El problema se agravó en los países del este, donde la población disminuyó. Se estima que Rusia tendrá 25 millones menos de habitantes en el 2050.

# El 'viejo' continente

La población europea no dejó de crecer desde la Edad Media, y experimentó un aumento notable durante el siglo XIX, pasando de 163 millones de habitantes a mediados del siglo XVIII (el 20,6% de la población mundial) a 729 millones a finales del siglo XX.

Sin embargo, el ritmo de crecimiento se ha transformado, y se espera que durante el siglo XXI la población europea disminuya, hasta convertirse en la más baja del mundo –después de la de Oceanía– en el 2050, año en el que representará únicamente el 7% del total de habitantes del mundo.

Este fenómeno es consecuencia de la mejora del nivel de vida en los países europeos. Por un lado ha descendido la natalidad debido a la incorporación de la mujer al mundo laboral y al empleo generalizado de métodos anticonceptivos, aunque también gracias a los progresos de la medicina, ha aumentado notablemente la esperanza de vida.

Este incremento hará que en el año 2050, el 35% de la población europea sea mayor de 60 años. Muchos gobiernos europeos buscan ya soluciones al enorme cambio socioeconómico que comportará este aumento de ancianos, cuya seguridad social tendrá que ser costeada por una población activa mucho menos numerosa.

Entre las posibles soluciones a este problema demográfico se encuentran la incorporación masiva de inmigrantes, la reforma del sistema de pensiones, la racionalización de la atención sanitaria, la construcción de más centros para personas mayores, e incluso el retraso de la edad de jubilación.

## Población europea sobre el total de la población mundial

24,7 % (1900)
21,7 % (hacia 1950)
12,2 % (2000)
7 % (2050)

| 1900 | 1950 | 2000 | 2050 |

## Población mayor de 80 años sobre la población total

| | 2000 | 2050 |
|---|---|---|
| Europa central | 11 % | 20% |
| Europa del norte | 19 % | 29% |
| Europa del sur | 15 % | 30% |
| Europa occidental | 17 % | 31% |

## Los diez países más 'viejos' del mundo

edad media en años

| Italia | 40,2 |
|---|---|
| Japón | 40,2 |
| Alemania | 39,7 |
| Suecia | 39,7 |
| Grecia | 39,1 |
| Finlandia | 39,1 |
| Bélgica | 39,0 |
| Dinamarca | 38,8 |
| Croacia | 38,5 |
| Bulgaria | 38,5 |

# Principales flujos migratorios del siglo XX

Aunque Europa fue una tierra de emigración hasta principios del siglo XX, el crecimiento de su economía y la demanda de mano de obra la han convertido en tierra de acogida. En el período 1995-98, Europa ha recibido un promedio de 600.000 inmigrantes al año.

Los orígenes de estas migraciones se encuentran en los antiguos lazos coloniales y las tradicionales zonas de influencia, pero desde los años 90 también se deben a la emigración de los habitantes del ex bloque comunista. Aunque los inmigrantes compensan las bajas tasas de natalidad europeas, su presencia ha suscitado reacciones hostiles en algunos países, como muestran los buenos resultados electorales que en distintos momentos de este proceso han cosechado los partidos ultranacionalistas de muchos países.

## La díficil llegada a Europa

La actual política de inmigración de los países europeos ha hecho que aumente la inmigración clandestina, que a menudo provoca grandes catástrofes. En España, el tránsito ilegal de trabajadores procedentes de África a través del estrecho de Gibraltar *(foto)* ha dejado 20.000 detenidos y 1.000 ahogados en cinco años como consecuencia de los naufragios de pateras.

## Países con más inmigración*

Inmigrantes sobre la población total

| Suiza | 16,0% |
|---|---|
| Francia | 10,4% |
| Irlanda | 9,3% |
| Bélgica | 9,0% |
| Suecia | 8,9% |
| Países Bajos | 7,8% |
| Reino Unido | 6,5% |
| Alemania | 6,4% |
| Austria | 5,8% |
| Noruega | 4,4% |

*excepto los microestados

Rusia

INDOCHINA

de Ecuador, Perú y Colombia
Alemania
Hungría
Cáucaso
Tayiskistán
Balcanes
Afganistán
Kurdistán
Irak
Israel
Palestina
Sahara Occidental
Sierra Leona
Eritrea y Etiopía
Somalia
Liberia
Sudán
Grandes Lagos

emigración política
conflicto que origina refugiados
repatriación de nacionales procedentes de los antiguos países del este
emigración económica
trabajadores cualificados
emigración económica tras el fin de la guerra fría
zona de gran movilidad de trabajadores
zona de emigración económica
zona de emigración económica tras el fin de la Guerra Fría

# Lenguas y etnias

En Europa predominan tres grandes clases de lenguas: unos 300 millones de europeos hablan lenguas eslavas como el ruso, el ucraniano y el polaco; unos 200 millones emplean lenguas románicas como el francés, el italiano, el español, el rumano o el portugués, mientras que otros 200 millones hablan lenguas germánicas como el inglés, el alemán y el neerlandés. Todos estos idiomas, además del griego, tienen un origen común, el indoeuropeo, y algunos de ellos han desbordado su ámbito continental para situarse entre los más hablados del mundo merced a las conquistas coloniales de los ejércitos europeos en América, África y Asia.

## Eslavos, latinos y germánicos

Los indoeuropeos eran un conjunto de pueblos provenientes del centro de Asia que invadieron Europa hace unos 4.000 años. El idioma común de estas tribus –el indoeuropeo– es el origen de las tres principales clases de lenguas que se hablan en Europa: en el norte y el centro predominan las germánicas (inglés, alemán, holandés, danés, noruego, sueco, islandés); en el sur, las románicas (español, portugués, gallego, catalán, francés, italiano, rumano) y en el este, las eslavas (ruso, bielorruso, ucraniano, polaco, checo, eslovaco, esloveno, serbocroata, macedonio, búlgaro).

A la familia indoeuropea también pertenecen el griego y el albanés, en el sureste; el letón y el lituano, en el Báltico, y las lenguas célticas (irlandés, esco-cés, galés y bretón), en la costa atlántica. Fuera de esta rama se encuentran las lenguas uralianas (húngaro, finés, estoniano y lapón), las caucásicas (georgiano, checheno, osetio...) y el vasco.

Algunas lenguas europeas, como el inglés, el español, el francés y el portugués, están entre las más habladas del planeta gracias a la colonización europea del mundo entre los siglos XVI y XX. Por esta razón, todas ellas tienen muchos más hablantes fuera de Europa que en su lugar de origen.

En muchos países, como Bélgica, España, Irlanda o Suiza, las leyes locales establecen más de un idioma oficial. Algunos de éstos son regionales y se han convertido en el principal vehículo de fuertes reivindicaciones nacionalistas.

### Lenguas más habladas en Europa

| Lengua | hablantes | |
|---|---|---|
| Ruso | 149.500.000 | (Rusia, Bielorrusia, Ucrania, Estonia, Letonia, Lituania) |
| Alemán | 95.200.000 | (Alemania, Austria, Suiza, Liechtenstein, Rep. Checa, Luxemburgo) |
| Francés | 67.100.000 | (Francia, Bélgica, Suiza, Mónaco, Luxemburgo, Italia, Andorra) |
| Inglés | 62.500.000 | (Reino Unido, Irlanda, Malta) |
| Italiano | 58.100.000 | (Italia, Suiza, San Marino, Croacia) |
| Español | 39.800.000 | (España, Andorra) |
| Polaco | 39.400.000 | (Polonia, Bielorrusia, Lituania) |
| Ucraniano | 35.600.000 | (Ucrania, Bielorrusia, Eslovaquia) |
| Rumano | 24.500.000 | (Rumania, Moldavia, Hungría, Ucrania) |
| Neerlandés | 19.200.000 | (Países Bajos, Bélgica, Alemania) |
| Serbocroata | 19.200.000 | (Serbia y Montenegro, Croacia, Bosnia y Herzegovina, Macedonia) |
| Portugués | 10.300.000 | (Portugal) |

### Familia indoeuropea

- clase eslava
- clase germánica
- clase céltica
- clase itálica (románica)
- clase báltica
- griego
- albanés
- clase irania

### Euskera

- euskera

### Lenguas caucásicas

- clase cartvelia
- clase adigoabjasia
- clase naja
- clase daguestana

### Familia uraliana

- clase ugria
- clase fino-permia
- clase samoyeda

### Familia altaica

- clase mongola
- clase turca

### Familia camito-semítica

- maltés

## El Cáucaso, una milenaria fuente de conflictos en plena efervescencia

**Pueblos indoeuropeos**

- armenios
- griegos
- iranios
- kurdos
- osetios
- talish
- eslavos
- rusos

**Pueblos altaicos**

- turquinos
- azeríes
- balkaros
- karachevos
- kumykos
- nogay
- turcomanos
- mongol
- calmucos

**Pueblos caucásicos**

- abjasios
- circasianos
- adigués
- cherkés
- kabardinos
- georgianos
- daguestanos
- agul
- avaros
- darguinos
- lakos
- lesghi
- rutul
- tabasaran
- tsakhur
- najas
- chechenos
- ingusios
- otros pueblos

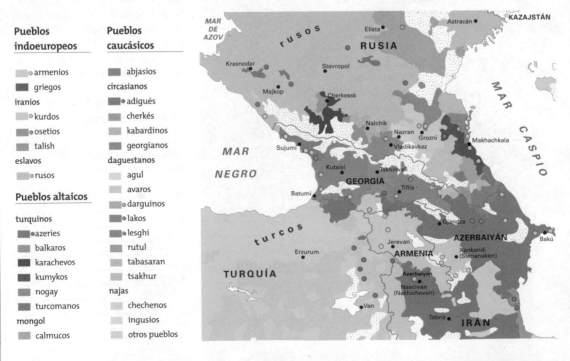

A lo largo de la historia, la región del Cáucaso, que comprende varias repúblicas de la Rusia europea y los estados de Georgia, Armenia y Azerbaiyán, ha sido permanente punto de contacto entre Oriente y Occidente. Su situación estratégica ha favorecido la llegada de multitud de pueblos, y sus montañas y valles prácticamente inexpugnables han sido refugio para muchos grupos étnicos que han mantenido allí su cultura, su religión y su lengua casi intactas, originando la mayor diversidad etnolingüística del planeta: cien etnias para 21 millones de habitantes.

Muestra de ello son las distintas familias de lenguas que se hablan: indoeuropeas, uralianas y caucásicas. Y también la riqueza étnica: el Cáucaso acoge, entre otros muchos pueblos, a chechenos, georgianos, azeríes, armenios, osetios, ingusios o chechenos, y todos ellos practican la endogamia.

## Lenguas

Islandia · **Islandés**

**danés/feroés**
Is. Feroe

Is. Shetland
**inglés**

Is. Hébridas · Is. Orcadas · **inglés**

**escocés**

**irlandés** · **inglés**

**irlandés** · Reino Unido · **inglés**

Irlanda · Gran Bretaña · **inglés**

**irlandés** · **galés**

**inglés**

*Land's End*

**bretón**

*Canal de la Mancha*

MAR DEL NORTE

**frisón**
Países Bajos
**holandés**

Bélgica
**francés**
Luxemburgo

**francés**

Francia

*C. Finisterre* · MAR CANTÁBRICO

**gallego**

**castellano**

Portugal · España

*C. Roca*

**portugués** · **castellano**

Islas Baleares

**catalán**

*Estr. de Gibraltar*

MAR NORUEGA

*Cabo Norte*

**noruego** · **lapón**

**lapón** · **lapón**

**ruso** · **lapón**

**finés**

MAR BLANCO

G. de Botnia

**sueco** · Finlandia

Noruega · **sueco** · **finés**

**noruego** · Suecia

*L. Vänern* · *L. Vättern*

**sueco**

Dinamarca · **danés**

MAR BÁLTICO

Estonia · **estoniano**

*G. de Finlandia*

Letonia · **letón**

Lituania · **lituano**

Rusia · **ruso**

**polaco**

Polonia

Alemania

**alemán**

República Checa · **checo**

**eslovaco**
Eslovaquia

**alemán** · **húngaro**
Austria · Hungría

Suiza · **alemán**
*Liecht.* · **reto-romano**

Eslovenia · **esloveno**
Croacia

Andorra · Mónaco · San Marino

**francés/italiano**

MAR DE LIGURIA

Italia · **italiano**

Cerdeña · **italiano**

MAR TIRRENO

Sicilia · **italiano**

Malta · **inglés/maltés**

MAR MEDITERRÁNEO

*neno* · *neno* · *neno*

*neno*

*neno*

komi-permiano

komi-permiano

**ruso**

Rusia

**ruso**

**votiako** · **bachkir**

**chuvache** · **tátaro** · **bachkir**
**tátaro** · **tátaro**

**mordvino**

**mordvino**

**ruso**

**kazaki**

*Ural*

**calmuco**

*Volga*

**ruso**

MAR CASPIO

**kabardino y circasiano** · **kumyko**

**karachaevo** · **balkaro** · **checheno**

**abjasio** · **osetio**

**Georgia** · **georgiano**

MAR DE AZOV

Crimea

Ucrania · **ucraniano**

*Don*

MAR NEGRO

Bielorrusia · **bielorruso**

Moldavia · **rumano**

**ruso**

Rumania · **rumano**

**húngaro**

Serbia y Montenegro · **serbo-croata**

Bosnia y Herzegovina

*Danubio*

Bulgaria · **búlgaro**

Macedonia · **macedonio**

Albania · **albanés**

Grecia · **griego**

*Peloponeso*

MAR JÓNICO

MAR EGEO

*Bósforo*

Turquía · **turco**

Chipre · **turco** · **griego**

Creta · **griego**

---

La religión también les separa. Hay católicos, ortodoxos, sunnitas, chiítas, e incluso budistas. Todo ello, más unas fronteras que no reflejan esa enorme variedad, ha hecho de esta región una constante fuente de conflictos.

Desde la llegada de colonos griegos, el Cáucaso ha sido testigo de infinidad de invasiones. Tras el dominio persa y bizantino, en el siglo VII Georgia y Armenia fueron invadidas por los ára-

⚬ Fiesta popular georgiana en Ochamchira, en el oeste del país

bes. En el XI se produjo la llegada de los turcos y la región fue el escenario de luchas entre otomanos y persas (del siglo XV al XVIII). Pese al empleo de durísimos métodos coercitivos, ni el posterior dominio ruso (siglo XIX) ni la consiguiente sovietización (siglo XX) lograron unificar la región.

Durante la Segunda Guerra Mundial, el Cáucaso fue objetivo alemán. Tras el conflicto, centenares de miles de chechenos e ingusios fueron deportados a Siberia, acusados de colaborar con los nazis por Stalin, que era georgiano.

Con la caída de la URSS en 1991, los conflictos recrudecieron: ingusios contra osetios, osetios contra georgianos, abjasios contra georgianos, chechenos contra rusos, armenios contra azeríes, fundamentalistas contra el gobierno de Daguestán, y movimientos independentistas nogay, lesgui y kumykos, también en Daguestán.

## El enigmático euskera

El vasco o euskera es el único idioma hablado en Europa occidental que es anterior a la romanización y que no pertenece a la familia indoeuropea. Los intentos de establecer la rama lingüística de la que procede –relacionándolo con las lenguas iberas o, incluso, con las originarias del Cáucaso– han resultado infructuosos.

La lengua euskera se utiliza en un área comprendida en unos 10.000 km² entre España y Francia. En el estado español abarca las provincias de Guipúzcoa, Vizcaya, Álava y Navarra, mientras que en el francés se habla en el departamento de los Pirineos Atlánticos.

En los últimos años de la dictadura de Franco, el euskera estuvo a punto de desaparecer. Sólo lo hablaban los adultos y ancianos de los valles rurales, no existía una lengua estándar común, sino varios dialectos muy distintos entre sí, y estaba prohibido en prensa, radio, tele-

⚬ 'Ikastola' en Bayona (Francia)

visión y edición. En 1979, con la aprobación de la autonomía vasca, se crearon las *ikastolas* –escuelas donde se enseña en euskera– y el vasco volvió a los medios de comunicación. Hoy lo hablan cerca de un millón de personas.

# Coyuntura económica

Una vez desaparecido el bloque comunista, el telón de acero político ha dado paso al abismo económico, separando a una Europa occidental a la cabeza de la economía mundial, de una oriental que no logra salir de la crisis económica e ideológica. Pese al duro proceso de conversión en una economía de mercado ocho países de la Europa del este se incorporarrán a la Unión Europea en 2005.

| PBI | Miles de millones de dólares |
|---|---|
| Alemania | 2.086,8 |
| Italia | 1.429,6 |
| Reino Unido | 1.420,3 |
| Francia | 1.420,0 |
| Rusia | 1.027,8 |
| España | 828,4 |
| (...) | |
| Moldavia | 9,1 |
| Islandia | 8,4 |
| Malta | 5,2 |
| Andorra | 1,3 |

| Deuda externa | Millones de dólares |
|---|---|
| Rusia | 134.000 |
| Polonia | 75.000 |
| Grecia | 63.400 |
| Hungría | 42.550 |
| República Checa | 22.000 |
| Rumania | 15.084 |
| Croacia | 14.070 |
| Ucrania | 13.196 |
| Eslovaquia | 13.188 |
| Bulgaria | 10.933 |
| Serbia y Montenegro | 9.890 |
| Eslovenia | 8.231 |
| Letonia | 6.971 |
| Lituania | 6.199 |
| Estonia | 4.655 |
| Bosnia y Herzegovina | 2.450 |
| Georgia | 1.830 |
| Moldavia | 1.586 |
| Malta | 1.531 |
| Macedonia | 1.450 |
| Albania | 1.154 |
| Bielorrusia | 920 |

## Mercado de bienes y servicios (en % del PBI)

- superior al 60,0%
- del 43,0 al 60,0%
- media mundial = 43,0%
- del 25,0 al 43,0%
- inferior al 25,0%

## Tasa media de crecimiento anual del PBI

- superior al 5,0%
- del 2,7 al 5,0%
- media mundial = 2,7%
- del 1,0 al 2,7%
- del 0,0 al 1,0%
- disminución

# Producto Bruto Interno por habitante

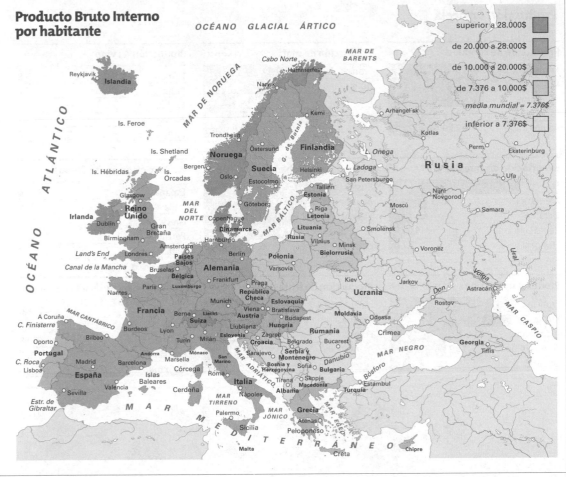

superior a 28.000$
de 20.000 a 28.000$
de 10.000 a 20.000$
de 7.376 a 10.000$
*media mundial = 7.376$*
inferior a 7.376$

## La Europa del euro

En 1999, once países de la Unión Europea adoptaron una moneda común, el euro, para facilitar las transacciones comerciales dentro del mercado comunitario. Por distintas razones, el Reino Unido, Dinamarca, Suecia y Grecia no estuvieron en el núcleo inicial de la fusión, aunque el país helénico se incorporó en enero del 2001, un año antes de que la moneda comunitaria sustituyera físicamente a las nacionales.

### Ranking IDH (2003)

| | |
|---|---|
| Noruega | 0,944 |
| Islandia | 0,942 |
| Suecia | 0,941 |
| Países Bajos | 0,938 |
| Bélgica | 0,937 |
| (...) | |
| Rumania | 0,773 |
| Ucrania | 0,766 |
| Georgia | 0,746 |
| Albania | 0,735 |
| Moldavia | 0,700 |

# Indicador de Desarrollo Humano (IDH)

superior a 0,910
de 0,835 a 0,910
*Europa = 0,835*
de 0,722 a 0,835
*media mundial = 0,722*
inferior a 0,722

## La economía del Este

Los antiguos estados comunistas intentan adaptarse a la economía de mercado, aunque con resultados desiguales. Mientras la Europa Oriental crece, las antiguas repúblicas soviéticas continúan en recesión.

### Crecimiento del PBI (1991-2001)

| | |
|---|---|
| Bosnia y Herzegovina | 19,2% |
| Albania | 5,0% |
| Eslovaquia | 4,5% |
| Eslovenia | 4,1% |
| Polonia | 3,3% |
| Croacia | 2,8% |
| República Checa | 2,4% |
| Hungría | 1,9% |
| Rumania | 0,2% |
| Macedonia | 0,0% |
| Estonia | −0,2% |
| Bielorrusia | −0,7% |
| Letonia | −1,6% |
| Bulgaria | −2,5% |
| Lituania | −2,6% |
| Rusia | −3,8% |
| Serbia y Montenegro | −5,3% |
| Georgia | −6,8% |
| Ucrania | −6,4% |
| Moldavia | −8,5% |

# Agricultura, ganadería y pesca

Pese a que el sector primario tiene poco peso relativo en la economía de la mayoría de países europeos, las tierras de este continente son las más explotadas de la Tierra. En la Europa Occidental, la tecnificación de las labores del campo ha significado una drástica reducción en el porcentaje de la población activa dedicada al sector primario y un gran aumento en los rendimientos.

## Producción agrícola

### Producción de cereales — Millones tm

| | |
|---|---|
| Francia | 66,5 |
| Rusia | 64,0 |
| Alemania | 45,3 |
| España | 24,6 |
| Reino Unido | 23,9 |

### Exportación de cereales — Millones tm

| | |
|---|---|
| Francia | 34,8 |
| Alemania | 10,1 |
| Ucrania | 6,1 |
| Reino Unido | 4,2 |
| Hungría | 2,7 |

### Producción de trigo — Millones tm

| | |
|---|---|
| Francia | 37,5 |
| Rusia | 36,0 |
| Alemania | 21,6 |
| Reino Unido | 16,7 |
| Ucrania | 10,1 |

### Producción de maíz — Millones tm

| | |
|---|---|
| Francia | 16,3 |
| Italia | 10,2 |
| Hungría | 4,8 |
| Rumania | 4,2 |
| España | 3,8 |

### Producción de cebada — Millones tm

| | |
|---|---|
| Rusia | 13,2 |
| Alemania | 12,2 |
| España | 11,2 |
| Francia | 9,9 |
| Ucrania | 6,8 |

### Producción de fruta — Millones tm

| | |
|---|---|
| Italia | 19,4 |
| España | 15,0 |
| Francia | 11,1 |
| Alemania | 4,8 |
| Grecia | 4,0 |

### Producción de vino — Millones tm

| | |
|---|---|
| Francia | 5,8 |
| Italia | 5,7 |
| España | 3,4 |
| Alemania | 1,1 |
| Portugal | 0,6 |

### Producción de aceite de oliva — Miles tm

| | |
|---|---|
| España | 833,4 |
| Italia | 492,8 |
| Grecia | 410,0 |
| Portugal | 46,9 |
| Albania | 4,0 |

### Producción aceite de girasol — Miles tm

| | |
|---|---|
| Ucrania | 768,0 |
| Rusia | 742,5 |
| España | 623,8 |
| Francia | 570,0 |
| Rumania | 257,0 |

## Agricultura y pesca

- trigo y maíz
- trigo, cebada y avena
- trigo y remolacha
- vid, frutales
- centeno y papa
- forrajes para ganado
- pastizales
- bosque
- escaso uso agrícola
- tundra
- zonas pesqueras importantes
- puertos pesqueros

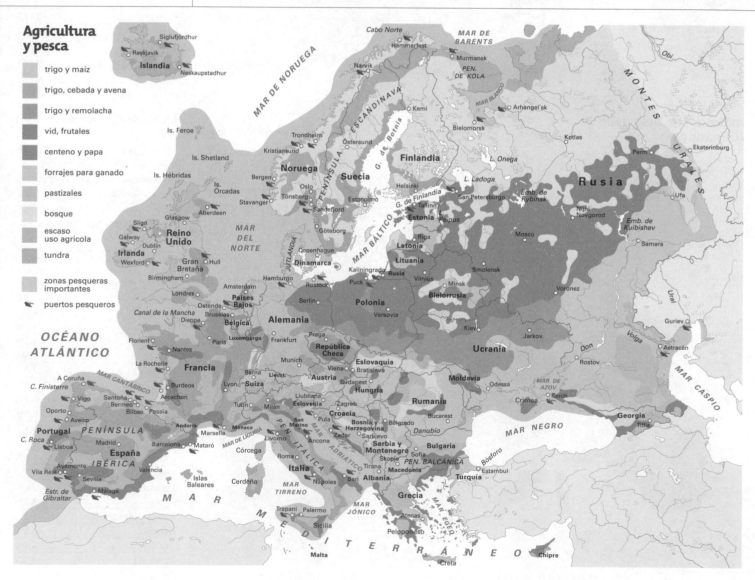

## Superficie agrícola | Miles de hectáreas

| | |
|---|---|
| Rusia | 216,7 |
| Ucrania | 41,4 |
| Francia | 29,9 |
| España | 29,9 |
| Polonia | 18,4 |
| Reino Unido | 17,2 |
| Alemania | 17,0 |
| Italia | 16,2 |
| Rumania | 14,7 |
| Bielorrusia | 9,2 |
| Grecia | 9,0 |
| Bulgaria | 6,2 |
| Hungría | 6,1 |

## Producción de pescado | Millones tm

| | |
|---|---|
| Rusia | 4,7 |
| Noruega | 3,2 |
| Islandia | 2,2 |
| Dinamarca | 1,8 |
| España | 1,3 |

Leyenda del mapa:
- ganado ovino
- trashumancia ovina
- ganado porcino
- ganado bovino
- principales zonas ganaderas

## Producción carne de cerdo | Millones tm

| | |
|---|---|
| Alemania | 3,8 |
| España | 2,9 |
| Francia | 2,3 |
| Polonia | 1,9 |
| Dinamarca | 1,6 |

## Producción de vacuno | Millones tm

| | |
|---|---|
| Rusia | 2,1 |
| Francia | 1,5 |
| Alemania | 1,3 |
| Italia | 1,1 |
| Ucrania | 0,8 |

## Producción de ovino | Miles tm

| | |
|---|---|
| Reino Unido | 359 |
| España | 222 |
| Rusia | 139 |
| Francia | 130 |
| Grecia | 79 |

## Producción por especies | Cabezas

| | |
|---|---|
| Gallinas y pollos | 1.763.373.000 |
| Cerdos | 202.230.638 |
| Ovino | 150.478.638 |
| Vacuno | 146.340.588 |
| Pavos | 111.726.000 |

## Producción de lana | Miles tm

| | |
|---|---|
| Reino Unido | 64,0 |
| Rusia | 38,0 |
| España | 30,8 |
| Francia | 22,0 |
| Rumania | 22,0 |

## Producción de leche | Millones tm

| | |
|---|---|
| Rusia | 31,8 |
| Alemania | 28,4 |
| Francia | 25,6 |
| Reino Unido | 14,4 |
| Italia | 12,8 |

## Producción de huevos | Millones tm

| | |
|---|---|
| Rusia | 1,8 |
| Francia | 1,0 |
| Alemania | 0,8 |
| Italia | 0,7 |
| Países Bajos | 0,6 |

## Producción de queso | Millones tm

| | |
|---|---|
| Francia | 1,6 |
| Alemania | 1,6 |
| Italia | 1,0 |
| Países Bajos | 0,6 |
| Polonia | 0,4 |

## Consumo

### Pescado
kilos/persona/año

| | |
|---|---|
| Islandia | 91,4 |
| Portugal | 58,1 |
| Noruega | 50,1 |
| España | 40,9 |
| Macedonia | 40,3 |
| Finlandia | 35,6 |
| Francia | 28,7 |

### Carne
kilos/persona/año

| | |
|---|---|
| España | 113,1 |
| Dinamarca | 112,4 |
| Francia | 99,9 |
| Irlanda | 99,4 |
| Eslovenia | 96,2 |
| Portugal | 92,8 |

## Los problemas sanitarios en el sector ganadero europeo

La encefalopatía espongiforme bovina (EEB), el llamado mal de las *vacas locas*, ha causado sólo en el Reino Unido –donde se detectó el primer caso– unas pérdidas de 4.000 millones de dólares. Además del costo de destrucción de las reses infectadas y las compensaciones a los ganaderos afectados, esta suma incluye las indemnizaciones a las familias de las víctimas. Porque la variante humana de la EBB, la enfermedad de Creutzfeld-Jakob, contraída por el consumo de productos cárnicos contaminados, ha provocado la muerte de al menos 92 personas en la UE.

Las dudas científicas, la mala información y las maniobras políticas para minimizar la crisis han generado una desconfianza en el consumidor que ha repercutido en un destacable descenso de las ventas de carne de vacuno. La crisis de las *vacas locas* ha abierto un debate sobre las garantías sanitarias de los alimentos, pese a que el consumidor europeo se encuentra en la cadena alimentaria más segura del mundo.

Pero no sólo el sector bovino se ha vis-

◔ Eliminación de vacas en uno de los focos de la epidemia, en el Reino Unido

to afectado. También las cabañas ovina, porcina y caprina han sufrido la fiebre aftosa. Detectada en febrero del 2001 en el Reino Unido, se extendió rápidamente por el continente y ya ha supuesto el sacrificio de más de dos millones de animales. Aunque la fiebre aftosa no afecta a los humanos, las repercusiones de esta enfermedad en el sector ganadero fueron dramáticas.

A este panorama se añaden los sucesivos rebrotes de peste porcina, enfermedad infecciosa que, como la fiebre aftosa, tampoco afecta al hombre.

La libre circulación de productos por la UE –que sólo se restringe en el momento en que se confirman las epidemias– es una gran ventaja para el sector, pero al mismo tiempo facilita la expansión de las enfermedades.

# Minería, energía e industria

La industria nació en el continente europeo, donde tomó un primer impulso gracias, en gran medida, a sus recursos mineros y energéticos. A causa de la crisis política y económica que sufre, la Europa oriental aún tiene pendiente la modernización de las instalaciones industriales que sí se ha llevado a cabo en la Unión Europea, donde la tecnología permite mejores rendimientos con menos empleados.

## Producción de minerales

Europa es un continente rico en recursos minerales y metales, aunque desde hace unas décadas su producción empieza a dar síntomas de agotamiento y no cubre las demandas de su potente industria, por lo que debe recurrir a la importación. Históricamente, el sector industrial europeo ha ido de la mano del minero, creándose zonas industriales en regiones mineras como la cuenca del Ruhr, en Alemania. En este sentido, las reservas de carbón fueron fundamentales para la consolidación de la Revolución Industrial.

### Producción de cinc
tm

| Irlanda | 182.000 |
|---|---|
| Suecia | 164.711 |
| Polonia | 155.000 |
| España | 128.100 |
| Rumania | 30.000 |

### Producción de hierro
miles tm

| Rusia | 39.700 |
|---|---|
| Ucrania | 27.900 |
| Suecia | 13.186 |
| Noruega | 1.000 |
| Grecia | 810 |

### Producción gas natural
miles de millones de m³

| Rusia | 591 |
|---|---|
| Reino Unido | 90 |
| Países Bajos | 80 |
| Noruega | 46 |
| Alemania | 22 |
| Italia | 19 |

### Producción de petróleo
miles de barriles/año

| Rusia | 2.138.174 |
|---|---|
| Noruega | 1.102.022 |
| Reino Unido | 955.364 |
| Dinamarca | 87.058 |
| Rumania | 48.038 |
| Italia | 39.065 |

## Producción energética

### Finlandia
**11,1%** Geotérmica, eólica y solar
**19,5%** Hidroeléctrica
**27,5%** Nuclear
**41,9%** Térmica

### Rusia
**19,4%** Hidroeléctrica
**12,6%** Nuclear
**68,0%** Térmica

### Francia
**0,5%** Geotérmica, eólica y solar
**12,4%** Hidroeléctrica
**76,1%** Nuclear
**11,0%** Térmica

## Minerales y fuentes de energía

| | |
|---|---|
| **Ag** | plata |
| **Al** | aluminio |
| **Au** | oro |
| **B** | boro |
| **Ba** | bario |
| **Co** | cobalto |
| **Cr** | cromo |
| **Cu** | cobre |
| **F** | flúor |
| **Fe** | hierro |
| **Hg** | mercurio |
| **K** | potasio |
| **Mn** | manganeso |
| **Mo** | molibdeno |
| **Nb** | niobio |
| **Ni** | níquel |
| **Pb** | plomo |
| **Pt** | platino |
| **S** | azufre |
| **Sb** | antimonio |
| **Sn** | estaño |
| **Ti** | titanio |
| **U** | uranio |
| **W** | tungsteno |
| **Zn** | cinc |

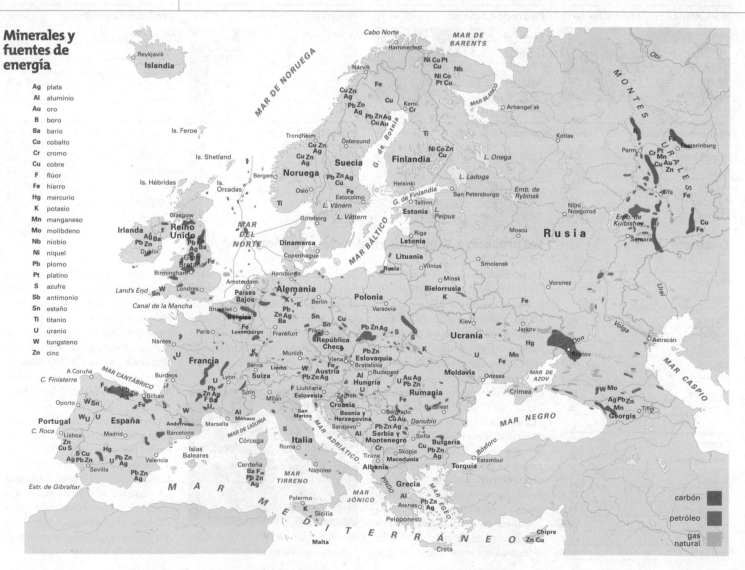

carbón
petróleo
gas natural

## Recursos energéticos

Con la sustitución del carbón por los hidrocarburos como fuente energética, la economía europea quedó a merced de la fluctuación de los precios del crudo. Con el objetivo de paliar esta dependencia se explotaron yacimientos petrolíferos propios –como los existentes en el mar del Norte–, se apostó por la energía nuclear –hoy principal suministrador enérgetico de países como Francia, Bélgica o Lituania– y se investigaron las posibilidades reales de las energías renovables (geotérmica, eólica y solar), en las que Finlandia es pionera.

## El futuro del sector industrial en Europa

Europa fue la cuna de la Revolución Industrial, pero el proceso no afectó a todos los países por igual. En primer lugar, se industrializaron el Reino Unido, Francia, Alemania y Bélgica, y a partir de la Segunda Guerra Mundial, se extendió a los países mediterráneos y de la Europa oriental. Actualmente, estas diferencias aún se mantienen, aunque mucho menos contrastadas. La industria de los países ex comunistas se vio afectada, además, por un largo período de crisis económica que tuvo como consecuencia el desfa-

se tecnológico de sus fábricas respecto a las del resto de Europa y de todas las economías avanzadas. Otra característica de la industria de los estados comunistas era su orientación a los bienes de equipo (industria pesada), en contraposición a la de la Europa occidental, dedicada primordialmente a la fabricación de bienes de consumo. Tras un siglo y medio de crecimiento industrial, el Viejo Continente también está viviendo el proceso de desindustrialización, que afecta a la economía global. Este proceso está mucho más

avanzado en la zona occidental, donde hoy en día la industria pierde peso tanto en su aportación económica como en puestos de empleo.

○ Factoría química en Pitea (Suecia)

### Reactores nucleares
unidades

| País | unidades |
|------|----------|
| Francia | 58 |
| Reino Unido | 35 |
| Rusia | 29 |
| Alemania | 20 |
| Ucrania | 16 |
| Suecia | 12 |

### Empleo por sector económico

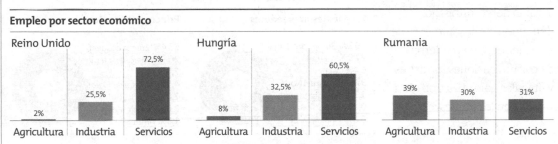

**Reino Unido**

| Agricultura | Industria | Servicios |
|-------------|-----------|-----------|
| 2% | 25,5% | 72,5% |

**Hungría**

| Agricultura | Industria | Servicios |
|-------------|-----------|-----------|
| 8% | 32,5% | 60,5% |

**Rumania**

| Agricultura | Industria | Servicios |
|-------------|-----------|-----------|
| 39% | 30% | 31% |

## Industria

- ■ principales centros industriales
- industria siderúrgica
- industria química
- industria petroquímica
- industria textil
- industria relojera
- industria maderera y del papel

# Comercio y transporte

Europa Occidental es un gran mercado único, en el que predominan los intercambios entre los miembros de la UE, pero es también uno de los principales actores del mercado internacional. Los países del este, todavía afectados por la caída del comunismo, dependen comercialmente de este bloque. Una moderna red de comunicaciones terrestres y fluviales garantiza una gran rapidez en los intercambios.

## Balance comercial
### Importaciones y exportaciones

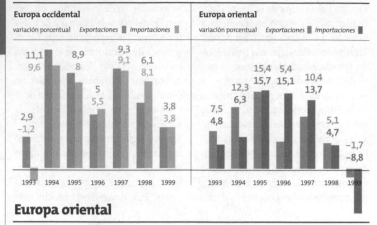

**Europa occidental**

variación porcentual · *Exportaciones* ▮ Importaciones ▮

| 1993 | 1994 | 1995 | 1996 | 1997 | 1998 | 1999 |
|---|---|---|---|---|---|---|
| 2,9 / −1,2 | 11,1 / 9,6 | 8,9 / 8 | 5 / 5,5 | 9,3 / 9,1 | 6,1 / 8,1 | 3,8 / 3,8 |

**Europa oriental**

variación porcentual · *Exportaciones* ▮ Importaciones ▮

| 1993 | 1994 | 1995 | 1996 | 1997 | 1998 | 1999 |
|---|---|---|---|---|---|---|
| 7,5 / 4,8 | 12,3 / 6,3 | 15,4 / 15,7 | 5,4 / 15,1 | 10,4 / 13,7 | 5,1 / 4,7 | −1,7 / −8,8 |

## Europa oriental

### Principales proveedores

| 60,1% | Europa occidental |
|---|---|
| 27,9% | Mercado interno |
| 6,4% | Asia |
| 3% | América del Norte |
| 1,3% | América Latina |
| 0,7% | África |
| 0,6% | Oriente Medio |

### Principales clientes

| 56,4% | Europa occidental |
|---|---|
| 26,3% | Mercado interno |
| 7,5% | Asia |
| 4,5% | América del Norte |
| 2,0% | América Latina |
| 2,0% | Oriente Medio |
| 1,3% | África |

## Europa occidental

### Principales proveedores

| 67,9% | Mercado interno |
|---|---|
| 12,3% | Asia |
| 8,5% | América del Norte |
| 5,1% | Europa central y or. |
| 2,8% | África |
| 1,9% | América Latina |
| 1,5% | Oriente Medio |

### Principales clientes

| 69,5% | Mercado interno |
|---|---|
| 10% | América del Norte |
| 7,6% | Asia |
| 5,2% | Europa central y or. |
| 2,6% | África |
| 2,5% | América Latina |
| 2,5% | Oriente Medio |

El 63,4% de las exportaciones y el 62,6% de las importaciones de Europa Occidental son intercambios entre miembros de la UE.

**Red de carreteras y aeropuertos**

— red principal de carreteras
— red secundaria de carreteras
✈ principales aeropuertos

# Una red de transportes desarrollada y versátil

Pese a su fragmentada geografía y a sus numerosas fronteras naturales, la red de comunicaciones europea está muy desarrollada. Europa ha vivido una expansión inaudita de la movilidad de pasajeros y de carga, a causa de la internacionalización de los intercambios, de las nuevas perspectivas de mercado hacia la Europa del este, del desarrollo económico y de la mejora del nivel de vida.

○ Locomotoras de la línea TGV

Para solucionar los problemas de saturación de los aeropuertos y autopistas, se ha desarrollado una red de trazado independiente a la red ferroviaria preexistente, que, gracias a la tecnología de Alta Velocidad, ha permitido recuperar el ferrocarril como medio de transporte seguro y de calidad. Debido a iniciativas francesas como el TGV (*train de grande vitesse*), que alcanza los 300 km/h, las capitales europeas estarán conectadas en el siglo XXI. No obstante, el transporte marítimo aún tiene la supremacía en el comercio de mercancías. Los supertanques traen el petróleo desde los puertos del golfo de Arabia a los grandes puertos europeos, y luego el crudo se traslada a las refinerías por los ríos y canales europeos. Muchos cursos de agua han sido dragados para hacerlos navegables, y se han construido canales entre el Rin, el

Ródano, el Oder, el Elba y el Danubio. Sin embargo, la mayor obra de ingeniería de la historia europea es el túnel del canal de la Mancha, que une Gran Bretaña con el continente desde 1994 mediante tres túneles de 50 kilómetros de longitud, 37 de los cuales se encuentran bajo el mar, a 50 metros de profundidad.

Pese a esas grandes obras, la infraestructura aún es deficiente en algunas partes de la Europa del este y faltan enlaces para cruzar los Alpes.

○ Obras en el túnel del canal de la Mancha

### Principales aeropuertos
Por tráfico de mercancías

| | |
|---|---|
| Frankfurt (Alemania) | 1.825.906 tm |
| Londres Heathrow (RU) | 1.402.088 tm |
| Paris De Gaulle (Francia) | 1.380.068 tm |
| Amsterdam (P. Bajos) | 1.267.386 tm |
| Bruselas (Bélgica) | 634.342 tm |

### Principales puertos
Tráfico de mercancías · nº contenedores

| | |
|---|---|
| Rotterdam (Países Bajos) | 6.004.000 |
| Hamburgo (Alemania) | 3.566.000 |
| Amberes (Bélgica) | 3.266.000 |
| Gioia Tauro (Italia) | 2.126.000 |
| Algeciras (España) | 1.826.000 |

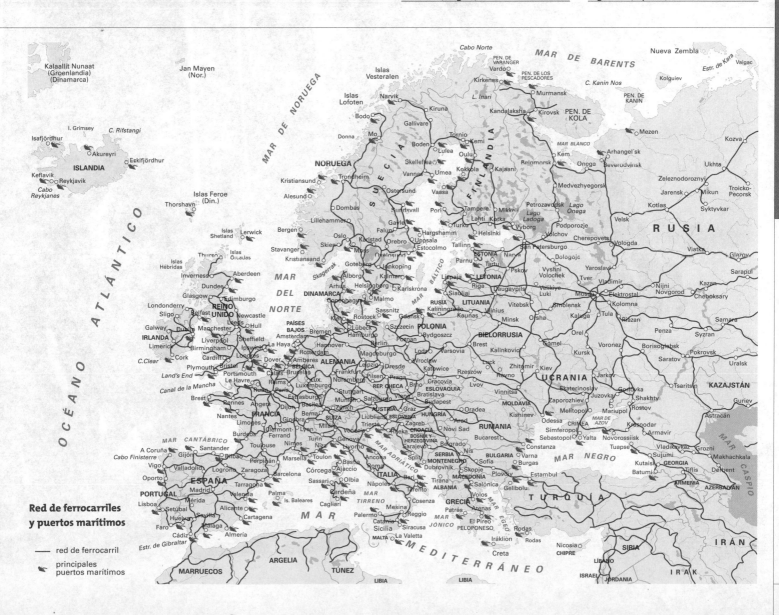

**Red de ferrocarriles y puertos marítimos**

— red de ferrocarril
◣ principales puertos marítimos

**○ Gracias por la lluvia** Adolescentes de la tribu touche, de los montes Nuba, en el centro de Sudán, ejecutan una danza ritual para dar gracias a Dios por las lluvias caídas durante la estación húmeda, entre julio y septiembre. Muchos países subsaharianos dependen de estas lluvias para que su agricultura de subsistencia alimente a la población durante todo el año. La sequía significa hambruna.

# África física

**Superficie total de África:**
30.343.578 km²
(20,5% del total de las tierras emergidas)

**Extremo septentrional:**
Cabo Blanco (Tunicia), 37°52'N

**Extremo meridional:**
Cabo de las Agujas (Rep. Sudafricana),
34°51'S

**Extremo oriental:**
Cabo Verde (Senegal), 19°55'O

**Extremo occidental:**
Cabo Hafun (Somalia), 51°22'E

**Pico culminante de África:**
Kilimanjaro (Tanzania), 5.895 m

**Mayor depresión de África:**
Qattara (Egipto), −134 m

**Río más largo de África:** Nilo (Burundi,
Ruanda,Uganda, Sudán, Egipto), 6.693 km

**Mayor lago:**
Victoria (Uganda, Kenya, Tanzania),
68.800 km²

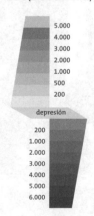

**Relieve (altura en metros)**

5.000
4.000
3.000
2.000
1.000
500
200

depresión

200
1.000
2.000
3.000
4.000
5.000
6.000

**Proyección acimutal equivalente de Lambert**

0      500      1000 km

Escala 1: 30.000.000
1 cm corresponde a 300 km

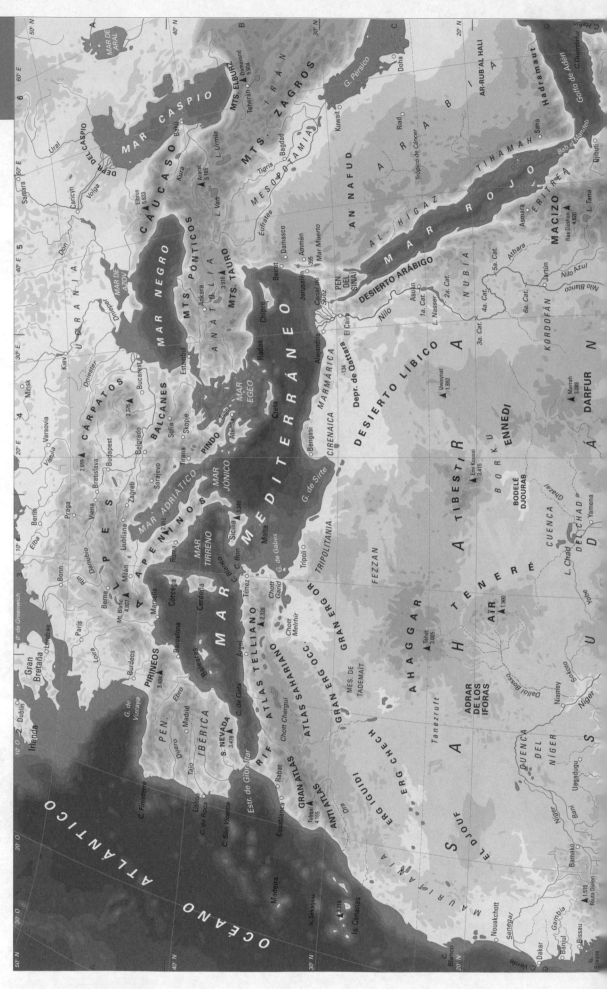

OCÉANO ÍNDICO

OCÉANO ATLÁNTICO

SOMALIA
OGADEN
ETIÓPICO
MESETA DEL UBANGUI
MACIZO DE ADAMAUA
MESETA DE BAUCHI
MTS. LOMA
MTS. NIMBA
COSTA DE MARFIL
COSTA DE ORO
COSTA DE LA PIMIENTA
COSTA DE LOS ESCLAVOS
GUINEA SEPTENTRIONAL
Golfo de Guinea
GUINEA MERIDIONAL
CUENCA DEL CONGO
MESETA DE KATANGA
MONTES MITUMBA
MTS. MUCHINGA
MESETA DE LUNDA
S. UANDA
OVAMBOLAND
DESIERTO DE NAMIB
DAMARALAND
NAMAKWALAND
DESIERTO DE KALAHARI
GRAN KAROO
MTS. DRAKENSBERG
MTS. INYANGA
MADAGASCAR
MTS. ANKARATRA
AS-SUDD

Ecuador
Trópico de Capricornio

Addis Abeba
Mogadiscio
Shebele
Juba
Lak Dera
L. Rodolfo
L. Abaya
Omo
As-Subat
Nilo Blanco
Gaal
Arab
Lul
Gazal
Charí
Logone
Benue
Abuja
Camerún 4.070
Bioko
Malabo
G. de Biafra
Príncipe
Sto. Tomé
Pagalu
C. López
Libreville
Ogone
Yaundé
Bangui
Sanaga
Ubangui
Bomu
Uele
Aruwimi
Charí
Tana
Kenya 5.200
Nairobi
Kilimanjaro 5.895
L. Kyoga
Kampala
L. Victoria
Kigali
Kariambi 4.507
L. Kivu
Bujumbura
L. Alberto
Ruwenzori 5.110
Cat. Stanley
L. Eduardo
Congo
Lomami
Sankuru
Kasai
Kwilu
Kwa
Kasai
Mai Ndombe
Ruki
Congo
Sangha
Kinshasa
Brazzaville
Cat. Livingstone
Cuango
Cuanza
Luanda
G. de Benguela
C. Frío
B. de la Ballena
L. Mweru
L. Bangweulu
Luapula
Luvua
L. Tanganyika
Dodoma
L. Rukwa
Luangwa
Zambeze
L. Malawi
Lilongwe
Harare
2.596
Kafue
L. Kariba
Cat. Victoria
Zambeze
Cuando
Cubango
Cuito
Okavango
Cuenca del Okavango
Cunene
Brandberg 2.606
L. Etosha
Windhoek
Orange
Molopo
2.202
Gaborone
Pretoria
Johannesburgo
Maseru
Thabana Ntlenyana 3.482
Kompasberg 2.504
Ciudad del Cabo
C. Buena Esperanza
B. Falsa
B. Sta. Elena
C. de las Agujas
Port Elizabeth
Umtata
Durban
Mbabane
Maputo
B. de Lourenço Marques
B. de Sofala
C. Delgado
Ruvuma
Rufiji
Dar es Salaam
Zanzíbar
Pemba
Malfa
Mafia
Juan de Nova
Europa
Bassas da India
Canal de Mozambique
Arch. de las Comoras
Gran Comora
Mohéli
Anjouan
Mayotte
Is. Cosmoledo
Is. Aldabra
Is. Glorieuses
Tsaratanana 2.886
Antananarivo
Antsirabe 2.638

Volta Blanco
Volta Negro
Volta
Conakry
Freetown
Monrovia
C. Palmas
Abidjan
Lomé
Accra
Porto Novo
Lagos
G. de Benín
Yamoussoukro
Abuja

Ascensión
Sta. Elena
Tristan da Cunha
Gough

6.013
5.830
5.212
5.536

# África política

## Superficie de los países y territorios de África

| | |
|---|---|
| Sudán | 2.505.810 km² |
| Argelia | 2.381.741 km² |
| Rep. Dem. Congo | 2.345.409 km² |
| Libia | 1.759.540 km² |
| Chad | 1.284.000 km² |
| Níger | 1.267.000 km² |
| Angola | 1.246.700 km² |
| Malí | 1.240.000 km² |
| Rep. Sudafricana | 1.221.037 km² |
| Etiopía | 1.097.900 km² |
| Mauritania | 1.030.700 km² |
| Egipto | 1.001.449 km² |
| Tanzania | 945.090 km² |
| Nigeria | 923.768 km² |
| Namibia | 824.790 km² |
| Mozambique | 783.080 km² |
| Zambia | 752.610 km² |
| Somalia | 637.660 km² |
| Rep. Centroafricana | 622.980 km² |
| Botswana | 600.372 km² |
| Madagascar | 587.040 km² |
| Kenia | 582.640 km² |
| Camerún | 475.440 km² |
| Marruecos | *450.000 km² |
| Zimbabwe | 390.580 km² |
| Congo | 342.000 km² |
| Costa de Marfil | 322.462 km² |
| Ghana | 283.537 km² |
| Burkina Faso | 274.200 km² |
| Gabón | 267.670 km² |
| Sahara Occidental (Marruecos) | 266.000 km² |
| Guinea | 245.860 km² |
| Uganda | 236.040 km² |
| Senegal | 196.200 km² |
| Túnez | 163.610 km² |
| Eritrea | 121.144 km² |
| Malawi | 118.480 km² |
| Benín | 112.622 km² |
| Liberia | 111.370 km² |
| Sierra Leona | 71.740 km² |
| Togo | 56.000 km² |
| Guinea Bissau | 36.120 km² |
| Lesotho | 30.350 km² |
| Guinea Ecuatorial | 28.050 km² |
| Burundi | 27.830 km² |
| Ruanda | 26.340 km² |
| Djibouti | 23.200 km² |
| Swazilandia | 17.360 km² |
| Gambia | 11.300 km² |
| Cabo Verde | 4.030 km² |
| Reunión (Francia) | 2.510 km² |
| Comoras | 2.170 km² |
| Mauricio | 2.045 km² |
| Santo Tomé y Príncipe | 960 km² |
| Mayotte (Francia) | 374 km² |
| Seychelles | 280 km² |
| Santa Elena (R. U.) | 122 km² |
| Ceuta (España) | 19,3 km² |
| Melilla (España) | 12,3 km² |

*Sin contabilizar el Sahara Occidental.*

## Superficie de África

| | |
|---|---|
| **8,3%** | Sudán |
| **7,9%** | Argelia |
| **7,7%** | Rep. Dem. Congo |
| **5,8%** | Libia |
| **4,2%** | Chad |
| **4,2%** | Níger |
| **61,9%** | Resto |

Proyección acimutal equivalente de Lambert

0    500    1000 km

Escala 1: 30.000.000
1 cm corresponde a 300 km

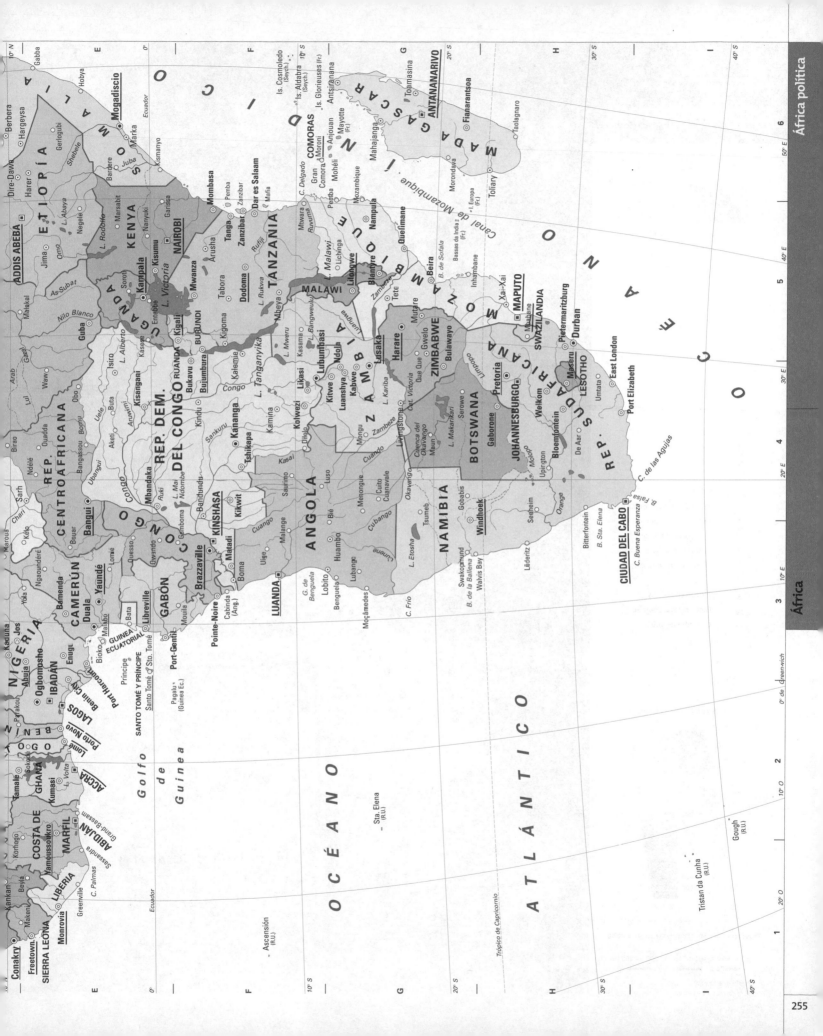

# África
# septentrional

**Límite internacional**

**Ruta principal**

✈ **Aeropuerto**

⚓ **Puerto**

**Poblaciones**

⌂ de más de 1.000.000 de hab.

◉ de 500.000 a 1.000.000 de hab.

◎ de 250.000 a 500.000 hab.

◉ de 100.000 a 250.000 hab.

○ de menos de 100.000 hab.

▲ Altitud en metros

◝ Lago, laguna, embalse

〜 Corriente de agua

**Relieve (altura en metros)**

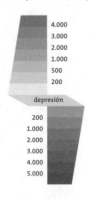

4.000
3.000
2.000
1.000
500
200

depresión

200
1.000
2.000
3.000
4.000
5.000

**Proyección acimutal equivalente de Lamber**

0    50    100    150    200    250 km

Escala 1: 8.000.000
1 cm corresponde a 80 km

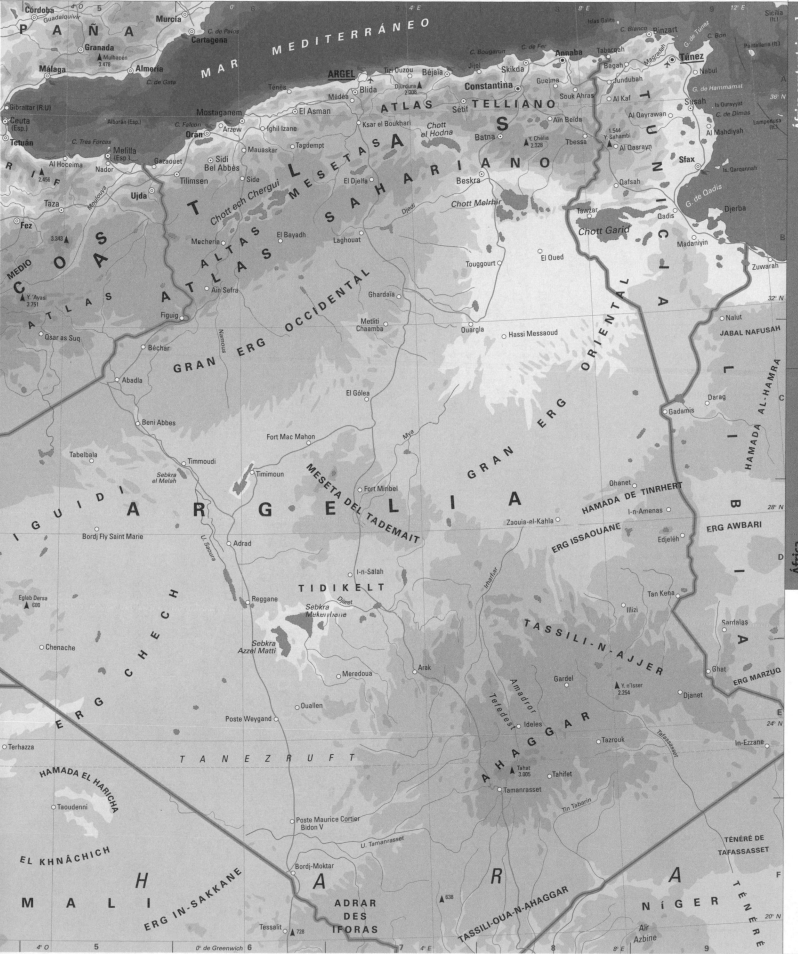

ESPAÑA
Córdoba
Guadalquivir
Murcia
Granada
Mulhacén
3.478
Málaga
Almería
C. de Palos
Cartagena
C. de Gata
MAR MEDITERRÁNEO
Gibraltar (R.U)
Ceuta (Esp.)
Tetuán
C. Tres Forcas
Alborán (Esp.)
C. Falcon
Melilla (Esp.)
Al Hoceima
Nador
2.456
Gazaouet
Sidi Bel Abbès
RIF
Taza
Ujda
Tilimsen
Side
Fez
3.343
MEDIO ATLAS
Y. 'Ayasi
3.751
Figuig
Qsar as Suq
ATLAS
Béchar
Abadla
Beni Abbes
Tabelbala
Timmoudi
Sebkra el Melah
IGUIDI
Bordj Fly Saint Marie
Eglab Dersa
600
Chenache
ERG CHECH
Terhazza
HAMADA EL HARICHA
Taoudenni
EL KHNÂCHICH
MALI
ERG IN-SAKKANE
Tessalit
728
ADRAR DES IFORAS

ARGEL
Ténès
Mostaganem
Oran
Arzew
Ighil Izane
Mauaskar
Mecheria
Aïn Sefra
Tizi Ouzou
Médéa
Blida
Djurdura
2.308
El Asman
Ksar el Boukhari
Tagdempt
El Bayadh
El Djelfa
Laghouat
ATLAS TELLIANO
Béjaïa
Jijel
Skikda
Constantina
Sétif
Batna
Y. Chélia
2.328
ATLAS SAHARIANO
Chott el Hodna
Chott Melrhir
Djedi
Beskra
ALTAS MESETAS
Chott ech Chergui
Ghardaïa
Metliti Chaamba
GRAN ERG OCCIDENTAL
El Gólea
Fort Mac Mahon
Timimoun
MESETA DEL TADEMAIT
Fort Miribel
Mya
ARGELIA
Adrad
U. Saoura
I-n-Salah
TIDIKELT
Reggane
Sebkra Mekerrhane
Djaret
Sebkra Azzel Matti
Meredoua
Arak
Ouallen
Poste Weygand
TANEZRUFT
Poste Maurice Cortier Bidon V
U. Tamanrasset
Bordj-Moktar
638
Annaba
Tabarqah
C. Bougarun
C. de Fer
Guelma
Souk Ahras
Aïn Beïda
Tbessa
TÚNEZ
Bagah
Jundubah
Al Kaf
Al Qayrawan
1.544
Y. Sahambi
Al Qasrayn
Qafsah
Tawzar
Chott Garid
Qadis
Madaniyin
Ouargla
Hassi Messaoud
Touggourt
El Oued
GRAN ERG ORIENTAL
Gadamis
HAMADA DE TINRHERT
Ohanet
I-n-Amenas
ERG ISSAOUANE
Zaouia-el-Kahla
Edjeléh
Tan Kena
Illizi
TASSILI-N-AJJER
Gardel
Y. n'Isser
2.254
Amadror
Tefedest
AHAGGAR
Tahat
3.005
Ideles
Tahifet
Tazrouk
Tin Tabarin
Tamanrasset
U. Tamanrasset
TASSILI-OUA-N-AHAGGAR
Islas Galite
C. Blanco
Binzart
G. de Túnez
C. Bon
Pantellería (It.)
Túnez
Nabul
Sicilia (It.)
Susah
Is Qurayyat
C. de Dimas
Lampedusa (It.)
Al Mahdiyah
Sfax
Is. Qarqannah
G. de Qadis
Djerba
Zuwarah
Nalut
JABAL NAFUSAH
HAMADA AL-HAMRA
Darag
LIBIA
ERG AWBARI
Sardalas
Ghat
ERG MARZUQ
Djanet
In-Ezzane
TÉNÉRÉ DE TAFASSASSET
NÍGER
Aïr Azbine
TÉNÉRÉ

# África
# occidental

## Límite internacional
## Ruta principal
## ✈ Aeropuerto
## ⚓ Puerto

### Poblaciones

de más de 1.000.000 de hab.

de 500.000 a 1.000.000 de ha

de 250.000 a 500.000 hab.

de 100.000 a 250.000 hab.

de menos de 100.000 hab.

▲ Altitud en metros

Lago, laguna, embalse

Corriente de agua

### Relieve (altura en metros)

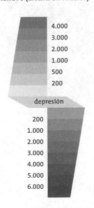

| | |
|---|---|
| 4.000 | |
| 3.000 | |
| 2.000 | |
| 1.000 | |
| 500 | |
| 200 | |

depresión

200
1.000
2.000
3.000
4.000
5.000
6.000

### Proyección acimutal equivalente de Lamber

0    250    500 km

Escala 1: 15.000.000
1 cm corresponde a 150 km

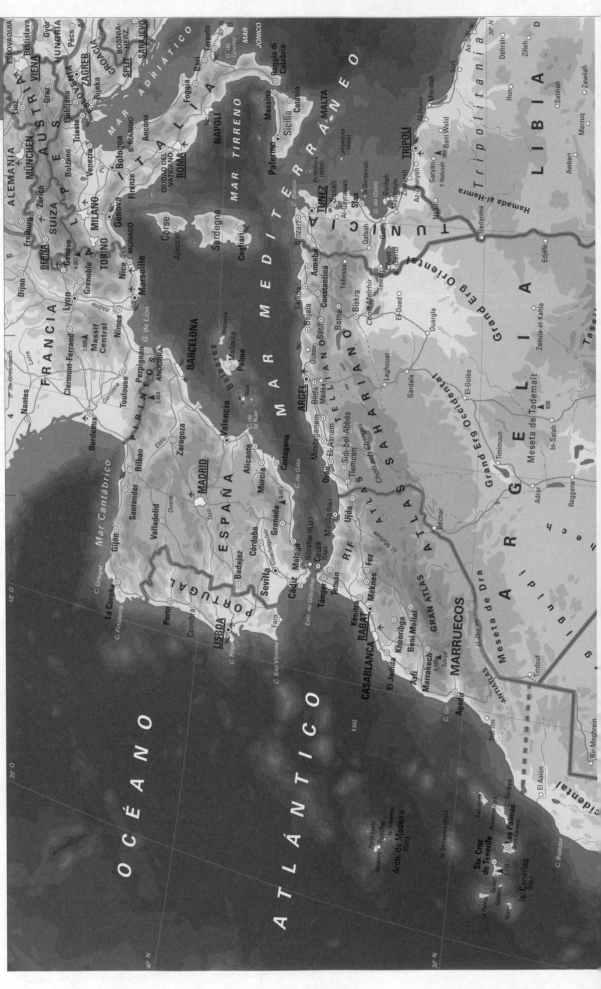

# África oriental

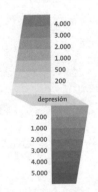

**Relieve (altura en metros)**

| | |
|---|---|
| 4.000 | |
| 3.000 | |
| 2.000 | |
| 1.000 | |
| 500 | |
| 200 | |

depresión

200
1.000
2.000
4.000
5.000

**Proyección acimutal equivalente de Lamber**

0    250    500 km

Escala 1: 15.000.000
1 cm corresponde a 150 km

Límite internacional
Ruta principal
✈ Aeropuerto
Puerto

**Poblaciones**
⌂ de más de 1.000.000 de hab.
◉ de 500.000 a 1.000.000 de hab.
◉ de 250.000 a 500.000 hab.
⊙ de 100.000 a 250.000 hab.
○ de menos de 100.000 hab.

▲ Altitud en metros
Lago, laguna, embalse
Corriente de agua

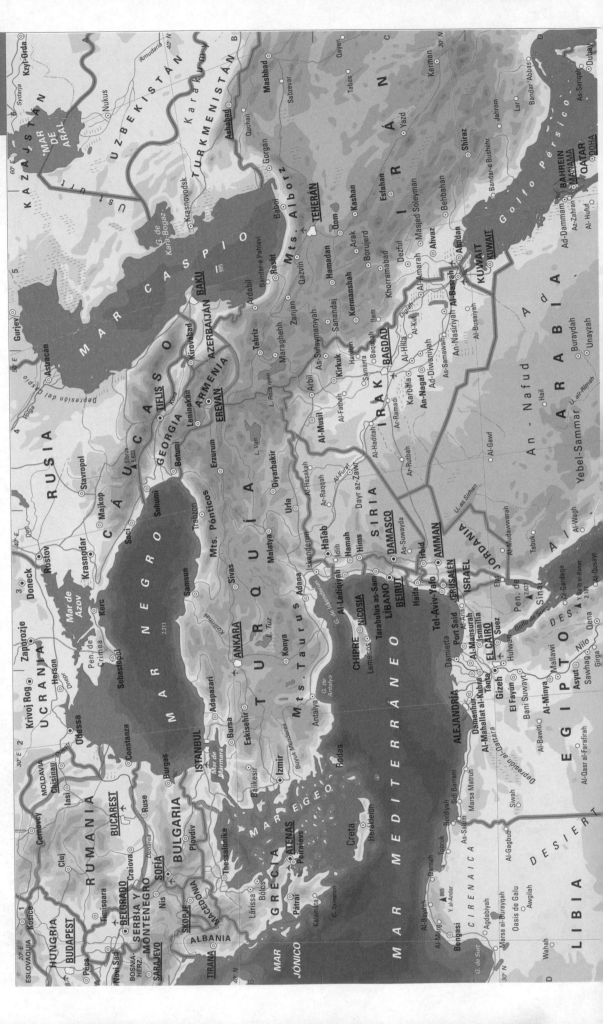

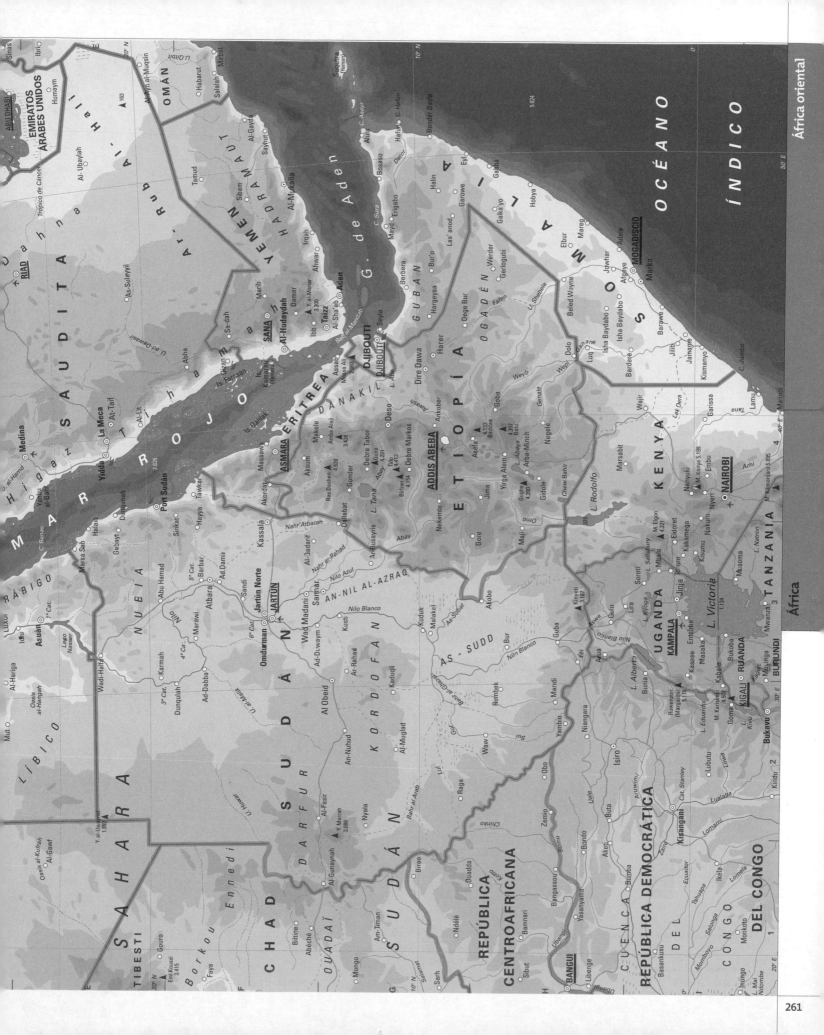

**EMIRATOS
ÁRABES UNIDOS**

ABU DHABI

Sinas
Ibric
Al-'Ayn al-Muqsin
Humaym
Habarut

OMÁN

Al-Ubaylah
▲163
Al-Orbit
U.Orbit
Mirbát
Salalah
Habarut

**RIAD**

Dahna
Tropico de Cáncer
Tamud
Sibam
Al-Gaydat
Sayhut
C. Asayr
Suqutra
(Yemen)
Bender Bayla

As-Sulayyil
As-Suwayr
Al-'Ghaydah
Iraah
Altwar
C. Hafun
Daror
Hafur
Alula

**SAUDITA**
**A R A B I A**

U.ad-Dawasir
Sa-dah
Marib
Y.al-Mansr
Irqah
Al-Mukalla

Abha
Gizan
Damar
▲3.200
Al-Sha'ab
Aden
C. Sura
Bosaso
Daror
Halin
Erigabo
Eyl

Medina
Al-Taif
Is.Farasan
**SANA**
**Al-Hudaydah**
**Taizz**
Bab al Mandab
Seylac
Berbera
Bur'o
Garowe
Garowe

La Meca
At-Taif
Al-Lit
Kamaran
(Yemen)
Assab
Massawa Ali
**DJIBOUTI**
Hargeysa
Dege Bur
Gahba

Yidda
▲2.635
Is.Dahlak
Massawa
Assab
Massawa Ali
**DJIBOUTI**
Dire Dawa
Harer
Werder
Galka'yo

**M A R   R O J O**

Gubayt
Halalb
Dunqunab
Port Sudán
**ASMARA**
Akordat
Aksum
Ras Dashen
▲4.620
Mekele
Amba Alaji
▲3.438
Debre Tabor
Dese
Ankober
Asela
▲4.133
Badda
Goba
Weyb
Weyt

**O G A D É N**
**S O M A L I A**

# África central

## Leyenda

Límite internacional

Ruta principal

✈ Aeropuerto

⚓ Puerto

**Poblaciones**

⬠ de más de 1.000.000 de hab.

◉ de 500.000 a 1.000.000 de hab.

◎ de 250.000 a 500.000 hab.

⊙ de 100.000 a 250.000 hab.

○ de menos de 100.000 hab.

▲ Altitud en metros

⬮ Lago, laguna, embalse

〜 Corriente de agua

**Relieve (altura en metros)**

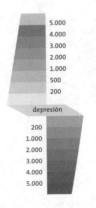

```
5.000
4.000
3.000
2.000
1.000
500
200
depresión
200
1.000
2.000
3.000
4.000
5.000
```

Proyección acimutal equivalente de Lambert

```
0        250      500 km
```

Escala 1: 15.000.000
1 cm corresponde a 150 km

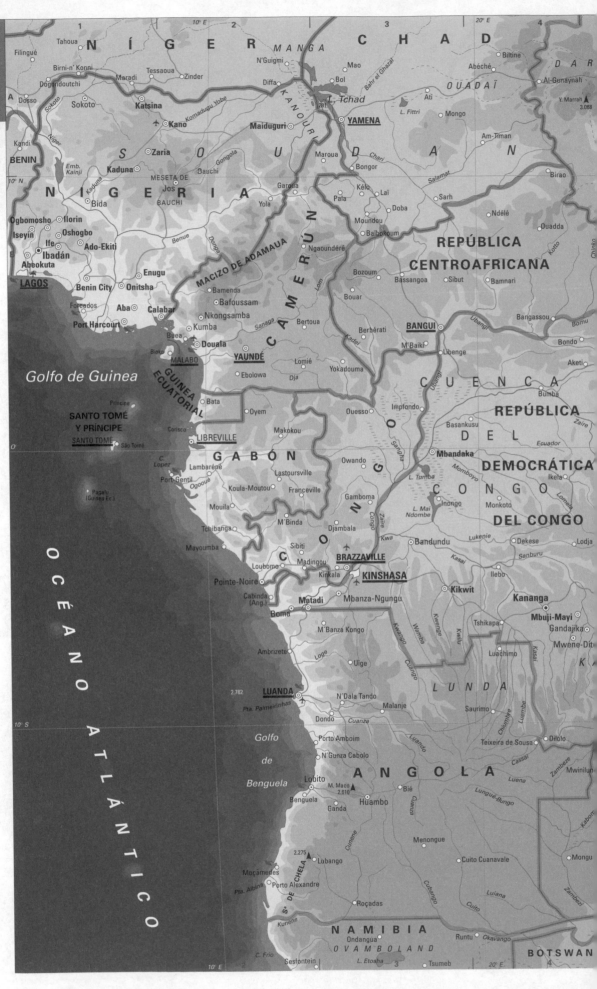

OCÉANO ATLÁNTICO

Golfo de Guinea

Golfo de Benguela

**NÍGER**

Tahoua
Filingué
Birni-n' Konni
Dogondoutchi
Dosso
Kandi
Maradi
Tessaoua
Zinder
Katsina
Kano
Zaria

**BENIN**

Sokoto
Kaduna

**NIGERIA**

Bida
Ogbomosho
Ilorin
Iseyin
Oshogbo
Ife
Ado-Ekiti
Ibadán
Abeokuta
**LAGOS**
Benin City
Onitsha
Enugu
Aba
Calabar
Forcedos
Port Harcourt
Kumba
Buea
**Douala**
Nkongsamba
Bamenda
Bafoussam

MESETA DE Jos
BAUCHI
Bauchi
Yola

MACIZO DE ADAMAUA

**CAMERÚN**

**MALABO**
Bioko
**GUINEA ECUATORIAL**
Bata
Corisco

**YAUNDÉ**
Ebolowa
Lomié
Yokadouma
Oyem
Makokou

Príncipe
**SANTO TOMÉ Y PRÍNCIPE**
**SANTO TOMÉ**
São Tomé

C. López
Pagalu (Guinea Ec.)

**GABÓN**
**LIBREVILLE**
Lambaréné
Port-Gentil
Koula-Moutou
Lastoursville
Franceville
Mouila
Owando
Tchibanga
M'Binda
Mayoumba
Sibiti
Loubomo
Madingou
**BRAZZAVILLE**
Pointe-Noire
Kinkala
Cabinda (Ang.)
Boma
**Matadi**
Mbanza-Ngungú
M'Banza Kongo
Ambrizete
Uige

**CHAD**
N'Guigmi
Mao
Bol
Diffa
L. Tchad
**YAMENA**
Ati
Mongo
L. Fittri
Maroua
Bongor
Garoua
Kélo
Laï
Pala
Sarh
Doba
Moundou
Baïbokoum
Ndélé
Ngaoundéré
Bozoum
Bouar
Berbérati
Berbérati
Bertoua

**REPÚBLICA CENTROAFRICANA**
Bássangoa
Sibut
Bamnari
**BANGUI**
M'Baiki
Libenge

Biltine
Abéché
Al-Gunaynah
Y. Marrah ▲ 3.088
Am-Timan
Salamat
Birao
Ouadda
Bangassou
Bondo
Aketi
Bumba

**CUENCA DEL CONGO**
**REPÚBLICA DEMOCRÁTICA DEL CONGO**
**Mbandaka**
Ikela
Ecuador
Impfondo
Basankusu
Monkoto
Inongo
L. Tumba
L. Mai Ndombe
Gamboma
Djambala
Bandundu
Dekese
Lodja
Ilebo
Sanburu
Lukenie
**Kinshasa**
**Kikwit**
**Kananga**
**Mbuji-Mayi**
Gandajika
Mwene-Dit
Tshikapa
Luachimo

**CONGO**
Ouesso

**ANGOLA**
**LUANDA**
N'Dala Tando
Malanje
Saurimo
Dondo
Porto Amboim
N'Gunza Cabolo
Lobito
Benguela
Ganda
Bié
Huambo
Menongue
Lubango
Moçámedes
Porto Alexandre
Pta. Albina
Roçadas
Cuito Cuanavale
Mongu
Dilolo
Teixeira de Sousa
Luena
Mwinilunga

**NAMIBIA**
Ondangua
**OVAMBOLAND**
Sesfontein
L. Etosha
Tsumeb
Runtu
Okavango

**BOTSWANA**

Pta. Palmeirinhas
Pta. Palmeirinhas 2.782
M. Maco 2.610
2.275
S.ª DE CHELA
C. Frio

262

# Map: África central (East Africa)

**SUDÁN**

FUR

Al-Fasir

Nyala

An-Nuhud

Al-Muglad

K U R D U F A N

Al-Ubayyíd

Kaduqli

Ar-Rahad

Kusti

Ad-Duwaym

Wad Madani

Sannar

Al-Qadarif

Kassala

Akordat

Mitsiwa

**ASMARA**

**ERITREA**

MAR ROJO

**SANA**

Al-Hudaydah

**YEMEN**

Sayhut

Al-Mukalla

Irqah

Ahwar

Ibb

Damar

Y. al-Manar 3.200

Taizz

Al-Sha'ab

Aden

G. de Aden

Suqutra (Yemen)

C. Asayr

Alula

Bab el-Mandab

Mussa Ali 2.063

Aseb

Tadjoura

**DJIBOUTI**

DJIBOUTI

Seyla

Berbera

Mayd

C. Sura

Bosaso

Erigabo

Hafun

C. Hafun

Daror

JARTÚN

30° E

Nahr Atbarah

Nahr ar-Rahad

An-Nil al-Azraq

Ar-Rusayris

Qallabat

Aksum

Ras Dashen 4.620

Mekele

Amba Alaji 3.438

Gonder

D A N A K I L

Dese

L. Abe

Dire Dawa

G U B A N

Halin

Hargeysa

Bur'o

Las' anod

Bender Bayla

Garowe

Eyl

Kuduk

Malakal

As-Subat

Debre Tabor

L. Tana

Abay

Birhan 4.154

Debre Markos

**ADDIS ABEBA**

Nekemte

Ankober

Harer

Dege Bur

Werder

Gerlogubi

Galka'yo

Gara'ad

S O M A L I A

5.824

An-Nil al-Abyad

Raga

Waw

Rumbek

Bur

A S   S U D D

Akobo

Gore

E T I O P Í A

Baddaa

Asela 4.133

Goba

Jima

O G A D E N

Fafen

Weyb

U. Shebele

Hobya

Zemio

Obo

Yambio

Maridi

Guba

Yei

Maji

Omo

Gugha 4.200

Gidole

Arba-Minch

L. Abaye

Yirga Alem

Negele

Genale

Wad Ganale

Dolo

Luq

Isha Baydabo

Beled Weyne

Elbur

Mareg

Buta

Isiro

Niangara

Uele

Aruwimi

Arua

Gulu

Lira

L. Turkana

Chew Bahir

375

Marsabit

Wad Ganale

Isha Baydabo

Bardere

Afgoye

**MOGADISCIO**

Marka

BENADIR

**Kisangani**

Cat. Stanley

Lomami

Lualaba

Bunia

L. Albert

Albert Nile

Asya

Soroti

Mbale

L. Kyoga

Tororo

D. Salisbury

M. Elgon 4.321

Eldoret

Kakamega

**UGANDA**

**KAMPALA**

Kasese

Ruwenzori 5.110

Kabale

Jinja

Entebbe

Kisumu

Nakuru

Nanyuki

M. Kenya 5.200

Nyeri

K E N Y A

RIFT VALLEY

Wajir

Lak Dera

Garissa

Bardere

Jilib

Barawe

Jamame

Kismanyo

Lubutu

L. Eduardo

M. Karisimbi 4.507

Goma

Kindu

Bukavu

**Kisangani**

L. Kivu

**RUANDA**

**KIGALI**

Muyinga

**BUJUMBURA**

Masaka

L. Victoria 1.134

Bukoba

Musoma

Mwanza

Embu

**NAIROBI**

Tana

Athi

C. Jumbo

Lamu

Garsen

L. Natron

Shinyanga

Kilimanjaro 5.895

Moshi

Galana

Malindi

**Mombasa**

O C É A N O

Í N D I C O

Kibondo

**BURUNDI**

Kigoma

Ujiji

Kasongo

Kabalo

Kalemie

773

Tabora

L. Eyasi

Singida

Arusha

ESTEPA MASAI

Pangani

Tanga

Kabinda

M T S   M I T U M B A

L. Tanganyika

Luama

Ugalla

Hanang 3.417

**TANZANIA**

**DODOMA**

Pemba

Zanzibar

Zanzibar

Kamina

L. Upemba 1.869

Luvua

Kipili

L. Rukwa

Morogoro

**Dar es Salaam**

Mafia

2.910

Kalaba

Mbala

Great Ruaha

Iringa

Rufiji

Kolwezi

**Likasi**

Kasama

Chambeshi

Mbeya

Rungwe 3.175

Mahenge

Lindi

**Lubumbashi**

Mansa

L. Bangweulu

Mpika

Karonga

Mtwara

Solwezi

M T S   M U C H I N G A

Kasama

L. Malawi

Songea

Masasi

C. Delgado

Providence

Farquhar

Is. Amirantes

**Chingola**

**Mufulira**

1.795

**Kitwe**

**Ndola**

**Luanshya**

Z A M B I A

Kabwe

Charbeshi

Chipata

Salima

Lichinga

Ruvuma

Mueda

**MORONI**

**COMORAS**

Gran Comora

Moheli

Anjouan

Mayotte (Fr.)

Is. Glorieuses (Fr.)

C. Ambre

Antsiranana

**LUSAKA**

Kafue

Zombo

Emb. de Cabora Bassa

**LILONGWE**

Zomba

Chilwa

Namuli 2.419

Messalo

Lúrio

Pemba

Lugenda

M O Z A M B I Q U E

Nosy Mitsio

Nosy-Be

Ambilobe

Tsaratanana 2.886

Antsohihy

Ambato

**Chingola**

Iulobezi

Choma

Kariba

L. Kariba

Sinoia

**HARARE**

Inyangani 2.596

M. Gorongosa 1.868

Tete

Zambeze

Blantyre

M. Mlanje 3.000

Mocuba

Quelimane

Angoche

**Nampula**

Naçala

Moçambique

Antananarivo

Mahajanga

**MADAGASCAR**

C. Saint-André

Maintirano

Marovoay

Maevatanana

L. Alaotra

Ambatondrazaka

M T S   A N K A R A T R A

**Toamasina**

Fénérive

Sainte Marie

C. Masoala

Antalaha

Antsohihy

Marambo

Cat. Victoria

**ZIMBABWE**

Hwange

Kadoma

Kwekwe

Mutare

Manica

30° E

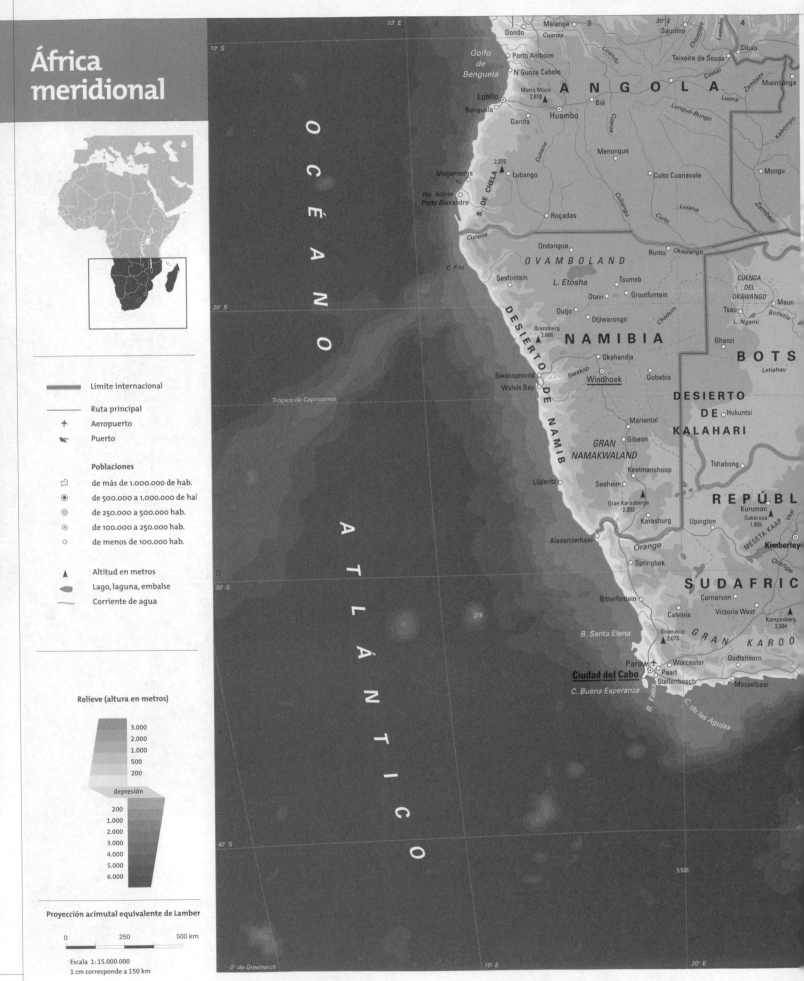

# África meridional

**Límite internacional**
**Ruta principal**
✈ Aeropuerto
⚓ Puerto

**Poblaciones**
⬡ de más de 1.000.000 de hab.
◉ de 500.000 a 1.000.000 de hab.
◎ de 250.000 a 500.000 hab.
⊙ de 100.000 a 250.000 hab.
○ de menos de 100.000 hab.

▲ Altitud en metros
Lago, laguna, embalse
Corriente de agua

**Relieve (altura en metros)**
3.000
2.000
1.000
500
200
depresión
200
1.000
2.000
3.000
4.000
5.000
6.000

**Proyección acimutal equivalente de Lamber**

0    250    500 km

Escala 1:15.000.000
1 cm corresponde a 150 km

OCÉANO

ATLÁNTICO

10° E
10° S

Golfo de Benguela

**ANGOLA**

Dondo
Malange
Cuanza
Saurimo
Chiumbe
Luembo
Dilolo
Teixeira de Sousa
Cassai
Zambeze
Mwinilunga
Luena
Kabompo
Mongu
Zambezi

Porto Amboim
N'Gunza Cabolo
Lobito
Morro Moco 2.610 ▲
Bié
Luando
Luando
Benguela
Ganda
Huambo
Cuanza
Lungué-Bungo
Menongue
Cuito Cuanavale
Luiana

Moçâmedes
S. DE CHELA 2.275 ▲
Lubango
Cuene
Cubango
Cuito

Pta. Albina
Porto Alexandre
Roçadas

Cunene

20° E
20° S

C. Frio

Ondangua
Runtu
Okawango
Okawango

**OVAMBOLAND**

**CUENCA DEL OKAWANGO**

Sesfontein
L. Etosha
Tsumeb
Otavi
Grootfontein
Maun
Botletle

Tsau
L. Ngami

Outjo
Otjiwarongo
Chadum

Ghanzi

**NAMIBIA**

**BOTS**

Brandberg 2.606 ▲

Okahandja

Letlahau

Swakopmund
Swakop
**Windhoek**
Gobabis

**DESIERTO DE NAMIB**

Walvis Bay

**DESIERTO DE KALAHARI**

Trópico de Capricornio

Mariental
Hukuntsi

**GRAN NAMAKWALAND**
Gibeon

Keetmanshoop
Tshabong

Lüderitz
Seeheim

**REPÚBL**

Gran Karasberge 2.202 ▲
Kuruman
Gakarosa 1.855 ▲
Vaal

Karasburg
Upington
Kimberley

MESETA KAAP

Alexanderbaai
Orange
Orange

Springbok

**SUDAFRIC**

30° S

Bitterfontein
Carnarvon

219

Calvinia
Victoria West
Kompasberg 2.504 ▲

B. Santa Elena
Sneeukop 2.073 ▲
**GRAN    KAROO**

Parow ✈
Worcester
Oudtshoorn

**Ciudad del Cabo**
Paarl
Stellenbosch
Mosselbaai

C. Buena Esperanza
B. Falsa
C. de las Agujas

40° S

5.538

0° de Greenwich
10° E
20° E

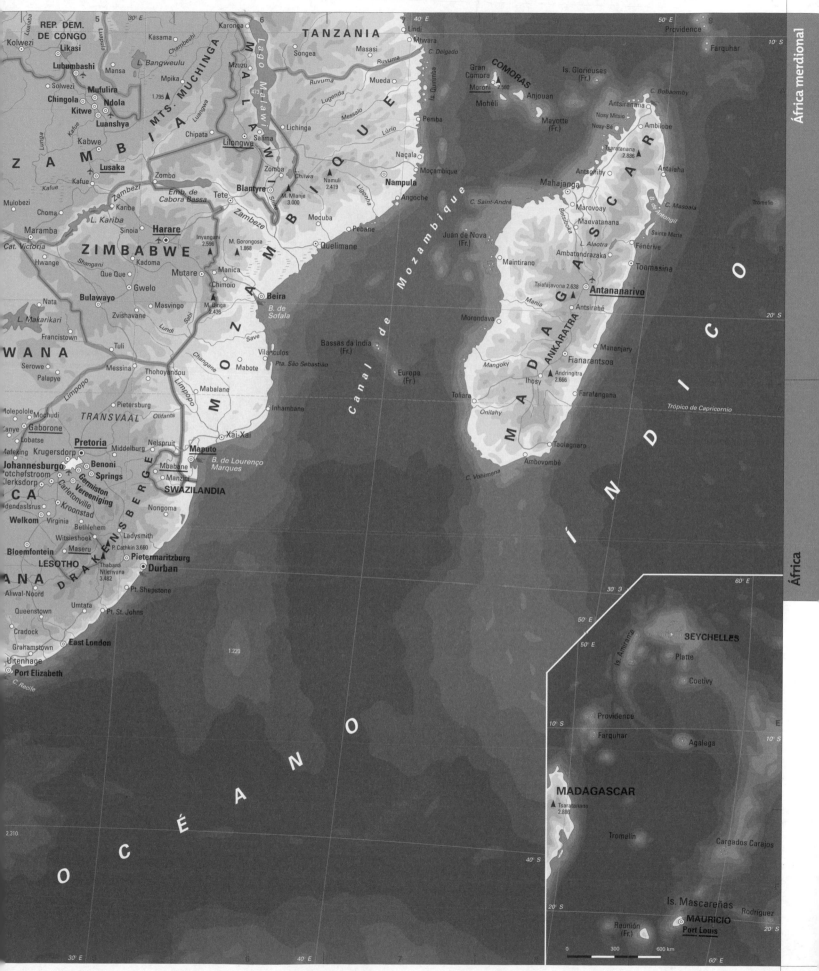

REP. DEM.
DE CONGO
Kolwezi
Likasi
Lubumbashi
Mufulira
Chingola
Ndola
Kitwe
Luanshya
Kabwe
Lusaka
Kafue
Mulobezi
Choma
Maramba
Cat. Victoria
Hwange
Nata
L. Makarikari
Francistown
WANA
Serowe
Palapye
Molepolole
Mochudi
Kanye
Gaborone
Lobatse
Mafeking
Krugersdorp
Johannesburgo
otchefstroom
Springs
Benoni
Clerksdorp
Vereeniging
Germiston
Carletonville
Kroonstad
C A
Welkom
Virginia
Bethlehem
Witsieshoek
Ladysmith
Bloemfontein
Maseru
Thabana
Ntlenyana
3.482
P. Cathkin 3.660
Pietermaritzburg
LESOTHO
Durban
ANA
Aliwal-Noord
Umtata
Pt. Shepstone
Queenstown
Pt. St. Johns
Cradock
Grahamstown
East London
Uitenhage
Port Elizabeth
C. Recife

Solwezi
Kafue
Mansa
L. Bangweulu
Mpika
Chambeshi
1.795
MTS. MUCHINGA
Luangwa
Lungu
Z A M B I A
Kariba
Lunga
Sinoia
L. Kariba
Zambezi
ZIMBABWE
Shangani
Kadoma
Que Que
Gwelo
Bulawayo
Masvingo
Zvishavane
Tuli
Lundi
Sabi
Messina
Thohoyandou
TRANSVAAL
Olifants
Pietersburg
Limpopo
Mabalane
Maputo
Nelspruit
Middelburg
Pretoria
Mbabane
Manzini
Nongoma
SWAZILANDIA
Kabwe
L. Chilwa
Karonga
Kasama
Mzuzu
Songea
MALAWI
Lago Malawi
Lichinga
473
Chipata
Lilongwe
Salima
Zomba
Blantyre
M. Mlanje
3.000
Tete
Emb. de
Cabora Bassa
Zambeze
Harare
Inyangani
2.596
M. Gorongosa
1.868
Manica
Chimoio
M. Binga
2.436
Mutare
Beira
B. de
Sofala
Save
Vilanculos
Mabote
Pta. São Sebastião
Inhambane
Changane
Limpopo
Xai-Xai
B. de Lourenço
Marques
DRAKENSBERGE

TANZANIA
Lindi
Mtwara
Masasi
Ruvuma
C. Delgado
Mueda
Lugenda
Messalo
Lúrio
Naçala
Moçambique
Angoche
Moduba
Pebane
Quelimane
Pemba
Nampula
Namuli
2.419
Ligonha
M O Z A M B I Q U E
Mzuzu
Nacala

Providence
Farquhar
COMORAS
Gran
Comora
Moroni 2.560
Anjouan
Mohéli
Mayotte
(Fr.)
Is. Glorieuses
(Fr.)
C. Bobaomby
Antsiranana
Nosy Mitsio
Nosy-Be
Ambilobe
Tsaratanana
2.886
Antalaha
M A D A G A S C A R
Antsohihy
Mahajanga
C. Saint-André
Marovoay
Betsiboka
Maevatanana
L. Alaotra
Ambatondrazaka
Sainte Marie
Antananarivo
Tsiafajavona 2.638
Antsirabé
ANKARATRA
Mania
Morondava
Mananjary
Fianarantsoa
Mangoky
Ihosy
Andringitra
2.666
Toliara
Onilahy
Farafangana
Trópico de Capricornio
Taolagnaro
Ambovombé
C. Vohimena

Juan de Nova
(Fr.)
Maintirano
Bassas da India
(Fr.)
Europa
(Fr.)
Canal de Mozambique
C. Masoala
B. de Antongil
Fénérive
Toamasina
C. Bobaomby

Tromelin
O C É A N O   I N D I C O

O C É A N O
2.310
1.220

SEYCHELLES
Platte
Coetivy
Providence
Farquhar
Agalega
MADAGASCAR
Tsaratanana
2.886
Tromelin
Cargados Carajos
Is. Mascareñas
Rodriguez
Reunión
(Fr.)
MAURICIO
Port Louis
0    300    600 km
Is. Amirante
30° 3
60° E
50° E
50° E
10° S
10° S
20° S
60° E

# Geología y relieve

El relieve africano está dominado en su mayor parte por altiplanos, fruto de la acción erosiva del agua, el viento y el sol sobre las viejas masas cristalinas. La región septentrional alberga el Atlas, una cordillera joven surgida del plegamiento alpino; la oriental acoge el macizo Etiópico y la colosal fosa tectónica del valle del Rift, que divide África de norte a sur. En cuanto a los desiertos, son fruto de la erosión de macizos muy antiguos.

## Las cumbres de África

| | |
|---|---|
| Kilimanjaro (Tanzania) | 5.895 m |
| Kenya (Kenya) | 5.200 m |
| Ruwenzori (R.D. Congo/Uganda) | 5.110 m |
| Ras Dashen (Etiopía) | 4.620 m |
| Meru (Tanzania) | 4.566 m |
| Karisimbi (R.D. Congo/Ruanda) | 4.507 m |
| Talo (Etiopía) | 4.413 m |
| Elgon (Kenya/Uganda) | 4.321 m |
| Batu (Etiopía) | 4.307 m |
| Guna (Etiopía) | 4.231 m |

## Los últimos glaciares africanos

A principios del tercer milenio, sólo tres montes africanos albergan glaciares: el Kilimanjaro, el Kenya *(foto)* y el Ruwenzori. Las latitudes tropicales y ecuatoriales del continente configuran un clima cálido que dificulta la acumulación de grandes masas de hielo incluso en altitudes superiores a los 5.000 metros. Además, el calentamiento global puede provocar la desaparición de los glaciares existentes en el año 2015.

## Geología

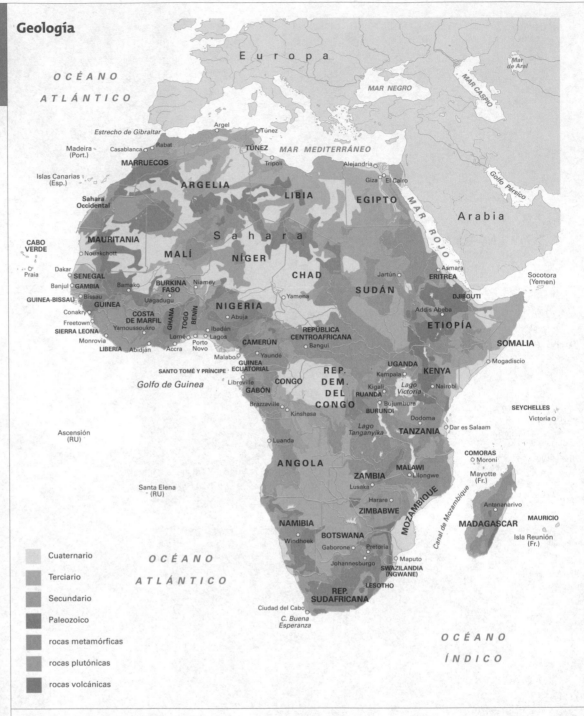

Cuaternario
Terciario
Secundario
Paleozoico
rocas metamórficas
rocas plutónicas
rocas volcánicas

## El valle del Rift, eje tectónico del continente africano

El valle del Rift es uno de los accidentes geográficos más importantes de la corteza terrestre y el principal de África. Consiste en una extraordinaria sucesión de fosas tectónicas que, en conjunto, forman una serie muy prolongada de depresiones.

El Rift se formó hace 50 millones de años por el desgaste y el hundimiento de la corteza terrestre a lo largo de una franja de debilidad. Su recorrido es inmenso: se extiende desde Asia Occidental hasta el suroeste de África. Su punto de partida se sitúa en Turquía; luego atraviesa el valle del Jordán, el lago Tiberíades, el mar Muerto, el mar Rojo, los golfos de Aqaba y Adén, el macizo de Etiopía, la región de los Grandes Lagos y Malawi *(en la foto, el valle de Zomba)*, para finalmente alcanzar el curso inferior del río Zambeze, ya en Mozambique.

La altitud del Rift oscila entre los 395 metros bajo el nivel del mar y los 1.829 sobre el nivel del mar. Su amplitud varía de unos pocos hasta más de 160 kilómetros. Los márgenes del Rift están formados por elevaciones coronadas por volcanes. En África Oriental se bifurca en los Rift oriental y occidental —en este último se halla el lago Tanganyika—.

# Grandes regiones naturales

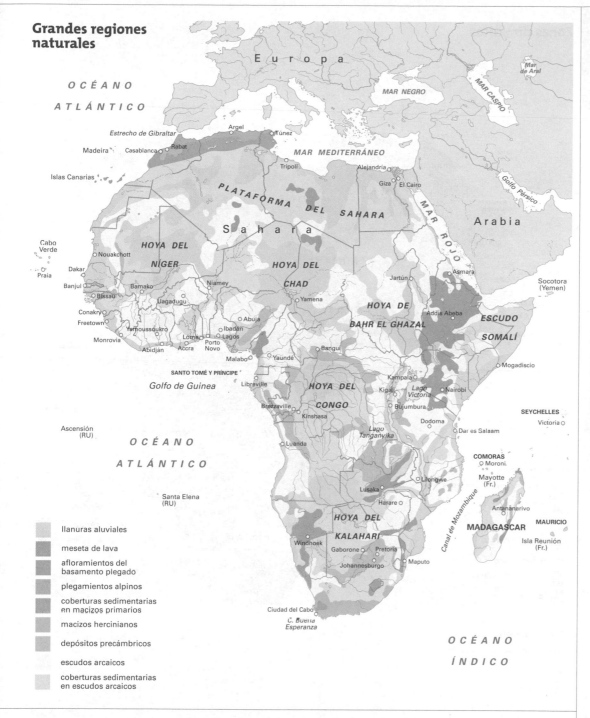

E u r o p a

OCÉANO
ATLÁNTICO

MAR NEGRO

MAR CASPIO

Mar de Aral

Estrecho de Gibraltar

Argel
Túnez
MAR MEDITERRÁNEO

Madeira
Casablanca · Rabat
Trípoli
Alejandría
Giza El Cairo

Islas Canarias

PLATAFORMA DEL SAHARA

S a h a r a

Arabia

Cabo Verde
Praia

HOYA DEL NÍGER

Nouakchott
Dakar
Banjul
Bissau
Bamako
Nuagadugu
Niamey

HOYA DEL CHAD

Yamena

Jartún

Asmara

Socotora (Yemen)

Conakry
Freetown
Monrovia
Yamoussoukro
Abidján
Accra
Loma
Ibadán
Lagos
Porto Novo
Abuja

HOYA DE BAHR EL GHAZAL

Addis Abeba

ESCUDO SOMALÍ

SANTO TOMÉ Y PRÍNCIPE
Golfo de Guinea
Malabo
Libreville
Yaundé

Banguí

Mogadiscio

HOYA DEL CONGO

Kampala
Kigali
Lago Victoria
Nairobi
Bujumbura

SEYCHELLES
Victoria

Ascensión (RU)
OCÉANO
ATLÁNTICO

Brazzaville
Kinshasa
Luanda
Lago Tanganyika

Dodoma
Dar es Salaam

Santa Elena (RU)

Lusaka
Harare

COMORAS
Moroni
Mayotte (Fr.)

Litongwe

Antananarivo
MADAGASCAR
MAURICIO
Isla Reunión (Fr.)

HOYA DEL KALAHARI

Windhoek
Gaborone
Pretoria
Johannesburgo
Maputo

Canal de Mozambique

Ciudad del Cabo
C. Buena Esperanza

OCÉANO
ÍNDICO

- llanuras aluviales
- meseta de lava
- afloramientos del basamento plegado
- plegamientos alpinos
- coberturas sedimentarias en macizos primarios
- macizos hercinianos
- depósitos precámbricos
- escudos arcaicos
- coberturas sedimentarias en escudos arcaicos

## La cordillera del Atlas

El sistema del Atlas se sitúa en el norte de África. Formado en la era Terciaria, se divide en tres cadenas en Marruecos (Alto Atlas, Atlas Medio y Antiatlas) y en dos en Argelia (Atlas Telliano y Atlas Sahariano).

De todas ellas, el Alto Atlas es la más destacada: ocupa 750 kilómetros de suelo marroquí, desde la costa atlántica hasta la frontera argelina, y alberga las mayores altitudes del sistema (Tubqal, 4.165 m).

Por su notable altitud y su orientación transversal, el Atlas influye decisivamente en la aridez del desierto del Sahara, puesto que cierra el paso a los vientos que llegan del norte, cargados de la humedad del mar.

○ Paisaje del Atlas Medio, en Marruecos

## El macizo Etiópico

El macizo Etiópico ocupa más de la mitad de la superficie de Etiopía. Se trata de una altiplanicie con alturas entre los 2.000 y los 3.000 metros en la que predominan las rocas arcaicas y formada por amplias mesetas –llamadas *ambas*–, alteradas por profundos valles fluviales y por macizos que superan sobradamente los 4.000 metros de altitud.

El valle del Rift divide longitudinalmente el macizo Etiópico. El sector occidental, que alberga las mayores altitudes (Ras Dashen, 4.620 m), se escarpa hacia el noreste (Eritrea) y desciende de forma más suave hacia el oeste (Sudán). El sector oriental también pierde altura gradualmente en la región de Ogadén.

○ Valle de Awash, al noreste de Etiopía

## El mayor desierto del mundo

El desierto del Sahara es el más extenso del mundo: abarca casi nueve millones de kilómetros cuadrados, una superficie similar a la de todo Estados Unidos. Su territorio comprende el tercio septentrional de África, exceptuando la cornisa costera mediterránea, desde el océano Atlántico hasta el mar Rojo. En el noroeste, la cordillera del Atlas frena su expansión hacia el mar, mientras que al sur, su límite se fija en el Sahel, una región de transición hacia el clima tropical húmedo cada vez más desertificada.

En el Sahara se distinguen tres tipos de relieve: los *reg* –grandes extensiones pedregosas–, los *erg* –mares de arena que forman enormes dunas móviles (foto)– y las *hamadas* –mesetas rocosas–. A estos paisajes se añaden tres macizos volcánicos: Tibesti (3.415 m), Ahaggar (2.918 m) y Aïr (2.022 m).

En pocas zonas se alcanzan los 100 milímetros anuales de precipitaciones, cifra que en muchos casos corresponde a la lluvia de una sola tormenta. Sólo el río Nilo logra cruzarlo, aunque existen oasis y uadis, aguas subterráneas que afloran esporádicamente. Las oscilaciones térmicas son extremas entre el día y la noche, y a lo largo del año se dan mínimas inferiores a los 0ºC y máximas superiores a los 50ºC.

# Clima

Por su extensión en latitud y su relieve en general llano, África está sujeta a la fuerte influencia climática de los trópicos –cuya proximidad marca las estaciones seca y húmeda– y del ecuador. El continente es sumamente cálido y aúna climas áridos o desérticos, climas tropicales secos y húmedos, y climas ecuatoriales. Los extremos norte y sur de África gozan de clima mediterráneo.

## Las tempestades de arena

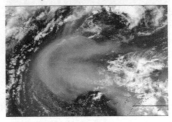

El inmenso arenal del desierto del Sahara es barrido periódicamente por fuertes vientos cálidos, como el siroco y el harmatán, que generan espectaculares tormentas de arena, de inusual violencia. Estos vientos arrastran grandes nubes de polvo recorren miles de kilómetros y alcanzan, incluso, las costas americanas de Florida (*foto satelital, nube de polvo que partió desde el Sahara al Atlántico en febrero de 2000*).

## Zonas climáticas

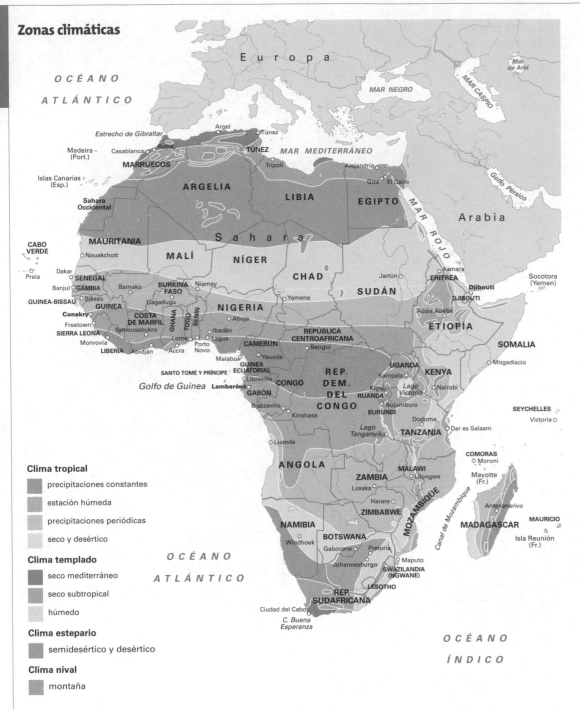

**Clima tropical**
- precipitaciones constantes
- estación húmeda
- precipitaciones periódicas
- seco y desértico

**Clima templado**
- seco mediterráneo
- seco subtropical
- húmedo

**Clima estepario**
- semidesértico y desértico

**Clima nival**
- montaña

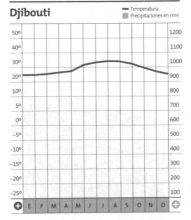

### Djibouti
Temperatura
Precipitaciones en mm

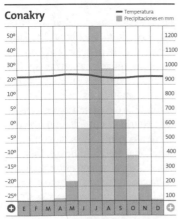

### Conakry
Temperatura
Precipitaciones en mm

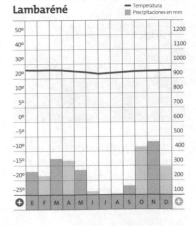

### Lambaréné
Temperatura
Precipitaciones en mm

## Disparidad pluviométrica

En la capital de Djibouti no llueve ni un solo día al año. De clima tropical seco, el calor se intensifica entre abril y octubre. Lo contrario sucede en Conakry, capital de Guinea. De clima tropical húmedo y ecuatorial, sufre fuertes lluvias la mayor parte del año y mantiene estables sus altas temperaturas. Por su parte, Lambaréné (Gabón) tiene un clima ecuatorial moderado por el Atlántico y su régimen de lluvias desciende notablemente en verano, con la estación seca.

## Precipitación media anual

**25 mm**
50
100
250
400
500
750
1000
1500
2000
3000
5000

Europa
MAR NEGRO
Mar de Aral
Estrecho de Gibraltar
MAR MEDITERRÁNEO
Sahara
Cabo Verde
Arabia
MAR ROJO
Golfo Pérsico
OCÉANO ATLÁNTICO
Golfo de Guinea
Lago Victoria
Lago Tanganyika
Seychelles
Comoras
Mayotte
Madagascar
Mauricio
Isla Reunión
C. Buena Esperanza
OCÉANO ÍNDICO

## Zonas áridas y húmedas

La irregularidad interanual marca el régimen pluvial del continente africano. Las lluvias disminuyen hacia los extremos norte y sur, son escasas en el Sahel y testimoniales en las regiones desérticas. Las precipitaciones sólo son constantes en el África Ecuatorial. Allí la humedad es siempre elevada, se producen fuertes lluvias por influencia del monzón oceánico y se prolonga la estación húmeda. Sudáfrica es un caso excepcional: su clima es mediterráneo –inviernos suaves y veranos calurosos– gracias a la influencia de los vientos cálidos generados por los anticiclones oceánicos y permanentes de Santa Elena y de las islas Mascareñas.

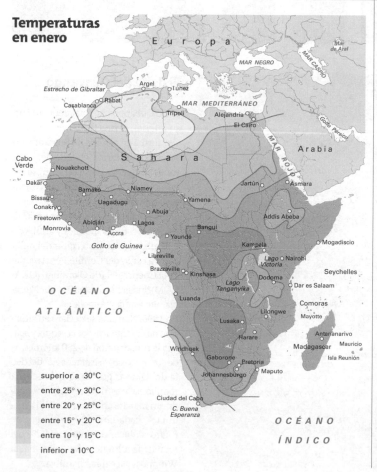

◐ Naranjos en El Cabo, Sudáfrica

## Contrastes térmicos

África ostenta el récord mundial de la temperatura más alta de todos los tiempos: el 13 de septiembre de 1922, se registraron 58ºC a la sombra en Al' Aziziyah (Libia, *foto*), en el desierto del Sahara. También en el norte de África el termómetro marcó una de las más bajas: en 1935 descendió hasta los –24ºC en Infrane (Marruecos).

El continente africano está situado en la zona de clima más cálido de la Tierra y la falta de lluvias en muchas regiones favorece la presencia de desiertos. Precisamente, una de las características del clima desértico, predominante en el norte de África y otras latitudes del continente, es la fuerte oscilación térmica –de 15ºC a 30ºC de diferencia–, entre el día, extremadamente caluroso, y la noche, muy fría.

## Temperaturas en enero

Europa
MAR NEGRO
Mar de Aral
Estrecho de Gibraltar
Argel
Túnez
Casablanca
Rabat
MAR MEDITERRÁNEO
Tripoli
Alejandría
El Cairo
MAR CASPIO
Golfo Pérsico
Arabia
Cabo Verde
Sahara
Nouakchott
Dakar
Bamako
Niamey
Jartún
Asmara
MAR ROJO
Bissau
Conakry
Uagadugu
Yamena
Freetown
Abuja
Monrovia
Abidján
Lagos
Accra
Bangui
Addis Abeba
Golfo de Guinea
Yaundé
Libreville
Kampala
Mogadiscio
Brazzaville
Kinshasa
Lago Victoria
Nairobi
Dodoma
Seychelles
Lago Tanganyika
Dar es Salaam
OCÉANO ATLÁNTICO
Luanda
Comoras
Mayotte
Lusaka
Lilongwe
Harare
Antananarivo
Mauricio
Windhoek
Madagascar
Isla Reunión
Gaborone
Pretoria
Johannesburgo
Maputo
Ciudad del Cabo
C. Buena Esperanza
OCÉANO ÍNDICO

superior a 30ºC
entre 25º y 30ºC
entre 20º y 25ºC
entre 15º y 20ºC
entre 10º y 15ºC
inferior a 10ºC

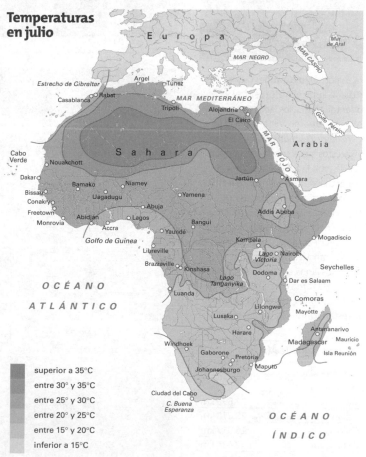

## Temperaturas en julio

Europa
MAR NEGRO
Mar de Aral
Estrecho de Gibraltar
Argel
Túnez
Casablanca
Rabat
MAR MEDITERRÁNEO
Tripoli
Alejandría
El Cairo
MAR CASPIO
Golfo Pérsico
Cabo Verde
Sahara
Arabia
Nouakchott
Dakar
Bamako
Niamey
Jartún
Asmara
MAR ROJO
Bissau
Conakry
Uagadugu
Yamena
Freetown
Abuja
Monrovia
Abidján
Lagos
Accra
Bangui
Addis Abeba
Golfo de Guinea
Yaundé
Libreville
Kampala
Mogadiscio
Brazzaville
Kinshasa
Lago Victoria
Nairobi
Dodoma
Seychelles
Lago Tanganyika
Dar es Salaam
OCÉANO ATLÁNTICO
Luanda
Comoras
Mayotte
Lusaka
Lilongwe
Harare
Antananarivo
Mauricio
Windhoek
Madagascar
Isla Reunión
Gaborone
Pretoria
Johannesburgo
Maputo
Ciudad del Cabo
C. Buena Esperanza
OCÉANO ÍNDICO

superior a 35ºC
entre 30º y 35ºC
entre 25º y 30ºC
entre 20º y 25ºC
entre 15º y 20ºC
inferior a 15ºC

# Hidrografía

Los ríos africanos son, por lo general, de largo recorrido y difícil navegación. Su caudal está sujeto a la notable irregularidad de las lluvias; durante las estaciones húmedas, los ríos suelen inundar vastas extensiones pantanosas. La red hidrográfica africana se completa con algunos lagos de gran extensión. La aridez de parte del continente y las sequías periódicas hacen de la falta de agua uno de los grandes problemas de África.

## La región de los Grandes Lagos

La región de los Grandes Lagos, situada entre el África central y oriental, abarca los lagos Kyoga, Alberto, Eduardo, Victoria *(en la foto, visto desde Uganda)*, Kivu y Tanganyika. Estos lagos son de vital importancia para la zona, puesto que generan extensos territorios fértiles y trazan las fronteras físicas entre Uganda, Kenya, la República Democrática del Congo, Ruanda, Burundi, Tanzania y Zambia, una región de gran conflictividad étnica.

Todos los lagos, excepto el Victoria, ocupan la rama occidental del valle del Rift, y todos, excepto el Tanganyika, están comunicados por el Nilo.

## Mayores lagos de África

| | |
|---|---|
| Victoria *(Kenya, Uganda, Tanzania)* | 69.485 km² |
| Tanganyika *(Burundi, R. D. Congo, Tanzania, Zambia)* | 32.893 km² |
| Malawi *(Malawi, Tanzania, Mozambique)* | 28.878 km² |
| Chad *(Niger, Chad, Nigeria)* | 16.317 km² |
| Volta *(Ghana)* | 8.484 km² |
| Turkana *(Kenya)* | 6.405 km² |

## El río Nilo, fuente de vida

Con una cuenca de tres millones de kilómetros cuadrados que se extiende desde el ecuador hasta el Mediterráneo y un recorrido de 6.693 kilómetros a través de seis países (Burundi, Tanzania, Ruanda, Uganda, Sudán y Egipto), el Nilo es el río más largo de África y el segundo del mundo, tras el Amazonas. Nace en Burundi con el nombre de Kasumo, un río que, en su curso inferior, se convierte en el Kagera y tributa al lago Victoria. De este lago, ya en Uganda, arranca el Nilo Victoria, que desemboca en el lago Alberto. De ahí nace el Nilo Alberto, que pasa a llamarse Nilo Blanco al cruzar la frontera de Sudán. Al llegar a Jartún *(foto)*, el Nilo Blanco se funde con el Nilo Azul, proveniente del lago Tana, en Etiopía. Desde la capital sudanesa, el río recorre 2.700 kilómetros de desierto y salva sus seis famosas cataratas –la primera de las cuales coincide con la presa de Asuán–, antes de desembocar en el Mediterráneo formando un gran delta.

El Nilo es navegable en diversos tramos, especialmente entre el delta y Asuán. Esta gran represa no sólo controla sus históricas inundaciones, sino que también permite aprovechar sus aguas, fundamentales para la producción de electricidad y la irrigación de los campos de cultivo egipcios.

## Los ríos más largos de África

*\*El río Nilo desemboca en el mar Mediterráneo*

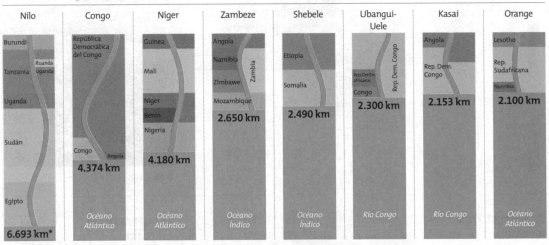

| Nilo | Congo | Níger | Zambeze | Shebele | Ubangui-Uele | Kasai | Orange |
|---|---|---|---|---|---|---|---|
| Burundi, Tanzania, Ruanda, Uganda, Sudán, Egipto | República Democrática del Congo, Congo, Angola | Guinea, Mali, Níger, Benin, Nigeria | Angola, Namibia, Zimbawe, Mozambique, Zambia | Etiopía, Somalia | Rep. Centroafricana, Congo, Rep. Dem. Congo | Angola, Rep. Dem. Congo | Lesotho, Rep. Sudafricana, Namibia |
| 6.693 km* | 4.374 km | 4.180 km | 2.650 km | 2.490 km | 2.300 km | 2.153 km | 2.100 km |
| | Océano Atlántico | Océano Atlántico | Océano Índico | Océano Índico | Río Congo | Río Congo | Océano Atlántico |

## El delta del Okavango

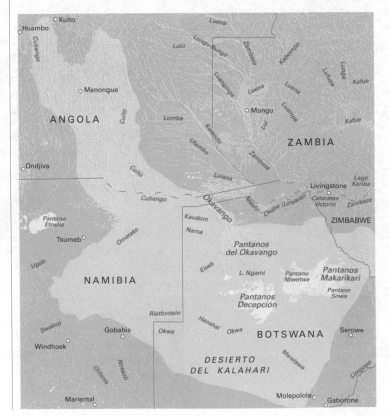

El río Cubango (Angola) tiene un curso inferior, el río Okavango, que a su vez, forma en el norte de Botswana un gran delta interior: el delta del Okavango. Este delta de 15.000 km², amenazado por la desertificación, constituye un valioso espacio natural por la enorme variedad de especies –mamíferos, aves, peces, reptiles y anfibios– que alberga. La protección del delta corre a cargo del Comité Permanente de la Cuenca del Río Okavango (OKACOM), integrada desde 1994 por Namibia, Botswana y Angola.

En 1996, Namibia se declaró en situación de emergencia por la sequía y solicitó la construcción de 250 kilómetros de conductos para extraer agua del delta del Okavango. Aunque la sequía remitió ese mismo año, el plan se pondrá en marcha en el año 2003. El acueducto trasladará 120 millones de metros cúbicos de agua –un 1,2% del total de la afluencia del delta– hasta Windhoek, la capital namibia.

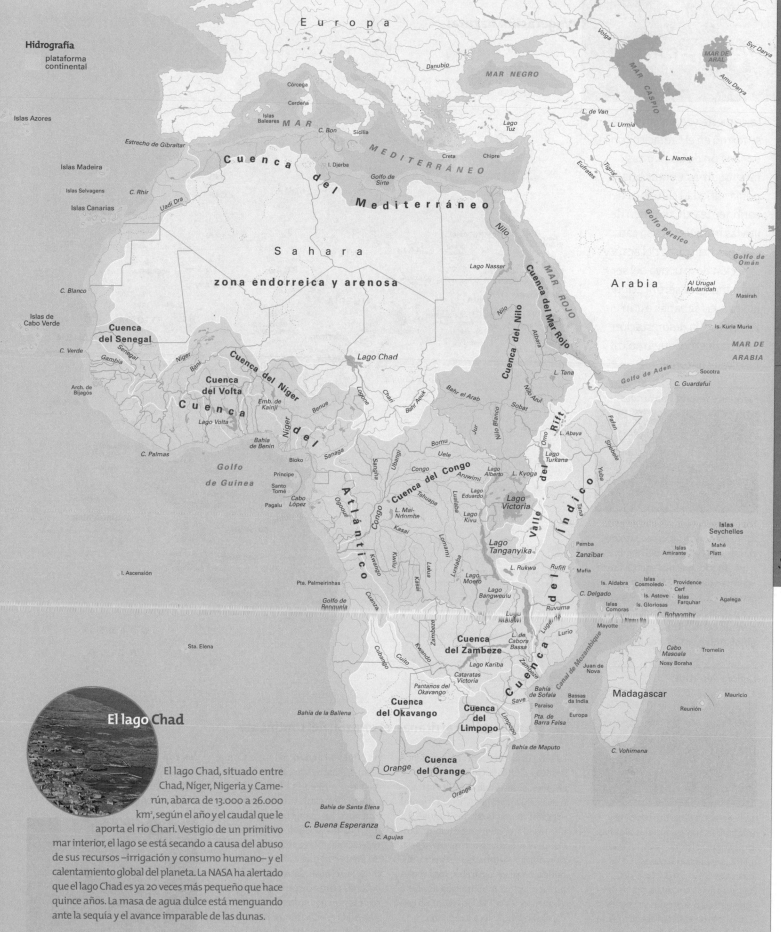

**Hidrografía**

plataforma
continental

Islas Azores

E u r o p a

Córcega

Cerdeña

Islas
Baleares

Islas Madeira

Islas Selvagens

Islas Canarias

Estrecho de Gibraltar

C. Bon

Sicilia

M A R

M E D I T E R R Á N E O

Creta

Chipre

Golfo de
Sirte

I. Djerba

Danubio

MAR NEGRO

Volga

MAR DE
ARAL

Syr Darya

Amu Darya

M
A
R

C
A
S
P
I
O

L. de Van

Lago
Tuz

L. Urmia

L. Namak

Eufrates

Tigris

Golfo Pérsico

Golfo de
Omán

C. Rhir

C u e n c a

d e l

M e d i t e r r á n e o

S a h a r a

**zona endorreica y arenosa**

Arabia

Al Urugal
Mutaridah

Masirah

Uadi Dra

C. Blanco

Islas de
Cabo Verde

C. Verde

Gambia

Senegal

Níger

Bani

**Cuenca
del Senegal**

**Cuenca
del Níger**

Lago Nasser

Lago Chad

C u e n c a   d e l   N i l o

Nilo

Nilo

Nilo

Albara

M A R   R O J O

**Cuenca
del Mar Rojo**

Golfo de Aden

MAR DE
ARABIA

Is. Kuria Muria

Socotra

C. Guardafui

Arch. de
Bijagós

C. Palmas

**Cuenca
del Volta**

**C u e n c a**

Emb. de
Kainji

Lago Volta

Benue

Níger

Sanaga

Bahía
de Benín

Logone

Chari

Bahr Aouk

Bahr el Arab

Jur

Nilo Blanco

Nilo Azul

Sobat

Omo

Lago
Turkana

L. Tana

L. Abaya

Fafán

Shebele

Yuba

Tana

V a l l e   d e l   R i f t

Pta. Palmeirinhas

Bioko

Príncipe

Santo
Tomé

Pagalu

Cabo
López

Golfo
de Guinea

A
t
l
á
n
t
i
c
o

Ogooué

Sangha

Ubangi

Congo

Congo

Tshuapa

**Cuenca del Congo**

Uele

Bomu

Aruwimi

Lualaba

Lago
Alberto

Lago
Eduardo

L. Kyoga

Lago
Kivu

Lago
Victoria

Pemba

Zanzíbar

Islas
Seychelles

Islas
Amirante

Mahé
Platt

L. Mai-
Ndombe

Kasai

Lomami

Lago
Tanganyika

L. Rukwa

Rufiji

Mafia

Is. Aldabra

C. Delgado

Islas
Cosmoledo

Is. Astove

Is. Gloriosas

Providence
Cerf

Islas
Farquhar

Agalega

I. Ascensión

d e l

Kwango

Kwilu

Kasai

Luapula

Lago
Moero

Lago
Bangweulu

Lago
Malawi

Lugu

Ruvuma

Islas
Comoras

Mayotte

C. Bobaomby

Nosy Bé

Cuanza

Cuango

Cuito

Golfo de
Benguela

Sta. Elena

Cubango

Zambeze

Kwando

L. de
Cabora
Bassa

Luangwa

Lurio

Luela

Zambeze

Canal de Mozambique

Juan de
Nova

Cabo
Masoala

Nosy Boraha

Tromelin

**Cuenca
del Zambeze**

Lago Kariba

Cataratas
Victoria

Pantanos del
Okavango

Save

Bahía
de Sofala

Paraíso

Pta. de
Barra Falsa

Bassas
da India

Europa

Madagascar

Mauricio

Reunión

Bahía de la Ballena

**Cuenca
del Okavango**

**Cuenca
del
Limpopo**

Limpopo

Orange

**Cuenca
del Orange**

Orange

Bahía de Maputo

C. Vohimena

Bahía de Santa Elena

C. Buena Esperanza

C. Agujas

### El lago Chad

El lago Chad, situado entre
Chad, Níger, Nigeria y Camerún, abarca de 13.000 a 26.000
km², según el año y el caudal que le
aporta el río Chari. Vestigio de un primitivo
mar interior, el lago se está secando a causa del abuso
de sus recursos –irrigación y consumo humano– y el
calentamiento global del planeta. La NASA ha alertado
que el lago Chad es ya 20 veces más pequeño que hace
quince años. La masa de agua dulce está menguando
ante la sequía y el avance imparable de las dunas.

# Vegetación

La cubierta vegetal africana se formó en el Cretácico con la expansión de las plantas fanerógamas. Condicionada por la variedad climática del continente y un régimen de lluvias irregular, acusa cada vez más la escasez del agua y la acción destructiva del ser humano. La desertificación avanza, las sabanas están en retroceso y la deforestación amenaza el bosque tropical y la selva ecuatorial.

## Parques y reservas naturales

Los parques y reservas naturales de África conservan las especies y contrarrestan la agresión del hombre. A los espacios que protegen la fauna –parques de Masai Mara, Kruger, Serengueti...–, se suman los específicos para la flora: por ejemplo, los parques del monte Tai y Comoé (*foto*), ambos en Costa de Marfil.

## La flora desértica

La vegetación desértica es pobre y adaptativa. Hay matorrales, algunas gramíneas –el *drinn*– y, en los uadis, plantas espinosas (acacias). En los oasis argelinos *(en la foto, el de Taghit)* y libios crecen palmeras datileras y se cultivan frutas y cereales. El desierto de Kalahari acoge maleza arbustiva; el de Namibia, plantas resistentes a la sequía.

## Vegetación natural

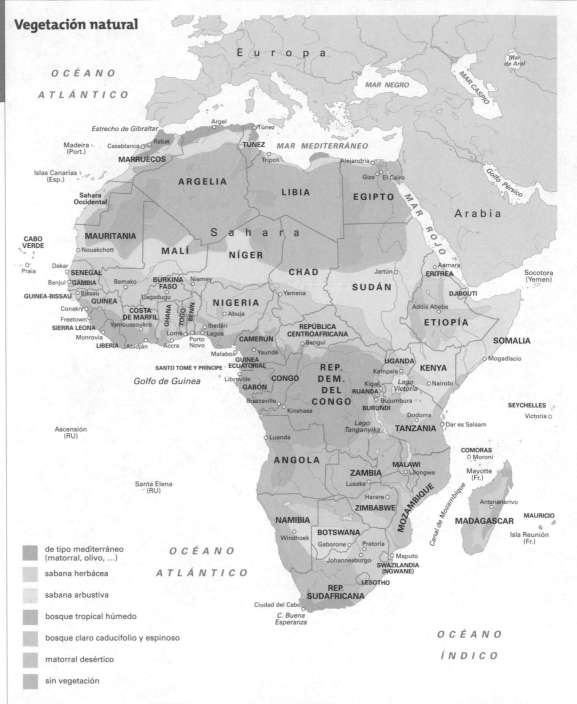

de tipo mediterráneo (matorral, olivo, …)

sabana herbácea

sabana arbustiva

bosque tropical húmedo

bosque claro caducifolio y espinoso

matorral desértico

sin vegetación

## Las grandes selvas africanas, el corazón del continente

La selva ecuatorial africana se extiende desde el Golfo de Guinea, en la costa atlántica, hasta el valle del Rift y las cadenas volcánicas de África Oriental –región de los Grandes Lagos–. La humedad y el calor sustentan un bosque denso, o lluvioso, con una vegetación nutrida y sumamente espesa, dispuesta en pisos o niveles; los árboles pueden alcanzar 50 metros de altura y hay especies tan valiosas como la caoba, el sándalo, la teca y el ébano.

La vegetación es especialmente rica en la zona comprendida entre el delta del río Níger y la cuenca del río Congo *(foto)*, hábitat de aves, simios –gorilas–, roedores, serpientes e insectos. En las orillas y los estuarios de los ríos se extienden los manglares, ecosistemas intrincados de suelo fangoso y una vegetación arbórea muy resistente.

En áreas con una estación seca marcada, la selva se alterna con sabanas, bosques claros con árboles de 10 a 15 metros y un manto herbáceo continuo. A medida que disminuyen las precipitaciones, al norte y al sur de la selva ecuatorial, los bosques clarean, los árboles son más bajos y sus raíces más largas –para captar la humedad–, aunque a lo largo de los cursos fluviales los bosques continúan siendo densos.

# Usos del suelo

**OCÉANO ATLÁNTICO**

Europa

MAR NEGRO

Mar de Aral

MAR CASPIO

Estrecho de Gibraltar

Madeira (Port.)

Islas Canarias (Esp.)

Argel · Túnez

Casablanca · Rabat

MARRUECOS

**ARGELIA**

Trípoli

MAR MEDITERRÁNEO

Alejandría

Giza · El Cairo

**LIBIA**

**EGIPTO**

Sahara Occidental

S a h a r a

Arabia

MAR ROJO

Golfo Pérsico

**CABO VERDE**

Nouakchott

**MAURITANIA**

**MALÍ**

**NÍGER**

**CHAD**

**SUDÁN**

Jartún · Asmara

**ERITREA**

Dakar · Praia

**SENEGAL**

Banjul **GAMBIA**

Bamako

Niamey

Yamena

**DJIBOUTI**

Addis Abeba

**GUINEA-BISSAU** Bissau

**GUINEA** Conakry

**BURKINA FASO**

Uagadugú

**NIGERIA**

**ETIOPÍA**

**COSTA DE MARFIL**

Freetown

**SIERRA LEONA**

Yamoussoukro

**GHANA TOGO BENÍN**

Ibadán · Abuja

Lomé

Accra Porto Novo

Lagos

**CAMERÚN**

**REPÚBLICA CENTROAFRICANA**

Bangui

**SOMALIA**

Mogadiscio

Monrovia **LIBERIA** Abidján

Malabo

**GUINEA ECUATORIAL**

Yaundé

**SANTO TOMÉ Y PRÍNCIPE**

**UGANDA**

Kampala

**KENYA**

Nairobi

Golfo de Guinea

Libreville

**CONGO**

**GABÓN**

**REP. DEM. DEL CONGO**

Kigali **RUANDA**

Lago Victoria

Brazzaville

Kinshasa

Bujumbura **BURUNDI**

Dodoma

Dar es Salaam

**SEYCHELLES**

Victoria

Ascensión (RU)

Luanda

Lago Tanganyika

**TANZANIA**

**COMORAS**

Moroni

**ANGOLA**

**ZAMBIA**

Lusaka

**MALAWI**

Lilongwe

Mayotte (Fr.)

Antananarivo

**MAURICIO**

Santa Elena (RU)

Harare

**ZIMBABWE**

**MOZAMBIQUE**

**MADAGASCAR**

Isla Reunión (Fr.)

OCÉANO ATLÁNTICO

**NAMIBIA**

Windhoek

**BOTSWANA**

Gaborone

Pretoria

Johannesburgo

Maputo

**SWAZILANDIA (NGWANE)**

**LESOTHO**

Tristan da Cunha (RU)

Gough (RU)

**REP. SUDAFRICANA**

Ciudad del Cabo

C. Buena Esperanza

OCÉANO ÍNDICO

Socotora (Yemen)

Leyenda:
- bosques y selvas
- pastos
- cultivos
- regadíos
- zonas pantanosas
- estepa
- desierto
- · oasis

## La diversidad malgache

☘ Baobab en el litoral de Madagascar

La rica diversidad vegetal de Madagascar está motivada por su insularidad y latitud, que divide a la isla en varias regiones climáticas. Además, la vertiente oriental, influida por los alisios, es pródiga en lluvias y presenta una selva tropical, con plantas gramíneas altas, arbustos y árboles aislados –como el singular baobab (foto), cuyo grueso tronco almacena agua–. Las altas tierras centrales son menos húmedas; aquí, la selva tropófila es sustituida a veces por una pobre pradera. En la vertiente occidental, más seca, predominan los matorrales.

## Especies únicas

En las cumbres volcánicas del África oriental crecen plantas únicas en el mundo, como el senecio y la lobelia, ambas de gran tamaño (en la foto, senecios en la cordillera Ruwenzori, en Uganda). Otro ejemplo de adaptación vegetal extrema es la Welwistchia mirabilis, una planta exclusiva del desierto namibio que puede vivir más de dos mil años.

## La desertificación gana terreno

El continente comprende en su extremo meridional los desiertos de Namibia, Karoo y Kalahari, y del Sahara, que ocupa la mayor parte de África septentrional. En este último, el avance de las dunas es frenado por matorrales aislados, que dejan paso en el Sahel a las plantas gramíneas –necesitadas de lluvia–. Pero la sequía, la deforestación (talas, incendios, pastoreo y cultivos exhaustivos) y el abuso de los recursos hidrológicos están acelerando la desertificación del Sahel, que se extiende desde Senegal, en la costa atlántica, hasta la zona húmeda de Sudán –como muestra el mapa de la derecha–. El fenómeno se agrava en el Cuerno de África a consecuencia de las prolongadas sequías. Cuando la precipitación anual es inferior a 200 milímetros, las sabanas pasan a ser semidesiertos y, finalmente, desiertos. La ONU y los gobiernos afectados promueven la regeneración de los humedales y de las degradadas tierras circundantes del Sahel. Namibia, por su parte, es el país más implicado en contrarrestar el avance del desierto en el sur de África.

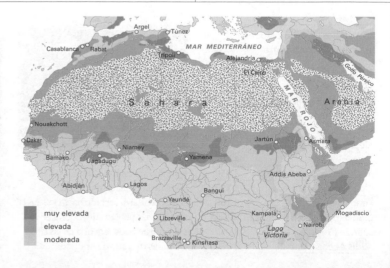

Leyenda:
- muy elevada
- elevada
- moderada

# Distribución de la población

En África, la población se reparte según los recursos naturales del territorio. Las elevadas densidades de las fértiles regiones costeras del norte y del oeste, de Nigeria, del valle del Nilo y de la meseta oriental, contrastan con un conjunto de bajas densidades. En las últimas décadas, el fuerte éxodo rural ha provocado una espectacular explosión urbana.

## Países con mayor densidad* hab/km²

| | |
|---|---|
| Ruanda | 314,0 |
| Burundi | 237,2 |
| Nigeria | 130,9 |
| Gambia | 122,8 |
| Cabo Verde | 112,7 |
| Uganda | 103,7 |
| Malawi | 100,2 |
| Ghana | 85,8 |

*Exceptuando las islas del Atlántico y del Índico

## Países con menor densidad hab/km²

| | |
|---|---|
| Namibia | 2,4 |
| Mauritania | 2,7 |
| Botswana | 3,0 |
| Libia | 3,1 |
| Gabón | 4,9 |
| República Centroafricana | 6,1 |
| Chad | 6,5 |
| Níger | 9,1 |

## Principales aglomeraciones urbanas del continente millón hab

| | |
|---|---|
| El Cairo (Egipto) | 15,300 |
| Lagos (Nigeria) | 9,350 |
| Johannesburgo (R. Sudafric.) | 7,550 |
| Kinshasa (Rep. Dem. Congo) | 6,700 |
| Jartún (Sudán) | 6,000 |
| Alejandría (Egipto) | 5,000 |
| Argel (Argelia) | 4,250 |
| Abidján (Costa de Marfil) | 3,950 |
| Casablanca (Marruecos) | 3,750 |
| Kano (Nigeria) | 3,100 |
| Ciudad del Cabo (Rep. Sud.) | 3,100 |
| Luanda (Angola) | 3,050 |
| Addis Abeba (Etiopía) | 3,000 |

## Densidad de población

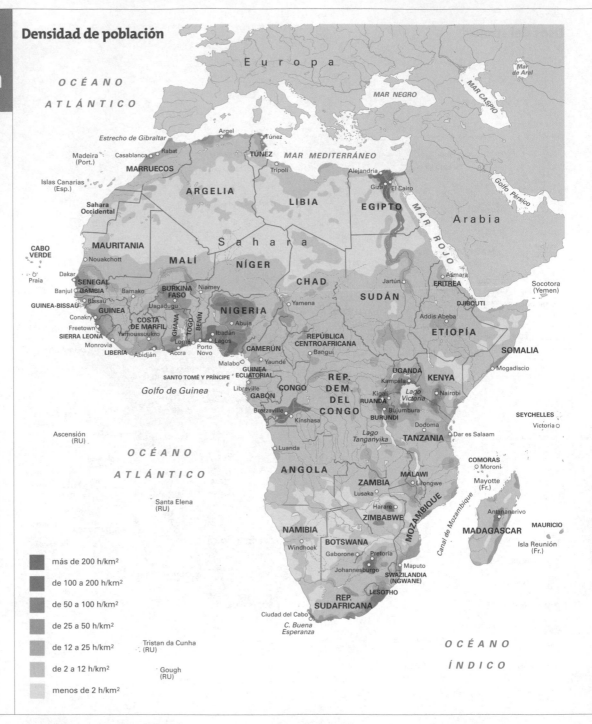

Leyenda:
- más de 200 h/km²
- de 100 a 200 h/km²
- de 50 a 100 h/km²
- de 25 a 50 h/km²
- de 12 a 25 h/km²
- de 2 a 12 h/km²
- menos de 2 h/km²

Lagos (Nigeria)
9,3 millones de habitantes
9,4% de la población del país
Lagos, capital del estado hasta 1987, es la ciudad más poblada de Nigeria. Se calcula que en 2005 será una de las cinco ciudades mayores del mundo.

Johannesburgo (Rep. Sudafricana)
7,5 millones de habitantes
12,3% de la población del país
Johannesburgo, en el noreste de la República Sudafricana, es la mayor urbe de una de las regiones más ricas del planeta, gracias a las minas de oro.

Abidján (Costa de Marfil)
3,9 millones de habitantes
26,3% de la población del país
A diferencia de otras ciudades africanas, la población de Abidján, 65 veces mayor que en 1950, ha resultado beneficiada por un plan maestro urbano.

# Población urbana

E u r o p a

OCÉANO ATLÁNTICO

MAR NEGRO

*Mar de Aral*

MAR CASPIO

Estrecho de Gibraltar
**Argel** · Túnez
Madeira (Port.) · **Casablanca**
· Rabat
MARRUECOS
TÚNEZ
MAR MEDITERRÁNEO
Tripoli
Alejandría
Islas Canarias (Esp.)
Giza · **El Cairo**
Sahara Occidental
ARGELIA
LIBIA
EGIPTO
A r a b i a

CABO VERDE
MAURITANIA
S a h a r a

**Dakar** · Nouakchott
MALÍ
NÍGER
CHAD
SUDÁN
Asmara
ERITREA
Socotora (Yemen)

Praia
SENEGAL
Banjul · GAMBIA
Niamey
BURKINA FASO
Jartún
GUINEA-BISSAU
Bissau
Bamako
Uagadugu
Yamena
DJIBOUTI
Conakry · GUINEA
NIGERIA
Addis Abeba
Freetown
COSTA DE MARFIL
Abuja
SIERRA LEONA
Yamoussoukro
Ibadán
REPÚBLICA CENTROAFRICANA
ETIOPÍA
SOMALIA
Monrovia **Abidján**
Lomé **Lagos**
**Accra**
CAMERÚN
LIBERIA
GHANA
TOGO
BENÍN
Porto Novo
Yaundé
Bangui
Malabo
GUINEA ECUATORIAL
Mogadiscio
SANTO TOMÉ Y PRÍNCIPE
UGANDA
Kampala
KENYA
Golfo de Guinea
Libreville
REP. DEM. DEL CONGO
Kigali
Lago Victoria
**Nairobi**
GABÓN
CONGO
RUANDA
Brazzaville **Kinshasa**
BURUNDI
Bujumbura
Dodoma
SEYCHELLES
Victoria
**Luanda**
Lago Tanganyika
TANZANIA
Dar es Salaam

OCÉANO ATLÁNTICO

Ascensión (RU)

ANGOLA
COMORAS
Moroni
MALAWI
Mayotte (Fr.)
Santa Elena (RU)
ZAMBIA
Lilongwe
Lusaka
MADAGASCAR
**Antananarivo**
MAURICIO
Harare
MOZAMBIQUE
NAMIBIA
ZIMBABWE
Isla Reunión (Fr.)
Windhoek
BOTSWANA
Gaborone
Pretoria
Maputo
**Johannesburgo**
SWAZILANDIA (NGWANE)
REP. SUDAFRICANA
LESOTHO
**Ciudad del Cabo**
C. Buena Esperanza

Tristan da Cunha (RU)
Gough (RU)

OCÉANO ÍNDICO

MAR ROJO

Golfo Pérsico

Canal de Mozambique

**Leyenda:**
- superior al 75%
- del 60 al 75%
- del 46 al 60%
- *media mundial = 46%*
- del 30 al 46%
- inferior al 30%

## Países más urbanizados

| País | % |
|------|-----|
| Libia | 88,0% |
| Djibouti | 84,2% |
| Gabón | 82,3% |
| Túnez | 66,2% |
| Congo | 66,1% |
| Seychelles | 64,6% |

## Países menos urbanizados

| País | % |
|------|-----|
| Ruanda | 6,3% |
| Burundi | 9,3% |
| Uganda | 14,5% |
| Malawi | 15,1% |
| Etiopía | 15,9% |
| Burkina Faso | 16,9% |

## La explosión urbana

Aunque la mayoría de africanos mantiene el tradicional modo de vida rural, el 38% de la población del continente ya vive en ciudades. Esta explosión urbana –del 600% entre 1950 y 1980– ha sido alimentada por un fuerte éxodo rural, que en África ha estado más motivado por la crisis agraria que por el desarrollo urbano. Ciudades como Jartún, Lagos o Nairobi han multiplicado por diez su población en las últimas cuatro décadas.

La falta de planificación urbana ha provocado situaciones como la de la Ciudad de los Muertos de El Cairo, donde 500.000 personas viven entre las tumbas y mausoleos de la necrópolis. Pese al descomunal crecimiento demográfico, se estima que la ciudad tiene un excedente de un millón de unidades habitacionales.

El Cairo, visto desde la ciudad antigua

## Mayor proporción de población urbana pobre

| País | % |
|------|-----|
| Zambia | 88,0% |
| Madagascar | 77,0% |
| Sierra Leona | 76,0% |
| Chad | 67,0% |
| Níger | 66,0% |
| Guinea-Bissau | 60,9% |
| Lesotho | 53,9% |
| Kenya | 46,4% |

## La esclavitud infantil, la maldición de África Occidental

Pese al recuerdo del drama vivido por miles de seres humanos entre los siglos XVII y XIX, la práctica de la esclavitud se ha reactivado en África mediante el tráfico de niños de entre 5 y 14 años. Este problema afecta a todo el oeste de África, donde se estima que al menos 200.000 menores están condenados a la esclavitud.

Como una extensión del tráfico ilegal de inmigrantes adultos, el negocio de los menores ha tejido una tupida red que opera desde países como Benín y Togo. Allí, los traficantes se aprovechan de la extrema pobreza de las familias, a las que compran los niños por entre 15 y 20 dólares, prometiéndoles que recibirán educación a cambio de tareas menores.

Los niños son vendidos después por unos 480 dólares a dueños de plantaciones de cacao o caña de azúcar en países como Costa de Marfil, Camerún, Gabón y Nigeria. Las niñas suelen venderse a familias ricas de las grandes metrópolis africanas para realizar trabajos domésticos. La mayoría de las veces, los niños no reciben salario alguno y son sometidos a abusos físicos y sexuales.

Por otro lado, África es también la región donde hay más casos de trabajo infantil, que alcanza al 41% de los menores del continente.

### Trabajo infantil de niños de 5 a 14 años en las regiones en desarrollo

| Región | % |
|--------|-----|
| África | 41,4% |
| Oceanía *(excepto Australia y Nueva Zelanda)* | 29,3% |
| Asia *(excepto Japón)* | 21,5% |
| Latinoamérica y el Caribe | 16,5% |

# Crecimiento y composición de la población

La evolución demográfica de África es lenta a pesar de tener una tasa de fecundidad muy alta –aunque presenta síntomas de recesión–. La esperanza de vida es, por el contrario, muy baja y disminuye progresivamente en muchos países por el impacto del sida y las hambrunas. Sin embargo, existe una clara diferencia entre el Norte, con tendencias demográficas similares a las de Occidente, y el África subsahariana, cuya población vive asolada por plagas y catástrofes.

## Países más poblados

| | habitantes |
|---|---|
| Nigeria | 120.991.000 |
| Egipto | 70.507.000 |
| Etiopía | 68.961.000 |
| Rep. Dem. Congo | 51.201.000 |
| Rep. Sudafricana | 44.759.000 |
| Tanzania | 36.276.000 |
| Sudán | 32.878.000 |
| Kenya | 31.540.000 |
| Argelia | 31.266.000 |
| Marruecos | 30.072.000 |
| Uganda | 25.004.000 |
| Ghana | 20.471.000 |
| Mozambique | 18.537.000 |
| Madagascar | 16.916.000 |
| Costa de Marfil | 16.365.000 |

## Países menos poblados

| | habitantes |
|---|---|
| Seychelles | 80.000 |
| Santo Tomé y Príncipe | 157.000 |
| Cabo Verde | 454.000 |
| Guinea Ecuatorial | 481.000 |
| Djibouti | 693.000 |
| Comoras | 747.000 |
| Swazilandia | 1.069.000 |
| Mauricio | 1.210.000 |
| Gabón | 1.306.000 |
| Gambia | 1.388.000 |
| Guinea-Bissau | 1.449.000 |
| Botswana | 1.770.000 |
| Lesotho | 1.800.000 |
| Namibia | 1.961.000 |
| Mauritania | 2.807.000 |

## Crecimiento vertiginoso

La población de África muestra índices de crecimiento demográfico muy elevados, superiores, incluso, al de otras regiones en desarrollo. La media continental es de 2,37%, que sobrepasa ampliamente el 1,33% mundial y el 1,6%, promedio de las regiones en desarrollo. Los dos países con el índice más alto del continente y del mundo son Liberia y Ruanda, con un 8,2% y un 7,7 %, respectivamente. De mantenerse en estas cifras, sus poblaciones se duplicarán en menos de diez años.

### Cuándo duplicará su población*

| | |
|---|---|
| Guinea | en el 2087 |
| Túnez | en el 2050 |
| Marruecos | en el 2039 |
| Kenya | en el 2035 |
| Mozambique | en el 2028 |
| Madagascar | en el 2023 |
| Angola | en el 2022 |
| Eritrea | en el 2018 |
| Somalia | en el 2016 |
| Ruanda | en el 2009 |
| Liberia | en el 2008 |

*\* Si mantiene su actual tasa de crecimiento.*

**Tasa media anual de crecimiento de la población**

- superior al 3,0%
- del 2,2 al 3,0%
- del 2,0 al 2,2%
- del 1,3 al 2,0%
- media mundial = 1,3%
- inferior al 1,3%

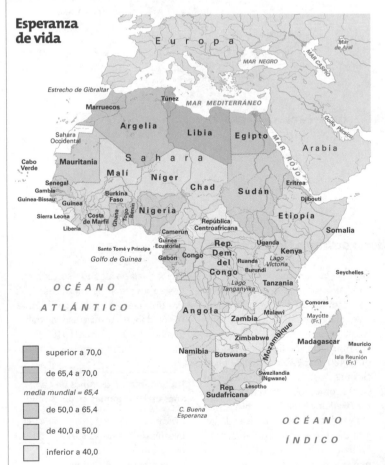

**Esperanza de vida**

- superior a 70,0
- de 65,4 a 70,0
- media mundial = 65,4
- de 50,0 a 65,4
- de 40,0 a 50,0
- inferior a 40,0

## Menor esperanza de vida

Sólo el norte de África y algunas islas superan la media mundial, de 65,4 años. Casi todos los países subsaharianos tienen una esperanza de vida muy corta, que además ha disminuido en los años 90 a causa del sida y de las guerras civiles. El sida ha convertido la esperanza de vida de los habitantes de Zimbabwe y Zambia en la más bajas del mundo. Otro de los casos más drámaticos es el de Sierra Leona, donde la esperanza de vida está entre las más bajas del mundo. La pobreza y los conflictos han acentuado además la mortalidad infantil hasta tener el mayor índice del planeta.

### Esperanza de vida

| | años |
|---|---|
| Libia | 72,8 |
| Mauricio | 72,0 |
| Seychelles | 71,0 |
| Cabo Verde | 70,2 |
| Marruecos | 68,7 |
| (...) | |
| Lesotho | 35,1 |
| Swazilandia | 34,4 |
| Sierra Leona | 34,2 |
| Zimbabwe | 33,1 |
| Zambia | 32,4 |

## Un viejo continente sin ancianos

Aunque están en descenso, en África se dan las tasas de fecundidad más altas del mundo, especialmente en Somalia, Uganda, Níger, Malawi y Angola. La media continental (5,06 hijos por mujer) también es la más alta del mundo.

Los países que tienen los ingresos más elevados y mejor acceso a los métodos anticonceptivos, como las Seychelles (1,8 hijos), que tienen el PBI por habitante más alto de África, y Mauricio (1,9 hijo), cuyo PBI por habitante ocupa el tercer lugar, son los que muestran la tasa de fecundidad más próxima a la media mundial de 2,69 hijos. Las dos islas registran también los índices de mortalidad infantil más bajos del continente. La edad media de la población –29 años, la más alta, en Mauricio, y 15 años, la más baja, en Uganda y Zambia– da idea del desmesurado peso demográfico de los jóvenes en las sociedades africanas y de la progresiva disminución del número de ancianos. En Uganda, los mayores de 65 años sólo representarán el 1,9% del total en 2025.

### Edad media de la población
años

| | |
|---|---|
| Mauricio | 29 |
| Guinea-Bissau | 19 |
| Angola | 18 |
| Botswana | 18 |
| Chad | 18 |
| (...) | |
| Togo | 16 |
| Santo Tomé y Príncipe | 16 |
| Burkina Faso | 16 |
| Uganda | 15 |
| Zambia | 15 |

○ Nigerianas con sus hijos en una reunión informativa sobre maternidad responsable

### Tasa de fecundidad
hijos por mujer

| | |
|---|---|
| Níger | 8,0 |
| Somalia | 7,2 |
| Angola | 7,2 |
| Guinea-Bissau | 7,1 |
| Uganda | 7,1 |
| (...) | |
| Marruecos | 2,7 |
| Rep. Sudafricana | 2,6 |
| Túnez | 2,0 |
| Mauricio | 1,9 |
| Seychelles | 1,8 |

### Mortalidad infantil
por mil recién nacidos

| | |
|---|---|
| Sierra Leona | 177 |
| Liberia | 147 |
| Angola | 140 |
| Níger | 126 |
| Mozambique | 122 |
| (...) | |
| Cabo Verde | 30 |
| Túnez | 23 |
| Libia | 21 |
| Seychelles | 17 |
| Mauricio | 16 |

## Fecundidad

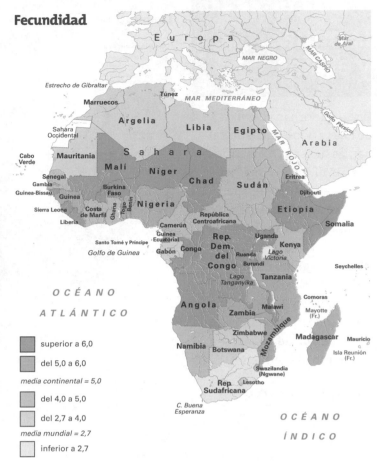

| | |
|---|---|
| ■ | superior a 6,0 |
| ■ | del 5,0 a 6,0 |
| | *media continental = 5,0* |
| ■ | del 4,0 a 5,0 |
| ■ | del 2,7 a 4,0 |
| | *media mundial = 2,7* |
| □ | inferior a 2,7 |

## Composición de la población por edades

### Uganda 2000

Más de la mitad de la población es menor de 15 años. El grupo de la tercera edad es muy inferior al resto.

**51,1%** de 0 a 14 años
**36,4%** de 15 a 39 años
**10,3%** de 40 a 64 años
**2,1%** 65 años y más

### Uganda 2025

Si se mantienen las tendencias demográficas, crece el grupo de 15 a 40 años pero disminuye el de los ancianos.

**45,4%** de 0 a 14 años
**41,8%** de 15 a 39 años
**10,9%** de 40 a 64 años
**1,9%** 65 años y más

## Sida y desnutrición, dos caras de la tragedia africana

La cifra total de africanos infectados por el virus VIH o que ya padecen la enfermedad es de 40 millones. Representan el 70% de los adultos y el 80% de los niños que viven con el VIH en el mundo. El 83% de las muertes por sida ha ocurrido en África, donde la epidemia ha matado diez veces más que los conflictos bélicos de las últimas décadas. El África subsahariana es la región más afectada: en nueve países, más del 10% de la población adulta tiene sida. Aunque las infecciones se han estabilizado en esta zona –en parte porque cada vez queda un número menor de personas por contraer la enfermedad–, se han disparado en países que hasta el 2000 tenían unos índices relativamente bajos, como Nigeria, el país más poblado de África. Con 4,2 millones de infectados, la República Sudafricana es el país del mundo con mayor número de personas con sida. A esta dramática situación se añade el hecho de que la muerte de adultos en edad de trabajar –unos siete millones de trabajadores agrícolas han fallecido desde 1985 en los 25 países más afectados por el sida– disminuye la productividad de las familias y su capacidad para procurarse alimentos, lo que no hace más que aumentar los casos de desnutrición.

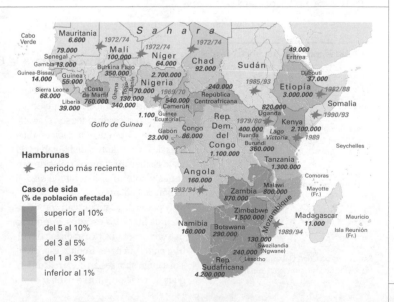

**Hambrunas**
✹ periodo más reciente

**Casos de sida**
(% de población afectada)
| | |
|---|---|
| ■ | superior al 10% |
| ■ | del 5 al 10% |
| ■ | del 3 al 5% |
| ■ | del 1 al 3% |
| □ | inferior al 1% |

# Lenguas y etnias

Pese a que se han identificado unas 2.000 lenguas africanas, las sucesivas colonizaciones han dividido el continente básicamente en tres grandes áreas lingüísticas: la inglesa, la francesa y la árabe. No ocurre lo mismo con los diferentes grupos étnicos, que se estiman en más de 3.000. Muchos de ellos han conservado su identidad y su forma de vida, adaptándose a los recursos del territorio.

## Francés como lengua oficial

### 133.442.000

hablantes

**Países:** Benín, Burkina Faso, Camerún, Chad, Congo, Costa de Marfil, Gabón, Guinea, Guinea Ecuatorial, Malí, Mauritania, Níger, República Democrática del Congo, Senegal, Togo.

## Inglés como lengua oficial

### 246.800.000

hablantes

**Países:** Camerún, Gambia, Ghana, Kenya, Liberia, Nigeria, República Sudafricana, Sierra Leona, Sudán, Uganda, Zambia.

## Portugués como lengua oficial

### 34.349.000

hablantes

**Países:** Angola, Cabo Verde, Guinea-Bissau, Mozambique, Santo Tomé y Príncipe.

## Árabe como lengua oficial

### 157.900.000

hablantes

**Países:** Argelia, Chad, Djibouti, Egipto, Eritrea, Libia, Marruecos, Mauritania, Sudán, Túnez.

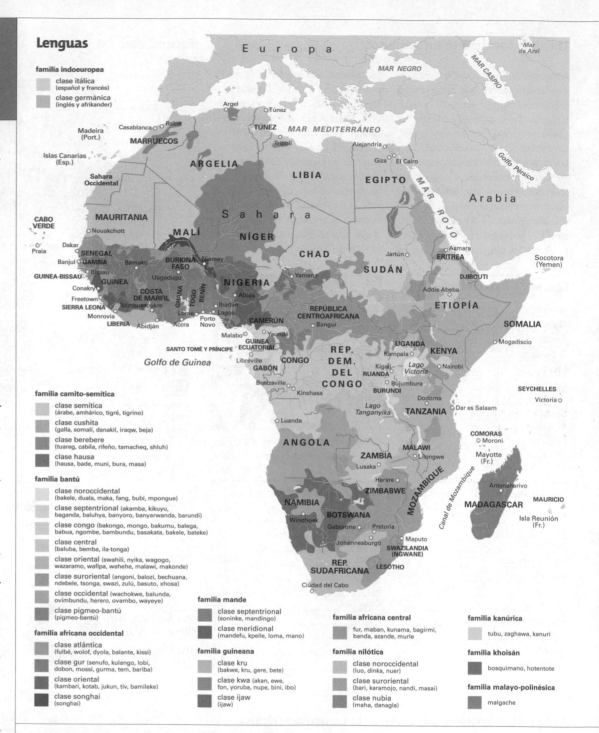

### Lenguas

**familia indoeuropea**
- clase itálica (español y francés)
- clase germánica (inglés y afrikander)

**familia camito-semítica**
- clase semítica (árabe, amhárico, tigré, tigrino)
- clase cushita (galla, somalí, danakil, iraqw, beja)
- clase berebere (tuareg, cabila, rifeño, tamacheq, shluh)
- clase hausa (hausa, bade, muni, bura, masa)

**familia bantú**
- clase noroccidental (bakele, duala, maka, fang, bubi, mpongue)
- clase septentrional (akamba, kikuyu, baganda, baluhya, banyoro, banyarwanda, barundi)
- clase congo (bakongo, mongo, bakumu, balega, babua, ngombe, bambundu, basakata, bakele, bateke)
- clase central (baluba, bemba, ila-tonga)
- clase oriental (swahili, nyika, wagogo, wazaramo, wafipa, wahehe, malawi, makonde)
- clase suroriental (angoni, balozi, bechuana, ndebele, tsonga, swazi, zulú, basuto, xhosa)
- clase occidental (wachokwe, balunda, ovimbundu, herero, ovambo, wayeye)
- clase pigmeo-bantú (pigmeo-bantú)

**familia africana occidental**
- clase atlántica (fulbé, wolof, dyola, balante, kissi)
- clase gur (senufo, kulango, lobi, dobon, mossi, gurma, tem, bariba)
- clase oriental (kambari, kotab, jukun, tiv, bamileke)
- clase songhai (songhai)

**familia mande**
- clase septentrional (soninke, mandingo)
- clase meridional (mandefu, kpelle, loma, mano)

**familia guineana**
- clase kru (bakwe, kru, gere, bete)
- clase kwa (akan, ewe, fon, yoruba, nupe, bini, ibo)
- clase ijaw (ijaw)

**familia africana central**
- fur, maban, kunama, bagirmi, banda, azande, murle

**familia nilótica**
- clase noroccidental (luo, dinka, nuer)
- clase suroriental (bari, karamojo, nandi, masai)
- clase nubia (maha, danagla)

**familia kanúrica**
- tubu, zaghawa, kanuri

**familia khoisán**
- bosquimano, hotentote

**familia malayo-polinésica**
- malgache

## Lenguas de consenso para la Babel africana

En África se hablan más de 2.000 lenguas. Aparte del árabe, las lenguas más utilizadas por los africanos son el swahili y el hausa, que cuentan cada una con más de diez millones de hablantes. El resto las hablan algunos miles de personas y sólo una docena alcanza el millón de hablantes.

Muy pocas de ellas cuentan con documentos literarios escritos, aunque la mayoría posee una rica tradición de cultura oral. Para hacer frente a esta diversidad lingüística se han desarrollado lenguas de relación, que se hablan como segunda lengua en conjuntos geográficos más amplios. Entre ellas están el árabe, la lengua más hablada del continente; el swahili, hablado en toda el África oriental, desde Kenya hasta Mozambique y el este de la República Democrática del Congo; el lingala, utilizado al oeste de la misma república y sus países fronterizos y que proviene de la familia de las lenguas bantúes; el bambara, empleado en Malí, Guinea y Costa de Marfil, que pertenece a la familia mande; el hausa, que se utiliza en el norte de Nigeria y en las regiones vecinas, y por último, las lenguas europeas heredadas de la colonización –inglés, francés, portugués y español–, que suelen ser habladas por las clases cultas y que a menudo siguen figurando como el idioma oficial del país.

Los dos únicos países africanos donde las lenguas coloniales –incluido el árabe– no aparecen como idioma oficial o no oficial junto a las lenguas locales son Etiopía, donde el único idioma oficial es el amhárico, y Somalia, donde se habla el somalí. Ambas lenguas son de origen semítico.

## Las etnias de norte a sur

En África se han identificado hasta 3.000 etnias diferentes. En el norte, incluido el Sahara, predominan los caucasoides, principalmente bereberes y árabes, que constituyen una cuarta parte de la población africana. Los pueblos negros del sur del Sahara –el 70% de los africanos– se dividen entre los sudaneses, los nilóticos y los bantúes. Los bosquimanos y los hotentotes habitan en el cono sur africano y el desierto de Kalahari, y los pigmeos o twas, en las selvas de la región ecuatorial.

**Los bororo (África occidental)** Esta tribu pertenece a los fulani, grupo sudanés con influencias norteafricanas. Son nómadas y se les conoce por los grandes cuidados que prestan a su aspecto físico.

**Los beduinos (norte de África)** Los beduinos son nómadas pastores que se desplazan por el norte de África y el Cercano Oriente en busca de agua y pastos para sus rebaños de camellos, cabras y ovejas. Muchos gobiernos actuales los han forzado a instalarse en aldeas y ciudades, así que sólo un 10% de ellos es totalmente nómada. Los beduinos son musulmanes y hablan varios dialectos del árabe, pero muchos de ellos son analfabetos.

**Los turkana (Kenya y Sudán)** Los turkana son nómadas del oeste del lago Turkana, en el desierto de Kenya. Como otras tribus nilóticas, pueden alcanzar estaturas muy altas y se dice de ellos que son fuertes, silenciosos, resignados y belicosos, como su tierra.

**Los pigmeos (selva ecuatorial)** Viven de la caza y la recolección. Su descubrimiento por los exploradores europeos confirmó las leyendas griegas y egipcias de que existían hombres enanos en África.

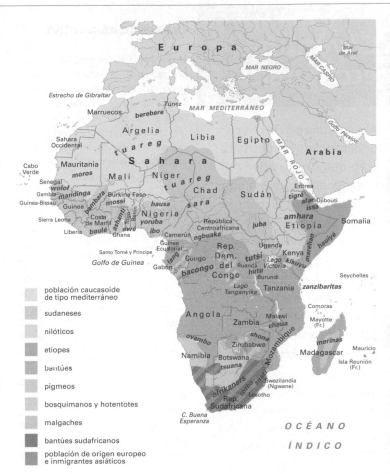

- población caucasoide de tipo mediterráneo
- sudaneses
- nilóticos
- etíopes
- bantúes
- pigmeos
- bosquimanos y hotentotes
- malgaches
- bantúes sudafricanos
- población de origen europeo e inmigrantes asiáticos

## La progresiva penetración del islam

Tras sus conquistas del siglo VII, los árabes incorporaron todos los territorios de África septentrional y parte de la meridional a la cultura del islam. Su expansión les permitió controlar un vasto territorio que se extendía desde el Nilo hasta Marruecos, por el oeste, y hasta el Cuerno de África y Zanzíbar, por la costa del Índico. En esta región, las principales civilizaciones nacieron del encuentro entre los árabes y los pueblos anteriores –bereberes en el Magreb y coptos en el valle del Nilo–.

La región subsahariana fue islamizada con menor intensidad. En el siglo XVII, los árabes extendieron sus conquistas desde Mozambique hasta los Grandes Lagos. En el Golfo de Guinea, la pre-

○ Musulmanas en Ghardaia (Argelia)

sencia portuguesa desde el siglo XV dificultó la penetración musulmana, así como en el cono sur, dominado por los colonos holandeses.

Entre los años 70 y 80 del siglo XX, una vez obtenida la independencia, la mayoría de los países sufrió una gran inestabilidad política y graves crisis económicas, pese a los esfuerzos de democratización. El panarabismo surgió entonces como una nueva forma de cohesión y de cooperación entre los estados. Siguiendo su estela, el islam enraizó de nuevo en África y se reveló como una alternativa de desarrollo. El dirigente egipcio Nasser (1918-1970) y, sobre todo, el libio Muammar el Gaddafi (1942) han sido los fervientes defensores del panarabismo africano.

**Crecimiento de la población musulmana (1970-2000)**

- ↗ más del 2%
- ↗ más del 10%

**% de población musulmana**

- ● prácticamente toda
- superior al 90%
- del 50 al 90%
- del 25 al 50%
- del 5 al 25%
- inferior al 5%

○ Entrada a la mezquita de Tombuctú (Malí)

# Coyuntura económica

África es una región en vías de desarrollo que sufre todavía la desestructuración política y económica que supuso la etapa colonial. El continente está dividido en dos grandes áreas: el norte, que se beneficia de la proximidad de Europa, y el África subsahariana, donde se encuentran varios de los países más pobres del mundo. La erradicación de la pobreza, la liberación de la deuda externa y el afianzamiento e independencia de su economía son los principales retos que África afronta en el siglo XXI.

## La deuda externa

Con el fin de la Guerra Fría, África dejó de ser un objetivo geoestratégico, lo que acarreó el desinterés de las grandes potencias y la consiguiente restricción de las ayudas económicas. En la actualidad, los préstamos provienen mayoritariamente de la Unión Europea y son, en muchas ocasiones, en forma de créditos *ligados*, que obligan al país beneficiario a comprar productos del estado donante. De esta forma, se ha creado una espiral de endeudamiento que ahoga a los países africanos, ya que deben destinar gran parte de sus exportaciones a pagar las deudas contraídas.

| Deuda externa | % de las exportaciones |
|---|---|
| Sierra Leona | 63,5% |
| Burundi | 40,9% |
| Guinea-Bissau | 28,3% |
| Argelia | 25,4% |
| Angola | 25,2% |
| Madagascar | 23,3% |
| Mauritania | 23,0% |
| Santo Tomé y Príncipe | 22,9% |
| Ruanda | 21,6% |
| Costa de Marfil | 21,0% |
| Marruecos | 20,6% |

## Capacidad adquisitiva

De los 20 países con un PBI más bajo por habitante, 18 pertenecen al continente africano. Seychelles se encuentra a la cabeza de la capacidad adquisitiva per cápita en África, pero a nivel internacional aparece en el puesto número 32. Además, sólo cinco países africanos consiguen situarse por encima de la media mundial.

| PBI por habitante (2001) | dólares |
|---|---|
| Seychelles | 12.508 |
| Rep. Sudafricana | 11.290 |
| Mauricio | 9.860 |
| Botswana | 7.820 |
| Libia | 7.396 |
| Namibia | 7.120 |
| Túnez | 6.390 |
| Argelia | 6.090 |
| Gabón | 5.990 |
| (...) | |
| Burundi | 690 |
| Rep. Dem. del Congo | 680 |
| Malawi | 570 |
| Tanzania | 520 |
| Sierra Leona | 470 |
| Somalia | 448 |

### Producto Bruto Interno por habitante

- superior a 7.376$
- *media mundial = 7.376$*
- de 3.850 a 7.376$
- *media países en desarrollo = 3.850$*
- de 1.274 a 3.850$
- *media países menos avanzados = 1.274$*
- de 1.000 a 1.274$
- inferior a 1.000$

### Indicador de desarrollo humano

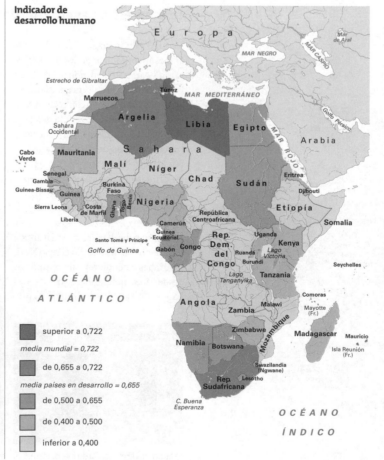

- superior a 0,722
- *media mundial = 0,722*
- de 0,655 a 0,722
- *media países en desarrollo = 0,655*
- de 0,500 a 0,655
- de 0,400 a 0,500
- inferior a 0,400

## Un continente rico con habitantes pobres

África entró en el siglo XXI como el continente con mayor porcentaje mundial de personas situadas por debajo del umbral de la pobreza. Esta circunstancia, lejos de mejorar, ha empeorado con el transcurso de los años, ya que en el 2000 un africano medio conseguía menos ingresos que en la década de los sesenta. Asimismo, en 1990, un 47,7% de los habitantes del África

| IDH (2001) | |
|---|---|
| Seychelles | 0,840 |
| Libia | 0,783 |
| Mauricio | 0,779 |
| Túnez | 0,740 |
| Cabo Verde | 0,727 |
| Argelia | 0,704 |
| Rep. Sudafricana | 0,684 |
| Guinea Ecuatorial | 0,664 |
| Gabón | 0,653 |
| (...) | |
| Burundi | 0,337 |
| Mali | 0,337 |
| Burkina Faso | 0,330 |
| Níger | 0,292 |
| Sierra Leona | 0,275 |

## Mercado de bienes y servicios
(en % del PIB)

- ▉ superior al 43,0%
- *media mundial = 43,0%*
- ▉ del 25,0 al 43,0%
- ▉ del 10,0 al 25,0%
- ▉ inferior al 10,0%
- ▉ sin datos

## Tasa media de crecimiento anual del PIB

- ▉ superior al 6,0%
- ▉ del 4,0 a 6,0%
- ▉ del 2,7 a 4,0%
- *media mundial = 2,7%*
- ▉ del 0 al 2,7%
- ▉ disminución

**○ Niños en el distrito de Soweto, en la ciudad sudafricana de Johanesburgo**

subshariana sobrevivía con un dólar o menos al día; en 1999 este porcentaje aumentó hasta el 48,4%.

La situación económica de los países norteafricanos es sensiblemente mejor que la de sus vecinos del sur. El porcentaje de población que vivía con menos de un dólar al día se redujo de un 2,4% en 1990 al 2,1% de 1999. Sin embargo, el de los habitantes que sólo disponían de dos dólares aumentó del 25% al 30% durante ese período.

En África, un continente con grandes recursos naturales, la precariedad económica está agravada por los conflictos armados, las hambrunas y las deficiencias sanitarias, entre otros factores. Todo ello ha llevado al continente africano a disponer de los indicadores sociales de progreso más bajos del planeta: educación, mortalidad infantil, esperanza de vida, etc. De hecho, los 24 países con un índice más bajo de desarrollo humano son africanos.

### Índice de Pobreza Humana

% de la población total de cada país

El Índice de Pobreza Humana mide la población pobre de un país, tomando como referencia los porcentajes de cuatro variables socioeconómicas: la población que morirá antes de los 40 años, el acceso a los servicios sanitarios y al agua potable, el analfabetismo en los adultos y los niños con peso insuficiente.

| País | % |
|---|---|
| Niger | 61,8% |
| Burkina Faso | 58,6% |
| Etiopía | 56,0% |
| Malí | 55,1% |
| Zimbabwe | 52,0% |
| Mozambique | 50,3% |
| Chad | 50,3% |
| Zambia | 50,3% |
| Mauritania | 48,6% |

*No hay datos sobre Angola, Gabón, Guinea, Guinea Ecuatorial, Liberia, Santo Tomé y Príncipe, Seychelles, Sierra Leona, Somalia y Swazilandia.*

## Evolución económica

Según las estimaciones del Banco Mundial, la economía de la región subsahariana, la más castigada por la pobreza, debería aumentar anualmente un 5% para detener el crecimiento del número de indigentes. Sin embargo, a finales del siglo XX, la media de crecimiento en esta región se situó en el 2,3%, es decir en menos de la mitad de lo recomendado.

Al histórico retraso industrial de la región, se sumó una caída drástica de los precios de los productos básicos en los mercados internacionales durante la década de los noventa. En una economía basada mayoritariamente en la exportación de materias primas, tanto de productos agrícolas como minerales y metales, este descenso de ingresos fue determinante para impedir el crecimiento económico esperado.

No obstante, los países africanos con mayor estabilidad política como Uganda, Botswana y Mauricio consiguieron cierto despegue económico. Por el contrario, en los estados convulsionados por luchas internas el descenso fue constante. En este grupo de países se encuentran la República Demócrata del Congo y Sierra Leona. Paradójicamente, entre 1990 y 1998, Sudán fue el país con mayor crecimiento del PIB del continente, a pesar de la guerra civil que vive desde 1955.

Las previsiones para la primera década del siglo XXI auguran una recuperación de la economía africana, ya que el ingreso per cápita crecerá un 1,3%. Sin embargo, este aumento sólo representa un tercio del previsto para la economía asiática.

### Crecimiento del Producto Bruto Interno entre 1991-2001

| País | % |
|---|---|
| Guinea Ecuatorial | 23,8% |
| Cabo Verde | 6,6% |
| Uganda | 6,6% |
| Mozambique | 6,4% |
| Mauricio | 5,7% |
| Eritrea | 5,5% |
| Botswana | 5,1% |
| (...) | |
| Djibouti | −1,1% |
| Zimbabwe | −1,0% |
| Burundi | −2,1% |
| Sierra Leona | −6,3% |
| Rep. Dem. Congo | −6,7% |

# Agricultura, ganadería y pesca

El sector primario es fundamental en África. Un alto porcentaje de su población se dedica a la agricultura y a la ganadería, en muchos casos con el único objetivo de la subsistencia familiar. Junto a estos pequeños propietarios se encuentran los cultivos comerciales, en los que varios países africanos basan su economía. Los rasgos comunes del sector son su bajo nivel de mecanización y el escaso rendimiento.

## Población activa dedicada a la agricultura

| | |
|---|---|
| Burundi | 92% |
| Ruanda | 92% |
| Burkina Faso | 92% |
| Etiopía | 89% |
| Guinea | 87% |
| Malí | 86% |
| Guinea-Bissau | 85% |
| (...) | |
| Libia | 11% |
| Níger | 7% |
| Marruecos | 3% |

## Producción de cereales  % de África

| | |
|---|---|
| Nigeria | 20,6% |
| Egipto | 17,8% |
| R. Sudafricana | 12,1% |
| Etiopía | 6,9% |
| Tanzania | 3,2% |

## Exportación de cereales  % de África

| | |
|---|---|
| R. Sudafricana | 35% |
| Egipto | 18,1% |
| Zimbabwe | 12% |
| Sudán | 9,4% |
| Túnez | 6,3% |

## Exportación de cacao  % de África

| | |
|---|---|
| Costa de Marfil | 64% |
| Ghana | 16,6% |
| Nigeria | 11,6% |
| Camerún | 5,8% |
| Togo | 0,4% |
| Sierra Leona | 0,1% |

## Exportación de café  % de África

| | |
|---|---|
| Uganda | 29,1% |
| Costa de Marfil | 16,6% |
| Etiopía | 13,7% |
| Kenya | 8,8% |
| Camerún | 8,7% |

## Producción de bananas  % de África

| | |
|---|---|
| Uganda | 42,3% |
| Ruanda | 9,8% |
| Ghana | 9% |
| Nigeria | 8,4% |
| Rep. Dem. Congo | 8% |
| Costa de Marfil | 6,2% |

## Agricultura y pesca

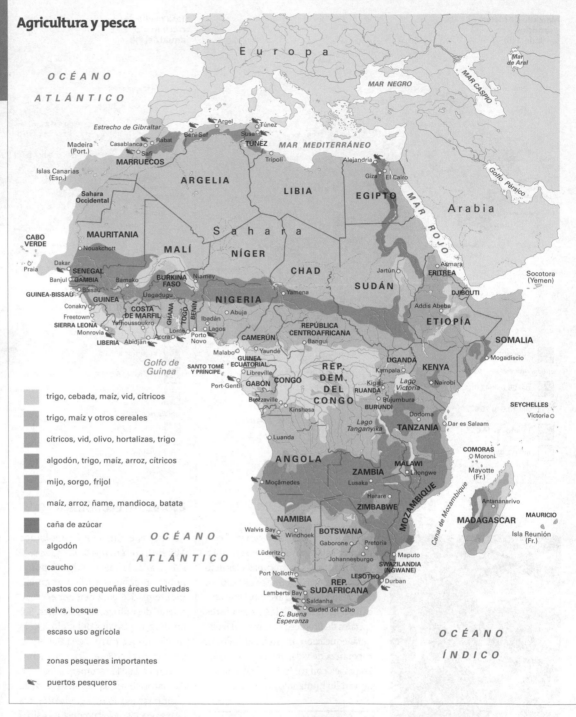

- trigo, cebada, maíz, vid, cítricos
- trigo, maíz y otros cereales
- cítricos, vid, olivo, hortalizas, trigo
- algodón, trigo, maíz, arroz, cítricos
- mijo, sorgo, frijol
- maíz, arroz, ñame, mandioca, batata
- caña de azúcar
- algodón
- caucho
- pastos con pequeñas áreas cultivadas
- selva, bosque
- escaso uso agrícola
- zonas pesqueras importantes
- puertos pesqueros

## Déficit de alimentos en un continente agrícola

África es un continente eminentemente agrícola: más del 60% de la población activa del África subsahariana se dedica a la agricultura, y en los países norteafricanos este procentaje es del 28%. No obstante, este esfuerzo en mano de obra no se traduce proporcionalmente en la producción, que no llega a satisfacer la demanda nutricional del continente. Cada año el consumo de alimentos excede en 30 millones de toneladas a la producción.

Las razones que explican esta disparidad son varias, desde la aridez de gran parte de su territorio (40% de toda África) hasta los factores meteorológicos (sequías, lluvias torrenciales...) pasando por un bajo grado de mecanización. África es el continente con menos maquinaria agrícola del planeta: Estados Unidos tiene nueve veces más tractores que toda África, y Argentina dispone de más cosechadoras y trilladoras que todos los países africanos juntos.

Una última causa apunta a que la agricultura africana creció por debajo de la población durante las últimas décadas del siglo XX.

## Tierra de pastores

África es un continente de tradición ganadera, sobre todo mediante el pastoreo nómada, que se lleva a cabo en las regiones donde las condiciones climáticas dificultan la práctica de la agricultura. La ganadería africana se destina casi exclusivamente al consumo local y sólo la República Sudafricana y Sudán exportan pequeñas partidas de productos cárnicos. Otra característica es que la cabaña porcina es inferior a la del resto de los continentes, debido a la presencia de los países de mayoría islámica en el tercio norte de África. En determinadas regiones del sur y del centro del continente, la nagana o mosca tsé-tsé impide la cría de ganado.

○ Pastor argelino con un rebaño de cabras en el desierto del Sahara

ganado ovino y caprino

ganado porcino

ganado bovino

principales zonas ganaderas

### Producción por especies · cabezas

| | |
|---|---|
| Gallinas y pollos | 1.216.387.000 |
| Ganado ovino | 245.966.000 |
| Ganado vacuno | 228.145.000 |
| Caprinos | 210.629.000 |
| Cerdos | 18.830.200 |
| Patos | 16.513.000 |

### Producción carne de ave · Millones tm

| | |
|---|---|
| R. Sudafricana | 704 |
| Egipto | 565 |
| Marruecos | 220 |
| Argelia | 210 |
| Nigeria | 172 |

### Producción carne de vacuno · Millones tm

| | |
|---|---|
| R. Sudafricana | 568 |
| Nigeria | 298 |
| Sudán | 296 |
| Etiopía | 285 |
| Kenya | 255 |

### Producción carne de bovino · Millones tm

| | |
|---|---|
| Argelia | 164 |
| Sudán | 143 |
| Marruecos | 120 |
| R. Sudafricana | 118 |
| Nigeria | 91 |

## Las dos caras de la agricultura africana

El continente africano ofrece dos caras en su explotación agrícola. Una corresponde a la agricultura de subsistencia, la tradicional, que está gestionada por pequeños propietarios y orientada a la producción de cultivos de consumo local. La segunda es la de los cultivos de exportación, cuyos orígenes se sitúan en la etapa colonial y que ocupa aproximadamente el 40% de la superficie agraria de África. Consiste en grandes plantaciones, generalmente en manos de compañías europeas, en las que se explotan productos agrarios para el mercado internacional, principalmente cacao (69% de la producción mundial), bananas (74%), café, té y maníes.

○ Recolector de té en Kenya

## Riqueza pesquera

### Producción de pescado · Millones tm

| | |
|---|---|
| Marruecos | 786 |
| R. Sudafricana | 514 |
| Senegal | 507 |
| Ghana | 447 |
| Egipto | 419 |

### Exportación de pescado · Millones tm

| | |
|---|---|
| Marruecos | 685 |
| Senegal | 284 |
| Costa de Marfil | 231 |
| R. Sudafricana | 218 |
| Namibia | 197 |

La pesca es el sector primario con mayor proyección dentro del difícil panorama económico africano. La mayor parte de la producción pesquera se destina al consumo local, ya que sólo Marruecos, Senegal, Costa de Marfil, República Sudafricana y Namibia disponen de una potente industria dirigida a la explotación comercial. La pesca en aguas interiores también es destacable en la región de los Grandes Lagos. Tanzania, Uganda, Kenya y Nigeria son los países con mayores capturas en agua dulce.

## El polivalente dromedario

En África hay más de 14,5 millones de dromedarios distribuidos por todos los países saharianos y de la franja árida del Sahel. Las mayores cabañas están en Somalia (6 millones), Sudán (3 millones) y Mauritania (un millón).
El dromedario, que fue domesticado hace 4.000 años, es un animal muy apreciado en toda la región gracias a su resistencia y adaptación al medio. Se alimenta prácticamente de cualquier tipo de hierba, por lo que no supone ningún costo a su propietario, y se utiliza en las labores agrícolas como animal de tiro (*en la foto, un agricultor tunecino*) y de carga, ya que puede llegar a transportar 200 kilos de peso.
De las hembras lactantes se obtiene leche –hasta nueve litros al día–, que supone un gran aporte alimentario en los meses secos. Además, se aprovecha su piel para la obtención de cuero y el pelo para la confección de ropas y cuerdas.

## Los principales productores africanos de lana y leche

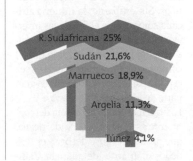

R. Sudafricana 25%
Sudán 21,6%
Marruecos 18,9%
Argelia 11,3%
Túnez 4,1%

Sudán 18,4%
Egipto 14,4%
R. Sudafricana 10%
Kenya 9%
Somalia 8,2%

# Minería, energía e industria

África contiene varias de las mayores reservas de piedras preciosas y metales del planeta. Gracias a los recursos de su subsuelo, los países africanos consiguen, por término medio, el 60% de sus divisas. Por su parte, la industria africana –relacionada sobre todo con la producción minera– está polarizada en torno a los países del norte y del sur del continente. La República Sudafricana es la mayor potencia industrial.

## Exportación de minerales y metales
% sobre el total de las exportaciones

| | |
|---|---|
| Zambia | 97,2% |
| Níger | 96,6% |
| Mauritania | 94,8% |
| Liberia | 94,8% |
| Togo | 87,6% |
| Rep. Dem. Congo | 47,3% |

## Producción industrial de diamantes
miles de quilates

| | |
|---|---|
| Rep. Dem. Congo | 13.000 |
| Sudáfrica | 6.200 |
| Botswana | 5.000 |
| Angola | 364 |
| Rep. Centroafricana | 200 |
| Namibia | 160 |

## Producción de oro
kilos

| | |
|---|---|
| Sudáfrica | 743,7 |
| Ghana | 73,3 |
| Zimbabwe | 25,2 |
| Malí | 23,0 |
| Guinea | 14,0 |
| Sudán | 5,0 |

## Producción de hierro
millones tm

| | |
|---|---|
| R. Sudafricana | 20,4 |
| Mauritania | 7,0 |
| Egipto | 1,8 |
| Argelia | 1,0 |
| Zimbabwe | 0,2 |
| Túnez | 0,1 |

## Minería e industria

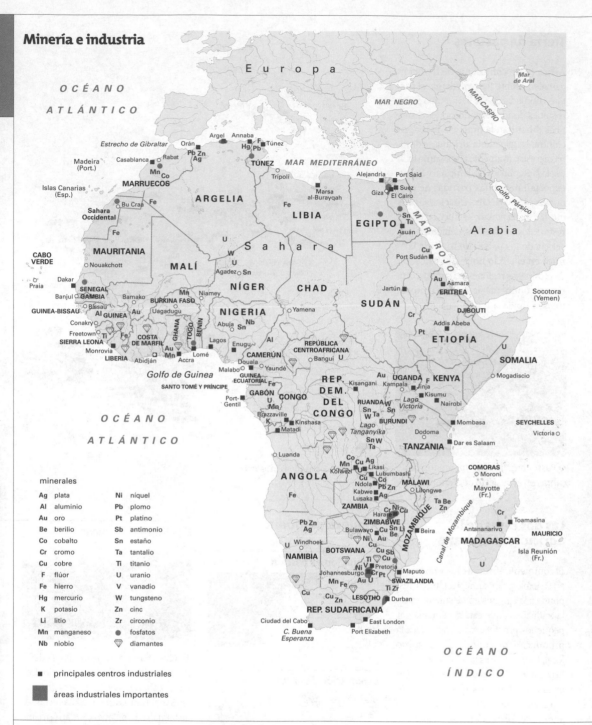

**minerales**

| | | | | |
|---|---|---|---|---|
| Ag | plata | | Ni | níquel |
| Al | aluminio | | Pb | plomo |
| Au | oro | | Pt | platino |
| Be | berilio | | Sb | antimonio |
| Co | cobalto | | Sn | estaño |
| Cr | cromo | | Ta | tantalio |
| Cu | cobre | | Ti | titanio |
| F | flúor | | U | uranio |
| Fe | hierro | | V | vanadio |
| Hg | mercurio | | W | tungsteno |
| K | potasio | | Zn | cinc |
| Li | litio | | Zr | circonio |
| Mn | manganeso | | ● | fosfatos |
| Nb | niobio | | ◇ | diamantes |

■ principales centros industriales

▮ áreas industriales importantes

## Un rico subsuelo pendiente de explotación

El territorio africano contiene en su subsuelo una gran variedad y cantidad de recursos minerales y energéticos. Sin embargo, la minería africana sólo percibe el 5% de las inversiones de la industria minera mundial. Este hecho no impide que el comercio de minerales y metales sea la principal fuente de ingresos de gran parte de los estados africanos.

La principal potencia minera del continente es la República Sudafricana, que produce el 19% del oro y el 10% de los diamantes del planeta. Zambia, otro gran productor de minerales, extrae el 13% del cobalto mundial y en Sierra Leona se encuentra la mayor reserva de titanio. Asimismo, del continente africano se extrae el 30% del uranio utilizado en las centrales nucleares de todo el mundo –la República Sudafricana es el único país africano que produce energía nuclear–. También hay importantes bolsas de gas natural en Argelia y de petróleo en la costa occidental, en Gabón, en los dos Congos y en Angola. África tiene el 40% del potencial hidroeléctrico del planeta, aunque las dificultades del terreno y la falta de financiación dificultan su completa explotación.

◯ Extracción de gas natural en Argelia

# Energía

**OCÉANO ATLÁNTICO**

E u r o p a

Mar de Aral

MAR NEGRO

MAR CASPIO

Estrecho de Gibraltar

Madeira (Port.)

Casablanca
Safí · Rabat
Hassi R'mel
Hassi Messaoud

MARRUECOS

Islas Canarias (Esp.)

Arzew · Argel
Túnez

TÚNEZ
Trípoli
Ghadamis

MAR MEDITERRÁNEO

Tobruk
Alejandría
El Cairo
Giza

In-Salah

ARGELIA

Waha
Sarir

LIBIA

EGIPTO

Golfo Pérsico

Sahara Occidental

A r a b i a

MAR ROJO

CABO VERDE

MAURITANIA

Nouakchott

S a h a r a

Agadez

MALÍ

Port Sudán

Praia

Dakar

SENEGAL

Banjul · GAMBIA
GUINEA-BISSAU · Bissau

Bamako

NÍGER

Niamey

CHAD

Jartún

SUDÁN

Asmara
ERITREA

Socotora (Yemen)

BURKINA FASO

Uagadugu

NIGERIA

Yamena

DJIBOUTI

Addis Abeba

Conakry
GUINEA
Freetown
SIERRA LEONA
Monrovia

COSTA DE MARFIL

Yamoussoukro

Abidján

LIBERIA

GHANA
TOGO
BENÍN

Abuja

Lomé
Accra
Porto Novo

Lagos

CAMERÚN

REPÚBLICA CENTROAFRICANA

Bangui

ETIOPÍA

SOMALIA

Mogadiscio

Malabo
GUINEA ECUATORIAL

Yaundé

UGANDA

Kampala

KENYA

SANTO TOMÉ Y PRÍNCIPE

Libreville

CONGO

GABÓN

Brazzaville

Kinshasa

REP. DEM. DEL CONGO

Kigali
RUANDA
Bujumbura
BURUNDI

Lago Victoria

Nairobi

SEYCHELLES

Victoria

Golfo de Guinea

Ascensión (RU)

Kinshasa

Lago Tanganyika

Dodoma

TANZANIA

Dar es Salaam

Luanda

ANGOLA

COMORAS
Moroni

MALAWI

Mayotte (Fr.)

Santa Elena (RU)

ZAMBIA

Lusaka

Lilongwe

Antananarivo

MAURICIO

OCÉANO ATLÁNTICO

Harare

ZIMBABWE

MOZAMBIQUE

MADAGASCAR

Isla Reunión (Fr.)

NAMIBIA

Windhoek

BOTSWANA

Gaborone

Pretoria

Maputo

SWAZILANDIA (NGWANE)

Johannesburgo

Canal de Mozambique

Tristan da Cunha (RU)

LESOTHO

REP. SUDAFRICANA

Ciudad del Cabo
C. Buena Esperanza

Gough (RU)

OCÉANO ÍNDICO

- ■ carbón
- ■ petróleo
- — oleoducto
- ▨ gas natural
- — gasoducto

## Exportación de combustibles

% del total de exportaciones

| País | % |
|---|---|
| Argelia | 97,2% |
| Nigeria | 96,6% |
| Angola | 94,8% |
| Libia | 94,8% |
| Rep. Dem. Congo | 87,6% |
| Gabón | 82,7% |

## Producción de gas natural

millones m³

| País | |
|---|---|
| Argelia | 74.000 |
| Egipto | 14.000 |
| Libia | 6.000 |
| Nigeria | 6.000 |
| Rep. Sudafricana | 2.000 |

## Producción de petróleo

(mill. barriles/año)

| País | |
|---|---|
| Nigeria | 786,5 |
| Libia | 507,7 |
| Argelia | 455,2 |
| Egipto | 304,5 |
| Angola | 268,5 |

## Uso de combustibles tradicionales

(% sobre el total de la energía térmica)

| País | % |
|---|---|
| Chad | 97,6% |
| Somalia | 94,5% |
| Etiopía | 93,0% |
| Burundi | 92,5% |
| Rep. Centroafricana | 91,4% |
| Mozambique | 91,4% |
| Tanzania | 91,4% |

## Energía eléctrica: origen

### Swazilandia

- 49% Térmica
- 51% Hidroeléctrica

### Kenya

- 8% Térmica
- 9% Solar, eólica, geotérmica y otras
- 83% Hidroeléctrica

### República Sudafricana

- 92% Térmica
- 0,9% Hidroeléctrica
- 7,1% Nuclear

## Un sector industrial atrofiado

La industria africana está interrelacionada con la extracción minera y la producción de combustibles, ya que en la mayoría de los países productores también han surgido industrias de procesado, como fundiciones y refinerías. Otras manufacturas importantes del continente son la alimentaria y la de bienes de consumo, orientadas, mayoritariamente, al reducido mercado local.

La República Sudafricana es el país con mayor infraestructura industrial. Egipto, Zimbabwe y Argelia también disponen de importantes núcleos productivos. Estas factorías se aglutinan, principalmente, en los aledaños de las grandes ciudades. Además de arrastrar su histórico atraso industrial respecto de los países más desarrollados, África no ha logrado aún alcanzar el índice de crecimiento de otras regiones en vías de desarrollo. A finales del siglo XX, el sector industrial crecía en África a un ritmo del 2%, mientras que en el Sudeste Asiático era del 8,4% y en Latinoamérica, del 3,8%.

### Aportación de la industria al PBI

| País | % |
|---|---|
| Guinea Ecuatorial | 66,3% |
| Gabón | 60,3% |
| Angola | 51,5% |
| Congo | 49,9% |
| Argelia | 47,3% |
| Botswana | 46,1% |
| (...) | |
| Gambia | 13,7% |
| Benín | 13,5% |
| Guinea-Bissau | 12,7% |
| Ghana | 6,9% |
| Etiopía | 6,7% |

# Comercio y transporte

África sufre desde finales del siglo XX una prolongada crisis comercial que ha debilitado aún más su frágil economía. Aunque sus productos primarios son fundamentales para el resto del mundo, su participación en el mercado internacional es cada vez menor. El comercio interno, también escaso, se ve poco favorecido por una deficiente red de transportes.

## Balance comercial de los países africanos

### Importaciones y exportaciones

variación porcentual — Importaciones ■ Exportaciones ■

13,7
19,9
4,1
7,7
12,1
1,2
2
5,7
-15,9
1,2
8,7
-6,5
-1,9

1993 1994 1995 1996 1997 1998 1999

### Principales proveedores

**18,4%** Asia
**9,6%** Mercado interno
**53,2%** Europa y CEI
**9,5%** Norteamérica
**6,9%** Cercano Oriente
**2,4%** América Latina

### Principales clientes

**13,8%** Asia
**9,9%** Mercado interno
**52,2%** Europa y CEI
**14,9%** Norteamérica
**1,5%** Cercano Oriente
**3,0%** América Latina

África mantiene las relaciones comerciales con sus ex metrópolis y realiza más de la mitad de sus intercambios con la Unión Europea. Por el contrario, el mercado interno es muy débil a causa de las dificultades de transporte, la competitividad entre productos y la diversidad de monedas.

## Red de carreteras y aeropuertos

— red principal de carreteras
— red secundaria de carreteras
✈ principales aeropuertos

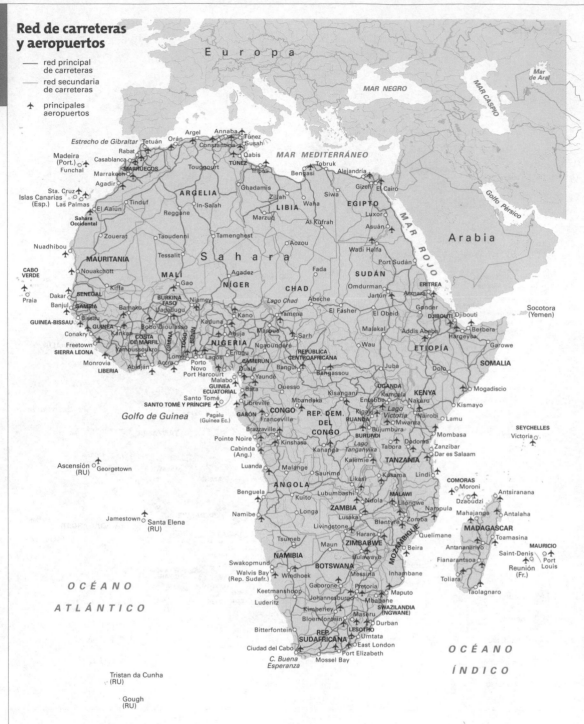

## El último lugar en las exportaciones y en las importaciones

La presencia africana en el mercado internacional ha estado disminuyendo paulatinamente desde la década de 1960, hecho este que en el caso del África Subsahariana ha significado perder ingresos por valor de 11.000 millones de dólares. La caída de las ventas fue especialmente dramática entre 1980 y 1990, cuando las exportaciones africanas cayeron un 40%, mientras que las de los países industrializados aumentaron un 70%.

A principios del siglo XXI, el continente africano apenas tiene peso en el comercio internacional. Ocupa el último lugar tanto en las exportaciones (2% del total mundial) como en las importaciones (2,3%). Sólo el tráfico comercial de México tiene mayor incidencia que el del conjunto de África.

La República Sudafricana es, con más de un 26% de todas las transacciones comerciales realizadas en África, el principal exportador e importador del continente. Los siguientes países exportadores son, en este orden, Argelia, Nigeria, Libia y Marruecos. En cuanto a las importaciones, tras la República Sudafricana se sitúan Egipto, Marruecos, Nigeria y Argelia.

## Red de ferrocarriles y puertos

— red de ferrocarril

⚓ principales puertos marítimos

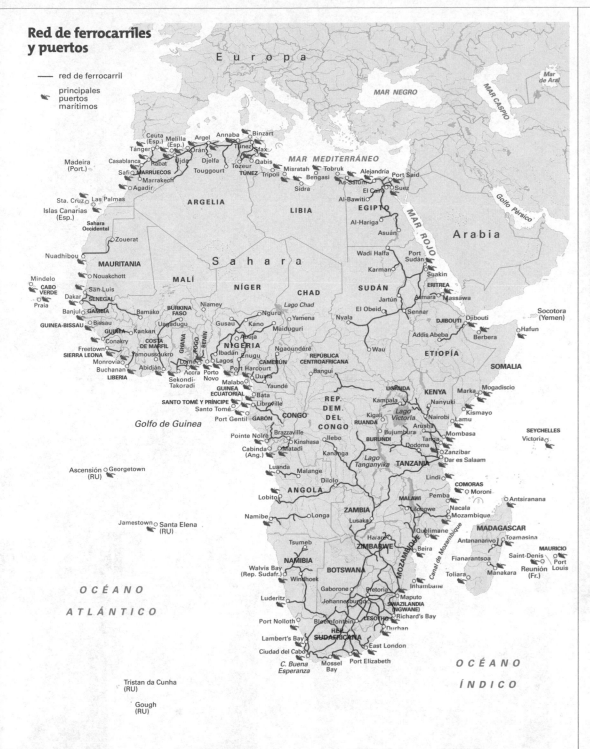

Europa

MAR NEGRO

MAR CASPIO

Mar de Aral

Ceuta (Esp.) · Melilla (Esp.) · Argel · Annaba · Binzart
Tánger · Orán · Túnez · Sfax
Madeira (Port.) · Casablanca · Rabat · Ujda · Djelfa · Qabis
MARRUECOS · Safi · Touggourt · Tozeur · TÚNEZ · Tripoli · Misratah · Tobruk · Alejandría · Port Said
Marrakech · Agadir · Sidra · Bengasi · As-Salum · El Cairo · Suez
Sta. Cruz · Las Palmas · ARGELIA · LIBIA · Al-Bawiti · EGIPTO
Islas Canarias (Esp.) · Al-Hariga · Asuán
Sahara Occidental · Zouerat · Arabia
Nuadhibou · Wadi Halfa · Port Sudán
MAURITANIA · Sahara · Karman
Mindelo · Nouakchott · Golfo Pérsico
CABO VERDE · San Luis · MALÍ · NÍGER · CHAD · Suakin
Praia · Dakar · SENEGAL · Niamey · Lago Chad · El Obeid · Jartum · SUDÁN · Samara · Massawa · ERITREA
Banjul · GAMBIA · Bamako · BURKINA FASO · Gusau · Kano · Nguru · Yamena · Nyala · Sennar · Socotora (Yemen)
GUINEA-BISSAU · Bissau · Uagadugu · Maiduguri · Wau · DJIBOUTI · Djibouti · Hafun
GUINEA · Kankan · BENÍN · Abuja · NIGERIA · Ngaoundéré · REPÚBLICA CENTROAFRICANA · Addis Abeba · Berbera
Freetown · Conakry · COSTA DE MARFIL · GHANA · Ibadán · Enugu · CAMERÚN · Bangui · ETIOPÍA
SIERRA LEONA · Yamoussoukro · TOGO · Lagos · Port Harcourt · Yaundé · SOMALIA
Monrovia · Buchanan · Abidján · Accra · Porto Novo · Duala · Malabo · UGANDA · KENYA · Marka · Mogadiscio
LIBERIA · Sekondi-Takoradi · GUINEA ECUATORIAL · Bata · Kampala · Nanyuki · Kismayo · Lamu
SANTO TOMÉ Y PRÍNCIPE · Libreville · Lago Victoria · Kigali · Nairobi · Arusha · Mombasa · SEYCHELLES
Santo Tomé · GABÓN · RUANDA · Bujumbura · Tanga · Zanzíbar · Victoria
Golfo de Guinea · Port Gentil · CONGO · REP. DEM. DEL CONGO · BURUNDI · Dodoma · Dar es Salaam
Pointe Noire · Brazzaville · Ilebo · TANZANIA · Lindi
Cabinda (Ang.) · Kinshasa · Matadi · Kananga · Lago Tanganyika · COMORAS · Moroni · Antsiranana
Luanda · Malange · Dilolo · MALAWI · Pemba
Ascensión (RU) · Georgetown · ANGOLA · Lilongwe · Nacala · Mozambique
Lobito · Longa · ZAMBIA · Lusaka · Quelimane · MADAGASCAR
Namibe · Harare · Beira · Antananarivo · Toamasina
Jamestown · Santa Elena (RU) · Tsumeb · ZIMBABWE · MOZAMBIQUE · MAURICIO
Walvis Bay (Rep. Sudafr.) · NAMIBIA · BOTSWANA · Inhambane · Fianarantsoa · Saint-Denis · Port Louis
Windhoek · Gaborone · Pretoria · Maputo · Toliara · Manakara · Reunión (Fr.)
Luderitz · Johannesburgo · SWAZILANDIA (NGWANE) · Richard's Bay
Port Nolloth · Bloemfontein · LESOTHO · Durban
Lambert's Bay · REP. SUDAFRICANA · East London
Ciudad del Cabo · Mossel Bay · Port Elizabeth
C. Buena Esperanza

OCÉANO ATLÁNTICO

OCÉANO ÍNDICO

MAR MEDITERRÁNEO

MAR ROJO

Tristan da Cunha (RU)

Gough (RU)

## Un precario sistema de transportes

África realiza por carretera la mayor parte de sus transportes de mercancías y de personas. Su sistema viario es, sin embargo, el más precario del mundo. Sólo el 15% de las vías terrestres del África subsahariana está pavimentado. En los países norteafricanos este porcentaje se eleva al 58,4%. Además, las carreteras son de carácter nacional; son muy pocas las vías que comunican

⚓ El puerto sudafricano de Durban

eficientemente varios países, lo que también afecta a las líneas ferroviarias.
El transporte aéreo de viajeros está dominado por la República Sudafricana y los países norteafricanos, principales destinos turísticos. El puerto con más tráfico es el de Durban, en la República Sudafricana, el único de África que se sitúa entre los 50 más activos del mundo.

## El canal de Suez

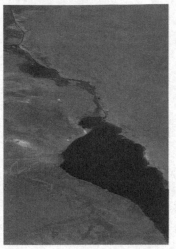

⚓ Vista satelital del canal de Suez

Situado en la costa nororiental de Egipto, el canal de Suez es una vía acuática que comunica el Mediterráneo con el mar Rojo. Construido entre 1859 y 1869 bajo la dirección del ingeniero francés Ferdinand de Lesseps, constituye la vía más rápida para llegar a Asia, África Oriental y Oceanía desde Europa. Antes de su funcionamiento, los barcos empleaban 45 días para contornear la costa africana; en la actualidad, 15 horas bastan para atravesar sus 190 kilómetros.
La rapidez de este trayecto se debe, en gran parte, a que el canal de Suez, a diferencia del de Panamá, no necesita esclusas, ya que los dos puntos que comunica están a nivel del mar. En 1956, Egipto nacionalizó el canal, y desde entonces representa su principal baza geoestratégica y una importante fuente de ingresos.

## Carreteras y caminos sin pavimentar en la red pública nacional

| (excluidas las islas) | % sobre el total |
| --- | --- |
| Guinea Ecuatorial | 100% |
| Chad | 99,1% |
| Rep. Centroafricana | 95,8% |
| Tanzania | 95,6% |
| Liberia | 93,3% |
| Gabón | 92,6% |
| Burundi | 92,5% |
| Níger | 92,0% |
| Sierra Leona | 91,1% |
| (...) | |
| Rep. Sudafricana | 55,0% |
| Marruecos | 52,2% |
| Argelia | 31,0% |
| Egipto | 21,8% |
| Túnez | 20,7% |
| R. D. Congo y Zambia | No hay datos |

**Dos pueblos para un país** Palestina era campo de batalla entre judíos, árabes y cristianos incluso antes que tuviera lugar la primera cruzada. Este conflicto de carácter étnico y religioso se recrudeció durante el siglo XX con el retorno de muchos judíos y la posterior creación de Israel. En la imagen, el muro de las Lamentaciones, lugar santo de los hebreos y vecino de la cúpula de la Roca, lugar santo a su vez para el islam.

# Asia física

**Superficie total de África:**
45.036.492 km²
(29,6% del total de las tierras emergidas)

**Extremo septentrional:**
Cabo Cheliuskin (Rusia), 77°40'N

**Extremo meridional:**
Isla Roti (Indonesia), 10°30'S

**Extremo oriental:**
Cabo Dezhnev (Rusia), 169°40'O

**Extremo occidental:**
Cabo Baba (Turquía), 26°05'E

**Pico culminante de Asia
(y de la Tierra):**
Everest (China, Nepal), 8.848 m

**Mayor depresión de Asia:**
Mar Muerto (Israel, Jordania), −392 m

**Río más largo de Asia:**
Yangtsé (China), 6.380 km

**Mayor lago:**
Mar Caspio (Rusia, Kazajstán,
Azerbaiyán, Irán, Turkmenistán),
371.000 km²

### Relieve (altura en metros)

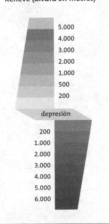

5.000
4.000
3.000
2.000
1.000
500
200

depresión

200
1.000
2.000
3.000
4.000
5.000
6.000

**Proyección acimutal equivalente de Lambert**

0    500    1000    1500 km

Escala 1: 40.000.000
1 cm corresponde a 400 km

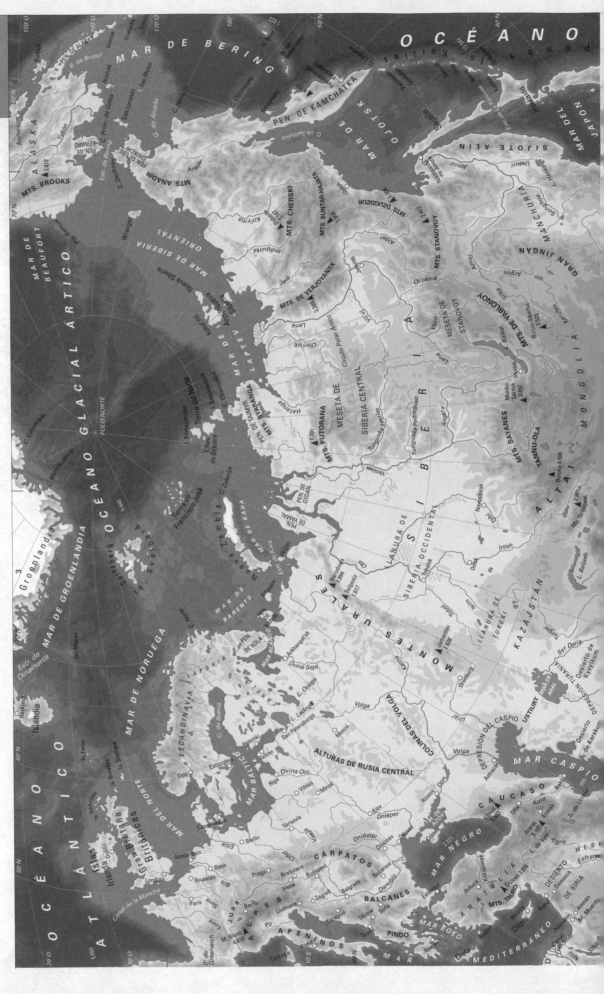

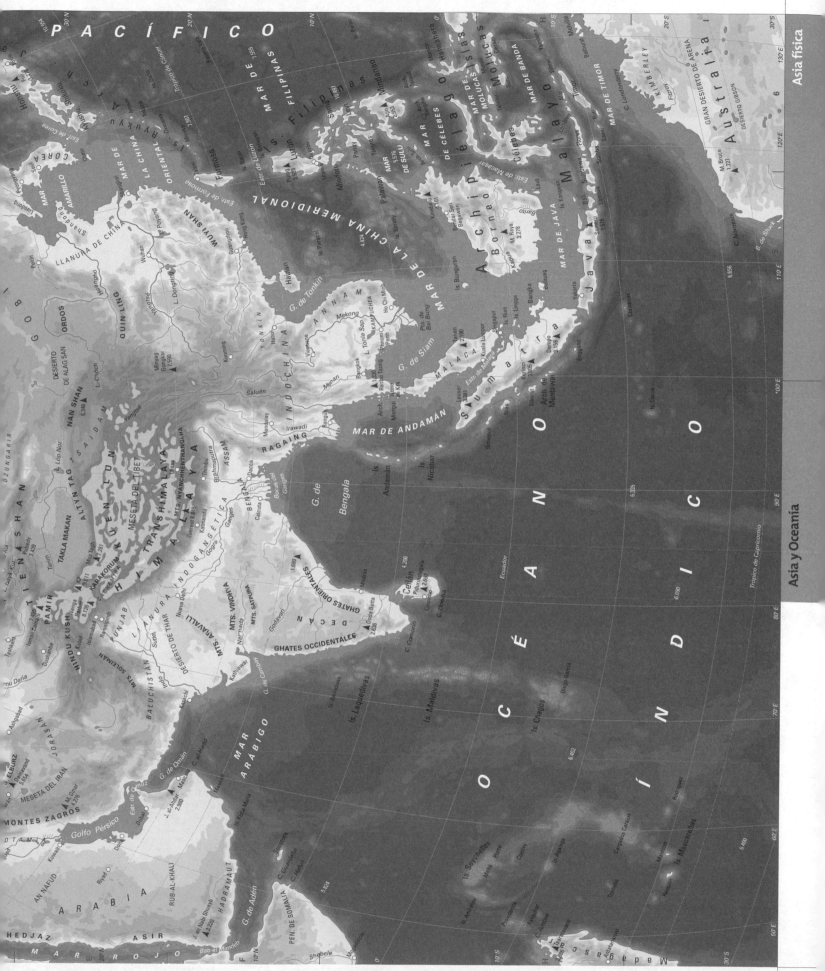

PACÍFICO

MAR FILIPINAS

Is. FILIPINAS

MAR DE LA CHINA MERIDIONAL

Archipiélago Malayo

MOLUCAS Islas

MAR DE BANDA

MAR DE TIMOR

MAR DE CÉLEBES

GRAN DESIERTO DE ARENA

Australia

DESIERTO GIBSON

KIMBERLEY

HONSHU

KYUSHU

COREA

MAR AMARILLO

MAR DE LA CHINA ORIENTAL

Estr. de Formosa

Formosa

RYUKYU

WUI SHAN

SHAN SHANTUNG

LLANURA DE CHINA

Shanghai

Wuhan

Hwangho

P. Poyang

L. Dongting

Hong Kong

Guangzhou

Hainan

G. de Tonkín

ANNAM

TONKÍN

Hanoi

Mekong

INDOCHINA

Ho Chi Minh

G. de Siam

MALACA

Bangkok

Menam

Rangún

Mandalay

Irawadi

RAGAING

MAR DE ANDAMÁN

Sumatra

BORNEO

Célebes

MAR DE JAVA

Java

Yakarta

GOBI

ORDOS

QUIN LING

DESIERTO DE ALAG SAN

NAN SHAN

TSAIDAM

Yangtse

MESETA DEL TÍBET

KUEN-LUN

HIMALAYA

TRANSHIMALAYA

MTS. NYANCHENTHANGLHA

ASSAM

Brahmaputra

Katmandú

Everest 8.848

Thimbu

Dacca

BENGALA

Calcuta

Ganges

Bocas del Ganges

G. de Bengala

Is. Andamán

Is. Nicobar

OCÉANO

ÍNDICO

DZUNGARIA

TIEN SHAN

ALTYN TAG

TAKLA MAKAN

Tarim

KARAKORUM

PAMIR

HINDU KUSH

PUNJAB

Nueva Delhi

LLANURA ANGÉTICA

DESIERTO DE THAR

MTS. ARAVALLI

MTS. VINDHYA

MTS. SATPURA

Narmada

DECÁN

GHATES ORIENTALES

GHATES OCCIDENTALES

Godavari

Ceilán

C. Comorín

Is. Maldivas

Is. Laquedivas

Is. Chagos

Diego García

Ecuador

OCÉANO

BALUCHISTÁN

MTS. SOLEIMÁN

Karachi

Kathiawar

G. de Cambay

MAR ARÁBIGO

Is. Seychelles

Trópico de Capricornio

ELBURZ

JORASÁN

MESETA DEL IRÁN

MONTES ZAGROS

Golfo Pérsico

Kuwait

Riyad

AN NAFUD

ARABIA

RUB-AL-KHALI

HEDJAZ

ASIR

MAR ROJO

Bab el Mandeb

G. de Adén

PEN. DE SOMALIA

HADRAMAUT

G. de Omán

Mascate

Madagascar

Is. Mascareñas

291

# Asia política

## Superficie de los países y territorios de Asia

| | |
|---|---|
| Rusia asiática | 12.765.900 km² |
| China | 9.596.961 km² |
| India | 3.287.590 km² |
| Kazajstán | 2.717.300 km² |
| Arabia Saudita | 2.149.690 km² |
| Indonesia | 1.904.400 km² |
| Irán | 1.648.000 km² |
| Mongolia | 1.565.000 km² |
| Pakistán | 803.943 km² |
| Turquía | 780.576 km² |
| Myanmar | 676.552 km² |
| Afganistán | 647.497 km² |
| Yemen | 527.968 km² |
| Tailandia | 514.000 km² |
| Turkmenistán | 488.100 km² |
| Uzbekistán | 447.400 km² |
| Irak | 434.924 km² |
| Japón | 377.750 km² |
| Vietnam | 333.000 km² |
| Malaysia | 329.750 km² |
| Filipinas | 300.000 km² |
| Laos | 236.800 km² |
| Omán | 212.457 km² |
| Kirguizistán | 198.500 km² |
| Siria | 185.180 km² |
| Camboya | 181.035 km² |
| Bangladesh | 143.998 km² |
| Tayikistán | 143.100 km² |
| Nepal | 140.797 km² |
| Corea del Norte | 120.538 km² |
| Corea del Sur | 99.484 km² |
| Jordania | 89.000 km² |
| Azerbaiyán | 86.600 km² |
| Emiratos Árabes Unidos | 83.600 km² |
| Sri Lanka | 65.610 km² |
| Bután | 40.077 km² |
| Taiwán | 35.980 km² |
| Armenia | 29.800 km² |
| Israel | 20.325 km² |
| Kuwait | 17.811 km² |
| Timor Oriental | 14.475 km² |
| Qatar | 11.000 km² |
| Líbano | 10.400 km² |
| Chipre | 9.521 km² |
| *Cisjordania** | 5.879 km² |
| Brunei | 5.770 km² |
| Bahrein | 678 km² |
| Singapur | 618 km² |
| *Gaza** | 378 km² |
| Maldivas | 298 km² |
| *Territorio Británico del Índico* | 58 km² |
| *Islas Spratly* | 5 km² |

*La península del Sinaí pertenece geográficamente al continente asiático, pero políticamente forma parte del estado africano de Egipto.*
*\* Cisjordania es parte de los Territorios Autónomos Palestinos y su superficie no se incluye en la de Israel, igual que la franja de Gaza, que pertenecía a Egipto antes de la guerra de los Seis Días (1967).*

## Superficie de Asia

| | |
|---|---|
| **28,7%** | Rusia asiática |
| **21,6%** | China |
| **7,4%** | India |
| **6,1%** | Kazajstán |
| **4,8%** | Arabia Saudita |
| **4,3%** | Indonesia |
| **27,1%** | Resto |

Proyección acimutal equivalente de Lambert

0   500   1000   1500 km

Escala 1: 40.000.000
1 cm corresponde a 400 km

# Turquía y Cercano Oriente

**Límite internacional**

**Límite de división administrativa**

**Ruta principal**

✈ **Aeropuerto**

⚓ **Puerto**

**Poblaciones**

⬚ de más de 1.000.000 de hab.

⦿ de 500.000 a 1.000.000 de hab.

◉ de 250.000 a 500.000 hab.

⊙ de 100.000 a 250.000 hab.

○ de menos de 100.000 hab.

▲ **Altitud en metros**

◣ **Lago, laguna, embalse**

〜 **Corriente de agua**

**Relieve (altura en metros)**

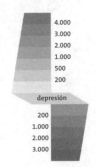

4.000
3.000
2.000
1.000
500
200

depresión

200
1.000
2.000
3.000

**Proyección acimutal equivalente de Lambert**

0        100        200 km

TURQUÍA. Escala 1: 6.000.000
1 cm corresponde a 60 km

0        75        150 km

CERCANO ORIENTE. Escala 1: 4.500.000
1 cm corresponde a 45 km

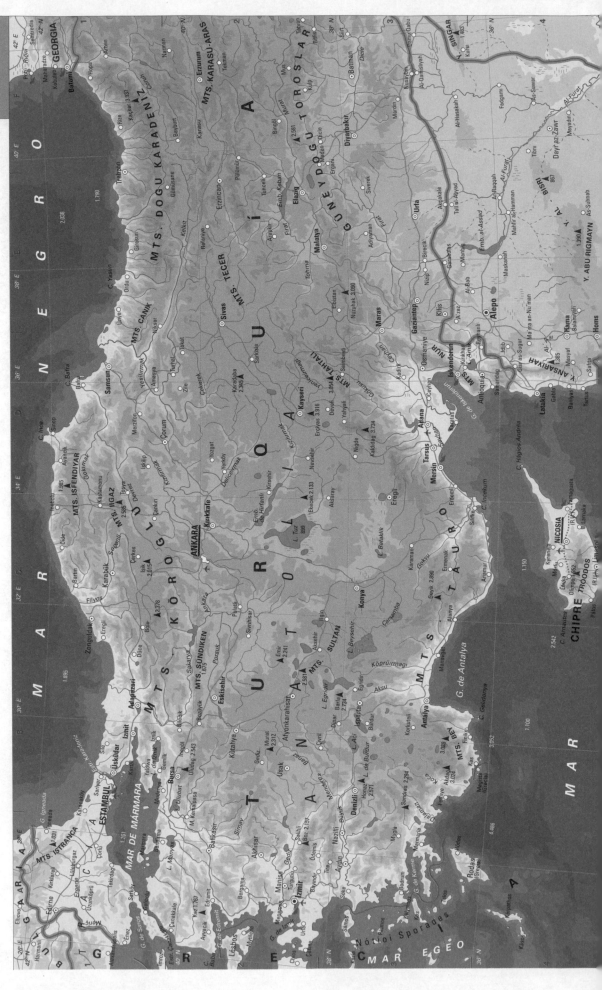

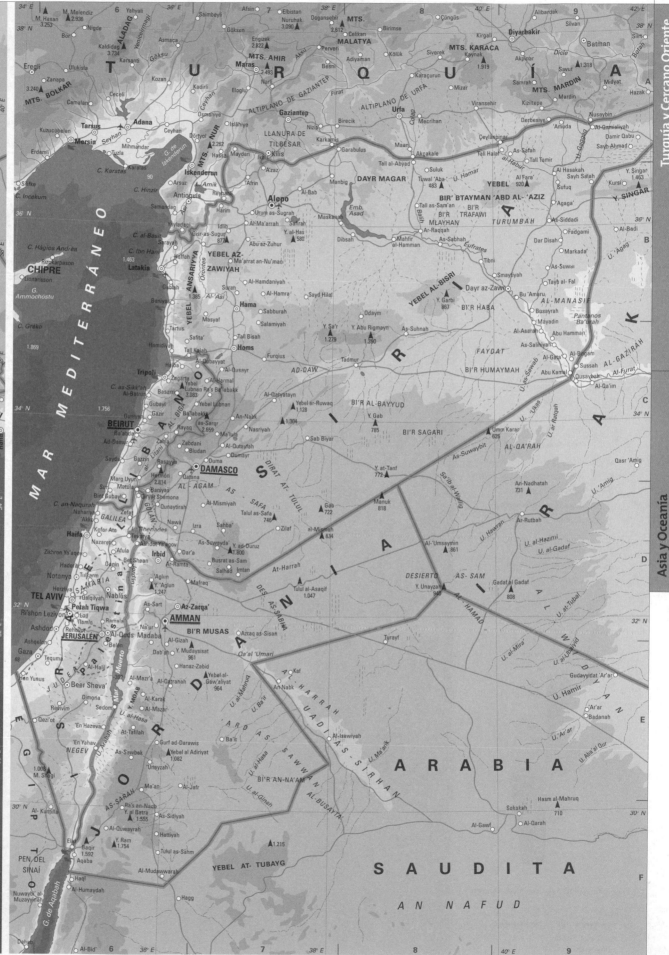

# Asia
# septentrional

Límite internacional
Límite de división administrativa
Ruta principal
✈ Aeropuerto
⚓ Puerto

Poblaciones
⬠ de más de 1.000.000 de hab.
⊙ de 500.000 a 1.000.000 de hab.
◎ de 250.000 a 500.000 hab.
⊙ de 100.000 a 250.000 hab.
○ de menos de 100.000 hab.

▲ Altitud en metros
🝰 Lago, laguna, embalse
〰 Corriente de agua

Relieve (altura en metros)

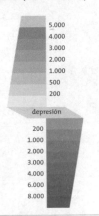

5.000
4.000
3.000
2.000
1.000
500
200
depresión
200
1.000
2.000
3.000
4.000
6.000
8.000

Proyección acimutal equivalente de Lambert

0    200    400    600 km

Escala 1:20.000.000
1 cm corresponde a 200 km

# OCÉANO GLACIAL ÁRTICO

DORSAL LOMONOSO

Polo Norte
4.087

OCÉANO PACÍFICO

MAR DE BERING

MAR DE LAPTEV

MAR DE SIBERIA ORIENTAL

Zemlja Alexandra
Zemlja Georges
Zemlja Franz Joseph

I. Graham Bell

Severnaja Zemlja

C. Zelanija
Mal. Led.

I. Belyj

Is. Novosibirskije

Is. Anjou

Estr. de Vilki

Is. Faddejevskij
I. Kotel'nyj
Is. Novaja Sibir'

C. Cel'uskin

DE KARA

PEN. DE GYDANSKIJ
Gyda

PEN. DE TAIMYR
MTS. BYRRANGA
TAIMYR

MTS. KOLYMSKOJE

PEN. DE ČUKOTSKIJ

C. Dezneva

Estr. de Bering

PEN. DE SEWARD (EUA)

Nome

B. de Norton

Yukon

Alaska

C. Nevarin

Dudinka
Dickson
Igarka

Noril'sk
Mts. Putorama
1.701

MESETA DE SIBERIA CENTRAL

Hatanga
Tiksi

MTS. VERHOJANSKIJ

MTS. C. ORSKOGO

Verhojansk
Pobeda
3.147

MTS. SUNTAR-HAJATA
2.959

Magadán

G. de Selihova

KAMČATKA

Petropavlovsk-Kamčatskij

MAR DE OJOTSK

CORD. SREDINNYJ

Jakutsk

Lena

Olen'ok

Ziganga

Mirnyj

Lensk

Aldan

MTS. DZUGDZUR

MTS. STANOFOJ

Sym
Jenisej
Severo-Jenisejsk

S

Krasnojarsk

Brastk

MESETA STANOVOJE

Skalistyj Bolin
2.467

2.572

MTS. JABLONOVYJ

Čita

SIHOTE-ALIN

Saljalin

Estrecho Tatarskij

Juzno-Sahalinsk

NOVOKUZNECK

MTS. SAIAN

Angarsk
Irkutsk
Ulan-Udé

Lago Baikal

Komsomol'sk-na-Amure

Blagovescensk
Habarovsk

ALTAI

TANNU OLA

Kyzyl

Mönh Sar'dag
3.492

L. Hövsgöl

Burun-Sibertug
2.523

Suchbaatar

PEQUEÑO JINGAN

Hegang

Jiamusi

Ussurijsk
Vladivostok

MONGOLIA

MTS. KHANGAI

Mörön

Bulgan

ULAN BATOR

MANCHURIA

Qiqihar

HARBIN

Mudanjiang

GRAN JINGAN

Changchun

SAPPORO

HOKKAIDO

DESIERTO DE GOBI

Baotou
Huhehaote

PEKÍN
Tangshan
TIANJIN

SHENYANG
FUSHUN
Anshan

COREA DEL NORTE

PYONGYANG

SEÚL

COREA DEL SUR

TAEGÚ
PUSAN

MAR DEL JAPÓN

NAGOYA
KIOTO
KOBE
OSAKA

HONSYU

297

# Asia suroccidental

## Relieve (altura en metros)

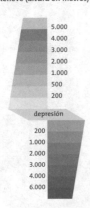

```
5.000
4.000
3.000
2.000
1.000
500
200
depresión
200
1.000
2.000
3.000
4.000
6.000
```

**Límite internacional**
**Límite de división administrativa**
**Ruta principal**
✈ Aeropuerto
⚓ Puerto

**Poblaciones**
⬚ de más de 1.000.000 de hab.
◉ de 500.000 a 1.000.000 de hab.
◎ de 250.000 a 500.000 hab.
◉ de 100.000 a 250.000 hab.
○ de menos de 100.000 hab.

▲ Altitud en metros
🝆 Lago, laguna, embalse
〜 Corriente de agua

**Proyección acimutal equivalente de Lambert**

```
0          300          600 km
```

Escala 1:18.000.000
1 cm corresponde a 180 km

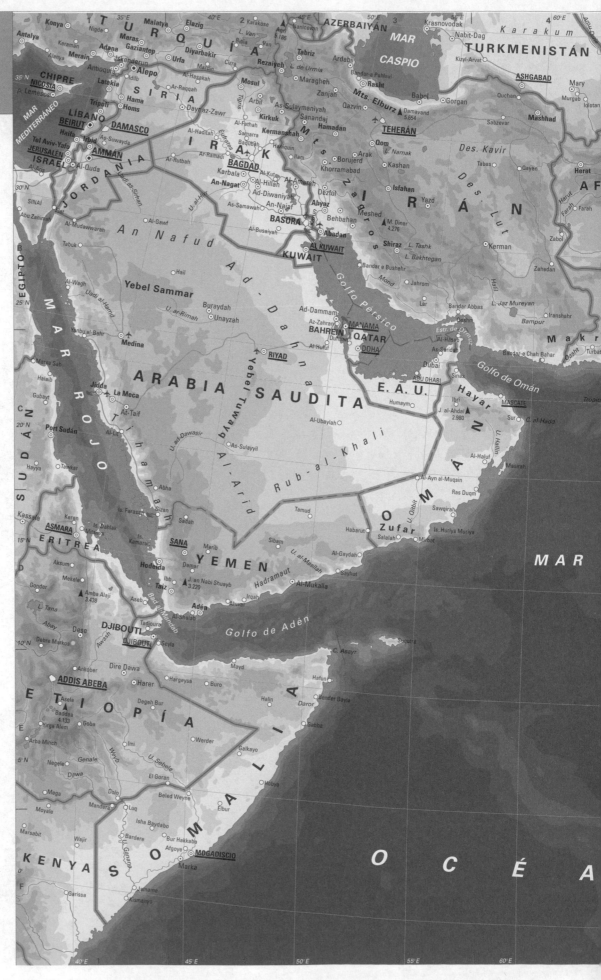

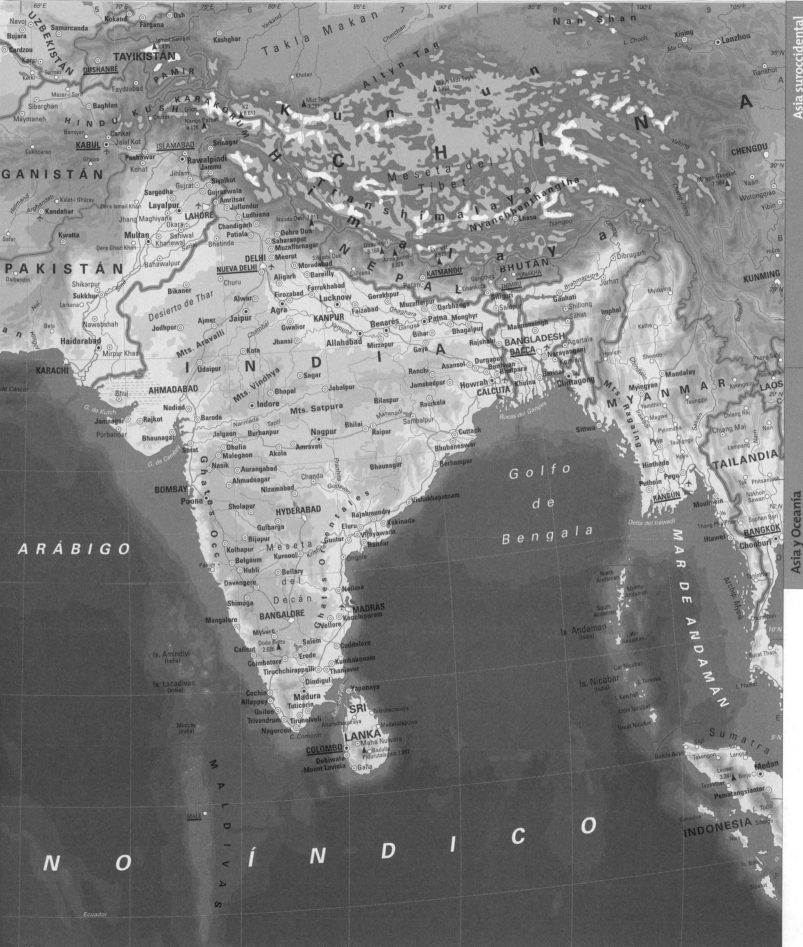

# Asia oriental

## Leyenda

Límite internacional

Límite de división administrativa

Ruta principal

✈ Aeropuerto

⚓ Puerto

**Poblaciones**

▢ de más de 1.000.000 de hab.

◉ de 500.000 a 1.000.000 de hab.

◎ de 250.000 a 500.000 hab.

⊙ de 100.000 a 250.000 hab.

○ de menos de 100.000 hab.

▲ Altitud en metros

◗ Lago, laguna, embalse

〜 Corriente de agua

### Relieve (altura en metros)

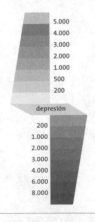

5.000
4.000
3.000
2.000
1.000
500
200

**depresión**

200
1.000
2.000
3.000
4.000
6.000
8.000

### Proyección acimutal equivalente de Lambert

0     250     500 km

Escala 1:15.000.000
1 cm corresponde a 150 km

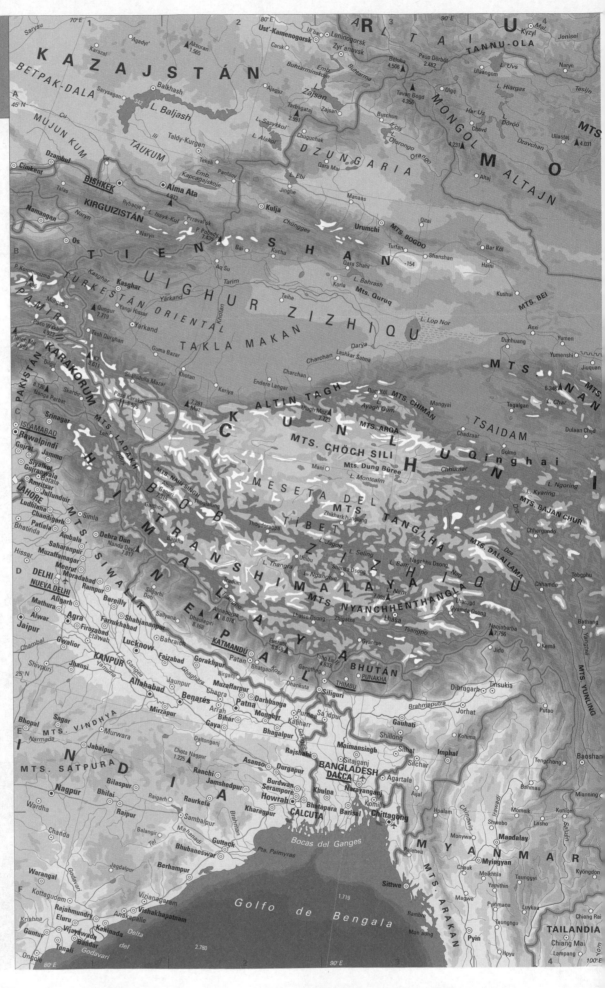

S I B E R I A

KHANGAI
MONGOLIA
ULAN BATOR
DESIERTO DE GOBI
ÖBÖRG MONGOL ZIZHIQU
DES. DALAG SAN
GRAN JINGAN
MANZHOU

L. Baikal
Irkutsk
Ulan-Udé
Cita
Blagovescensk
PEQUEÑO JINGAN
Habarovsk
SIHOTE-ALIN

MTS. JABLONOVYJ
MTS. BORSCOVOCNYJ

Ulaan Choto
Qiqihar
HARBIN
Jiamusi
Hegang
Mudanjiang
Vladivostok
Nahodka

CHANGCHUN
Jilin
Liaoyuan
SHENYANG
FUSHUN
Benxi
ANSHAN

COREA DEL NORTE
PYONGYANG
MAR DEL JAPÓN

Baotou
Huhehaote
PEKÍN
Tangshan
TIANJIN
Baoding
TAIYUAN
Shijiazhuang
JINAN
QINGDAO
SHANDONG

LÜSHUN
LÜDA
MAR AMARILLO

COREA DEL SUR
SEÚL
Inchon
TAEGU
PUSAN
Honshu
Kyushu
Shikoku

QILIAN
ORDOS
Yinchuan
Lanzhou
XI'AN
QUINLING
ZHENGZHOU
Luoyang
Kaifeng

C H I N A

MTS. MIN
MTS. DABA
CHENGDU
CHONGQING
WUHAN
NANKING
SHANGHAI
Hangzhou
MAR DE LA CHINA ORIENTAL

Guiyang
Kunming
Changsha
NAN LING
Guilin
CANTÓN
KOWLOON
Hong Kong
Macao

TAIPEI
TAIWÁN
Formosa
Kaohsiung

VIETNAM
HANOI
Haiphong
Hainan
Haikou
MAR DE LA CHINA MERIDIONAL

LAOS
VIENTIANE

FILIPINAS
Luzón
PACÍFICO
OCÉANO

# Sureste asiático

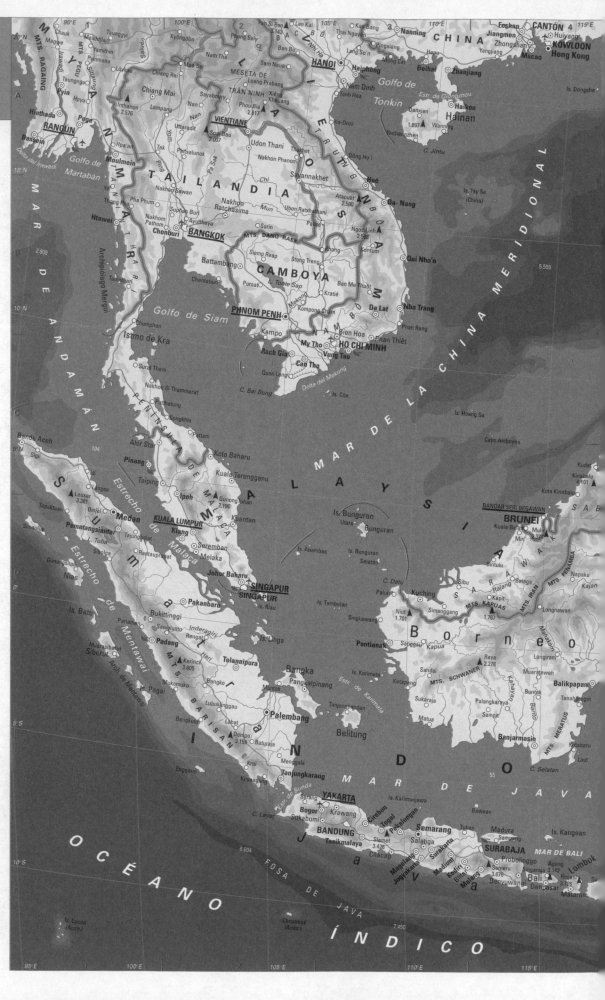

## Leyenda

——— Límite internacional

——— Límite de división administrativa

——— Ruta principal

✈ Aeropuerto

🤚 Puerto

### Poblaciones

⬜ de más de 1.000.000 de hab.

◉ de 500.000 a 1.000.000 de hab.

◎ de 250.000 a 500.000 hab.

⊙ de 100.000 a 250.000 hab.

○ de menos de 100.000 hab.

▲ Altitud en metros

🥬 Lago, laguna, embalse

~ Corriente de agua

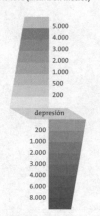

**Relieve (altura en metros)**

5.000
4.000
3.000
2.000
1.000
500
200

depresión

200
1.000
2.000
3.000
4.000
6.000
8.000

Proyección acimutal equivalente de Lambert

0 — 250 — 500 km

Escala 1:15.000.000
1 cm corresponde a 150 km

Shantou
Chia-i
Tai-nan
Kaohsiung
P'ing-tung
TAIWÁN
C. Oluan
Canal de Bashi
**Estr. de , Luzón**
Is. Batan
Can. de Balintang
Is. Babuyan
Calayan
Camiguin
Can. de Babuyan
C. Engaño
Laoag
Vigan
Tuguegarao
Ilagan
Cagayan
Pulog
2.928
G. de Lingayen
**Luzón**
San Fernando
Dagupan
Tarlac
Cabanatuan
Olongapo
San Fernando
**MANILA**
Quezon City
Is. Polilio
Cavite
San Pablo
Lucena
Batangas
Naga
Daet
Catanduanes
**Mindoro**
Calapan
Marinduque
Legaspi
Virac
Halcon
2.585
Burias
Sorsogon
Busuanga
Is. Calamianes
Sibuyan
Tablas
Culion
**Samar**
Masbate
Taytay
Roxas
Masbate
**Calbayog**
Catbalogan
**Panay**
Cebú
Biliran
Tacloban
Is. Cuyo
Iloilo
San Carlos
Ormoc
**Leyte**
**Palawan**
**Bacolod**
Cebú
Baybay
Dinagat
Tagbilaran
**Bohol**
Siargao
**Negros**
Dumaguete
Siquijor
Surigao
Mantalingajan
2.085
Dipolog
Cagayan
de Oro
**Butuan**
Ozamiz
Agusan
**MAR DE SULU**
Estr. de Balabac
**Iligan**
Pagadian
L. Lanao
**Mindanao**
Banggi
Cagayan
Cotabato
Apo
2.593
**Davao**
Sandakan
Zamboanga
Data Piang
**Basilan**
Basilan
G. de Davao
Arch. de
Sulu
Joló
Joló
**General Santos**
Lahad Datu
Tawitawi
Pta. Tinaca
Is. Sarangani
Tawau
Mianga
**MAR DE**
**FILIPINAS**
7.403
**OCÉANO**
**PACÍFICO**
**MARIANAS**
**SEPTENTRIONALES**
Parece Vela
(Japón)
Asunción
Agrihan
Pagan
Guguan
Anatahan
Saipan
Tinian
Rota
Aguiján
Guam
(EE.UU.)
**ESTADOS**
9.818 FOSA DE LAS MARIANAS
11.033
**FOSA DE LAS MARIANAS**
Ulithi
Fais
8.597
Gaferut
Faraulep
Yap
Yap
**FEDERADOS**
Ngulu
Sorol
Eauripik
Islas Carolinas
**PALAU**
Is. Palau
8.138
KOROR
Ngulu
**DE MICRONESIA**
Is. Sonsorol
Puto Anns
Menr
Tobi
Helen
Is. Asia
Is. Mapia
Islas Ninigo
Ecuador
Ecuador
Is. Aju
Soplori
Wuvulu
Manokwari
Biak
FOSA DE LAS FILIPINAS
10.497
Is. Nenusa
Is. Talaud
Bulu
Sangihe
Tahuna
Siau
Is. Sangihe
**MAR DE CÉLEBES**
Talarkan
Kaya
Tanjungrebet
Maratua
5.405
Manado
**MAR DE LAS MOLUCAS**
Galela
Morotai
Pangeo
Sangulirang
C. Mangkalihat
Paleleh
Tolitoli
Gorontalo
Ternate
Halmahera
**MAR DE**
**HALMAHERA**
Samandira
Tomini
G. de Tomini
Is. Togian
Kasiruta
Geba
Kabare
Waigeo
Dunggela
Tuboli
Bunta
Weda
Sopilori
Biak
Palu
Poso
Paleng
Labuha
Batanta
Salawati
Sorong
Manokwari
Biak
Todeli
Todji
Obi
Waigama
Inanwatan
Steenkool
Yapen
Sarmi
**VOGÉLCOP**
Waren
Jayapura
Vanimo
Aitape
Wewak
**Célebes**
Mamuju
G. de Tolo
Is. Sula
Mangole
Loji
Missool
G. de Berau
G. Irian
Nabire
Mauri
Karkar
Paleng
Todeli
Banggai
Takabo
Sulabesi
**MAR DE SERAM**
Piru
3.019
Bula
C. Fatagar
Fakfak
Mamberamo
Jaya
**MTS. MAOKEY**
5.020
Mts. Jayawijaya
Telefomin
Sepik
**PAPÚA-**
Madang
Rantekombola
3.455
Mekongga
2.790
**Buru**
2.429
Namlea
Ambon
**Ceram**
Piru
Is. Seram Laut
Kaimana
**MTS. SUDIRMAN**
Nabire
4.088
Mount Hagen
**Nueva Guinea**
Majene
Kolaka
Kendari
Wowoni
Lawoww
Is. Gunia
Is. Watubela
Wanabi
Tanahmarah
**CORD. CENTRAL**
Wau
Parepare
Uyungpandang
Dualo
Watampone
Muna
**MAR DE BANDA**
Is. Kai
Kai Besar
Wokam
**NUEVA GUINEA**
Mapi
Digul
Kikori
Beara
Banteeng
Butung
Manuk
7.440
Kai Cecil
Dobo
Is. Aru
Kabia
Kabaena
Is. Tokangbesi
Baubau
Is. Banda
Mava
Okaba
Karema
Is. Tenga
Tanahjampea
Kalactona
Uamar
Trangan
Kimaam
Daru
Golfo de Papúa
2.850
**MAR DE FLORES**
Wetar
Romang
Jamdena
Larat
Is. Tanimbar
Kolepom
C. Vals
Merauke
Reba
Flores
2.245
Lembata
Alor
Kalabahi
Moa
Iliwaki
Saumlaki
Banks
Memboro
Waingapu
Mutis
2.427
Kefamenanu
Pantar
**DILI**
2.960
Is. Babar
Serwata
**Sumbawa**
Reo
Maumere
Adonara
Liran
Is. Leti
Estr. de Torres
**Is. Sunda Kecil**
Ende
Ocussi
**Dili**
**TIMOR ORIENTAL**
Selaru
Prince of Wales
C. York
**Sumba**
1.225
Sawu
Baa
Roti
Kepang
**Timor**
Bamaga
**MAR DE SAWU**
**MAR DE TIMOR**
**MAR DE ARAFURA**
Is. Wessel
**AUSTRALIA**

303

# Japón y Corea

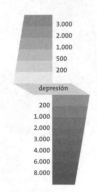

Límite internacional

Límite de división administrativa

Ruta principal

✈ Aeropuerto

⚓ Puerto

Poblaciones

⬚ de más de 1.000.000 de hab.

⊙ de 500.000 a 1.000.000 de hab.

◎ de 250.000 a 500.000 hab.

⊙ de 100.000 a 250.000 hab.

○ de menos de 100.000 hab.

▲ Altitud en metros

⬟ Lago, laguna, embalse

Corriente de agua

**Relieve (altura en metros)**

3.000
2.000
1.000
500
200

depresión

200
1.000
2.000
3.000
4.000
6.000
8.000

**Proyección acimutal equivalente de Lambert**

0 ___ 100 ___ 200 km

Escala 1: 6.000.000
1 cm corresponde a 60 km

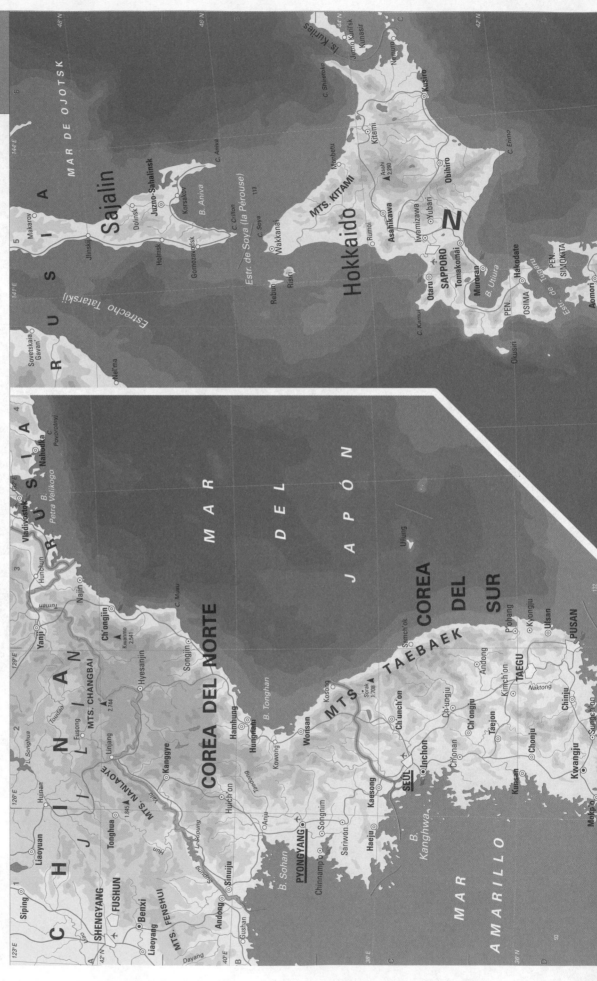

MAR DE OJOTSK

Sajalín

Hokkaido

MTS. KITAMI

SAPPORO

COREA DEL NORTE

COREA DEL SUR

MTS. TAEBAEK

MAR DEL JAPÓN

PYONGYANG

SEÚL

CHINA

RUSIA

MAR AMARILLO

OCÉANO PACÍFICO

MAR DEL JAPÓN

MAR DE LA CHINA ORIENTAL

HONSU

**Hatinohe**
**Morioka**
Kamaisi
Kitakami
Itinoseki
Iwate 2.041
**Hirosaki**
Nosiro
Akita
Sakata
Mogami
Yamagata
Yonezawa
**Sendai**
Hukusima
L. Inawasira
Koriyama
Iwaki
**Hitati**
Aizu-Wakamatu
Niigata
Nagaoka
Utunomiya
Mito
Urawa
Shinano
Takada
Maebasi
**TOKIO**
**KAWASAKI**
Yokosuka
Yokohama
C. Nozima
C. Inubo
Takasaki
Kohu
**YOKOHAMA**
Fuji Yama 3.776
C. Iro
B. Sagami
Is. IZU
Miyake
Hatizyo
Ao-ga Sima
Sado
PEN. NOTO
C. Suzu
B. Toyama
Toyama
Yariga 3.180
Matumoto
**NAGOYA**
Sizuoka
Hamamatu
Toyohasi
Takaoka
Kanazawa
Hukui
Gihu
Yokkaiti
Tu
PEN. KII
C. Noto
Maizuru
L. Biwa
**KYOTO**
**OSAKA**
Sakai
Wakayama
Estr. de Kii
B. Wakasa
Tottori
Himezi
**KOBE**
Amagasaki
Takamatu
Tokusima
Yosino
Okayama
Hukuyama
Hirosima
Kure
MAR INTERIOR
Niihama
Kofi
B. Tosa
Iisizuti 1.981
Matuyama
**Shikoku**
Uwazima
Is. Oki
Dogo
Matue
TYUGOKU
Ube
**KITA-KYUSYU**
**Simonoseki**
Hukuoka
Kurume
Saga
Onita
Omuta
Kumamoto
Oita
Beppu
Kuzyu 1.788
Nobeoka
**Kyushu**
Miyazaki
Miyakonozyo
Kagosima
C. Sata
Estr. de Osumi
Is. Osumi
Tanega
Yaku
Estr. de Takara
Is. Tokara
Nakano Simano
Is. Osumi
PEN. de Bungo
Estr. de Bungo
Hirado
Sasebo
Nagasaki
Amakusa
Is. Kosiki
Is. Goto
Hukue
Iki
C. Kawasiri
Tusima
Estrecho de Tusima
Estr. Tyosen de Kamino

**COREA DEL SUR**
**MTS. TAEBAEK**
Kosong
Samchok
Pohang
Kyongju
Ulsan
**PUSAN**
**TAEGU**
Andong
Kimch'on
Naktong
Kimhae
Yosu
Sunchon
Ulung
Is. Kamino
Tusima
Si-nono
Estr. Tyosen de Kamino
Cheju 1.950
Estr. de Cheju
Chin
Mokp'o

# Oceanía física

**Superficie total de Oceanía:**
8.820.962 km²
(5,9% del total de las tierras emergidas)

**Extremo septentrional:**
Islas Midway (Hawaii), 28°00'N

**Extremo meridional:**
Isla Campbell (Nueva Zelanda),
52°30'S

**Extremo oriental:**
Isla Ducie (Pitcairn), 126°20'O

**Extremo occidental:**
Cabo Inscripción (Australia), 113°09'E

**Pico culminante de Oceanía:**
Puncak Jaya (Nueva Guinea), 5.030 m

**Mayor depresión de Oceanía:**
Lago Eyre (Australia), −12 m

**Río más largo de Oceanía:**
Murray-Darling (Australia), 3.750 km

**Mayor lago:**
Eyre (Australia), 8.900 km²

**Relieve (altura en metros)**

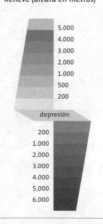

5.000
4.000
3.000
2.000
1.000
500
200

depresión

200
1.000
2.000
3.000
4.000
5.000
6.000

**Proyección cilíndrica de Miller**

0    750    1500 km

Escala 1: 45.000.000
1 cm corresponde a 450 km

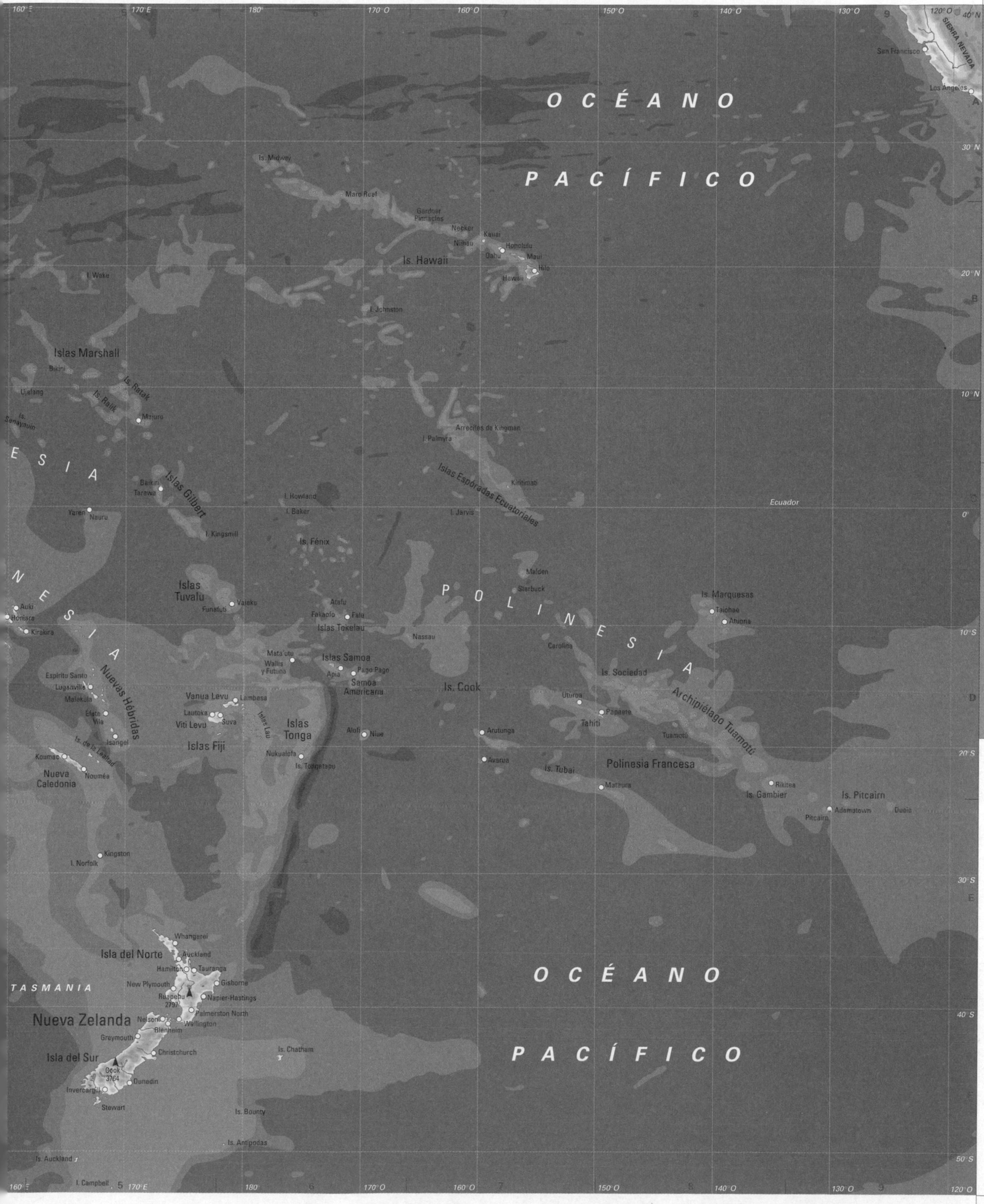

**OCÉANO**

**PACÍFICO**

SIERRA NEVADA

San Francisco

Los Angeles

Is. Midway

Maro Reef

Gardner Pinnacles

Necker

Nihau

Kauai

Oahu

Honolulu

Maui

Is. Hawaii

Hilo

Hawaii

I. Wake

I. Johnston

Islas Marshall

Bikini

Ujelang

Is. Ralik

Is. Ratak

Is. Sonaynuin

Majuro

Arrecifes de Kingman

I. Palmyra

Ecuador

Baikin

Tarawa

Islas Gilbert

Yaren

Nauru

I. Howland

I. Baker

Kiritimati

Islas Espóradas Ecuatoriales

I. Jarvis

I. Kingsmill

Is. Fénix

Malden

Sterbuck

Islas Tuvalu

Vaieku

Funafuti

Atafu

Fakaofo

Falu

Islas Tokelau

Nassau

Carolina

**P O L I N E S I A**

Is. Marquesas

Taiohae

Atuona

Auki

Honiara

Kirakira

Mata'utu

Wallis y Futuna

Islas Samoa

Apia

Pago-Pago

Samoa Americana

Is. Cook

Is. Sociedad

Uturoa

Papeete

Tahiti

Tuamotú

Archipiélago Tuamotú

Espíritu Santo

Luganville

Malekula

Efate

Vila

Isangel

Nuevas Hébridas

Vanua Levu

Lambasa

Lautoka

Viti Levu

Suva

Islas Lau

Islas Tonga

Alofi

Niue

Arutunga

Islas Fiji

Nukualofa

Is. Tongatapu

Avarua

Is. Tubai

Polinesia Francesa

Rikitea

Koumac

Nouméa

Is. de la Lealtad

Mataura

Is. Gambier

Is. Pitcairn

Nueva Caledonia

Pitcairn

Adamstown

Ducie

Kingston

I. Norfolk

Whangerei

Isla del Norte

Auckland

Hamilton

Tauranga

New Plymouth

Gisborne

TASMANIA

Ruapehu 2797

Napier-Hastings

Nueva Zelanda

Nelson

Palmerston North

Wellington

Greymouth

Blenheim

Isla del Sur

Christchurch

Is. Chatham

Cook 3764

Dunedin

Invercargill

Stewart

Is. Bounty

Is. Antipodas

**OCÉANO**

**PACÍFICO**

Is. Auckland

I. Campbell

# Oceanía política

## Superficie de los países y de los principales territorios de Oceanía

| | |
|---|---|
| Australia | 7.682.300 km² |
| Papúa-Nueva Guinea | 461.691 km² |
| Nueva Zelanda | 268.676 km² |
| Salomón | 28.446 km² |
| *Nueva Caledonia (Francia)* | 19.684 km² |
| Fiji | 18.274 km² |
| Vanuatu | 12.189 km² |
| *Polinesia Francesa* | 3.541 km² |
| Samoa | 2.842 km² |
| Kiribati | 728 km² |
| Micronesia | 700 km² |
| Tonga | 699 km² |
| *Guam (EUA)* | 549 km² |
| Palau | 490 km² |
| *Islas Marianas del Norte (EUA)* | 456 km² |
| *Wallis y Futuna (Reino Unido)* | 273 km² |
| *Niue (Nueva Zelanda)* | 260 km² |
| *Islas Cook (Nueva Zelanda)* | 238 km² |
| *Samoa Oriental (EUA)* | 197 km² |
| Marshall | 180 km² |
| Tuvalu | 158 km² |
| *Islas Norfolk (Australia)* | 35 km² |
| Nauru | 24 km² |
| *Pitcairn (Reino Unido)* | 14 km² |
| *Tokelau (Nueva Zelanda)* | 10 km² |

## Superficie de Oceanía

**89,9%** Australia
**5,4%** Papúa-N. Guinea
**3,1%** Nueva Zelanda
**1,6%** Resto

Proyección cilíndrica de Miller

0    750    1500 km

Escala 1: 45.000.000
1 cm corresponde a 450 km

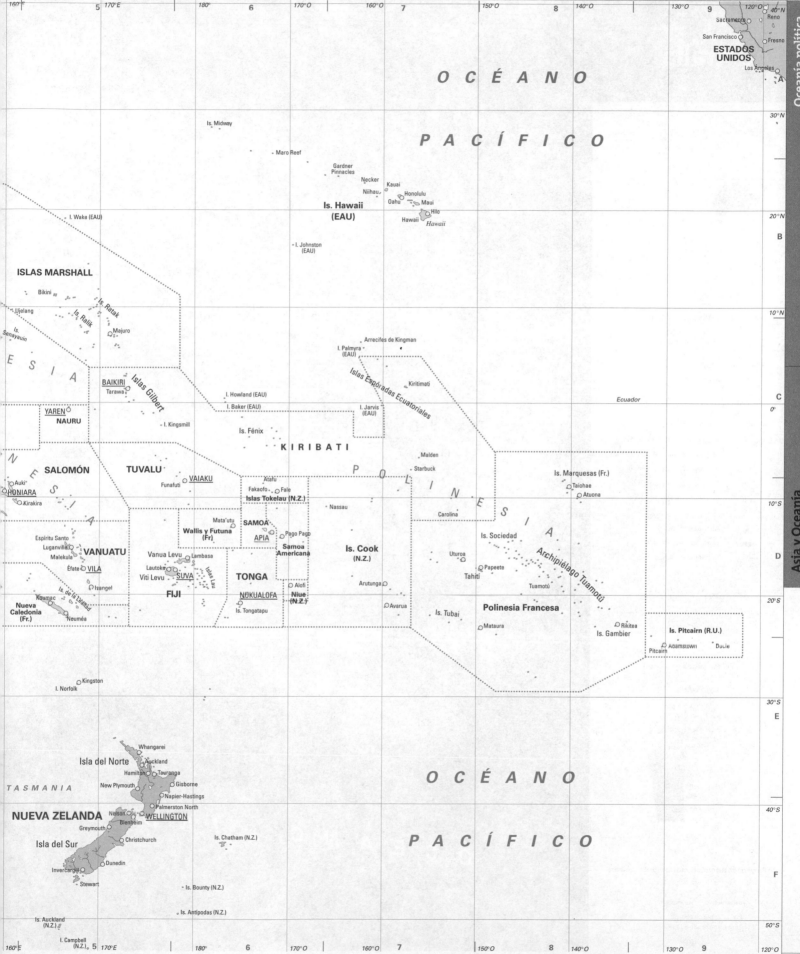

O C É A N O

P A C Í F I C O

ESTADOS
UNIDOS

Sacramento
Reno
San Francisco
Fresno
Los Ángeles

Is. Midway

Maro Reef

Gardner
Pinnacles
Necker
Niihau Kauai
Honolulu
Oahu Maui
Is. Hawaii
(EAU)
Hawaii Hilo
Hawaii

I. Wake (EAU)

I. Johnston
(EAU)

ISLAS MARSHALL

Bikini

Ujelang
Is. Ratak
Is.
Senayauin
Is. Ralik
Majuro

Arrecifes de Kingman

I. Palmyra
(EAU)

BAIKIRI
Tarawa
Islas Gilbert
I. Howland (EAU)
I. Baker (EAU)
Islas Espóradas Ecuatoriales
Kiritimati

Ecuador

YAREN
NAURU
I. Jarvis
(EAU)

I. Kingsmill
Is. Fénix

K I R I B A T I

Malden
Starbuck

SALOMÓN
TUVALU
Auki
HONIARA
Kirakira
VAIAKU
Funafuti

P
O
L
I
N
E
S
I
A

Is. Marquesas (Fr.)
Taiohae
Atuona

Atafu
Fakaofo Fale
Islas Tokelau (N.Z.)

Nassau

Carolina

Mata'utu
Wallis y Futuna
(Fr)
SAMOA
APIA
Pago Pago

Espíritu Santo
Luganville
Malekula
VANUATU
Vanua Levu
Lambasa
Samoa
Americana

Is. Cook
(N.Z.)

Is. Sociedad

Uturoa
Papeete
Tahití
Tuamotú
Archipiélago Tuamotú

Éfate VILA
Lautoka
Víti Levu SUVA
Islas Lau
TONGA
NUKUALOFA
Alofi
Niue
(N.Z.)

Isangel
FIJI

Arutunga
Avarua

Koumac
Is. de la Lealtad
Is. Tongatapu

Is. Tubai

Polinesia Francesa

Mataura
Rikitea
Is. Gambier
Is. Pitcairn (R.U.)

Nueva
Caledonia
(Fr.)
Nouméa

Pitcairn Adamstown Ducie

Kingston
I. Norfolk

O C É A N O

Whangarei
Isla del Norte
Auckland
Hamilton Tauranga
T A S M A N I A
New Plymouth
Gisborne
Napier-Hastings
Palmerston North
NUEVA ZELANDA
Nelson
Blenheim
WELLINGTON
Greymouth
Isla del Sur
Christchurch
Is. Chatham (N.Z.)

P A C Í F I C O

Invercargill
Dunedin
Stewart
Is. Bounty (N.Z.)

Is. Auckland
(N.Z.)
Is. Antípodas (N.Z.)

I. Campbell
(N.Z.)

# Australia

## Leyenda

- ═══ Límite internacional
- ─── Límite de división administrativa
- ─── Ruta principal
- ✈ Aeropuerto
- ⚓ Puerto

**Poblaciones**
- ⬠ de más de 1.000.000 de hab.
- ⊙ de 500.000 a 1.000.000 de hab.
- ◎ de 250.000 a 500.000 hab.
- ⊙ de 100.000 a 250.000 hab.
- ○ de menos de 100.000 hab.

- ▲ Altitud en metros
- ⬗ Lago, laguna, embalse
- ─── Corriente de agua

**Relieve (altura en metros)**

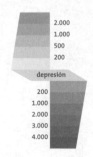

2.000
1.000
500
200
depresión
200
1.000
2.000
3.000
4.000

**Proyección acimutal equivalente de Lambert**

0    200    400 km

Escala 1:14.500.000
1 cm corresponde a 145 km

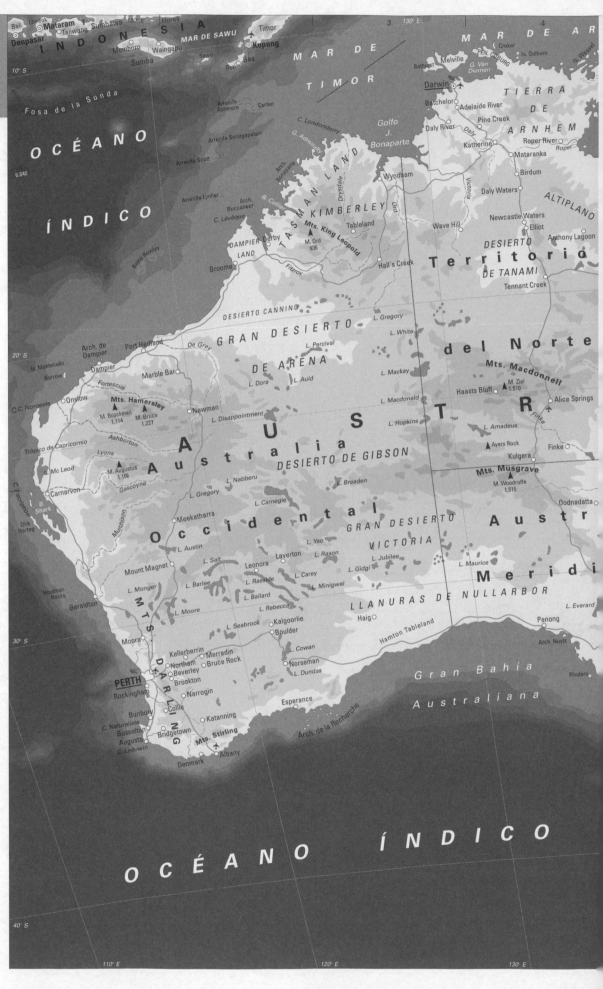

INDONESIA

Bali · Lombok · Mataram · Taliwang · Sumbawa · Flores · Timor
Denpasar · Memboro · Waingapu · Sumba · Sawu · Baa · Roti · Kupang

MAR DE SAWU

MAR DE TIMOR

MAR DE AR

Croker
Melville · PEN. COBURG · Is. Goulburn · Is. Wessel
Bathurst · G. Van Diemen

Darwin · TIERRA DE ARNHEM

Batchelor · Adelaide River · Pine Creek
Daly River · Daly · Katherine · Roper River · Roper
Mataranka
Birdum
Daly Waters · ALTIPLANO
Newcastle Waters · Elliot · Anthony Lagoon
Wave Hill

OCÉANO ÍNDICO

Fosa de la Sonda

Arrecife Ashmore · Cartier
C. Londonderry · Golfo J. Bonaparte
Arrecife Seringapatam
Arrecife Scott
G. Admiralty
Wyndham
Arrecife Lynher · Arch. Bonaparte · B. Collier
Arch. Buccaneer · KIMBERLEY · Mts. King Leopold · Tableland
C. Lévêque · Victoria
DAMPIER LAND · Derby · M. Ord 936
Bajos Rowley · Broome · Fitzroy · Hall's Creek

TASMAN LAND

TERRITORIO DE TANAMI

DESIERTO

Tennant Creek

DESIERTO CANNING

GRAN DESIERTO DE ARENA

del Norte

L. Gregory · L. White · L. Percival
Arch. de Dampier · Port Hedland · De Grey
Is. Montebello · Dampier · Marble Bar
Barrow · Fortescue · L. Dora · L. Auld
C.C. Noroeste · Onslow · Newman
L. Mackay
Mts. Macdonnell
Haasts Bluff · M. Ziel 1.510 · Alice Springs
L. Macdonald
L. Hopkins · Finke
Mts. Hamersley · M. Brockman 1.114 · M. Bruce 1.227
Ashburton · L. Disappointment
A USTR

Trópico de Capricornio
Lyons
M. Augustus 1.106 · Australia
DESIERTO DE GIBSON
L. Nabberu · L. Breaden · L. Amadeus
Ayers Rock
Kulgera
Mts. Musgrave · M. Woodroffe 1.515
Gascoyne
L. Gregory · L. Carnegie
Carnarvon
B. Shark · L. Mc Leod
Dirk Hartog

Occidental

GRAN DESIERTO VICTORIA

Austr

Oodnadatta

L. Yeo · L. Rason
Meekatharra · L. Jubilee · L. Maurice
L. Austin · Laverton · L. Gidgi · L. Everard
Mount Magnet · Leonora · L. Carey · Meridi
L. Salt · L. Raeside · Minigwal
L. Barlee · L. Ballard
Houtman Rocks · L. Monger · L. Rebecca
Geraldton · L. Moore · LLANURAS DE NULLARBOR
L. Seabrook · Kalgoorlie · Haig · Penong
Moora · Boulder · Hamton Tableland · Arch. Nuyts

MTS. DARLING

Kellerberrin · Merredin · L. Cowan
Northam · Bruce Rock · Norseman · Flinders
Beverley · L. Dundas
Brookton
PERTH · Narrogin
Rockingham · Esperance
Bunbury · Collie · Katanning
C. Naturaliste · Busselton · Bridgetown
Augusta · Mts. Stirling · Albany
C. Leeuwin · Denmark

Gran Bahía Australiana

Arch. de la Recherche

OCÉANO ÍNDICO

10° S
20° S
30° S
40° S

110° E · 120° E · 130° E

**AFURA**

140° E 5

Golfo

de

Carpentaria

DE BARKLY

Is. Sir
Edward Pellew

Borroloola

I. Grande

C. Arnhem

Gove

R. de Melville

I. Prince
of Wales

Bamaga

PEN.

Weipa

B. Albatross

DEL

Archer

Coen

CABO YORK

Cooktown

C. Flattery

B. Princess
Charlotte

Mitchell

Normanton

Mornington

Is.
Wellesley

Gilbert

Leichhardt

Norman

Cloncurry

Forsayth

Tully

Hinchinbrook

Townsville

Ayr

Burdekin

Charters
Towers

Hughenden

M. Dalrympia
1.277

Mackay

Is.
Cumberland

Avon Downs

Kajabbi

Cloncurry

MTS. SELWYN

Mount Isa

Dajarra

GRAN

Belyando

Isaac

Lake Nash

Clermont

Barcaldine

Rockhampton

I. Curtis

Gladstone

Thomson

Queensland

CUENCA

Mackenzie

Fitzroy

GRAN

CORDILLERA

GRAN BARRERA DE ARRECIFES

PAPÚA-NUEVA GUINEA

Nueva Guinea

Samarai

Misima

Arch. de las
Lusiadas

Rosael

MAR DE SALOMÓN

Is. Salomón

Kira Kira
San Cristóbal

SALOMÓN

Bellona

Rennell

Tegula

Arrecife
Indispensable

Territorio de las

MAR DEL CORAL

Islas del

Mar del Coral

(Austr.)

Arrecife
Osprey

Arrecife
Bougainville

Is. Willis

Is. Coringa

Arrecife
Flinders

Arrecife Lihou

Arrecife
Marion

Arrecife
Frederik

Arrecife Kenn

Arrecife
Swain

Arrecife
Saumarez

Arrecife Wreck

Cato

Arrecife
d'Entrecasteaux

Arrecife
Petrie

Is.
Chesterfield

Sable

Nueva

Caledonia

(Fr.)

Is. Belep

Koumac

Hienghène

Bourail

Nueva
Caledonia

Koné

La Foa

Thio

DESIERTO DE
SIMPSON

Alberga

Warburton

Diamantina

L. Philippi

Hey

L. Yamma
Yamma

ARTESIANA

Cooper

L. Willara

Charleville

Mitchell

Roma

Miles

Dalby

Redcliffe

Sandgate

BRISBANE

Toowoomba

Ipswich

Beenleigh

Gold Coast

Barcoo

Maryborough

Kingaroy

Gympie

Bundaberg

B. Hervey

C. Sandy

Fraser
(Gr. Sandy)

OCÉANO

L. Eyre

L. Blanche

alia

Coward Springs

Marree

Leigh Creek

MTS. GREY

Sturt

Desert

Diamantina

Warrego

Balonne

Paroo

Moonie

Nebine

Bulloo

Dirranbandi

Culgoa

Barwon

Namoi

Inverell

Grafton

M. Round
1.615

Armidale

Mts. New England

nal

L. Torrens

L. Frome

MTS. FLINDERS

St. Mary Peak
1.189

Broken Hill

Darling

Walgett

Bourke

Cobar

Tamworth

Taree

Whyalla

Port Pirie

Ivanhoe

Dubbo

Maitland

Newcastle

MTS. GAWLER

L. Tandou

Nueva Gales

del Sur

Orange

Cessnock

Lithgow

Parramatta

SIDNEY

Wollongong

DIVISORIA

Lord Howe
(Austr.)

Ball's Pyramid

PACÍFICO

innipa

PEN.
EYRE

Port Augusta

PEN.
DE
YORKE

Elizabeth

Salisbury

Port Adelaide

Woodville

ADELAIDA

Murray Bridge

Victor Harbor

Wentworth

Mildura

Forbes

Bathurst

Griffith

Murrumbidgee

Lachlan

Wagga Wagga

Swan Hill

Murray

Katoomba

Goulburn

ALPES AUSTRALIANOS

CANBERRA

Territorio de la Capital
(A.C.T.)

M. Kosciusko 2.228

MTS. SNOWY

Albury

Wangaratta

Victoria

Naracoorte

Horsham

Ararat

Seymour

Coburg

MELBOURNE

Camberwell

Dandenong

Sale

Bendigo

C. Howe

Port Lincoln

C.
Catastrophe

Estr. Investigator

I. Kangaroo

Mount Gambier

Portland

Ballarat

Caulfield

Chelsea

Frankston

Williamstown

Port Melbourne

Warrnambool

Geelong

C. Otway

Estr. de Bass

I. del Rey

Flinders

Is.

C. Grim

Smithton

Wynyard

Burnie

Ulverstone

Devonport

M. Ossa
1.617

Launceston

Queenstown

Tasmania

New Norfolk

Hobart

Bruny

C. Sudeste

Is. Hunter

I. Clarke

Furneaux

I. Cape Barren

MAR DE

TASMANIA

NUEVA
ZELANDA

Greymouth

Hokitika

# Islas de Oceanía

## Leyenda

—— Límite internacional

—— Ruta principal

✈ Aeropuerto

⚓ Puerto

**Poblaciones**

◉ de más de 500.000 hab.

◉ de 250.000 a 500.000 hab.

⊙ de 100.000 a 250.000 hab.

○ de menos de 100.000 hab.

▲ Altitud en metros

⬯ Lago, laguna, embalse

∼ Corriente de agua

**Relieve (altura en metros)**

4.000
3.000
2.000
1.000
500
200
depresión
200
1.000
2.000
3.000
4.000
6.000
8.000

Proyección acimutal
equivalente de Lambert

## Guam

0  10  20 km

Pta. Ritidian

Bahía Tumon

Dededed

252

I. Cabras

Piti

AGANA

Yona

Agat

Bahía Pago

Umatac

406

Talofofo

Inarajan

I. Cocos

Pta. Aga

**Guam
(EUA)**

13° 30' N

144° 45' E

OCÉANO
PACÍFICO

## Papúa-Nueva Guinea

140° E   150° E

Is. Ninigo   Is. Kaniet   Is. Saint Matthias

Wuvulu   Is. Hermit   Is. Almirantazgo   Mussau

I. Manus   Lorengau   Nueva Hannover

Jayapura   Vanimo   Kavieng   Dugu

Wewak   Is. Schouten   Arch. de Bismarck   Nueva Irlanda

INDONESIA   Sepik   Manam   PAPÚA-   Rabaul

Karkar   Is. Vitu

MTS. BISMARCK   Madang   Estr. de Vitiaz   Long   Umboi

Tanahmerah   Mount Hagen   M. Willhem 4.509   Kimbe   Nueva Bretaña

Mava   Mendi   Kundiawa   Goroka   Lae   Waku

Strickland   Kikori   Buldio   Wau

Kikori   Kerema   Is. Trobiand

Merauke   NUEVA GUINEA   Popondetta   Losuia

Fly   G. de Papúa   Goodenough   Woodlark

Daru   M. Victoria 4.073   Kokoda   I. d'Entrecasteaux   Normanby

Boigu   MTS. OWEN STANLEY   Fergusson

Saibai   PORT MORESBY   Samarai   Misima

Estr. de Torres   Misima

I. Banks   C. York

I. Prince of Wales   Bamaga

AUSTRALIA   MAR DEL CORAL

10° S

## Nueva Zelanda

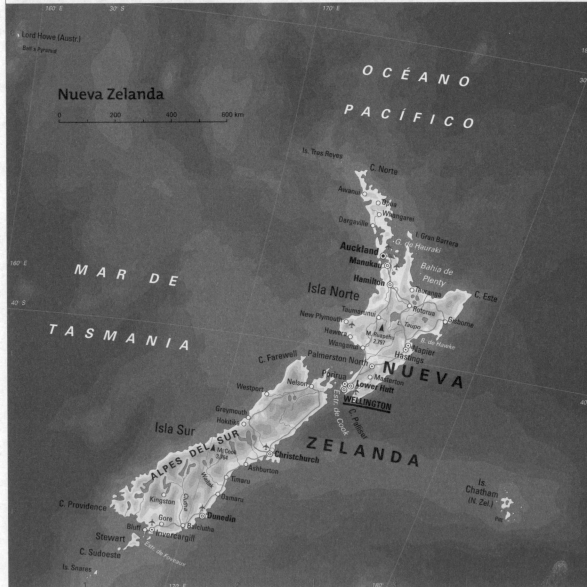

0  200  400  600 km

160° E   30° S   170° E   OCÉANO   180

Lord Howe (Austr.)

Ball's Pyramid

PACÍFICO

Is. Tres Reyes

C. Norte

Awanui   Opua   Whangarei

Dargaville

MAR DE   I. Gran Barrera   G. de Hauraki

Auckland   Manukau   Bahía de Plenty

TASMANIA   Hamilton   Tauranga   C. Este

Isla Norte   Taumarunui   Rotorua   Gisborne

New Plymouth   L. Taupo

Hawera   M. Ruapehu 2.797   B. de Hawke

Wanganui   Napier

C. Farewell   Palmerston North   Hastings

Porirua   Masterton   NUEVA

Westport   Nelson   Lower Hutt

Greymouth   WELLINGTON   C. Palliser

Hokitika   Estr. de Cook

Isla Sur   ZELANDA

ALPES DEL SUR   M. Cook 3.764   Christchurch

Waitaki   Ashburton

Timaru   Is. Chatham (N. Zel.)

Kingston   Oamaru

Clutha

C. Providence   Gore   Balclutha

Stewart   Bluff   Dunedin

C. Sudoeste   Invercargill

Is. Snares   Estr. de Foveaux

40° S

Papúa-Nueva Guinea y Salomón

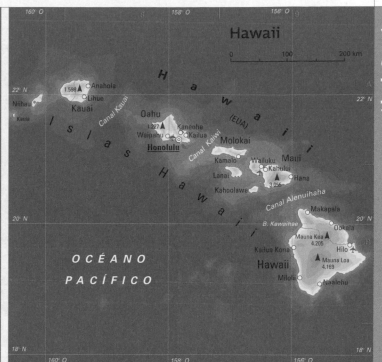

Hawaii

Nauru

Nueva Caledonia

Islas Samoa

Fiji

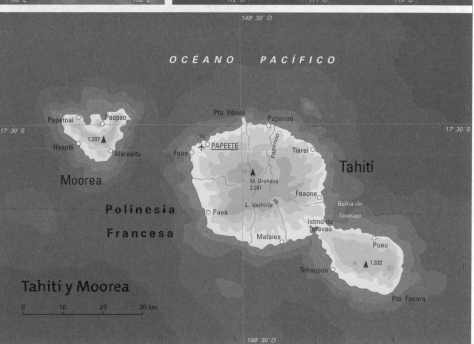

Tahití y Moorea

# Oceanía
# septentrional

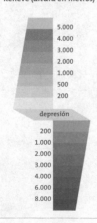

Límite internacional
Ruta principal
✈ Aeropuerto
⚓ Puerto

**Poblaciones**
de más de 1.000.000 de hab.
de 500.000 a 1.000.000 de hab.
de 250.000 a 500.000 hab.
de 100.000 a 250.000 hab.
de menos de 100.000 hab.

▲ Altitud en metros
Lago, laguna, embalse
Corriente de agua

Relieve (altura en metros)

5.000
4.000
3.000
2.000
1.000
500
200

depresión

200
1.000
2.000
3.000
4.000
6.000
8.000

Proyección cilíndrica de Miller

0    300    600 km

Escala 1: 22.500.000
1 cm corresponde a 225 km

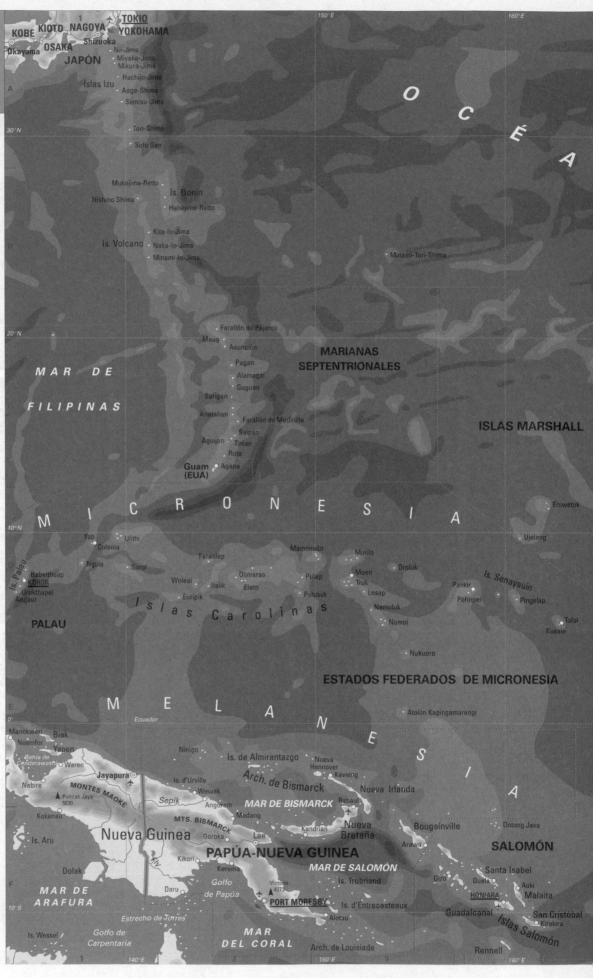

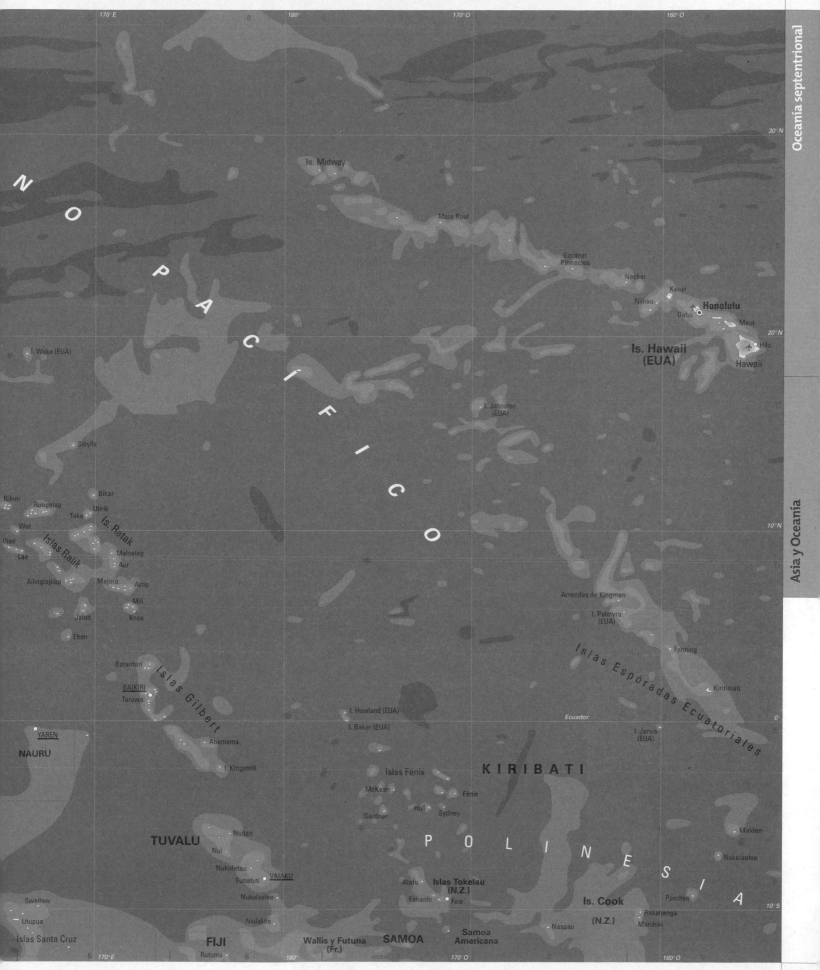

NO PACÍFICO

Is. Midway

Maro Reef

Gardner
Pinnacles

Necker

Kauai

Niihau

Honolulu

Oahu

Maui

Is. Hawaii
(EUA)

Hilo

Hawaii

30° N

20° N

I. Wake (EUA)

Sibylla

I. Johnston
(EUA)

Bikini

Rongelap

Bikar

Teka

Utirik

Is. Ratak

Wot

Ujae

Maloelap

Lae

Aur

Ailinglaplap

Majuro

Amo

Mili

Islas Ralik

Jaluit

Knox

Ebon

Botaritari

BAIKIRI

Islas Gilbert

Tarawa

YAREN

NAURU

I. Howland (EUA)

I. Baker (EUA)

Abemama

I. Kingsmill

Islas Fénix

McKean

Fénix

Hull

Sydney

Gardner

Arrecifes de Kingman

I. Palmyra
(EUA)

Fanning

Islas Espóradas Ecuatoriales

Kiritimati

Ecuador

I. Jarvis
(EUA)

0°

KIRIBATI

POLINESIA

Malden

Nukulaelae

TUVALU

Nuitao

Nui

Nukufetau

Funafuti

VAIAKU

Nukulaelee

Swallow

Utupua

Niulakita

Islas Santa Cruz

FIJI

Rotuma

Wallis y Futuna
(Fr.)

Atafu

Fakaofo

Islas Tokelau
(N.Z.)

Fale

Nassau

SAMOA

Samoa
Americana

Is. Cook
(N.Z.)

Rakahanga

Manihiki

Penrhyn

10° S

170° E

180°

170° O

160° O

# Oceanía
# meridional

## Límite internacional
Ruta principal
✈ Aeropuerto
⚓ Puerto

### Poblaciones
◉ de más de 500.000 hab.
◎ de 250.000 a 500.000 hab.
⊙ de 100.000 a 250.000 hab.
○ de menos de 100.000 hab.

▲ Altitud en metros
🝊 Lago, laguna, embalse
〰 Corriente de agua

### Relieve (altura en metros)

3.000
2.000
1.000
500
200
depresión
200
1.000
2.000
3.000
4.000
6.000
8.000

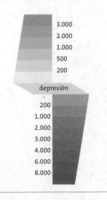

### Proyección cilíndrica de Miller

0    300    600 km

Escala 1: 22.500.000
1 cm corresponde a 225 km

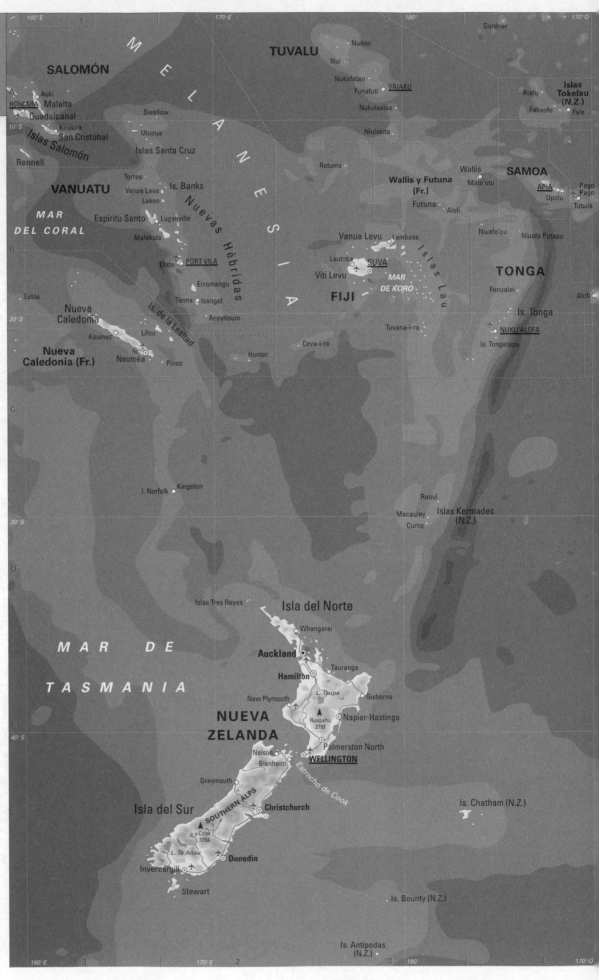

MELANESIA

SALOMÓN

TUVALU

Nuitao
Nui
Nukufetau
Funafuti   VAIAKU
Nukulaelae

Gardner

Atafu   Islas
Tokelau
(N.Z.)
Fakaofo   Fale

Auki
HONIARA   Malaita
Guadalcanal
Kirakira
San Cristóbal
Islas Salomón
Rennell

Swallow
Utupua
Islas Santa Cruz

Niulakita

Rotuma

Wallis
Wallis y Futuna   Mata'utu
(Fr.)
Futuna   Alofi

SAMOA
APIA   Pago
Pago
Upolu
Tutuila

VANUATU

MAR
DEL CORAL

Torres
Vanua Lava   Is. Banks
Lakon
Espíritu Santo   Luganville
Malekula

Nuevas Hébridas

Niuafo'ou   Niuato Putapu

Efate   PORT VILA
Erromango
Tanna   Isangel
Sable

Vanua Levu   Lambasa
Lautoka
SUVA
Viti Levu   MAR
DE KORO
FIJI

Islas Lau

TONGA

Fonualei

Alofi

Is. Tonga

Nueva
Caledonia
Koumac   Lifou
Nueva
Caledonia (Fr.)   Nouméa
Pinos

Is. de la Leahad
Aneytioum
Hunter

Ceva-i-ra

Tuvana-i-ra
Ceva-i-ra

NUKU'ALOFA
Is. Tongatapu

MAR   DE

TASMANIA

I. Norfolk   Kingston

Raoul
Macauley
Curtis   Islas Kermadec
(N.Z.)

Islas Tres Reyes   Isla del Norte
Whangarei
Auckland
Tauranga
Hamilton
New Plymouth   L. Taupa   Gisborne
NUEVA   Ruapehu
ZELANDA   2797   Napier-Hastings
Palmerston North
Nelson   WELLINGTON
Blenheim
Greymouth   Estrecho de Cook

Is. Chatham (N.Z.)

SOUTHERN ALPS
Isla del Sur   Christchurch
Cook
3764
L. Te Anau
Invercargill   Dunedin
Stewart

Is. Bounty (N.Z.)

Is. Antípodas
(N.Z.)

KIRIBATI

· Malden

· Nukulaelae

P O L I N E S I A

Penrhyn
Rakahanga
Nassau
Manihiki

Suwarrow

**Samoa Americana**

Manua

**Is. Cook**

(N.Z.)

**Niue**
(N.Z.)

Palmerston

Aitutaki · Arutunga
Hervey · Mitiaro
Mauke

Rarotonga · Avarua

Mangaia

Islas Espóradas Ecuatoriales

Vostok · Carolina

Flint

**Islas Sociedad**

Mataiva

Rangiroa

**Islas Sotavento**

Bora Bora · Uturoa
Raiatea · Huahine

Moorea · Papeete
**Tahiti**

Mehetia

Makatea

Anaa

Takaroa

Arutua

Fakarava

Tehuate

Tuamotú

**Is. Tubuai**

Maria
Rimatara · Rururu
Matauira
Tubuai
Kaivavae

Mataura

**Is. Marquesas**
(Fr.)

Hatutu
Nuk Hiva · Taiohae
Ua-Huku
Hiva-oa · Atuona

· Fatu Hiva

*Archipiélago Tuamotú*

Napuka · Pukapuka

Fangatau

Fakahina

Makemo

Hao

Tatakoto

Pukarua
Reao

Tureia

Mururoa

Fangataufa

Rikitea
Mangareva

**Is. Gambier**

**Is. Pitcairn**
(R.U.)

Oeno
Henderson

Adamstown
I. Pitcairn

**P o l i n e s i a   F r a n c e s a**

Rapa
· Is. Bass

O C É A N O

P A C Í F I C O

# Geología y relieve

Asia, el más extenso de los seis continentes, es también el más rico en contrastes naturales. Está dividido en tres zonas: el norte, ocupado por la gran Siberia; el centro, formado por cadenas montañosas –las más altas del mundo–; y el sur, compuesto de regiones mesetarias y depresiones estructurales. Oceanía comprende la mayoría de islas del Pacífico.

## El lago a menor nivel de la Tierra

Situado entre Israel y Jordania, a 395 metros bajo el nivel marino, el mar Muerto es la extensión de agua más baja de la Tierra. Recibe el cauce del río Jordán, pero la evaporación propia de la aridez reinante reduce su proporción de agua dulce. Seis veces más salado que la media de los mares, su densidad es tal que se flota sin esfuerzo. En sus aguas no hay vida. Sólo se utilizan para la explotación de potasa, magnesio y bromo.

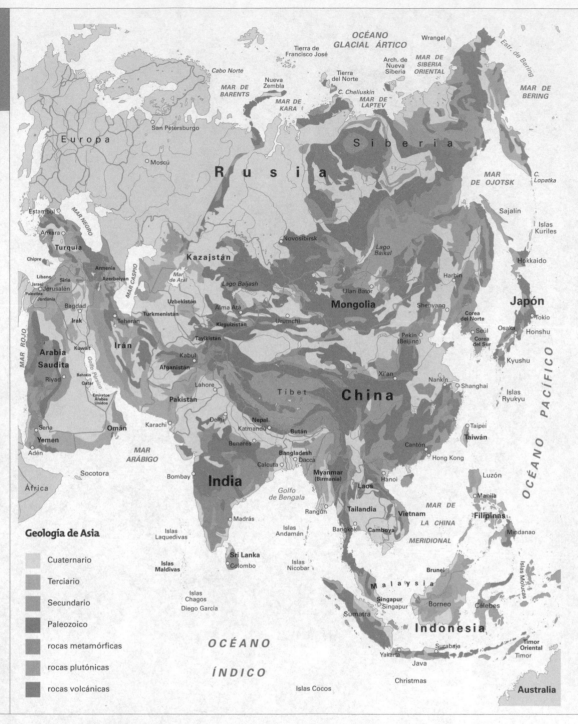

### Geología de Asia

- Cuaternario
- Terciario
- Secundario
- Paleozoico
- rocas metamórficas
- rocas plutónicas
- rocas volcánicas

## Un continente en constante actividad

La constante interacción entre la placa continental Euroasiática y las placas oceánicas del Índico y el Pacífico convierten el borde oriental y suroriental de Asia en una región tremendamente inestable. Por un lado, el choque entre la placa Euroasiática y la del Índico explica la intensa actividad volcánica y sísmica que caracteriza al límite meridional del archipiélago indonesio (la Fosa de Java). De hecho, Indonesia es la región de mayor concentración de volcanes activos del mundo y fue escenario de la mayor erupción registrada en la historia: la del volcán de la isla de Krakatoa, entre Sumatra y Java. La erupción destruyó en 1883 gran parte de la isla y generó olas gigantes que mataron a más de 36.000 personas *(en la foto, el Anak Krakatoa "hijo de Karakatoa", un nuevo volcán surgido en el lugar de la erupción)*.

Por otro lado, el contacto violento entre la placa Euroasiática y la del Pacífico da origen al sector occidental del llamado Anillo de Fuego del Pacífico, un círculo de alta sismicidad que rodea al mayor océano del planeta. En el litoral de Asia, el Anillo de Fuego se manifiesta desde la península de

Kamchatka, al norte, hasta Nueva Zelanda, al sur, pasando por Japón y Filipinas.

Otro sector de alta sismicidad en el continente asiático es la franja que recorre desde el Mediterráneo oriental y el Caspio hasta la cordillera del Himalaya, y termina en el Golfo de Bengala. Allí entran en colisión las placas Euroasiática, Africana e Indoaustraliana, lo que libera el 15% de la energía sísmica de la Tierra. Sus principales focos están en Irán, India y Turquía.

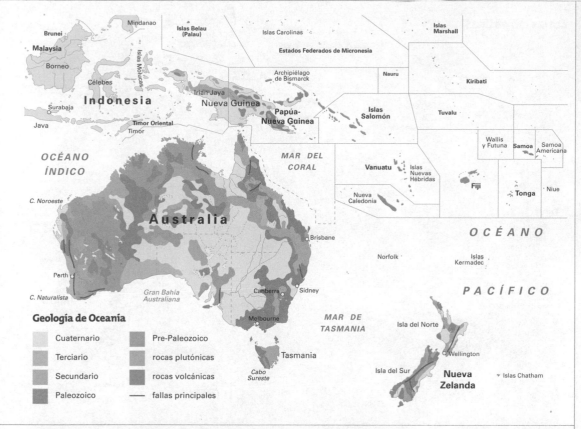

## Las islas del Pacífico

La naturaleza orogénica de Oceanía es diversa: excepto Australia, la única plataforma continental, la formación de la mayoría de islas obedece a la dinámica de la tectónica de placas propia de la región –plegamientos y fricciones–. Los archipiélagos de Nueva Guinea, Salomón, Vanuatu y Nueva Zelanda, víctimas de frecuentes terremotos, son, de hecho, las crestas de estos arcos tectónicos. Integradas en el llamado Anillo de Fuego del Pacífico, la mayor parte de las islas de Melanesia y Polinesia tienen un origen volcánico.

Otra formación geológica característica de las aguas tropicales del océano Pacífico son los atolones, islas de origen coralino con forma de anillo. Los atolones se originan cuando un volcán submarino entra en erupción y su cono asciende hasta el nivel del mar.

Los corales se adhieren a sus bordes y se acumulan en capas sucesivas hasta construir un arrecife. Éste crece y levanta una barrera, gracias a la cual se forma una laguna en su interior.

**Geología de Oceanía**

- Cuaternario
- Terciario
- Secundario
- Paleozoico
- Pre-Paleozoico
- rocas plutónicas
- rocas volcánicas
- — fallas principales

## La fosa de las Marianas

◑ El vehículo japonés "Kaiko" en la fosa

El punto conocido más profundo del planeta también se encuentra en Asia: se trata de la fosa de las Marianas, una depresión en el fondo del Pacífico occidental. La fosa de las Marianas se extiende en forma arqueada a lo largo de 2.550 kilómetros y tiene una anchura media de 70 km. Localizada al norte de Nueva Guinea y al oeste de las islas Marianas, su punto más profundo, bautizado Challenger Deep, se sitúa a 11.304 metros, en el extremo suroccidental de la fosa. Según los tripulantes del submarino que en 1960 descendió por el Challenger Deep, la presión del peso del océano en ese punto podría equivaler a la que sufriría una persona que tuviera sobre sí 50 aviones Jumbo.

◑ El atolón Kwajalein, islas Marshall

## El Himalaya y el Karakorum, techo del mundo

El movimiento de placas en el sur del continente asiático no sólo crea zonas de alta sismicidad, sino que es la causa directa de la elevación de las mayores cordilleras del planeta, el Himalaya –entre Nepal, India y China– y el Karakorum –entre Pakistán y China–. En efecto, igual que ocurre en América del Sur con los Andes, la placa del Índico, de la que forma parte el subcontinente indio, ejerce una poderosísima presión sobre la placa Euroasiática, levantando el territorio limítrofe hasta altitudes cercanas a los 9.000 metros y causando la elevación de la región contigua, el Tíbet, que se ha convertido en el mayor altiplano del mundo, con una altitud media de 5.000 metros.

### Las más altas cumbres de la Tierra

|  |  |
|---|---|
| Everest (China/Nepal) | 8.848 m |
| K2 (China/Pakistán) | 8.611 m |
| Kangchenjunga (India/Nepal) | 8.586 m |
| Lhotse (China/Nepal) | 8.501 m |
| Makalu (China/Nepal) | 8.481 m |
| Cho Oyu (China/Nepal) | 8.201 m |
| Dhaulagiri (Nepal) | 8.172 m |
| Manaslu (Nepal) | 8.163 m |
| Nanga Parbat (Pakistán) | 8.125 m |
| Annapurna (Nepal) | 8.091 m |
| Gasherbrum I (China/Pak) | 8.069 m |
| Broad Peak (China/Pakistán) | 8.047 m |
| Gasherbrum II (China/Pak) | 8.035 m |
| Shishapangma (China) | 8.027 m |
| Gasherbrum III (China/Pak) | 7.952 m |
| Gyachung Kang (China/Nep) | 7.952 m |
| Annapurna II (Nepal) | 7.937 m |

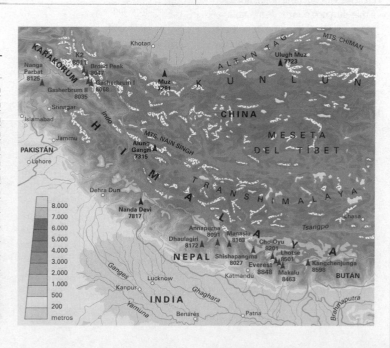

# Clima de Asia

El clima de Asia es tan variado como sus múltiples regiones naturales. El clima glacial del extremo septentrional del continente da paso al frío clima siberiano del norte, a las extremas temperaturas de los desiertos del interior y a la suavidad climática de las costas mediterráneas del suroeste asiático, para acabar con las regiones del sureste, afectadas por la periódica incidencia de los vientos monzones.

## La meseta tibetana

El norte de Asia está dominado por un clima glacial en la costa ártica y por un clima siberiano al sur de esta región, con inviernos rigurosos y veranos cortos, cálidos y húmedos. En la meseta tibetana (foto), situada a más de 4.000 metros de altura, la barrera del Himalaya impide la llegada de las nubes que traen los vientos húmedos del sur, por lo que el aire de la región es extremadamente seco.

## Zonas climáticas

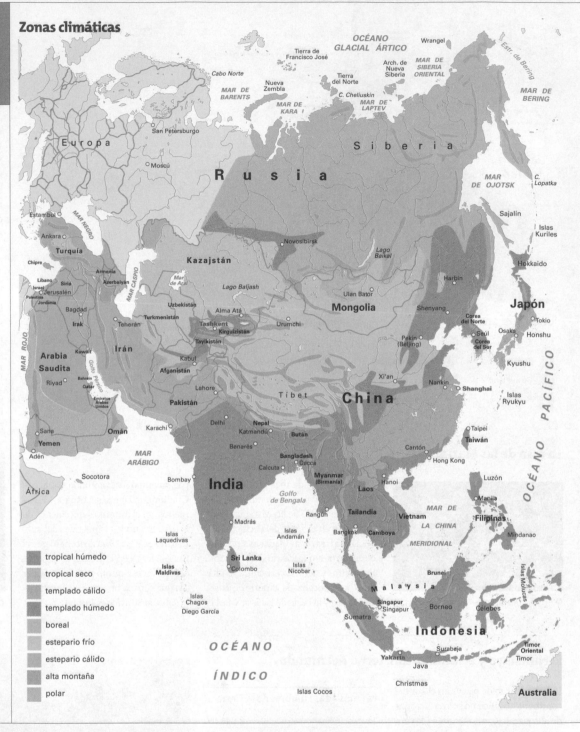

- tropical húmedo
- tropical seco
- templado cálido
- templado húmedo
- boreal
- estepario frío
- estepario cálido
- alta montaña
- polar

## Shanghai

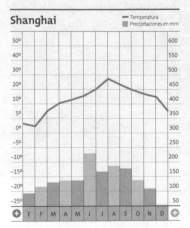

Temperatura
Precipitaciones en mm

## Tashkent

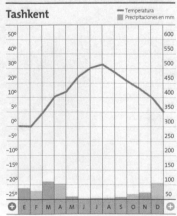

Temperatura
Precipitaciones en mm

## Yakarta

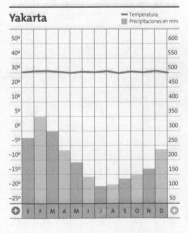

Temperatura
Precipitaciones en mm

## Lluvias mal repartidas

Shangai, en la costa este de China, se inscribe en una región de clima templado húmedo, con veranos calurosos e inviernos fríos y secos. La concentración de las lluvias en verano muestra la influencia de los monzones. Tashkent, capital de Uzbekistán, tiene un clima árido común al interior de Asia, con inviernos severos, veranos cálidos y precipitaciones muy leves. Yakarta, en Indonesia, está afectada por un clima tropical con estaciones monzónicas, una húmeda en invierno y una seca en verano.

## Precipitación media anual

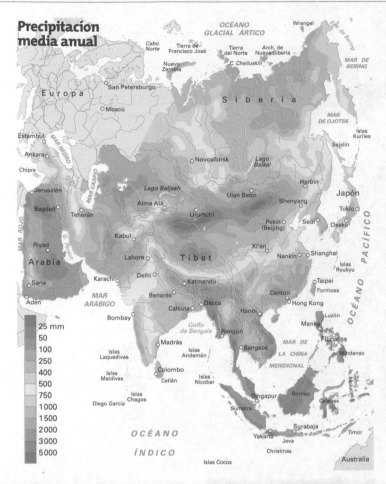

25 mm
50
100
250
400
500
750
1000
1500
2000
3000
5000

## Climas monzónicos

Las zonas del sureste de Asia, desde la India a Vietnam y China meridional, se encuentran bajo la influencia de los monzones, que traen lluvias abundantes en verano e inviernos muy secos. En verano, las masas de aire se ponen en movimiento desde el océano Índico hacia el interior de la tierra y originan el monzón de verano, un viento cálido y húmedo que, al chocar con los relieves costeros y la gran barrera del Himalaya, provoca fuertes lluvias. Las lluvias estivales causan graves inundaciones aunque son esenciales para los cultivos, sobre todo tras los seis meses de sequía. La región también se ve periódicamente afectada por tifones y ciclones.

⬥ Inundaciones en Bangladesh

## Las zonas desérticas

El interior continental de Asia y su parte suroccidental presentan un clima árido. En estas regiones predominan las estepas y los desiertos, paisajes típicos de Mongolia, del Turquestán, de la meseta de Irán y de Anatolia. Aunque están en latitudes templadas, la aparición de desiertos se debe al hecho de estar situados en el interior de las grandes masas continentales y a la presencia de elevadas cordilleras que impiden o dificultan la llegada de los vientos suavizadores del mar. El Karakum, que ocupa gran parte de Turkmenistán; el Takla Makan al noroeste de China; el desierto de Gobi (foto) al sureste de Mongolia, y otros desiertos, se encuentran al norte de la gran cadena montañosa que se extiende desde el Cáucaso al oeste, a través de Irán y Afganistán, hasta el Himalaya.

## Temperaturas en enero

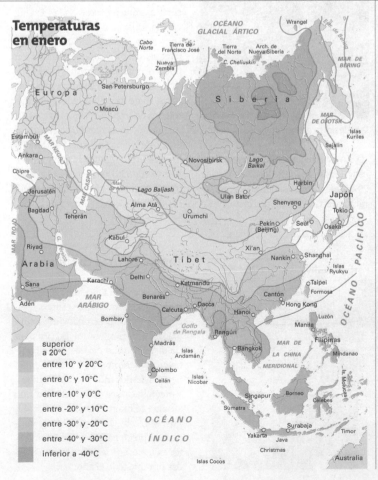

superior a 20°C
entre 10° y 20°C
entre 0° y 10°C
entre -10° y 0°C
entre -20° y -10°C
entre -30° y -20°C
entre -40° y -30°C
inferior a -40°C

## Temperaturas en julio

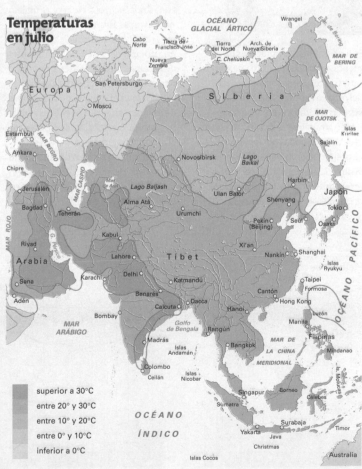

superior a 30°C
entre 20° y 30°C
entre 10° y 20°C
entre 0° y 10°C
inferior a 0°C

# Clima de Oceanía

Excepto Nueva Zelanda y una parte de Australia de clima templado o desértico, las tierras de Oceanía tienen un clima cálido con abundantes lluvias. Las precipitaciones se intensifican en las costas orientales debido a la influencia de los alisios. Sin embargo, muchas regiones, sobre todo las occidentales, son muy vulnerables a fenómenos climáticos como las sequías y los tifones.

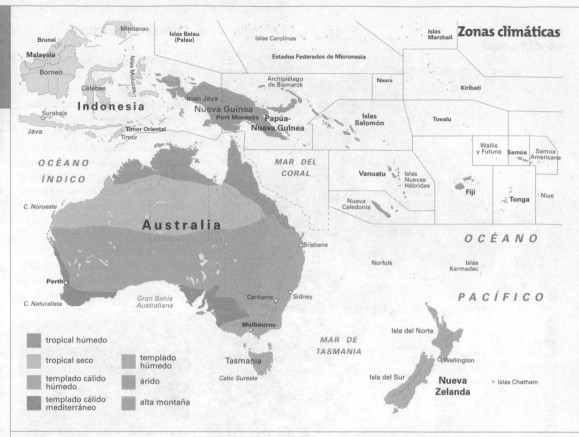

## Zonas climáticas

- tropical húmedo
- tropical seco
- templado cálido húmedo
- templado cálido mediterráneo
- templado húmedo
- árido
- alta montaña

### Las tormentas del Pacífico

Se llama tifón a los huracanes (tormentas tropicales en forma de viento muy fuerte) que se forman al oeste del océano Pacífico. Nacen en los meses más calurosos del año en las zonas ecuatoriales y se desplazan hacia el oeste arrastrados por los vientos alisios. En el hemisferio sur giran en la dirección de las agujas del reloj y en el norte, en la contraria. *En la foto, un tifón sobre las islas Marianas.*

## Las sequías en Australia

El interior de Australia es una inmensa zona árida, ocupada casi por completo por diversas formas de desierto. Los expertos han diferenciado cinco tipos, en función del sustrato dominante: desiertos de piedra, de arena, de arcilla, de montaña y sedimentarios. El más extendido es el desierto de arena, donde se observan series de colinas alineadas según la dirección de los vientos dominantes, de manera que en los pasillos interiores se guarda una cierta humedad. Después del Gran Desierto de Arena, los más grandes son el Desierto de Gibson y el Gran Desierto Victo-

◉ El desierto de los Pináculos, al oeste

ria. En estas regiones, las temperaturas estivales oscilan entre los 26,7 °C y los 29,4 °C de media, aunque pueden superar los 38°C. Aun así, por la noche se produce un brutal descenso de las temperaturas que provoca heladas. Las lluvias no superan los 500 mm al año. Las sequías afectan anualmente otras regiones del país, aunque también son frecuentes las inundaciones locales, los ciclones tropicales y las tormentas eléctricas, sobre todo en verano. Éstas fueron una de las principales causas de los más de 100 incendios que afectaron al estado de Nueva Gales del Sur durante los primeros meses del 2002 y arrasaron más de 550.000 hectáreas. La catástrofe se agravó por las altas temperaturas y el bajo nivel de humedad.

### Melbourne

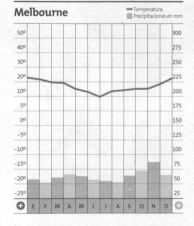

### Perth

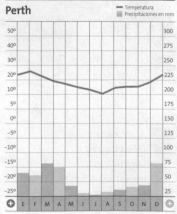

### Port Moresby

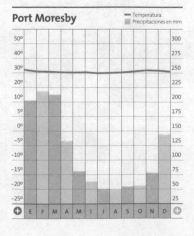

## Temperaturas cálidas

Perth, en el litoral occidental de Australia, está en una región cálida y templada, y recibe precipitaciones sobre todo en invierno, a causa de la influencia de los vientos del oeste. Melbourne en el extremo de la costa oriental, tiene inviernos fríos y veranos cálidos, y precipitaciones durante todo el año aunque se intensifican en verano. En Port Moresby, en Papúa-Nueva Guinea, las precipitaciones son abundantes en invierno y las temperaturas cálidas durante todo el año.

## Precipitación media anual

## Entre el ecuador y el trópico de Capricornio

La pluviosidad alta en Oceanía está garantizada por la proximidad del ecuador y las cálidas corrientes marinas. Por ello, se recogen precipitaciones entre 2.500 mm y 4.000 mm al año en la mayoría de las islas. El interior de Australia –atravesada por el trópico de Capricornio– es, por el contrario, un inmenso desierto. Las cordilleras orientales impiden el paso de las lluvias.

## Paraísos peligrosos

La mayor parte de las islas de la Polinesia, de la Melanesia y de la Micronesia se encuentran entre los trópicos y el ecuador, por lo que el clima es muy cálido y muy lluvioso. Afortunadamente, la influencia de los vientos alisios atenúa el calor agobiante.

Sin embargo, en ciertas islas melanesias, muy afectadas por los ciclones, el clima tropical es muy duro y malsano.

En Tuvalu, la temperatura media anual alcanza los 27ºC y las precipitaciones superan los 3.000 milímetros anuales. Estas condiciones climáticas en tierras bajas –casi todas las islas son de origen coralino– favorecen la transmisión de enfermedades tropicales como el paludismo o la malaria. Esta última es una de las principales causas de mortalidad en el mundo.

La laguna Funafuti, en Tuvalu

## Temperaturas en enero

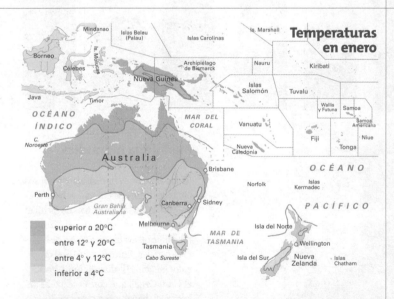

## Temperaturas en julio

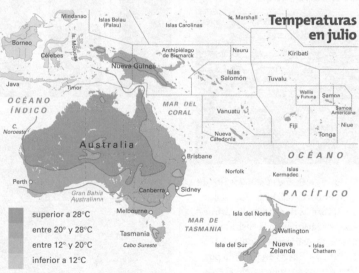

## Islas en vías de extinción

Oceanía es el continente más castigado por el fenómeno conocido como "efecto invernadero", provocado por la masiva emisión de gases a la atmósfera. El recalentamiento global del planeta está incrementando las mareas de la región, cuyas islas y atolones se sitúan pocos metros por encima del nivel del mar. Vanuatu, Tuvalu, Kiribati, Palau, Micronesia (foto) y las islas Marshall son sólo algunos de los países amenazados. En 1997, el entonces presidente de Nauru, Kinza Godfrey Clodumar, recordó al mundo que su país podría desaparecer sepultado por las aguas si persistía el ritmo de producción de gases, una advertencia compartida por el gobierno de Kiribati. El crecimiento del nivel del mar en Vanuatu para las próximas décadas se estima en 20 centímetros, lo que afectará a su litoral y poblados. Por otra parte, la contaminación de las costas de Fiji y la Polinesia Francesa agrava más el drama medioambiental de Oceanía, donde los ciclones y maremotos ganan mayor intensidad con el tiempo.

# Hidrografía

Fuentes de vida y desarrollo, los ríos asiáticos están entre los más largos y caudalosos del mundo. Muchos de ellos nacen en las nieves de las cadenas montañosas del interior. Pero en las regiones afectadas por fuertes lluvias los ríos desbordados se convierten periódicamente en una amenaza mortal para el hombre. A cambio, la acción humana está deteriorando muchos de los ecosistemas de los grandes lagos asiáticos.

## La tierra del Oro Negro

El Tigris y el Éufrates son dos ríos de gran importancia histórica, ya que en sus orillas florecieron las primeras civilizaciones de la Historia (Sumeria, Asiria y Babilonia). Nacen en Turquía, fluyen en paralelo por Siria e Irak y se unen ya muy cerca del golfo Pérsico para formar el río Chatt-el-Arab. Al depositan gran cantidad de sedimentos en la cuenca del Chatt-el-Arab, lo que ha favorecido la aparición de depósitos de crudo y la formación de tierras aluviales y pantanosas (foto).

## Mayores lagos de Asia

| | |
|---|---|
| Mar Caspio (Azerbaiyán/ Rusia/Kazajstán/Turkmenistán/Irán) | 371.000 km² |
| Lago Baikal (Rusia asiática) | 31.500 km² |
| Mar de Aral (Kazajstán/Uzbekistán) | 31.220 km² |
| Lago Baljash (Kazajstán) | 18.200 km² |
| Tonlé Sap (Camboya) | 10.400 km² |
| Lago Issyk-Kul (Kirguizistán) | 6.100 km² |

## Ríos impetuosos

El delta conjunto que forman el río Ganges y el Brahmaputra en el golfo de Bengala es uno de los más importantes del mundo, junto al del Nilo en Egipto y el del Mississippi en Estados Unidos. La parte norte del delta, en la cuenca del Ganges, es una de las regiones más fértiles de la Tierra y una de las más densamente pobladas: unos 300 millones de personas viven en el área que se extiende entre el Himalaya y los montes Vindhya. Pero tanto el Ganges como el Brahmaputra nacen de las nieves del Himalaya, y se han visto muy afectados por la erosión del suelo provocada por la deforestación en el valle del Tíbet. Esto, unido a los devastadores efectos de los ciclones, provoca graves inundaciones en toda el área del delta.

En China, el río más largo de Asia, el Yangtsé , cuya cuenca abarca 1.683.500 km² y se une al río Huanghe (Amarillo) por el Gran Canal, también sufre grandes inundaciones durante la época de lluvias. Para evitarlas, en 1994 se inició la construcción de la presa de las Tres Gargantas, que se convertirá en el mayor embalse del mundo a su conclusión en el 2009. Las Tres Gargantas del Yangtsé –Qutang, Wuxia (foto), Xiling– son también famosas por el gran valor de la naturaleza que las rodea, lo cual ha originado una fuerte contestación ecologista.

## Los ríos más largos de Asia y Oceanía

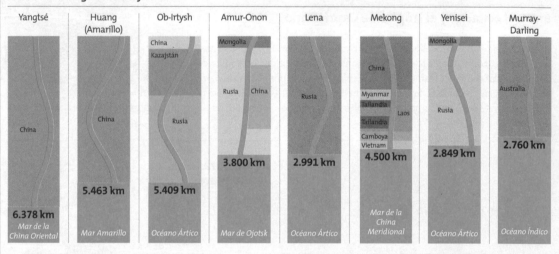

| Yangtsé | Huang (Amarillo) | Ob-Irtysh | Amur-Onon | Lena | Mekong | Yenisei | Murray-Darling |
|---|---|---|---|---|---|---|---|
| China | China | China / Kazajstán / Rusia | Mongolia / Rusia / China | Rusia | China / Myanmar / Tailandia / Tailandia / Camboya / Vietnam / Laos | Mongolia / Rusia | Australia |
| 6.378 km | 5.463 km | 5.409 km | 3.800 km | 2.991 km | 4.500 km | 2.849 km | 2.760 km |
| Mar de la China Oriental | Mar Amarillo | Océano Ártico | Mar de Ojotsk | Océano Ártico | Mar de la China Meridional | Océano Ártico | Océano Índico |

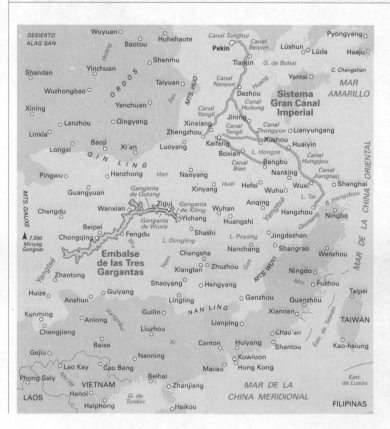

## Ingeniería hidráulica

China siempre se ha distinguido por sus obras de ingeniería hidráulica. Hace más de 2.000 años, los habitantes de Sichuán combatían las crecidas del Yangtsé mediante un avanzado sistema de barreras y canales. Entre 605 y 616, el emperador Jangdi, de la dinastía Sui, hizo abrir el Gran Canal, que comunicaba Xi'an, la capital, bañada por el Huanghe con la desembocadura del Yangtsé. En el siglo XIII, Kublai Khan, el fundador de la dinastía Yunan, lo extendía hasta Pekín. Alcanzó entonces los 1.794 km. En la actualidad, la presa de la Tres Gargantas, en el Yangtsé, refleja la tradición china de las grandes obras hidráulicas. La presa, la mayor del mundo, con una longitud de 640 kilómetros y 22.150 millones de metros cúbicos, anegará 160 ciudades y obligará a desplazar a dos millones de personas. Con su entrada en funcionamiento en 2009, las autoridades chinas prevén suministrar energía eléctrica suficiente a las grandes ciudades del litoral.

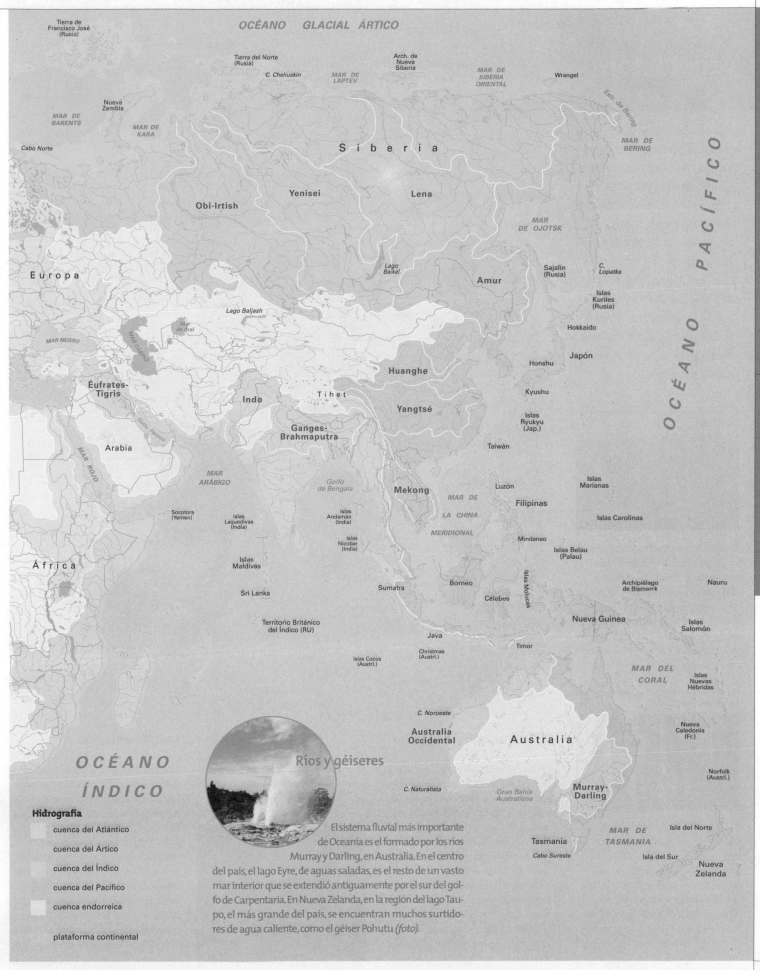

OCÉANO GLACIAL ÁRTICO

Tierra de Francisco José (Rusia)

Tierra del Norte (Rusia)

C. Cheliuskin

MAR DE LAPTEV

Arch. de Nueva Siberia

MAR DE SIBERIA ORIENTAL

Wrangel

Estr. de Bering

Nueva Zembla

MAR DE BARENTS

MAR DE KARA

S i b e r i a

MAR DE BERING

OCÉANO PACÍFICO

Cabo Norte

Europa

Obi-Irtish

Yenisei

Lena

MAR DE OJOTSK

Sajalín (Rusia)

C. Lopatka

Lago Baikal

Amur

Islas Kuriles (Rusia)

Lago Baljash

Mar de Aral

MAR NEGRO

MAR CASPIO

Hokkaido

Honshu

Japón

Éufrates-Tigris

Golfo Pérsico

Indo

Tíbet

Huanghe

Kyushu

Islas Ryukyu (Jap.)

Arabia

MAR ROJO

Ganges-Brahmaputra

Yangtsé

Taiwán

África

MAR ARÁBIGO

Golfo de Bengala

Mekong

MAR DE LA CHINA MERIDIONAL

Luzón

Filipinas

Islas Marianas

Socotora (Yemen)

Islas Laquedivas (India)

Islas Andamán (India)

Islas Carolinas

Islas Nicobar (India)

Mindanao

Islas Belau (Palau)

Islas Maldivas

Islas Molucas

Archipiélago de Bismarck

Nauru

Sri Lanka

Sumatra

Borneo

Célebes

Territorio Británico del Índico (RU)

Nueva Guinea

Islas Salomón

Java

Timor

Islas Cocos (Austrl.)

Christmas (Austrl.)

MAR DEL CORAL

Islas Nuevas Hébridas

C. Noroeste

Australia Occidental

Australia

Nueva Caledonia (Fr.)

Norfolk (Austrl.)

OCÉANO ÍNDICO

Ríos y géiseres

C. Naturalista

Gran Bahía Australiana

Murray-Darling

**Hidrografía**

- cuenca del Atlántico
- cuenca del Ártico
- cuenca del Índico
- cuenca del Pacífico
- cuenca endorreica

plataforma continental

MAR DE TASMANIA

Tasmania

Cabo Sureste

Isla del Norte

Isla del Sur

Nueva Zelanda

El sistema fluvial más importante de Oceanía es el formado por los ríos Murray y Darling, en Australia. En el centro del país, el lago Eyre, de aguas saladas, es el resto de un vasto mar interior que se extendió antiguamente por el sur del golfo de Carpentaria. En Nueva Zelanda, en la región del lago Taupo, el más grande del país, se encuentran muchos surtidores de agua caliente, como el géiser Pohutu *(foto)*.

# Vegetación

La diversidad de los suelos y climas del continente asiático favorecen el desarrollo de una vegetación muy variada. Las latitudes boreales constituyen los dominios de la tundra y la taiga; en el interior predominan las praderas y matorrales desérticos; y una exuberante selva tropical abarca todo el sureste. En Oceanía, continente básicamente acuático, la vegetación es más escasa pero única y sorprendente.

## La tundra

La costa ártica presenta un clima típico glacial y está cubierta por hielo la mayor parte del año. No obstante, durante el corto verano se convierte en una región pantanosa cubierta de hierbas, helechos y líquenes, la vegetación propia de la tundra (foto). Éste es el bioma más simple en términos de especies y cadenas alimentarias.

## La planta sagrada

Una de las plantas más características y bellas de Asia es el bambú, que se cultiva para ser utilizado como material de construcción y alimento (en la foto, un bosque de bambú en Japón). El bambú es también una planta simbólica y sagrada para los budistas, cuyos monasterios suelen estar rodeados de bosques de bambú.

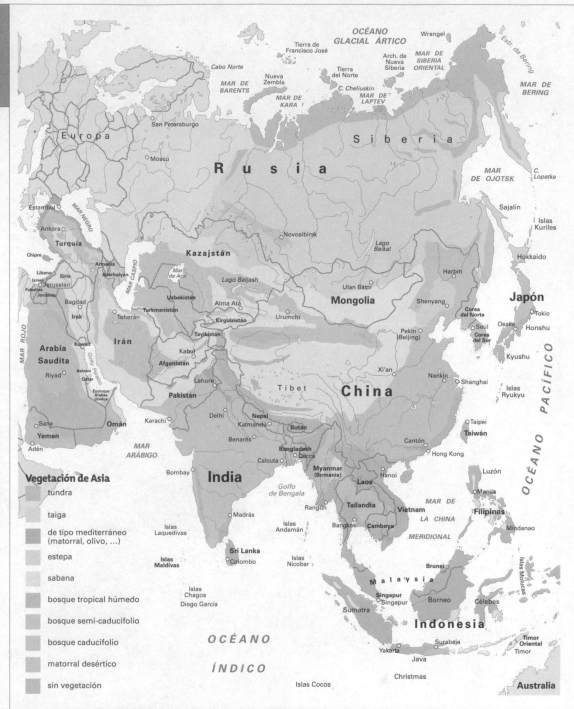

**Vegetación de Asia**

- tundra
- taiga
- de tipo mediterráneo (matorral, olivo, …)
- estepa
- sabana
- bosque tropical húmedo
- bosque semi-caducifolio
- bosque caducifolio
- matorral desértico
- sin vegetación

## El bosque templado chino

En las fachadas orientales, por debajo de la taiga y antes de los bosques tropicales del sureste asiático, al este de China y Japón, se da un tipo de vegetación llamado bosque templado chino o bosque templado de hoja perenne (foto). En esta región, las precipitaciones están repartidas durante todo el año gracias a la influencia de los alisios en verano y al frente polar en invierno. La vegetación vinculada a este clima combina especies tropicales –bambúes, palmeras…– y especies templadas –robles, hayas, coníferas, castaños, nogales y tilos–.

El bosque templado chino es mucho más denso que el mediterráneo, ya que no experimenta la sequía estival.

## La deforestación

La extensión de las selvas tropicales del sureste asiático se ha reducido a extremos alarmantes, con índices de deforestación que llegaron a 2,9 millones de hectáreas por año entre 1990 y 1995. Esta deforestación se atribuye a las talas excesivas para obtener maderas –legal o ilegalmente– y a la eliminación de bosques para uso agrícola. Indonesia, por ejemplo, ya ha perdido el 72% de sus reservas forestales. En la Oceanía tropical, la deforestación es menor (151.000 hectáreas al año), pero sus bosques están seriamente amenazados.

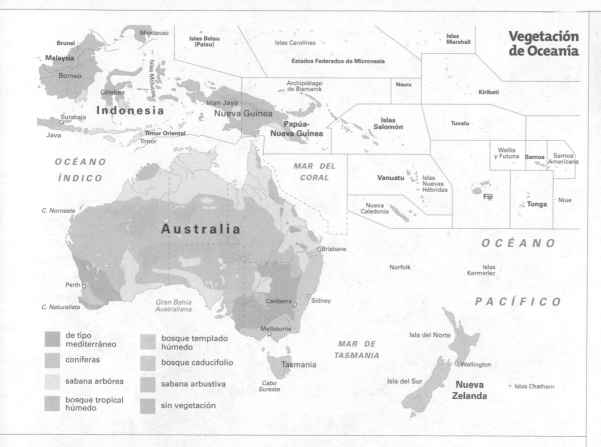

## Vegetación de Oceanía

de tipo mediterráneo

coníferas

sabana arbórea

bosque tropical húmedo

bosque templado húmedo

bosque caducifolio

sabana arbustiva

sin vegetación

## Selvas en estado salvaje

◐ Selva al noroeste de Tailandia

Los bosques tropicales crecen en un gran cinturón ecuatorial donde la temperatura, las precipitaciones y la duración del día apenas varían de una estación a otra. Las selvas más intactas de Asia y Oceanía están en las islas de Borneo y Nueva Guinea.

La selva tropical se extiende de forma casi ininterrumpida desde la cordillera de los Ghates orientales, en la India, hasta Sri Lanka y Bangladesh, y por todo el sureste asiático y el archipiélago Malayo, hasta el noreste de Australia y la mayoría de las islas del Océano Pacífico tropical.

## La Gran Barrera de Arrecifes

La Gran Barrera de Arrecifes está situada en el mar de Coral, frente a la costa nororiental de Australia, y se extiende a

lo largo de 2.000 kilómetros de longitud. Es un conjunto de miles de arrecifes y de cientos de pequeñas islas de coral paralelas a la costa de Queensland.

La Gran Barrera de Arrecifes está constituida esencialmente por colonias de coral vivo, formadas por millones de pólipos –unos diminutos organismos que se rodean de un exoesqueleto calcáreo–. Estos corales (foto), de múltiples formas y colores, se han reproducido y rodeado de todo tipo de vida tropical hasta formar un ecosistema tan complejo como la selva ecuatorial.

Esculpida durante millones de años por la acción de las olas, los tifones y el crecimiento del coral, la Gran Barrera de Arrecifes es, sin duda, la mayor construcción hecha por seres vivos y una de las pocas visibles desde el espacio. Millones de años de adaptación y evolución al medio marino han culminado en el levantamiento, capa a capa, de grandes montañas submarinas.

Algunas perforaciones geológicas realizadas en la Gran Barrera de Arrecifes indican que el espesor de las capas de coral podría alcanzar los 500 metros.

## Paraíso botánico

El extremo suroccidental de Australia es un paraíso botánico. Al quedar aislado del resto del continente por el desierto, la región ha conservado una flora endémica que cuenta con unas 6.000 especies. Entre ellas destaca el karri (Eucalyptus diversicolor) –foto–, un árbol alto y grueso cuya madera se destina a la ebanistería.

## Los glaciares de Nueva Zelanda

La costa este de la isla del Sur de Nueva Zelanda, declarada Patrimonio de la Humanidad, alberga uno de los paisajes más bellos de este país: la reserva natural de Te Wahipounamu, donde se encuentran el Parque Nacional Mount Cook, el Westland y el Parque Nacional de Fiordland (foto). Esta última región natural apareció a raíz de la fuerte actividad glaciar que sufrió la vertiente occidental de los Alpes neozelandeses, una cordillera que se extiende en dirección suroeste-noreste por el sector occidental de la isla del Sur y que consta de 17

picos con más de 3.000 metros de altitud. El glaciarismo ha provocado el desbordamiento de numerosos ríos y la erosión y creación de profundos valles y grandes lagos, como el Makatipu, el Manapouri y el Te Anau.

Algunos glaciares han favorecido el desarrollo de una pluvisilva –sobre todo en el valle del río Hollyford, donde el bosque tropical es muy denso y oscuro– y han contribuido a crear un espectacular paisaje, que mezcla los Alpes suizos, los fiordos escandinavos, la campiña irlandesa y la selva amazónica.

# Distribución de la población

A orillas del océano Pacífico se hallan los dos continentes con las densidades más dispares del planeta. Mientras que Asia, con una media 83 hab/km², tiene el mayor número de metrópolis superiores a los diez millones de habitantes, en Oceanía apenas viven más de tres personas por kilómetro cuadrado. Sidney, la mayor de sus ciudades, tiene nueve veces menos habitantes que Tokio, la capital del Japón.

| Países más poblados | en millones hab |
|---|---|
| China | 1.294,8 |
| India | 1.049,5 |
| Indonesia | 217,1 |
| Pakistán | 149,9 |
| Bangladesh | 143,8 |
| Japón | 127,4 |
| Vietnam | 80,2 |
| Filipinas | 78,5 |
| Turquía | 70,3 |
| Irán | 68,0 |
| Tailandia | 62,1 |
| Myanmar | 48,8 |
| Corea del Sur | 47,4 |
| Uzbekistán | 25,7 |
| Nepal | 24,6 |
| Irak | 24,5 |
| Malasia | 23,9 |

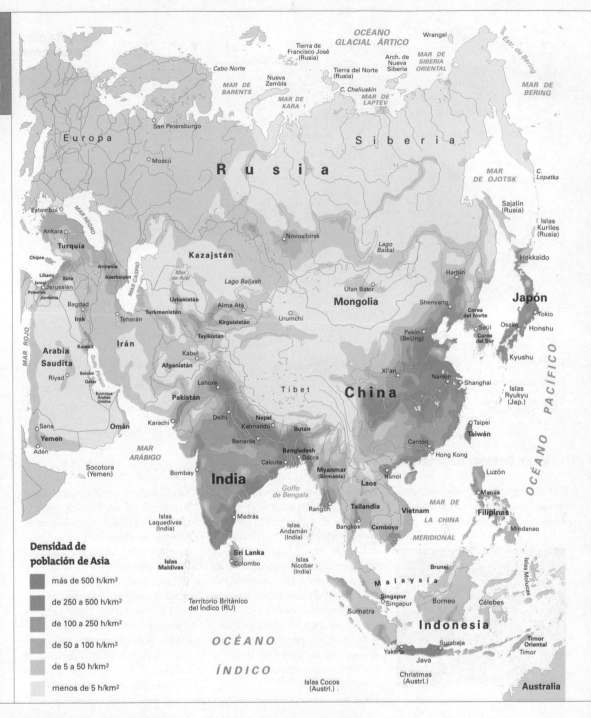

**Densidad de población de Asia**

- más de 500 h/km²
- de 250 a 500 h/km²
- de 100 a 250 h/km²
- de 50 a 100 h/km²
- de 5 a 50 h/km²
- menos de 5 h/km²

## Cuna de metrópolis en el pasado y en el presente

Desde la más remota Antigüedad, Asia siempre ha llevado la delantera en materia de aglomeraciones humanas. Akad, Lagash, Ur, Babilonia, Jericó... ya eran considerables ciudades cuando ni siquiera se había fundado Roma, la primera gran metrópoli europea. Aunque en reñida pugna con Londres, el mérito de alcanzar el primer millón de personas correspondió, en 1800, a la ciudad imperial de Pekín *(en la foto, la Ciudad Prohibida)*, en China, descrita siglos antes por mercaderes y misioneros europeos como una ordenada megalópolis.

Ensombrecida por las ciudades de la industrialización en Occidente, la urbanización de Asia volvió a resurgir a partir de la Segunda Guerra Mundial. Desde entonces la aglomeración urbana ha sido imparable en Japón, en la península coreana, en la mitad oriental de China, en la costa oriental de India y en la llanura indogangética.
En la actualidad, de las quince metrópolis mayores del mundo, ocho son asiáticas: Tokio, Seúl, Bombay, Osaka, Delhi, Yakarta, Calcuta y Manila. Todas ellas superan los 10 millones de habitantes.

# Densidad de población de Oceanía

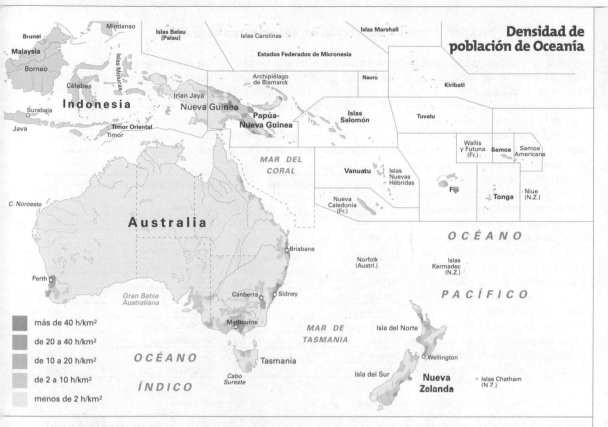

| más de 40 h/km² |
| de 20 a 40 h/km² |
| de 10 a 20 h/km² |
| de 2 a 10 h/km² |
| menos de 2 h/km² |

## Países más y menos densamente poblados de Asia y Oceanía

(excluidos los microestados)

| | |
|---|---|
| Bangladesh | 998,7 |
| Bahrein | 998,6 |
| Taiwán | 626,7 |
| Corea del Sur | 477,8 |
| Líbano | 345,8 |
| Japón | 337,4 |
| India | 319,3 |
| Israel | 299,3 |
| Sri Lanka | 288,2 |
| Filipinas | 261,9 |
| Vietnam | 241,1 |
| Corea del Norte | 187,0 |
| Pakistán | 186,5 |
| Nepal | 174,7 |
| Kuwait | 137,1 |
| China | 134,9 |
| Tailandia | 121,2 |
| Kiribati | 118,3 |
| Indonesia | 114,0 |
| Armenia | 103,1 |
| (...) | |
| Qatar | 54,6 |
| Timor Oriental | 49,5 |
| Fiji | 45,5 |
| Tayikistán | 43,3 |
| Irán | 41,3 |
| Yemen | 36,6 |
| Afganistán | 35,2 |
| Emiratos Árabes Unidos | 35,1 |
| Kirguizistán | 25,3 |
| Laos | 23,3 |
| Vanuatu | 17,0 |
| Salomón | 16,0 |
| Nueva Zelanda | 14,3 |
| Omán | 13,0 |
| Papúa-Nueva Guinea | 12,1 |
| Arabia Saudita | 10,9 |
| Turkmenistán | 9,8 |
| Kazajstán | 5,7 |
| Australia | 2,5 |
| Mongolia | 1,6 |

## El continente más despoblado del planeta

A diferencia de Asia, Oceanía es el continente más despoblado del planeta, con una densidad de 3,4 hab/km². De hecho, prácticamente la mitad de los 30,8 millones de seres que lo pueblan viven en la estrecha franja costera suroriental de Australia que va desde el golfo de San Vicente hasta la ciudad de Brisbane, donde también se produce la mayor concentración urbana de Oceanía. Allí se encuentran ciudades de más de un millón de habitantes como Adelaida, Melbourne, Sidney, Newcastle y la propia Brisbane.

Excepto en la costa suroccidental, el resto de Australia registra una densidad inferior a un habitante por kilómetro cuadrado. En las grandes llanuras desérticas del norte y el centro del país viven los trabajadores de las granjas de ganado *(en la foto, una reunión de ringers –los cow-boy australianos–, seattlers –colonos– y squatters –ocupantes de tierras– de Queensland en 1961)* y los aborígenes.
Las densidades de población de Samoa (62,0 hab/km²) y Fiji (45,5) son las únicas que superan la media mundial de

40 hab/km² –incluida la Antártida–. En el ámbito estrictamente continental, también son destacables las densidades de Vanuatu, Salomón, Nueva Zelanda y Papúa-Nueva Guinea.

## Países con mayor y menor proporción de población urbana

| | |
|---|---|
| Kuwait | 96,1% |
| Qatar | 92,9% |
| Bahrein | 92,5% |
| Israel | 91,8% |
| Australia | 91,2% |
| Líbano | 90,1% |
| Emiratos Árabes Unidos | 87,2% |
| (...) | |
| Laos | 19,7% |
| Papúa-Nueva Guinea | 17,6% |
| Camboya | 17,5% |
| Nepal | 12,2% |
| Timor Oriental | 7,5% |
| Bután | 7,4% |

## Las mayores ciudades de Asia

*Población en 2002* ■ en millones de habitantes

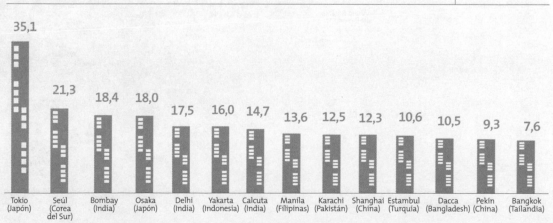

| Tokio (Japón) | Seúl (Corea del Sur) | Bombay (India) | Osaka (Japón) | Delhi (India) | Yakarta (Indonesia) | Calcuta (India) | Manila (Filipinas) | Karachi (Pakistán) | Shanghai (China) | Estambul (Turquía) | Dacca (Bangladesh) | Pekín (China) | Bangkok (Tailandia) |
|---|---|---|---|---|---|---|---|---|---|---|---|---|---|
| 35,1 | 21,3 | 18,4 | 18,0 | 17,5 | 16,0 | 14,7 | 13,6 | 12,5 | 12,3 | 10,6 | 10,5 | 9,3 | 7,6 |

# Crecimiento y composición de la población

El 60,6% de la población mundial reside en Asia; en Oceanía, sólo el 0,5%. Pese a la pronunciada diferencia, la población de ambos continentes ha experimentado un crecimiento vertiginoso desde 1960. No parece que el peso demográfico vaya a cambiar en los próximos 50 años, aunque la tradicionalmente alta tasa de fecundidad del continente esté descendiendo.

## El continente asiático dobló su población en sólo cuarenta años

En 1965, el Congreso Mundial de la Población, celebrado en Belgrado, estimaba que para el año 2000 vivirían 3.307 millones de personas en Asia. La realidad ha superado aquellas especulaciones y la población asiática era en 2000 de 3.683 millones. En cuarenta años, Asia ha doblado su población, que en 1960 era de 1.651 millones.

Desde entonces, los índices demográficos del continente son cada vez más equilibrados y se acercan paulatinamente a los de las áreas más desarrolladas del planeta (0,3% de crecimiento humano), a pesar de que China, India, Indonesia, Pakistán, Bangladesh y Japón figuran entre los diez países más habitados del planeta.

De un crecimiento del 1,85% en 1980-90, Asia ha pasado a otro del 1,25% en 2000-05; inferior a los de África y América Latina. También se han reducido de manera considerable la mortalidad infantil (de 78‰ a 53‰) y la fecundidad (de 3,53 a 2,55 hijos por mujer), y ha crecido la esperanza de vida (de 61,3 a 67,2 años). Los países árabes registran el crecimiento más alto, con un índice global del 2,1%.

Oceanía, en cambio, no ha cumplido los cálculos. En 1965 se creía que alcanzaría los 32 millones de seres. Pero en 2001 apenas superaba los 31, pese a tener un mayor índice de crecimiento, una menor mortalidad infantil y un índice de fecundidad sostenido.

| Países con mayor crecimiento | % |
|---|---|
| Timor Oriental | 4,0 |
| Afganistán | 3,9 |
| Marshall | 3,9 |
| Kuwait | 3,5 |
| Yemen | 3,5 |
| Nauru | 3,1 |
| Bután | 3,0 |
| Maldivas | 3,0 |
| Arabia Saudita | 2,9 |
| Omán | 2,9 |
| Salomón | 2,9 |
| Irak | 2,7 |

| Países con menor crecimiento | % |
|---|---|
| Armenia | –0,5 |
| Kazajstán | –0,4 |
| Japón | 0,1 |
| Corea del Norte | 0,5 |
| Corea del Sur | 0,6 |
| China | 0,7 |
| Taiwán | 0,8 |
| Sri Lanka | 0,8 |
| Nueva Zelanda | 0,8 |
| Micronesia | 0,8 |
| Chipre | 0,8 |
| Tayikistán | 0,9 |

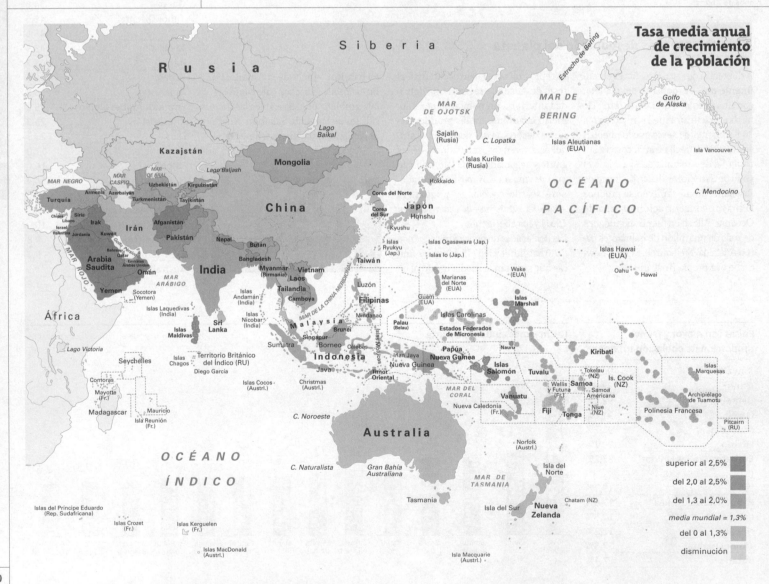

**Tasa media anual de crecimiento de la población**

- superior al 2,5%
- del 2,0 al 2,5%
- del 1,3 al 2,0%
- *media mundial = 1,3%*
- del 0 al 1,3%
- disminución

## Países con mayores índices de fecundidad

| | |
|---|---|
| Yemen | 7,01 |
| Afganistán | 6,80 |
| Marshal | 6,49 |
| Maldivas | 5,33 |
| Pakistán | 5,08 |
| Bután | 5,02 |
| Omán | 4,96 |
| Laos | 4,78 |

## Países con menores índices de fecundidad

| | |
|---|---|
| Japón | 1,43 |
| Corea del Sur | 1,65 |
| Singapur | 1,68 |
| Armenia | 1,70 |
| Tailandia | 1,74 |
| Australia | 1,80 |
| China | 1,80 |
| Taiwán | 1,80 |
| Turkmenistán | 1,80 |

## Países con mayores índices de mortalidad infantil

| | ‰ |
|---|---|
| Afganistán | 162 |
| Timor Oriental | 124 |
| Laos | 88 |
| Pakistán | 86 |
| Myanmar | 83 |
| Irak | 83 |
| Camboya | 73 |
| Nepal | 71 |

## Países con menores índices de mortalidad infantil

| | ‰ |
|---|---|
| Japón | 3 |
| Singapur | 3 |
| Australia | 5 |
| Corea del Sur | 5 |
| Brunei | 6 |
| Israel | 6 |
| Nueva Zelanda | 6 |
| Taiwán | 7 |
| Chipre | 8 |

## Mayor esperanza de vida

| | años |
|---|---|
| Japón | 81,6 |
| Australia | 79,2 |
| Israel | 79,2 |
| Chipre | 78,3 |
| Nueva Zelanda | 78,3 |
| Singapur | 78,1 |
| Taiwán | 76,7 |
| Kuwait | 76,6 |
| Brunei | 76,3 |
| Emiratos Árabes Unidos | 74,7 |

## Menor esperanza de vida

| | años |
|---|---|
| Afganistán | 43,1 |
| Timor Oriental | 49,5 |
| Laos | 54,5 |
| Myanmar | 57,3 |
| Camboya | 57,4 |
| Papúa-Nueva Guinea | 57,6 |
| Nepal | 59,9 |
| Yemen | 60,0 |
| Kiribati | 60,5 |

## Demografía y pobreza

Laos es uno de los estados más pobres de Asia. Cumple las condiciones demográficas típicas de una situación de escaso desarrollo: alto crecimiento demográfico (2,3%), elevados índices de fecundidad (4,78 hijos por mujer) –en la foto, una madre laosiana con su hija– y de mortalidad infantil (88‰), y una esperanza de vida corta (54,5 años).

Esperanza de vida al nacimiento

1,9 tasa de fecundidad (hijos por mujer)
(media mundial = 2,7)

superior a 72
de 65,4 a 72
media mundial = 65,4
de 60 a 65,4
inferior a 60

# Lenguas y etnias de Asia

A Asia le corresponde un tercio del pastel lingüístico mundial. De los más de 6.700 idiomas que se hablan en el planeta, 2.165 nacieron en este continente, donde el peso de la demografía también se refleja en la cantidad de hablantes. Cincuenta y seis lenguas superan los diez millones. Entre ellas destaca el chino mandarín, que, con 885 millones de hablantes, es el idioma más usado del orbe.

### El huérfano coreano

El coreano, la undécima lengua más hablada del mundo, es un enigma. Pese a que se ha intentado emparentarlo con el japonés o con lenguas altaicas, continúa desconociéndose la filiación de este idioma, utilizado por 78 millones de personas. Repleto de voces chinas, el coreano, clasificado entre las lenguas huérfanas, tiene un alfabeto propio, el hankul *(foto)*.

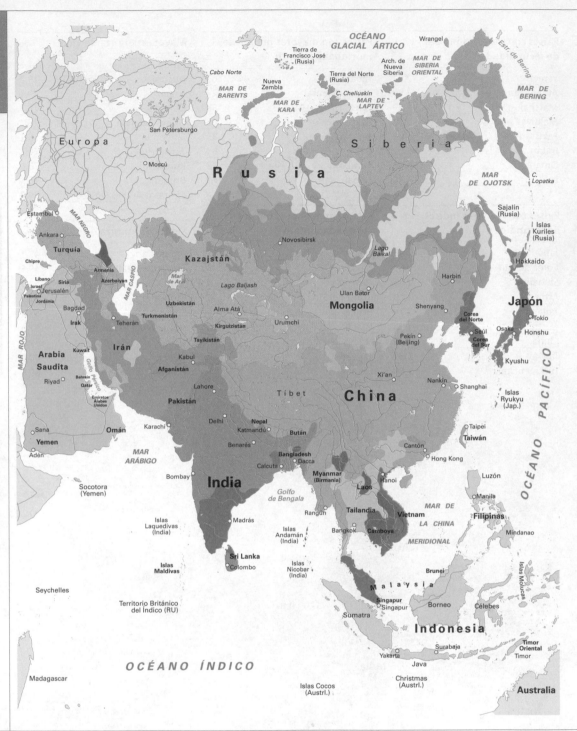

## La mayor diversidad lingüística del mundo, en retroceso

Asia presenta una enorme variedad lingüística. En el continente se hablan 2.165 lenguas pertenecientes a 13 grandes familias lingüísticas –incluidas las de origen desconocido como el japonés, el coreano o el aino– y se utilizan más de 30 alfabetos diferentes. La complejidad lingüística también se ha reflejado en el ámbito político, y así, los límites administrativos de Unión India corresponden a las áreas de influencia de algunos de los 15 idiomas oficiales del país.

Desde hace treinta años se observa en el continente asiático un proceso de asimilación y desaparición de las lenguas minoritarias como consecuencia del creciente proceso de urbanización. Por lo general, los países con mayores índices de población urbana –los estados árabes mediterráneos, las dos Coreas, Japón– registran menor diversidad lingüística que los de población mayoritariamente rural –Afganistán, Pakistán, India, el Sureste asiático o Indonesia–.

### Lenguas más habladas en Asia

| Lengua | hablantes | |
|---|---|---|
| Mandarín | 885.000.000 | (China, Taiwán) |
| Bengalí | 189.000.000 | (Bangladesh, India) |
| Hindi | 182.000.000 | (India, Fiji) |
| Japonés | 125.000.000 | (Japón) |
| Árabe | 95.200.000 | (Arabia Saudita, Siria, Jordania, Líbano, Irak, Kuwait, Bahrein...) |
| Coreano | 78.000.000 | (Corea del Norte, Corea del Sur, China, Japón) |
| Chino wu | 77.175.000 | (China) |
| Javanés | 75.500.800 | (Indonesia) |
| Chino yue | 71.000.000 | (China, Vietnam, Malaysia) |
| Telugu | 69.666.000 | (India, Malaysia, Fiji) |
| Marathi | 68.022.000 | (India, Sri Lanka) |
| Vietnamita | 68.000.000 | (Vietnam) |
| Tamil | 66.000.000 | (India, Sri Lanka, Malaysia, Singapur) |

# Lenguas

### Familia indoeuropea

- clase eslava
- clase irania
- clase indoaria
- armenio

### Lenguas caucásicas

- clase cartvelia

### Familia uraliana

- clase ugria
- clase fino-permia
- clase samoyeda

### Familia altaica

- clase tungús
- clase mongola
- clase turca

- **Lenguas paleo-siberianas**
- **Esquimal-aleutiano**
- **Coreano**
- **Burisho**
- **Andamano**
- **Aino**
- **Japonés**
- **Keta**

### Familia chino-tibetana

- clase china
- clase tai
- clase mia-yao
- clase tibeto-birmana
- clase vietnamita

- **Familia mon-jemer**
- **Munda**
- **Familia dravídica**

### Familia malayo-polinésica

- clase indonesia
- clase filipina

- **Otras lenguas indonesias**

### Familia camito-semítica

- clase semítica

## Estandarización

Desde la independencia, los estados asiáticos promueven la estandarización lingüística con fines políticos. Indonesia creó el bahasa para dotar de un idioma común a una de las zonas con más lenguas del planeta, intensificar el sentimiento nacional y reducir las tensiones secesionistas. La guerra contra Israel proporcionó a los países árabes conciencia de su unidad. Por ello, en las escuelas se enseña el árabe estándar frente a las multiples variantes locales.

🜂 Diario indonesio escrito en bahasa

# Asia, el crisol más antiguo de las tres razas

Asia es desde la Antigüedad el continente con mayor variedad racial. En él se hallan representantes de las tres razas. La amarilla y la blanca son las dominantes. La más extendida es la mongólica, que ocupa la mitad oriental, el centro y el extremo norte. La población caucasoide se extiende desde la vertiente sur del Himalaya hacia el oeste. En el Asia meridional se encuentran grupos de raza negra, que, de origen australoide o africano, se mezclaron con las otras dos razas. Resultado del cruce entre negros y blancos son las poblaciones dravídicas de la India. La mezcla entre negros y mongoles ha dado origen a las etnias submongólicas del sureste asiático e indonesias. A pesar de ello, los veddas de Sri Lanka, los pigmeos de las islas de Andamán y los negritos o aeta de Filipinas son considerados miembros puros de las razas negras asiáticas. Por su parte, los pueblos del Asia central son producto de los contactos interraciales entre las razas europeoides y mongoloides.

**Los blancos del Japón** Los ainos constituyen una de las mayores singularidades antropológicas del continente asiático. Pueblo siberiano de raza blanca, están considerados como los primeros habitantes de las islas del Japón. Actualmente arrinconados en la de Hokkaido, las características originales de este grupo –rasgos europeos y vellosidad– se han difuminado tras siglos de contacto con los mongoles nipones. Apenas una quincena de personas habla la lengua de este extraño pueblo, de ritos chamánicos.

🜂 Tipo aino, en una fotografía de 1902

# Las 'mujeres jirafa'

Aunque apenas quedará un centenar de "mujeres jirafa" *(foto)*, subsiste entre la etnia kayan, de Myanmar, la costumbre de estirar los cuellos femeninos mediante pesados collares de bronce en espiral. Signo de identidad de la tribu, es la última deformación corporal estética y social vigente en Asia desde que China prohibiera la atrofia de los pies de las mujeres.

# Concentración racial

La mongólica es la mayor raza del mundo y la más característica del continente asiático, a pesar de que el 90% de sus más de 1.300 millones de representantes se concentra en el tercio oriental de Asia.

## Grupos étnicos

### Caucasoides

- aino
- urálico
- iranio
- anatolio
- indio septentrional
- indio meridional

### Mixto caucasoides/mongoloides

- turanio
- indonesio

### Mongoloides

- siberiano
- turco-tártaro
- tibetano
- tungús
- oriental
- calmuco
- • vedoides
- • pigmoides

## Etnias

*(mapa de Asia)*

OCÉANO GLACIAL ÁRTICO
Wrangel
Cabo Norte
Tierra de Francisco José
Tierra del Norte
Arch. de Nueva Siberia
C. Cheliuskin
Estr. de Bering
Nueva Zembla
MAR DE BERING
Europa
San Petersburgo
Siberia
Moscú
MAR DE OJOTSK
Estambul
MAR NEGRO
Islas Kuriles
Ankara
Novosibirsk
Lago Baikal
Sajalín
Chipre
MAR CASPIO
Jerusalén
MAR de Aral
Lago Baljash
Harbin
Bagdad
Teherán
Alma Atá
Ulan Bator
Shenyang
Japón
Kabul
Urumchi
Pekín (Beijing)
Seúl
Tokio
Osaka
Riyad
G. Pérsico
Lahore
Xi'an
Nankín
Shanghai
Islas Ryukyu
MAR ROJO
Arabia
Karachi
Delhi
Tíbet
Katmandú
Cantón
Taipei
Formosa
Sana
Benarés
Dacca
Hong Kong
Luzón
Adén
MAR ARÁBIGO
Bombay
Calcuta
Hanoi
Manila
Filipinas
OCÉANO PACÍFICO
Socotora
Golfo de Bengala
Rangún
Mindanao
Madrás
MAR DE LA CHINA MERIDIONAL
Bangkok
Islas Laquedivas
Islas Andamán
Colombo
Islas Nicobar
Is. Molucas
Seychelles
Ceilán
Islas Maldivas
Islas Chagos
Singapur
Borneo
Célebes
Diego Garcia
Sumatra
Timor
Surabaja
Madagascar
Yakarta
Java
Christmas
OCÉANO ÍNDICO
Islas Cocos
Australia

# Lenguas y etnias de Oceanía

Pese a la uniformidad cultural emprendida por la población de origen europeo, el más pequeño de los continentes del planeta todavía es hoy un mundo complejo. Al abigarramiento racial que define al territorio insular del Pacífico hay que sumar la extraordinaria diversidad lingüística de las lenguas nativas, habladas en infinidad de casos por colectivos inferiores al centenar de personas. Cinco grupos raciales –uno de ellos, el australiano, clasificado entre los más primitivos del mundo– y más de 1.300 lenguas lo confirman.

## Cinco razas en el más pequeño de los continentes

Oceanía está habitada por cinco grandes grupos nativos: australianos, papúes, melanesios, polinesios y micronesios. Los tres primeros son de piel oscura y los otros, de rasgos mongólicos. Los micronesios son una mezcla de melanesios-papúes y polinesios. El grupo más antiguo y uniforme es el australiano, emparentado con los veddas de Sri Lanka, al norte, y con los desaparecidos tasmanios, al sur.

Las razas melanésicas son producto del entrecruzamiento de negritos, malayos, polinesios y australianos. Predomina la morfología melanoide o de piel oscura. Los papúas de Papúa-Nueva Guinea, los pigmeos de las islas Salomón y los kanakos de Nueva Caledonia pertenecen a esta categoría. Los fijianos constituyen el ejemplo más característico del grupo micronesio.

Los polinesios derivan de papúes y malayos. A diferencia de los anteriores, el rasgo dominante es el mongoloide. Algunos componentes son los maoríes de Nueva Zelanda, los tonganos, los samoanos o los hawaianos.

⊙ Matrimonio samoano, en una fotografía de principios del siglo XX

## Primitivos australianos

En la actualidad, los aborígenes australianos son 170.000 individuos, el triple de los que subsistían a principios del siglo XX, pero lejos aún de los 350.000 existentes en el siglo XVIII, cuando empezó la colonización británica. Arrinconados en reservas desde 1920, entre las tribus más numerosas destacan las de la costa del Territorio del Norte, los pitjandjara del centro del país y los njangamarda al oeste. De las más de 250 lenguas diferentes habladas por los aborígenes, 31 han desaparecido.

⊙ Aborigen njangamarda

**Tribus aborígenes australianas**

- territorios aborígenes a principios del siglo XX
- territorios reclamados por los nativos
- enclaves rituales

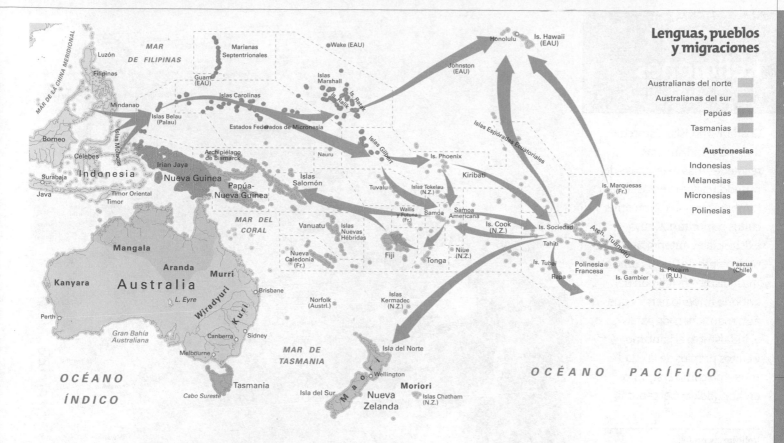

**Lenguas, pueblos y migraciones**

Australianas del norte
Australianas del sur
Papúas
Tasmanias

**Austronesias**

Indonesias
Melanesias
Micronesias
Polinesias

## La amenazante pérdida del aislamiento protector

La insularidad ha favorecido durante siglos la existencia de más de 1.300 lenguas diferentes procedentes de nueve familias lingüísticas entre las que destacan la austronesia (malayo-polinesia), la trans-nueva guinea, la sepik-ramu y la australiana. El territorio de Papúa-Nueva Guinea muestra la mayor diversidad lingüística del mundo con 823 lenguas diferentes.

A pesar de la enorme variedad lingüística, las lenguas indígenas o atraviesan un momento de profunda crisis. Sólo el samoano, el fijiano, el enga, el melpa, el tongano y el tahitiano consiguen superar los 100.000 hablantes. Hasta el siglo XX, el aislamiento contribuía a la buena salud de las lenguas locales. Sin embargo, la inmigración y las comunicaciones, en manos de las lenguas dominantes –especialmente el inglés–, están arrinconando a los idiomas nativos. Está previsto que para 2010 hayan desaparecido 157; de ellos, 138 en Australia. Los maoríes de Nueva Zelanda han creado guarderías llamadas *kohanga reo*, o nidos del lenguaje, donde los niños pasan el día con personas adultas que hablan con fluidez el maorí.

## Un océano de voces extranjeras

Oceanía puede considerarse la última frontera, al menos en el plano lingüístico. Lo demuestra el hecho de que la lengua predominante sea el inglés, considerado como idioma oficial en todos los estados soberanos del continente y base del tok pisin y el bislama, las lenguas de relación indígenas con más hablantes en Oceanía.

Por otra parte, el hecho de que el italiano, el hindi fijiano, el árabe y el chino mandarín figuren entre las lenguas más habladas del continente da idea del extraordinario peso que han tenido las corrientes migratorias en la actual composición humana de Oceanía. El caso del francés es diferente, ya que su uso es fruto de la presencia colonial,

### Lenguas más habladas en Oceanía

| Lengua | hablantes | |
|---|---|---|
| Inglés | 22.831.000 | (Australia, Nueva Zelanda, Micronesia, Kiribati, Marshall ...) |
| Tok pisin | 2.000.000 | (Papúa-Nueva Guinea) |
| Italiano | 500.000 | (Australia) |
| Samoano | 426.000 | (Samoa) |
| Hindi fijiano | 380.000 | (Fiji) |
| Fijiano | 350.000 | (Fiji) |
| Francés | 276.000 | (Nueva Caledonia, Polinesia Francesa, Vanuatu) |
| Árabe | 250.000 | (Australia) |
| Chino mandarín | 190.000 | (Australia) |
| Enga | 164.000 | (Papúa-Nueva Guinea) |
| Alemán | 135.000 | (Australia) |
| Melpa | 130.000 | (Papúa-Nueva Guinea) |
| Bislama | 128.000 | (Vanuatu, Nueva Caledonia)) |
| Tongano | 123.000 | (Tonga) |
| Tahitiano | 117.000 | (Polinesia Francesa) |
| Griego | 107.000 | (Australia) |
| Kuman | 80.000 | (Papúa-Nueva Guinea) |
| Chamorro | 78.600 | (Guam) |
| Maorí | 70.000 | (Nueva Zelanda) |

⬥ Guerreros papúes

# Religiones

Cristianismo, islamismo, hinduismo y budismo, las religiones más extendidas del mundo, nacieron en Asia. Pero también allí florecieron otros cultos minoritarios, cuya existencia es anterior al nacimiento de Cristo, como el mazdeísmo –la religión del antiguo imperio persa y que aún mantienen los parsis–, el judaísmo o el jainismo, y cultos propios de la edad moderna como el sijismo el chongdokyo o el cao dai.

## Religiones en Asia

| | |
|---|---|
| Islamismo | 897.000.000 |
| Hinduismo | 876.000.000 |
| Budismo | 391.000.000 |
| Confucianismo* | 326.000.000 |
| Cristianismo | 179.000.000 |
| Sintoísmo** | 106.000.000 |
| Sijismo | 22.000.000 |
| Judaísmo | 5.000.000 |
| Chongodyo | 4.000.000 |

*Cifras estimadas, sin datos oficiales.*
*** El 70% de los sintoístas se declara también budista.*

## Sincretismo y chamanismo

El culto nacional del Japón, el sintoísmo, es un destacado ejemplo de sincretismo religioso. Mezcla de taoísmo, budismo, culto a los antepasados y chamanismo, la devoción por los parajes singularmente bellos *(en la foto, santuario en el interior del tocón de Wilson en la isla de Yakushima, Patrimonio de la Humanidad)* es un legado evidente de estas últimas prácticas religiosas, devotas de las fuerzas naturales.

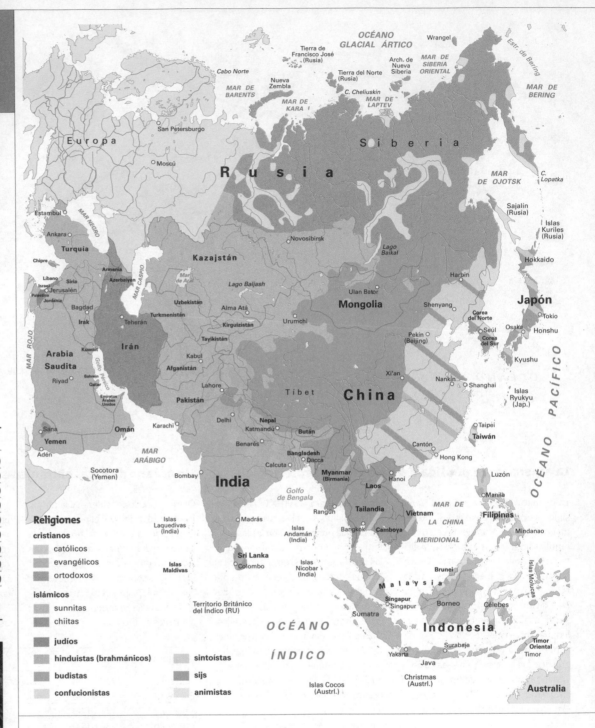

### Religiones

**cristianos**
- católicos
- evangélicos
- ortodoxos

**islámicos**
- sunnitas
- chiitas

- judíos
- hinduistas (brahmánicos)
- budistas
- confucionistas
- sintoístas
- sijs
- animistas

## Religiones y credos del Asia oriental con más de mil años de existencia

El siglo VI a.C. es clave en la historia de la religiosidad en Asia; aparecieron el taoísmo y el confucianismo en China, y el jainismo y el budismo, en India. A pesar del enfrentamiento entre budismo y taoísmo en China, las coincidencias, sobre todo en las cuestiones morales, acabaron favoreciendo el sincretismo que define a las religiones del Asia oriental. Lo demuestran la influencia del *Tao* sobre el budismo zen o que se atribuyan a Lao Tsé varias reencarnaciones, entre ellas la del propio Buda. El taoísmo y el confucianismo –credo tradicional chino– sufrieron un enorme retroceso durante la revolución maoísta. Por su parte, el budismo fracasó en India, su tierra de origen –en las últimas décadas ha adquirido un nuevo empuje, especialmente entre los intocables; de 600.000 fieles, se ha pasado a cinco millones–, y enraizó, con mayor o menor fortuna, en Nepal, Bután, China, Indochina, Sri Lanka, Corea y Japón *(en la foto, monjes budistas en Nepal)*. Tailandia y Birmania son los países budistas por excelencia. La rigidez del jainismo nunca le ha permitido convertirse en una religión mayoritaria; actualmente sus seguidores suman en India unos dos millones.

## Asia islámica

La difusión del islam en Asia se produjo en tres oleadas, precedidas siempre de triunfos militares y políticos. En la primera – siglos VI y VII– se extendió por Arabia, Palestina, Mesopotamia y la meseta iraní, para penetrar después por el Asia central; en la segunda –siglos XII y XIII–, India y Asia Menor; y, en la tercera –siglos XIV y XV– se extendió por Insulindia y Filipinas.

Religión de origen nómada y urbano, el islam tuvo un éxito inmediato entre los pueblos de Asia central. Por el contrario, en las sociedades agrarias de India e Insulindia topó con mayores dificultades a pesar de tener un campo abonado para las conversiones en el rígido sistema de castas hinduista. Se calcula que en el siglo XIV, un cuarto de la población de India era islámica y residía en grandes ciudades, como Calcuta y Delhi. La arquitectura y el urbanismo son algunos de los legados del dominio musulmán de India.

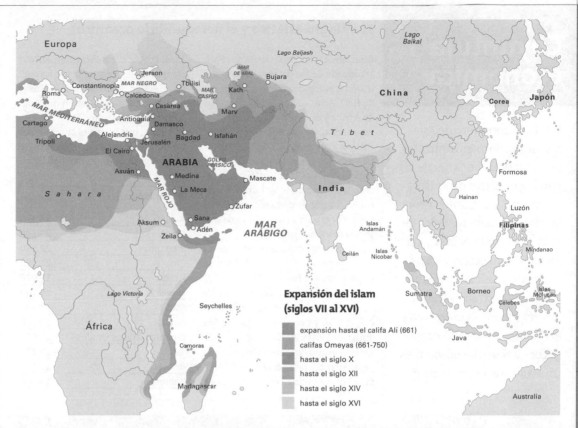

**Expansión del islam (siglos VII al XVI)**

- expansión hasta el califa Alí (661)
- califas Omeyas (661-750)
- hasta el siglo X
- hasta el siglo XII
- hasta el siglo XIV
- hasta el siglo XVI

## Politeísmo oriental

Bajo el nombre de hinduismo, los europeos agruparon las corrientes religiosas tradicionales de India. Éstas forman el credo politeísta más extendido y antiguo del mundo –800 millones de personas–, a pesar de que el culto al "orden universal", representado por Brahma, Siva o Visnú, se practique casi exclusivamente en la península indostaní *(en la foto, templo de Angkor Vat, en Camboya, consagrado a Visnú)*. Pese a la abundancia de dioses, el cuerpo doctrinal del hinduismo, recogido entre los años 2000 y 600 a.C. en los textos sagrados de los *Veda* y los *Upanisad*, establecen una religión fatalista, basada en un inamovible orden universal y social. El budismo, el jainismo, el taoísmo, el confucianismo y el sintoísmo son también grandes religiones asiáticas que aceptan el politeísmo

## Monoteísmo universal

Si la mitad oriental y agrícola de Asia es politeísta, la occidental es la cuna de los monoteísmos más extendidos del planeta: judaísmo, cristianismo e islamismo. Pero, mientras el primero se ha convertido en una religión nacional, cristianismo e islamismo, sus herederos, comparten vocación de universalidad. De todos modos, su éxito en Asia ha sido desigual. Pese a su origen oriental, el cristianismo es considerado como un credo occidental. De hecho, sólo las Filipinas son cristianas, como consecuencia de la influencia española. Por el contrario, los propagadores del islam fueron asiáticos. Además, el mahometismo ha inspirado nuevos monoteísmos, como el sijismo punjabí.

○ Fieles musulmanes pakistaníes se disponen a rezar la oración del viernes

**Origen de las principales religiones**

- ✸ fundación
- ■ principales ramas
- —— imperio de Alejandro Magno
- imperio parto (zoroástrico)
- imperio romano
- imperio Maurya (hinduista)
- imperio Han (confuciano)

# Coyuntura económica

El tejido económico de Asia presenta enormes contrastes: por un lado, la bonanza de los países petroleros o industrializados, puesta a prueba por la crisis financiera asiática de 1997; por otro, la pobreza y la inestabilidad económica de la mayoría de los estados de la región. Australia y Nueva Zelanda, puentes entre Asia y el Pacífico, son los únicos países oceánicos que no viven en un estado de perenne crisis.

## El milagro asiático y el desequilibrio oceánico

En contra de las previsiones del FMI, la mayoría de los países asiáticos sortearon con rapidez la crisis financiera de 1997. Asia, ajena a la desaceleración de África y al estancamiento de Latinoamérica, vio crecer en conjunto su PBI por habitante (4,3% en 2001). Las dos grandes economías de la región, India y China –que ha recuperado la próspera Hong Kong–, lograron un índice de crecimiento del 4%, y el 8,8%, gracias a sus políticas de apoyo a la demanda interna.

Japón sigue amenazado por la sombra de la recesión, pero su volumen de exportaciones fue en 1999 un 30% superior al de 1994. En el sureste asiático, Vietnam también sufrió la desaceleración y creció tan sólo un 6% anual en 1990 y 2001.

En el Cercano Oriente, el incremento del precio del petróleo en el 2000 alivió el retroceso de las economías de Turquía, Arabia Saudita y Kuwait. Más complicado es el panorama de las antiguas repúblicas asiáticas de la Unión Soviética, cuyo PBI sufren un continuado decrecimiento.

Australia, que ocupa el cuarto lugar mundial en el ranking IDH, se erige como el gigante económico del depauperado continente oceánico. Además de Australia, sólo Nueva Zelanda, Palau y Samoa superan la media mundial de 5.133 dólares por habitante. En general, los territorios dependientes de Estados Unidos y Francia poseen mayor solidez económica que los pequeños estados independientes.

| PBI por habitante | dólares |
|---|---|
| Australia | 25.370 |
| Japón | 25.130 |
| Singapur | 22.680 |
| Chipre | 21.090 |
| Israel | 19.970 |
| Nueva Zelanda | 19.160 |
| Qatar | 18.789 |
| Kuwait | 18.700 |
| Emiratos Árabes Unidos | 17.935 |
| Taiwán | 17.275 |
| Brunei | 16.779 |
| Bahrein | 16.060 |

| IDH | |
|---|---|
| Australia | 0,939 |
| Japón | 0,932 |
| Nueva Zelanda | 0,917 |
| Israel | 0,905 |
| Chipre | 0,891 |
| Singapur | 0,884 |
| Corea del Sur | 0,879 |
| Brunei | 0,872 |
| Bahrein | 0,839 |
| Qatar | 0,826 |
| Kuwait | 0,820 |
| Emiratos Árabes Unidos | 0,816 |

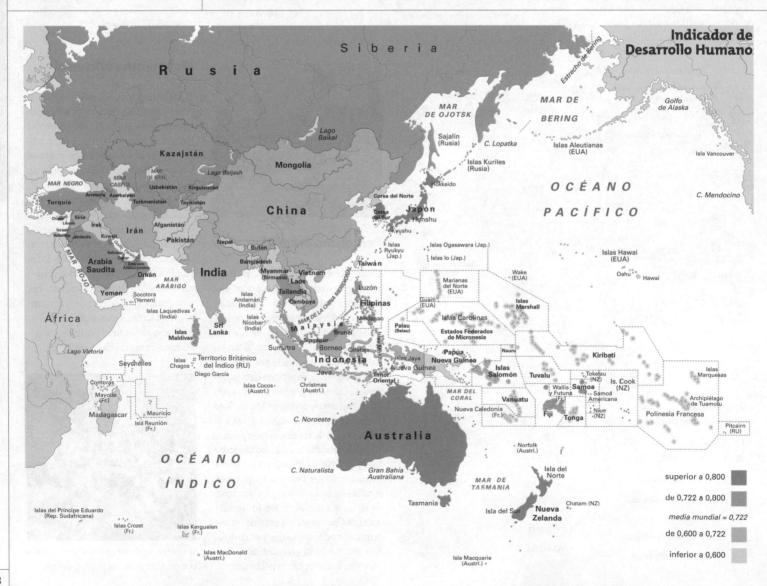

### Indicador de Desarrollo Humano

- superior a 0,800
- de 0,722 a 0,800
- *media mundial = 0,722*
- de 0,600 a 0,722
- inferior a 0,600

## Los más pobres

Los países más pobres de Asia y Oceanía son Timor Oriental y Kiribati: su PBI por habitante se sitúa, respectivamente, en 553 y 940 dólares.

Las perspectivas tampoco son halagüeñas para Yemen, Myanmar y Tuvalu –que apenas rondan los 1.000 dólares– y, sobre todo, Afganistán (910 dólares), destruido por más de dos décadas de guerra (1980-2002).

◑ Carnicería callejera en Yemen

| Deuda externa 2001 | Millones dólares |
|---|---|
| China | 170.110 |
| Indonesia | 135.704 |
| Irak | 120.000 |
| Turquía | 115.118 |
| Corea del Sur | 110.109 |
| India | 97.320 |
| Tailandia | 67.384 |
| Filipinas | 52.356 |
| Malaysia | 43.351 |
| Israel | 42.800 |
| Taiwán | 40.000 |
| Pakistán | 32.020 |
| Arabia Saudita | 23.800 |
| Siria | 21.305 |
| Kazajstán | 17.077 |
| Bangladesh | 15.216 |
| Qatar | 13.100 |
| Emiratos Árabes Unidos | 12.600 |
| Vietnam | 12.578 |
| Líbano | 12.450 |
| Corea del Norte | 12.000 |
| Sri Lanka | 8.529 |
| Singapur | 8.300 |

| Crecimiento del Producto Bruto Interno entre 1991 y 2001 | |
|---|---|
| China | 9,9% |
| Kuwait | 9,6% |
| Myanmar | 8,2% |
| Qatar | 7,3% |
| Maldivas | 7,1% |
| Vietnam | 7,1% |
| Singapur | 6,7% |
| Laos | 6,3% |
| Bután | 6,3% |
| Malaysia | 6,1% |
| India | 5,8% |
| Yemen | 5,7% |
| Camboya | 5,6% |
| Corea del Sur | 5,6% |
| Siria | 5,4% |
| Taiwán | 5,4% |
| Jordania | 5,1% |
| Bangladesh | 5,0% |
| Bahrein | 4,9% |
| Nepal | 4,8% |
| Omán | 4,7% |
| Chipre | 4,6% |

## Los "tigres asiáticos"

Corea del Sur, Taiwán, Hong Kong y Singapur, algunos de los llamados *tigres asiáticos*, desoyeron las directrices del FMI y practicaron el intervencionismo estatal desde 1998 para sanear sus empresas. Su éxito fue rotundo: la producción se incrementó y sus PBI crecieron un 6,5% en el 2001 y un 8% anual de media en las últimas tres décadas.

◑ Fábrica de televisores en Singapur

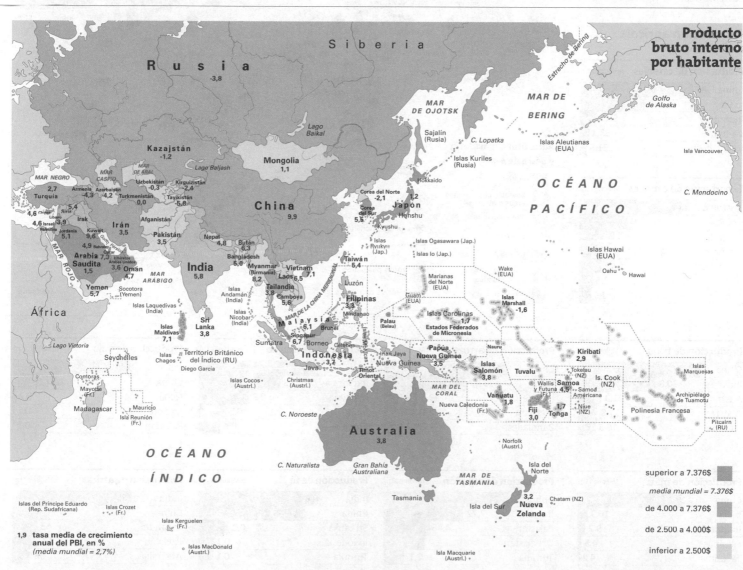

# Agricultura, ganadería y pesca

El sector primario tiene un gran peso en la economía asiática. La producción agrícola es fundamental para el consumo interno y las exportaciones –cereales y recursos forestales–. La ganadería reúne en Asia y Oceanía a cuatro grandes potencias mundiales: India, China, Australia y Nueva Zelanda. Por otra parte, el consumo de pescado está muy extendido entre la población de ambos continentes.

## Producción agrícola

### Producción de cereales — Millones tm

| | |
|---|---|
| China | 457 |
| India | 230 |
| Indonesia | 58,7 |
| Vietnam | 33,1 |
| Bangladesh | 31,8 |

### Exportación de cereales — Millones tm

| | |
|---|---|
| Australia | 20 |
| China | 9 |
| Tailandia | 6,5 |
| Vietnam | 4,6 |
| Kazajstán | 4,1 |
| India | 2,6 |
| Turquía | 2,5 |

**Agricultura, ganadería y pesca de Asia**

- cultivos
- pastos con pequeñas áreas cultivadas
- selva, bosque
- estepas
- tundra
- regiones improductivas
- desierto
- ganado ovino
- ganado porcino
- ganado bovino
- zonas pesqueras importantes
- puertos pesqueros

### Producción de trigo — Millones tm

| | |
|---|---|
| China | 114,4 |
| India | 70,8 |
| Australia | 21,3 |
| Pakistán | 17,8 |
| Turquía | 16,5 |

### Producción de maíz — Millones tm

| | |
|---|---|
| China | 126,2 |
| India | 10,5 |
| Indonesia | 9,2 |
| Filipinas | 4,5 |
| Tailandia | 4,2 |

### Producción de arroz — Millones tm

| | |
|---|---|
| China | 200,5 |
| India | 131,2 |
| Indonesia | 49,5 |
| Vietnam | 31,4 |
| Bangladesh | 29,9 |

### Producción de algodón — Millones tm

| | |
|---|---|
| China | 12 |
| India | 7,72 |
| Pakistán | 4,48 |
| Uzbekistán | 4 |
| Turquía | 2,1 |

### Producción de caucho — Millones tm

| | |
|---|---|
| Tailandia | 2,2 |
| Indonesia | 1,5 |
| Malaysia | 0,9 |
| India | 0,5 |
| China | 0,4 |

### Producción de té — Millones tm

| | |
|---|---|
| India | 0,8 |
| China | 0,7 |
| Sri Lanka | 0,2 |
| Indonesia | 0,1 |
| Turquía | 0,1 |

### Producción de mijo — Millones tm

| | |
|---|---|
| India | 8,4 |
| China | 2,3 |
| Nepal | 0,2 |
| Myanmar | 0,1 |
| Pakistán | 0,1 |

### Producción de azúcar — Millones tm

| | |
|---|---|
| India | 265 |
| China | 79 |
| Tailandia | 53 |
| Pakistán | 53 |
| Australia | 38 |

## Superficie agrícola

Miles de hectáreas

| | |
|---|---|
| China | 535,3 |
| Australia | 453,7 |
| Kazajstán | 212,6 |
| India | 180,7 |
| Arabia Saudita | 173,7 |
| Mongolia | 118,4 |
| Irán | 63,2 |
| Indonesia | 42,1 |
| Turquía | 39 |
| Turkmenistán | 32,3 |
| Uzbekistán | 27,6 |
| Pakistán | 26,8 |
| Tailandia | 18,8 |

## Producción por especies

Cabezas

| | |
|---|---|
| Gallinas y pollos | 6.831.731.000 |
| Cerdos | 530.170.340 |
| Ovino | 564.159.406 |
| Vacuno | 501.163.375 |
| Caprino | 446.653.320 |

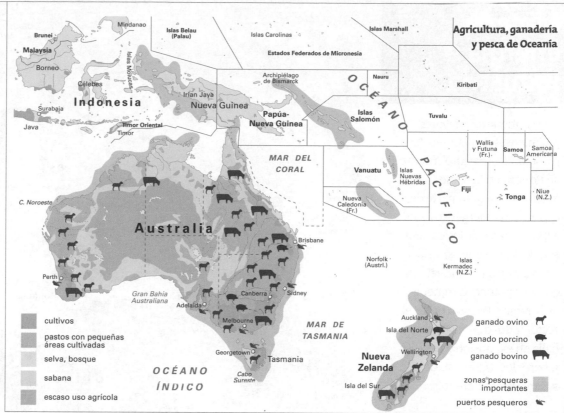

**Agricultura, ganadería y pesca de Oceanía**

Leyenda:
- cultivos
- pastos con pequeñas áreas cultivadas
- selva, bosque
- sabana
- escaso uso agrícola
- ganado ovino
- ganado porcino
- ganado bovino
- zonas pesqueras importantes
- puertos pesqueros

## Producción carne de cerdo

Millones tm

| | |
|---|---|
| China | 39,8 |
| Australia | 1,3 |
| Nueva Zelanda | 1,2 |
| Turquía | 0,9 |
| Irán | 0,9 |

## Producción de vacuno

Millones tm

| | |
|---|---|
| China | 4,7 |
| Australia | 2 |
| India | 1,4 |
| Nueva Zelanda | 0,5 |
| Japón | 0,5 |

## Producción de ovino

Miles tm

| | |
|---|---|
| China | 1.335 |
| Australia | 628 |
| Nueva Zelanda | 517 |
| Turquía | 313 |
| Irán | 293 |

## Producción de pescado

Millones tm

| | |
|---|---|
| China | 36,3 |
| Japón | 6,6 |
| India | 5,3 |
| Indonesia | 4,4 |
| Tailandia | 3,4 |

## Producción de lana

Miles tm

| | |
|---|---|
| Australia | 67,3 |
| China | 28,3 |
| Nueva Zelanda | 25,2 |
| Irán | 7,3 |
| India | 4,6 |

## Producción de leche

Millones tm

| | |
|---|---|
| India | 76,8 |
| Pakistán | 25,5 |
| China | 11 |
| Nueva Zelanda | 10,8 |
| Australia | 10,4 |

## Producción de huevos

Millones tm

| | |
|---|---|
| China | 18,5 |
| Japón | 2,5 |
| India | 1,7 |
| Australia | 0,9 |
| Turquía | 0,6 |

## Producción de seda

Miles tm

| | |
|---|---|
| China | 70,2 |
| India | 13,9 |
| Turkmenistán | 5 |
| Tailandia | 1 |
| Uzbekistán | 0,9 |

## Consumo

### Pescado

kcal/persona/día

| | |
|---|---|
| Maldivas | 309,7 |
| Japón | 178,9 |
| Kiribati | 134,8 |
| Corea del Sur | 91,7 |

### Carne

kcal/persona/día

| | |
|---|---|
| Mongolia | 550 |
| Chipre | 508 |
| Nueva Zelanda | 494,7 |
| Australia | 460,6 |

## Panorama general del sector primario en Asia y Oceanía

Apenas un tercio del suelo asiático resulta apropiado para el desarrollo de la agricultura. El arroz es el alimento básico del sur, sureste y este de Asia. En estas regiones, la agricultura se localiza en las llanuras aluviales y el uso de tecnologías anticuadas implica cultivos de subsistencia y una fuerte dependencia de los cereales.

Un caso aparte son India, Pakistán y Japón, que al tecnificar su producción agrícola han alcanzado notables rendimientos, y China, cuya agricultura intensiva arroja unos resultados descomunales. En Oceanía los cultivos se destinan al consumo interno y las exportaciones se reducen a aceite de copra y frutas tropicales. Australia lidera la exportación de cereales gracias a su excelente producción de trigo.

○ Descarga de atunes en Honshu, Japón

Las ganaderías asiática y oceánica tienen un enorme peso y arrojan datos abrumadores: las cabañas porcina, vacuna, ovina y de aves de corral de Asia y Oceanía triplican las de Europa; China es el primer productor mundial de huevos (37% del total) y Australia y Nueva Zelanda producen el 42,5% de la lana mundial.

En cuanto a la pesca, Japón, que aún practica la caza de ballenas, es el primer país pesquero del mundo, aunque China le supera en producción de pescado y piscicultura. La industria pesquera también es notable en India, Tailandia, Indonesia y Filipinas.

# Minería, energía e industria

Asia contiene los mayores yacimientos de petróleo del planeta. El "oro negro", fuente de riqueza en Cercano Oriente, determina gran parte de los recursos energéticos y las exportaciones de los países asiáticos y oceánicos, incluidos Australia y China, las grandes potencias mineras de la región. Por otra parte, el sector industrial asiático se halla en expansión y tiene en Japón y los "tigres asiáticos" a sus mayores referentes.

## Exportación de minerales y metales
*% sobre el total de las exportaciones*

| País | % |
|------|-----|
| Mongolia | 59,9 |
| Laos | 36,1 |
| EAU | 35 |
| Kazajstán | 27 |
| Armenia | 26 |
| Jordania | 24,3 |

## Producción de oro
*miles de kilos*

|  | |
|------|-----|
| Australia | 312 |
| China | 178 |
| Indonesia | 105 |
| Uzbekistán | 80 |
| Filipinas | 25 |
| Corea del Sur | 22,8 |

## Producción de hierro
*millones tm*

|  | |
|------|-----|
| Australia | 96,2 |
| China | 63 |
| India | 48 |
| Irán | 6,3 |
| Kazajstán | 5,1 |
| Corea del Norte | 4,7 |

## Producción de estaño
*miles de tm*

|  | |
|------|-----|
| China | 79 |
| Indonesia | 40 |
| Australia | 10,2 |
| Malasia | 5,7 |
| Vietnam | 4,5 |
| Laos | 0,9 |
| Tailandia | 0,7 |

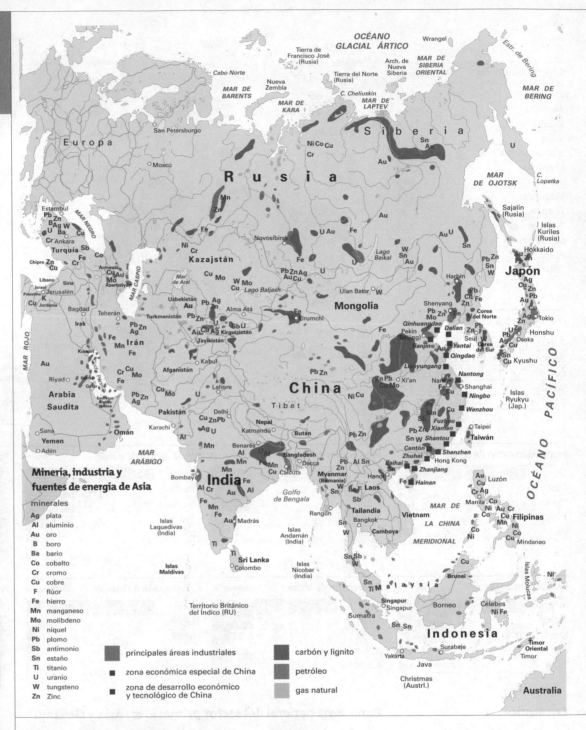

**Minería, industria y fuentes de energía de Asia**

minerales

| | |
|---|---|
| Ag | plata |
| Al | aluminio |
| Au | oro |
| B | boro |
| Ba | bario |
| Co | cobalto |
| Cr | cromo |
| Cu | cobre |
| F | flúor |
| Fe | hierro |
| Mn | manganeso |
| Mo | molibdeno |
| Ni | níquel |
| Pb | plomo |
| Sb | antimonio |
| Sn | estaño |
| Ti | titanio |
| U | uranio |
| W | tungsteno |
| Zn | zinc |

- principales áreas industriales
- zona económica especial de China
- zona de desarrollo económico y tecnológico de China
- carbón y lignito
- petróleo
- gas natural

## Producción de minerales y recursos energéticos

La producción de minerales en Asia es muy rica. En este sentido, uno de los países más favorecidos es China, que atesora hierro, plomo, zinc, antimonio, manganeso, estaño, tungsteno y grandes yacimientos de carbón –mineral que también abunda en India, Irán y Turquía–.

Por su parte, Indonesia es un gran productor mundial de estaño; India, de hierro; Japón, de platino y cadmio; y Kazajstán, de cromo.

En Oceanía, Australia se erige como una de las grandes potencias mine-ras mundiales, con enormes volúmenes de titanio, bauxita, diamantes, oro, plata, níquel, hierro, manganeso, uranio, plomo, zinc...

En cuanto a la producción energética, los recursos se diversifican por países: India y China se encomiendan mayoritariamente al carbón y al petróleo –centrales térmicas– y Japón, a la energía nuclear y al petróleo –este último, recurso básico en el sureste asiático, Cercano Oriente y Australia–.

China, además, tiene veinte grandes centrales hidroeléctricas y decenas de miles de centrales menores y está construyendo la gigantesca presa de las Tres Gargantas.

⊙ Fundición de acero en Wuhan, China

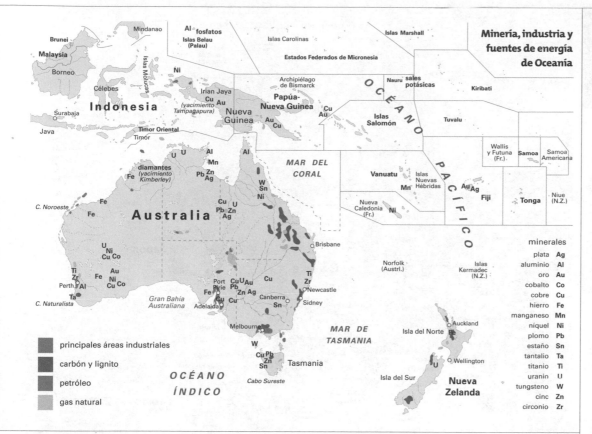

Minería, industria y
fuentes de energía
de Oceanía

**minerales**

| | |
|---|---|
| plata | **Ag** |
| aluminio | **Al** |
| oro | **Au** |
| cobalto | **Co** |
| cobre | **Cu** |
| hierro | **Fe** |
| manganeso | **Mn** |
| níquel | **Ni** |
| plomo | **Pb** |
| estaño | **Sn** |
| tantalio | **Ta** |
| titanio | **Ti** |
| uranio | **U** |
| tungsteno | **W** |
| cinc | **Zn** |
| circonio | **Zr** |

| | |
|---|---|
| ■ | principales áreas industriales |
| ■ | carbón y lignito |
| ■ | petróleo |
| ■ | gas natural |

## Exportación de combustibles

% del total de exportaciones

| | |
|---|---|
| Irak | 99,1% |
| Brunei | 98,7% |
| Yemen | 95,3% |
| Kuwait | 95,1% |
| Irán | 93,2% |
| Arabia Saudita | 89,5% |

## Producción de gas natural

millones m³

| | |
|---|---|
| Indonesia | 63.000 |
| Uzbekistán | 55.000 |
| Irán | 50.000 |
| Arabia Saudita | 47.000 |
| Malaysia | 41.000 |

## Producción de petróleo

(mill. barriles/año)

| | |
|---|---|
| Arabia Saudita | 3.064 |
| Irán | 1.327,2 |
| Emiratos Árabes | 856,6 |
| Irak | 785,3 |
| Kuwait | 7 61,6 |

## Uso de combustibles tradicionales

(% sobre el total de la energía térmica)

| | |
|---|---|
| Nepal | 90,9% |
| Camboya | 89,3% |
| Laos | 86,5% |
| Bután | 76,5% |
| Afganistán | 75,6% |
| Myanmar | 63,9% |
| Papúa-Nueva Guinea | 62,5% |

## El futuro del sector industrial

En el 2000, el sector industrial creció un 8,4% en el sureste de Asia. Las industrias manufactureras de la región emplean mano de obra barata y gozan de impuestos especiales –industrias textiles y electrónicas de Corea del Sur y Taiwán–. Japón sigue siendo uno de los países más industrializados del mundo, aunque sus perspectivas de crecimiento son superadas por los "tigres asiáticos". En otros órdenes, la industria india padece la escasez de energía; en China, la contribución de la industria pesada al PBI subió un 10% entre 1965 y 1999; y en Australia, el futuro del sector está asegurado con las industrias metalúrgica y textil.

### Aportación de la industria al PBI

| | |
|---|---|
| Emiratos Árabes Unidos | 57,5% |
| Omán | 53,5% |
| Yemen | 48,8% |
| China | 48,7% |
| (...) | |
| Camboya | 14,8% |
| Vanuatu | 12,2% |
| Tonga | 11,5% |
| Myanmar | 9% |

## Energía eléctrica: origen

### Nepal

| | |
|---|---|
| 5,1% | Térmica |
| 94,9% | Hidroeléctrica |

### Filipinas

| | |
|---|---|
| 70% | Térmica |
| 19,2% | Geotérmica y otras |
| 10,8% | Hidroeléctrica |

### Japón

| | |
|---|---|
| 57% | Térmica |
| 31,9% | Nuclear |
| 9% | Hidroeléctrica |
| 2,1,% | Geotérmica y otras |

## El petróleo en Asia

Se estima que el Cercano Oriente efectúa el 46% de las exportaciones mundiales de petróleo y que, además, posee el 60% de las reservas comprobadas de crudo. El petróleo del golfo Pérsico se convierte, así, en la principal fuente de riqueza de la región, pero también crea una fuerte dependencia económica de su precio en el mercado internacional.

En el resto del continente, Indonesia, Kazajstán, China y Malaysia son también países exportadores; por otra parte, en Bangladesh, Pakistán y la costa occidental de India se explotan modestos yacimientos. Según los analistas internacionales, la guerra y pacificación de Afganistán apunta a intereses petrolíferos en la región.

**Hidrocarburos en el golfo Pérsico**

| | |
|---|---|
| ■ | petróleo |
| ■ | gas natural |
| ⚒ | refinerías |
| • | terminales |

# Comercio y transporte

Las relaciones comerciales de Asia y Oceanía, fundamentadas en el mercado interno, sufrieron un duro golpe con la crisis económica de 1997. Una vez superado el bache, las balanzas comerciales se han equilibrado pese a la saturación del mercado. Los transportes aéreo y marítimo son vitales en la región, que prima el ferrocarril frente a la red vial.

## Balance comercial de Asia-Oceanía

La mayor parte de las relaciones comerciales de Asia-Oceanía se orientan a abastecer su gigantesco mercado interno, que acapara tanto las exportaciones como las importaciones. Norteamérica se perfila como el principal proveedor y cliente fuera de esta estrecha cooperación interna.

### Importaciones y exportaciones

variación porcentual · Importaciones ■ Exportaciones ■

| | 1993 | 1994 | 1995 | 1996 | 1997 | 1998 | 1999 |
|---|---|---|---|---|---|---|---|
| Importaciones | 8,4 | 16,5 | 22,8 | 4,8 | 0,4 | -17,8 | 10,3 |
| Exportaciones | 7,4 | 15,4 | 17,9 | 0,6 | 5,4 | -6 | 7,5 |

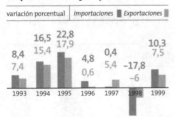

### Principales proveedores

- **50,2%** Mercado Interno
- **26,3%** Norteamérica
- **19,5%** Europa y CEI
- **2,5%** América Latina
- **1,5%** África

### Principales clientes

- **63,1%** Mercado interno
- **17,2%** Norteamérica
- **16,8%** Europa y CEI
- **1,6%** América Latina
- **1,3%** África

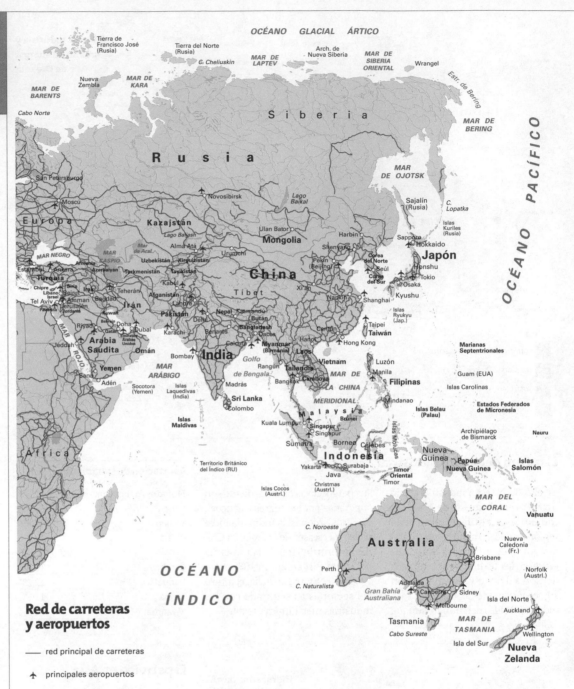

## Red de carreteras y aeropuertos

— red principal de carreteras

✈ principales aeropuertos

## Déficit en las carreteras y consolidación del transporte aéreo

Las redes locales de transporte están poco desarrolladas en la mayoría de los países asiáticos. Las deficiencias se acentúan sobre todo en los núcleos rurales, mal conectados entre sí y aislados de las grandes ciudades.

En general, las autopistas en el continente son escasas y las carreteras rurales no están asfaltadas. Tan sólo Israel, Japón, Turquía, Corea del Sur, Singapur, Malaysia, Turquía y parte de Filipinas poseen un entramado viario eficaz. Algunos países suplen estas carencias empleando los ríos como vías comerciales: en China, el Yangtsé es la arteria del transporte entre el este y el oeste del país; en el sureste asiático, los ríos Mekong, Menam e Irawadi interlazan los territorios nacionales. La situación mejora ostensiblemente con la red de aeropuertos, ya que las líneas aéreas asiáticas conectan todas las ciudades importantes. El principal centro aéreo es Tokio, seguido de Bangkok, un punto clave en la encrucijada del sureste asiático.

Por su parte, las carreteras de Oceanía son pocas y mal asfaltadas, a excepción del sureste de Australia y Nueva Zelanda. Ambos países apoyan su tráfico comercial en el transporte aéreo, muy bien desarrollado. Sidney y Auckland son los mayores aeropuertos.

⊙ Autopista elevada Shuto, en Tokio

## El auge del ferrocarril

◉ Monorraíl en Sidney, Australia

El ferrocarril es el principal medio de transporte en Asia. Japón posee una densa red ferroviaria, en la que los trenes de alta velocidad han resuelto, en parte, la congestión de las vías de transporte. Otras potencias ferroviarias son Corea del Sur, India y, sobre todo, China, que está ampliando su inmensa red –la sexta del mundo– para satisfacer la demanda.

Por contra, los países del suroeste y sureste asiático, excepto Tailandia y Malaysia, acusan la deficiencia generalizada de sus redes ferroviarias. El caso de Australia es singular: el trazado del ferrocarril es sólido en el sureste del país, pero en el oeste está al servicio de los centros mineros.

### Carreteras y caminos sin pavimentar en la red pública nacional

| (excluidas las islas) | % sobre el total |
|---|---|
| Mongolia | 96,5 |
| Corea del Norte | 93,6 |
| Camboya | 92,5 |
| Yemen | 91,9 |
| Bangladesh | 90,5 |
| Myanmar | 87,8 |
| Laos | 86,2 |
| Siria | 76,9 |
| Vietnam | 74,9 |
| (...) | |
| Kirguizistán | 8,9 |
| Azerbaiyán | 7,7 |
| Líbano | 5 |
| Armenia | 3,8 |
| Tailandia | 2,5 |
| Israel | 0 |
| Jordania | 0 |
| Emiratos Árabes Unidos | 0 |
| Singapur | 0 |
| China y Turkmenistán | No hay datos |

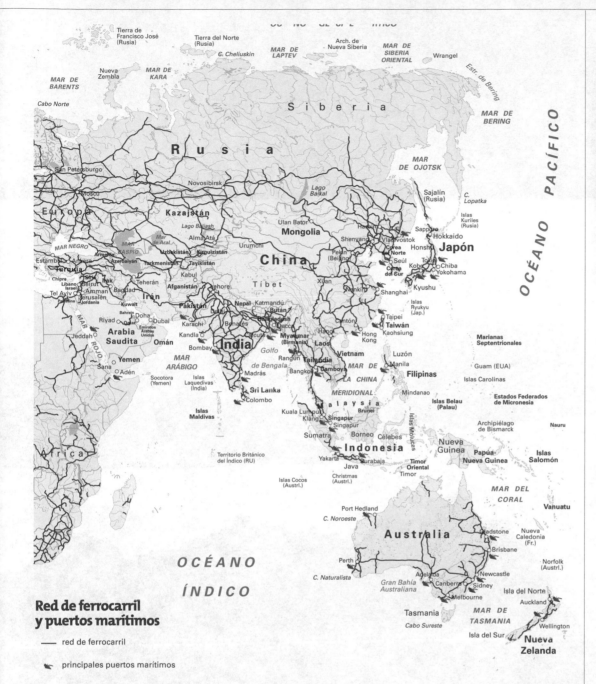

### Red de ferrocarril y puertos marítimos

— red de ferrocarril

🛳 principales puertos marítimos

## Los puertos, claves en el comercio intercontinental

La importancia geoestratégica de los puertos asiáticos fue decisiva para la colonización europea, que arrancó en el siglo XVI con la fundación por los portugueses de factorías costeras.

Hoy en día, los principales puertos asiáticos están interconectados mediante transatlánticos y cargueros, pero sólo los puertos de China, India, Japón y Singapur pueden acoger a los barcos mercantes de mayor calado.

Los puertos de Singapur y Hong Kong sobresalen como centros de distribución a escala mundial por su enorme volumen de tráfico mercantil.

◉ Embarque de mercancías en el puerto de Hong Kong, China

**Naturaleza virgen** Las islas Galápagos, o archipiélago de Colón, abarcan una superficie de 7.812 kilómetros cuadrados en el Pacífico. De origen volcánico –*en la imagen, cráteres en la pequeña isla de San Bartolomé*–, las Gálapagos, Patrimonio de la Humanidad, están constituidas por trece islas mayores y varios islotes y escollos. Su flora y fauna, al evolucionar de forma aislada, son únicas en el mundo.

# Índice toponímico

Los topónimos incluidos en los mapas cartográficos se citan todas las veces que aparecen. En general, los nombres figuran en el índice en su forma completa, aun cuando en los mapas consten abreviados. La enumeración de todos los topónimos se rige por el orden alfabético internacional del español, en el que la 'ñ' constituye una letra diferenciada, sin tener en cuenta los signos diacríticos que figuran en algunas letras (por ejemplo, ã, ë, ô). Los nombres de localidades compuestos de varias palabras acostumbran a figurar tal como se escriben en las cartografías. En relación con los nombres que indican configuraciones físicas o divisiones administrativas, se acompaña, después del topónimo, la tipología del fenómeno, al objeto de facilitar su comprensión.

## A

Aachen *219* B9, *220* C2
Aarau *219* D9, *220* E2, *223*A6
Aare, río *220* E2, *223*A6
Aauri *227* I4
Aba *259* H5, *262* B1
Abadán *254* C6, *260* C5
Abadán *293* E1, *298* B3
Abadla *257* C5
Abakan *292* D4, *297* E5
Abancay *132* B5, *134*A2
Abay, río *261* G3, G4, *263*A6, *263*A7
Abay, río *298* D1
Abaya, lago *253* E5, *255* E5, *261* H4, *263* B7
Abbeville *219* B7, *219* F5
Abdulino *227* F5
Abe, lago *261* G4
Abe, lago *263*A7
Abéché *254* D4
Abéché *261* F1
Abéché *262*A4
Åbenra *217* H1
Åbenra *220*A3
Abeokuta *259* H4
Abeokuta *262* B1
Aberdeen *51* I1, *53* B5
Aberdeen *214* C3
Aberdeen *218* B3
Aberdeen, lago *51* E1
Aberystwyth *218* E3
Aberystwyth *219*A6
Abez *226* B6
Abha *261* F4
Abha *298* C1
Abidján *253* E2
Abidján *255* E2
Abidján *259* H2
Abilene *55*A5
Abitibi, lago *51* H3
Abomey *259* H4
Abrantes *222* B3
Abreojos, punta *54* C1
Abrolhos, archipiélago *133* H6
Absaroka, montes *52* B3
Abu az-Zuhur *295* B7
Abu Dhabi *261* D6
Abu Dhabi *293* E1
Abu Dhabi *298* C3
Abu Hamad *254* D5
Abu Hamad *261* E3
Abu Hamra *295* C9
Abu Kamal *295* C9
Abu Kamal *295* F4
Abu Zanimah *298* B1
Abuja *253* D3
Abuja *255* E3
Abuná *132* D4, *134* B1
Abuná, río *132* C4, *134* B1
Abunai *137* F6
Acacias *136* D3
Acajutla *130* C4
Acandi *131* H6

Acapulco *47* H3, *55* F5
Acaraí, sierra *133* E2, *137* E9
Acaray, río *139* F3
Acarigua *132* C1, *137* B5
Acarigua *57* F6
Accra *253* E2
Accra *255* E2
Accra *259* H3
Achacachi *132* C5, *134* B2
Acheloôs, región *225* G3
Achill, isla *218* D1
Aci, lago *294* B3
Acinsk *297* E5
Acklins, isla *53* F9, *57* B5
Aconcagua, pico *127* C6, *135* B5, *138*A5
Acoyapa *131* E4
Acre, región *132* C4, *134*A1
Acre, río *132* C4, *134* B1
Actopán *55* E6
Ad - Dahna, región *260* D5
Ad - Damir *261* F3
Adair, bahía *54*A1
Adale *261* H5
Adale *263* C8
Adamantina Epitacio *139* G2
Adamaua, macizo *253* E3
Adamaua, macizo *259* H5
Adamaua, macizo *262* B2
Adamello, pico *220* F3
Adamello, pico *223*A7
Adamovka *227* F6
Adamstown *307* E9, *309* E9
Adamstown *317* C9
Adan *261* G5
Adana *215* F7
Adana *254* B5
Adana *260* B3
Adana *292* D1
Adana *294* D3
Adana *295*A6
Adana *298*A1
Adapazari *215* E7
Adapazari *227* I1
Adapazari *260* B2
Adapazari *294* B1
Adare, cabo *141* E6
Adda, río *223* B6
Ad-Dabba *261* F3
Ad-Dahna, región *298* B2
Ad-Dammam *254* C6
Ad-Dammam *260* D6
Ad-Dammam *298* B3
Ad-Damur *295* C6
Ad-Daw, región *295* C7
ad-Dawasir, río *298* C2
Addis Abeba *253* E5
Addis Abeba *255* D5
Addis Abeba *261* G4
Addis Abeba *263* B7
Addis Abeba *298* E1
Ad-Diwaniyah *260* C4
Ad-Diwaniyah *298* B2
Ad-Duwaym *261* F3
Ad-Duwaym *263*A6
Adelaida *306* E3, *308* E3
Adelaida *311* E5
Adelaida, isla *140* B2

Adelaide River *310*A3
Adelaide, península *51* E1
Aden *254* D6
Aden *263*A8
Adén *293* F1
Adén *298* D2
Adén, golfo *252* D6
Adén, golfo *254* D6
Adén, golfo *261* G5
Adén, golfo *263*A8
Adén, golfo *291* F1
Adén, golfo *293* F1
Adén, golfo *298* D2
Adige, río *220* F4
Adige, río *223* B7
Adigio, río *212* E4
Adiyaman *294* E3
Adiyaman *295*A8
Admiralty, golfo *310*A3
Ado-Ekiti *259* H4
Ado-Ekiti *262* B1
Adonara, isla *303* F5
Adour, río *219* F7
Adour, río *222* D1
Adra *222* C4
Adrad *257* D6
Adrar *258* D4
Adrar de los Iforas, montes *252* D2
Adrar des Iforas, macizo *257* F7
Adrar des Iforas, macizo *259* E4
Adrianopolis *139* H3
Adriático, mar *213* E5
Adriático, mar *215* E5
Adriático, mar *223* C8
Adriático, mar *224* D1
Adriático, mar *252* B4
Adriático, mar *258*A6
Afareaitu *313* E7
Afgoye *261* H5
Afgoye *263* C8
Afgoye *298* F2
Afognak, isla *48* D2
Afrin *295* B7
Afsin *295*A7
Afula *295* D6
Afyonkarahisar *215* F7
Afyonkarahisar *294* B2
Aga, punta *312* B1
Agadem *259* F6
Agadèz *254* D3
Agadèz *259* F5
Agadir *254* C1
Agadir *256* C3
Agadir *258* C2
Agadyr' *300*A1
Agaga' *295* B9
Agalega, isla *265* E9
Agalega, islas *291* H1
Agalega, islas *293* H1
Agalta, sierra *131* E3
Agalta, sierra *56* E1
Agana *306* B3, *308* B3
Agana *312* B1
Agana *314* C2
Agaña, isla *303* B9
Agartala *299* C8
Agartala *300* E3
Agat *312* B1

Agboville *259* H3
Agdabiyah *254* C4
Agdabiyah *260* D1
Agdam *227* I5
Agen *219* E7
Agiabampo, estero *54* C3
Aginskoje *297* E7
Aginskoje *301*A6
Aglun *295* D6
Agra *293* F3
Agra *299* B6
Agra *300* D1
Ágreda *222* D2
Agri, pico *298*A2
Agri, río *223* D9
Agrigento *223* F8
Agrihan, isla *303*A9
Agrínion *225* G3
Agropoli *223* D8
Agropoli *225* F1
Agua Brava, laguna *54* D4
Agua Caliente, cerro *54* C4
Agua Clara *139* G1
Agua Negra, portillo *135* B5, *138*A5
Agua Prieta *52* E3, *54*A3
Agua Vermelha, catarata *134* E3, *139* H1
Aguaclara *136* D4
Aguán, río *131* E3
Aguapel, río *139* H2
Aguarico, río *136* E2
Aguas Blancas *138*A2
Aguascalientes *52* F4, *55* D5
Aguascalientes, estado *55* D5
Aguijan, isla *314* C2
Aguilar de Campoo *222* C1
Águilas *222* D4
Aguililla *55* E4
Aguja, punta *132*A4
Agujas, cabo *253* I4
Agujas, cabo *255* I4
Agujas, cabo *264* E4
Agulhas Negras, pico *127* E5, *134* F3
Agung, pico *302* F4
Agusan, río *303* C6
Agustin Codazzi *136*A4
Agustin Codazzi *57* F5
Ahaggar, montes *252* C2
Ahaggar, montes *259* E4
Ahaggar, región *257* E8
Ahalcine *227* I4
Ahir, montes *295*A7

Ahmadabad *293* F2
Ahmadabad *299* C6
Ahmadnagar *299* D6
Ahtubinsk *227* G4
Ahvaz *260* C5
Ahvaz *293* E1
Ahwar *261* F5
Ahwar *263*A8
Ahwar *298* D2
Ahyaz *298* B3
Aigina, isla *225* G4
Aihur *301*A8
Aijal *300* E3
Ailigandi *131* H5
Ailinglaplap, isla *315* D5
Aïn Beïda *257*A8
Ain Sefra *257* B6
Aïn, región *303*A9
Aïr Azbine, montes *257* F9
Aïr, montes *252* D3
Aïr, montes *259* F5
Aisne, río *219* C8
Aisne, río *220* D1
Aitape *303* E9
Aitutaki, isla *317* B6
Aix-en-Provence *219* F9
Aix-en-Provence *222* F1
Aizu-Wakamatu *305* F4
Ajaccio *214* E4
Ajaccio *219* F5
Ajaccio *223* C6
Ajaccio *258* B5
Ajaccio, golfo *223* C6
Ajaguz *292* D3
Ajaguz *296* E4
Ajaguz *300*A2
Ajan *292* C5
Ajan *297* D8
Ají, isla *136* D2
Ajo, cabo *222* C1
Ajon, isla *297* B8
Ajsaj *296* D2
Aju, islas *303* D7
Akbulak *227* F6
Akçakale *294* E3
Akçakale *295*A8
Akchar, región *256* F1
Akdag, pico *294* B3
Aketi *255* E4
Aketi *261* H1

Aketi *262* C4
Akhisar *227* I1
Akhisar *294*A2
Akimiski, isla *51* G3, *53*A7
Akita *292* D6
Akita *297* E9
Akita *305* E5
Akjoujt *256* F1
Akkajaure, lago *216* B4
Akko *295* D5
Akko *295* D6
Akobo *261* H3
Akobo *263* B6
Akola *299* C6
Akordat *261* F4
Akordat *263*A7
Akpatok, isla *51* E3
Akpinar *295*A9
Akranes *216* B1
Åkrathos, cabo *225* F5
Akritas, cabo *225* H4
Akron *51* I3, *53* C7
Aksaj *227* F5
Aksaray *294* C3
Aksehir *294* C3
Aksoran, pico *300*A2
Aksu, río *294* B3
Aksu, río *295*A7
Aksum *261* F4
Aksum *263*A7
Aksum *298* D1
Akt'ubinsk *292* D2
Akt'ubinsk *296* D2
Aktau *227* H5
Aktiubinsk *254*A6
Aktjubinsk *227* F6
Aktubinsk *215* C9
Aktumsyk *227* G6
Akune *305* H1
Akureyri *50* B5
Akureyri *214*A3
Akureyri *216*A2
Al Fara', pico *295* B9
Al- Hali, región *261* E6
Al Hasakah *295* B9
Al- Higaz, región *252* C5
Al- Higaz, región *260* D3
Al Hoceima *257* B5
Al- Hufuf *260* D5
Al Kaf *257*A8
Al- Kuntilla *295* F6
Al Kuwait *298* B2
Al Mahdiyah *257*A9
Al Obeid *254* D5

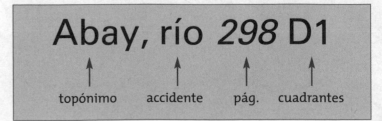

topónimo    accidente    pág.    cuadrantes

Anatolia, región 252 B5
Anatolia, región 290 D1
Anatolia, región 294 D2
Anauá, río 137 E9
Anavilhanas, archipiélago 137 F8
Ancasti, sierra 138 C4
Anchorage 44 C2, 46 C2, 48 D3
Anchorage 290 A6
Anchorage 292 A6
Ancohuma, pico 127 C5, 132 C5, 134 B2
Ancón de Sardinas, bahía 136 E1
Ancona 215 E5
Ancona 223 C8
Ancona 258 A6
Ancud 135 B7
Ancud, golfo 135 B7
Anda 301 A8
Andalgalá 134 B4, 138 B4
Andamán, islas 291 G4
Andamán, islas 293 G4
Andaman, islas 299 D8
Andamán, mar 291 G4
Andamán, mar 293 G4
Andamán, mar 299 D9
Andamán, mar 302 B1
Andermatt 220 F2
Anderson, río 48 D5
Andes, cordillera 126 B4, 132 A3, 134 A2, 138 B2
Andes, cordillera 45 I6
Andizan 296 F3
Andoas 136 F2
Andong 297 F8
Andong 297 F9
Andong 301 B8
Andong 304 B1
Andong 304 D2
Andong 305 F1
Andorra la Vella 214 E3
Andorra la Vella 219 F7
Andorra la Vella 222 E1
Andoy, isla 216 A4
Andradina 139 G1
Andria 223 D9
Andria 225 E1
Andringitra, pico 265 C8
Andros, isla 53 F8, 56 B4
Ándros, isla 225 G5v
Andújar 222 C4
Anegada, paso 57 D8
Anemómylos, cabo 213 F6
Anemómylos, cabo 215 F6
Aneto, pico 212 E3
Aneto, pico 219 F7
Aneto, pico 222 E1
Aneytioum, isla 316 B2
Angara, río 290 C4
Angara, río 292 C4
Angara, río 297 D5
Angarsk 292 D4
Angarsk 297 E6
Angaur, isla 314 D1
Ángel de la Guarda, isla 52 E2, 54 B1
Angerman, río 213 B5
Angerman, río 216 D4
Angermünde 221 B5
Angers 214 D3
Angers 219 D7
Anglesey 218 D3
Anglesey, isla 219 A5
Anglo-Normandas, islas 212 D3
Anglo-Normandas, islas 214 D3
Angmagssalik 46 B6, 50 C5
Angoche 263 F7
Angoche 265 B7
Angol 135 B6
Angoram 314 E2
Angostura, presa 130 B2
Angostura, presa 55 F8
Angouleme 219 E7
Anguilla, cayos 56 B3
Anguilla, isla 57 D8
Anibare 313 D5
Anibare, bahía 313 D5
Aniva, bahía 304 B5
Aniva, cabo 304 B6
Anjou, islas 297 B7
Anjouan, isla 253 G6
Anjouan, isla 255 G6
Anjouan, isla 263 E8
Anjouan, isla 265 A8
Anju 304 B1
Ankara 213 F7
Ankara 215 F7
Ankara 227 I2
Ankara 252 B5
Ankara 254 D5
Ankara 260 B3
Ankara 290 D1
Ankara 292 D1
Ankara 294 C2
Ankara, río 294 C2
Ankaratra, montes 253 G6
Ankaratra, montes 263 F8
Ankaratra, región 265 C8
Anklam 221 A5
Ankober 261 G4
Ankober 263 B7
Ankober 298 E1
Anlong 301 E5
Ann, cabo 141 H1
Anna 313 C5
Annaba 214 F4
Annaba 223 F5
Annaba 254 B3
Annaba 257 A8
Annaba 258 C5
An-Nabk 295 C7
An-Nabk 295 D5
An-Nadhatah, pico 295 D9
An-Nafud, región 260 D4
An-Nagaf 260 C4
An-Nagat 298 B2
Annai 137 D9
An-Najaf 298 B2
Annam, región 291 G5
Annapolis 53 C8
Annapurna, pico 299 B7
Annapurna, pico 300 D2
An-Naqurah, cabo 295 D6
An-Nasiriyah 260 C5
Annecy 219 E9
Annecy 220 F1
An-Nil Al-Azraq, región 261 G3
An-Nil Al-Azraq, región 263 A6
An-Nil al-Azraq, río 263 A6
An-Nil an-Abyad, río 263 A6
An-Nuhud 261 G2
An-Nuhud 263 A5
Anqing 301 D7
Anshan 297 F8
Anshan 301 B8
Anshun 301 E5
Antakya 215 F8
Antalaha 263 F9
Antalaha 265 B9
Antalya 215 F7
Antalya 260 B2
Antalya 292 D1
Antalya 294 B3
Antalya 298 A1
Antalya, golfo 213 F7
Antalya, golfo 260 C2
Antalya, golfo 294 B3
Antananarivo 253 G6
Antananarivo 255 G6
Antananarivo 265 B8
Antananarivo 293 H1
Antártica, península 127 C9, 129 C9, 140 B2
Antas, río 139 G4
Antatanarivo 291 H1
Antequera 222 C4
Anthony Lagoon 310 B4
Anti Atlas, montes 252 C2
Anti Atlas, montes 256 C4
Anti Atlas, montes 258 D2
Antibes 219 F9
Antibes 223 C5
Antibes, cabo 223 C5
Anticosti, isla 44 D6, 46 D6, 51 G5, 53 A9
Antigua 130 C3
Antigua 55 F8
Antigua y Barbuda, isla 128 C2
Antigua, isla 57 D9
Antikytera, isla 225 H4
Antilla 131 I1
Antilla 56 C4
Antioquía 294 D4
Antioquía 295 B6
Antioquía 298 A1
Antíparos, isla 225 G5
Antípodas, islas 307 F6, 309 F6
Antípodas, islas 316 F3
Antofagasta 129 C5, 134 B4, 138 A2
Antofalla, salar 138 B3
Antofalla, volcán 138 B3
Antón Lizardo, punta 130 A1
Antongil, bahía 263 F9
Antongil, bahía 265 B9
Antrim, montes 218 D2
Antsirabé 265 B8
Antsiranana 255 G6
Antsiranana 263 E9
Antsiranana 265 A9
Antsiranana 293 H1
Antsohihy 263 F8
Antsohihy 265 B8
Antwerpen 219 B8
Antwerpen 220 C1
Anuradhapuraya 299 E7
Anxi 300 C4
Anyang 293 E5
Anyang 301 C6
Anzero-Sudzensk 297 E5
Añatuya 135 C4, 138 C4
Ao-ga, isla 305 H5
Aoga-Shima, isla 314 A1
Aomori 292 D6
Aomori 297 E9
Aomori 304 D5
Aosta 219 E9
Aosta 220 F2
Aosta 223 B5
Aouker, región 259 F2
Apalaches, montes 45 E5, 53 B8
Apan 55 E6
Apaporis, río 132 C3, 137 F5
Aparuren 137 C8
Apatin 224 C3
Apatzingán 55 E5
Apeldoorn 219 A9
Apeldoorn 220 B2
Apenino Calabria, montes 223 E9
Apenino Ligur, monte 223 B6
Apeninos Abruzzese, montes 223 C8
Apeninos Marchigiano, montes 223 C7
Apeninos, montes 212 E4
Apeninos, montes 223 C7
Apeninos, montes 252 B3
Apeninos, montes 290 B1
Apia 307 D6, 309 D6
Apia 313 D8
Apia 316 B4
Apizolaya 55 C5
Apo, pico 291 G6
Apo, pico 303 C6
Apo, volcán 306 C2
Apolinario Saravia 138 C2
Aporé, río 133 F6
Apoteri 133 E2, 137 D9
Appeninos Calabro, montes 225 F2
Appenzell 220 E3
Apucarana 139 G2
Apure, río 126 C3, 132 C1, 137 B5, 137 B6
Apure, río 45 H6
Apurímac, río 132 B5, 134 A2
Apurito 137 B6
Apusenl, montes 221 F9
Apuseni, montes 224 B4
Aq Su 293 E3
Aq Su 296 F4
Aq Su 300 B2
Aqaba 295 F6
Aqabah, golfo 295 F6
Aquidabán, río 139 E2
Aquidauana 139 F1
Aquiles Serdán 54 B4
Aquitania, llanura 212 E3
Aquitania, región 219 E7
Ar'ar 295 E9
Arab, río 253 D4
Arab, río 255 D4
Arábigo, desierto 252 C5
Arábigo, desierto 260 D3
Arábigo, mar 291 F2
Arábigo, mar 293 F2
Arábigo, mar 298 D4
Aracajú 129 E4, 133 I5
Aracati 133 I4
Araçatuba 133 F6, 134 E3, 139 H1
Arachthós, río 225 F3
Arad 215 E5
Arad 221 F8
Arad 224 C3
Arafura, mar 303 F7
Arafura, mar 306 D3, 308 D3
Arafura, mar 310 A4
Arafura, mar 314 F1
Aragac, pico 213 E8
Aragón, río 219 F6
Aragón, río 222 D1
Aragua de Barcelona 57 F8
Araguaia, río 126 D4, 129 D5, 133 G4, F5, 134 D1, E2
Araguari 133 G6, 134 E3, 139 I1
Araguari, río 133 F2
Arak 257 E7
Arak 260 C5
Arak 298 A3
Arakaka 137 B9
Arakan, montes 300 F3
Araks, río 213 E9
Araks, río 215 E9
Aral, mar 252 A6
Aral, mar 254 A6
Aral, mar 260 A6
Aral, mar 290 D2
Aral, mar 292 D2
Aral, mar 296 E2
Aral'sk 292 D2
Aral'sk 296 E2
Aramberri 55 C5
Aran, isla 218 C1
Aran, islas 218 D1
Aranda de Duero 222 C2
Aranjuez 222 C3
Arapkir 294 E2
Araouane 259 F3
Arapongas 139 G2
Araraquara 133 G6, 134 E3, 139 H1
Araras, sierra 133 F6, 134 E4
Ararat 311 E6
Ararat, monte 213 E8
Ararat, monte 252 B5
Ararat, monte 290 D1
Arauca 132 C1, 137 C5
Arauca, río 132 C1, 136 C4, 137 C5
Arauco 135 B6
Aravalli, montes 291 F3
Aravalli, montes 299 C6
Arawa 306 C4, 308 C4
Arawa 314 F3
Araxa 139 I1
Arba Minch 298 E1
Arba-Minch 261 H4
Arba-Minch 263 B7
Arbil 215 F9
Arbil 260 B4
Arbil 298 A2
Arcachon 219 E6
Arcas, cayos 55 E8
Arcelia 55 E5
Archer, río 311 A5
Arcila 223 B5
Arciz 224 B6
Arcos de Jalón 222 D2
Arcos de la Frontera 222 B4
Arctic Bay 50 D2
Ard As- Sawwan, región 295 E7
Arda, río 225 E5
Ardabil 260 B5
Ardabil 296 E1
Ardabil 298 A3
Ardatov 227 E4
Ardenas, región 212 D4
Ardenas, región 219 B8
Ardennes, región 220 D1
Ards, península 218 D2
Arecibo 57 D7
Arenas, cayo 55 D8
Arendal 214 C4
Arendal 217 F1
Arequipa 129 B5, 132 C5, 134 A2
Arévalo 222 C2
Arezzo 223 C7
Argel 212 F3
Argel 214 F3
Argel 222 F4
Argel 252 B3
Argel 254 B2
Argel 257 A7
Argel 258 B4
Argentan 219 C7
Argentino, lago 127 C8, 135 B8
Arghandab, río 299 B5
Argolikòs, golfo 225 G4
Árgos 225 G4
Argostólion 225 G3
Argun, río 290 D5
Argun, río 292 D5
Argun', río 301 A7
Argun', río 297 E7
Arhangel'sk 213 A7
Arhangel'sk 215 A7
Arhangelsk 226 C4
Arhi, río 261 I4
Arhi, río 263 D7
Arhus 215 C4
Århus 217 G2
Århus 296 A1
Arica 129 C5, 132 C6, 134 B3, 136 F3, 136 F4
Arica, golfo 127 C5, 132 C6, 134 A3
Ariège, río 222 E1
Ariègue, río 219 F7
Arinos, río 133 E5, 134 D1
Ariporo, río 137 C4
Aripuanã, río 133 E4, 134 C1
Arismendi 137 B6
Arizaro, salar 134 B4, 138 B3
Arizona, estado 52 D3, 54 A2
Arjona 131 I5, 136 A3
Arkalyk 296 E3
Arkansas, estado 53 D5, 55 A7
Arkansas, río 45 F4, 53 D6
Arkhangel'sk 290 B2
Arkhangel'sk 292 B2
Arkhangel'sk 296 B3
Arkona, cabo 221 A5
Arles 219 F8
Arlington 55 A6
Arlon 219 C9
Arlon 220 D1
Armagh 218 D2
Armavir 215 E8
Armavir 227 H3
Armavir 254 A5
Armavir 292 D2
Armavir 296 D1
Armenia 132 B2, 136 D3
Armero 136 C3
Armidale 311 D7
Arnaútes, cabo 294 C4
Arnhem 219 A9
Arnhem 220 B2
Arnhem, cabo 311 A4
Arnhem, tierra 310 A4
Arno, isla 315 D5
Arno, río 223 C7
Arqa, montes 300 C3
Arrah 300 E2
Ar-Rahad 261 G3
Ar-Rahad 263 A5
Ar-Ramadi 215 F9
Ar-Ramadi 260 C4
Ar-Ramadi 298 A2
Ar-Ramta 295 D6
Arran, isla 218 C2
Ar-Raqqah 260 C4
Ar-Raqqah 294 E4
Ar-Raqqah 295 B8
Ar-Raqqah 298 A2
Arras 219 B8
Arrecife 256 C2
Arrée, montes 219 C5
Arriaga 130 B2
ar-Rimah, río 298 B2
Arroyo de la Luz 222 B3
Arroyos y Esteros 139 E3
Ar-Rub, región 261 F5
Ar-Rub'Al Hall, región 252 D6
Ar-Rusayris 261 G3
Ar-Rusayris 263 A6
Ar-Rutbah 260 C4
Ar-Rutbah 295 D9
Ar-Rutbah 298 A2
Arsenjev 301 A9
Arsuz 295 B6
Art, isla 313 C6
Art'om 301 B9
Arta 225 F3
Artigas 135 D5, 139 E4
Artomovskij 226 D6
Artvin 294 F1
Aru, islas 303 F7
Aru, islas 306 C3, 308 C3
Aru, islas 314 F1
Arua 261 H3
Arua 263 C6
Aruba, isla 128 C2, 132 C1, 137 A5
Aruba, isla 47 H6, 57 E6
Arusha 255 F5
Arusha 263 D6
Arutua, isla 317 B7
Arutunga 307 D7, 309 D7
Arutunga 317 B6
Aruwimi, río 253 E4
Aruwimi, río 255 E4
Aruwimi, río 261 I2
Aruwimi, río 263 C5
Arvajcheer 297 F6
Arvajcheer 301 B5
Arviat 51 F1
Arvida 51 H4, 53 A8
Arvika 217 F2
Arzamas 227 E4
Arzew 223 E5
Arzew 257 A6
As - Sudd, región 263 B5
As- Sam, desierto 295 D8
Asa 227 E6
Asad, embalse 295 B8
Asahi, monte 304 C5
Asahikawa 292 D6
Asahikawa 297 E9
Asahikawa 304 C5
Asanso 300 E2
Asansol 299 C7
Asayr, cabo 261 G6
Asayr, cabo 263 A9
Asayr, cabo 298 D3
Ascensión, bahía 130 D1
Ascensión, bahía 55 E9, 56 C1
Ascensión, isla 253 F1
Ascensión, isla 255 F1
Ascoli Piceno 223 C8
Aseb 254 D6
Aseb 263 A7
Aseb 298 D1
Asela 261 G4
Asela 263 B7
Asela 298 E1
Asenovgrad 225 E5
Asfi 258 C2
Ashabad 260 B6
Ashburton 312 F2
Ashburton, río 310 C1
Ashdod 295 D6
Ashdot Ya'agov 295 D6
Ashgabad 291 D2
Ashgabad 293 D2
Ashgabad 296 F1
Ashgabad 298 A4
Ashmore, arrecife 310 A2
Ashqelon 295 E6
Asi, río 295 B6
Asia Menor, región 213 F7
Asia, islas 303 D7
Asilah 223 B5
Asimara, golfo 223 D6
Asinara, isla 223 D6
Asir, región 291 E1
Askja, pico 216 A2
Asmaca 295 A6
Asmara 252 D5
Asmara 254 D5
Asmara 261 F4
Asmara 263 A7
Asmara 298 D1
Aspromonte, pico 223 E9
Aspromonte, pico 225 G1
Assab 261 G4
As-Sabha, depresión 295 D7
As-Sabhah 295 B8
As-Safa, región 295 D7
As-Safah 295 A9
As-Salihiyah 295 C9
As-Salum 260 C2
Assam, región 291 F4
As-Samawah 260 C5
As-Samawah 298 B2
As-Sarah, región 295 E6
As-Saridah 298 C3
As-Sariqah 260 D6
As-Sarqr, pico 295 C7
As-Sart 295 D6
As-Sawbak 295 E6
Assen 219 A9
Assen 220 B2
As-Siddadi 295 B9
As-Sidiyah 295 F6
As-Sidr 258 D6
As-Sikk'ah, cabo 295 C6
Assis 139 H2
Assisi 223 C7
As-Subat, río 253 E5
As-Subat, río 255 E5
As-Subat, río 261 G3
As-Subat, río 263 B6
As-Sudd, región 253 E5
As-Sudd, región 261 G3
As-Suhnah 294 E4
As-Suhnah 295 C8
As-Sulaymaniya 215 F9
As-Sulaymaniyah 260 C4
As-Sulaymaniyah 298 A2
As-Sulayyil 261 E5
As-Sulayyil 298 C2
As-Suwar 294 F4
As-Suwar 295 B9
As-Suwaybit, río 295 C8
As-Suwayda 260 C3
As-Suwayda 298 A1
As-Suwayda' 295 D7
Astana 292 D3
Astana 296 E3
Asti 223 B6
Astorga 222 B1
Astracán 213 D9
Astracán 215 D9
Astracán 254 A6
Astracán 260 A4
Astracán 290 D2
Astracán 292 D2
Astracán 296 D1
Astrahan 227 H5
Astypálaia, isla 225 H6
Asuán 252 C5
Asuán 254 C5
Asuán 261 E3
Asunción 127 D6, 129 D6, 134 D4, 139 E3
Asunción, bahía 54 B1
Asuncion, isla 303 A9
Asunción, isla 306 B4, 308 B4
Asunción, isla 314 C2
Aswa, río 261 H3
Aswa, río 263 C6
Asyut 254 C5
Asyut 260 D2
Atacama, desierto 127 C5, 134 B4
Atacama, salar 134 B4, 138 A2
Atacavi, lagunas 137 D6
Atafu, isla 307 D6, 309 D6
Atafu, isla 315 F7
Atafu, isla 316 A4
Atalaya 132 B5, 134 A1
Ataouat, pico 302 B3
Atar 254 C1
Atar 256 F2
Atar 259 E1
Atbara 254 D5
Atbara 261 F3
Atbara, río 252 D5
Atbara, río 254 D5
Atbasar 296 E3
Atchafalaya, bahía 55 B8
Atenas 213 F6
Atenas 215 F6
Atenas 225 G4
Atenas 252 B4
Atenas 254 B4
Atenas 260 B1
Atenas 290 C1
Atenas 292 C1
Aterau 215 D9
Aterau 227 G5
Aterau 254 A6
Aterau 292 D2
Athabasca, lago 44 D3, 46 D3, 49 F6
Athabasca, río 44 D3, 49 F6
At-Harrah, región 295 D7
Athlone 218 D2

Áthos, monte 225 F5
Ati 259 G6
Ati 262 A3
Atienza 222 D2
Atitlán, lago 55 F8
Atitlán, volcán 130 C3
Atitlán, volcán 55 F8
Atkarsk 227 F4
Atlanta 45 F5, 47 F5, 53 D7
Atlantic City 51 I4, 53 C8
Atlantic Coastal Plain, llanura 53 D7
Atlas Medio, montes 212 F2
Atlas Medio, montes 256 B4
Atlas S, montes 257 B6
Atlas Sahariano, montes 212 F2
Atlas Sahariano, montes 223 F5
Atlas Sahariano, montes 252 B2
Atlas Sahariano, montes 258 C4
Atlas Telliano, montes 212 F3
Atlas Telliano, montes 252 B2
Atlas Telliano, montes 257 A7
Atlas Telliano, montes 258 C4
Atlas, montes 257 B5
Atmore 55 A9
Atoyac de Álvarez 55 F5
Atrato, río 131 H6, 132 B1, 136 C2
At-Tafilah 295 E6
At-Taif 261 E4
At-Taif 298 C1
Attawapiskat, río 51 G2, 53 A6
at-Tib, cabo 223 F7
Attike, región 225 F4
Atuel, río 135 B6, 138 B6
Atui, río 256 F1
Atuona 307 D8, 309 D8
Atuona 317 A8
Auasbila 131 E3
Aube, río 219 C8
Aube, río 220 D1
Aucanquilcha, cerro 132 C6, 134 B3, 138 A1
Auch 219 F7
Auch 222 E1
Auckland 307 E5, 309 E5
Auckland 312 D3
Auckland 316 E2
Auckland, islas 307 F5, 309 F5
Aude, río 219 F8
Aude, río 222 E1
Augsburg 220 E4
Augusta 51 H4, 53 B8, 53 D7
Augusta 223 F8
Augusta 225 G1
Augusta 306 E2, 308 E2
Augusta 310 E1
Augustów 221 A8
Augustow 227 E1
Augustus, monte 310 C1
Auki 307 D4, 309 D4
Auki 313 B6
Auki 314 F4
Auki 316 A1
Auld, lago 310 C2
Aur, isla 315 D5
Aurangabad 299 C6
Aurillac 219 E8
Ausangate, pico 127 C5, 132 C5, 134 B2
Austin 53 E5, 55 B6
Austin, lago 310 D2
Australia Meridional, estado 310 D4
Australia Occidental, estado 310 C2
Australia, isla 306 E3
Autlán de Navarro 54 E4
Auxerre 219 D8
Avape, ciénaga 136 B3
Avaré 139 H2
Avarua 307 D7, 309 D7
Avarua 317 C6
Aveiro 133 E3
Aveiro 222 A2
Aveiro, ría 222 A2
Avellaneda 139 E6
Avellino 223 D8
Avellino 225 E1
Aves, isla 57 D8
Aveyron, río 219 E7
Avignon 219 F8
Ávila 222 C2
Aviñón 214 E3
Avon Downs 311 B5
Avon, isla 311 C8
Avranches 219 C6
Awanui 312 D3
Awash, río 261 G4
Awash, río 263 B7
Awash, río 298 D1
Awbari 258 D6
Awgilah 254 C4
Awgilah 260 D1
Axel Heiberg, isla 50 C1
Axiós, río 225 E4
Ayacucho 132 B5, 134 A2, 136 B4
Ayagh Qum, lago 300 C3

Ayamonte 222 B4
Ayancik 294 D1
Ayasi, pico 257 B5
Aydin 225 G6
Aydin 294 A3
Aydin, montes 225 G6
Ayers Rock, pico 310 C4
Ayon, isla 44 A2
Ayora 222 D3
Ayr 218 C3
Ayr 311 B6
Ayutthaya 302 B2
Ayvacik 225 F5
Ayvacik 294 A2
Ayvalik 225 F6
Ayvalik 227 I1
Azaoued, región 259 F3
Azaz 294 E3, 295 B7
Azétal, región 256 F1
Azogues 132 A3, 136 F1
Azov 227 G3
Azov, mar 213 D7
Azov, mar 221 H3
Azov, mar 227 H3
Azov, mar 252 A5
Azov, mar 254 A5
Azov, mar 260 A3
Azov, mar 290 C1
Azov, mar 292 C1
Azov, mar 296 C1
Azoyú 55 F6
Azuaga 222 B3
Azuero, península 126 B3, 131 G6, 132 A1, 136 B1
Azufre, volcán 138 A3
Azul 135 C6
Az-Zahran 260 D5
Az-Zahran 298 B3
Az-Zarqa' 295 D6
Az-Zawiyah 258 C6

Ba'abda 295 C6
Ba'abda 295 D5
Ba'ir 295 E7
Ba'labakk 295 C6
Ba'labakk 295 D5
Ba'urah, pantanos 295 B9
Baa, isla 303 F5
Baa, isla 310 A2
Baaba, isla 313 C6
Bab al-Mandab, estrecho 261 G5
Bab al-Mandab, estrecho 263 A8
Bab el Mandeb, estrecho 252 D6
Bab el Mandeb, estrecho 254 D6
Bab el Mandeb, estrecho 291 F1
Bab Reichenhall 221 E4
Baba, cabo 225 F5
Baba, cabo 294 A2
Babahoyo 132 A3, 136 F1
Babajevo 226 D3
Babar, islas 303 F7
Babelthuap, isla 314 D1
Babia Gora, pico 221 D7
Babia Góra, pico 224 A3
Babian, río 301 E5
Babol 260 B5
Babol 298 A3
Baborigame 54 C3
Babuyan, canal 301 F8
Babuyan, canal 303 A5
Babuyan, isla 301 F8
Babuyan, islas 291 F6
Babuyan, islas 293 F6
Babuyan, islas 301 F8
Babuyan, islas 303 A5
Bac Bô, región 302 A2
Bac Palanca 224 C3
Bacabache 54 C3
Bacabal 133 G3
Bacalar 130 D1
Bacalar, lago 55 E9
Bacau 224 B5
Bacau 227 G1
Back, río 51 E1
Bacolod 303 C5
Bacolod 306 B2, 308 B2
Bad al-Mandab, estrecho 298 D1
Bad Godesberg 219 B9
Bad Isch 221 E5
Bad Ischl 224 B1
Badajoz 214 E2
Badajoz 222 B3
Badajoz 258 B3
Badalona 222 E2
Badanah 295 E9
Baddaa, pico 261 H4
Baddaa, pico 263 B7
Baddaa, pico 298 E1
Baden 220 E2
Baden 221 E6
Baden 223 A6
Baden 224 B2

Baden-Baden 219 C9
Badgastein 221 F5
Badgastein 223 A7
Badgastein 224 B1
Badulla 299 E7
Baena 222 C4
Baeza 222 C4
Bafa, lago 225 G6
Baffin, bahía 44 B5, 46 B4, 50 C3, 55 B6
Baffin, isla 44 C5, 46 C5, 50 D2
Bafing, río 259 G2
Bafoussam 259 H5
Bafoussam 262 B2
Bafra 294 D1
Bafra, cabo 294 D1
Bagah 257 A8
Bagdad 213 F9
Bagdad 215 F9
Bagdad 252 B6
Bagdad 254 B6
Bagdad 260 C4
Bagdad 291 D1
Bagdad 293 D1
Bagdad 298 A2
Bagdarin 297 E6
Bagé 135 D5, 139 F5
Baghlan 293 E2
Baghlan 296 F2
Baghlan 299 A5
Bahamas, islas 126 B1, 128 B1
Bahamas, islas 45 G5
Bahawalpur 299 B5
Bahía Blanca 129 C7, 135 C6
Bahía Negra 139 E1
Bahía, islas 131 E2
Bahía, islas 56 D1
Bahía, región 133 H5, 134 F2
Bahía, río 296 C4
Bahr al Arab, río 201 G2
Bahr al Arab, río 263 A5
Bahr al-Gabal, río 263 B5
Bahr al-Ghazal, río 261 G2
Bahr al-Ghazal, río 263 B5
Bahr al Ghazal, río 259 F6
Bahr al Ghazal, río 262 A3
Bahraich 300 D1
Bahrash, lago 300 B3
Bahrein 298 B1
Bai 300 B2
Bai Bung, cabo 302 C2
Bai Bung, punta 291 F6
Baia Mare 221 E9
Baia Mare 224 B4
Baïbokoum 259 H6
Baïbokoum 262 B3
Baihe 301 D6
Baikal, lago 290 D4
Baikal, lago 292 D4
Baikal, lago 297 E6
Baikal, lago 301 A5
Baikiri 307 E5, 309 C5
Baikiri 315 E5
Bailesti 224 B6
Baise 301 E5
Baise, río 219 F7
Baise, río 222 E1
Baja 221 F7
Baja 224 C3
Baja California Norte, estado 54 B1
Baja California Sur, estado 54 C2
Baja, punta 137 B9
Baja, punta 57 F9
Bajan Chur, montes 300 D4
Bajan Obo 301 B6
Bajan Uul 301 A6
Bajanchengor 301 B5
Bajanchongor 297 F6
Bajas, rías 222 A1
Bajdarackaja, bahía 226 A6
Bajdarackaja, bahía 296 C4
Bajmak 227 F6
Bajmok 221 F7
Bajmok 224 C3
Baker Lake 51 E1
Baker, isla 307 C6, 309 C6
Baker, isla 315 E7
Baker, lago 51 E1
Bakhtegan, algo 298 B3
Bakir, río 225 F6
Bakony, región 221 F7
Bakony, región 224 B2
Bakú 213 E9
Bakú 215 E9
Bakú 227 I5
Bakú 252 B6
Bakú 254 B6
Bakú 260 B5
Bakú 290 D2
Bakú 292 D2
Bakú 296 E1
Bakutis, costa 140 C5
Balabac, estrecho 303 C5
Balabalangan, islas 303 E4
Balabio, isla 313 C6
Balaguer 222 E2

Balakbal, ruinas 55 E9
Balakleja 227 G3
Balakovo 215 C8
Balakovo 227 F5
Balakovo 296 D2
Balangir 300 F1
Balasov 227 F4
Balasov 296 D2
Balatón, lago 213 E5
Balaton, lago 221 F7
Balaton, lago 223 A9
Balaton, lago 224 B2
Balboa Heights 131 G5, 132 A1, 136 B1
Balcanes, montes 252 A4
Balcanes, región 290 C1
Balcanes, región 213 E6
Balcánica, península 213 E6
Balcarce 135 D6
Balclutha 312 F2
Baleares, islas 212 E3
Baleares, islas 214 E3
Baleares, islas 222 F3
Baleares, islas 252 B2
Baleares, islas 254 B2
Balej 301 A6
Balhas 296 E3
Bali 293 H5
Bali 306 D2, 308 D2
Bali, isla 291 H5
Bali, isla 302 F4
Bali, isla 310 A1
Bali, mar 302 F4
Balih, río 295 B8
Balikesir 215 F6
Balikesir 225 F6
Balikesir 227 I1
Balikesir 260 B2
Balikesir 294 A2
Balikpapan 293 H5
Balikpapan 302 E4
Balikpapan 306 C2, 308 C2
Balintang, canal 303 A5
Baljash, lago 290 D3
Baljash, lago 292 D3
Baljash, lago 296 E3
Baljash, lago 300 A1
Balkhash 300 A1
Ball's Pyramid, isla 311 D8
Ball's Pyramid, isla 312 C1
Ballarat 311 E6
Ballard, lago 310 D2
Ballena, bahía 253 G3
Ballena, bahía 255 G3
Ballenas, bahía 54 C1
Ballenas, canal 54 B1
Balleza 54 C3
Ballina 218 D1
Ballon d'Alsace, pico 220 E2
Balmaceda 135 B8
Balonne, río 311 D6
Balsas 133 G4, 134 F1
Balsas 55 E5
Balsas, río 55 E6
Balta 224 B6
Baltasar Brum 139 E5
Báltico, llanura 213 C5
Báltico, mar 213 C5
Báltico, mar 217 G4
Báltico, mar 221 A5
Báltico, mar 226 D1
Báltico, mar 290 B2
Báltico, mar 292 B2
Báltico, mar 296 B1
Baltijsk 221 A7
Baltimore 47 E5, 51 I4, 53 C8
Baluchistán, región 291 E2
Balzar 136 F1
Bam 296 F1
Bam, lago 300 D3
Bamaga 303 F9
Bamaga 311 A5
Bamaga 312 C3
Bamako 252 D1
Bamako 254 D1
Bamako 259 G2
Bamberg 220 D4
Bamenda 255 E3
Bamenda 259 H5
Bamenda 262 B2
Bamiyan 296 F2
Bamiyan 299 A5
Bamnari 261 H1
Bamnari 262 B4
Bampur, río 298 B4
Ban Bu 301 F5
Ban Bu 302 A2
Ban Me Thuôt 302 B3
Bananal, isla 133 F5, 134 D1
Banas 258 B6
Banatului, pico 224 C4
Banaz, río 294 B2
Banda Aceh 299 E9
Banda Aceh 302 C1
Banda, islas 303 E7

Banda, mar 291 H6
Banda, mar 293 H6
Banda, mar 303 E6
Banda, mar 306 C2, 308 C2
Bandar 299 D7
Bandar 300 F1
Bandar 'Abbas 260 D6
Bandar Abbas 293 E2
Bandar Abbas 298 B3
Bandar e Bushehr 298 B3
Bandar Seri Begawan 291 G5
Bandar Seri Begawan 293 G5
Bandar Seri Begawan 302 D4
Bandar Seri Begawan 306 C2, 308 C2
Bandar-a Pahlavi 298 A3
Bandar-e Bushehr 260 D6
Bandar-e Chah Bahar 298 C4
Bandar-e Pahlavi 260 B5
Bandeira, pico 127 E5, 133 H6, 134 F3
Banderas, bahía 54 E4
Bandirma 225 F6
Bandirma 227 I1
Bandirma 294 A1
Bandon 218 E1
Bandundu 255 F4
Bandundu 262 D3
Bandung 293 H5
Bandung 302 F3
Bandung 306 C1, 308 C1
Banes 131 I1
Banes 53 F8, 57 C4
Banff 218 B3
Bangalore 293 G3
Bangalore 299 D6
Bangassou 255 E4
Bangassou 261 H1
Bangassou 262 B4
Bangbu 301 D7
Banggai, islas 303 E5
Banggi, isla 303 C4
Bangka, isla 291 H5
Bangka, isla 293 H5
Bangka, isla 302 E2
Bangka, isla 306 C1, 308 C1
Bangko 302 E2
Bangkok 291 G4
Bangkok 293 G4
Bangkok 299 D9
Bangkok 302 B2
Bangkok 306 B1, 308 B1
Bangladesh 299 C8
Bangor 218 D2
Bangor 218 D3
Bangui 253 E4
Bangui 259 H6
Bangui 261 H1
Bangui 262 B3
Bangul 261 H1
Bangweulu, lago 253 F5
Bangweulu, lago 255 F5
Bangweulu, lago 263 E5
Bangweulu, lago 265 A5
Bani Suwayt 260 D2
Bani Walid 258 C6
Bani, río 252 D2
Bani, río 254 D1
Bani, río 259 G2
Baniyas 295 B6
Baniyas 295 D5
Baniyas 295 D6
Banja Luka 215 E5
Banja Luka 223 B9
Banja Luka 224 C2
Banjarmasin 293 H5
Banjarmasin 302 E4
Banjarmasin 306 C2, 308 C2
Barkha 300 D2
Banjul 252 D1
Banjul 254 D1
Banjul 259 F1
Banks, isla 44 B3, 46 B3, 48 C6
Banks, isla 312 B2
Banks, islas 312 B2
Banks, islas 316 B2
Banmau 300 E4
Bann, río 218 C2
Banquisa, límite máximo 141 I6
Banquisa, límite medio 140 C5
Banská Dystrioa 221 D7
Banská Bystrica 224 A2
Bantaeng 303 E5
Bantry 218 E1
Bantry, bahía 218 E1
Banyuwangi 293 H5
Banyuwangi 302 F4
Baña, punta 222 E2
Bañados de Izozog, región 133 E6, 134 C3
Baoding 293 E5
Baoding 301 C7
Baoji 293 E4
Baoji 301 D5
Baoke 259 H2
Baoshan 300 E4
Baotou 293 E5

Baotou 297 F6
Baotou 301 C6
Baoying 301 D7
Baqir, paso 295 F6
Baqubah 260 C4
Baqubah 298 A2
Baquedano 138 A2
Baquerizo Moreno 132 A6
Bar Köl 300 B4
Barabinsk 296 E4
Baracaldo 214 E2
Baracoa 131 I1
Baradero 139 D6
Baraganul, región 224 C6
Barahona 53 F3, 57 D6
Barakaldo 222 C1
Baramanni 137 B9
Baranof, isla 49 F4
Baranovici 215 C6
Baranovici 217 I6
Baranovici 227 F1
Baranovici 296 B1
Barataria, bahía 55 B8
Barawe 261 I5
Barawe 263 C8
Barbacena 133 G6, 134 F3
Barbacoas 136 E2
Barbados, isla 126 D2, 128 D2
Barbar 261 F3
Barbas, cabo 256 E1
Barbastro 222 E2
Barbate 223 B4
Barbosa 136 C4
Barbuda, isla 57 D9
Barca d'Alva 222 B2
Barcaldine 311 C6
Barcelona 132 D1, 137 A7
Barcelona 57 F8
Barcelona 212 E3
Barcelona 214 E3
Barcelona 222 E2
Barcelona 252 B2
Barcelona 254 B2
Barcelona 258 B4
Barcelos 132 D3, 137 F8
Barcoo, río 311 C6
Bardaï 254 C3
Bardaï 259 E6
Bardejov 221 D8
Bardejov 224 A3
Bardere 255 E6
Bardere 261 I5
Bardere 263 C7
Bardere 298 F1
Bareilly 299 B6
Bareilly 300 D1
Barents, mar 213 A6
Barents, mar 215 A6
Barents, mar 226 A4
Barents, mar 226 B1
Barents, mar 290 B3
Barents, mar 292 B3
Barents, mar 296 B4
Bari 215 F5
Bari 223 D9
Bari 226 E2
Bari 258 B6
Barillas 130 C3
Barinas 132 C1, 137 B5
Barinitas 137 B5
Barisal 299 C8
Barisal 300 E3
Barisan, montes 302 E2
Barito, río 291 H5
Barito, río 293 H5
Barito, río 302 E2
Barito, río 306 C2, 308 C2
Barkha 300 D2
Barkly, altiplano 311 B5
Barkly, meseta 306 D3
Barla, pico 294 B3
Bar-le-Duc 219 C8
Bar-le-Duc 220 D1
Barlee, lago 310 D2
Barletta 223 D9
Barletta 225 E1
Barlovento, islas 57 D9
Barmouth 218 E3
Barmouth 219 A6
Barnaul 292 D3
Barnaul 296 E4
Barnstaple 218 E3
Barnstaple 219 B5
Baroda 293 F2
Baroda 299 C6
Barquisimeto 128 C2, 132 C1, 137 A5
Barquisimeto 47 H6, 57 F6
Barra 133 H5, 134 F1
Barra de São Francisco 133 H6, 134 F3
Barra do Pirai 134 F4
Barra, isla 218 B2
Barranca del Cobre, región 54 C3
Barrancabermeja 132 B1, 136 C3
Barrancas 137 B8
Barranqueras 139 E3

356

El Kef *223* F6
El Khnâchich, región *257* F5
El Mene *137* A6
El Oued *257* B8
El Pao *137* B8
El Paso *47* F3, *52* E3, *54* A4
El Petén, región *130* C2
El Pico *134* C2
El Pireo *135* F6
El Potosí *55* C5
El Progreso *130* C2
El Progreso *55* F8, *55* F9
El Puente del Arzobispo *222* C3
El Real *136* B2
El Salto *52* F3, *54* D4
El Sauce *131* D4
El Sáuz *54* B4
El Sombrero *137* B6
El Tajín, ruinas *55* E6
El Tambo *136* F1
El Tigre *132* D1, *137* B7
El Toco *138* A2
El Tocuyo *137* B5
El Triunfo *54* D2
El Valle *136* C2
El Viejo, cerro *136* B4
El Vigia *136* B4
El Vigía, cerro *54* D4
El Yagual *137* F8
El'brus, monte *296* D1
El-Asnam *258* C4
Elat *260* D1
Elat *295* F6
Elat *298* B1
Elato, isla *314* D2
Elâzig *215* F8
Elazig *294* E2
Elazig *298* A2
Elba, isla *223* C6
Elba, rio *213* D5
Elba, río *215* D4
Elba, río *252* A3
Elba, río *290* B1
Elbasan *225* E3
Elbe, rio *217* I2
Elbe, río *220* B4
Elbe, río *221* C4
Elbert, monte *45* E3, *52* C3
Elbeuf *219* C7
Elbeuf *219* F6
Elbistan *294* E3
Elbistan *295* A7
Elblag *217* I4
Elblag *221* A7
Elbrus, monte *213* E8
Elbrus, monte *227* H4
Elbrus, monte *252* A5
Elbrus, monte *260* A4
Elbrus, monte *290* D1
Elbruz, montes *213* E9
Elbur *261* H5
Elbur *263* B8
Elbur *298* E2
Elburz, montes *252* B6
Elburz, montes *291* D2
Elburz, montes *296* E1
Elburz, montes *298* A3
Elche *222* D3
Elche/Elx *214* F3
Elda *222* D3
Eldoret *261* I3
Eldoret *263* C6
Elektrostal *227* E3
Eleuthera, isla *53* E8, *56* B4
Elgin *218* B3
El-Goléa *254* C2
El-Goléa *258* D4
Elgon, monte *261* I3
Elgon, monte *263* C6
Elhovo *294* A1
Elista *227* H4
Elista *296* D1
Elizabeth *311* E5
Elizabeth, arrecife *311* D8
Elk *221* A8
Elk *227* E1
Elko *49* I4, *52* C2
Ellef Ringnes, isla *50* C1
Ellesmere, isla *44* B4, *46* B4, *50* B2
Elliot *310* B4
Ellsworth, meseta *140* C4
Ellsworth, montes *140* C3
Eloglu *295* A7
Elorza *137* C5
El-Oued *258* C5
Elqui, río *138* A4
Elsenstadt *223* A9
Elton *227* G4
Eluru *299* D7
Eluru *300* F1
Elvas *222* B3
Ely *218* E4
Emba *215* D7
Emba, río *213* D9
Embarcación *134* C4
Embu *261* I4

Embu *263* C7
Emden *217* I1
Emden *219* A9
Emden *220* B2
Emi Koussi, pico *252* D4
Emi Koussi, pico *259* E6
Emi Koussi, pico *261* F1
Emine, cabo *224* D6
Emir, pico *294* C2
Emmen *219* A9
Emmen *220* B2
Empalme *52* E3, *54* B2
Empexa, salar *138* A1
Ems, golfo *217* I1
Ems, rio *219* A9
Ems, río *220* B2
En Hazeva *295* E6
En Yahav *295* E6
Encantada, cerro *54* A1
Encantado, cerro *54* C2
Encarnación *134* D4, *139* F3
Encontrados *136* B4
Encrucijada *55* E7
Endeh *303* F5
Endere Langar *300* C2
Endicott, montes *48* C4
Enez *225* E5
Énez *294* A1
Enfida *223* F6
Engaño, cabo *301* F8
Engaño, cabo *303* A5
Engels *215* C8
Engels *227* F4
Enggano, isla *291* H4
Enggano, isla *293* H4
Enggano, isla *302* E2
Engizek, pico *295* A7
English, costa *140* C3
Eniwetok, isla *314* D4
Enna *223* E8
Enna *223* G1
Ennedi, montes *252* D4
Ennedi, región *261* F1
Ennis *218* E1
Enniskillen *218* D2
Enns, rio *221* E5
Enns, río *223* A8
Enns, río *224* B1
Enschede *217* I1
Enschede *219* A9
Enschede *220* B2
Ensenada *52* D2, *54* A1
Entebbe *255* E5
Entebbe *261* I3
Entebbe *263* C6
Entrada, punta *54* A1
Entre Ríos *128* D4, *133* F4, *133* H5, *138* C1
Entrecasteaux, arrecife *311* B9
Entrecasteaux, islas *312* B4
Entrecasteaux, islas *314* F3
Enugu *255* E3
Enugu *259* H5
Enugu *262* B1
Envigado *132* B2, *136* C3
Eolias, islas *223* E8
Eolie o Lipari, islas *225* G1
Epazote, cerro *54* C4
Epeiros, región *225* F3
Épernay *219* C8
Épernay *220* D1
Épinal *219* C9
Épinal *220* E2
Ercivas, pico *290* D1
Erciyas, pico *213* F7
Erciyas, pico *294* D3
Erdemli *294* D3
Erdemli *295* A6
Erebus, monte *141* E5
Erechim *134* E4, *139* G4
Eregli *294* C1
Eregli *294* C3
Eregli *295* A5
Erevan *215* E8
Erevan *254* B5
Erevan *260* B4
Erevan *290* D1
Erevan *294* D1
Erevan *296* D1
Erfurt *220* C4
Erg Awbari, desierto *257* D9
Erg Chech, desierto *252* C2
Erg Chech, desierto *257* E5
Erg Chech, desierto *259* D3
Erg Iguidi, desierto *252* C2
Erg Iguidi, desierto *256* D3
Erg Iguidi, desierto *258* D3
Erg In-Sakkane, desierto *257* F6
Erg Issaouane, desierto *257* D8
Erg Marzuq, desierto *257* E9
Ergani *294* F3
Ergene, río *225* E5
Ergene, río *294* A1
Erie *51* I3
Erie, lago *45* E5, *47* E5, *51* I3, *53* C7
Erigabo *261* G5
Erigabo *263* A8

Erimo, cabo *304* D6
Erivan *227* I4
Erlangen *220* D4
Erlian *297* F7
Erlian *301* B6
Ermenak *294* C3
Erode *299* E6
Erromango, isla *316* B2
Erzgebirge, región *221* D4
Erzincan *215* E8
Erzincan *227* I3
Erzincan *294* E2
Erzurum *213* E8
Erzurum *215* E8
Erzurum *227* I4
Erzurum *260* B4
Erzurum *294* F2
Esbjerg *217* H1
Escalón *54* C4
Escandinava, península *44* A6
Escandinava, península *213* B5
Escandinavia, región *290* B2
Escandinavia, región *296* A2
Escandinavos, montes *213* B5
Escania, región *213* C5
Escárcega *55* E8
Esclavos, costa *253* E2
Escocia, región *212* B3
Escuinapa de Hidalgo *52* F3, *54* D4
Escuintla *130* B3
Esfahan *260* C5
Eskilstuna *217* F3
Eskisehir *215* F7
Eskisehir *227* I1
Eskisehir *260* B2
Eskisehir *294* B2
Esla, río *212* E2
Eslavonia, región *213* E5
Esmeraldas *132* A3, *136* E1
Esmeraldas, río *136* E1
Esmirna *213* F6
Esmirna *215* F6
Esmirna *254* B4
Española, isla *132* A6
Espartel, cabo *223* B5
Esperance *306* E2, *308* E2
Esperance *310* E2
Esperanza *132* C4, *134* B1, *138* D5
Esperanza *54* B2
Espichel, cabo *222* A3
Espinal *136* D3
Espinhaço, sierra *127* E5, *133* G6, *134* F3
Espinho *222* A2
Espinillo *139* E3
Espírito Santo *134* F3
Espírito Santo, región *133* H6
Espíritu Santo, isla *54* C2
Espíritu Santo, isla *307* D5, *309* D5
Espíritu Santo, isla *316* B1
Espoo *215* B6
Espoo *217* F5
Espóradas Ecuatoriales, islas *307* C7, *309* C7
Espóradas Ecuatoriales, islas *315* E9
Espóradas Ecuatoriales, islas *317* A6
Espóradas Meridionales, islas *213* F6
Espóradas Septentrionales, islas *213* F6
Esqueda *54* A3
Esquel *135* B7
Esquias *130* D3
Essen *214* D4
Essen *219* B9
Essen *220* C2
Essequibo, río *133* E2, *137* C9
Essex, región *219* B7
Estaca de Bares, punta *222* B1
Estados, isla *127* C8, *129* C8, *135* C9
Estambul *213* E6
Estambul *215* E6
Estambul *227* I1
Estambul *252* B4
Estambul *254* B4
Estambul *290* C1
Estambul *292* C1
Estambul *294* B1
Estância *133* I5
Este, cabo *312* E4
Esteli *131* E4
Estelí *56* E1
Estella *222* D1
Estella-Lizarra *219* F6
Estepona *222* C4
Estocolmo *213* C5
Estocolmo *215* C5
Estocolmo *217* F4
Estocolmo *226* D1
Estocolmo *290* B2
Estocolmo *292* B2
Estocolmo *296* B2

Estoril *222* A3
Estrasburgo *214* D4
Estrela, sierra *222* B2
Estrella, punta *54* A1
Estrella, sierra *212* E2
Estremoz *222* B3
Estrondo, sierra *133* G4, *134* D1
Étampes *219* C7
Etawah *300* D1
Etiópico, macizo *252* D5
Etna, monte *213* F5
Etna, monte *223* E8
Etna, monte *225* G1
Etosha, lago *253* G3
Etosha, lago *255* G3
Etosha, lago *262* F3
Etosha, lago *264* B3
Eubea, isla *213* F6
Eubea, isla *252* B4
Eubea, isla *254* B4
Éufrates, río *213* E8
Éufrates, río *213* F8
Éufrates, río *215* F9
Éufrates, río *252* B5
Éufrates, río *254* B5
Éufrates, río *290* D1
Éufrates, río *295* B8
Éufrates, río *298* A2
Eugene *49* H4, *52* B2
Eugenia, punta *45* F2, *52* E2, *54* B1
Eure, río *219* C7
Eureka *49* I3, *52* C1
Euripik, isla *314* D2
Europa, isla *253* G5
Europa, isla *255* G5
Europa, isla *265* C7
Europa, picos *222* C1
Europa, punta *223* C5
Evansville *53* D6
Évboia, isla *225* G4
Everard, lago *310* D4
Everest, monte *299* B7
Everest, monte *291* F3
Everest, monte *300* D2
Everett *49* H4, *52* A2
Everglades, región *56* B3
Évora *214* E2, *222* B3
Évreux *219* C7
Évreux *219* F5
Evrôtas, río *225* G4
Exeter *218* F3
Exeter *219* B6
Exmoor Forest, región *218* F3
Exmoor Forest, región *219* B6
Eyasi, lago *263* D6
Eyl *261* G6
Eyl *263* B9
Eyl *293* F1
Eyre, lago *306* E3, *308* E3
Eyre, lago *311* D5
Eyre, península *311* E5
Ezine *225* F5

# F

F' Derick *254* C1, *259* E2
Faaa *313* E8
Faaone *313* F8
Facatativá *136* C3
Faddejevskij, isla *297* B7
Fadgam *294* F4
Fadgami *295* B9
Faeara, punta *313* F9
Faenza *223* B7
Fafen, río *261* H5
Fafen, río *263* B8
Fagaras *224* C5
Fagaras, montes *224* C5
Faguibine, lago *259* F3
Fairbanks *46* B2, *48* D4
Fairbanks *292* A6
Fais, isla *303* C8
Faizabad *299* B7
Faizabad *300* E2
Fakahina, isla *317* B8
Fakaofo, isla *307* D6, *309* D6
Fakaofo, isla *315* F7
Fakaofo, isla *316* A4
Fakarava, isla *317* B8
Fakfk *303* E7
Falcó, cabo *223* D5
Falcon, cabo *257* A6
Falcone, punta *223* D6
Fale *307* D6, *309* D6
Fale *315* F7
Fale *316* A4
Falémé, río *259* G1
Falsa, bahía *253* I4
Falsa, bahía *255* I4
Falsa, bahía *264* E3
Falso, cabo *131* F3
Falster, isla *213* C5
Falster, isla *217* H2
Falster, isla *220* A4

Falterona, monte *223* B7
Fier *225* F3
Fife, cabo *218* C3
Figueira da Foz *222* A2
Figueira dos Vinhos *222* B3
Figueres *219* F8
Figueres *222* F1
Figuig *257* B6
Fiji, islas *307* D5
Filadelfia *133* G4, *134* D1, *138* D2
Filadelfia *45* E5, *47* E5, *51* I4, *53* C8
Filchner, barrera de hielo *140* D3
Filicudi, isla *223* E8
Filicudi, isla *225* G1
Filingué *259* F4
Filingué *262* A1
Filipinas, fosa *303* C6
Filipinas, islas *291* F6
Filipinas, islas *306* B2
Filipinas, mar *291* F6
Filipinas, mar *293* F6
Filipinas, mar *303* A7
Filipinas, mar *306* B3, *308* B3
Filipinas, mar *314* C1
Filyos, río *294* C1
Fimbul, barrera de hielo *141* E1
Finike *294* B3
Finisterre, cabo *212* E2
Finisterre, cabo *214* E2
Finisterre, cabo *222* A1
Finisterre, cabo *254* A2
Finisterre, cabo *258* A3
Finke *310* C4
Finke, río *310* C4
Finlandia, golfo *213* B6
Finlandia, golfo *215* B6
Finlandia, golfo *217* F5
Finlandia, golfo *226* D1
Finlandia, golfo *296* B2
Finmarks-vidda, región *213* A6
Finnmarksvidda, región *216* A5
Finsteraarhon, pico *223* A6
Finsteraarhorn, pico *220* F2
Fionia, isla *213* C4
Firat, río *295* A7
Firenze *258* A6
Firozabad *299* B6
Firozabad *300* D1
Firth of Forth, bahía *212* C3
Firth of Forth, bahía *218* C3
Firth of Lorne, bahía *218* C2
Fisher, glaciar *141* G2
Fittri, lago *259* G6
Fittri, lago *262* A3
Fitzroy, río *291* I6
Fitzroy, río *293* I6
Fitzroy, río *306* D2, *308* D2
Fitzroy, río *310* B2
Fitzroy, río *311* C7
Flagstaff *52* D3
Flamborough, cabo *218* D4
FLaming, región *221* C4
Flandes, región *219* B8
Flathead, lago *52* B3
Flattery, cabo *52* A2
Flattery, cabo *311* A6
Flensburg *214* C4
Flensburg *217* H1
Flers *219* C7
Flinders, arrecife *311* B7
Flinders, isla *310* E4
Flinders, isla *311* F6
Flinders, montes *311* D5
Flint *51* I3, *53* C7
Flint, isla *317* A7
Floreana, isla *132* A6
Florencia *132* B2, *136* E3
Florencia *214* E4
Florencia *223* C7
Flores *130* C2
Flores *55* F9
Flores, isla *291* H6
Flores, isla *293* H6
Flores, isla *303* F5
Flores, isla *306* D2, *308* D2
Flores, isla *310* A2
Flores, mar *303* F5
Floriano *128* E4, *133* H4, *134* F1
Florianópolis *135* E4, *139* H4
Florida *135* D5, *139* E6
Florida, cayos *53* F7, *56* B3
Florida, estado *53* E7, *55* A9
Florida, estrecho *126* B1
Florida, estrecho *45* G5, *53* F7, *56* B3
Florida, península *126* B1
Florida, península *45* F5, *53* E7, *56* A3
Florina *225* E3
Fly, río *303* F9
Fly, río *306* C3, *308* C3
Fly, río *312* B2
Fly, río *314* F1
Foca *224* D2
Focsani *224* C5
Foggia *215* E5

Kharagpur 293 F3
Kharagpur 300 E2
Kharkov 296 C1
Khong 302 B3
Khorramabad 260 C5
Khorramabad 298A3
Khotan 299A6
Khotan 300 C2
Khotan, río 300 B2
Khouribga 258 C3
Khouribga 256 B4
Khulna 299 C8
Khulna 300 E3
Kianta, lago 216 C6
Kibondo 263 D5
Kicevo 225 E3
Kidal 259 F4
Kiel 214 C4
Kiel 217 H2
Kiel 220A3
Kiel 296A1
Kiel, golfo 220A4
Kielce 221 C8
Kieta 313 B5
Kiev 213 D6
Kiev 215 D6
Kiev 227 F2
Kiev 252A4
Kiev 254A4
Kiev 290 C1
Kiev 292 C1
Kiev 296 C1
Kiffa 259 F2
Kigali 253 F5
Kigali 255 F5
Kigali 261 I2
Kigali 263 D5
Kigoma 255 F5
Kigoma 263 D5
Kii, estrecho 305 H3
Kii, península 305 H3
Kikinda 221 F8
Kikinda 224 C3
Kikori 303 F9
Kikori 312 B3
Kikori 314 F2
Kikori, río 312 B3
Kikwit 255 F4
Kikwit 262 D3
Kilija 224 C6
Kilimanjaro, monte 261 I4
Kilimanjaro, pico 253 F5
Kilimanjaro, pico 263 D7
Kilis 294 E3
Kilis 295A7
Kilkenny 218 E2
Kilkis 225 E4
Kilmarnock 218 C3
Kilmez 227 E5
Kimaam 303 F8
Kimbe 312 B4
Kimberley 264 D4
Kimberley, meseta 306 D2
Kimberley, meseta 310 B3
Kimberley, región 291 I6
Kimch'om 305 F1
Kimch'on 304 D2
Kimmirut 51 E3
Kimolos, isla 225 H5
Kimry 227 E3
Kinabalu, monte 306 C2
Kinabalu, pico 291 G5
Kinabalu, pico 302 C4
Kinchil 55 D8
Kindia 259 G1
Kindu 255 F4
Kindu 261 I2
Kindu 263 D5
Kinel 227 F5
Kinesma 227 E4
King George, isla 140 B1
King Leopold, montes 310 B3
King's Lyn 219A7n
King's Lynn 218 E4
Kingaroy 311 C7
Kingisapp 217 G5
Kingman, arrecife 315 D8
Kingman, arrecifes 307 C7, 309 C7
Kingsmill, isla 307 C5, 309 C5
Kingsmill, isla 315 E5
Kingston 126 B2, 128 B2, 131 H2
Kingston 45 G5, 47 G5, 51 H4, 53 B7, 56 D4
Kingston 307 E5, 309 E5
Kingston 312 F1
Kingston 316 D2
Kingston-u.-Hull 218 D4
Kingston-u-Hull 219A7
Kingston-upon-Hull 214 C3
Kingstown 57 F7
Kingsville 55 B6
Kinkala 262 D3
Kinnaird, cabo 212 B3
Kinnaird, cabo 218 B3
Kinshasa 253 F3
Kinshasa 255 F3
Kinshasa 262 D3

Kintyre, península 218 C2
Kinyeti, pico 261 H3
Kinzig, río 220 D3
Kíos, isla 215 F6
Kioto 297 F9
Kioto 306A3, 308A3
Kioto 314A1
Kipili 263 D6
Kira Kira 311A9
Kira Kira 313 C6
Kirakira 307 D5, 309 D5
Kirakira 314 F4
Kirakira 316A1
Kirensk 292 C4
Kirgali 295A8
Kirikhan 294 D3
Kirikkale 215 F7
Kirikkale 227 I2
Kirikkale 294 C2
Kiritimati, isla 307 C7, 309 C7
Kiritimati, isla 315 E9
Kirkcaldy 218 C3
Kirklareli 225 E6
Kirklareli 294A1
Kirkpatrick, pico 141 E4
Kirkuk 215 F9
Kirkuk 254 B6
Kirkuk 260 C4
Kirkuk 292 D1
Kirkuk 298A2
Kirkwall 218A3
Kirov 227 F2
Kirov 296 C3
Kirov, bahía 213 E9
Kirovabad 260 B4
Kirovabad 296 E1
Kirovakan 215 E8
Kirovakan 227 I4
Kirovograd 227 G2
Kirovograd 296 C1
Kirovsk 215A6
Kirovski 226 B3
Kirovski 227 H5
Kirovskij 297 C9
Kirs 226 D5
Kirsanov 227 F4
Kirsehir 294 D2
Kiruna 215A5
Kiruna 216 B4
Kiruna 296A3
Kisangani 255 E4
Kisangani 261 I2
Kisangani 263 C5
Kisiniev 227 G1
Kisinov 224 B6
Kiskunfélegyhaza 221 F8
Kiskunfélegyháza 224 B3
Kislovodsk 227 H4
Kismanyo 255 E6
Kismanyo 261 I5
Kismanyo 263 C8
Kismanyo 298 F1
Kisumu 255 E5
Kisumu 261 I3
Kisumu 263 C6
Kita 259 G2
Kita-Io-Jima, isla 314 B2
Kitakami, río 305 E5
Kitakyushu 306A3, 308A3
Kitakyusyu 293 E6
Kita-Kyusyu 301 C9
Kita-kyusyu 305 H1
Kitami 297 E9
Kitami 304 C6
Kitami, montes 304 C5
Kitimat 49 F4
Kitchener 47 E5, 51 I3, 53 B7
Kitwe 255 G4
Kitwe 263 E5
Kitwe 265A5
Kitzbühel 220 E4
Kitzbühel 223A7
Kivu, lago 253 F5
Kivu, lago 261 I2
Kivu, lago 263 D5
Kizema 226 D4
Kizijar 227 H5
Kizilirmak, río 213 E7
Kizilirmak, río 215 F7
Kizilirmak, río 260 B3
Kizilirmak, río 290 D1
Kizilirmak, río 294 D1
Kizilirmak, río 294 D2
Kiziltepe 295A9
Kizyl-Arvat 298A4
Kl'ucevskaja sopka, pico 297 C9
Kladno 221 D5
Kladovo 224 C3
Klagenfurt 215 E5
Klagenfurt 221 F5
Klagenfurt 223A8
Klagenfurt 224 B1
Klaipeda 215 C5
Klaipeda 217 H4
Klaipeda 227 E1
Klaipéda 296 B1

Klamath Falls 49 I4, 52 B2
Klamath, montes 52 B1
Klang 302 D2
Klar, río 213 B5
Klar, río 217 E3
Klatovy 221 D5
Klatovy 224A1
Klerksdorp 265 C5
Klincy 227 F2
Klivonec, pico 221 D4
Klodzko 221 D6
Kluczbork 221 C7
Knin 223 B9
Knin 224 D1
Knox, isla 315 D5
Knoxville 53 D7
Kobe 293 E6
Kobe 297 F9
Kobe 305 G3
Kobe 314A1
Koblenz 219 B9
Koblenz 220 C2
Kobrin 221 B9
Kobuleti 294 F1
Koca, río 225 F6
Koca, río 294 B3
Kocevo 226 D5
Kodiak 49 D2
Kodiak, isla 44 C1, 46 C1, 49 D2
Kodiak, isla 290A6
Kodiak, isla 292A6
Koforidua 259 H3
Kohat 299 B5
Kohima 300 E3
Kohtla-Järve 217 F6
Kohtla-Järve 226 D2
Kohtla-Järve 296 B2
Kohu 305 G4
Kojda 226 B4
Kokand 293 E3
Kokand 299A5
Kokcetav 296 E3
Kokenau 306 C3, 308 C3
Kokenau 314 F1
Kokkola 215 B6
Kokkola 216 D5
Koko, lago 306A1, 308A1
Kokoda 312 B4
Kol'skij, península 296 B3
Kola, penín sula 292 B3
Kola, península 213A6
Kola, península 215A6
Kola, península 226 A3
Kola, península 290 B3
Kolaka 303 E5
Kolárovo 221 E7
Kolárovo 224 B2
Kolding 217 H1
Kolepom, isla 303 F8
Kolguiev, isla 215A7
Kolguiev, isla 296 B3
Kolgujev, isla 213A7
Kolgujev, isla 226 B4
Kolgujev, isla 290 B3
Kolgujev, isla 292 B3
Kolhapur 299 D6
Köln 219 B9
Köln 220 C2
Kolobrzeg 221A5
Kolombangara 313 B5
Kolomna 215 C7
Kolomna 227 E3
Kolpasevo 297 D4
Kolpino 226 D2
Koltel'nyj, isla 290 B5
Koltel'nyj, isla 292 B5
Kölük 295A8
Kolwezi 255 F4
Kolwezi 263 E5
Kolwezi 265A4
Kolyma, río 290 B5
Kolyma, río 292 B5
Kolyma, río 297 B8
Kolymskoje, montes 297 B8
Kolyslej 227 F4
Komadugu Yobe, río 259 G5
Komadugu Yobe, río 262A2
Komandorskije, islas 297 C9
Komárno 221 E7, 224 B2
Kometene 225 E5
Komi, región 226 C5
Komilla 299 C8
Komilla 300 E3
Kommunarsk 215 D7
Kommunizma, pico 300 B1
Komodo, isla 303 F5
Kompasberg, pico 253 H4
Kompasberg, pico 264 D4
Kompong Cham 302 B2
Komsomol'sk-na-Amure 292 C6
Komsomol'sk-na-Amure 297 E8
Komsomolec, isla 290 B4
Komsomolec, isla 297 B5
Komsomolski 227 H4
Kondopoga 226 C3
Koné 311 C9
Koné 313 D6

Konin 217 I4
Konin 221 B7
Konjic 223 B9
Konjic 224 D2
Konosa 215 B7
Konosa 226 D3
Konotop 227 F2
Konstantinovka 227 G3
Konstantinovka 296 C1
Konstanz 220 E3
Kontum 302 B3
Konya 215 F7
Konya 260 B3
Konya 292 D1
Konya 294 C3
Konya 298A1
Kopaonik, región 224 D3
Kopeisk 215 B9
Koper 223 B8
Koper 224 C1
Koppeh, montes 296 F1
Koprivnica 221 F6
Koprivnica 223A9
Koprivnica 224 C2
Köprüirmagi, río 294 B3
Korçë 225 F3
Korcuala, isla 223 C9
Korcula, isla 224 D2
Kordana 223 C5
Kordofán, región 252 D5
Kordofan, región 261 G2
Korhogo 255 D2
Korhogo 259 G2
Korinthiakòs, golfo 225 G4
Kórinthos 225 G4
Koriyama 305 E5
Korjazma 226 D4
Korkino 227 E6
Korkuteli 294 B3
Korla 300 B3
Kormat, isla 223 B8
Kornat, isla 224 D1
Koro, isla 313 E5
Koro, mar 313 F6
Koro, mar 316 B3
Köroglu, montes 294 C1
Koror 303 C7
Koror 306 C3, 308 C3
Koror 314 D1
Körös, río 221 F8
Korosten 227 F2
Korsakov 304 B5
Kortrijk 219 B8
Kortrijk 220 C1
Kos 215 G6
Kos, isla 294A3
Kosalak 227 G5
Koscagyl 227 G6
Kosciusko, monte 306 E4
Kosciusko, monte 311 E6
Kosi, río 300 E2
Kosice 215 D5
Kosice 221 D8
Kosice 224A3
Kosice 260A1
Kosiki, islas 305 H1
Kosju 226 B5
Koslan 226 C4
Kosong 304 C2
Kosong 305 E1
Kosovska Mitrovica 225 D3
Kostroma 215 B7
Kostroma 227 E4
Kostroma 296 C2
Koszalin 215 C5
Koszalin 217 H3
Koszalin 221A6
Kota 299 C6
Kota Baharu 302 C2
Kota Kinabalu 293 G5
Kota Kinabalu 302 C2
Kota Kinabalu 306 C2, 308 C2
Kotabaru 302 E4
Kotel'nyj, isla 297 B7
Kotelnic 227 D5
Kotelnikovo 227 G4
Koti 227 F9
Koti 301 C9
Koti 305 H2
Kotka 215 B6
Kotka 217 F6
Kotlas 213 B7
Kotlas 215 B7
Kotlas 226 D4
Kotlas 292 C2
Kotlas 302 D2
Kotor 225 E2
Kotovsk 224 B6
Kotovsk 227 G2
Kottagudem 300 F1
Kotto 261 H1
Kotto, río 262 B4
Kotuj, río 297 C5
Kotzebue 48 C3

Kotzebue, bahía 48 C3
Koula-Moutou 259 I5
Koula-Moutou 262 C2
Koulikoro 259 G2
Koumac 307 D5, 309 D5
Koumac 311 B9
Koumac 313 C6
Koumac 316 C1
Kourou 133 F2
Koutiala 259 G2
Kouvola 215 B6
Kouvola 217 E6
Kovdor 226 B3
Kovel 227 F1
Kovelj 221 C9
Kovrov 215 C7
Kovrov 227 E4
Kowloon 301 F7
Kowloon 302A4
Kowong 304 B2
Koyaagung 302 E2
Koyukuk, río 48 C4
Kozan 295A6
Kozáne 225 F4
Kozlu 227 I2
Kragujevac 224 D3
Kraków 221 D7
Kraków 224A3
Kraków 296 B1
Kralendijk 137A6
Kraljevo 224 D3
Kramatorsk 215 D7
Kramatorsk 227 G3
Kramatorsk 296 C1
Kranj 221 F5
Kranoscelje 226 B3
Kras, región 224 C1
Krasino 226A5
Krasino 226 C1
Krasnoarmejsk 227 F4
Krasnodar 215 E8
Krasnodar 260A3
Krasnodar 292 C2
Krasnodar 296 D1
Krasnojarsk 292 D4
Krasnojarsk 297 E5
Krasnojarski 227 F6
Krasnoslobodsk 227 E4
Krasnoturinsk 226 D6
Krasnoturjinsk 215 B9
Krasnofimsk 227 E6
Krasnovisersk 226 D6
Krasnovodak 298A3
Krasnovodsk 227 I6
Krasnovodsk 254 B6
Krasnovodsk 260 B5
Krasnovodsk 296 E1
Krasny Kut 227 F5
Krasny Luc 227 G3
Krasnyj Luc 296 D1
Kratié 302 B3
Krawang 302 E3
Krefeld 220 C2
Kremenchug, embalse 213 D7
Kremencug 227 G2
Kremencug 296 C1
Krestovaja guba 226 B1
Krestovka 226 B5
Kricev 227 F2
Kristiansand 217 F1
Kristiansand 296A1
Kristianstad 217 H3
Kristiansund 214 B4
Krivoi Rog 215 D7
Krivoj Rog 227 G2
Krivoj Rog 260A2
Krivoj Rog 296 C1
Krk, isla 223 B8
Krk, isla 224 C1
Kronstadt 226 D2
Kroonstad 265 D5
Kropotkin 227 H3
Krosno 221 D8
Krosno 224A3
Krugersdorp 265 C5
Krui 302 E2
Ksar el Boukhari 223 F5
Ksar el Boukhari 257A7
Ksar el Kebir 256 B4
Kuala Belait 302 D4
Kuala Lumpur 291 H4
Kuala Lumpur 293 H4
Kuala Lumpur 302 C2
Kuala Lumpur 306 C1, 308 C1
Kuala Terengganu 293 G4
Kuala Terengganu 302 C2
Kuala Terengganu 306 C1, 308 C1
Kuantan 302 D2
Kuba 227 I5

Kucha 300 B2
Kuching 293 H5
Kuching 302 D3
Kuching 306 C1, 308 C1
Kudat 302 C4
Kudugu 259 G3
Kuduk 261 G3
Kuduk 263 B6
Kudymkar 226 D5
Kudymkar 296 C3
Kuen Lun, montes 291 E3
Kufonesion, isla 225 I5
Kufstein 220 E4
Kufstein 223A7
Kugluktuk 49 D6
Kuibishev, embalse 213 C8
Kujawy, región 221 B7
Kujbysev 227 E5
Kujeda 227 E6
Kul'sary 296 E2
Kula 221 F7
Kula 224 C3
Kulaksiz 227 G6
Kuldiga 227 D1
Kulgera 310 C4
Kulja 293 D3
Kulja 296 F4
Kulja 300 B2
Kuloj 226 D4
Kulp 294 F2
Kulsary 227 G6
Kultaj 227 H5
Kum, pico 224 D4
Kumamoto 305 H1
Kumanovo 225 E4
Kumasi 255 E2
Kumasi 259 H3
Kumayri 215 E8
Kumayri 227 I4
Kumba 259 H5
Kumba 262 B2
Kumbakonam 299 E7
Kum-Dag 227 I6
Kumuh 227 I5
Kunasir, isla 290 D6
Kunasir, isla 292 C6
Kunasir, isla 297 E9
Kunasir, isla 304 C6
Kundiawa 312 B3
Kunduz 296 F2
Kunene, río 262 F2
Kungsbacka 217 G2
Kungu 227 D6
Kungur 215 B9
Kunlon 300 F4
Kunlun, región 299A7
Kunlun, región 300 C3
Kunming 291 F4
Kunming 293 F4
Kunming 299 B9
Kunming 301 E5
Kunming 306 B1, 308 B1
Kunsan 301 C8
Kunsan 304 D2
Kuopio 215 B6
Kuopio 217 D6
Kuopio 296 B2
Kupa, río 223 B8
Kupa, río 224 C1
Kupang 293 H6
Kupang 303 F5
Kupang 306 D2, 308 D2
Kupang 310A2
Kupjansk 227 G3
Kura, río 213 E8
Kura, río 252 B5
Kura, río 254 B5
Kura, río 260 B4
Kura, río 290 D2
Kurdistán, región 213 F8
Kurdufan, región 263A5
Kure 305 G2
Kuressaare 226 D1
Kurgan 292 C3
Kurgan 296 D3
Kurgan-T'ube 296 F2
Kuria Muria, islas 291 F1
Kuria Muria, islas 293 F1
Kuril'skije, islas 297 D9
Kuriles, islas 290 C6
Kuriles, islas 292 C6
Kuriles, islas 304 C6
Kurja 226 C6
Kurnool 299 D6
Kursi 294 F3
Kursi 295 B9
Kursk 215 D7
Kursk 227 F3
Kursk 296 C1
Kursk, bahía 217 H4
Kuruman 264 D4
Kurume 305 H1
Kurupukari 137 D9
Kusadasi, golfo 225 G6
Kusaie, isla 314 D4
Kushui 300 B4
Kusiro 292 D6

Likasi 255 F4
Likasi 263 E5
Likasi 265 A5
Lille 214 D3
Lille 219 B8
Lille Baelt, estrecho 217 H2
Lillehammer 217 E2
Lilongwe 253 G5
Lilongwe 255 G5
Lilongwe 263 F6
Lilongwe 265 A6
Lim, río 224 D3
Lima 127 B5, 129 B5, 132 B5, 134 A2
Lima 51 I3, 53 C7
Limari, río 138 A5
Limasol 294 C4
Limay, río 135 B7
Limbara, monte 223 D6
Limeira 134 E3, 139 I2
Limerick 214 C2
Limerick 218 E1
Limoges 214 D3
Limoges 219 E7
Limón 131 F5
Limón 56 F2
Limpopo, río 253 G4
Limpopo, río 255 G4
Limpopo, río 265 C5
Limpopo, río 265 C6
Linares 135 B6
Linares 53 F4, 55 C5
Linares 222 C4
Linaro, cabo 223 C7
Linas, monte 223 E6
Lincoln 138 D6
Lincoln 51 I1, 53 C5
Lincoln 218 D4
Lincoln 219 A7
Lincoln, mar 44 A4, 50 B2
Lindesnes, cabo 212 C4
Lindesnes, cabo 217 F1
Lindi 263 E7
Lindi 265 A7
Lindos 225 H6
Linga, islas 302 D2
Lingayen, golfo 303 B5
Lingen 217 I1
Lingen 219 A9
Lingga, islas 291 H5
Lingga, islas 293 H5
Lingling 301 E6
Linjang 304 A2
Linjiang 301 B8
Linköping 215 C5
Linköping 217 G3
Linkoping 296 B1
Linkou 301 A8
Linosa, isla 223 F7
Lins 139 H2
Linxi 301 B7
Linxia 301 C5
Linz 215 D5
Linz 221 E5
Linz 224 A1
Linz 258 A6
Lion, golfo 219 F8
Lion, golfo 258 A5
Lionarisson 295 B5
Lipari, isla 223 E8
Lipari, isla 225 G1
Lipari, islas 213 F5
Lipari, islas 223 E8
Lipeck 215 C7
Lipeck 227 F3
Lipeck 296 C2
Lípez, cordillera 138 B2
Lippe, río 220 C3
Lira 261 H3
Lira 263 C6
Liria 222 D3
Lisboa 212 E2
Lisboa 214 E2
Lisboa 222 A3
Lisboa 252 B2
Lisboa 254 B2
Lisboa 258 B3
Lisburne, cabo 44 B2, 48 B3
Lisicansk 215 D7
Lisicansk 227 G3
Lisicansk 296 C1
Lisieux 219 C7
Lisimaco Costa 139 H2
Liski 227 F3
Lithgow 311 E7
Litke 226 A5
Little Abaco, isla 56 A4
Little Andaman, isla 299 D8
Little Cayman, isla 56 C3
Little Colorado, río 52 D3
Little Inagua, isla 57 C5
Little Minch, estrecho 218 B2
Little Missouri, río 49 H6, 52 B4
Little Nicobar, isla 299 E9
Little Rock 47 F4, 53 D5
Liubliana 213 E5
Liubliana 215 E5
Liubliana 252 A3
Liubliana 290 B1
Liuzhou 293 F5
Liuzhou 301 E6
Livermore, monte 52 E4, 54 A4
Liverpool 212 C3
Liverpool 214 C3
Liverpool 218 D3
Liverpool 219 A6
Liverpool, bahía 218 D3
Livingstone 255 G4
Livingstone, catarata 253 F3
Livny 227 F3
Livonia, región 213 C6
Livorno 214 E4
Livorno 223 C6
Lizarra 222 D1
Ljubercy 227 E3
Ljubljana 221 F5
Ljubljana 223 A8
Ljubljana 224 C1
Ljubljana 258 A6
Ljubomlj 221 C9
Ljungan, río 217 E3
Ljusdal 217 E3
Ljusnan, río 213 B5
Ljusnan, río 217 E3
Llano Estacado, región 45 F3, 52 D4, 54 A4
Llanos de Mojos, región 132 D5, 134 C2
Llanos de Nueces, región 55 B5
Llanos de Tabasco y Campeche, región 55 E8
Llanos de Tamaulipas, región 55 C6
Llanos del Orinoco, región 137 B6
Llanos, región 126 C3
Llanos, región 45 H6
Llanquihue, lago 135 B7
Ilebo 262 D4
Lleida 222 E2
Lleyn, península 218 E3
Ili, río 300 A1
Llica 138 A1
Llullaillaco, pico 127 C6, 134 B4, 138 A3
Loa, río 132 C6, 134 B3, 138 A2
Lobatse 265 C4
Lobito 255 F3
Lobito 262 E2
Lobito 264 A2
Lobos, cabo 54 B2
Lobos, cayo 130 D2
Lobos, cayo 55 E9, 56 D1
Lobos, isla 54 B2
Locarno 220 F3
Locarno 223 A6
Lod 295 D6
Lodejnoje Poje 226 D3
Lodja 262 D4
Lódz 215 D5
Lódz 221 C7
Lódz 296 B1
Lofa, río 259 H2
Lofot, islasen 213 A5
Lofoten, islas 216 B3
Lofoten, islas 296 A3
Logan, monte 44 C2, 49 E3
Loge, río 262 E3
Logone, río 253 D3
Logroño 222 D1
Loir, río 219 D7
Loira, río 212 D3
Loira, río 214 D3
Loira, río 252 A3
Loira, río 254 A3
Loira, río 290 B1
Loire, río 219 D6
Loire, río 219 D8
Loire, río 258 A4
Loja 132 A3
Loja 222 C4
Loji 303 E6
Lojno 226 D5
Lolland, isla 213 C4
Lolland, isla 217 H2
Lolland, isla 220 A4
Lom 224 D4
Lom, río 224 D5
Lom, río 259 H6
Lom, río 262 B3
Loma Bonita 130 A2
Loma, montes 253 E1
Loma, montes 259 G1
Lomami, río 253 F4
Lomami, río 261 I2
Lomami, río 263 C4
Lomami, río 263 D5
Lomb, islaok 293 H5
Lombardia, región 223 B6
Lomblen, isla 291 H6
Lomblen, isla 293 H6
Lomblen, isla 303 F5
Lombok, isla 291 H5
Lombok, isla 302 F4
Lombok, isla 310 A1
Lomé 253 E2
Lomé 255 E2
Lomé 259 H4
Lomela, río 261 I1
Lomela, río 262 D4
Lomié 255 E3
Lomié 259 H6
Lomié 262 C2
Lomonosov 226 D2
Lomonosov, dorsal 297 A6
Lomza 217 I5
Lomza 221 B8
London 47 E5, 51 I3, 53 C7
Londonberry 218 C2
Londonderry 214 C3
Londonderry, cabo 291 H6
Londonderry, cabo 293 H6
Londonderry, cabo 310 A3
Londonderry, isla 135 B9
Londres 212 D3
Londres 214 D3
Londres 218 E4
Londres 219 B7
Londres 252 A3
Londres 254 A3
Londres 290 A1
Londres 292 A1
Londrina 134 E4, 139 G2
Long Beach 52 D2
Long, cordillera 51 G5
Long, estrecho 297 A8
Long, isla 53 F8, 57 B5
Long, isla 312 B3
Longiram 302 D4
Longnawan 302 D4
Longview 55 A7
Longwy 219 C9
Longwy 220 D1
Longxi 301 D5
Loop, cabo 218 E1
Lop Nor, lago 291 E4
Lop Nor, lago 293 E4
Lop Nor, lago 300 B3
Lopatka, cabo 290 C6
Lopatka, cabo 292 C6
Lopatka, cabo 297 D9
López, cabo 253 E3
Lopez, cabo 259 I5
Lopez, cabo 262 C2
Lora del Río 222 C4
Lorca 222 D4
Lord Howe, isla 306 E4, 308 E4
Lord Howe, isla 311 D8
Lord Howe, isla 312 C1
Lorena, región 212 D4
Lorengau 312 A3
Lorenzo, golfo 44 D6
Loreto 52 E2, 54 C2
Lorica 131 I5, 132 B1, 136 B3
Lorica 56 F4
Lorient 219 D6
Lörrach 219 D9
Lörrach 220 E2
Lorrach 223 A6
Los Andes 135 B5, 138 A5
Los Ángeles 135 B6
Los Ángeles 45 F2, 47 F2, 52 D2
Los Ángeles 307 A9, 309 A9, 292 D2, 299 F5, 300 B2
Los Hermanos, isla 137 A7
Los Mochis 52 F3, 54 C3
Los Monjes, islas 137 A5
Los Monjes, islas 57 E6
Los Palacios 222 B4
Los Roques, islas 132 C1, 137 A6
Los Roques, islas 57 F7
Los Teques 132 C1, 137 A6
Los Teques 57 F7
Los Testigos, islas 132 D1, 137 A8
Los Testigos, islas 57 F8
Los Toriles, ruinas 54 E4
Los Vilos 138 A5
Losap, isla 314 D3
Losinj, isla 223 B8
Losinj, isla 224 C1
Losuia, isla 312 B4
Lot, río 219 E7
Lota 135 B6
Loubomo 262 D2
Louga 259 F1
Loughrea 218 D1
Louisiade, archipiélago 314 F3
Louisville 47 F4, 53 C6
Lourdes 219 F7
Lourdes 222 E1
Lourenço Marques, bahía 253 H5
Lourenço Marques, bahía 265 C6
Lovat, río 213 C6
Lovec 224 D5
Lowa, río 261 I2
Lowa, río 263 C5
Lower Hutt 312 E3
Lowestoft 219 A7
Lowestoft 219 F5
Lozére, pico 219 E8
Loznica 224 C3
Lozovaja 227 G3
Luachimo 262 D4
Lualaba, río 261 I2
Lualaba, río 263 C5
Lualaba, río 263 E5
Lualaba, río 265 A5
Luama, río 263 D5
Luanda 253 F3
Luanda 255 F3
Luanda 262 E2
Luando, río 262 E3
Luando, río 264 A3
Luang Prabang 293 F4
Luang Prabang 301 F5
Luang Prabang 302 A2
Luang Prabang 306 B1, 308 B1
Luangwa, río 253 G5
Luangwa, río 255 G5
Luangwa, río 263 E6
Luangwa, río 265 A6
Luanshya 255 G4
Luanshya 263 E5
Luanshya 265 A5
Luapula, río 253 F4
Luapula, río 263 E5
Luapula, río 265 A5
Luarca 222 B1
Luban 221 C5
Lubango 255 G3
Lubango 262 F2
Lubango 264 B2
Lubbock 52 D4, 55 A5
Lübeck 215 C4
Lübeck 217 I2
Lübeck 220 A4
Lubesov 227 F1
Lubin 221 C6
Lublin 215 D6
Lublin 221 C8
Lublin 227 F1
Lublin 296 B1
Lubliniec 221 C7
Lubny 227 G2
Lubsko 221 C5
Lubuklinggau 302 E2
Lubumbashi 263 E5
Lubumbashi 265 A5
Lubumbasi 255 F4
Lubutu 261 I2
Lubutu 263 C5
Lucca 223 B7
Lucea 131 H2
Lucena 222 C4
Lucena 303 B5
Lucenec 221 E7
Lucenec 224 A3
Luck 227 F1
Lucknow 293 F3
Lucknow 299 B7
Lucknow 300 D1
Lüda 293 E5
Lüda 297 F8
Lüda 301 C7
Lüderitz 255 H3
Lüderitz 264 C3
Ludhiana 299 B6
Ludhiana 300 D1
Ludogorie, región 224 D5
Ludvika 217 F3
Ludwigshafen am Rhein 220 D3
Luembe, río 262 E4
Luembe, río 264 A4
Luena, río 262 E4
Luena, río 264 A4
Lufeng 301 F7
Luga 226 D2
Lugano 220 F3
Lugano 223 A6
Lugano, lago 220 F3
Lugano, lago 223 A6
Lugansk 215 D7
Lugansk 227 G3
Luganville 307 D5, 309 D5
Luganville 316 B2
Lugenda, río 263 E6
Lugenda, río 265 A7
Lugo 222 B1
Luiana, río 262 F4
Luiana, río 264 B4
Luis Moya 55 D5
Luisiadas, archipiélago 311 A7
Luisiadas, archipiélago 313 C5
Luisiana, estado 53 E5, 55 A7
Lukenie, río 262 D4
Lukojanov 227 E4
Luków 221 B8
Lul, río 253 E4
Lul, río 255 E4
Lul, río 261 G2
Lul, río 263 B5
Lule, río 213 A5
Lule, río 216 C4
Lulea 215 A5
Luleå 216 C5
Luleå 296 B2
Lüleburgaz 225 E6
Luleburgaz 227 I1
Lüleburgaz 294 A1
Luma 313 D9
Lumbrales 222 B2
Lund 217 H2
Lunda, meseta 253 F4
Lunda, región 262 E3
Lundi, río 265 C5
Lüneburg 217 I2
Lüneburg 220 B3
Lunga, río 263 F5
Lunga, río 265 A5
Lungué-Bungo, río 262 E4
Lungué-Bungo, río 264 A4
Luninec 227 F1
Luoyang 293 E5
Luoyang 301 C6
Lupeni 224 C4
Lupkowska, paso 221 D8
Lupkowska, paso 224 A4
Luq 261 H5
Luq 263 C7
Luq 298 E1
Luque 139 E3
Lúrio, río 263 F7
Lúrio, río 265 A7
Lusaka 253 G4
Lusaka 255 G4
Lusaka 263 F5
Lusaka 265 B5
Lushnjë 225 E3
Lüshun 301 C7
Luso 255 F4
Lut, depresión 298 B4
Luton 218 E4
Luton 219 B7
Lützow-Holm, bahía 141 G1
Luvua, río 253 F4
Luvua, río 263 D5
Luxemburgo 214 D4
Luxemburgo 219 C9
Luxemburgo 220 D2
Luxian 301 E5
Luxor 261 D3
Luykau 300 F4
Lûykau 302 A1
Luza 226 D4
Luzern 220 F2
Luzern 223 A6
Luzón, estrecho 291 F6
Luzón, estrecho 293 F5
Luzón, estrecho 301 F8
Luzón, estrecho 303 A5
Luzón, estrecho 306 B2, 308 B2
Luzón, isla 291 F6
Luzón, isla 293 F6
Luzón, isla 301 F8
Luzón, isla 303 B5
Luzón, isla 306 B2, 308 B2
Lvov 215 D6
Lvov 221 D9
Lvov 224 A4
Lvov 227 F1
Lyddan, isla 140 D1
Lyme, bahía 218 F3
Lyme, bahía 219 B6
Lyna, río 217 I4
Lynher, arrecife 310 B2
Lynn Lake 49 F6, 51 F1
Lynn, lago 49 G6
Lyon 212 E4
Lyon 214 E4
Lyon 219 E8
Lyon 220 F1
Lyon 254 A3
Lyon 258 A5
Lyon 292 B1
Lyons, río 310 C1
Lysica, pico 221 C8
Lysva 226 D6


# M


M'Baiki 259 H6
M'Baiki 262 C3
M'Banza Kongo 262 D3
M'Binda 259 I5
M'Binda 262 D2
Ma Chhu, río 299 A9
Ma, río 301 C4
Ma'an 295 E6
Ma'arrat an-Nu'man 295 B7
Ma'lula 295 C7
Ma'rra an-Nu'man 294 D4
Maan 295 A8
Maanselkä, región 213 A6
Maanselkä, región 216 B6
Maarianhamina 226 D1
Maas, río 219 B8
Maas, río 220 C1
Maastrich 219 B9
Maastricht 220 C2
Mabalane 265 C6
Mabaruma 133 E1, 137 B9
Mabote 265 C6
Mac Donnell, montes 306 D3
Macao 293 F5
Macao 301 F7
Macao 302 A4
Macapá 128 D3, 133 F3
Macarena, sierra 136 D3
Macas 132 A3, 136 F2
Macasar, estrecho 291 H5
Macasar, estrecho 293 H5
Macasar, estrecho 303 E5
Macau 133 I4
Macaúba 133 F4, 134 D1
Macauley, isla 316 D3
MacClintock, canal 50 D1
Macdonald, lago 310 C3
Macdonnell, montes 310 C4
Macedo de Cavaleiros 222 B2
Maceió 128 F4, 133 I4
Macerata 223 C8
Macey, monte 141 H2
Machackala 296 D1
Machado 137 E8
Machala 132 A3
Machichaco, cabo 222 D1
Machiques 136 A4
Machiques 57 F5
Mackay 306 D4, 308 D4
Mackay 311 B7
Mackay, lago 49 E6
Mackay, lago 310 C3
Mackenzie 133 E2
Mackenzie King, isla 48 C6, 50 C1
Mackenzie, bahía 141 H3
Mackenzie, bahía 48 D5
Mackenzie, montes 44 C2, 49 E5
Mackenzie, río 44 C3, 46 C3, 48 D5, 49 E5
Mackenzie, río 311 C6
Maclovio Herrera 54 B4
Maco, monte 262 E3
Macon 53 D7
Macquarie, río 311 D6
Macujer 136 E4
Madagascar, isla 253 G6
Madagascar, isla 263 F8
Madagascar, isla 291 H1
Madakalapuwa 299 E7
Madang 303 E9
Madang 312 A3
Madang 314 F2
Madaniyin 257 B9
Madaniyin 258 C5
Maddalena, isla 223 D6
Madeira, archipiélago 256 B1
Madeira, archipiélago 258 C1
Madeira, isla 252 B1
Madeira, isla 254 B1
Madeira, isla 256 B1
Madeira, isla 258 C1
Madeira, río 126 C4, 128 C4, 133 E3, 134 C1
Maden 294 F3
Madera 54 B3
Madina do Boé 259 G1
Madingou 262 D2
Madison 51 I2, 53 C6
Madium 302 F3
Madra, pico 225 F6
Madran, pico 225 G6
Madrás 291 G3
Madrás 293 G3
Madrás 299 D7
Madre de Chiapas, sierra 55 F7
Madre de Dios, isla 135 B8
Madre de Dios, río 127 C4, 132 C5, 134 B2
Madre de Oaxaca, sierra 55 F7
Madre del Sur, sierra 130 B3
Madre del Sur, sierra 45 H3, 55 F5
Madre Occidental, sierra 45 G3, 52 E3, 54 B3
Madre Oriental, sierra 45 G3, 52 E4, 55 C5
Madre, laguna 53 F5
Madrid 212 E2
Madrid 214 E2
Madrid 222 C2
Madrid 252 B2
Madrid 254 B2
Madrid 258 B3
Madura 293 G3
Madura 299 E6
Madura, isla 302 F4
Mae Sai 302 A2
Maebasi 305 F4
Maestra, sierra 131 H1
Maestra, sierra 56 C4
Maevatanana 263 F8
Maevatanana 265 B8
Mafeking 265 C4
Mafia, isla 253 F5
Mafia, isla 255 F5
Mafia, isla 263 E7
Mafra 139 H3
Mafraq 295 D6
Magadan 292 C6
Magadan 297 C8
Magallanes, estrecho 127 C8, 129 C8, 135 C9, 135 I2

Maui, isla 315 B9
Mauke, isla 317 B6
Maumera 303 F5
Maun 255 G4
Maun 264 B4
Mauna Kea, volcán 313 B9
Mauna Loa, volcán 313 B9
Maurepas, lago 55 A8
Mauri 303 E9
Maurice, lago 310 D4
Mauricio, isla 265 F9
Mauricio, isla 291 I1
Mava 303 F9
Mava 312 B2
Mawson, costa 141 H2
Maxcanú 55 D8
May Pen 131 H2
May Pen 56 D4
Maya, montes 130 D2
Maya, montes 55 F9
Mayadin 294 F4
Mayadin 295 C9
Mayaguana, isla 53 F9, 57 C5
Mayagüez 57 D7
Mayapá, ruinas 130 C1
Mayd 261 G5
Mayd 263 A8
Mayd 298 E2
Maydan 295 A7
Maymaneh 293 E2
Maymaneh 296 F2
Maymaneh 299 A4
Maynas, región 132 B3
Mayo, río 54 B3
Mayón, volcán 306 B2
Mayor Pablo Lagerenza 133 E6, 134 C3
Mayotte, isla 253 G6
Mayotte, isla 255 G6
Mayotte, isla 263 E8
Mayotte, isla 265 A8
Mayoumba 262 D2
Mayran, laguna 55 C5
Mazar-i-Sarif 299 A5
Mazaruni, río 137 C9
Mazatenango 130 B3
Mazatlán 52 F3, 54 D3
Mazowsze, región 221 B7
Mbabane 253 H5
Mbabane 255 H5
Mbabane 265 C5
Mbala 263 E6
Mbale 261 I3
Mbale 263 C6
Mbandaka 255 E4
Mbandaka 259 I6
Mbandaka 262 C3
Mbanza-Ngungu 262 D3
Mbengga, isla 313 F5
Mbeya 255 F5
Mbeya 263 E6
Mbua 313 E5
Mbuji-Mayi 262 D4
Mc Leod, lago 310 C1
McAllen 55 C6
McClure, estrecho 44 B3, 48 C6
McKean, isla 315 E7
McKinley, pico 44 C2, 48 D3
McKinney 55 A6
McMurdo, estrecho 141 F6
Mead, lago 52 D2
Mearim, río 133 G4
Mechelen 219 B8
Mechelen 220 C1
Mecheria 257 B6
Mecklenburg, golfo 220 A4
Mecklenburg, región 220 B4
Mecrihan 295 A8
Mecsek, montes 223 A9
Mecsek, región 221 F7
Mecsek, región 224 C2
Medan 293 H4
Medan 299 E9
Medan 302 D1
Medan 306 C1, 308 C1
Médano Amarillo 54 C2
Medanosa, punta 135 C8
Médéa 223 F4
Médéa 257 A7
Médéa 258 C4
Medellín 128 B3, 132 B2, 136 C3
Medellín 47 H6
Medgidia 224 D6
Medias 224 C4
Medicine Hat 49 H5, 52 A3
Medina 254 C5
Medina 261 E4
Medina 293 E1
Medina 298 C1
Medina de Rioseco 222 C2
Medina del Campo 222 C2
Mediodía, canal 212 E3
Mediterráneo, mar 212 F3
Mediterráneo, mar 219 F9
Mediterráneo, mar 290 D1
Mediterráneo, mar 292 D1
Medjerda, montes 223 F5
Medjerda, río 223 F6
Mednogorsk 227 F6
Medvezjegorsk 226 C3
Meekatharra 306 E2, 308 E2
Meekatharra 310 D2
Meerut 299 B6
Meerut 300 D1
Mega 298 E1
Megerda, río 212 F4
Megion 296 D4
Mehetia, isla 317 B7
Meia Ponte, río 133 F6, 134 E3
Meikhtila 300 F4
Meikhtila 302 A1
Meixian 301 E7
Mejillones 134 B4, 138 A2
Mekele 261 F4
Mekele 263 A7
Mekele 298 D1
Meknès 256 B4
Meknes 258 C3
Mekong, delta 302 C3
Mekong, delta 306 B1, 308 B1
Mekong, río 291 G5
Mekong, río 293 G5
Mekong, río 302 B2
Mekongga, pico 303 E5
Melaka 302 D2
Melanesia, región 306 C4, 308 C4
Melanesia, región 314 E2
Melanesia, región 316 B2
Melbourne 306 E3, 308 E3
Melbourne 311 E6
Melchor de Mencos 130 C2
Melchor Múzquiz 55 B5
Melchor, isla 135 B8
Melendiz, monte 295 A6
Meleuz 227 F6
Melide 222 B1
Melilla 212 F2
Melilla 214 F2
Melilla 223 D5
Melilla 254 B2
Melilla 257 A5
Melilla 258 C3
Melipilla 135 B5, 138 A6
Melitopol 215 D7
Melitopol 227 G2
Melitopol' 296 C1
Melk 221 E5
Melk 224 A1
Melnik 221 D5
Melo 135 D5, 139 F5
Melos, isla 225 H5
Melun 219 C8
Melville, bahía 50 C3
Melville, bahía 311 A4
Melville, estrecho 44 B3
Melville, isla 44 B3, 48 C6, 50 C1
Melville, isla 291 H6
Melville, isla 293 H6
Melville, isla 306 D3, 308 D3
Melville, isla 310 A3
Melville, península 44 C4, 51 E2
Memboro 303 F5
Memboro 310 A1
Memphis 47 F4, 53 D6
Ménaka 259 F4
Menan, río 291 G4
Menderes, río 213 F6
Menderes, río 215 F6
Menderes, río 294 B3
Mendi 312 B3
Mendocino, cabo 45 E2, 47 E2, 49 I3, 52 C1
Mendoza 129 C6, 135 B5, 138 B5
Mene de Mauroa 137 A5
Mene Grande 137 B5
Mene Grande 57 F6
Menemen 225 G6
Menemen 294 A2
Menggala 302 E2
Mengzi 301 F5
Menongue 255 G4
Menongue 262 F3
Menongue 264 A3
Menor, mar 222 D4
Menorca, isla 212 E3
Menorca, isla 214 E3
Menorca, isla 222 F3
Menorca, isla 258 B4
Mensikova, cabo 226 A5
Mensikova, cabo 226 C1
Mentawai, archipiélago 291 H4
Mentawai, archipiélago 293 H4
Mentawai, archipiélago 302 E1
Mentawai, estrecho 302 D1
Mentawai, islas 306 C1, 308 C1
Menzies, monte 141 G2
Meppen 219 A9
Mequínez 214 F2
Merain 298 A1
Merano 220 F4
Meratus, montes 302 E4
Merauke 303 F8
Merauke 312 B2
Mercedario, cerro 135 B5, 138 A5
Mercedes 135 C5, 135 D5, 135 C6, 138 C6, 139 E4, 139 E5
Merceditas 138 A4
Meredoua 257 E7
Mergui, archipiélago 291 G4
Mergui, archipiélago 293 G4
Mergui, archipiélago 302 B1
Meriç, río 294 A1
Mérida 128 A2, 130 C1, 132 C1, 137 B4
Mérida 47 G4, 55 D8
Mérida 222 B3
Mérida, cordillera 126 B3, 132 C1, 136 B4
Mérida, cordillera 45 H6
Meridian 53 E6, 55 A8
Merín, laguna 127 D6, 135 D5, 139 F5
Merir, isla 303 D7
Merredin 306 E2, 308 E2
Merredin 310 E2
Merrick, pico 218 C3
Merseburg an der Saale 220 C4
Mersin 215 F7
Mersin 294 D3
Mersin 295 A6
Merthy Tydfil 219 B6
Merthyr Tydfil 218 E3
Mértola 222 B4
Mertz, glaciar 141 G6
Merzifon 294 D1
Mesa de Yambi, región 137 E5
Meshed 298 B3
Mesina 215 F5
Mesolóngion 225 G3
Mesopotamia, región 127 D6, 135 D5, 139 E4
Mesopotamia, región 213 F8
Mesopotamia, región 252 B5
Mesopotamia, región 291 D1
Messalo, río 263 E7
Messalo, río 265 A7
Messene 225 G4
Messeniakòs, golfo 225 H4
Messina 223 E8
Messina 225 G1
Messina 258 B6
Messina 265 C5
Messina, estrecho 223 E8
Messina, estrecho 225 G1
Messina,, estrecho 213 F5
Mesta, río 225 E4
Meta, río 126 C3, 132 C2, 136 D4, 137 C6
Meta, río 45 H6
Metalici, montes 221 F9
Metálicos, montes 213 D4
Metán 134 C4, 138 C3
Metapan 130 C3
Metauro, río 223 C7
Metliti Chaamba 257 C7
Metula 295 D6
Metz 214 D4
Metz 219 C9
Metz 220 D2
Meuse, río 220 C1
Mexicali 47 F2, 52 D2, 54 A1
México 45 G3, 47 G3
México, estado 55 E5
México, fosa 130 A3
México, fosa 55 F6
México, golfo 126 A1, 128 A1
México, golfo 45 G4, 47 G4, 53 F6, 55 C8, 56 A1
Mezdusarskij, isla 226 C1
Mezen 215 A7
Mezen 226 B4
Mezen, golfo 213 A7
Mezen, río 213 A7
Mezen, río 226 C4
Mézenc, monte 219 E8
Miami 126 B1, 128 B1
Miami 45 G5, 47 G5, 53 F7, 56 A3
Miangas, isla 303 D6
Mianning 300 E4
Miass 215 B9
Miass 227 E6
Miass 296 D3
Micay 136 D2
Michalovce 221 D8
Michalovce 224 A4
Michelson, monte 48 C4
Michigan, estado 53 B6
Michigan, lago 45 E4, 47 E4, 51 I2, 53 C6
Michikamau, lago 51 F4
Michoacán, estado 55 E5
Micronesia, región 306 C4, 308 C4
Micronesia, región 314 D2
Micurinsk 227 F3
Middelburg 265 C5
Middle Andaman, isla 299 D8
Middlesbrough 218 D4
Middlesbrough 296 A1
Middlesex 55 F9
Middleton, arrecife 311 D8
Midi d'Ossau, pico 219 F6
Midi d'Ossau, pico 222 D1
Midi, canal 219 F7
Midi, canal 222 E1
Midland 55 A5
Midway, islas 315 A6
Midway, islas 307 A6, 309 A6
Midyat 295 A9
Midzer, pico 224 D4
Miedwie, lago 221 B5
Mielec 221 C8
Mier 55 C6
Mier y Noriega 55 D5
Miercurea-Ciuc 224 B5
Mieres 222 C1
Mihajlovgrad 224 D4
Mihajlovka 227 G4
Mihmandar 295 A6
Mijaly 227 G6
Mikkeli 217 E6
Mikkeli 296 B2
Mikolajev 296 C1
Mikun 226 C5
Mikura-Jima, isla 314 A1
Milagro 136 F1
Milán 212 E4
Milán 214 E4
Milán 252 A3
Milán 254 A3
Milán 292 B1
Milano 223 B6
Milano 258 A5
Milazzo 223 E8
Milazzo 225 G1
Mildura 306 E3, 308 E3
Mildura 311 E5
Miles 311 C7
Mili, isla 315 D5
Milk, río 49 H6, 52 B3
Mill, isla 141 I4
Millau 219 E8
Millerovo 227 G3
Millevaches, llanura 219 E7
Milolii 313 B9
Milwaukee 47 E4, 51 I2, 53 C6
Mimizan 219 E6
Mimyi 292 C4
Min, montes 301 D5
Min, río 301 E7
Minami-Io-Jima, isla 314 B2
Minami-Tori-Shima, isla 314 B3
Minas 135 D6, 139 F6
Minas Cué 139 E1
Minas Gerais, región 133 F6, 134 F3
Minatitlán 130 A2
Minatitlán 55 E7
Mindanao, isla 291 G6
Mindanao, isla 293 G6
Mindanao, isla 303 C6
Mindanao, isla 306 C2, 308 C2
Mindelo 259 I1
Minden 55 A7
Minden 220 B3
Mindoro 306 B2, 308 B2
Mindoro, estrecho 303 B5
Mindoro, isla 291 G6
Mindoro, isla 293 G6
Mindoro, isla 303 B5
Mineralnyje Vody 227 H4
Mingecaur 227 I5
Minglanilla 222 D3
Minicoy, isla 299 E6
Minigwal, lago 310 D3
Minneapolis 47 E4, 51 I1, 53 B5
Minnesota, estado 53 B5
Minnesota, río 51 I1, 53 B5
Minnipa 311 E5
Minot 49 H6, 51 H1, 52 B4
Minsk 213 C6
Minsk 215 C6
Minsk 217 H6
Minsk 227 E2
Minsk 252 A4
Minsk 254 A4
Minsk 290 C2
Minsk 292 C2
Minsk 296 B1
Minto, lago 51 F3
Minyag Gongkar, pico 291 E4
Minyag Gongxar, pico 301 D5
Minyako, islas 301 E9
Minya-Konka, monte 306 A1, 308 A1
Minypo Gengket, pico 299 B9
Miño, río 222 B1
Miquelon, isla 51 G6
Mirador, ruinas 55 F7
Miraflores 132 B2, 136 E4
Mirampéllu, golfo 225 H5
Miranda de Ebro 222 C1
Miranda, río 139 F1
Mirassol 139 H1
Mirbat 261 F6
Mirbat 293 F1
Mirbat 298 D3
Miri 302 D4
Mirnyi 297 D6
Mirpur Khas 299 C5
Mirzapur 299 C7
Mirzapur 300 E1
Misham 297 E8
Mishan 301 A8
Misima, isla 311 A7
Misima, isla 312 C4
Misiones, sierra 134 D4, 139 F3
Miskolc 215 D5
Miskolc 221 E8
Miskolc 224 B3
Misoöl, isla 291 H6
Misoöl, isla 293 H6
Misquitos, cayos 131 F3
Misquitos, cayos 56 E2
Misratah 258 C6
Mississippi, delta 55 B8
Mississippi, estado 53 D6, 55 A8
Mississippi, río 126 A1
Mississippi, río 45 F4, 47 F4, 51 I2, 53 B5, D6, 55 A8
Missoöl, isla 303 E7
Missoula 49 H5, 52 B3
Missouri, estado 53 D5
Missouri, río 45 E3, E4, 47 E3, 49 H5, H6, 51 H1, 52 B4, 53 C5
Mistassini, lago 44 D5, 51 G4, 53 A8
Mistelbach a.d.z. 221 E6, 224 A2
Mita, punta 54 E4
Mitchell 311 C6
Mitchell, monte 45 F5, 53 D7
Mitchell, río 306 D3, 308 D3
Mitchell, río 311 A5
Mitiaro, isla 317 B6
Mitla, ruinas 55 F7
Mito 305 F5
Mitsiwa 263 A7
Mitsiwa 298 D1
Mittelland, canal 217 I1
Mittelland, canal 220 B4
Mittersill 220 F4
Mitú 132 C2, 137 E5
Mitumba, montes 253 F4
Mitumba, montes 263 D5
Miyake, isla 305 G5
Miyake-Jima, isla 314 A1
Miyako, isla 291 F6
Miyakonozyo 305 I1
Miyazaki 301 C9
Miyazaki 305 H2
Mizar 295 A8
Mizen, cabo 212 C2
Mizen, cabo 218 E1
Mjøsa, lago 217 E2
Mladenovac 224 D3
Mlanje, monte 263 F6
Mlanje, monte 265 B6
Mlawa 221 B7
Mljet, isla 223 C9
Mljet, isla 225 D2
Mo 215 A5
Mo i Rana 216 C3
Moa 131 I1
Moa, isla 303 F6
Moala, isla 313 F6
Mobile 47 F4, 53 E6, 55 A9
Mobile, bahía 55 A9
Moçambique 263 F7
Moçambique 265 A7
Moçâmedes 255 G3
Moçamedes 262 F2
Moçamedes 264 B2
Mocha, isla 135 B6
Mochudi 265 C5
Mocoa 132 B2, 136 E2
Moctezuma 54 B3
Mocuba 263 F6
Mocuba 265 B6
Modena 223 B7
Moen 306 C4, 308 C4
Moen 314 D3
Mogadiscio 253 E6
Mogadiscio 255 E6
Mogadiscio 261 I5
Mogadiscio 263 C8
Mogadiscio 291 G1
Mogadiscio 293 G1
Mogadiscio 298 F2
Mogadouro 222 B2
Mogami, río 305 E5
Mogi das Cruces 134 F4, 139 I2
Mogi Mirim 139 I2
Mogil'ov 296 C1
Mogilev 227 E2
Mogilev-Podolski 227 G1
Mogilov 215 C6
Mogoca 292 D5
Mogoca 297 E7
Mohács 221 F7
Mohács 223 A9
Mohács 224 C2
Mohammedia 256 B4
Mohéli, isla 253 G6
Mohéli, isla 255 G6
Mohéli, isla 263 E8
Mohéli,,isla 265 A8
Mohinora, cerro 54 C3
Moitaco 137 B7
Moknine 223 F7
Mokp'o 301 C8
Mokp'o 304 D2
Moldavia, región 213 D6
Molde 50 A6
Molde 216 D1
Molde 296 A2
Moldova, región 224 B5
Moldova, río 224 B5
Moldoveanu, pico 213 E6
Moldoveanu, pico 224 C5
Molepolole 265 C4
Molfetta 223 D9
Molfetta 225 E2
Molina 138 A6
Molina de Aragón 222 D2
Mollendo 129 B5, 132 C6, 134 A3
Molles 139 E5
Mölnda 217 G2
Molodecno 217 H6
Molodecno 227 E1
Molodecno 296 B1
Molokai, isla 313 A9
Molopo, río 253 H4
Molopo, río 255 H4
Molucas, islas 291 G6
Molucas, islas 293 G6
Molucas, islas 303 E6
Molucas, islas 306 C2, 308 C2
Molucas, mar 291 G6
Molucas, mar 293 G6
Molucas, mar 303 D6
Mombasa 255 F5
Mombasa 263 D7
Momboyo, río 261 I1
Momboyo, río 262 C3
Momeik 300 F4
Mompós 136 B3
Møn, isla 217 H2
Møn, isla 220 A4
Mona, canal 57 D7
Mona, punta 131 F5
Mónaco 223 B5
Monaghan 218 D2
Monbetu 304 C6
Moncalieri 223 B6
Monção 133 G3
Moncayo, pico 212 E3
Moncegorsk 215 A6
Moncegorsk 226 B3
Moncegorsk 296 B3
Mönch Sar'dág, pico 301 A5
Mönch Sar'dan, monte 297 E6
Mönchen-gladbach 219 B9
Mönchengladbach 220 C2
Monclova 52 E4, 55 C5
Moncton 51 H5, 53 B9
Mond, río 298 B3
Mondego, cabo 222 A2
Monforte de Lemos 222 B1
Mong Cai 301 F6
Mong Cai 302 A3
Monger, lago 310 D1
Monghyr 299 C7
Monghyr 300 E2
Mongo 259 G6
Mongo 261 G1
Mongo 262 A3
Mongol Altajn, región 300 A3
Mongolia, meseta 306 A1
Mongu 255 G4
Mongu 262 F4
Mongu 264 A4
Monkey River 55 F9
Monkoto 261 I1
Monkoto 262 D4
Mono, punta 131 F4
Monopoli 223 D9
Monopoli 225 E2
Monroe 53 E6, 55 A8
Monrovia 253 E1
Monrovia 255 E1
Monrovia 259 H2
Mons 219 B8
Mons 220 C1
Mont Blanc, pico 212 E4
Mont Blanc, pico 220 F2
Mont Blanc, pico 223 A5
Mont Blanc, pico 252 A3
Mont Blanc, pico 290 B1
Montagne Noire, pico 219 F8
Montague, isla 49 D3
Montalbán 222 D2
Montana, estado 52 B3
Montánchez 222 B3
Montañas Azules, montes 49 H4, 52 B2
Montañas Rocosas, montes 44 D2, 49 F4, 52 A2
Montauban 219 F7
Montbéliard 219 D9
Montbéliard 220 E2
Montbéliard 223 A5
Mont-Blanc, pico 219 E9
Montcalm, lago 300 C3

Navojoa 52 E3, 54 B3
Navolato 54 C3
Návplion 225 G4
Navua 313 F5
Nawà 295 D6
Nawabshah 299 C5
Náxos 225 G5
Náxos, isla 225 G5
Nayarit, estado 54 D4
Nazaret 295 D6
Nazca 132 B5, 134 A2
Nazilli 225 G6
Nazilli 294 A3
Ndélé 255 E4
Ndélé 261 G1
Ndélé 262 B4
Ndola 255 G4
Ndola 263 E5
Ndola 265 A5
Neagh, lago 218 D2
Near, islas 290 B6
Near, islas 292 B6
Nebine, río 311 D6
Nebit-Dag 227 I6
Nebit-Dag 296 E1
Neblina, pico 132 D2, 137 E7
Nebraska, estado 53 C4
Nebrodi, montes 223 E8
Nebrodi, montes 225 G1
Neches, río 55 A7
Neckar, río 220 E3
Necker, isla 307 B7, 309 B7
Necker, isla 315 B9
Necochea 135 D6
Necoclí 136 B2
Neftekamsk 227 E5
Neftekumsk 227 H4
Negele 255 E5
Negele 261 H4
Negele 263 B7
Negele 298 E1
Negev, región 295 E6
Negra, cordillera 132 A4
Negría 136 D2
Negro, cabo 223 C5
Negro, mar 213 E7
Negro, mar 215 E7
negro, mar 224 D6
Negro, mar 227 I2
Negro, mar 252 A5
Negro, mar 254 A5
Negro, mar 260 A3
Negro, mar 290 C1
Negro, mar 292 C1
Negro, mar 294 E1
Negro, mar 296 D1
Negro, río 126 C3, 127 C7, 128 C3, 129 C7, 132 C3, 133 E3, 135 C7, 137 E6, F8, 139 E2, E5
Negros, isla 291 G6
Negros, isla 293 G6
Negros, islas 303 C5
Neijiang 301 D5
Neisse, río 213 D5
Neisse, río 221 C5
Neiva 132 B2, 136 D3
Neiva, cerro 136 D3
Neja 227 D4
Nekemte 261 G4
Nekemte 263 B6
Nel'ma 301 A9
Nel'ma 304 A4
Nelidovo 227 E2
Nellore 299 D7
Nelson 307 F5, 309 F5
Nelson 312 E2
Nelson 316 E2
Nelson, río 44 D4, 51 G1, 53 A5
Nelspruit 265 C5
Néma 259 F2
Neman, río 217 I5
Neman, río 221 A9
Nemira, monte 224 C5
Nemuro 304 C6
Nenagh 218 E1
Nenusa, islas 303 D6
Neovolcánica, cordillera 54 E4
Neretva, río 223 C9
Neretva, río 224 D2
Nerga 226 C6
Nerva 222 B4
Ness, lago 218 B3
Néstos, río 225 E4
Netanya 295 D6
Nettiling, lago 51 E3
Netzahualcóyotl, presa 130 B2
Netzahualcóyotl, pantano 55 F7
Neubrandenburg 217 I2
Neubrandenburg 221 B5
Neuchatel 219 D9
Neuchâtel 220 F2
Neuchâtel 223 A5
Neuchâtel, lago 220 F2
Neuchâtel, lago 223 A5
Neumünster 220 A3
Neunkirchen 219 C9
Neuquén 129 C7, 135 B6
Neuquén, río 135 B6
Neusiedl, lago 221 E6
Neusiedl, lago 224 B2
Neusield, lago 223 A9
Neuss 220 C2
Neustrelitz 221 B5
Nevada de Santa Marta, sierra 126 B2, 132 B1, 136 A3
Nevada de Santa Marta, sierra 45 H6, 57 F5
Nevada, estado 52 C2
Nevada, sierra 45 E2, 49 I4, 52 C2
Nevada, sierra 212 F2
Nevada, sierra 252 B2
Nevada, sierra 307 A9
Nevel 227 E2
Nevers 219 D8
Nevinnomyssk 227 H4
Nevis, isla 57 D8
Nevjansk 226 D6
Nevsehir 294 D2
New Amsterdam 133 E2
New Bedford 51 I4, 53 C8
New England, montes 311 D7
New Hampshire, estado 53 B8
New Haven 51 I4, 53 C8
New Iberia 55 B8
New Norfolk 311 F6
New Plymouth 307 E5, 309 E5
New Plymouth 312 E3
New Plymouth 316 E2
New Providence 53 F8
New Providence, isla 56 B4
New Québec Crater, volcán 51 E3
Newark 51 I4, 53 C8
Newcastle 306 E4, 308 E4
Newcastle 311 D7
Newcastle Waters 310 B4
Newcastle-u.-Tyne 218 C4
Newcastle-upon-Tyne 214 C3
Newenham, cabo 48 D2
Newman 310 C2
Newmarket 219 A7
Newport 218 E3
Newport 218 F4
Newport 219 B6
Newport 219 B6
Newry 218 D2
Nezin 227 F2
Ngami, lago 264 B4
Ngangtse, lago 300 D2
Ngaoundéré 255 E3
Ngaoundéré 261 E3
Ngaoundéré 262 B2
Ngau, isla 313 F5
Ngoc Linh, pico 302 B3
Ngoring, lago 300 C4
Ngula, isla 314 D1
Ngulu, isla 303 C8
Nha Trang 293 G5
Nha Trang 302 B3
Nha Trang 306 B1, 308 B1
Nhi Ha, río 301 F5
Nhi Ha, río 302 A2
Niagara Falls 51 I3, 53 C7
Niagara, catarata 45 E5
Niamey 252 D2
Niamey 254 D2
Niamey 259 F4
Niangara 261 H2
Niangara 263 C5
Nias, isla 291 H4
Nias, isla 293 H4
Nias, isla 299 F9
Nias, isla 302 D1
Nicaragua, lago 126 A2, 128 A2, 131 E4
Nicaragua, lago 45 H5, 47 H5, 56 F1
Nice 219 F9
Nice 258 A5
Nicobar, islas 291 G4
Nicobar, islas 293 G4
Nicobar, islas 299 E8
Nicolás Bravo 55 E9
Nicolás, canal 56 B3
Nicosia 213 F7
Nicosia 215 F7
Nicosia 254 B5
Nicosia 260 C3
Nicosia 290 D1
Nicosia 292 D1
Nicosia 294 C4
Nicosia 298 A1
Nicoya 131 E5
Nicoya, golfo 131 E5
Nicoya, golfo 56 F1
Nicoya, península 131 E5
Nicoya, península 56 F1
Nida, río 221 C8
Niedere Tauern, pico 223 A8
Niedere Tauern, región 221 F5
Nieder-Österreich, región 221 E5
Niedersachsen, región 220 B3
Niemen, río 213 C6
Niemen, río 215 C6
Nienburg 220 B3
Nieuw-Amsterdam 133 F2
Nigde 294 D3
Nigde 295 A6
Nigde 298 A1
Níger, cuenca 252 D2
Niger, río 252 D1
Niger, río 252 D2
Níger, río 254 D2
Níger, río 259 F3
Níger, río 259 G4
Níger, río 262 A1
Niigata 292 D6
Niigata 297 F9
Niigata 305 F4
Niigata 306 A3, 308 A3
Niihama 305 H2
Niihau, isla 307 B7, 309 B7
Niihau, isla 313 A7
Niihau, isla 315 B9
Nii-Jima, isla 314 A1
Nijar 222 D4
Nijmeyen 220 C2
Nijni Novgorod 213 C7
Nijni novgorod 215 C8
Nijni-Novgorod 292 C2
Nikel 216 A6
Nikel 226 A3
Nikipol 215 D7
Nikolajev 215 D7
Nikolajev 227 G2
Nikolajevsk 227 G4
Nikolajevsk-na-Amure 290 C6
Nikolajevsk-na-Amure 292 C6
Nikolajevsk-na-Amure 297 D8
Nikolsk 226 D4
Nikopol 227 G2
Nikopol' 296 C1
Niksar 227 I3
Niksar 294 E1
Niksic 225 D3
Nilo Azul, río 252 D5
Nilo Azul, río 261 G3
Nilo Blanco, río 252 D5
Nilo Blanco, río 253 E5
Nilo Blanco, río 254 D5
Nilo Blanco, río 255 E5
Nilo Blanco, río 261 G3
Nilo Blanco, río 261 H3
Nilo Blanco, río 261 H3
Nilo, río 252 C5
Nilo, río 254 C5
Nilo, río 260 D3
Nilo, río 261 F3
Nilo, río 290 D1
Nimba, monte 259 H2
Nimba, montes 253 E1
Nimega 219 B9
Nimes 214 E3
Nimes 219 F8
Nimes 222 F1
Nîmes 258 A5
Nimrod, glaciar 141 E4
Nimún, punta 55 D8
Ning'an 301 B8
Ningbo 293 E5
Ningbo 301 D8
Ningbo 306 A2, 308 A2
Ningdo 301 E7
Ninigo, isla 314 E2
Ninigo, islas 303 E9
Ninigo, islas 312 A3
Ninnis, glaciar 141 G6
Niobrara, río 49 I6, 52 C4
Nioro 259 F2
Niort 219 D7
Nipigon, lago 45 D4, 47 D4, 51 H2, 53 B6
Niquelândia 134 E2
Niquero 131 H1
Nis 215 E6
Nis 260 A1
Nishino Shima, isla 314 B1
Nisyros, isla 225 H6
Niterói 129 E5, 134 F4
Nitra 221 E7
Nitra 224 A2
Niuafo'ou, isla 316 B4
Niuato Putapu, isla 316 B4
Niue, isla 307 D6, 309 D6
Niue, isla 317 B5
Niulakita, isla 315 F6
Niulakita, isla 316 A3
Niut, pico 302 D3
Niz Tunguska, río 297 D5
Niza 214 E4
Niza 223 B5
Nizamabad 299 D6
Nizip 294 E3
Nizip 295 A7
Nizne leninskoje 301 A8
Nizneudinsk 297 E5
Nizni Lomov 227 F4
Nizni Tagil 226 D6
Niznij Tagil 296 D3
Nizni-Novgorod 227 E4
Niznjaja Pesa 226 B4
Niznjaja Zolotica 226 B4
Njuvcim 226 D5
Nkongsamba 259 H5
Nkongsamba 262 B2
Nobeoka 301 C9
Nobeoka 305 H2
Noemfor, isla 314 E1
Nogales 54 A2
Noimoutie, isla 219 D6
Noire, montaña 222 F1
Nokia 217 E5
Nolinsk 227 E5
Nome 48 C3
Nome 292 A6
Nome 297 A9
Nomoi, isla 314 D3
Nongoma 265 D5
Nonoara 54 B3
Nopiloa, ruinas 55 E6
Nord, cabo 226 A2
Nordaustlandet, isla 296 A4
Norden 219 A9
Norden 220 A2
Nordeste, cabo 44 A5
Nordfjord, fiordo 217 E1
Nordfriesische, islas 217 H1
Nordfriesische, islas 220 A3
Nordkinn, cabo 216 A6
Nordostrundingen, cabo 50 A3
Nord-Ostsee, canal 220 A3
Nordrhein-Westfalen, región 220 C2
Nordvik 292 B4
Nordvik 297 C6
Norfolk 47 F5, 51 I1, 53 C5, 53 D8
Norfolk 219 E5
Norfolk, isla 307 E5, 309 E5
Norfolk, isla 316 D2
Norfolk, región 219 A7
Noril'sk 292 C4
Noril'sk 297 C5
Norische Alpen, montes 221 F5
Norische Alpen, montes 223 A8
Norische Alpen, montes 224 B1
Norman Wells 49 D5
Norman, río 311 B5
Normanby, isla 312 B4
Normandía, región 212 D3
Normandía, región 218 F4
Normandía, región 219 C7
Normanton 311 B5
Noroeste, cabo 291 I5
Noroeste, cabo 293 I5
Noroeste, cabo 310 C1
Norra Storfjället, pico 216 C3
Norrköping 215 C5
Norrköping 217 F3
Norrkoping 296 B1
Norrland, región 216 D3
Norrtälje 217 F4
Norseman 310 E2
Norte, cabo 133 F2
Norte, cabo 213 A6
Norte, cabo 215 A6
Norte, cabo 216 A5
Norte, cabo 290 B3
Norte, cabo 292 B3
Norte, cabo 296 A3
Norte, cabo 312 D3
Norte, canal 212 C3
Norte, canal 218 C2
Norte, cayo 130 D1
Norte, cayo 55 E9, 56 C1
Norte, isla 307 E5, 309 E5
Norte, isla 312 E3
Norte, isla 316 D2
Norte, mar 212 C4
Norte, mar 214 C4
Norte, mar 217 H1
Norte, mar 218 B4
Norte, mar 219 A7
Norte, mar 220 A1
Norte, mar 292 A2
Norte, mar 296 A1
Norte, meseta 212 E2
Norte, punta 135 C7, 135 B8
Norte, territorio 310 B4
Norte, mar 290 A2
North Andaman, isla 299 D8
North Battleford 49 G6
North Battleford 52 A4
North Bay 51 H3, 53 B7
North Foreland, cabo 219 E5
North Minch, estrecho 218 B2
North Platte 49 I6, 51 I1, 52 C4
North Platte, río 49 I6, 52 C4
North Uist, cabo 218 B2
Northam 306 E2, 308 E2
Northam 310 E2
Northampton 218 E4
Northampton 219 A7
Northbrook, isla 226 A1
Northcliffe 306 E2, 308 E2
Northumberland, islas 311 B7
Northwest Highlands, montes 218 B3
Norton, bahía 44 B1, 48 C3
Norton, bahía 297 A9
Noruega, mar 50 A5
Noruega, mar 212 B4
Noruega, mar 216 B3
Noruega, mar 290 A2
Noruega, mar 296 A2
Norwich 219 A7
Norwich 219 E4
Nosiro 305 E5
Nosy Mitsio, isla 263 E8
Nosy Mitsio, isla 265 A8
Nosy-Bé, isla 263 F8
Nosy-Bé, isla 265 A8
Notec, río 217 I3
Notec, río 221 B6
Nótioi Sporádes, islas 225 G5
Nótioi Sporades, región 294 A3
Noto, golfo 223 F8
Noto, golfo 225 H1
Noto, península 305 F4
Notodden 217 F2
Notre Dame, montes 53 A8
Nottingham 214 C3
Nottingham 218 E4
Nottingham 219 A6
Nottingham, isla 51 E3
Nouadhibou 254 C1
Nouadhibou 256 F1
Nouakchott 252 D1
Nouakchott 254 D1
Nouakchott 259 F1
Nouméa 307 D5, 309 D5
Nouméa 313 D7
Nouméa 316 C1
Noumunster 217 H1
Nova Friburgo 134 F4
Nova Iguaçu 134 F4
Novaja Kazanka 227 G5
Novaja Kazanka 296 D2
Novaja Ljalija 226 D6
Novaja Sibir', isla 297 B7
Novaja Zemľa, isla 296 B4
Novara 223 A8
Novelda 222 D3
Novgorod 215 C6
Novgorod 226 D2
Novgorod 296 B2
Novi Becej 221 F8
Novi Becej 224 C3
Novi Oskol 227 F3
Novi Pazar 224 D3
Novi Pazar 227 H1
Novi Sad 215 E5
Novi Sad 260 A1
Novi Uzen 227 H6
Nôvo Hamburgo 135 E5, 139 G4
Novoaleksejevka 227 F6
Novocerkassk 227 G3
Novocerkassk 296 D1
Novograd-Volynskij 227 F1
Novogrudok 221 A9
Novokazalinsk 292 D2
Novokazalinsk 296 E2
Novokujbysevsk 227 F5
Novokuzneck 292 D4
Novokuzneck 297 E5
Novomoskovsk 227 G3
Novorossijsk 227 H3
Novorossijsk 296 D1
Novosachtinsk 296 D1
Novosahtinsk 215 D8
Novosahtinsk 227 G3
Novosergijevka 227 F6
Novosibirsk 290 D3
Novosibirsk 292 D3
Novosibirsk 296 E4
Novosibirskije, islas 297 B7
Novouzensk 227 G5
Novovolynsk 227 F1
Novozybkov 227 F2
Novy Sad 224 C3
Novyi Port 296 C4
Nowy Sacz 221 D8
Nowy Sacz 224 A3
Nozima, cabo 305 G5
Nuadhibu 259 E1
Nubia, región 252 C5
Nubia, región 261 E3
Nudo de Cachí, pico 138 B3
Nueces, río 52 E4, 55 B6
Nueltin, lago 44 D4, 51 F1
Nueva Bretaña, isla 306 C4, 308 C4
Nueva Bretaña, isla 312 A4
Nueva Bretaña, isla 314 F3
Nueva Brunswich, región 51 H4
Nueva Caledonia, isla 307 D5, 309 D5
Nueva Caledonia, isla 311 C9
Nueva Caledonia, isla 313 C6
Nueva Caledonia, isla 316 B1
Nueva Caledonia, isla 316 C1
Nueva Delhi 291 F3
Nueva Delhi 293 F3
Nueva Delhi 299 B6
Nueva Delhi 300 D1
Nueva Escocia, isla 45 E6, 51 H5
Nueva Escocia, península 53 B9
Nueva Escocia, región 53 B9
Nueva Gales del Sur, estado 311 D6
Nueva Georgia, isla 313 B5
Nueva Guinea, isla 303 E8
Nueva Guinea, isla 311 A7
Nueva Guinea, isla 312 B3
Nueva Guinea, isla 314 F1
Nueva Hannover, isla 312 A4
Nueva Hannover, isla 314 E3
Nueva Irlanda, isla 306 C4, 308 C4
Nueva Irlanda, isla 312 A4
Nueva Irlanda, isla 314 E3
Nueva Jersey, estado 53 C8
Nueva Orleans 126 A1, 128 A1
Nueva Orleans 45 F4, 47 F4, 53 E6, 55 B8
Nueva Rosita 52 E4, 55 B5
Nueva Siberia, archipiélago 290 B5
Nueva Siberia, archipiélago 292 B5
Nueva Siberia, isla 290 B5
Nueva York 45 E5, 47 E5, 51 I4, 53 C8
Nueva York, estado 53 B8
Nueva Zembla, isla 226 A5
Nueva Zembla, isla 226 B1
Nueva Zembla, islas 290 B3
Nueva Zembla, región 292 B3
Nuevas Hébridas 307 D5
Nuevas Hébridas, islas 316 B2
Nuevo Casas Grandes 52 E3, 54 B3
Nuevo Laredo 52 E4, 55 B5
Nuevo León, estado 55 C5
Nuevo México, estado 52 D3, 54 A3
Nuevo Morelos 55 D6
Nuevo, cayo 55 D8
Nuevo, golfo 135 C7
Nugssuaq, península 50 C4
Nuguria, islas 313 A5
Nui, isla 315 F6
Nui, isla 316 A3
Nuitao, isla 315 F6
Nuitao, isla 316 A3
Nuk Hiva, isla 317 A8
Nuku'alofa 316 C4
Nukualofa 307 D6, 309 D6
Nukufetau, isla 315 F6
Nukufetau, isla 316 A3
Nukulaelae, isla 315 F6
Nukulaelae, isla 315 F9
Nukulaelae, isla 316 A3
Nukulaelae, isla 317 A6
Nukuoro, isla 314 E3
Nukus 260 A6
Nukus 292 D2
Nukus 296 E2
Nullabor, llanura 306 E2
Nullarbor, llanuras 310 D3
Nun, río 301 A7
Nunavuk, región 49 E6, 51 E1
Nunivak, isla 44 B1, 46 B1, 48 C2
Nunivak, isla 290 A6
Nunivak, isla 292 A6
Nunjiang 297 E8
Nuoro 223 D6
Nur, montes 294 D3
Nur, montes 295 A7
Nuremberg 214 D4
Nurlat 227 E5
Nürnberg 220 D4
Nuruhak, pico 294 E3
Nuruhak, pico 295 A7
Nusaybin 294 F3
Nusaybin 295 A9
Nutrias 137 B5
Nuuk 50 D4
Nuwaybi' al-Muzayyinah 295 F6
Nuyts, archipiélago 310 D4
Nyala 254 D4
Nyala 261 G2
Nyala 263 A4
Nyanchhenthangla, montes 300 D3
Nyanchhenthanglha, montes 291 F3
Nyanchhenthanglha, región 299 B8
Nyda 296 C4
Nyeri 261 I4
Nyeri 263 C7
Nyíregyháya 221 E8
Nyíregyháza 224 B4
Nykøbing Falster 220 A4
Nykøing Falster 217 H2
Nyköping 217 F3
Nyrob 226 D5
Nysa 221 C6
Nysa, río 221 C5
Nytva 227 D6

# Ñ

Ñacuñán 138 B6

# O

Óafsfjördhur 216 A2
Oahu, isla 307 B7, 309 B7
Oahu, isla 313 A8
Oahu, isla 315 B9
Oakland 49 I3, 52 C1
Oallabat 261 G3
Oallabat 263 A6
Oamaru 312 F2
Oasht, río 298 C4
Oasis de Galu 260 D1
Oaxaca de Juárez 130 A2
Oaxaca de Juárez 47 H4, 55 F6
Oaxaca, estado 55 F6
Ob', río 296 C4
Ob', río 296 E4
Ob', río 297 C4
Obando 132 C2
Obehausen 220 C2
Oberá 134 D4, 139 F3
Ober-Niede-Osterreich, región 224 B1
Obi, isla 303 E6
Obi, río 213 A9
Obi, río 215 A9
Obi, río 290 C3
Obi, río 290 D3
Obi, río 292 C3
Obi, río 292 D3
Obidos 133 E3
Obihiro 297 E9
Obihiro 304 C6
Oblucje 301 A6
Obninsk 227 E3
Obo 255 E4
Obo 261 H2
Obo 263 B5
Obojan 227 E3
Öborg Mongol Zizhiqu, región 301 B6
Obozerski 226 C3
Obrayeri 131 F2
Obregón, presa 54 B2
Observatoire, cayos 311 B8
Obshii Sirt, región 213 C9
Ocampo 55 B5
Ocaña 136 B4
Occidental, cordillera 131 I6, 132 B2, 132 B5, 134 A2, 136 C3, 138 A1
Ocho Ríos 131 H2
Ocotal 131 E4
Ocotal 56 E1
Ocotepec 55 F7
Oculi 131 E3
Ocussi 303 F6
Odaym 295 B8
Odemis 225 G6
Ödemis 294 A2
Odendaslsrus 265 D5
Odense 215 C4
Odense 217 H2
Odense 296 A1
Oder, río 213 D5
Oder, río 215 D5
Oder, río 217 I3
Oder, río 221 B5
Oder, río 290 B1
Odessa 55 A5
Odessa 213 E7
Odessa 215 E7
Odessa 227 H2
Odessa 254 A4
Odessa 260 A2
Odessa 290 C1
Odessa 292 C1
Odessa 296 C1
Odra, río 217 I3
Odra, río 221 C5
Odra, río 221 C6
Odra, río 221 D7
Odra, río 224 A2
Oeiras 133 H4
Oeno, isla 317 C9
Oeshm, isla 298 B3
Oeste, banco de hielo 141 H3
Ofanto, río 225 E1
Offenbach am Main 220 D3
Ofu, isla 313 D9
Ogadén, región 253 E6
Ogadén, región 261 H5
Ogaden, región 263 B8
Ogden 49 I5, 52 C3
Oglio, río 220 E3
Ogooué, río 259 I5
Ogooué 262 C2
Ogoué, río 253 E3
Ohanet 257 D8
Ohio, estado 53 C7
Ohio, río 45 F4, 53 D6
Ohotsk 297 C8
Ohre, río 221 D5

Ohrid 225 E3
Ohridsko, lago 225 E3
Oiapoque, río 133 F2
Oise, río 219 C8
Oise, río 220 D1
Oita 301 C9
Oita 305 H2
Ojinaga 52 E4, 54 B4
Ojo de Liebre, laguna 54 B1
Ojorongo, lago 300 A3
Ojos del Salado, pico 127 C6, 134 B4, 138 B3
Ojotsk 290 C5
Ojotsk 292 C5
Ojotsk, mar 290 C6
Ojotsk, mar 292 C6
Ojotsk, mar 297 D9
Ojotsk, mar 304 A6
Oka, río 213 C7
Oka, río 296 C2
Okaba 303 F8
Okahandja 264 C3
Okara 299 B6
Okavango, cuenca 253 G4
Okavango, cuenca 255 G4
Okavango, río 253 G4
Okavango, río 255 G4
Okavango, río 262 F4
Okawango, cuenca 264 B4
Okawango, río 264 B4
Okayama 297 F9
Okayama 301 C9
Okayama 305 G3
Okayama 314 A1
Okeechobee, lago 53 E7, 56 A3
Oki, isla 301 C9
Oki, islas 305 F2
Okinawa, isla 291 E6
Okinawa, isla 301 D9
Okinawa, islas 301 D9
Okinawa,, islas 293 E6
Oklahoma City 47 F4, 53 D5
Oklahoma, estado 53 D5
Okt' abr'skoj Revol'ucti, isla 297 B5
Oktjabrsk 227 F6
Oktjabrski 227 E5
Okusiri, isla 304 D4
Ol'okma, río 290 C5
Ol'okma, río 292 C5
Ol'okminsk 292 C5
Ol'utorskij, cabo 297 B9
Olaf Prydz, bahía 141 H3
Öland, isla 213 C5
Öland, isla 215 C5
Öland, isla 217 G3
Öland, isla 296 B1
Olavarría 135 C6
Olbia 223 D6
Oldenburg 217 I1
Oldenburg 219 A9
Oldenburg 220 B3
Olen'ok 297 C6
Olen'ok, río 290 B4
Olen'ok, río 292 B4
Olen'ok, río 297 C6
Olenegorsk 226 B3
Oléron, isla 219 E6
Olevsk 227 F1
Olgii 297 F5
Olgij 300 A3
Olhão 222 B4
Olifants, río 265 C5
Olimarao, isla 314 D2
Olimpia Bebedouro 139 H1
Olimpo, monte 213 F6
Olimpo, monte 294 C4
Olimpus, monte 52 A2
Olinda 133 I4
Oliva 222 E3
Oliva de la Frontera 222 B3
Olivares del Júcar 222 D3
Olivenza 222 B3
Oljutorskij, cabo 290 B6
Oljutorskij,cabo 292 B6
Ollagüe, volcán 138 B1
Olomouc 221 D6
Olomouc 224 A2
Olonec 226 D3
Olongapo 303 B5
Oloron-Saint-Marie 222 D1
Olot 219 F8
Olot 222 E1
Olov'annaja 301 A6
Olsztyn 217 I4
Olsztyn 221 A7
Olsztyn 296 B1
Olt, río 224 C5
Olt, río 224 D5
Oltenia, región 224 C4
Oltenita 227 H1
Oltet, río 224 C4
Oltul, río 213 E6
Oluan, cabo 301 F8
Oluan, cabo 303 A5
Ol'utorski, cabo 48 A2
Olympia 49 H4, 52 B2
Olympus, monte 49 H4

Omaha 47 E4, 51 I1, 53 C5
Omán, golfo 291 E2
Omán, golfo 293 F2
Omán, golfo 298 C4
Ombrone, río 223 C7
Omdurman 254 D5
Omdurman 261 F3
Omegna 220 F2
Ometepe, isla 131 E4
Omo, río 253 E5
Omo, río 255 E5
Omo, río 261 H4
Omo, río 263 B6
Omoa, bahía 55 F9
Omodeo, lago 223 D6
Omolon, río 297 B8
Omsk 290 C3
Omsk 292 C3
Omsk 296 D4
Omu 297 E9
Omuta 305 H1
Omutninsk 226 D5
Omuz, estrecho 291 E2
Onda 222 E3
Ondangua 262 F3
Ondangua 264 B3
Öndörchaan 301 A6
Onega 226 C3
Onega, bahía 213 B7
Onega, lago 213 B7
Onega, lago 215 B7
Onega, lago 226 D3
Onega, lago 290 B2
Onega, lago 292 B2
Onega, península 226 C3
Onega, río 213 B7
Onega, río 226 C3
Onekotan, isla 290 C6, 292 C6
Onezskoje, lago 296 B2
Ongole 299 D7
Ongole 300 F1
Onilahy, río 265 C8
Onitsha 259 H4
Onitsha 262 B1
Ono, isla 313 F5
Onslow 310 C1
Ontario, lago 45 E5, 47 E5, 51 I3, 53 B7, 51 H2
Ontario, región 53 A6
Onteniente 222 D3
Ontong Java, isla 314 F4
Ontong Java, islas 313 B6
Oodnadatta 310 D4
Ookala 313 B9
Oostende 219 B8
Oparino 226 D4
Opava 221 D7
Opava 224 A2
Opocka 227 E2
Opole 221 C6
Oporto 212 E2
Oporto 214 E2
Oporto 222 A2
Oporto 254 B2
Opua 312 D3
Or'ol 292 C2
Or'ol 296 C1
Oradea 215 D6
Oradea 221 E8
Oradea 224 B4
Öraefajökull, pico 212 A3
Öraefajökull, pico 216 B2
Orán 212 F2
Orán 214 F2
Orán 223 D5
Orán 254 B2
Orán 257 A6
Orán 258 C4
Orange 130 D2
Orange 55 B7
Orange 311 D6
Orange Walk 55 E9
Orange, cabo 133 F2
Orange, río 253 H4
Orange, río 255 H4
Orange, río 264 D3
Orange, río 264 D4
Orango, río 300 A3
Oranjestad, isla 137 A5
Oranzerei 227 H5
Urava, río 221 D7
Orbost 306 E4, 308 E4
Orcadas del Sur, islas 127 D9, 129 D9, 140 B1
Orcadas, islas 212 B3
Orcadas, islas 214 B3
Orcadas, islas 290 A2
Orcadas, islas 292 A2
Orchon 301 A5
Orcué 132 C2, 137 C4
Orehena, monte 313 E8
Orol 215 C7
Ordenes 222 B1
Ordos, región 291 E5, 301 C6
Ordu 221 I3
Ordu 294 E1
Örebro 215 C5

Örebro 217 F3
Orebro 296 A2
Oregon, estado 52 B2
Orehovo-Zujevo 227 E3
Orel 227 E3
Oremburg 296 D2
Orenburg 227 F6
Orenburg 254 A6
Orenburg 290 C2
Orenburg 292 C2
Orestías 225 E5
Orgejev 224 B6
Orien, pico 225 D2
Oriental 55 E6
Oriental, cordillera 132 B2, 132 B4, 132 D6, 134 A1, 134 C3, 136 C4, 138 C1
Orientali, región 224 C5
Orihuela 222 D4
Orinduik 137 D9
Orinoco, delta 133 D1, 137 B8
Orinoco, delta 57 F9
Orinoco, río 126 C3, 128 C3, 132 C2, D1, 137 B8, C6, D6, D7
Orinoco, río 45 H6, 47 H6
Orisei, golfo 223 D6
Oristano 223 D6
Oristano, golfo 223 D6
Orivesi, lago 217 E6
Orizaba 55 E6
Orizaba, pico 45 G4, 55 E6
Orkney, islas 218 B3
Orlando 53 E7, 56 A3
Orleans 214 D3
Orléans 219 D7
Orlovski 227 H4
Ormoc 303 C6
Ormuz, estrecho 298 B3
Örnsköldsyik 216 D4
Oro, costa 259 E2
Orocué 132 C2, 137 C4
Orohena, monte 313 E8
Orol 215 C7
Oroluk, isla 314 D3
Orontes, río 213 F8
Orontes, río 295 B7
Oropesa, cabo 222 E2
Orosháza 221 F8
Orosháza 224 B3
Orsa 215 C6
Orsa 227 E2
Orsa 296 C1
Orsk 215 D9
Orsk 227 F6
Orsk 292 D2
Orsk 296 D3
Ortegal, cabo 222 B1
Ortegal, cabo 258 A3
Ortiz 54 B2
Ortles, pico 220 F3
Oruro 129 C5, 132 C6, 134 B3
Os 300 B1
Osa 227 E6
Osa, península 131 F6
Osaka 293 E6
Osaka 297 F9
Osaka 305 G3
Osaka 306 A3, 308 A3
Osaka 314 A1
Osasco 134 E4
Osh 299 A5
Osh 296 F3
Oshawa 51 I3, 53 B7
Oshogbo 259 H4
Oshogbo 262 B1
Osijek 215 E5
Osijek 224 C2
Osima, península 304 D5
Osipovici 227 F2
Oslo 213 B5
Oslo 215 B5
Oslo 217 F2
Oslo 290 B2
Oslo 292 B2
Oslo 296 A2
Oslofjord, fiordo 213 C4
Oslofjord, fiordo 217 F2
Osmaniye 294 D3
Osmaniye 295 A7
Osnabrück 217 I1
Osnabrück 219 A9
Osnabrück 220 B3
Oso, sierra 54 C4
Osogovska, montes 225 E4
Osorno 135 B7
Osprey, arrecife 311 A6
Óssa, monte 225 F4
Ossa, monte 311 F6
Ostaskov 227 E2
Österdal, río 217 E3
Östersund 213 B5
Östersund 215 B5
Östersund 217 E3
Ostersund 296 A2
Ostfriesische, islas 217 H1
Ostfriesische, islas 220 A2
Ostrava 215 D5
Ostrava 221 D7

Ostrava 224 A2
Ostroleka 217 I5
Ostroleka 221 B8
Ostrov 217 G6
Ostrov 227 E2
Ostrów Wielkopolski 221 C6
Osumi, estrecho 301 D9
Osumi, estrecho 305 I1
Osumi, isla 306 A3, 308 A3
Osumi, islas 301 D9
Osumi, islas 305 I1
Osuna 222 C4
Otaru 297 E9
Otaru 304 C5
Otavalo 136 E2
Otavi 264 B3
Othonoi, isla 225 F3
Otish, monte 51 G4
Otjabrskoje 226 C6
Otjiwarongo 264 B3
Otra, río 217 F1
Otranto, cabo 225 F2
Otranto, canal 213 F5
Otranto, canal 215 F5
Otranto, canal 223 D9
Otranto, canal 225 F2
Ottawa 45 E5, 47 E5, 51 H4, 53 B7
Ottawa, río 51 H3, 53 B7
Otway, cabo 311 F6
Ou, río 302 A2
Ouadaï, región 261 G1
Ouadaï, región 262 A3
Ouadane 256 F2
Ouadda 255 E4
Ouadda 261 G1
Ouadda 262 B4
Ouahigouya 259 F3
Oualata 254 D1
Oualata 259 F2
Ouallen 254 C2
Ouallen 257 E6
Ouallen 259 E4
Ouanza 223 F5
Ouarane, río 256 F2
Ouargla 254 B3
Ouargla 257 C7
Ouargla 258 C5
Oudtshoorn 264 E4
Oued el Ma, río 256 E3
Oued Zem 256 B4
Ouémé, río 259 G4
Ouenza 223 F5
Ouessant, isla 219 C5
Ouesso 255 E3
Ouesso 259 I6
Ouesso 262 C3
Oujda 257 C7
Oulu 215 B6
Oulu 216 C5
Oulu 296 B2
Oulu, lago 213 B6
Oulu, lago 216 C5
Oulu, río 213 B6
Oulu, río 216 D5
Oum er Rbia, río 256 B4
Oum er-Rbia, río 214 F2
Ounas, río 216 B5
Ourense 222 B1
Ourinhos 139 H2
Ouro Prêto 133 G6
Ouro Prêto 134 F3
Ous 226 C6
Ouse, río 218 D4
Ouse, río 218 E4
Oust, canal 219 C6
Outer Hebrides, islas 218 B2
Outjo 264 B3
Ouzou 258 C4
Ovalle 135 B5, 138 A5
Ovamboland, región 253 G3
Ovamboland, región 262 F3
Ovamboland, región 264 B3
Ovgort 226 B6
Oviedo 214 C2
Oviedo 222 C1
Ovruc 227 F2
Owando 255 E3
Owando 259 I6
Owando 262 C3
Owen Stanley, montes 312 B4
Owzan, río 213 E9
Oxford 214 C3
Oxford 218 E4
Oxford 219 B6
Oyapock, río 133 F2
Oyem 259 I5
Oyem 262 C2
Ozamiz 303 C6
Ozark, meseta 45 F4, 53 D5
Ozd 221 E8, 224 B3
Ozinki 227 F5
Ozuluama 55 D6

# P

P'ing-tung 301 E8

P'ing-tung 303 A5
P'ohang 304 D3
P'ohang 305 G1
Pa Sak, río 302 A2
Paarl 264 E3
Pabellón, ensenada 54 C3
Pabianice 221 C7
Pacaraima, sierra 126 C3, 133 D2, 137 D8
Pacasmayo 132 A4
Pachuca 55 E6
Padang 293 H4
Padang 302 D1
Padang 306 C1, 308 C1
Paderborn 220 C3
Padina 224 C6
Padova 223 B7
Padre, isla 55 C6
Paea 313 F8
Páfos 294 C4
Pag 223 B8
Pag, isla 224 C1
Pagadian 303 C6
Pagai, islas 302 E1
Pagalu, isla 253 E2
Pagalu, isla 255 E2
Pagalu, isla 259 I4
Pagalu, isla 262 C1
Pagan, isla 303 A9
Pagan, isla 306 B4, 308 B4
Pagan, isla 314 C2
Pago Pago 307 D6, 309 D6
Pago Pago 313 D9
Pago Pago 316 B4
Pago, bahía 312 B1
Päijänne, lago 213 B6
Päijänne, lago 217 E5
Paisley 218 C3
Paita 132 A4
Paj 226 D3
Pajón, ruinas 55 F7
Pakanbaru 302 D2
Pakse 302 B3
Pala 259 G6
Pala 262 B3
Palagruzá, isla 225 E2
Palana 292 B6
Palana 297 C9
Palangkaraya 302 E4
Palangkaraya 306 C2, 308 C2
Palapye 265 C5
Palatinado, monte 219 C9
Palau, islas 291 G6
Palau, islas 303 C7
Palau, islas 306 C3, 308 C3
Palau, islas 314 D1
Palawan, isla 291 G5
Palawan, isla 293 G5
Palawan, isla 303 C5
Palawan, isla 306 B2, 308 B2
Paleleh 303 D5
Palembang 293 H5
Palembang 302 E2
Palembang 306 C1, 308 C1
Palencia 222 C2
Palenque 130 B2, 131 H5
Palenque, ruinas 130 B2
Palenque, ruinas 55 F8
Palermo 213 F4
Palermo 215 F4
Palermo 223 E8
Palermo 254 B3
Palermo 258 B6
Palestina 138 A2
Palestina, región 295 D6
Palestine 55 A6
Paletwa 300 F3
Palikir 306 C4, 308 C4
Palikir 314 D4
Palinuro, cabo 223 D8
Palinuro, cabo 225 F1
Paliúrion, cabo 225 F4
Palk, estrecho 299 E7
Pallasovka 227 G4
Pallastunturit, pico 216 B5
Pallès 225 E3
Palliser, cabo 312 E3
Palma 214 F3
Palma 222 F3
Palma 254 B2
Palma 258 B4
Palma Soriano 131 I1
Palma Soriano 53 F8, 56 C4
Palma, bahía 222 F3
Palmar 131 F5
Palmar de Sepúlveda 54 C3
Palmas Bellas 131 G5
Palmas do Tocantins 133 G4, 134 D1
Palmas, cabo 253 E1
Palmas, cabo 255 E1
Palmas, cabo 259 H2
Palmeira 139 H3
Palmeirinhas, punta 262 E2
Palmerston North 307 F5, 309 F5
Palmerston North 313 E3
Palmerston North 316 E3

Palmerston, isla 317 B5
Palmillas 55 D6
Palmira 132 B2, 136 D2
Palmyra, isla 307 C7, 309 C7
Palmyra, isla 315 D8
Palmyras, punta 300 F2
Paloh 302 D3
Palos, cabo 212 F3
Palos, cabo 222 D4
Palos, cabo 257 A6
Palu 293 H6
Palu 303 E5
Palu 306 C2, 308 C2
Pamiers 219 F7
Pamiers 222 E1
Pamir, región 291 E3
Pamir, región 299 A5
Pamir, región 300 B1
Pampa de las Salinas, región 138 B5
Pampa de Tamarugal, región 132 C6, 134 B3, 138 A1
Pampa del Sacramento, región 132 B4
Pampa Húmeda, región 135 C6, 138 D6
Pampa Seca, región 135 C6, 138 C6
Pampa, región 127 C6, 135 C5, 138 D5
Pamplona 136 B4
Pamplona 222 D1
Pamplona/Iruña 219 F6
Pamplona-Iruña 214 E3
Pan de Azúcar, río 138 A3
Panamá 126 B3, 128 B3, 131 G5, 132 A1, 136 B1
Panamá 45 H5, 47 H5
Panamá, canal 126 B2, 131 G5
Panamá, canal 45 H5, 56 F3
Panamá, golfo 126 B3, 131 H6, 132 A1, 136 B1
Panamá, golfo 45 H5
Panamá, istmo 126 B3, 131 H5, 136 B1
Panamá, istmo 45 H5, 56 F3
Panaro, río 223 B7
Panay, isla 291 G6
Panay, isla 293 G6
Panay, isla 303 C5
Panay, isla 306 B2, 308 B2
Pancevo 224 C3
Pandora 131 F5
Panevezys 217 H5
Panevézys 227 E1
Panevézys 296 B1
Panfilov 300 B2
Pangaîon, montes 225 E4
Pangani, río 263 D7
Pangeo 303 D6
Pangkalpinang 302 E2
Pangnirtung 51 D3
Pangutaran, islas 303 C5
Panié, monte 313 C6
Panjim 299 D6
Pantar, isla 303 F6
Pantelaria, isla 212 F4
Pantelaria, isla 214 F4
Pantelleria, isla 223 F7
Pantelleria, isla 257 A9
Pantelleria, isla 258 C6
Pantoja 132 B3, 136 F3
Pánuco 55 D6
Pánuco, río 53 F4, 55 D5
Panzós 130 C3
Paopao 313 E7
Pápa 221 E6
Pápa 223 A9
Pápa 224 B2
Papacé, volcán 136 E2
Papagayo, golfo 131 E5
Papagayo, golfo 56 F1
Papantla 55 E6
Papeete 307 D8, 309 D8
Papeete 313 E8
Papeete 317 B7
Papenoo 313 E8
Papenoo, río 313 E8
Papetoai 313 E7
Paposo 138 A3
Papúa, golfo 303 F9
Papúa, golfo 312 B3
Papúa, golfo 314 F2
Papudo 138 A5
Papuk, montes 223 B9
Papuk, montes 224 C2
Pará, región 133 F3, 134 D1, 137 E9
Paracel, islas 291 F5
Paracel, islas 293 F5
Paraguá, península 57 F6
Paraguá, río 132 A4, 133 D5, 134 C2, 137 C7
Paraguaçu, río 133 H5
Paraguai, río 134 D2
Paraguaná, península 132 C1, 137 A5
Paraguarí 134 D4, 139 E3
Paraguay, río 127 D5, 129 D5, 133 E6, 134 D3, 139 E1, E3
Paraíba, región 133 I4
Paraíso 55 E7
Parai-tepuí 137 D8
Parakou 255 D2
Parakou 259 G4
Paramaribo 126 D3, 128 D3, 133 E2
Paramillo, pico 136 C3
Paramusir, isla 290 C6
Paramusir, isla 292 C6
Paramusir, isla 297 D9
Paraná 129 C6, 133 G5, 134 E2, 135 C5, 138 D5
Paraná, región 134 E4
Paraná, río 127 D5, C6, 129 C6, 133 G5, F6, 134 E2, D4, 135 C5, D5, 139 D6, E3, E4, G1
Paranaguá 134 E4, 139 H3
Paranaíba 133 F6, 134 E3, 139 G1
Paranaíba, río 139 H1
Paranapanema, río 134 E3, 139 G2
Paranapiacaba, sierra 134 E4, 139 H3
Paranavaí 139 G2
Parapetí, río 132 D6
Paras, pico 296 A3
Parata, punta 219 F5
Parchim 220 B4
Pardo 139 G1
Pardo, río 133 F6, 134 E3, 139 G1
Pardubice 221 D6
Parece Vela, isla 303 A8
Parece, isla Vela 291 F6
Parece, isla Vela 293 F6
Paredón 55 C5
Parepare 293 H6
Parepare 303 E5
Paria, golfo 132 D1, 137 A8
Paria, golfo 57 F9
Pariaguán 137 B7
Pariaman 302 D1
Parima, sierra 132 D2, 137 D7
Parintins 133 E3
Pariñas, punta 126 B4, 128 B4, 132 A4
Pariñas, punta 45 I5, 47 I5
París 212 D3
París 214 D3
París 219 C8
París 252 A3
París 254 A3
París 290 B1
París 292 B1
París, cuenca 212 D3
Parita, golfo 131 G6
Park, cordillera 52 C4
Parma 223 B6
Parnaguá 133 G4, 134 F1
Parnaíba 128 E4, 133 H3, G4, 134 F1
Parnassós, monte 225 G4
Párnon, montes 225 G4
Pärnu 217 F5
Pärnu 226 D1
Pärnu 296 B2
Paroo, río 311 D6
Páros, isla 225 G5
Parow 264 E3
Parral 135 B6
Parramatta 311 E7
Parras de la Fuente 55 C5
Parras, sierra 55 C5
Parry, islas 44 B3, 46 B3, 48 C6, 50 C1
Parsons 53 D5
Parsseta, río 217 I3
Partizansk 301 B9
Paru, río 133 F2
Pasadena 52 D2
Pascagoula 55 A9
Pasero, cabo 223 F8
Pashawar 293 E3
Pashawar 299 A5
Paso de Indios 135 B7
Paso de los Libres 139 E4
Paso de los Toros 139 E5
Paso Dörböt, pico 300 A3
Pasocero 226 D3
Passau 221 E5
Passau 224 A1
Passero, cabo 213 F5
Passero, cabo 215 F5
Passero, cabo 225 H1
Passo Fundo 135 E4, 139 G4
Passos 139 I1
Pastaza, río 132 B3, 136 F2
Pasto 128 B3, 132 A3, 136 E2
Pasvik, río 216 A6
Patagonia, región 127 C7, 135 B7
Patagónica, cordillera 135 B7
Patagónica, región 127 C7
Patan 299 B7
Patan 300 E2
Paterna 222 D3
Patiala 299 B6
Patiala 300 D1
Pativilca 132 A5
Patla, río 132 A2
Pátmos, isla 225 G6
Pátmos, isla 294 A3
Patna 293 F3
Patna 299 B7
Patna 300 E2
Patos 133 I4
Patos de Minas 139 I1
Patos, laguna 127 D6, 135 E5, 139 G5
Pátrai 225 G4
Pátrai 260 B1
Patraïkòs, golfo 225 G3
Patrás 215 F6
Patrocinio 139 I1
Pattani 302 C2
Patthalung 302 C1
Patuca, punta 131 F3
Patuca, punta 56 D2
Patuca, río 131 E3
Patuca, río 56 E2
Patzcuaro 55 E5
Pau 214 E3
Pau 219 F7
Pau 222 D1
Pauini, río 134 B1
Paulistana 133 H4
Paulo Afonso 133 H4
Paulo Afonso, catarata 126 E4, 133 I4
Pavia 223 B6
Pavlodar 296 E4
Pavlovo 227 E4
Pavlovskaja 227 H3
Páxoi, isla 225 F3
Paysandú 135 D5, 139 E5
Paz del Río 136 C4
Paz, bahía 54 C2
Pazardzik 215 E6
Pazardzik 225 E5
Peace River 49 E5
Peace, río 44 D3, 49 F4, F5
Pearl, río 55 A8
Peary, canal 50 C1
Pebane 263 F7
Pebane 265 B7
Pebas 136 F4
Pec 225 D3
Pecararo, monte 223 E9
Pecenga 226 A3
Pechora 215 A8
Pechora, río 213 A7
Pechora, río 213 A8
Pechora, río 226 B5
Pecora 226 B5
Pecora 296 C3
Pecora, río 296 C3
Pecoraro, monte 225 G1
Pecos 54 A4
Pecos, río 52 E4, 54 A4, 55 B5
Pécs 215 E5
Pécs 221 F7
Pécs 223 A9
Pécs 224 C2
Pécs 258 A6
Pécs 260 A1
Pedasí 131 G6
Pedernales 136 E1, 137 B8
Pedernales 57 F9
Pedra Azul 133 H5, 134 F2
Pedreiras 133 G3
Pedriceña 54 C4
Pedro Afonso 133 G4, 134 D1
Pedro I, isla 140 B4
Pedro Juan Caballero 134 D3, 139 F2
Pedro Totolapan 130 A2
Pedro, cayos 131 H2
Pedro, cayos 56 D4
Pee Dee, río 53 D7
Pegnitz, río 220 D4
Pegu 299 C9
Pegu 302 A1
Pegu, montes 302 A1
Pehuajó 135 C6, 138 D6
Peipus, lago 226 D2
Peipus,lago 213 C6
Peiraievs 260 B1
Peixa, río 139 H2
Peixe 133 G5, 134 E2
Pekalongan 302 F3
Pekín 291 E5
Pekín 293 E5
Pekín 297 F7
Pekín 301 C7
Pekín 306 A2, 308 A2
Pelagias, islas 212 F4
Pelagias, islas 214 F4
Pelagie, islas 223 F7
Pelat, monte 219 E9
Pelat, monte 223 B5
Peleaga, pico 224 C4
Pelée, monte 57 E9
Peleng, isla 303 E5
Peljesac, isla 224 D2
Peljesac, península 223 C9
Pelly Bay 51 D2
Peloncillo, montes 54 A3
Peloponeso, región 213 F6
Pelopónnesos, región 225 G4
Pelotas 129 D6, 135 E5, 139 G5
Pelotas, río 135 E4, 139 G4
Pelvoux, pico 212 E4
Pelvoux, pico 219 E9
Pematangsiantar 293 H4
Pematangsiantar 299 E9
Pematangsiantar 302 D1
Pemba 255 G6
Pemba 263 E7
Pemba 265 A7
Pemba, isla 253 F5
Pemba, isla 263 D7
Pemba,isla 255 F5
Pembroke 218 E2
Pembroke 219 B5
Penamba, montes 302 D4
Penapolis 139 H1
Penas, golfo 135 B8
Penedo 133 I5
Peneiós, río 225 F4
Penibética, cordillera 222 C4
Peninos, montes 212 C3
Penna, punta 223 C8
Penna, punta 225 E1
Pennine, montes 218 D3
Pennsylvania, estado 53 C7
Penny, estrecho 50 C1
Penong 306 E3, 308 E3
Penong 310 D4
Penonomé 131 G6, 136 B1
Penrhyn, isla 315 F9
Penrhyn, isla 317 A6
Penrith 218 D3
Pensacola 53 E6, 55 A9
Pensacola, montes 141 D3
Pentland Firth, bahía 218 B3
Penza 215 C8
Penza 227 F4
Penza 296 C2
Penzance 218 F2
Penzina, río 48 A2
Peña Nevada, cerro 52 F4, 55 D5
Peñafiel 222 C2
Peñarroya-Pueblonuevo 222 C3
Peñas, cabo 222 B1
Peñas, punta 137 A8
Peñas, punta 57 F9
Peñíscola 222 E2
Peoria 51 I2, 53 C6
Pequeña Caimán, isla 131 G1
Pequeñas Antillas, is. 126 C2, 128 C2, 132 C1
Pequeñas Antillas, is. 45 H6, 57 E7
Pequeño Jingan, región 297 E8
Pequeño Jingan, región 301 A8
Pequiri, río 133 E6, 134 D3
Perche, colinas 219 C7
Percival, lago 310 C3
Perdido, monte 222 E1
Pereira 132 B2, 136 D3
Perelik, pico 225 E5
Pereslavl-Zelesski 227 E3
Pergamino 135 C5, 138 D6
Perico 138 C2
Périgueux 219 E7
Perijá, sierra 132 B1, 136 A4
Perijá, sierra 57 F5
Peristérion 215 F6
Perito Moreno 135 B8
Perlas, archipiélago 131 H6, 136 B1
Perlas, cayos 131 F4
Perlas, cayos 56 E2
Perlas, punta 131 F4
Perlas, punta 56 E2
Perm 213 B8
Perm 215 B8
Perm 226 D6
Perm' 292 C3
Perm' 296 D3
Permé 131 H6, 136 B2
Pernambuco, región 133 H4
Pernik 215 E6
Pernik 225 E4
Pérouse, estrecho 297 E9
Perpignan 219 F8
Perpignan 222 F1
Perpignan 258 A4
Perpiñán 214 E3
Pérsico, golfo 252 C6
Pérsico, golfo 254 C6
Pérsico, golfo 260 D5
Pérsico, golfo 291 E1
Pérsico, golfo 293 E1
Pérsico, golfo 298 B3
Perth 218 C3
Perth 306 E2, 308 E2
Perth 310 E1
Pertominsk 226 C3
Perú, meseta 132 C5 134 A2
Perugia 223 C7
Perveri 295 A7
Pervomajsk 227 G2
Pervomajski 227 G3
Pervoural'sk 296 D3
Pervouralsk 227 D6
Pesaro 223 B7
Pescadores, península 213 A6
Pescadores, península 226 A3
Pescara 215 E5
Pescara 223 C8
Pescara 225 D1
Pestovo 226 D3
Petacalco, bahía 55 F5
Petah Tiqwa 295 D6
Petalion, golfo 225 G5
Petén Itzá, lago 55 F9
Petén, región 55 F8
Peterborough 51 I3, 53 B7
Peterborough 218 E4
Peterborough 219 A7
Peterhead 218 B3
Peto 55 E9
Petorca 138 A5
Petra Velikogo, bahía 301 B9
Petra Velikogo, golfo 304 A3
Petrie, arrecife 311 B9
Petrolina 133 H4
Petropavlovsk 296 D3
Petropavlovs-Kamcatskij 290 C6
Petropavlovsk-Camcatskij 297 C9
Petropavlovsk-Kamcatskij 292 C6
Petrópolis 134 F4
Petroseni 221 F9
Petroseni 224 C4
Petrovsk 227 F4
Petrovsk-Zabajkal'skij 301 A6
Petrozavodsk 215 B6
Petrozavodsk 226 C3
Petrozavodsk 292 B2
Petrozavodsk 296 B2
Pevek 48 A3
Pevek 297 B8
Pez Volador, cabo 140 B4
Pforzheim 220 D3
Pfunds 220 F3
Pha Phum 302 B1
Phan Rang 302 B3
Phan Thiêt 302 C3
Philippi, lago 311 C5
Phitsalunok 302 A2
Phitsanulok 299 C9
Phnom Penh 291 G4
Phnom penh 293 G4
Phnom penh 302 B2
Phnom Penh 306 B1, 308 B1
Phoenix 47 F2, 52 D3
Phong Saly 299 C9
Phong Saly 301 F5
Phong Saly 302 A2
Phou Bia, pico 302 A2
Phuket 306 C1, 308 C1
Phuket, isla 299 E9
Piacenza 223 B6
Piamonte, región 223 B5
Pianosa, isla 223 C6
Piatra Neamt 224 B5
Piatra Neamt 227 G1
Piauí, región 133 H4, 134 F1
Piauí, río 133 H4, 134 F1
Piauí, sierra 133 H4, 134 F1
Piave, río 220 F4
Piave, río 223 B7
Pichanal 138 C2
Pichilemu 135 B6, 138 A6
Pichincha, pico 136 E2
Picos 133 H4
Picos de Europa, montes 212 E2
Pidurutalagala, pico 291 G3
Pidurutalagala, pico 299 E7
Piedmont, montes 45 F5
Piedra Sola 139 E5
Piedrahita 222 C2
Piedras Negras 52 E4, 55 B5
Piedras Negras, ruinas 130 C2
Piedras, punta 139 E6
Piedras, río 132 C5
Pieksämäki 215 B6
Pieksämäki 217 E6
Pielinen, lago 213 B6
Pielinen, lago 216 D6
Pierre 49 I6, 51 I1, 53 B4
Pietermaritzburg 255 H5
Pietermaritzburg 265 D5
Pietersburg 265 C5
Pietrosul, pico 213 D6
Pietrosul, pico 224 B5
Pifa 217 I3
Pija, sierra 130 D3
Pija, sierra 56 D1
Pila 221 B6
Pilar 134 D4, 139 E3
Pilaya, río 138 C1
Pilcomayo, río 127 C5, 129 C5, 132 D6, 134 C4, 138 C1, D2
Pilica, río 221 C8
Pilsen 215 D5
Pimienta, costa 253 E1
Pinang 293 G4
Pinang 302 C1
Pinar del Río 53 F7, 56 B2
Pinaré 139 E3
Pindamonhangaba 139 I2
Pindo, montes 213 F5
Pindo, montes 252 B4
Pindo, montes 290 C1
Píndos, montes 225 F3
Pine Bluff 53 D5
Pine Creek 310 A4
Pine Island, bahía 140 C4
Pine Point 49 F5
Pinega 226 C4
Pinega, río 213 A7
Pinerolo 219 E9
Ping, río 302 A2
Pingelap, isla 314 D4
Pingliang 301 C5
Pingwu 301 D5
Pingxiang 302 A3
Pinhal 139 I2
Pinjug 226 D4
Pinos 55 D5
Pinos Puente 222 C4
Pinos, isla 316 C2
Pinos, islas 313 D7
Pinotepa Nacional 55 F6
Pinsk 217 I6
Pinsk 227 F1
Pinsk 296 B1
Pinsk, marismas 213 D6
Pinta, isla 132 A6
Pintados 138 A1
Piombino 223 C7
Pionerski 226 C6
Piotrków Trybunalaki 221 C7
Pipérion, isla 225 F5
Piquiri, río 134 E4
Piracambu, sierra 133 G3
Piracicaba 134 E4, 139 I2
Piraí do Sul 139 H3
Piraju 139 H2
Pirapora 133 G6, 134 F3
Pirara 137 D9
Pirassununga 139 I2
Pirin, región 225 E4
Pirineos, montes 212 E3
Pirineos, montes 219 F7
Pirineos, montes 222 E1
Pirineos, montes 258 A4
Pirineos,montes 252 A2
Piripiri 133 H3
Pirmasens 219 C9
Pirmasens 220 D2
Pirot 224 D4
Pirrea 136 B2
Piru 303 E6
Pisa 223 C6
Pisagua 132 C6 134 B3, 138 A1
Pisco 132 B5, 134 A2
Pisco, bahía 132 B5, 134 A2
Písek 221 D5
Pisek 224 A1
Pistoia 223 B7
Pitanga 139 G3
Pitcairn, isla 307 E9, 309 E9
Pitcairn, isla 317 C9
Pitcairn, islas 307 E9, 309 E9
Pitcairn, islas 317 C9
Pite, río 216 C4
Piteå 216 C4
Pitesti 224 C5
Piti 312 B1
Pitkjaranta 226 D2
Pitt, isla 312 F4
Pittsburgh 47 E5, 51 I3, 53 C7
Piura 132 A4
Pjalma 226 C3
Placetas 56 C3
Planeta Rica 131 I6
Plasencia 222 B3
Plast 227 E6
Plato 136 B3
Plato 57 F5
Platte, isla 265 E9
Platte, isla 291 H1
Platte, isla 293 H1
Platte, río 45 E4, 51 I1, 53 C5
Plauen 220 C4
Plavsk 227 F3
Playa Azul 55 E5
Playa del Carmen 55 D9
Playa Vicente 55 E7
Playas 136 F1
Plenty, bahía 313 F5
Pleseck 226 C3
Pleven 224 D5
Pljevlja 224 D3
Ploca, cabo 223 C8
Ploca, cabo 224 D1
Ploce 223 C9
Ploce 224 D2
Plock 217 I4
Plock 221 B7
Plockenstein, pico 221 E5
Plöckenstein, pico 224 A1
Ploesti 227 H1

**Q**

Quito 45 I5, 47 I5
Qujing 301 E5
Qum Köl 300 C3
Qunaytirah 295 D5
Qunaytirah 295 D6
Qungur Tagh, pico 296 F3
Qungur, pico 300 B1
Qurayyat, islas 257 A9
Quruq, montes 300 B3
Qusaybah 295 C9
Qytet Stalin 225 E3


## R


R'azan' 296 C2
Ra's an-Naqb 295 F6
Ra's Ba'labakk 295 C7
Ra's, pico 295 D5
Rab, isla 224 C1
Raba 303 F5
Rába, río 221 F6
Rába, río 223 A9
Rába, río 224 B2
Rabat 212 F2
Rabat 214 F2
Rabat 252 B2
Rabat 254 B2
Rabat 256 B4
Rabat 258 C3
Rabaul 306 C4, 308 C4
Rabaul 312 A4
Rabaul 314 E3
Race, cabo 44 D6, 46 D6, 51 G6
Rach Gia 302 C2
Radauti 224 A5
Radom 215 D5
Radom 221 C8
Radom 296 B1
Radstadt 221 E5
Raeside, lago 310 D2
Rafaela 135 C5, 138 D5
Raga 261 G2
Raga 263 B5
Ragaing, montes 299 C8
Ragaing, montes 302 A1
Ragaing, región 291 F4
Ragusa 223 F8
Ragusa 225 G1
Raiatea, isla 317 B7
Raigarh 300 E1
Rainier, monte 49 H4, 52 B2
Rainier, pico 45 D2
Raippaluoto, isla 216 D4
Raipur 299 C7
Raipur 300 E1
Raivavae, isla 317 C7
Rajahmundry 293 F3
Rajahmundry 299 D7
Rajahmundry 300 F1
Rajang, río 302 D4
Rajcihinsk 301 A8
Rajkot 299 C5
Rajshahi 299 C8
Rajshahi 300 E2
Rakahanga, isla 315 F9
Rakahanga, isla 317 A5
Raleigh 53 D7
Ralik, islas 307 B5, 309 B5
Ralik, islas 315 D5
Rama 131 E4
Ramala 295 D6
Rambi, isla 313 E6
Rambre, isla 300 F3
Ramla 295 D6
Ramos 55 D5
Rampur 300 D1
Ramu, río 312 A3
Rancagua 135 B6, 138 A6
Ranchi 299 C7
Ranchi 300 E2
Randers 217 G2
Rangiroa, isla 317 B7
Rangún 291 G4
Rangún 293 G4
Rangún 299 D9
Rangún 302 A1
Rankin Inlet 51 E1
Rantauprapat 302 D1
Rantekombola, pico 303 E5
Raoul, isla 316 D3
Rapa, isla 317 C7
Rapa, punta 139 H4
Rapallo 223 B6
Rapel, río 138 A6
Rapid City 49 I6, 52 B4
Rarotonga, isla 317 C6
Ras Dashen, pico 252 D5
Ras Dashen, pico 261 G4
Ras Dashen, pico 263 A7
Ras Duqm 298 D3
Rasayya 295 C6
Rasht 215 E9
Rasht 254 B6
Rasht 260 B5
Rasht 292 D2
Rasht 296 E1
Rasht 298 A3
Rason, lago 310 D3
Rasu, monte 223 D6
Ratak, islas 307 B5, 309 B5
Ratak, islas 315 D5
Raudales 130 B2
Rauma 217 E4
Rauma, río 217 D2
Raurkela 299 C7
Raurkela 300 E2
Ravena 223 B7
Rawalpindi 291 E3
Rawalpindi 293 E3
Rawalpindi 299 A6
Rawalpindi 300 C1
Rawson 129 C7, 135 C7
Raya, monte 291 H5
Raya, pico 302 E4
Rayaq 295 C6
Razgrad 224 D5
Ré, isla 219 D6
Reading 218 E4
Reading 219 B6
Real, cordillera 132 A3, 136 F2
Reao, isla 317 B8
Rebecca, lago 310 D2
Reboly 226 C2
Rebun, isla 304 B5
Recherche, archipiélago 310 E3
Recho Taung, pico 291 G4
Recica 227 F2
Recife 126 F4, 128 F4, 133 I4
Recife, cabo 265 E4
Recklinghausen 220 C2
Reconquista 139 D4
Red Deer 49 G5, 52 A3
Red of the North, río 51 H1, 53 B5
Red, río 45 F4, 53 E5, 55 A8
Redcliffe 311 C7
Redon 219 D6
Ree, lago 218 D2
Refaniye 294 E2
Regensburg 220 D4
Reggane 254 C2
Reggane 257 D6
Reggane 258 A4
Reggio di Calabria 215 F5
Reggio di Calabria 223 E9
Reggio di Calabria 225 G1
Reggio di Calabria 258 B6
Reggio nell'Emilia 223 B7
Reghin 227 G1
Regina 47 D3, 49 H6, 52 A4
Regocijo 54 D4
Rehovot 295 D6
Reichenhall 223 A7
Reigate 218 E4
Reigate 219 B7
Reims 214 D4
Reims 219 C8
Reims 220 D1
Reina Adelaida, archipiélago
135 B9
Reina Carlota, bahía 49 G4
Reina Carlota, estrecho 49 G4
Reina Carlota, islas 44 D2,
46 D2, 49 F3
Reina Elizabeth, islas 48 C6
Reina Isabel, islas 44 B4
Reina Isabel, islas 46 B3, 50 C1
Reina Maud, golfo 51 D1
Reinosa 222 C1
Remanso 133 H4, 134 F1
Remiremont 219 C9
Remiremont 220 E2
Remscheid 220 C2
Renano,,macizo 212 D4
Rendova, isla 313 B5
Rendsburg 220 A3
Rengat 302 D2
Rennell, isla 311 A9
Rennell, isla 314 F4
Rennell, isla 316 A1
Rennes 214 D3
Rennes 219 C6
Renick, glaciar 141 F6
Reno 49 I4, 52 C2
Reno 309 A9
Reno, río 223 B7
Renos, lago 44 D3, 49 F6, 51 F1
Reo 303 F5
Repede, río 221 E9
Republican, río 53 C5
Repulse Bay 46 C4, 51 E2
Requena 132 B4
Resistencia 129 D6, 134 D4, 139 E3
Resita 224 C4
Resolute Bay 50 C1
Resolution, isla 51 E4
Réthymnon 225 H5
Retondo, monte 223 C6
Reunión, isla 265 F9
Reunión, isla 291 I1
Reunión, isla 293 I1
Reus 222 E2
Reuss, río 220 F2
Reut, río 224 B6
Reutte 220 E3
Revda 226 B3
Revillagigedo, islas 45 G2,
47 G2, 54 E1
Revivim 295 E6
Revolución de Octubre, isla 290 B4
Revolución de Octubre,
isla 292 B4
Rex, monte 140 C3
Rey Guillermo, isla 50 D1
Rey, isla 131 H6, 136 B1
Rey, isla 311 F6
Rey, islas 306 F3, 308 F3
Reydt 220 C2
Reyhanli 294 D4
Reyhanli 295 B7
Reykjanes, cabo 216 B1
Reykjavik 44 B6, 46 B6, 50 C6
Reykjavik 212 A2
Reykjavik 214 A2
Reykjavik 216 B1
Reykjavik 290 A2
Reykjavik 292 A2
Reynosa 53 F5, 55 C6
Reza iyen, lago 260 B4
Rezaiyeh 215 F9
Rezaiyeh 298 A2
Rezekne 217 G6
Rezekne 227 E2
Rhein, río 219 B9
Rhein, río 220 B2
Rhein, río 220 E2
Rhein, río 220 F3
Rheine 219 A9
Rheine 220 B2
Rheinland-Pfalz 220 D2
Rhin, río 219 C9
Rhin, río 220 D2
Rhine, río 223 A6
Rhode Island, estado 53 C8
Rhondda 218 E3
Rhondda 219 B6
Rhone, río 219 D9
Rhône, río 220 F1
Rhone, río 220 F2
Rhone, río 223 A5
Rhône, río 258 A5
Ri'shon Leziyon 295 D6
Riad 252 C6
Riad 254 C6
Riad 261 D5
Riaño 222 C1
Riau, islas 291 H5
Riau, islas 293 H5
Riau, islas 302 D2
Riazan 215 C7
Ribadeo 222 B1
Ribe 217 H1
Ribeira, río 139 H3
Ribeirão Prêto 129 D5, 133 G6,
134 E3, 139 I1
Riberalta 132 D4, 134 B1
Richmond 53 C8
Riesa 221 C5
Rieti 223 C7
Rif, montes 212 F2
Rif, montes 252 B2
Rif, montes 257 B5
Rif, montes 258 C3
Rifstangi, cabo 216 A2
Rift Valley, región 263 C6
Riga 213 C6
Riga 215 C6
Riga 217 G5
Riga 227 E1
Riga 290 B2
Riga 292 B2
Riga 296 B1
Riga, golfo 213 C6
Riga, golfo 217 G5
Riihimäki 217 E5
Riiser-Larsen,
barrera de hielo 140 D1
Riiser-Larsen, península 141 G1
Rijeka 215 E5
Rijeka 223 B8
Rijeka 224 C1
Rijeka 258 A6
Rikitea 307 D8, 309 D8
Rikitea 317 C9
Rila, región 225 E4
Rimatara, isla 317 C6
Rimini 223 B7
Rîmnicu Vîlcea 224 C5
Rimouski 51 H4, 53 A8
Rin, río 212 D4
Rin, río 214 D4
Rin, río 252 A3
Rin, río 290 B1
Rincón de Pereyra 139 F5
Rincón, cerro 138 B2
Ringkøbing 217 G1
Ringvassøy, isla 216 A4
Rinja, isla 303 F5
Rinjani, pico 302 F4
Rio Branco 139 F5
Río Bravo del Norte, río 54 A4,
55 B5
Río Bravo, río 45 G3, 47 F3
Rio Claro 134 E3, 139 I2
Río Colorado 135 C6
Río Cuarto 135 C5, 138 C5
Rio de Janeiro 127 E5, 129 E5,
134 F4
Río de la Plata, estuario 127 D7,
129 D6, 135 D6, 139 E6
Río Diablo 136 B2
Rio do Sul 139 H4
Río Gallegos 129 C8, 135 B9
Rio Grande 127 D6, 129 D6, 131 F4,
135 E5, 135 C9, 138 B1, 139 G5
Rio Grande do Norte, región 133 I4
Rio Grande do Sul, región 135 D5
Río Grande, río 45 F3, 47 F3,
52 D3, 54 A3, B4, 55 C6
Río Hato 131 G6
Río Lagartos 55 D9
Río Mulatos 138 B1
Río Negro 139 H3
Río Negro, embalse 135 D5,
139 E5
Rio Verde 133 F6, 134 E3
Riobamba 132 A3, 136 F2
Riohacha 132 B1, 136 A4
Riohacha 57 F5
Rioni, río 294 F1
Riosucio 131 I6, 136 B2
Ripoll 222 E1
Ripon 218 D4
Risiri, isla 304 B5
Ritidian, punta 312 A2
Ritter, monte 52 C2
Rivadavia 138 A4
Rivas 131 E4
Rivas 56 F1
Rivera 135 D5, 139 F5
Riverside 52 D2
Rivoli 223 B5
Riyad 291 E1
Riyad 293 E1
Riyad 298 C2
Rize 227 I3
Rize 294 F1
Rizokárpason 295 B6
Rizzuto, cabo 223 E9
Rizzuto, cabo 225 F2
Rjazan 227 E3
Rjazsk 227 F3
Road Town 57 D8
Roanne 219 D8
Roanoke 53 D7
Roatán 131 E2
Roatán 56 D1
Robalo 131 F5
Roboré 133 E6, 134 C3
Robson, monte 49 G5, 52 A3
Roca Partida, isla 54 E2
Roca Partida, punta 55 E7
Roca, cabo 212 E1
Roca, cabo 222 A3
Roca, cabo 252 B2
Roca, cabo 254 B2
Roca, cabo 258 B3
Roçadas 262 F3
Roçadas 264 B3
Rocas Alijos, islas 54 C1
Rocas, atolón 133 I3
Rocegda 226 C4
Rocha 135 D6, 139 F6
Rochefort 219 E6
Rochefort 220 D1
Rochester 51 I3, 53 C7
Rock Springs 49 I5, 52 C3
Rockall, isla 214 B2
Rockefeller, meseta 140 D5
Rockford 51 I2, 53 C6
Rockhampton 306 D4, 308 D4
Rockhampton 311 C7
Rockingham 310 E1
Ródano, río 212 E4
Ródano, río 214 E3
Ródano, río 219 E8
Ródano, río 222 F1
Rodas, isla 213 F6
Rodas, isla 215 F6
Rodas, isla 252 B4
Rodas, isla 254 B4
Rodas, isla 260 C2
Rodas, isla 290 D1
Rodas, isla 292 D1
Rodas, isla 294 A3
Rodez 219 E8
Rodolfo, lago 253 E5
Rodolfo, lago 255 E5
Rodolfo, lago 261 H4
Ródope, montes 213 E6
Rodopi, montes 225 E5
Ródos 225 H6
Ródos 294 A3
Ródos, isla 225 H6
Rodríguez, isla 265 F9
Rodríguez, isla 291 I2
Rodríguez, isla 293 I2
Rogoaguado, lago 132 D5, 134 B2
Rojas Silva 139 E2
Rojo, cabo 55 D6
Rojo, mar 252 C5
Rojo, mar 254 C5
Rojo, mar 261 E3
Rojo, mar 291 E1
Rojo, mar 293 E1
Rojo, mar 298 C1
Rolândia 139 G2
Roma 213 E4
Roma 215 E4
Roma 223 C7
Roma 252 B3
Roma 254 B3
Roma 258 B6
Roma 290 B1
Roma 292 B1
Roma 311 C7
Roman 224 B5
Romang, isla 303 F6
Romanzof,cabo 48 C2
Roncador, sierra 133 F5, 134 D1
Ronda 222 C4
Rondônia 132 D4, 134 C1
Rondônia, región 132 D5, 134 C1
Rondonópolis 133 F5, 134 D2
Rongelap, isla 315 D5
Rønne 217 H3
Ronne 221 A5
Ronne, barrera de hielo 140 C3
Ronuro, río 133 F5, 134 D2
Roosevelt, isla 141 E5
Roosevelt, río 133 E4, 134 C1
Roper River 310 A4
Roper, río 310 A4
Roraima, monte 126 C3, 133 E2,
137 C9
Roraima, región 132 D2, 137 D8
Rosa, monte 223 A6
Rosario 129 C6, 133 G3, 134 D4,
135 C5, 138 D5, 139 E2
Rosario 54 C2, 54 D4
Rosario de la Frontera 134 C4,
138 C3
Rosario, bahía 54 A1
Rosarito 54 B1
Rosas 136 D2
Rosas, golfo 222 F1
Roscommon 218 D1
Roseau 57 D9
Roskilde 217 H2
Roslavl 227 F2
Ross, barrera de hielo 141 E5
Ross, isla 140 B2, 141 E5
Ross, mar 141 E6
Rossano 223 D9
Rossano 225 F2
Rossel, isla 311 A8
Rossel, isla 313 C5
Rosso 259 F1
Rossos 227 G3
Røssvatn, lago 216 C3
Rostock 215 C5
Rostock 217 I2
Rostock 220 A4
Rostock 296 A1
Rostov 213 D8
Rostov 215 D8
Rostov 227 E3
Rostov 254 A5
Rostov 260 A3
Rostov 290 C2
Rostov 292 C2
Rostov-na-Donu 227 G3
Rostov-na-Donu 296 D1
Roswell 52 D4, 54 A4
Rota 222 B4
Rota, isla 303 B9
Rota, isla 314 C2
Roti 303 F5
Roti 310 A2
Roti, isla 291 H6
Roti, isla 293 H6
Rotondo, monte 219 F5
Rotorua 312 E3
Rotterdam 214 D4
Rotterdam 219 B8
Rotterdam 220 B1
Rotuma, isla 315 F6
Rotuma, isla 316 A3
Roubaix 219 B8
Rouen 214 D3
Rouen 219 C7
Rouen 219 F5
Round, monte 311 D7
Rouyn 51 H3, 53 B7
Rovaniemi 215 A6
Rovereto 223 A7
Rovigo 223 B7
Rovno 215 D6
Rovno 227 F1
Rovno 296 C1
Rovuma, río 263 E6
Rowley, bajos 310 B1
Roxas 303 C5
Royan 219 E6
Rozewie, cabo 221 A7
Roznava 221 E8
Roznava 224 A3
Roztocze, región 221 C9
Rtiscevo 227 F4
Ruapehu, monte 307 F5
Ruapehu, monte 312 E3
Ruapehu, monte 316 E3
Rub-al-Khali, región 291 F1
Rub-al-Khali, región 298 C2
Rubcovsk 292 D3
Rubcovsk 296 E4
Ruda Slaska 221 D7
Rudnyi 296 D3
Rudohorie, montes 224 A3
Ruen, pico 225 E4
Rufiji, río 253 F5
Rufiji, río 255 F5
Rufiji, río 263 E7
Rufino 135 C6, 138 D6
Rufisque 259 F1
Rugao 301 D8
Rugby 218 E4
Rugby 219 A6
Rügen, isla 213 C5
Rügen, isla 217 H2
Rügen, isla 221 A5
Ruhr, río 219 B9
Ruivo, pico 256 B1
Ruiz, nevado 136 C3
Ruki, río 253 E4
Ruki, río 255 E4
Rukwa, lago 253 F5
Rukwa, lago 255 F5
Rukwa,lago 263 E6
Rum, cayo 57 B5
Rum, isla 218 B2
Ruma 224 C3
Rumbek 261 H2
Rumbek 263 B5
Rumoi 304 C5
Rungwe, pico 263 E6
Runn, lago 217 E3
Runtu 262 F4
Runtu 264 B4
Rupununi, río 137 D9
Rurrenabaque 132 C5
Rurrenabaque 134 B2
Rurutu, isla 317 C7
Rusanovo 226 A5
Rusanovo 226 C1
Ruse 215 E6
Ruse 224 D5
Ruse 227 H1
Ruse 260 A2
Russell, islas 313 B6
Rutenia, región 224 A4
Ruvuma, río 253 F5
Ruvuma, río 255 F5
Ruvuma, río 263 E7
Ruvuma, río 265 A6
Ruvuma, río 265 A7
Ruwenzori, monte 261 I2
Ruwenzori, pico 253 E5
Ruwenzori, pico 263 C5
Ruzajevka 227 F4
Ruzomberok 221 D7
Ruzomberok 224 A3
Rybacij, península 216 A6
Rybacje 300 B1
Rybinsk 215 B7
Rybinsk 227 D3
Rybinsk, embalse 213 B7
Rybinsk, embalse 215 B7
Rybinskoje, lago 227 D3
Rybnica 224 B6
Rybnik 221 D7
Rysy, pico 221 D7
Rysy, pico 224 A3
Ryukyu, islas 291 E6
Ryukyu, islas 293 E6
Ryukyu, islas 301 D9
Ryukyu, islas 306 A2, 308 A2
Rzeszów 215 D6
Rzészów 221 D8
Rzev 227 E3
Rzev 296 C2


## S


Sa'dah 293 F1
Sa'ib al-Banat, pico 260 D3
Sa'ib al-Wallig, río 295 D8
Sa'idpur 300 E3
Saale, río 220 C4
Saarbrücken 219 C9
Saarbrücken 220 D2
Saaremaa, isla 213 C6
Saaremaa, isla 217 F5
Saaremaa, isla 226 D1
Saaremaa, isla 296 B2
Saarlouis 219 C9
Sab Biyar 295 C7
Saba, isla 57 D8

Stralsund 217 H2
Stralsund 221 A5
Stranca, montes 225 E6
Stranraer 218 D3
Strasbourg 219 C9
Strasbourg 220 E2
Strickland, río 303 E9
Strickland, río 312 B2
Strofádes, islas 225 G3
Stromboli, isla 223 E8
Stromboli, isla 225 F1
Stronsay, isla 218 A3
Struma, río 225 E4
Strumica 225 E4
Stry 227 G1
Stryj 224 A4
Stryj, río 221 D9
Stryj, río 224 A4
Strymon, río 225 E4
Stupino 227 E3
Sturt, desierto 311 D5
Stuttgart 214 D4
Stuttgart 220 E3
Su-ao Iriomote 301 E8
Subarkuduk 227 G6
Subarsi 227 G6
Subotica 221 F7
Subotica 224 C3
Suceava 224 B5
Süchabaatar 301 A5
Suchbaatar 297 E6
Suchumi 296 D1
Sucre 127 C5, 129 C5, 132 D6, 134 C3
Sucuaro 137 D5
Sucunduri, río 133 E3, 134 D1
Sudán, región 252 D2
Sudbury 47 E5, 51 H3, 53 B7
Suddie 137 C9
Sudeste, cabo 311 F6
Sudetes, región 213 D5
Sudirman, montes 303 E8
Sudoeste, cabo 312 F1
Sueca 222 E3
Suez 260 D3
Suez 292 D1
Suez, canal 252 C5
Suez, canal 254 C5
Suez, canal 290 D1
Suez, golfo 260 D3
Suezz 254 C5
Sufuq 295 B9
Suhinici 227 F3
Suhl 220 C4
Suhumi 227 I3
Suhumi 260 A4
Sui, río 261 H2
Sui, río 263 B5
Suifenhe 301 A8
Sujona, río 213 B7
Sujumi 215 E8
Sukabumi 302 F3
Sukaraja 302 E3
Sukkertoppen 50 D4
Sukkhur 293 E2
Sukkhur 299 B5
Sukkozero 226 C3
Sula, islas 303 E6
Sulabesi, isla 303 E6
Sulca 226 C4
Sulitjelma, pico 216 B4
Sullana 132 A4
Sultan, montes 294 C3
Sulu, archipiélago 291 G6
Sulu, archipiélago 293 G6
Sulu, archipiélago 303 D5
Sulu, mar 291 G6
Sulu, mar 293 G6
Sulu, mar 303 C5
Suluk 295 B8
Sulzberger, bahía 140 D5
Sulzberger, barrera de hielo 140 D5
Sumarroa 138 C4
Sumatra, isla 291 H4
Sumatra, isla 293 H4
Sumatra, isla 299 E9
Sumatra, isla 302 D1
Sumatra, isla 306 C1, 308 C1
Sumaúma 133 E4, 134 C1
Sumava, región 221 D5
Sumava, región 224 A1
Sumba, isla 291 H6
Sumba, isla 293 H6
Sumba, isla 303 F5
Sumba, isla 306 D2, 308 D2
Sumba, isla 310 A1
Sumbawa 303 F4
Sumbawa, isla 291 H5
Sumbawa, isla 293 H5
Sumbawa, isla 303 F4
Sumbawa, isla 310 A1
Sumburgh, cabo 218 A4
Sumen 215 E6
Sumen 224 D5
Sumerlja 227 E4
Sumgait 215 E9

Sumgait 227 I5
Sumisu, isla 305 I5
Sumisu-Jima, isla 314 A1
Sumy 215 D7
Sumy 227 F2
Sumy 296 C1
Sunda Kecil, islas 303 F5
Sunda, estrecho 302 E2
Sunderland 218 D4
Sündiken, montes 294 C2
Sundsvall 215 B5
Sundsvall 217 E4
Sundsvall 296 A2
Sungch'on 304 D2
Súnion, cabo 225 G4
Suntar-Hajata, montes 290 C5
Suntar-Hajata, montes 297 C8
Sunyani 259 H3
Suojarvi 226 C3
Suomenselkä, región 213 B6
Suomenselkä, región 216 D5
Superior 51 H2, 53 B5
Superior, lago 45 E4, 47 E4, 51 H2, 53 B6
Suphan Buri 299 D9
Suphan Buri 302 B2
Supiori, isla 303 E8
Supung, lago 304 B1
Supung, río 304 B1
Sur 295 D5
Sur 295 D6
Sur 298 C4
Sur, isla 307 F5, 309 F5
Sur, isla 312 E2
Sur, isla 316 F2
Sur, meseta 212 E2
Sura, isla 261 G5
Sura, cabo 263 A8
Sura, río 213 C8
Surabaja 293 H5
Surabaja 302 F4
Surabaja 306 C1, 308 C1
Surakarta 302 F3
Suran 295 B7
Surat 293 F2
Surat 299 C6
Surat Thani 293 G4
Surat Thani 299 F9
Surat Thani 302 C1
Surgut 292 C3
Surgut 296 D4
Surigao 303 C6
Surin 302 B2
Suripa, río 137 B5
Sursk 227 F4
Surt 254 C3
Surt 258 C6
Surt, golfo 260 D1
Surtsey, isla 216 B1
Susa 214 F4
Susa 219 E9
Susah 223 F6
Susah 257 A9
Susah 258 C5
Susques 138 B2
Sussah 295 C9
Sussex 219 B7
Sussex, región 218 E4
Susuman 297 C8
Susupe 306 B3, 308 B3
Sutlej, río 291 E3
Suva 307 D6, 309 D6
Suva 313 F5
Suva 316 B3
Suwafki 217 I5
Suwalki 221 A8
Suwanose, isla 305 I1
Suwarrow, isla 317 B5
Suzhou 301 D8
Suzu, cabo 305 F4
Svalbard, islas 44 A5, 46 A5
Svalbard, islas 290 A3
Svalbard, islas 292 A3
Svalbard, islas 296 A4
Svatovo 227 G3
Svealand, región 213 B5
Svealand, región 217 F3
Svendborg 220 A4
Sverdlovsk 296 D3
Sverdrup, islas 44 B4, 46 B4, 50 C1
Svetlaja 301 A9
Svetlogorsk 227 F2
Svitavy 221 D6
Svitavy 224 A2
Svobodnyj 292 D5
Svobodnyj 297 E8
Swain, arrecife 311 C7
Swakop, río 264 C3
Swakopmund 255 G3
Swakopmund 264 C3
Swallow, isla 315 F5
Swallow, isla 316 A1
Swan Hill 311 E6
Swan/Cisne, islas 131 F2

Swan/Cisne, islas 56 D2
Swansea 218 E3
Swansea 219 B6
Swidwin 221 A6
Swiebodzin 221 B5
Swindon 218 E4
Swindon 219 B6
Sydarja, río 260 A6
Sydney 51 H5
Sydney, isla 315 F7
Syktyvkar 215 B8
Syktyvkar 225 C5
Syktyvkar 296 C3
Sylt, isla 220 A3
Sym 297 D5
Syme, isla 225 H6
Syr Daria, río 290 D2
Syr Daria, río 292 D2
Syr Daria, golfo 213 D7
Syracuse 51 I4
Syrna, isla 225 H6
Syros, isla 225 G5
Syzran 227 F5
Syzran 292 C2
Syzran' 296 D2
Szamos, río 221 E9
Szamos, río 224 B4
Szamotuly 221 B6
Szczecin 215 C5
Szczecin 217 I3
Szczecin 221 B5
Szczecin 296 B1
Szczecinek 217 I3
Szczecinek 221 A6
Szeged 215 E5
Szeged 221 F8
Szeged 224 C3
Székesfehérvár 223 A9
Székesfehérvár 224 B2
Szekszárd 221 F7
Szekszárd 223 A9
Szekszárd 224 C2
Szolnok 221 E8
Szolnok 224 B3
Szombathely 215 D5
Szombathely 221 E6
Szombathely 223 A9
Szombathely 224 B2

# T

T'ai-Nan 293 F5
T'ai-tung 301 E8
T'umen' 292 C3
T'umen' 296 D3
Tabajuro 137 A5
Tabar, islas 312 A4
Tabargah 223 F6
Tabarqah 257 A8
Tabas 260 C6
Tabas 296 F1
Tabas 298 C4
Tabasco, estado 55 E8
Tabatinga, sierra 137 E8
Tabelbala 257 C5
Tabernes de Valldigna 222 E3
Tablas, isla 303 B5
Tableland 310 B3
Taboca 137 F8
Tábor 221 D5
Tábor 224 A1
Tabora 255 F5
Tabora 263 D6
Tabriz 213 E9
Tabriz 215 E9
Tabriz 254 B6
Tabriz 260 B4
Tabriz 292 D1
Tabriz 296 E1
Tabriz 298 A2
Tabuk 260 D3
Tabuk 298 B1
Tachira 136 B4
Tacloban 303 C6
Tacloban 306 B2, 308 B2
Tacna 132 C6, 134 B3
Tacoma 49 H4, 52 B2
Tacora, pico 132 C6, 134 B3
Tacuarembó 135 D5, 139 F5
Tacupita 132 D1
Tacutu, río 137 D9
Tademaït, meseta 252 C2
Tademaït, meseta 257 D7
Tademaït, meseta 258 D4
Tadia, ciénaga 131 I6
Tadine 313 D7
Tadjoura 263 A7
Tadjoura 298 D1
Tadmur 295 C8
Tadmur 298 E4
Taebaek, montes 304 C2
Taebaek, montes 305 F1
Taedong, río 304 B2

Taegu 297 F9
Taegu 301 C9
Taegu 304 D2
Taegu 305 G1
Taegu 306 A2, 308 A2
Taejon 297 F8
Taejon 301 C8
Taejon 304 D2
Tafalla 222 D1
Tafalni, cabo 256 C3
Tafassasset, desierto 257 F9
Tafassasset, río 257 E9
Tafí Viejo 138 C3
Taga 313 D8
Tagalgan 300 C4
Taganrog 215 D7
Taganrog 227 G3
Taganrog 296 D1
Taganrog, golfo 213 D7
Tagarht 259 E6
Tagbilaran 303 C6
Tagdempt 223 E5
Tagdempt 257 A6
Tagliamento, río 221 F4
Tagua 138 B1
Tagula, isla 311 A7
Tagula, isla 313 C5
Tahan, pico 291 G4
Tahat, pico 252 C3
Tahat, pico 257 E8
Tahat, pico 259 E4
Tahifet 257 E8
Tahití, isla 307 D7, 309 D7
Tahití, isla 313 E9
Tahití, isla 317 B7
Tahoua 259 F4
Tahoua 262 A1
Tahtali, montes 294 D3
Tahuna 303 D6
Tai, lago 301 D7
Tai, montes 301 C7
Taibai, pico 301 D6
Tai-chung 301 E8
Taihand, montes 301 C6
Taihe 300 B2
Taimyr, lago 297 C6
Taimyr, península 290 B4
Taimyr, península 292 B4
Taimyr, península 297 B5
Tai-nan 301 E8
Tai-nan 303 A5
Tainaron, cabo 225 H4
Tainaron, cabo 260 C1
Taiohae 307 D8, 309 D8
Taiohae 317 A8
Taipei 291 F5
Taipei 293 F5
Taipei 301 E8
Taipei 306 B2, 308 B2
Taiping 302 C1
Taitao, península 127 C8, 129 C8, 135 B8
Taiwán, estrecho 301 E8
Taiyuan 293 E5
Taiyuan 301 C6
Taiyuan 306 A2, 308 A2
Taiz 298 D2
Taizhou 301 D7
Taizz 261 G5
Taizz 263 A8
Tajo, río 212 E2
Tajo, río 214 E2
Tajo, río 222 B3
Tajo, río 252 B2
Tajo, río 258 B3
Tajsara, cordillera 138 C1
Tajset 292 D4
Tajset 297 E5
Tajumulco, pico 126 A2, 130 B3
Tajumulco, volcán 45 H4, 55 F8
Tajungbalat 302 D1
Tak 299 C9
Tak 302 A1
Taka, isla 315 D5
Takada 305 F4
Takahe, monte 140 C4
Takamatu 297 F9
Takamatu 301 C9
Takamatu 305 G3
Takaoka 305 F4
Takara, estrecho 301 D9
Takara, estrecho 305 I1
Takaroa, isla 317 B7
Takasaki 305 F4
Takengon 299 E9
Takla Makan, región 291 E3
Takla Makan, región 296 F3
Takla Makan, región 299 A6
Takla Makan,región 300 C2
Takoradi 259 H3
Talak, región 259 F4
Talara 132 A4
Talas 300 B1
Talaud, archipiélago 291 G6
Talaud, archipiélago 293 G6

Talaud, islas 303 D6
Talavera de la Reina 222 C3
Talca 129 C7, 135 B6, 138 A6
Talcahuano 135 B6
Taldy-Kurgan 296 F4
Taldy-Kurgan 300 A2
Taliabu, isla 291 H6
Taliabu, isla 293 H6
Taliabu, isla 303 E6
Taliwang 310 A1
Tall al-Abyad 294 E3
Tall al-Abyad 295 B8
Tall as-Sam'an 295 B8
Tall Bisah 295 C7
Tall Halaf 295 A9
Tall Kalah 295 C6
Tall Tamir 295 A9
Tallahassee 53 E7
Tallinn 213 C6
Tallinn 215 B6
Tallinn 217 F5
Tallinn 226 D1
Tallinn 290 B2
Tallinn 292 B2
Tallinn 296 B2
Talo, pico 261 G4
Talofofo 312 B1
Taloyoak 50 D1
Talpa de Allende 54 E4
Talul as-Safa, pico 295 D7
Tamale 255 D2
Tamale 259 G3
Tamanrasset 254 C3
Tamanrasset 257 E8
Tamanrasset 259 E4
Tamaulipas, estado 55 C6
Tamaulipas, sierra 55 D6
Tamazulapán 55 F6
Tambej 226 C2
Tambej 297 C4
Tambelan, islas 302 D3
Tambo, río 132 B5
Tambov 215 C8
Tambov 227 F4
Tambov 296 C2
Tame 136 C4
Tamel Aike 135 B8
Támesis, río 212 D3
Tamiagua, laguna 53 F5
Tamiahua 55 D6
Tamiahua, laguna 55 D6
Tamitatoala, río 133 F5, 134 D2
Tampa 128 B1
Tampa 47 F5, 53 E7, 56 A3
Tampa, bahía 56 A2
Tampere 215 B5
Tampere 217 E5
Tampere 296 B2
Tampico 45 G4, 47 G4, 53 F5, 55 D6
Tamri 256 C3
Tamsagbulag 301 A7
Tamud 261 F6
Tamud 298 D2
Tamuin, ruinas 55 D6
Tamworth 311 D7
Tan Kena 257 D9
Tana, lago 252 D5
Tana, lago 254 D5
Tana, lago 261 G4
Tana, lago 263 A7
Tana, lago 298 D1
Tana, río 216 A5
Tana, río 253 E5
Tana, río 261 I4
Tana, río 263 D7
Tanafjord, fiordo 216 A6
Tanahgrogot 302 E4
Tanahjampea, isla 303 F5
Tanahmerah 303 E8
Tanahmerah 312 B2
Tanami, desierto 310 B4
Tanana, río 44 B2, 48 D4
Tandil 135 D6
Tandou, lago 311 D6
Tanega, isla 301 D9
Tanega, isla 305 I1
Tanezruft, región 252 C2
Tanezruft, región 257 E6
Tanezruft, región 259 E3
Tang La, paso 300 E3
Tanga 255 F5
Tanga 263 D7
Tanga, islas 313 A5
Tanganyika, lago 253 F5
Tanganyika, lago 255 F5
Tanganyika, lago 263 D5
Tánger 212 F2
Tánger 214 F2
Tánger 223 B5
Tánger 254 B2
Tánger 256 A4
Tánger 258 C3
Tanglha, montes 300 D3
Tangshan 293 E5

Tangshan 297 F7
Tangshan 301 C7
Tanh Hoa 302 A3
Tanimbar, islas 303 F7
Tanimbar, islas 306 C3, 308 C3
Taninthari 299 D9
Taninthari 302 B1
TAninthari, región 302 B1
Tanjungkarang 302 E2
Tanjungkarang-Telukbetung 306 C1, 308 C1
Tanjungpandan 302 E3
Tanjungrebet 303 D4
Tanjungredeb 306 C2, 308 C2
Tanjunkarang 293 H5
Tanna, isla 316 B2
Tannu-Ola, región 297 E5
Tannu-Ola, región 290 D4
Tannu-Ola, región 300 A4
Tanta 260 D2
Tantoyuca 55 D6
Taoan 297 F8
Taoan 301 B7
Taolagnaro 255 H6
Taolagnaro 265 C8
Taormina 223 E8
Taormina 225 G1
Taoudénni 254 C2
Taoudenni 257 F5
Taoudénni 259 E3
Tapachula 130 B3
Tapachula 55 F8
Tapajós, río 126 D4, 128 D4, 133 E3
Tapaktuan 299 E9
Tapaktuan 302 D1
Tapauá, río 132 D4, 134 B1
Tapirapecó, sierra 132 D2, 137 E7
Tapti, río 299 C6
Tapuruquara 132 D3, 137 E7
Taquari Novo, río 133 E6, 134 D3
Tarabuco 132 D6, 134 C3
Tarakan 303 D4
Taran, cabo 221 A7
Taranto 223 D9
Taranto 225 F2
Taranto 258 B6
Taranto, golfo 223 D9
Taranto, golfo 225 F2
Taranto, golfo 258 B6
Tarapacá 138 A1
Tarapoto 132 B4, 134 A1
Taraquá 137 E6
Tarata 132 D6, 134 B3
Tarauacá 132 C4, 134 B1
Tarauacá, río 132 C4, 134 B1
Taravao, bahía 313 F9
Taravao, istmo 313 F9
Tarawa, isla 307 C5, 309 C5
Tarawa, isla 315 E5
Tarazona 222 D2
Tarbagataj, montes 290 D3
Tarbagataj, pico 296 F4
Tarbagataj, pico 300 A2
Tarbes 219 F7
Tarbes 222 E1
Tarcoola 306 E3, 308 E3
Tardoki-Jani, pico 297 E8
Taree 311 D7
Tarento 215 F5
Tarento, golfo 213 F5
Tarfaya 256 D2
Tarfaya, cabo 256 D2
Tarfaya, cabo 258 D2
Târgoviste 224 D5
Tariana 137 E5
Tarifa 223 B5
Tarifa, punta 212 F2
Tarifa, punta 223 C5
Tarija 132 D6, 134 C3, 138 C1
Tarim, río 291 E3
Tarim, río 293 E3
Tarim, río 296 F4
Tarim, río 300 B2
Tarko-Sale 297 D4
Tarlac 303 B5
Tarma 132 B5, 134 A2, 136 F4
Tarn, río 219 F7
Tarn, río 222 E1
Tarnobrzeg 221 C8
Tarnów 221 D8
Tarnów 224 A3
Tarragona 222 E2
Tarsus 294 D3
Tarsus 295 A6
Tartagal 134 C3, 138 C2
Tartu 217 F6
Tartu 226 D2
Tartu 296 B2
Tartus 294 D4
Tartus 295 C6
Tasauz 296 E2
Tash Qurghan 300 B1
Tashk, lago 298 B3
Tashkent 291 D3
Tashkent 293 D3
Tashkent 296 F3

380

Vohimena, cabo 265 C8
Vojvodina, región 224 C3
Voj-Voz 226 C5
Volcán 138 B2
Volcano, islas 306 B3, 308 B3
Volcano, islas 314 B1
Volcansk 227 G3
Volga, colinas 213 C8
Volga, río 213 C8
Volga, río 213 D8
Volga, río 215 C7
Volga, río 215 C8
Volga, río 215 D8
Volga, río 227 G4v
Volga, río 252 A5
Volga, río 254 A5
Volga, río 260 A4
Volga, río 290 C2
Volga, río 290 C2
Volga, río 292 D2
Volga, río 296 C2
Volga, río 296 D1
Volgesberg, pico 220 C3
Volgodonsk 227 G4
Volgograd 213 D8
Volgograd 215 D8
Volgograd 227 G4
Volgograd 296 D1
Volhov 226 D2
Volinia, región 213 D6
Voljov, río 213 C6
Volkovysk 217 I5
Volkovysk 227 F1
Vologda 215 B7
Vologda 226 D3
Vologda 292 C2
Vologda 296 C2
Volta Blanco, río 253 D2
Volta Negro, río 253 D2
Volta Negro, río 259 G3
Volta Redonda 134 F4
Volta, lago 253 E2
Volta, lago 255 E2
Volta, lago 259 H3
Volteria 223 C7
Volturino, monte 223 D9
Volturino, monte 225 F1
Volturno, río 223 D8
Volturno, río 225 E1
Volzsk 227 E5
Volzski 227 G4
Volzskij 215 D8
Volzskij 296 C2
Vopnafjördhur, fiordo 216 A2
Vordingborg 220 A4
Vorkuta 226 B6
Vorkuta 292 B3
Vorkuta 296 C4
Vorn 227 D2
Voronez 213 C7
Voronez 215 C7
Voronez 227 F3
Voronez 254 A5
Voronez 292 C2
Voronez 296 C1
Vorosilovgrad 296 D1
Vorpommern, región 221 A5
Vorterkaka, monte 141 F1
Vosges, montes 220 E2
Vosgos, montes 219 C9
Vosgos,montes 212 D4
Vostok, cabo 140 B3
Vostok, isla 317 A6
Votkinsk 227 E5
Votuporanga 139 H1
Vozajel 226 C5
Vozgora 226 C4
Voznesenja 226 D3
Voznesensk 227 G2
Vraca 224 D4
Vranica, pico 224 D2
Vranje 225 E4
Vrbas, río 223 B9
Vrbas, río 224 C2
Vrsac 224 C3
Vulcano, isla 223 E8
Vulcano, isla 225 G1
Vung Tau 302 C3
Vyborg 226 D2
Vyg, lago 213 B6
Vyg, lago 215 B6
Vyksa 227 E4
Vysni Volocek 227 E3
Vysnij Voloc'ok 296 C2
Vytegra 226 D3


# W


Waal, río 219 B9
Waal, río 220 B1
Waco 53 E5, 55 A6
Wad Madani 254 D5
Wad Madani 261 F3
Wad Madani 263 A6
Waddenzee, bahía 220 B1
Waddington, monte 49 G4, 52 A2
Wadi Halfa' 254 C5
Wadi-Halfa 261 E3
Wagga Wagga 306 E4, 308 E4
Wagga Wagga 311 E6
Wahah 260 D1
Waigama 303 E7
Waigeo, isla 303 E7
Wailuku 313 A9
Waingapu 303 F5
Waingapu 310 A1
Waini, punta 137 B9
Wainwright 297 A8
Waipahu 313 A8
Waitak, río 312 F2
Wajir 261 I4
Wajir 263 C7
Wajir 298 F1
Wakasa, bahía 305 G3
Wakayama 297 F9
Wakayama 305 G3
Wakbjir, paso 300 B1
Wake, isla 307 B5, 309 B5
Wake, isla 315 C5
Wakkanai 304 B5
Waku 312 B4
Wal, pico 221 D8
Walbrzych 215 D5
Walbrzych 221 C6
Walgett 311 D6
Walgreen, costa 140 C4
Wallaroo 306 E3, 308 E3
Wallis, islas 307 D6, 309 D6
Wallis, islas 316 B4
Walsall 218 E3
Walsall 219 A6
Walvis Bay 255 G3
Walvis Bay 264 C3
Wamba, río 262 D3
Wampusirpi 131 E3
Wanapiri 303 E8
Wandel, mar 50 A2
Wanganui 312 E3
Wangaratta 311 E6
Wanning 301 F6
Wanning 302 A3
Wanxian 301 D6
Warangal 300 F1
Warburton, río 311 D5
Wardha 300 E1
Waren 303 E8
Waren 314 E1
Warmambool 311 E5
Warrego, río 311 D6
Warta, río 213 D5
Warta, río 217 I3
Warta, río 221 B5
Warta, río 221 B6
Warzazat 256 C4
Wasatch, montes 45 E3, 49 I5, 52 C3
Washington 45 E5, 47 E5
Washington, D.C. 53 C8
Washington, estado 52 B2
Washington, monte 51 H4, 53 B8
Watampone 303 E5
Waterford 214 C3
Waterford 218 E2
Watford 218 E4
Watubela, islas 303 E7
Wau 303 F9
Wau 312 B3
Wave Hill 310 B3
Waw 255 E4
Waw 261 H2
Waw 263 B5
Waw al-Kabir 259 D6
Wé 313 C7
Weda 303 D6
Weddell, isla 135 C9
Weddell, mar 140 C2
Weifang 301 C7
Weihai 301 C8
Weimar 220 C4
Weipa 311 A5
Welkom 255 H4
Welkom 265 D5
Welland, río 218 E4
Welland, río 219 A7
Wellesley, islas 306 D3, 308 D3
Wellesley, islas 311 B5
Wellington 307 F5, 309 F5
Wellington 312 E3
Wellington 316 E2
Wellington, canal 50 C1
Wellington, isla 127 C8, 129 C8, 135 B8
Wellton 54 A1
Wels 221 E5
Wels 224 A1
Wentworth 311 E5
Wenzhou 293 E5
Wenzhou 301 E8
Wenzhou 306 A2, 308 A2
Wepi, río 261 H4
Wepi, río 263 B7
Werder 261 H5
Werder 263 B8
Werder 298 E2
Werra, río 220 C3
Weser, río 212 C4
Weser, río 217 I1
Weser, río 220 B3
Weser, río 220 C3
Wessel, islas 306 D3, 308 D3
Wessel, islas 310 A4
Wessel, islas 314 F1
West Elster, río 220 C4
West End 53 E8, 56 A4
West Palm Beach 53 E7, 56 A3
Westerwald, región 219 B9
Westerwald, región 220 C2
Westfriesische, islas 220 A2
Westport 218 D1
Westport 312 E2
Westray, isla 218 A3
Wetar, isla 291 H6
Wetar, isla 293 H6
Wetar, isla 303 F6
Wewak 303 E9
Wewak 306 C3, 308 C3
Wewak 312 A3
Wewak 314 E2
Wexford 214 C3
Wexford 218 E2
Weyb, río 261 H4
Weyb, río 263 B7
Weyb, río 298 E1
Weyburn 49 H6, 52 B4
Weymouth 218 F3
Weymouth 219 B6
Whale Cove 51 F1
Whangarei 307 E5, 309 E5
Whangarei 312 D3
Whangarei 316 D2
Whitby 218 D4
White, bahía 51 G5, 53 A9
White, lago 310 C3
White, río 53 D6
Whitehorse 46 C2, 49 E4
Whitney, monte 45 F2, 52 C2
Whyalla 311 E5
Wichabai 137 D9
Wichita 53 D5
Wichita Falls 53 D5
Wick 214 B3
Wick 218 B3
Wicklow 218 E2
Wicklow, montes 218 D2
Wieki Dzial, pico 221 C9
Wiener Neustadt 221 E6
Wieprz, río 221 C9
Wiesbaden 214 D4
Wiesbaden 220 D2
Wight, isla 218 F4
Wight, isla 219 B6
Wigtown 218 D3
Wilhelmshaven 217 I1
Wilhelmshaven 219 A9
Wilhelmshaven 220 B3
Willara, lago 311 C5
Willcox 54 A3
Willemstad 132 C1, 137 A5
Willemstad 57 F6
Willhem, monte 312 B3
Williamstown 311 E6
Willis, islas 311 B7
Wilmington 51 I4, 53 C8, 53 D8
Winchester 218 E4
Winchester 219 B6
Wind River, montes 52 B3
Windhoek 253 G4
Windhoek 255 G4
Windhoek 264 C3
Windsor 51 I3, 53 C7
Windward, islas 57 E9
Winisk, río 51 G2, 53 A6
Winnipeg 45 E4, 47 D4, 51 H1, 53 B5
Winnipeg, lago 44 D4, 46 D4, 51 G1, 53 A5
Winnipegosis, lago 49 G6, 51 G1, 53 A4
Winston-Salem 53 D7
Winterswijk 220 B2
Winterthur 220 E3
Winterthur 223 A6
Wisconsin, estado 53 B6
Wisconsin, río 51 I2
Wisla, río 217 I4
Wisla, río 221 A7
Wisla, río 221 B7
Wisla, río 221 C8
Wisla, río 224 A3
Wislok, río 224 A4
Wisloka, río 221 D8
Wismar 217 I2
Wismar 220 A4
Witsieshoek 265 D5
Wittlich 219 B9
Wkra, río 217 I4
Wkra, río 221 B7
Wloclaweck 221 B7
Wloclawek 217 I4
Wokam, isla 303 E7
Woleai, isla 314 D2
Wolf, isla 132 A6
Wolfenbüttel 220 B4
Wolfsburg 220 B4
Wolin, isla 221 A5
Wollaston, lago 44 D3, 49 F6
Wollaston, península 48 D6
Wollongong 306 E4, 308 E4
Wollongong 311 E7
Wolverhampton 218 E3
Wolverhampton 219 A6
Wonsah 297 F8
Wonsan 301 B8
Wonsan 304 B2
Wonsan 306 A2, 308 A2
Woodlark, isla 312 B4
Woodroffe, monte 310 C4
Woods, lago 45 E4, 51 H1, 53 B5
Woodville 311 E5
Worcester 51 I4, 53 B8
Worcester 218 E3
Worcester 219 A6
Worcester 264 E4
Worms 220 D3
Worthing 218 F4
Wot, isla 315 D5
Wowoni, isla 303 E5
Wrangel, isla 44 A2, 46 A2, 48 A4, 49 F4
Wrangel, isla 290 A5
Wrangel, isla 292 A5
Wrangel, isla 297 A8
Wrath, cabo 212 B3
Wrath, cabo 218 B3
Wreck, arrecife 311 C8
Wrexham 218 D3
Wrexham 219 A6
Wrightson, monte 54 A2
Wroclaw 215 D5
Wroclaw 221 C6
Wroctaw 296 B1
Wu, río 301 D6
Wuchuan 301 B6
Wuhan 291 E5
Wuhan 293 E5
Wuhan 301 D7
Wuhan 306 A2, 308 A2
Wuhu 301 D7
Wuppertal 219 B9
Wuppertal 220 C2
Würzburg 220 D3
Wutongqiao 299 B9
Wutongqiao 301 D5
Wuvulu, isla 303 E9
Wuvulu, isla 312 A3
Wuwei 301 C5
Wuxi 293 E5
Wuxi 301 D7
Wuyi Shan, montes 291 F5
Wuyi, montes 301 E7
Wuyuan 301 B6
Wuzhongbao 301 C5
Wuzhou 293 F5
Wuzhou 306 B1, 308 B1
Wyndham 293 I6
Wyndham 306 D2, 308 D2
Wyndham 310 B3
Wynyard 311 F6
Wyoming, estado 52 C3


# X


Xa-Doai 302 A3
Xai-Xai 255 H5
Xai-Xai 265 C6
Xánthe 225 E5
Xanxeré 139 G3
Xátiva 222 D3
Xauen 223 C5
Xi, río 301 E6
Xi'An 293 E5
Xi'An 301 D6
Xi'an 306 A1, 308 A1
Xiaguan 301 E4
Xiamen 293 F5
Xiangtan 293 F5
Xiangtan 301 E6
Xiannen 301 E7
Xianyang 301 D6
Xichang 301 E5
Xieng Khouang 301 F5
Xiêng Khouang 302 A2
Xiguituqi 301 A7
Xingtai 301 C6
Xingu, río 126 D4, 128 D4, 133 F3, F4, 134 E1
Xinhailian 301 C7
Xining 293 E4
Xining 299 A9
Xining 301 C5
Xinxian 301 C6
Xinxiang 301 C6
Xinyang 301 D7
Xixian 301 C6
Xochicalco, ruinas 55 E5
Xuanhua 301 B6
Xuchang 301 D6
Xuzhou 293 E5
Xuzhou 301 D7


# Y


Ya'an 293 F4
Ya'an 301 D5
Yaan 299 B9
Yablonoy, montes 290 D5
Yachengzhen 301 F6
Yachengzhen 302 A3
Yacimiento Río Turbio 135 B9
Yacuiba 132 D6, 134 C3, 138 C2
Yahyali 294 D3
Yahyali 295 A6
Yakarta 291 H5
Yakarta 293 H5
Yakarta 302 E3
Yakarta 306 C1, 308 C1
Yakima 49 H4, 52 B2
Yaku, isla 301 D9
Yaku, isla 305 I1
Yakutsk 292 C5
Yalong, río 299 A9
Yalong, río 301 E5
Yalova 225 E6
Yalowa 294 B1
Yalta 227 H2
Yalu, río 301 A7
Yalu, río 301 B8
Yalu, río 304 A2
Yamagata 297 F9
Yamagata 305 E5
Yamal, península 226 A6
Yamal, península 226 C2
Yamal, península 290 B3
Yamal, península 292 B3
Yambio 261 H2
Yambio 263 B5
Yamdena, isla 291 H6
Yamdena, isla 293 H6
Yamena 252 D3
Yamena 254 D3
Yamena 259 G6
Yamena 262 A3
Yamithin 299 C9
Yamithin 300 F4
Yamithin 302 A1
Yamma Yamma, lago 311 C5
Yamoussoukro 253 E2
Yamoussoukro 255 E2
Yamoussoukro 259 H2
Yamuna, río 299 C7
Yamuna, río 300 E1
Yanbu al-Bahr 261 E4
Yanbu al-Bahr 298 C1
Yancheng 301 D7
Yanchuan 301 C6
Yangi Hissar 300 B1
Yangjiang 301 F6
Yangjiang 302 A4
Yangor 313 D5
Yangquan 301 C6
Yangtsé, río 291 E4
Yangtsé, río 291 E5
Yangtsé, río 293 E4
Yangtsé, río 293 E5
Yangtsé, río 300 D4
Yangtsé, río 301 D6
Yangtsé, río 301 D7
Yangtsé, río 306 A1, 308 A1
Yangzhou 301 D7
Yanji 301 B8
Yanji 304 A3
Yantai 301 C7
Yap, isla 303 C8
Yap, isla 314 D1
Yapanaya 293 G3
Yapanaya 299 E7
Yapen 303 E8
Yapen, isla 314 E1
Yaqui, río 52 E3, 54 B3
Yaren 307 C5, 309 C5
Yaren 313 D5
Yaren 315 E5
Yari, río 132 B3, 136 E3, E4
Yariga, monte 305 F4
Yaritagua 137 A5
Yaritagua 57 F6
Yarkand 293 E3
Yarkand 296 F3
Yarkand 300 B1
Yarkand, río 299 A6
Yärkand, río 300 B2
Yarmouth 51 H5, 53 B9
Yaroslavl 213 C7
Yaroslavl 215 C7
Yarumal 131 I6, 136 C3
Yasanyama 261 H1
Yasawa, islas 313 E5
Yasun, cabo 294 E1
Yathata, isla 313 E6
Yaundé 253 E3
Yaundé 255 E3
Yaundé 259 H5
Yaundé 262 C2
Yavarí, río 132 C3
Yayladagi 295 B6
Yazd 260 C6
Yazd 293 E2
Yazd 298 B3
Yazdz 296 F1
Yazoo City 55 A8
Ye 299 D9
Ye 302 B1
Yebe Ansariyya, reg 295 B6
Yebel 'Aglun, pico 295 D6
Yebel Abu Rigmayn, pico 295 C8
Yebel Abu Rigmayn, región 294 E4
Yebel Ad-Duruz, pico 295 D7
Yebel Al Adiriyat, pico 295 E6
Yebel Al Batra, paso 295 F6
Yebel Al-Bisri, región 294 E4
Yebel Al-Bisri, región 295 B8
Yebel Al-Gaw'aliyat, pico 295 E7
Yebel Al-Has, pico 295 B7
Yebel Ansariyah, región 294 D4
Yebel Ar-Ruwaq, pico 295 C7
Yebel Ar-Ruwaq, región 295 E5
Yebel At- Tubayg, región 295 F7
Yebel At-Tanf, pico 295 C8
Yebel Az-Zawiyah, región 295 B7
Yebel Gab, pico 295 C8
Yebel Garbi, pico 295 B8
Yebel Lubnan 295 C7
Yebel Lubnan, pico 295 C6
Yebel Lubnari, región 295 D5
Yebel Moab, región 295 E6
Yebel Mudaysisat, pico 295 E7
Yebel Ram, paso 295 F6
Yebel Sa'r, pico 295 C7
Yebel Sammar, región 298 B1
Yebel Singar, pico 295 B9
Yebel Singar, región 294 F3
Yebel Singar, región 295 B9
Yebel Turumbah, región 295 B9
Yebel Tuwayq, región 298 C2
Yebel Unayzah,, pico 295 D8
Yebel-Sammar, región 260 D4
Yecla 222 D3
Yecora 54 B3
Yegros 139 F3
Yei 261 H3
Yei 263 C5
Yell, isla 218 A4
Yellowknife 46 C3, 49 E6
Yellowstone, río 45 E3, 49 H6, 52 B3
yeniceirmagi, río 294 D2
Yeniceirmagi, río 295 A6
Yenisei, río 290 C4
Yenisei, río 292 C4
Yeo, lago 310 D3
Yerköy 294 D2
Yerupajá, pico 132 B4
Yesca 54 D4
Yesilirmak, río 294 D1
Yeu, isla 219 D6
Yexian 301 C7
Yibin 293 F4
Yibin 299 B9
Yibin 301 E5
Yichang 301 D6
Yichun 301 A8
Yidda 254 C5
Yidda 261 E4
Yiershi 301 A7
Yilan 301 A8
Yinchuan 293 E4
Yinchuan 301 C5
Yinchuan 306 A1, 308 A1
Yingkou 297 F8
Yingkou 301 B7
Yirga Alem 261 H4
Yirga Alem 263 B7
Yirga Alem 298 E1
Yishan 301 E6
Yiyang 301 E6
Ylikitka, lago 216 C6
Yobe, río 252 D3
Yobe, río 254 D3
Yogan, pico 127 C8, 135 B9
Yogyakarta 306 D1, 308 D1
Yojoa, lago 55 F9
Yokadouma 259 H6
Yokadouma 262 C3
Yokkaiti 297 F9
Yokkaiti 305 G3
Yokohama 293 D6
Yokohama 305 G4
Yokohama 314 A1
Yokosuka 305 G5
Yola 255 E3
Yola 259 G5
Yola 262 B2
Yom, río 300 F4
Yom, río 302 A2
Yona 312 B1
Yonezawa 305 F5

**Gran Atlas Universal**
© 2004, Editorial Sol 90, S.L., Barcelona (España).
Todos los derechos reservados.
ISBN: 84–96412–00–8
Depósito Legal: B–39.596–2004

**Autor** Editorial Sol 90
**Dirección editorial** Ricard Regàs
**Diseño** Nicolás Palmisano
**Diagramación** Susana Ribot, Pati Prats, Bwokaa, Renata Lucena
**Redacción** María José Gómez, Teresa Mas, Inés Gándara, Gonzalo Del Castillo, Joan Soriano, Pep Costa
**Cartografía** Pedro Monzo
**Textos** Jordi Llorens (Coordinación), Marta Maneu (Geografía y Demografía), Juan Carlos Bernal y
Ana Garrido (Economía), Ernest Ferreres, Jaume Cortada, Montserrat Pantaleón (Historia),
Luis Ignacio López (Países) y Miguel Ángel García Lucas (Temas Científicos)
**Gráficos** Laurence D'Hond
**Ilustraciones** Marcel Socías
**Fotos** AISA, AGE Fotostock, NASA (las imágenes satelitales que incluyen la firma "Foto NASA"
son cortesía del Laboratorio de Ciencias de la Tierra y Análisis de Imagen de la NASA)
**Edición** Antonio Carrero, Luis I. López
**Edición de temas históricos** Jordi Llorens
**Corrección** Alberto Yriart
**Adaptación de contenidos para la presente edición:** Darío Gastello
**Estadísticas de Agricultura y Alimentación** FAO
**Concepción de la obra** Daniel Gimeno
**Producción editorial** Marisa Vivas, Montse Martínez, Xavier Dalfó
**Fotomecánica** Rovira Digital y Colornet